Suisse
Schweiz
Svizzera

  **le guide**
MICHELIN
2014

HOTELS & RESTAURANTS

→ Sommaire
→ Inhaltsverzeichnis
→ Sommario
→ Contents

Mode d'emploi

INFORMATIONS TOURISTIQUES

Distances depuis les villes principales,
offices de tourisme, sites touristiques locaux,
moyens de transports,
golfs et loisirs...

CORTAILLOD – 2016 Neuchâtel (NE) – 552 F17 – 4
- Bern 58 – Neuchâtel 9 – Biel 44 – La Chaux-de-Fo
- Cortaillod Tourisme, rue Grande, ℰ 032 812 34 56,
- Panorama autour du lac A1D – Neuchâtel

Le Galion N
à Petit Cortaillod – ℰ 032 843 44 35 – www.
– Fermé 18 décembre - 8 janvier
22 ch ⌂ – ¶110/130 CHF ¶¶180/230 CHF –
Rest – (fermé dimanche) (16 CHF) Menu
Au plus près de la nature, entre lac et vign
décorées, pour des nuitées sans remous
et spécialités du lac. Cuvée maison pro

La Retraite !
18 r. Chanélaz – ℰ 032 844 22 34 – w
– Fermé 22 décembre - 8 janvier e
25 ch ⌂ – ¶75/100 CHF ¶¶160/19
Rest – (17 CHF) Menu 49/89 CHF –
Hôtellerie familiale établie dans
Ses deux chalets renferment d
taurant apprécié pour son con

La Pomme de Pin
14 av. François-Borel – ℰ 03
Fermé dimanche et lundi
Rest – (fermé Noël et Nou
Table entièrement rénove
tisme : perches, homards
pice à la détente.

COSSONAY – 1304 Vaud (VI
- Bern 107 – Lausan

Le Petit Compto
22 r. du Temple – ℰ
– Fermé 24 décem
Rest – Menu 80 C
Ancienne maiso
mobilier Louis X
Du plaisir pour
→ Pressée de t
Mille-feuille d

COURGENAY – 29
- Bern 92 –

Terminu
2 r. de la
– Fermé

NOUVEL ÉTABLISSEMENT DANS LE GUIDE

L'HÉBERGEMENT

De 🏨 à 🏠 :
catégories de confort.
En rouge 🏨 ... 🏠 :
les plus agréables.

LES MEILLEURES ADRESSES À PETITS PRIX

- 🏠 Bib Hôtel.
- 😊 Bib Gourmand.

LES RESTAURANTS

De 𝕏𝕏𝕏𝕏𝕏 à 𝕏 : catégories de confort.
En rouge 𝕏𝕏𝕏𝕏𝕏 ... 𝕏 : les plus agréables.

LES TABLES ÉTOILÉES

- ✿✿✿ Vaut le voyage.
- ✿✿ Mérite un détour.
- ✿ Très bonne cuisine.

4

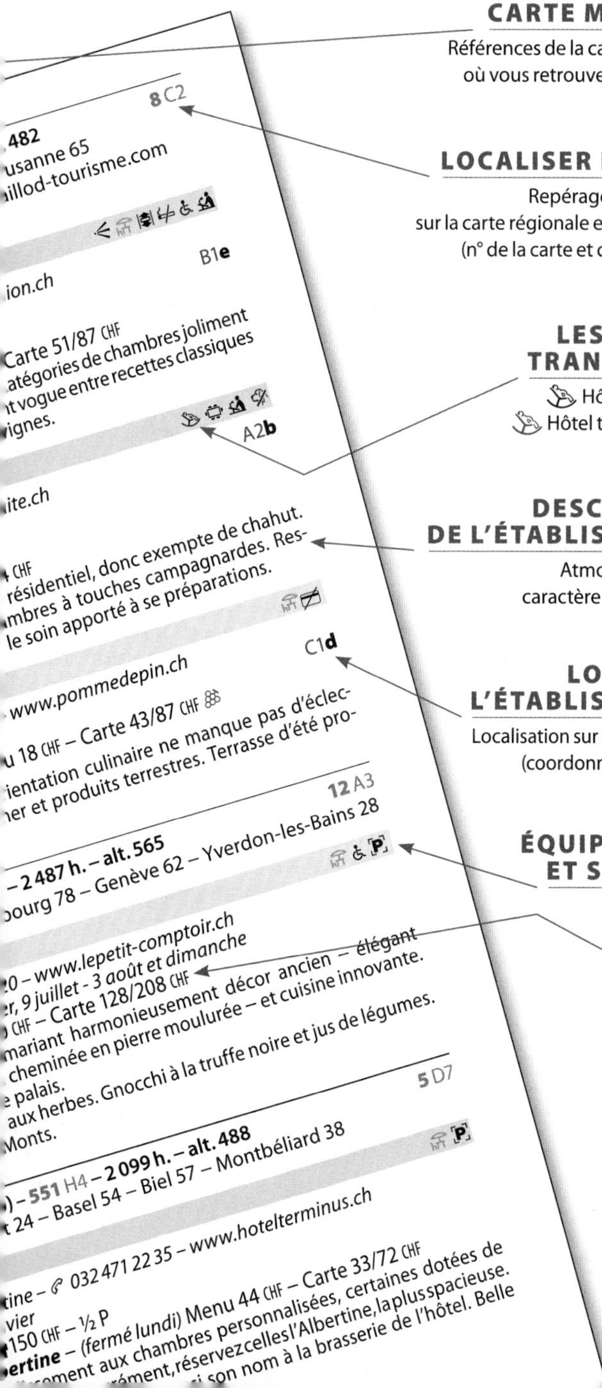

CARTE MICHELIN
Références de la carte MICHELIN où vous retrouverez la localité.

LOCALISER LA VILLE
Repérage de la localité sur la carte régionale en fin de guide (n° de la carte et coordonnées).

LES HÔTELS TRANQUILLES
🕊 Hôtel tranquille.
🕊 Hôtel très tranquille.

DESCRIPTION DE L'ÉTABLISSEMENT
Atmosphère, style, caractère et spécialités.

LOCALISER L'ÉTABLISSEMENT
Localisation sur le plan de ville (coordonnées et indice).

ÉQUIPEMENTS ET SERVICES

PRIX

482
usanne 65
aillod-tourisme.com

8 C2

⟨ 🕊 🛏 ⚓ & 🛁

B1**e**

ion.ch

Carte 51/87 CHF
atégories de chambres joliment
t vogue entre recettes classiques
ignes.

🐾 ♿ 🛁 ✕
A2**b**

ite.ch

CHF
résidentiel, donc exempte de chahut. Res-
mbres à touches campagnardes.
le soin apporté à se préparations.

🕊 ✕

www.pommedepin.ch

C1**d**

u 18 CHF – Carte 43/87 CHF 🏵
ientation culinaire ne manque pas d'éclec-
her et produits terrestres. Terrasse d'été pro-

12 A3

– 2 487 h. – alt. 565
ourg 78 – Genève 62 – Yverdon-les-Bains 28

🕊 & 🅿

0 – www.lepetit-comptoir.ch
er, 9 juillet - 3 août et dimanche
0 CHF – Carte 128/208 CHF
mariant harmonieusement décor ancien – élégant
cheminée en pierre moulurée – et cuisine innovante.
e palais.
aux herbes. Gnocchi à la truffe noire et jus de légumes.
Monts.

5 D7

) – 551 H4 – 2 099 h. – alt. 488
24 – Basel 54 – Biel 57 – Montbéliard 38

🕊 🅿

tine – ☎ 032 471 22 35 – www.hotelterminus.ch
vier
150 CHF – ½ P
ertine – (fermé lundi) Menu 44 CHF – Carte 33/72 CHF
cement aux chambres personnalisées, certaines dotées de
rément, réservezcellesl'Albertine,laplusspacieuse.
i son nom à la brasserie de l'hôtel. Belle

5

Engagements

Les engagements du guide MICHELIN :
L'expérience au service de la qualité

Qu'il soit au Japon, aux Etats-Unis, en Chine ou en Europe, l'inspecteur du guide MICHELIN respecte exactement les mêmes critères pour évaluer la qualité d'une table ou d'un établissement hôtelier, et il applique les mêmes règles lors de ses visites. Car si le guide MICHELIN peut se prévaloir aujourd'hui d'une notoriété mondiale, c'est notamment grâce à la constance de son engagement vis-à-vis de ses lecteurs. Un engagement dont nous voulons réaffirmer ici les principes :

La visite anonyme – Première règle d'or, les inspecteurs testent de façon anonyme et régulière les tables et les chambres, afin d'apprécier pleinement le niveau des prestations offertes à tout client. Ils paient donc leurs additions ; après quoi ils pourront révéler leur identité pour obtenir des renseignements supplémentaires. Le courrier des lecteurs nous fournit par ailleurs de précieux témoignages, autant d'informations qui sont prises en compte lors de l'élaboration de nos itinéraires de visites.

L'indépendance – Pour garder un point de vue parfaitement objectif – dans le seul intérêt du lecteur –, la sélection des établissements s'effectue en toute indépendance, et l'inscription des établissements dans le guide MICHELIN est totalement gratuite. Les décisions sont discutées collégialement par les inspecteurs et le rédacteur en chef, et les plus hautes distinctions font l'objet d'un débat au niveau européen.

Le choix du meilleur – Loin de l'annuaire d'adresses, le guide MICHELIN se concentre sur une sélection des meilleurs hôtels et restaurants, dans toutes les catégories de confort et de prix. Un choix qui résulte de l'application rigoureuse d'une même méthode par tous les inspecteurs, quel que soit le pays où il œuvre.

Une mise à jour annuelle – Toutes les informations pratiques, tous les classements et distinctions sont revus et mis à jour chaque année afin d'offrir l'information la plus fiable.

L'homogénéité de la sélection – Les critères de classification sont identiques pour tous les pays couverts par le guide MICHELIN. A chaque culture sa cuisine, mais la qualité se doit de rester un principe universel…

Car notre unique dessein est de tout mettre en œuvre pour vous aider dans chacun de vos déplacements, afin qu'ils soient toujours sous le signe du plaisir et de la sécurité. « L'aide à la mobilité » : c'est la mission que s'est donnée Michelin.

Édito

Cher lecteur,

Toujours au fait de l'actualité en matière de bonnes tables et d'hébergements de qualité, le guide MICHELIN vous propose sa nouvelle édition, enrichie et mise à jour.

De millésime en millésime, vous savez que sa vocation reste immuable, et ce depuis sa création : vous accompagner dans tous vos déplacements en sélectionnant le meilleur, dans toutes les catégories de confort et de prix.

Pour ce faire, le guide MICHELIN s'appuie sur un « carnet de route » éprouvé, dont le premier critère, indéfectible, est l'inspection sur le terrain : toutes les adresses sélectionnées sont rigoureusement testées par nos inspecteurs professionnels, qui n'ont de cesse de dénicher les nouveaux établissements et de vérifier le niveau des prestations de ceux figurant déjà dans nos pages.

Au sein de cette sélection, le guide MICHELIN reconnaît ainsi, chaque année, les tables les plus savoureuses, en leur décernant nos étoiles : une ✿, deux ✿✿ ou trois ✿✿✿, celles-ci distinguent les établissements qui révèlent la meilleure qualité de cuisine – dans tous les styles –, en tenant compte du choix des produits, de la créativité, de la maîtrise des cuissons et des saveurs, du rapport qualité/prix, ainsi que de la constance de la prestation. Chaque année, le guide s'étoffe ainsi de nombreuses tables remarquées pour l'évolution de leur cuisine, à découvrir au fil de ses pages… et de vos voyages.

Autres petits symboles à suivre absolument : les Bib Gourmand ⊕ et les Bib Hôtel 🍽, qui repèrent les bonnes adresses à prix modérés : ils vous garantissent des prestations de qualité à des tarifs ajustés.

Car notre engagement est bien de rester attentifs aux évolutions du monde… et aux exigences de tous nos lecteurs, tant en terme de qualité que de budget. Autant dire que nous attachons donc beaucoup d'intérêt à recueillir votre propre opinion sur les adresses de notre sélection. N'hésitez pas à nous écrire ; votre participation nous est très utile pour orienter nos visites et améliorer sans cesse la qualité de notre information. Pour toujours mieux vous accompagner...

Merci de votre fidélité, et bonne route avec le guide MICHELIN, millésime 2014 !

Consultez le guide MICHELIN sur :
 www.ViaMichelin.ch
et écrivez-nous à :
 leguidemichelin-suisse@ch.michelin.com

Classement
& distinctions

Le guide MICHELIN retient dans sa sélection les meilleures adresses dans chaque catégorie de confort et de prix. Les établissements sélectionnés sont classés selon leur confort et cités par ordre de préférence dans chaque catégorie.

🏨🏨🏨🏨	XXXXX	**Grand luxe et tradition**
🏨🏨🏨	XXXX	**Grand confort**
🏨🏨🏨	XXX	**Très confortable**
🏨🏨	XX	**De bon confort**
🏨	X	**Assez confortable**
sans rest garni, senza rist		**L'hôtel n'a pas de restaurant**
avec ch mit Zim, con cam		**Le restaurant possède des chambres**

LES DISTINCTIONS

Pour vous aider à faire le meilleur choix, certaines adresses particulièrement remarquables ont reçu une distinction : étoiles ou Bib Gourmand. Elles sont repérables dans la marge par ❀ ou 🍽.

LES ÉTOILES : LES MEILLEURES TABLES

Les étoiles distinguent les établissements, tous styles de cuisine confondus, qui proposent la meilleure qualité de cuisine. Les critères retenus sont : la qualité des produits, la personnalité de la cuisine, la maîtrise des cuissons et des saveurs, le rapport qualité/prix ainsi que la régularité.

Chaque restaurant étoilé est accompagné de trois exemples de plats représentatifs de sa cuisine. Il arrive parfois que ces plats ne puissent être servis : c'est souvent au profit d'autres savoureuses recettes inspirées par la saison.

❀❀❀	**Cuisine remarquable, cette table vaut le voyage**
	On y mange toujours très bien, parfois merveilleusement.
❀❀	**Cuisine excellente, cette table mérite un détour**
❀	**Une très bonne cuisine dans sa catégorie**

LES BIBS : LES MEILLEURES ADRESSES À PETIT PRIX

Bib Gourmand
Établissement proposant une cuisine de qualité à moins de 65 CHF (prix d'un repas hors boisson).

Bib Hôtel
Établissement offrant une prestation de qualité avec une majorité de chambres à moins de 180 CHF (prix pour 2 personnes, petit-déjeuner compris).

LES ADRESSES LES PLUS AGRÉABLES

Le rouge signale les établissements particulièrement agréables. Cela peut tenir au caractère de l'édifice, à l'originalité du décor, au site, à l'accueil ou aux services proposés.

🏠 à 🏠🏠🏠🏠   **Hôtels agréables**

⚒ à ⚒⚒⚒⚒⚒   **Restaurants agréables**

LES MENTIONS PARTICULIÈRES

En dehors des distinctions décernées aux établissements, les inspecteurs Michelin apprécient d'autres critères souvent importants dans le choix d'un établissement.

SITUATION

Vous cherchez un établissement tranquille ou offrant une vue attractive ? Suivez les symboles suivants :

🌿 🌿   **Hôtel tranquille / Hôtel très tranquille**

◁ ◁   **Vue intéressante / Vue exceptionnelle**

CARTE DES VINS

Vous cherchez un restaurant dont la carte des vins offre un choix particulièrement intéressant ? Suivez le symbole suivant :

Carte des vins particulièrement attractive
Toutefois, ne comparez pas la carte présentée par le sommelier d'un grand restaurant avec celle d'une auberge dont le patron se passionne pour les vins de sa région.

N   **Nouvel établissement dans le guide**

Équipements & services

30 ch **(Zim, cam)**	Nombre de chambres
⬍	Ascenseur
A/C	Air conditionné (dans tout ou partie de l'établissement)
📞	Connexion internet « ADSL » dans la chambre
📶	Connexion internet « Wireless Lan » dans la chambre
♿	Établissement en partie accessible aux personnes à mobilité réduite
🏃	Équipement d'accueil pour les enfants
🍽	Repas servi au jardin ou en terrasse
Spa	SPA : bel espace de bien-être et de relaxation
♨	Cure thermale, hydrothérapie
🏋 🔥	Salle de remise en forme, sauna
🏊 🏊	Piscine : de plein air ou couverte
🚣 🦆	Jardin de repos – parc
🎾 ⛳18	Tennis – Golf et nombre de trous
🏌	Salles de conférences
🍴	Salons pour repas privés
🐕	Accès interdit aux chiens (dans tout ou partie de l'établissement)
🚗	Garage dans l'hôtel (généralement payant)
P	Parking réservé à la clientèle
💳	Cartes de crédit non acceptées

NON-FUMEURS

Dans quelques cantons il est interdit de fumer dans les restaurants.
La réglementation peut varier d'un canton à l'autre.
Dans la majorité des hôtels sont proposées des chambres non-fumeurs.

Prix

Les prix indiqués dans ce guide ont été établis à l'été 2013. Ils sont susceptibles de modifications, notamment en cas de variation des prix des biens et des services. Ils s'entendent taxes et service compris. Aucune majoration ne doit figurer sur votre note sauf éventuellement la taxe de séjour.

Les hôteliers et restaurateurs se sont engagés, sous leur propre responsabilité, à appliquer ces prix aux clients.

À l'occasion de certaines manifestations : congrès, foires, salons, festivals, événements sportifs…, les prix demandés par les hôteliers peuvent être sensiblement majorés.

Par ailleurs, renseignez-vous pour connaître les éventuelles conditions avantageuses accordées par les hôteliers.

RÉSERVATION ET ARRHES

Certains hôteliers demandent le versement d'arrhes en signe d'engagement du client. Il est souhaitable de bien demander à l'hôtelier d'indiquer dans sa lettre d'accord si le montant ainsi versé sera imputé sur la facture (dans ce cas, les arrhes servent d'acompte) ou non. Il est également conseillé de se renseigner sur les conditions précises du séjour.

CHAMBRES

29 ch (Zim, cam)   Nombre de chambres

♟ 100/150 CHF   Prix minimum 100 CHF et /maximum 150 CHF
pour une chambre d'une personne.

♟♟ 200/350 CHF   Prix minimum 200 CHF et /maximum 350 CHF
pour une chambre de deux personnes.

ch (Zim,cam) ⏳ -   Petit-déjeuner compris.

⏳ 20 CHF   Prix du petit-déjeuner
(Suites et junior suites : se renseigner auprès de l'hôtelier.)

DEMI-PENSION

½ P   L'établissement propose la demi-pension.

RESTAURANT

⊜ Restaurant proposant un plat du jour **à moins de 20 CHF**

Plat du jour :

(16 CHF) Prix moyen du plat du jour généralement servi au repas de midi, en semaine.

Menu à prix fixe :

Prix d'un repas composé d'un plat principal, d'**une entrée** et d'**un dessert**.

Menu 36/80 CHF **Prix du menu :** minimum 36 CHF/maximum 80 CHF
(Menü – Menu)

Repas à la carte :

Carte Le premier prix correspond à un repas simple comprenant une
50/95 CHF entrée, un plat garni et un dessert .
(Karte – Carta) Le second prix concerne un repas plus complet comprenant une
entrée, un plat principal et un dessert.

Informations sur les localités

GÉNÉRALITÉS

(BIENNE)	Traduction usuelle du nom de la localité
⊠ **3000**	Numéro de code postal de la localité
⊠ **3123 Belp**	Numéro de code postal et nom de la commune de destination
Ⓒ - Ⓚ	Chef-lieu de canton
Bern (BE)	Canton auquel appartient la localité
551 I6	Numéro de la carte Michelin et coordonnées permettant de se repérer sur la carte
1 057 h. (Ew. – ab.)	Nombre d'habitants
Alt (Höhe) 1 500	Altitude de la localité
Kurort **Stazione termale**	Station thermale
Wintersport **Sport invernali**	Sports d'hiver
1 200/1 900	Altitude de la station minimum et altitude maximum atteinte par les remontées mécaniques
🚡2	Nombre de téléphériques ou télécabines
🚠14	Nombre de remonte-pentes et télésièges
🎿	Ski de fond
B1 **b**	Lettres repérant un emplacement sur le plan de ville
⛳₁₈	Golf et nombre de trous
☀ ⋖	Panorama, point de vue
✈	Aéroport
�car	Localité desservie par train-auto Renseignements au numéro de téléphone indiqué
𝒊	Information touristique
⊛	Touring Club Suisse (T.C.S.)
◉	Automobile Club de Suisse (A.C.S.)

INFORMATIONS TOURISTIQUES

INTÉRÊT TOURISTIQUE

★★★	Vaut le voyage
★★	Mérite un détour
★	Intéressant

SITUATION DU SITE

👁	A voir dans la ville
🅒	A voir aux environs de la ville
	La curiosité est située :
Nord, Süd, Sud,	au Nord, au Sud
Est, Ost,	à l'Est
Ouest, West, Ovest	à l'Ouest
2 km	Distance en kilomètres

MANIFESTATIONS LOCALES

Sélection des principales manifestations culturelles, folkloriques ou sportives locales.

Légende des plans

- Hôtels
- Restaurants

CURIOSITÉS

Bâtiment intéressant

Édifice religieux intéressant : catholique • protestant

VOIRIE

Autoroute - Double chaussée de type autoroutier

Echangeurs numérotés : complet, partiels

Grande voie de circulation

Rue réglementée ou impraticable

Rue piétonne • Tramway

Parking • Parking Relais

Tunnel

Gare et voie ferrée

Funiculaire, voie à crémaillère

Téléphérique, télécabine

SIGNES DIVERS

Office de tourisme

Mosquée • Synagogue

Tour • Ruines • Moulin à vent

Jardin, parc, bois • Cimetière

Stade • Golf • Hippodrome

Piscine de plein air

Vue • Panorama

Monument • Fontaine • Phare

Port de plaisance • Gare routière

Aéroport • Station de métro

Transport par bateau :
passagers et voitures, passagers seulement

Bureau principal de poste restante

Hôpital • Marché couvert

Police cantonale (Gendarmerie) • Police municipale

Hôtel de ville • Université, grande école

Bâtiment public repéré par une lettre :
M H   Musée • Hôtel de ville
P T   Préfecture • Théâtre

Touring Club Suisse (T.C.S.)

Automobile Club de Suisse (A.C.S.)

15

Hinweise zur Benutzung

TOURISTISCHE INFORMATIONEN

Entfernungen
zu grösseren Städten,
Informationsstellen,
Sehenswürdigkeiten,
Verkehrsmittel,
Golfplätze und lokale
Veranstaltungen...

NEU EMPFOHLEN IM GUIDE MICHELIN

DIE HOTELS

Von 🏨🏨🏨🏨 bis 🏠:
Komfortkategorien.
In rot 🏨🏨🏨🏨 ... 🏠:
Besonders angenehme Häuser.

DIE BESTEN PREISWERTEN ADRESSEN

🍴 Bib Hotel.
😊 Bib Gourmand.

DIE RESTAURANTS

Von XXXXX bis X: Komfortkategorien.
In rot XXXXX... X: Besonders angenehme Häuser.

DIE STERNE-RESTAURANTS

😊😊😊 Eine Reise wert.
😊😊 Verdient einen Umweg.
😊 Eine sehr gute Küche.

16

CORTAILLOD – 2016 Neuchâtel (NE) – 552 F17 –
▶ Bern 58 – Neuchâtel 9 – Biel 44 – La Chaux-de-F
🛈 Cortaillod Tourisme, rue Grande, ℰ 032 812 34 5
🅖 Panorama autour du lac A1D – Neuchâtel

🏨 **Le Galion** Ⓝ
à Petit Cortaillod – ℰ 032 843 44 35 – ww
– Fermé 18 décembre - 8 janvier
22 ch ⌹ – ♦110/130 CHF ♦♦180/230 CHF
Rest – (fermé dimanche) (16 CHF) Men
Au plus près de la nature, entre lac et vi
décorées, pour des nuitées sans remou
et spécialités du lac. Cuvée maison p

🏨 **La Retraite !**
18 r. Chanélaz 22 décembre - 8 janvier
– Fermé 22 décembre - 8 janvier
25 ch ⌹ – ♦75/100 CHF ♦♦160/1
Rest – (17 CHF) Menu 49/89 CHF
Hôtellerie familiale établie da
Ses deux chalets renferment
taurant apprécié pour son co

✂ **La Pomme de Pin**
14 av. François-Borel – ℰ 0
Fermé dimanche et lundi
Rest – (fermé Noël et No
Table entièrement réno
tisme : perches, homar
pice à la détente.

COSSONAY – 1304 Vaud (V
▶ Bern 107 – Lausa

XX **Le Petit Compt**
😊 22 r. du Temple –
– Fermé 24 décen
Rest – Menu 80
Ancienne mais
mobilier Louis
Du plaisir pou
➜ Pressée de
Mille-feuille

COURGENAY –
▶ Bern 9

🏨 **Termin**
😊 2 r. de l
– Ferm

MICHELIN-KARTE

Angabe der MICHELIN-Karte
auf der der Ort zu finden ist.

LAGE DER STADT

Markierung des Ortes auf der Karte
am Ende des Buchs
(Nr. der Karte und Koordinaten).

RUHIGE HOTELS

🦢 Ruhiges Hotel.
🦢 Sehr ruhiges Hotel.

**BESCHREIBUNG
DES HAUSES**

Atmosphäre, Stil,
Charakter und Spezialitäten.

LAGE DES HAUSES

Markierung auf dem Stadtplan
(Planquadrat und Koordinate).

**EINRICHTUNG
UND SERVICE**

PREISE

8 C2

t. 482
ausanne 65
taillod-tourisme.com

⟨ 🛜 🛎 ⚡ ❤ 🍴

B1**e**

alion.ch

– Carte 51/87 CHF
s catégories de chambres joliment
ant vogue entre recettes classiques
s vignes.

🦢 ❀ 🛁 ⚡

A2**b**

raite.ch
e

84 CHF
er résidentiel, donc exempte de chahut.
nambres à touches campagnardes. Res-
ur le soin apporté à se préparations.

🛜 ⊘

C1**d**

– www.pommedepin.ch

nu 18 CHF – Carte 43/87 CHF 🦢
orientation culinaire ne manque pas d'éclec-
mer et produits terrestres. Terrasse d'été pro-

12 A3

99 – **2 487 h. – alt. 565**
ribourg 78 – Genève 62 – Yverdon-les-Bains 28

🛜 ⚡ 🅿

5 20 – www.lepetit-comptoir.ch
vier, 9 juillet - 3 août et dimanche
40 CHF – Carte 128/208 CHF
. mariant harmonieusement décor ancien – élégant
ne cheminée en pierre moulurée – et cuisine innovante.
: le palais.
né aux herbes. Gnocchi à la truffe noire et jus de légumes.
s Monts.

5 D7

U) – **551** H4 – **2 099 h. – alt. 488**
nt 24 – Basel 54 – Biel 57 – Montbéliard 38

🛜 🅿

ertine – ℘ 032 471 22 35 – www.hotelterminus.ch
anvier
150 CHF – ½ P
♦♦ – (fermé lundi) Menu 44 CHF – Carte 33/72 CHF
lbertine aux chambres personnalisées, certaines dotées de
blissement aussi son nom à la brasserie de l'hôtel. Belle
l'agrément, réservez celles l'Albertine, la plus spacieuse.

17

Grundsätze

Die Grundsätze des Guide MICHELIN
Erfahrung im Dienste der Qualität

Ob in Japan, in den Vereinigten Staaten, in China oder in Europa, die Inspektoren des Guide MICHELIN respektieren weltweit exakt dieselben Kriterien, um die Qualität eines Restaurants oder eines Hotels zu überprüfen. Dass der Guide MICHELIN heute weltweit bekannt und geachtet ist, verdankt er der Beständigkeit seiner Kriterien und der Achtung gegenüber seinen Lesern. Diese Grundsätze möchten wir hier bekräftigen:

Der anonyme Besuch – die oberste Regel. Die Inspektoren testen anonym und regelmässig die Restaurants und Hotels, um das Leistungsniveau in seiner Gesamtheit zu beurteilen. Sie bezahlen alle in Anspruch genommenen Leistungen und geben sich nur zu erkennen, um ergänzende Auskünfte zu erhalten. Die Zuschriften unserer Leser stellen darüber hinaus wertvolle Erfahrungsberichte für uns dar und wir benutzen diese Hinweise, um unsere Besuche vorzubereiten.

Die Unabhängigkeit – Um einen objektiven Standpunkt zu bewahren, der einzig und allein dem Interesse des Lesers dient, wird die Auswahl der Häuser in kompletter Unabhängigkeit erstellt. Die Empfehlung im Guide MICHELIN ist daher kostenlos. Die Entscheidungen werden vom Chefredakteur und seinen Inspektoren gemeinsam gefällt. Für die höchste Auszeichnung wird zusätzlich auf europäischer Ebene entschieden.

Die Auswahl der Besten – Der Guide MICHELIN ist weit davon entfernt, ein reines Adressbuch darzustellen, er konzentriert sich vielmehr auf eine Auswahl der besten Hotels und Restaurants in allen Komfort- und Preiskategorien. Eine einzigartige Auswahl, die auf ein und derselben Methode aller Inspektoren weltweit basiert.

Die jährliche Aktualisierung – Alle praktischen Hinweise, alle Klassifizierungen und Auszeichnungen werden jährlich aktualisiert, um die genauestmögliche Information zu bieten.

Die Einheitlichkeit der Auswahl – Die Kriterien für die Klassifizierung im Guide MICHELIN sind weltweit identisch. Jede Kultur hat ihren eigenen Küchenstil, aber gute Qualität muss der einheitliche Grundsatz bleiben.

Denn unser einziges Ziel ist es, Ihnen bei Ihren Reisen behilflich zu sein. Mobilität im Zeichen von Vergnügen und Sicherheit ist die Mission von Michelin.

Liebe Leser

Wir freuen uns, Ihnen die neue Ausgabe des Guide MICHELIN vorzustellen, die wieder aktualisiert und um zahlreiche gute Restaurants und Hotels bereichert wurde.

Seine Aufgabe ist in all den Jahren seit der ersten Ausgabe unverändert geblieben: Sie auf all Ihren Reisen zu begleiten, mit einer Auswahl der besten Adressen in allen Komfortkategorien und Preisklassen.

Dafür stützt sich der Guide MICHELIN auf ein bewährtes „Fahrtenbuch", dessen Hauptmerkmal die Kontrolle vor Ort ist: Alle ausgewählten Hotels und Restaurants werden von unseren professionellen Inspektoren aufs Genaueste überprüft. Sie entdecken ständig neue Adressen und kontrollieren die Leistung derer, die bereits empfohlen sind.

Innerhalb dieser Auswahl werden jedes Jahr die besten Restaurants durch die Verleihung unserer Sterne – einer ⁕, zwei ⁕⁕ oder drei ⁕⁕⁕ – ausgezeichnet. Sie werden an die Häuser mit der besten Küchenqualität vergeben, unabhängig vom Küchenstil. Die Kriterien für die Sternvergabe sind die Qualität der Produkte, die fachgerechte Zubereitung, der Geschmack der Gerichte, die persönliche Note, das Preis-Leistungs-Verhältnis und die Beständigkeit der Küchenleistung. Jedes Jahr kommen zahlreiche Restaurants hinzu, die uns durch die Entwicklung Ihrer Küche aufgefallen sind – Sie können sie auf den Seiten dieses Buches entdecken… und auf Ihren Reisen.

Weitere Symbole, denen Sie unbedingt Beachtung schenken sollten: der Bib Gourmand ⊛ und der Bib Hotel 🏠. Mit ihnen markieren wir besonders gute und günstige Adressen. Sie garantieren gute Leistung zu moderaten Preisen.

Denn wir bleiben unverändert aufmerksam bezüglich der aktuellen Entwicklungen - und der Ansprüche unserer Leser, nicht nur hinsichtlich der Qualität, sondern auch in Bezug auf das Budget.

Ihre Meinung zu den von uns ausgewählten Hotels und Restaurants interessiert uns sehr! Zögern Sie daher nicht, uns zu schreiben; Ihre Mitarbeit ist für die Planung unserer Besuche und für die ständige Verbesserung des Guide MICHELIN von grosser Bedeutung.

Danke für Ihre Treue, und gute Fahrt mit dem Guide MICHELIN 2014!

Den Guide MICHELIN finden Sie auch im Internet unter
www.ViaMichelin.ch
oder schreiben Sie uns eine E-mail:
leguidemichelin-suisse@ch.michelin.com

Kategorien
& Auszeichnungen

KOMFORTKATEGORIEN

Der Guide MICHELIN bietet in seiner Auswahl die besten Adressen jeder Komfort- und Preiskategorie. Die ausgewählten Häuser sind nach dem gebotenen Komfort geordnet; die Reihenfolge innerhalb jeder Kategorie drückt eine weitere Rangordnung aus.

🏨🏨🏨	✗✗✗✗✗	**Grosser Luxus und Tradition**
🏨🏨🏨	✗✗✗✗	**Grosser Komfort**
🏠🏠	✗✗✗	**Sehr komfortabel**
🏠	✗✗	**Mit gutem Komfort**
🏠	✗	**Mit Standard-Komfort**
sans rest garni, senza rist		**Hotel ohne Restaurant**
avec ch mit Zim, con cam		**Restaurant vermietet auch Zimmer**

AUSZEICHNUNGEN

Um Ihnen behilflich zu sein, die bestmögliche Wahl zu treffen, haben einige besonders bemerkenswerte Adressen dieses Jahr eine Auszeichnung erhalten. Die Sterne bzw. „Bib Gourmand" sind durch das entsprechende Symbol ❀ bzw. 😊 gekennzeichnet.

DIE STERNE : DIE BESTEN RESTAURANTS

Die Häuser, die eine überdurchschnittlich gute Küche bieten, wobei alle Stilrichtungen vertreten sind, wurden mit einem Stern ausgezeichnet. Die Kriterien sind: die Qualität der Produkte, die persönliche Note, die fachgerechte Zubereitung und der Geschmack sowie das Preis-Leistungs-Verhältnis und die immer gleich bleibende Qualität.

In jedem Sterne-Restaurant werden drei Beispielgerichte angegeben, die den Küchenstil widerspiegeln. Nicht immer finden sich diese Gerichte auf der Karte, werden aber durch andere repräsentative Speisen ersetzt.

❀❀❀   **Eine der besten Küchen: eine Reise wert**
Man isst hier immer sehr gut, oft auch exzellent.

❀❀   **Eine hervorragende Küche: verdient einen Umweg**

❀   **Ein sehr gutes Restaurant in seiner Kategorie**

Bib Gourmand
Häuser, die eine gute Küche für weniger als 65 CHF bieten
(Preis für eine dreigängige Mahlzeit ohne Getränke).

Bib Hotel
Häuser, die eine Mehrzahl ihrer komfortablen Zimmer für weniger
als 180 CHF anbieten (Preis für 2 Personen mit Frühstück).

DIE ANGENEHMSTEN ADRESSEN

Die rote Kennzeichnung weist auf besonders angenehme Häuser hin. Dies bezieht
sich auf den besonderen Charakter des Gebäudes, die nicht alltägliche Einrichtung,
die Lage, den Empfang oder den gebotenen Service.

🏠 bis 🏠🏠🏠   **Angenehme Hotels**

X bis XXXX   **Angenehme Restaurants**

BESONDERE ANGABEN

Neben den Auszeichnungen, die den Häusern verliehen werden, legen die Michelin-
Inspektoren auch Wert auf andere Kriterien, die bei der Wahl einer Adresse oft von
Bedeutung sind.

LAGE

Wenn Sie eine ruhige Adresse oder ein Haus mit einer schönen Aussicht suchen, achten Sie auf diese Symbole:

🦢 🦢   **Ruhiges Hotel / Sehr ruhiges Hotel**

⟨ ⟨   **Interessante Sicht / Besonders schöne Aussicht**

WEINKARTE

Wenn Sie ein Restaurant mit einer besonders interessanten Weinauswahl suchen,
achten Sie auf dieses Symbol:

🍷   **Weinkarte mit besonders attraktivem Angebot**
Aber vergleichen Sie bitte nicht die Weinkarte, die Ihnen vom
Sommelier eines grossen Hauses präsentiert wird, mit der Auswahl
eines Gasthauses, dessen Besitzer die Weine der Region mit
Sorgfalt zusammenstellt.

N   **Neu empfohlen im Guide MICHELIN**

Einrichtungen & Service

30 Zim (ch, cam)	Anzahl der Zimmer
▮	Fahrstuhl
A/C	Klimaanlage (im ganzen Haus bzw. in den Zimmern oder im Restaurant)
☏	Internetzugang mit DSL (High-speed) in den Zimmern möglich
🛜	Internetzugang mit W-LAN in den Zimmern möglich
♿	Einrichtung für Körperbehinderte vorhanden
👫	Spezielle Angebote für Kinder
⌂	Garten bzw. Terrasse mit Speiseservice
SPA	Wellnessbereich
♨	Badeabteilung, Thermalkur
🏋 🔥	Fitnessraum, Sauna
⛷ 🏊	Freibad oder Hallenbad
🛏 🌳	Liegewiese, Garten – Park
🎾 ⛳18	Tennis – Golfplatz und Lochzahl
🛋	Konferenzraum
⬚	Veranstaltungsraum
🐕‍🦺	Hunde sind unerwünscht (im ganzen Haus bzw. in den Zimmern oder im Restaurant)
🚗	Hotelgarage (wird gewöhnlich berechnet)
P	Parkplatz reserviert für Gäste
💳	Kreditkarten nicht akzeptiert

NICHTRAUCHER

In vielen Kantonen ist das Rauchen in Restaurants verboten. Die genauen Bestimmungen variieren je nach Kanton.
In den meisten Hotels werden Nichtraucherzimmer angeboten.

Die in diesem Führer genannten Preise wurden uns im Sommer 2013 angegeben. Änderungen sind vorbehalten, vor allem bei Preisschwankungen von Waren und Dienstleistungen. Bedienung und MwSt. sind enthalten. Es sind Inklusivpreise, die sich nur noch durch die evtl. zu zahlende Kurtaxe erhöhen können.

Die Häuser haben sich verpflichtet, den Kunden die von den Hoteliers selbst angegebenen Preise zu berechnen.

Anlässlich grösserer Veranstaltungen, Messen und Ausstellungen werden von den Hotels in manchen Städten und deren Umgebung erhöhte Preise verlangt.

Erkundigen Sie sich bei den Hoteliers und Restaurateuren nach eventuellen Sonderbedingungen.

RESERVIERUNG UND ANZAHLUNG

Einige Hoteliers verlangen die Bezahlung eines Haftgeldes als Zeichen der Verpflichtung des Kunden. Es ist empfehlenswert, den Hotelier aufzufordern, in seinem Bestätigungsschreiben anzugeben, ob dieser bezahlte Betrag an die Rechnung angerechnet wird (in diesem Fall dient das Haftgeld als Anzahlung) oder nicht. Es wird ebenfalls empfohlen, sich über die präzisen Konditionen des Aufenthaltes zu informieren.

ZIMMER

29 Zim (ch, cam)	Anzahl der Zimmer
100/150 CHF	Mindest- und Höchstpreis für ein Einzelzimmer
200/350 CHF	Mindest- und Höchstpreis für ein Doppelzimmer
ch (Zim,cam) ⌑ -	Zimmerpreis inkl. Frühstück
⌑ 20	Preis des Frühstücks (Suiten und Junior Suiten: bitte nachfragen)

HALBPENSION

½ P	Das Haus bietet auch Halbpension an.

RESTAURANT

∞   Restaurant, das einen Tagesteller **unter 20 CHF** anbietet

Tagesteller:

(16 CHF)   Mittlere Preislage des Tagestellers im Allgemeinen mittags während der Woche.

Feste Menüpreise:

Preis einer Mahlzeit aus Vorspeise, Hauptgericht und Dessert.

Menu 36/80 CHF   **Menüpreise:** mindestens 36 CHF/höchstens 80 CHF

(Menü – Menu)

Mahlzeiten „à la carte":

Carte   Der erste Preis entspricht einer einfachen Mahlzeit mit Vorspeise,

50/95 CHF   Hauptgericht mit Beilage und Dessert.

(Karte – Carta)   Der zweite Preis entspricht einer reichlicheren Mahlzeit aus Vorspeise, Hauptgang und Dessert.

Informationen zu den Orten

ALLGEMEINES

(BIENNE)	Gebräuchliche Übersetzung des Ortsnamens
✉ 3000	Postleitzahl
✉ 3123 Belp	Postleitzahl und Name des Verteilerpostamtes
Ⓒ - Ⓚ	Kantonshauptstadt
Bern (BE)	Kanton, in dem der Ort liegt
551 I6	Nummer der Michelin-Karte mit Koordinaten
1 057 Ew. (h. – ab.)	Einwohnerzahl
Höhe (Alt.) 1 500	Höhe der Ortschaft
Station thermale – Stazione termale	Kurort
Sports d'hiver – Sport invernali	Wintersport
1 200/1 900	Minimal-Höhe der Station des Wintersportortes/Maximal-Höhe, die mit Kabinenbahn oder Lift erreicht werden kann
🚡2	Anzahl der Luftseil- und Gondelbahnen
🚠14	Anzahl der Schlepp- und Sessellifte
🎿	Langlaufloipen
B1 **b**	Markierung auf dem Stadtplan
⛳18	Golfplatz mit Lochzahl
✳ ≼	Rundblick, Aussichtspunkt
✈	Flughafen
🚗	Ladestelle für Autoreisezüge. Nähere Auskünfte unter der angegebenen Telefonnummer
🛈	Informationsstelle
✿	Touring Club der Schweiz (T.C.S.)
✿	Automobil Club der Schweiz (A.C.S.)

SEHENSWÜRDIGKEITEN

BEWERTUNG

★★★	Eine Reise wert
★★	Verdient einen Umweg
★	Sehenswert

LAGE

◉	In der Stadt
☾	In der Umgebung der Stadt
	Die Sehenswürdigkeit befindet sich :
Nord, Süd, Sud,	Im Norden, Süden der Stadt
Ost, Est	Im Osten der Stadt
West, Ouest, Ovest	Im Westen der Stadt
2 km	Entfernung in Kilometern

LOKALE VERANSTALTUNGEN

Auswahl der wichtigsten kulturellen, folkloristischen und sportlichen lokalen Veranstaltungen

Legende der Stadtpläne

- Hotels
- Restaurants

SEHENSWÜRDIGKEITEN

 Interessantes Gebäude

Interessantes Gotteshaus: Katholisch • Protestantisch

STRASSEN

Autobahn • Schnellstraße

Numerierte Ausfahrten

Hauptverkehrsstraße

Gesperrte Strasse oder Strasse mit Verkehrsbeschränkungen

Fussgängerzone Einbahnstrasse • Strassenbahn

Parkplatz • Park-and-Ride-Plätze

Tunnel

Bahnhof und Bahnlinie

Standseilbahn • Zahnradbahn

Seilbahn • Kabinenbahn

SONSTIGE ZEICHEN

Informationsstelle

Moschee • Synagoge

Turm • Ruine • Windmühle

Garten, Park, Wäldchen • Friedhof

Stadion • Golfplatz • Pferderennbahn

Freibad

Aussicht • Rundblick

Denkmal • Brunnen • Leuchtturm

Jachthafen • Autobusbahnhof

Flughafen • U-Bahnstation

Schiffsverbindungen: Autofähre • Personenfähre

Hauptpostamt (postlagernde Sendungen)

Krankenhaus • Markthalle

Kantonspolizei • Stadtpolizei

Rathaus • Universität, Hochschule

Öffentliches Gebäude, durch einen Buchstaben gekennzeichnet:
M   H   Museum • Rathaus
P   T   Präfektur • Theater

Touring Club der Schweiz (T.C.S.)

Automobil Club der Schweiz (A.C.S.)

Come leggere la guida

INFORMAZIONI TURISTICHE

Distanza dalle città di riferimento, uffici turismo, siti turistici locali, mezzi di trasporto, golfs e tempo libero...

CORTAILLOD – 2016 Neuchâtel (NE) – 552 F17 – 4 40
- Bern 58 – Neuchâtel 9 – Biel 44 – La Chaux-de-Fond
- Cortaillod Tourisme, rue Grande, ℰ 032 812 34 56, w
- Panorama autour du lac A1D – Neuchâtel

Le Galion 🟢
à Petit Cortaillod – ℰ 032 843 44 35 – www.ho
– Fermé 18 décembre - 8 janvier
22 ch ⌷ – ♦110/130 CHF ♦♦180/230 CHF – ½
Rest – (fermé dimanche) (16 CHF) Menu 49
Au plus près de la nature, entre lac et vignob
décorées, pour des nuitées sans remous. Le
et spécialités du lac. Cuvée maison prove

NUOVO ESERCIZIO ISCRITTO

La Retraite !
18 r. Chanélaz – ℰ 032 844 22 34 – ww
– Fermé 22 décembre - 8 janvier et d
25 ch ⌷ – ♦75/100 CHF ♦♦160/190 C
Rest – (17 CHF) Menu 49/89 CHF – Ca
Hôtellerie familiale établie dans un
Ses deux chalets renferment d'ar
taurant apprécié pour son confo

L'ALLOGGIO

Da 🏨🏨🏨🏨 a 🏠: categorie di confort.
In rosso 🏨🏨🏨🏨 ... 🏠: I più ameni.

La Pomme de Pin – ℰ 0328
14 av. François-Borel – ℰ 0328
Fermé dimanche et lundi
Rest – (fermé Noël et Nouve
Table entièrement rénovée
tisme : perches, homards, f
pice à la détente.

COSSONAY – 1304 Vaud (VD)
- Bern 107 – Lausanne

I MIGLIORI ESERCIZI A PREZZI CONTENUTI

🏨 Bib Hotel.
😊 Bib Gourmand.

Le Petit Comptoir
22 r. du Temple – ℰ 03
– Fermé 24 décembre
Rest – Menu 80 CHF
Ancienne maison d
mobilier Louis XVI,
Du plaisir pour les
➜ Pressée de tho
Mille-feuille de b

I RISTORANTI

Da 🍴🍴🍴🍴🍴 a 🍴: categorie di confort.
In rosso 🍴🍴🍴🍴 ... 🍴: i più ameni.

COURGENAY – 2950
- Bern 92 – D

LE TAVOLE STELLATE

🌸🌸🌸 Vale il viaggio.
🌸🌸 Merita una deviazione.
🌸 Ottima cucina.

Terminus
2 r. de la Pe
– Fermé 1er
6 ch ⌷

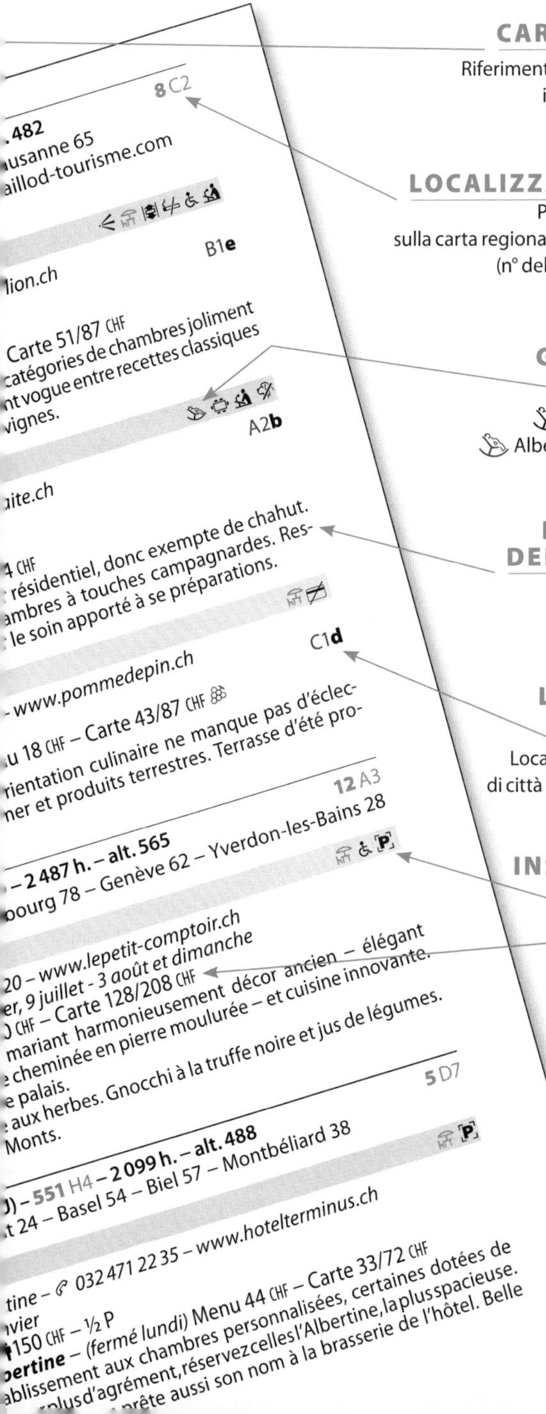

. 482
ausanne 65
aillod-tourisme.com

⟨ 🛖 🏠 ⚄ ⅍ 🛁

8 C2

lion.ch

B1**e**

Carte 51/87 CHF
catégories de chambres joliment
nt vogue entre recettes classiques
vignes.

🐚 🛞 ⚄ ⅍

A2**b**

aite.ch

4 CHF
résidentiel, donc exempte de chahut. Res-
ambres à touches campagnardes.
le soin apporté à se préparations.

🛖 ⊄

- www.pommedepin.ch

C1**d**

u 18 CHF – Carte 43/87 CHF ⅌
rientation culinaire ne manque pas d'éclec-
ner et produits terrestres. Terrasse d'été pro-

12 A3

– 2 487 h. – alt. 565
oourg 78 – Genève 62 – Yverdon-les-Bains 28

🛖 🕭 **P**

20 – www.lepetit-comptoir.ch
er, 9 juillet - 3 août et dimanche
0 CHF – Carte 128/208 CHF
mariant harmonieusement décor ancien – élégant
e cheminée en pierre moulurée – et cuisine innovante.
e palais.
aux herbes. Gnocchi à la truffe noire et jus de légumes.
Monts.

5 D7

)) – 551 H4 – 2 099 h. – alt. 488
t 24 – Basel 54 – Biel 57 – Montbéliard 38

🛖 **P**

tine – ℰ 032 471 22 35 – www.hotelterminus.ch
vier
150 CHF – ½ P
ertine – (fermé lundi) Menu 44 CHF – Carte 33/72 CHF
ablissement aux chambres personnalisées, certaines dotées de
plus d'agrément, réservez celles l'Albertine, la plus spacieuse.
rête aussi son nom à la brasserie de l'hôtel. Belle

29

Principi

Che si trovi in Giappone, negli Stati Uniti, in Cina o in Europa, l'ispettore della guida MICHELIN rimane fedele ai criteri di valutazione della qualità di un ristorante o di un albergo, e applica le stesse regole durante le sue visite. Se la guida gode di una reputazione a livello mondiale è proprio grazie al continuo impegno nei confronti dei suoi lettori. Un impegno che noi vogliamo riaffermare, qui, con i nostri principi:

La visita anonima – Prima regola d'oro, gli ispettori verificano - regolarmente e in maniera anonima - ristoranti e alberghi, per valutare concretamente il livello delle prestazioni offerte ai loro clienti. Pagano il conto e - solo in seguito - si presentano per ottenere altre informazioni. La corrispondenza con i lettori costituisce, inoltre, un ulteriore strumento per la realizzazione dei nostri itinerari di visita.

L'indipendenza – Per mantenere un punto di vista obiettivo, nell'interesse del lettore, la selezione degli esercizi viene effettuata in assoluta indipendenza: l'inserimento in guida è totalmente gratuito. Le decisioni sono prese collegialmente dagli ispettori con il capo redattore e le distinzioni più importanti, discusse a livello europeo.

La scelta del migliore – Lungi dall'essere un semplice elenco d'indirizzi, la guida si concentra su una selezione dei migliori alberghi e ristoranti in tutte le categorie di confort e di prezzo. Una scelta che deriva dalla rigida applicazione dello stesso metodo da parte di tutti gli ispettori, indipendentemente dal paese.

L'aggiornamento annuale – Tutte le classificazioni, distinzioni e consigli pratici sono rivisti ed aggiornati ogni anno per fornire le informazioni più affidabili.

L'omogeneità della selezione – I criteri di classificazione sono identici per tutti i paesi interessati dalla guida MICHELIN. Ad ogni cultura la sua cucina, ma la qualità deve restare un principio universale…

Il nostro scopo è, infatti, aiutarvi in ogni vostro viaggio, affinché questo si compia sempre sotto il segno del piacere e della sicurezza. «L'aiuto alla mobilità »: è la missione che si è prefissata Michelin.

Editoriale

Caro lettore,

Sempre attenta alla buona tavola, nonché alla qualità dell'ospitalità, la guida MICHELIN vi propone la nuova edizione 2014, ampliata e aggiornata.

Di anno in anno, e fin dalla nascita, la sua vocazione resta immutata: accompagnarvi nei vostri viaggi, selezionando i migliori indirizzi in tutte le categorie di confort e prezzo.

A tal fine, la guida MICHELIN si serve di una sorta di « agenda di viaggio » di provata efficacia, dove il primo criterio – irrinunciabile - è l'ispezione sul luogo: tutti gli indirizzi selezionati sono infatti rigorosamente testati dai nostri ispettori professionisti, perennemente alla ricerca di nuovi esercizi e costantemente attenti a controllare il livello delle prestazioni di quelli già presenti.

All'interno di questa selezione, la guida riconosce ogni anno, le tavole più meritevoli, premiandole con le nostre stelle : una ✿, due ✿✿ o tre ✿✿✿. Esse contraddistinguono gli esercizi con migliori capacità in termini di cucina –indipendentemente dal loro genere – tenendo conto anche dell'accurata selezione dei prodotti, della creatività, della "padronanza" delle cotture e dei sapori, del rapporto qualità/prezzo, nonché della costanza nella prestazione. Grazie all'evoluzione delle loro cucine, ogni anno la guida si arricchisce di nuove tavole, a voi scoprirle pagina dopo pagina…viaggio dopo viaggio.

Altri simboli, piccoli, ma molto utili, sono il Bib Gourmand ⊛ e il Bib Hotel 𝕀𝕆𝕀 : essi identificano i locali che offrono servizi di qualità a prezzi contenuti.

Partendo dal presupposto che per noi è fondamentale cogliere le evoluzioni del settore e rispondere alle esigenze dei lettori, sia in termini di qualità che di budget, le vostre osservazioni sugli esercizi della nostra selezione sono tenute in grande considerazione. Non esitate, quindi, a scriverci: le vostre segnalazioni sono molto utili per orientare le nostre visite e migliorare la qualità delle informazioni.

Il tutto per accompagnarvi sempre nel migliore dei modi…

Grazie per la vostra fedeltà, e buon viaggio con la guida MICHELIN, edizione 2014!

Consultate la guida MICHELIN su:
www.ViaMichelin.ch
e scriveteci a:
leguidemichelin-suisse@ch.michelin.com

Categorie
e simboli distintivi

LE CATEGORIE DI CONFORT

Nella selezione della guida MICHELIN vengono segnalati i migliori indirizzi per ogni categoria di confort e di prezzo. Gli escercizi selezionati sono classificati in base al confort che offrono e vengono citati in ordine di preferenza per ogni categoria.

🏨🏨🏨	XXXXX	Gran lusso e tradizione
🏨🏨🏨	XXXX	Gran confort
🏨🏨	XXX	Molto confortevole
🏨	XX	Di buon confort
🏠	X	Abbastanza confortevole
senza rist garni, sans rest		L'albergo non ha ristorante
con cam mit Zim, avec ch		Il ristorante dispone di camere

I SIMBOLI DISTINTIVI

Per aiutarvi ad effettuare la scelta migliore, segnaliamo gli escercizi che si distinguono in modo particolare. Questi ristoranti sono evidenziati nel testo con ✿ e ⊛.

LE STELLE : LE MIGLIORI TAVOLE

Le stelle distinguono gli escercizi che propongono la miglior qualità in campo gastronomico, indipendentemente dagli stili di cucina. I criteri presi in considerazione sono: la scelta dei prodotti, la personalità della cucina, la padronanza delle tecniche di cottura e dei sapori, il rapporto qualità/prezzo, nonché la regolarità.

Ogni ristorante contraddistinto dalla stella è accompagnato da tre esempi di piatti rappresentativi della propria cucina. Succede, talvolta, che queste non possano essere servite: tutto ciò concorre, però, a vantaggio di altre gustose ricette ispirate alla stagione.

✿✿✿	**Una delle migliori cucine, questa tavola vale il viaggio** Vi si mangia sempre molto bene, a volte meravigliosamente.
✿✿	**Cucina eccellente, questa tavola merita una deviazione**
✿	**Un'ottima cucina nella sua categoria**

BIB : I MIGLIORI ESERCIZI A PREZZI CONTENUTI

Bib Gourmand

Esercizio che offre una cucina di qualità a meno di 65 CHF. Prezzo di un pasto, bevanda esclusa.

Bib Hotel

Esercizio che offre un soggiorno di qualità a meno di 180 CHF per la maggior parte delle camere. Prezzi per 2 persone, compresa la prima colazione.

GLI ESERCIZI AMENI

Il rosso indica gli esercizi particolarmente ameni. Questo per le caratteristiche dell'edificio, le decorazioni non comuni, la sua posizione ed il servizio offerto.

a **Alberghi ameni**

a **Ristoranti ameni**

LE SEGNALAZIONI PARTICOLARI

Oltre alle distinzioni conferite agli esercizi, gli ispettori Michelin apprezzano altri criteri spesso importanti nella scelta di un esercizio.

POSIZIONE

Cercate un esercizio tranquillo o che offre una vista piacevole?
Seguite i simboli seguenti :

Albergo tranquillo / Albergo molto tranquillo

Vista interessante / Vista eccezionale

CARTA DEI VINI

Cercate un ristorante la cui carta dei vini offra una scelta particolarmente interessante?
Seguite il simbolo seguente:

Carta dei vini particolarmente interessante

Attenzione a non confrontare la carta presentata da un sommelier in un grande ristorante con quella di una trattoria dove il proprietario ha una grande passione per i vini della regione.

N **Nuovo esercizio iscritto**

Installazioni e servizi

30 cam (ch, Zim)	Numero di camere
	Ascensore
AC	Aria condizionata (in tutto o in parte dell'esercizio)
	Connessione internet « alta velocità » in camera
	Connessione internet « Wireless Lan » in camera
	Esercizio accessibile in parte alle persone con difficoltà motorie
	Attrezzatura per accoglienza e ricreazione dei bambini
	Pasti serviti in giardino o in terrazza
	Spa/Wellness center: centro attrezzato per il benessere ed il relax
	Cura termale, Idroterapia
	Palestra, sauna
	Piscina: all'aperto, coperta
	Giardino – Parco
	Tennis – Golf e numero di buche
	Sale per conferenze
	Sale private nei ristoranti
	Accesso vietato ai cani (in tutto o in parte dell'esercizio)
	Garage nell'albergo (generalmente a pagamento)
P	Parcheggio riservato alla clientela
	Carte di credito non accettate

VIETATO-FUMARE

In qualche cantone è vietato fumare nei ristoranti. La regolamentazione può variare da un cantone all'altro.
Nella maggior parte degli alberghi sono proposte camere per non fumatori.

I prezzi

I prezzi che indichiamo in questa guida sono stati stabiliti nell'estate 2013; potranno subire delle variazioni in relazione ai cambiamenti dei prezzi di beni e servizi. Essi s'intendono comprensivi di tasse e servizio. Sul conto da pagare non deve figurare alcuna maggiorazione, ad eccezione dell'eventuale tassa di soggiorno.

Gli albergatori e i ristoratori si sono impegnati, sotto la propria responsabilità, a praticare questi prezzi ai clienti.

In occasione di alcune manifestazioni (congressi, fiere, saloni, festival, eventi sportivi...) i prezzi richiesti dagli albergatori potrebbero subire un sensibile aumento.

Chiedete informazioni sulle eventuali promozioni offerte.

LA CAPARRA

Alcuni albergatori chiedono il versamento di una caparra per confermare la prenotazione del cliente. Si consiglia di chiedere d'indicare chiaramente nella lettera d'accettazione se la somma versata sarà dedotta dalla fattura finale (nel qual caso la caparra sarà trattata come un acconto) o se è pagata a fondo perso. Ĕ ugualmente consigliato d'informarsi riguardo alle condizioni precise del soggiorno.

CAMERE

25 cam (Zim, ch)	Numero di camere
🚹 100/150 CHF	Prezzo minimo e massimo per una camera singola
🚹🚹 200/350 CHF	Prezzo minimo e massimo per una camera doppia
ch (Zim,cam) ☕ -	Prima colazione compresa
☕ 20 CHF	Prezzo della prima colazione (Suite e junior suite: informarsi presso l'albergatore)

MEZZA PENSIONE

½ P	L'esercisio propone anche la mezza pensione.

RISTORANTE

⚫ Esercizio che offre un **pasto semplice per meno di 20 CHF**

Piatto del giorno

(16 CHF) Prezzo medio del piatto del giorno generalmente servito a pranzo nei giorni settimanali.

Menu a prezzo fisso: minimo 36 CHF/massimo 80 CHF

Menu 36/80 CHF pasto composto da : **primo** del giorno e **dessert.**

(Menü – Menu)

Pasto alla carta

Carte Il primo prezzo corrisponde ad un pasto semplice comprendente:
50/95 CHF primo, piatto del giorno e dessert. Il secondo prezzo corrisponde
(Karte – Carta) ad un pasto più completo comprendente: antipasto, due piatti, formaggio o dessert.

Informazioni sulle località

GENERALITÀ

(BIENNE)	Traduzione in uso dei nomi di comuni
✉ 3000	Codice di avviamento postale
✉ 3123 Belp	Numero di codice e sede dell'ufficio postale
Ⓒ - Ⓚ	Capoluogo cantonale
Bern (BE)	Cantone a cui la località appartiene
551 I6	Numero della carta Michelin e del riquadro
1 057 ab. (h. – Ew.)	Popolazione residente
Alt. (Höhe) 1 500	Altitudine
Station thermale Kurort	Stazione termale
Sports d'hiver – Wintersport	Sport invernali
1 200/1 900	Altitudine minima della stazione e massima raggiungibile con gli impianti di risalita
🚠 2	Numero di funivie o cabinovie
🎿 14	Numero di sciovie e seggiovie
🎿	Sci di fondo
B1 **b**	Lettere indicanti l'ubicazione sulla pianta
⛳	Golf e numero di buche
❊ ≼	Panorama, vista
✈	Aeroporto
🚃	Località con servizio auto su treno Informarsi al numero di telefono indicato
🛈	Ufficio informazioni turistiche
⊛	Touring Club Svizzero (T.C.S.)
◉	Club Svizzero Automobile (A.C.S.)

INFORMAZIONI TURISTICHE

INTERESSE TURISTICO

★★★	Vale il viaggio
★★	Merita una deviazione
★	Interessante

UBICAZIONE

👁	Nella città
🕝	Nei dintorni della città
	Il luogo si trova :
Nord, Sud, Süd,	a Nord, a Sud della città
Est	a Est della città
Ouest, Ovest	a Ovest della città
2 km	Distanza chilometrica

MANIFESTAZIONI LOCALI

Selezione delle principali manifestazioni culturali, folcloristice e sportive locali.

Legenda delle piante

- Alberghi
- Ristoranti

CURIOSITÀ

Edificio interessante
Costruzione religiosa interessante: cattolici · protestanti

VIABILITÀ

Autostrada · Strada a carreggiate separate
Cambiavalute numerati: totale, parziale
Grande via di circolazione
Strada regolamentata o impraticabile
Via pedonale · Tram
Parcheggio · Parcheggio Ristoro
Tunnel
Stazione e ferrovia
Funicolare, ferrovia a cremagliera
Funivia, cabinovia

SIMBOLI VARI

Ufficio informazioni turistiche
Moschea · Sinagoga
Torre · Ruderi · Mulino a vento
Giardino, parco, bosco · Cimitero
Stadio · Golf · Ippodromo
Piscina all'aperto
Vista · Panorama · Tavola d'orientamento
Monumento · Fontana · Faro
Porto turistico
Aeroporto · Stazione della metropolitana
Trasporto con traghetto:
passeggeri ed autovetture, solo passeggeri
Ufficio postale centrale
Ospedale · Mercato coperto
Polizia cantonale (Gendarmeria) · Polizia municipale
Municipio · Università, Scuola superiore
Edificio pubblico indicato con lettera:
  M   H   Museo · Municipio
  P   T   Prefettura · Teatro
Touring Club Svizzero (T.C.S.)
Automobile Club Svizzero (A.C.S.)

How to use this guide

TOURIST INFORMATION

Distances from the main towns, tourist offices, local tourist attractions, means of transport, golf courses and leisure activities...

CORTAILLOD – 2016 Neuchâtel (NE) – 552 F17 – 4 407
🚆 Bern 58 – Neuchâtel 9 – Biel 44 – La Chaux-de-Fond
🛈 Cortaillod Tourisme, rue Grande, 𝒞 032 812 34 56, ww
🄶 Panorama autour du lac A1D – Neuchâtel

Le Galion 🆕
à Petit Cortaillod – 𝒞 032 843 44 35 – www.ho
– Fermé 18 décembre - 8 janvier
22 ch ⬛ – ♦110/130 CHF ♦♦180/230 CHF – ½P
Rest – (fermé dimanche) (16 CHF) Menu 49/
Au plus près de la nature, entre lac et vignobl
décorées, pour des nuitées sans remous. Le
et spécialités du lac. Cuvée maison proven

NEW ESTABLISHMENT IN THE GUIDE

La Retraite!
18 r. Chanélaz – 𝒞 032 844 22 34 – www
– Fermé 22 décembre - 8 janvier et dir
25 ch ⬛ – ♦75/100 CHF ♦♦160/190 CHF
Rest – (17 CHF) Menu 49/89 CHF – Car
Hôtellerie familiale établie dans un c
Ses deux chalets renferment d'am
taurant apprécié pour son confort

HOTELS

From 🏨🏨🏨 to 🏠:
categories of comfort.
In red 🏨🏨🏨 ... 🏠:
the most pleasant.

La Pomme de Pin
14 av. François-Borel – 𝒞 032 842
Fermé dimanche et lundi
Rest – (fermé Noël et Nouvel A
Table entièrement rénovée, d
tisme : perches, homards, frui
pice à la détente.

GOOD FOOD AND ACCOMMODATION AT MODERATE PRICES

🄸🄾🄻 Bib Hotel.
🄶 Bib Gourmand.

COSSONAY – 1304 Vaud (VD) – 5
🚆 Bern 107 – Lausanne 1

RESTAURANTS

From 🕱🕱🕱🕱🕱 to 🕱: categories of comfort.
In red 🕱🕱🕱🕱🕱 ... 🕱: the most pleasant.

Le Petit Comptoir
22 r. du Temple – 𝒞 032 6
– Fermé 24 décembre - 5
Rest – Menu 80 CHF (dé
Ancienne maison du
mobilier Louis XVI, an
Du plaisir pour les ye
→ Pressée de thon m
Mille-feuille de bœu

STARS

❀❀❀ Worth a special journey.
❀❀ Worth a detour.
❀ A very good restaurant.

COURGENAY – 2950 Ju
🚆 Bern 92 – Delé

Terminus
2 r. de la Petite-
– Fermé 1ᵉʳ au
h ⬛ – ♦85

82   8 C2
sanne 65
od-tourisme.com

⟨ 🌁 🕮 🌿 & 🏊

n.ch   B1**e**

rte 51/87 CHF
égories de chambres joliment
vogue entre recettes classiques
nes.   🐾 🌼 🕮 🎿
                                  A2**b**

.ch

F
sidentiel, donc exempte de chahut. Res-
res à touches campagnardes.
soin apporté à se préparations.
                                  🌁🚭

ww.pommedepin.ch   C1**d**

B CHF – Carte 43/87 CHF 🕮
tation culinaire ne manque pas d'éclec-
et produits terrestres. Terrasse d'été pro-
                                  12 A3

487 h. – alt. 565
rg 78 – Genève 62 – Yverdon-les-Bains 28   🌁 & P

www.lepetit-comptoir.ch
juillet - 3 août et dimanche
– Carte 128/208 CHF
ant harmonieusement décor ancien – élégant
minée en pierre moulurée – et cuisine innovante.
ais.
herbes. Gnocchi à la truffe noire et jus de légumes.
ts.   5 D7

51 H4 – 2 099 h. – alt. 488
– Basel 54 – Biel 57 – Montbéliard 38   🌁 P

– ℰ 032 471 22 35 – www.hotelterminus.ch

CHF – ½ P
ne – (fermé lundi) Menu 44 CHF – Carte 33/72 CHF
ment aux chambres personnalisées, certaines dotées de
ne ment, réservez celles l'Albertine, la plus spacieuse. Belle
on nom à la brasserie de l'hôtel. Belle

41

Commitments

The MICHELIN guide's commitments:

Experienced in quality

Whether it is in Japan, the USA, China or Europe our inspectors use the same criteria to judge the quality of the hotels and restaurants and use the same methods of visiting. The MICHELIN guide can only boast this worldwide reputation thanks to its commitment to the readers and we would like to stress these here :

Anonymous inspections – our inspectors make regular and anonymous visits to hotels and restaurants to gauge the quality of products and services offered to an ordinary customer. They settle their own bill and may then introduce themselves and ask for more information about the establishment. Our readers' comments are also a valuable source of information, which we can then follow up with another visit of our own.

Independence – To remain totally objective for our readers, the selection is made with complete independence. Entry into the guide is free. All decisions are discussed with the Editor and our highest awards are considered at a European level.

Selection and choice – The MICHELIN guide offers a selection of the best hotels and restaurants in every category of comfort and price. This is only possible because all the inspectors rigorously apply the same methods.

Annual updates – All the practical information, the classifications and awards are revised and updated every single year to give the most reliable information possible.

Consistency – The criteria for the classifications are the same in every country covered by the MICHELIN guide.

The sole intention of Michelin is to make your travels both safe and enjoyable.

Dear reader

Dear reader,

Having kept up-to-date with the latest developments in the hotel and restaurant scenes, we are pleased to present this new, improved and updated edition of the MICHELIN guide.

Since the very beginning, our ambition has remained the same each year: to accompany you on all of your journeys and to help you choose the best establishments to both stay and eat in, across all categories of comfort and price; whether that's a friendly guesthouse or luxury hotel, a lively gastropub or fine dining restaurant.

To this end, the MICHELIN guide is a tried-and-tested travel planner, its primary objective being to provide first-hand experience for you, our readers. All of the establishments selected have been rigorously tested by our team of professional inspectors, who are constantly seeking out new places and continually assessing those already listed.

Every year the guide recognises the best places to eat, by awarding them one ❀, two ❀❀ or three ❀❀❀ stars. These lie at the heart of the selection and highlight the establishments producing the best quality cuisine – in all styles – taking into account the quality of ingredients, creativity, mastery of techniques and flavours, value for money and consistency.

Other symbols to look out for are the Bib Gourmand ⊛ and the Bib Hotel ⌂⌐, which point out establishments that represent particularly good value; here you'll be guaranteed excellence but at moderate prices.

We are committed to remaining at the forefront of the culinary world and to meeting the demands of our readers. As such, we are very interested to hear your opinions on the establishments listed in our guide. Please don't hesitate to contact us, as your contributions are invaluable in directing our work and improving the quality of our information.

We continually strive to help you on your journeys.

Thank you for your loyalty and happy travelling with the 2014 edition of the MICHELIN guide.

Consult the MICHELIN guide at:
www.ViaMichelin.ch
and write to us at:
leguidemichelin-suisse@ch.michelin.com

Classification & awards

CATEGORIES OF COMFORT

The MICHELIN guide selection lists the best hotels and restaurants in each category of comfort and price. The establishments we choose are classified according to their levels of comfort and, within each category, are listed in order of preference.

⩕⩕⩕⩕	ⅩⅩⅩⅩⅩ	Luxury in the traditional style
⩕⩕⩕	ⅩⅩⅩⅩ	Top class comfort
⩕⩕⩕	ⅩⅩⅩ	Very comfortable
⩕⩕	ⅩⅩ	Comfortable
⩕	Ⅹ	Quite comfortable
sans rest garni, senza rist		This hotel has no restaurant
avec ch mit Zim, con cam		This restaurant also offers accomodation

THE AWARDS

To help you make the best choice, some exceptional establishments have been given an award in this year's guide. They are marked ✿ or 🍴.

THE BEST CUISINE

Michelin stars are awarded to establishments serving cuisine, of whatever style, which is of the highest quality. The cuisine is judged on the quality of ingredients, the skill in their preparation, the combination of flavours, the levels of creativity, the value for money and the consistency of culinary standards.

For every restaurant awarded a star we include 3 specialities that are typical of their cooking style. These specific dishes may not always be available.

✿✿✿	**Exceptional cuisine, worth a special journey** One always eats extremely well here, sometimes superbly.
✿✿	**Excellent cooking, worth a detour**
✿	**A very good restaurant in its category**

GOOD FOOD AND ACCOMMODATION AT MODERATE PRICES

Bib Gourmand
Establishment offering good quality cuisine for under 65 CHF (price of a meal, not including drinks).

Bib Hotel
Establishment offering good levels of comfort and service, with most rooms priced at under 180 CHF (price of a room for 2 people, excluding breakfast).

PLEASANT HOTELS AND RESTAURANTS

Symbols shown in red indicate particularly pleasant or restful establishments: the character of the building, its décor, the setting, the welcome and services offered may all contribute to this special appeal.

to **Pleasant accomodations**

to **Pleasant restaurants**

OTHER SPECIAL FEATURES

As well as the categories and awards given to the establishment, Michelin inspectors also make special note of other criteria which can be important when choosing an establishment.

LOCATION

If you are looking for a particularly restful establishment, or one with a special view, look out for the following symbols:

Quiet hotel / Very quiet hotel

Interesting view / Exceptional view

WINE LIST

If you are looking for an establishment with a particularly interesting wine list, look out for the following symbol:

Particularly interesting wine list
This symbol might cover the list presented by a sommelier in a luxury restaurant or that of a simple inn where the owner has a passion for wine. The two lists will offer something exceptional but very different, so beware of comparing them by each other's standards.

N New establishment in the guide

Facilities
& services

30 ch
(Zim, cam)　　Number of rooms

⬛　　Lift (elevator)

AC　　Air conditioning (in all or part of the establishment)

📞　　High-speed internet access in bedrooms

📶　　Wireless Lan internet access in bedrooms

♿　　Establishment at least partly accessible to those of restricted mobility

🧒　　Special facilities for children

⛱　　Meals served in garden or on terrace

Spa　　Wellness centre: an extensive facility for relaxation and well-being

♨　　Hydrotherapy

🏋 🧖　　Exercise room, sauna

🏊 🏊　　Swimming pool: outdoor or indoor

🌳 🌳　　Garden – Park

🎾 ⛳18　　Tennis – Golf course and number of holes

🧑‍💼　　Equipped conference room

⬭　　Private dining rooms

🐕　　No dogs allowed (in all or part of the establishment)

🚗　　Hotel garage (additional charge in most cases)

P　　Car park for customers only

💳　　Credit cards not accepted

NON-SMOKERS

In some cantons it is forbidden to smoke in restaurants. The regulations can vary from one canton to another.
Most hotels offer non-smoking bedrooms.

Prices

Prices quoted in this guide supplied in summer 2013. They are subject to alteration if goods and service costs are revised. The rates include tax and service and no extra charge should appear on your bill with the possible exception of visitor's tax.

By supplying the information, hotels and restaurants have undertaken to maintain these rates for our readers.

In some towns, when commercial, cultural or sporting events are taking place the hotel rates are likely to be considerably higher.

Certain establishments offer special rates. Ask when booking.

RESERVATIONS AND DEPOSIT

Certain hoteliers will request the payment of a deposit which confirms the commitment of the customer. It is desirable that you ask the hotelier to indicate in its written confirmation if the amount thus paid will be charged to the invoice (in this case, the deposit is used as a down payment) or not. It is also advised to get all useful information about the terms and conditions of the stay.

ROOMS

29 ch (Zim, cam)	Number of rooms
♦ 100/150 CHF	Lowest price 100CHF and highest price 150CHF for a comfortable single room
♦♦ 200/350 CHF	Lowest price 200CHF and highest price 350CHF for a double or twin room for 2 people
ch (Zim,cam) ⌣ -	Breakfast included
⌣ 20 CHF	Price of breakfast (Suites and junior suites: ask the hotelier)

HALF BOARD

½ P	This establishment offers also half board.

               Restaurant serving a dish of the day **under 20 CHF**

Dish of the day:

(16 CHF)   Average price of midweek dish of the day, usually served at lunch.

Set meals:

Price of a main meal with an entrée and a dessert.

Menu 36/80 CHF   **Price of the set meal:** lowest price 36 CHF/ highest price 80 CHF
(Menü – Menu)

A la carte meals:

Carte   The first figure is for a plain meal and includes entrée, main dish and
50/95 CHF   dessert. The second figure is for a fuller meal and includes entrée,
(Karte – Carta) main course and dessert.

Information on localities

GENERAL INFORMATION

(BIENNE)	Usual translation for the name of the town
✉ **3000**	Local postal number
✉ **3123 Belp**	Postal number and name of the postal area
Ⓒ - Ⓚ	Capital of the "Canton"
Bern (BE)	"Canton" in which a town is situated
551 I6	Michelin map and co-ordinates or fold
1 057 h. (Ew. – ab.)	Population
Alt. (Höhe) 1 500	Altitude (in metres)
Kurort **Stazione termale** **Station thermale**	Spa
Wintersport **Sport invernali** **Sports d'hiver**	Winter sports
1 200/1 900	Lowest station and highest points reached by lifts
🚡 **2**	Number of cablecars
🚠 **14**	Number of ski and chairlifts
🎿	Cross-country skiing
B1 **b**	Letters giving the location of a place on the town plan
🏌	Golf course and number of holes
☀ ≼	Panoramic view, viewpoint
✈	Airport
🚃	Places with motorail pick-up point
	Further information from telephone number indicated
🛈	Tourist Information Centre
⊛	Touring Club Suisse (T.C.S.)
⊕	Automobile Club der Schweiz (A.C.S.)

TOURIST INFORMATION

STAR-RATING

★★★	Highly recommended
★★	Recommended
★	Interesting

LOCATION

👁	Sights in town
🕝	On the outskirts
	The sight lies:
Nord, Sud, Süd,	north, south of the town
Est, Ost,	east of the town
Ouest, West, Ovest	west of the town
2 km	Distance in kilometres

LOCAL EVENTS

Selection of the main cultural, traditional and sporting events

Plan key

- Hotels
- Restaurants

SIGHTS

Place of interest

Interesting place of worship: catholic · protestant

ROADS

Motorway · Dual carriageway

Numbered exchangers: full, partial

Main traffic artery

Street subject to restrictions or impassable street

Pedestrian street · Tramway

Car park · Park and Ride

Tunnel

Station and railway

Funicular · Rack railway

Cable car, cable way

VARIOUS SIGNS

Tourist Information Centre

Mosque · Synagogue

Tower or mast · Ruins · Windmill

Garden, park, wood · Cemetery

Stadium · Golf course · Racecourse

Outdoor swimming pool

View · Panorama

Monument · Fountain · Lighthouse

Pleasure boat harbour · Coach station

Airport · Underground station

Ferry services:
passengers and cars, passengers only

Main post office

Hospital · Covered market

Local Police Station · Police

Town Hall · University, College

Public buildings located by letter:
M   H   Museum · Town Hall
P   T   Offices of Cantonal Authorities · Theatre

Touring Club Suisse (T.C.S.)

Automobile Club der Schweiz (A.C.S.)

Distinctions 2014

Les Tables étoilées 2014
Die Sterne Restaurants

Basel

Flüh • Bubendorf
Trimbach

Hägendorf •

Le Noirmont • Riedholz • Nebikon
Solothurn
• Sonceboz • Thörigen
Scheunenberg • Burgdorf

Saint-Blaise
• Münchenbuchsee
Bern
Escholzmatt

Villarepos •
• Kirchdorf
Fribourg • Bourguillon

Wilderswil

Cossonay
Crissier Lausanne
Mont Pélerin
Vufflens-le-Château • Saint-Légier Gstaad
Morges Chardonne • Brent
Vevey
Montreux

Vouvry • Crans-Montana Sierre

Anières Saas Fee
Peney-Dessus
Cologny
Thônex Verbier
Genève Carouge Zermatt

La couleur correspond à l'établissement le plus étoilé de la localité.
Die Farbe entspricht dem besten Sterne-Restaurant im Ort.

La localité possède au moins un restaurant 3 étoiles
Ort mit mindestens einem 3 Sterne-Restaurant

La localité possède au moins un restaurant 2 étoiles
Ort mit mindestens einem 2 Sterne-Restaurant

La localité possède au moins un restaurant 1 étoile
Ort mit mindestens einem 1 Stern-Restaurant

Les tables étoilées

→ Sterne-Restaurants
→ Gli esercizi con stelle
→ Starred restaurants

✿✿✿ 2014

Crissier	Restaurant de l'Hôtel de Ville
Fürstenau	Schauenstein

✿✿ 2014

Anières	Le Floris
Ascona	Ecco
Basel	Cheval Blanc
Basel	Stucki
Cossonay	Le Cerf
Hägendorf	Lampart's
Küsnacht	Rico's Kunststuben
Lausanne	Anne-Sophie Pic
Montreux / Brent	Le Pont de Brent
Le Noirmont	Georges Wenger
La Punt-Chamues-Ch.	Bumanns Chesa Pirani
Samnaun	Homann's Restaurant
Sankt Moritz / Champfèr	Ecco on snow
Satigny / Peney-Dessus	Domaine de Châteauvieux
Schwyz / Steinen	Adelboden
Sierre	Didier de Courten
Uetikon am See	Wirtschaft zum Wiesengrund
Vitznau	focus **N**
Zürich	The Restaurant

❀ 2014

Arosa	La Vetta
Ascona	Locanda Barbarossa **N**
Ascona	Seven
Bad Ragaz	Äbtestube
Basel	Bel Etage
Basel	Matisse
Bellinzona	Locanda Orico
Bern	Meridiano
Bern	Schöngrün
Brail	Vivanda **N**
Bubendorf	Osteria Tre
Burgdorf	Emmenhof
Crans-Montana	Hostellerie du Pas de l'Ours
Davos	Amrein's Seehofstübli **N**
Eglisau	La Passion
Escholzmatt	Rössli - Jägerstübli
Flüh	Wirtshaus Zur Säge
Freienbach	Funkes Obstgarten - Gourmetstübli **N**
Fribourg	Le Pérolles / P.- A. Ayer
Fribourg / Bourguillon	Des Trois Tours
Ftan	L'Autezza
Gattikon	Sihlhalde
Genève	Bayview **N**
Genève	Il Lago **N**
Genève	Le Chat Botté
Genève	Rasoi by Vineet
Genève	Vertig'O
Genève / Carouge	Le Flacon **N**
Genève / Cologny	Auberge du Lion d'Or
Genève / Thônex	Le Cigalon
Gstaad	Chesery
Gstaad	LEONARD'S
Gstaad	Sommet **N**
Hergiswil	Seerestaurant Belvédère
Hurden	Markus Gass zum Adler
Interlaken / Wilderswil	Gourmetstübli
Kirchdorf	mille privé - Urs Messerli
Klosters	Walserstube **N**
Kreuzlingen	Nocturne **N**
Lausanne	La Table d'Edgard
Lugano	Arté
Mels	Schlüssel - Nidbergstube
Le Mont-Pèlerin	Le Trianon
Montreux	L'Ermitage
Morges	Le Petit Manoir
Münchenbuchsee	Moospinte

Nebikon	Adler
Neuchâtel / Saint-Blaise	Au Bocca
Olten / Trimbach	Traube
Rehetobel	Gasthaus Zum Gupf
Saas Fee	Waldhotel Fletschhorn
Sankt Gallen / Wittenbach	Segreto
Sankt Moritz	Cà d'Oro
Sankt Moritz	Da Vittorio **N**
Sankt Moritz / Champfèr	Talvo By Dalsass
Schaffhausen	Die Fischerzunft
Scheunenberg	Sonne
Solothurn	Zum Alten Stephan - Zaugg's Zunftstube
Solothurn / Riedholz	Attisholz - le feu
Sonceboz	Du Cerf
Thörigen	Löwen
Triesen (Liechtenstein)	Schatzmann
Vacallo	Conca Bella
Vaduz (Liechtenstein)	Park-Hotel Sonnenhof - Marée
Verbier	La Table d'Adrien
Vevey	Denis Martin
Vevey	Le Restaurant
Vevey	Les Saisons
Vevey / Chardonne	Le Montagne
Vevey / Saint-Légier	Auberge de la Veveyse
Villarepos	Auberge de la Croix Blanche
Vouvry	Auberge de Vouvry
Vufflens-le-Château	L'Ermitage
Walchwil	Sternen
Wangen	Sternen - Badstube
Weggis	Annex
Wetzikon	Il Casale
Widen	Ryokan Hasenberg - Usagiyama
Wigoltingen	Taverne zum Schäfli
Winterthur	Pearl **N**
Zermatt	After Seven **N**
Zermatt	Capri
Zermatt	Heimberg
Zürich	CLOUDS
Zürich	Münsterhof
Zürich	Pavillon **N**
Zürich	Rigiblick - Spice
Zürich	Sein
Zürich	mesa **N**

N ➡ *Nouveau* ➡ *Neu* ➡ *Nuovo* ➡ *New*

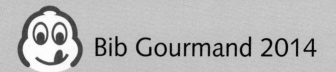

Bib Gourmand 2014

Localités possédant au moins un établissement avec un Bib Gourmand
Orte mit mindestens einem Bib-Gourmand-Haus.

Basel
Bottmingen
Mägenwil
Pleujouse
Gunzgen
Riedholz
Nebikon
Sonceboz
Ebersecken
Sursee
Solothurn
Sempach
Les Prés d'Orvin
Utzenstorf
Scheunenberg
Blatten bei Malters
Dürrenroth
Luthern
Sugiez
Escholzmatt
Lugnorre
Bern
Murten
St-Aubin
Villarepos
Düdingen
Steffisburg
Pensier
Meiringen
Baulmes
Hilterfingen
Aeschiried
Wilderswil
Montricher
Reichenbach
Cossonay
Mézières
Frutigen
Aclens
Le Brassus
Chalet-à-Gobet
Arzier
Aubonne
Miège
Bluche
Versoix
Anières
Saint-Léonard
Genève
Sion
Chancy
Conches
Saas Fee
Landecy

Schaffhausen
Diessenhofen
Oberstammheim
Weinfelden
Bülach
Arnegg
Lömmenschwil
Wil
Kloten
Sankt Gallen
Zürich
Wetzikon
Urnäsch
Freienbach
LIECHTENSTEIN
Zug
ochdorf
Mels
Adligenswil
Ried-Muotathal
Riemenstalden
Sankt Niklausen
Laax
Arosa
Engelberg
Trun
La Punt-Chamues-Ch.
Ascona
Massagno

Bib Gourmand

→ Repas soignés à prix modérés
→ Gute Küche zu moderaten Preisen
→ Pasti accurati a prezzi contenuti
→ Good food at moderate prices

Aclens	Auberge Communale
Adligenswil	Rössli
Aeschi bei Spiez / Aeschiried	Panorama
Anières	Le Café de Floris
Arnegg	Ilge
Arosa	Ahaan Thai **N**
Arzier	Auberge de l'Union
Ascona	Giardino Lounge e Ristorante **N**
Ascona	Seven Asia
Aubonne	L'Esplanade
Basel	Johann
Basel	Oliv
Basel	Zur Rebe
Basel / Bottmingen	Basilicum
Basel / Bottmingen	Bistro du Soleil
Baulmes	L'Auberge
Bern	Kirchenfeld
Bern	milles sens - les goûts du monde **N**
Blatten bei Malters	Krone - Gaststube
Bülach	Zum Goldenen Kopf
Chancy	De la Place
Cossonay	La Fleur de Sel
Crans-Montana / Bluche	Edo
La Croix-de-Rozon / Landecy	Auberge de Landecy
Diessenhofen	Gasthaus Schupfen **N**
Düdingen	Gasthof zum Ochsen
Dürrenroth	Bären
Ebersecken	Sonne
Engelberg	Hess by Braunerts
Escholzmatt	Chrüter Gänterli
Freienbach	Funkes Obstgarten - Bistro
Frutigen	Philipp Blaser **N**
Genève	Bistrot du Boeuf Rouge
Genève	L'Arabesque **N**
Genève	La Cantine des Commerçants **N**
Genève	Le 3 Rive Gauche
Genève / Conches	Le Vallon **N**

N → *Nouveau* → *Neu* → *Nuovo* → *New*

Gunzgen	Sonne
Hochdorf	Braui - Brasserie
Interlaken / Wilderswil	Alpenblick - Dorfstube
Joux (Vallée) / Le Brassus	Brasserie Le Carillon
Laax	Das Elephant
Lausanne / Chalet-à-Gobet	Le Berceau des Sens
Lömmenschwil	Ruggisberg
Lugano / Massagno	Grotto della Salute
Lugnorre	Auberge des Clefs - Bistro
Luthern	Gasthaus zur Sonne
Mägenwil	Bären
Meiringen	Victoria
Mels	Schlüsselstube
Mels	Waldheim
Mézières	Du Jorat - Brasserie
Miège	Le Relais Miégeois
Montricher	Auberge aux 2 Sapins
Murten	Käserei
Nebikon	Adler - Beizli
Oberstammheim	Zum Hirschen
Orvin / Les Prés d'Orvin	Le Grillon
Pensier	Carpe Diem
Pleujouse	Château de Pleujouse
La Punt-Chamues-Ch.	Gasthaus Krone
Reichenbach	Bären
Ried-Muotathal	Adler
Riemenstalden	Kaiserstock
Saas Fee	Spielboden
Saint-Aubin	La Maison du Village
Sankt Gallen	Candela
Sankt Gallen	Netts Schützengarten
Sankt Niklausen	Alpenblick
Schaffhausen	Vinopium
Scheunenberg	Sonne - Bistro
Sempach	Gasthof Adler
Sion	La Sitterie
Sion / Saint-Léonard	Buffet de la Gare
Solothurn	Zum Alten Stephan - Stadtbeiz
Solothurn / Riedholz	Attisholz - Gaststube
Sonceboz	Du Cerf - Brasserie
Sugiez	De l'Ours
Sursee	amrein'S
Thun / Hilterfingen	Schönbühl **N**
Thun / Steffisburg	Panorama - Bistro
Trun	Casa Tödi
Urnäsch	Urnäscher Kreuz
Utzenstorf	Bären
Versoix	Du Lac
Villarepos	Auberge de la Croix Blanche - Bistro
Weinfelden	Pulcinella
Wetzikon	Il Casale - Bistro
Wil	Hof zu Wil
Zürich	Bistro Quadrino
Zürich	Drei Stuben **N**
Zürich	Stapferstube da Rizzo **N**
Zürich / Kloten	Rias **N**
Zug	Rathauskeller - Bistro

N ➡ *Nouveau* ➡ *Neu* ➡ *Nuovo* ➡ *New*

Bib Hôtel

→ Bonnes nuits à petits prix
→ Hier übernachten Sie gut und preiswert
→ Soggiorno di qualità a prezzo contenuto
→ Good accommodation at moderate prices

Appenzell / Schwende	Alpenblick
Arbon	Seegarten
Arnegg	Arnegg
Arolla	Du Pigne
Arzier	Auberge de l'Union
Bergün	Bellaval
Berikon	Stalden
Champex	Alpina
Cossonay	Le Funi
Courgenay	De la Gare
Davos / Sertig-Dörfli	Walserhuus
Delémont	La Bonne Auberge
Dürrenroth	Bären
Ftan	Munt Fallun
Fuldera	Staila
Gilly	Auberge Communale
Gondo	Stockalperturm
Gordevio	Casa Ambica
Guggisberg	Sternen
Iseltwald	Chalet du Lac
Kandersteg	Bernerhof
Kreuzlingen / Tägerwilen	Trompeterschlössle
Lauterbrunnen	Silberhorn
Meiringen	Victoria
Mörigen	Seeblick
Montricher	Auberge aux 2 sapins
Mühledorf	Kreuz
Reckingen	Tenne **N**
Sedrun	La Cruna
Sumiswald	Bären
Thyon-Les Collons	La Cambuse

Hôtels agréables

→ Angenehme Hotels

→ Alberghi ameni

→ Particularly pleasant hotels

Bad Ragaz	Grand Resort
Genève	Beau-Rivage
Genève	Four Seasons Hôtel des Bergues
Gstaad	Grand Hotel Park
Gstaad	The Alpina Gstaad
Interlaken	Victoria-Jungfrau
Lausanne	Beau-Rivage Palace
Le Mont-Pèlerin	Le Mirador Kempinski
Montreux	Fairmont Le Montreux Palace
Sankt Moritz	Carlton
Sankt Moritz	Kulm
Sankt Moritz	Suvretta House
Vitznau	Park Hotel Vitznau
Zürich	The Dolder Grand

Arosa	Tschuggen Grand Hotel
Ascona	Castello del Sole
Ascona	Eden Roc
Ascona	Giardino
Ascona	Parkhotel Delta
Basel	Grand Hotel Les Trois Rois
Crans-Montana	Guarda Golf
Genève	D'Angleterre
Genève	De la Paix
Genève	InterContinental
Genève / Bellevue	La Réserve
Gstaad	Le Grand Bellevue
Locarno / Orselina	Villa Orselina
Lugano	Grand Hotel Villa Castagnola
Lugano	Villa Principe Leopoldo
Morcote	Swiss Diamond Hotel
Pontresina	Grand Hotel Kronenhof
Sankt Moritz	Kempinski Grand Hotel des Bains
Vevey	Grand Hôtel du Lac
Weggis	Park Weggis
Zermatt	Grand Hotel Zermatterhof
Zermatt	Mont Cervin Palace
Zermatt	Riffelalp Resort
Zürich	Savoy Baur en Ville
Zürich	Widder

Adelboden	Parkhotel Bellevue
Appenzell / Weissbad	Hof Weissbad
Arosa	BelArosa
Brienz / Giessbach	Grandhotel Giessbach
Crans-Montana	Crans Ambassador
Crans-Montana / Plans-Mayens	Le Crans
Ennetbürgen	Villa Honegg
Ftan	Paradies
Genève	Les Armures
Genève	N'vY
Grindelwald	Schweizerhof
Gstaad	Le Grand Chalet
Gstaad / Schönried	ERMITAGE Wellness und Spa Hotel
Lenk	Lenkerhof
Lenzerheide / Sporz	Maiensäss Hotel Guarda Val
Leukerbad	Les Sources des Alpes
Luzern	Montana
Melchsee-Frutt	frutt LODGE und SPA
Merligen	BEATUS
Montreux / Glion	Victoria
Neuchâtel / Monruz	Palafitte
Pontresina	Walther
Rapperswil	Schwanen
Saint-Luc	Bella Tola
Samnaun	Chasa Montana
Sankt Moritz / Champfèr	Giardino Mountain
Sils Maria / Segl Baselgia	Margna
Spiez	Belvédère
Spiez	Eden
Vaduz (Liechtenstein)	Park-Hotel Sonnenhof
Verbier	Le Chalet d'Adrien
Villars-sur-Ollon	Chalet Royalp
Vitznau	Vitznauerhof
Zermatt	Alex
Zermatt	Alpenhof
Zermatt	The Omnia
Zürich	Alden Luxury Suite Hotel
Zürich	Schweizerhof
Zürich	Storchen

Ascona	Riposo
Brail	IN LAIN Hotel Cadonau
Brissago	Yachtsport Resort
Genève	Tiffany
Gstaad / Schönried	Hostellerie Alpenrose
Kandersteg	Waldhotel Doldenhorn
Klosters	Walserhof
Morges	Le Petit Manoir

Murg	Lofthotel
Schaffhausen	Die Fischerzunft
Scuol	Guarda Val
Scuol / Tarasp	Schlosshotel Chastè
Wengen	Caprice
Wengen	Jungfrau
Zermatt	CERVO
Zermatt	Coeur des Alpes
Zermatt	Julen
Zermatt	Matterhorn Focus
Zermatt	Matthiol
Zürich	Florhof
Zuoz	Castell

Beckenried	Schlüssel
Bever	Chesa Salis
Broc	Broc'aulit
Carona	Villa Carona
Les Diablerets	du Pillon
Gordevio	Casa Ambica
Kandersteg / Blausee-Mitholz	Blausee
Lodano	Ca'Serafina
Pontresina	Albris
La Punt-Chamues-Ch.	Gasthaus Krone
Scuol	Engiadina
Sils Maria / Fex-Crasta	Sonne
Zermatt	Bella Vista
Zürich	Kindli

Restaurants agréables

→ Angenehme Restaurants

→ Ristoranti ameni

→ Particularly pleasant restaurants

XXXXX

Lausanne	Anne-Sophie Pic

XXXX

Basel	Cheval Blanc
Crissier	Restaurant de l'Hôtel de Ville
Genève / Cologny	Auberge du Lion d'Or
Satigny / Peney-Dessus	Domaine de Châteauvieux
Vitznau	focus
Zürich	The Restaurant

XXX

Anières	Le Floris
Ascona	Ecco
Basel	Stucki
Brail	Vivanda
Cossonay	Le Cerf
Fürstenau	Schauenstein
Genève	Bayview
Gstaad	Chesery
Hägendorf	Lampart's
Klosters	Walserstube
Küsnacht	Rico's Kunststuben
Le Mont-Pèlerin	Le Trianon
Montreux	L'Ermitage
Montreux / Brent	Le Pont de Brent
Neuchâtel / Saint-Blaise	Au Bocca
Le Noirmont	Georges Wenger
La Punt-Chamues-Ch.	Bumanns Chesa Pirani
Rehetobel	Gasthaus Zum Gupf
Saas Fee	Waldhotel Fletschhorn
Sankt Moritz / Champfèr	Ecco on snow
Schaffhausen	Die Fischerzunft
Solothurn / Riedholz	Attisholz - le feu
Taverne	Motto del Gallo
Vevey	Les Saisons
Vufflens-le-Château	L'Ermitage
Weggis	Annex

XX

Altnau	Urs Wilhelm's Restaurant
Arbon	Römerhof
Arnegg	Ilge
Arosa	Kachelofa-Stübli
Ascona	Giardino Lounge e Ristorante
Ascona / Losone	Osteria dell'Enoteca
Basel	Ackermannshof
Bern	Schöngrün
Bern / Liebefeld	Landhaus Liebefeld
Birmenstorf	Pfändler's Gasthof zum Bären
Breil	Casa Fausta Capaul
Bubikon	Löwen - Apriori
Buonas	Wildenmann
Bursinel	La Clef d'Or
Centovalli	Stazione Da «Agnese i Adriana»
Chéserex	Auberge Les Platanes
Erlenbach	Zum Pflugstein
Fribourg	L'Aigle-Noir
Gattikon	Sihlhalde
Genève	Rasoi by Vineet
Goldach	Villa am See
Gstaad	La Bagatelle
Gstaad / Saanen	Sonnenhof
Hurden	Markus Gass zum Adler
Ilanz / Schnaus	Stiva Veglia
Kandersteg	Au Gourmet
Kirchdorf	mille privé - Urs Messerli
Lenzerheide / Sporz	Guarda Val
Lömmenschwil	Neue Blumenau
Münchenbuchsee	Moospinte
Neuchâtel	La Maison du Prussien
Neuheim	Falken
Pleujouse	Château de Pleujouse
Rapperswil	Villa Aurum
Saint-Luc	Chez Ida-Le Tzambron
Sankt Gallen	Vreni Giger's Jägerhof
Sankt Gallen / Wittenbach	Segreto
Sankt Pelagiberg	Sankt Pelagius
Scheunenberg	Sonne
Schwyz / Steinen	Adelboden
Sihlbrugg / Hirzel	Krone - Tredecim
Sugiez	De l'Ours
Tegna / Ponte Brolla	Da Enzo
Thun	Arts Schloss Schadau
Uetikon am See	Wirtschaft zum Wiesengrund
Verbier	La Table d'Adrien
Vevey	La Véranda
Wädenswil	Eder's Eichmühle
Wengen	Schönegg
Widen	Ryokan Hasenberg - Usagiyama
Zermatt	Heimberg
Zürich	Widder Restaurant
Zürich	mesa

Altendorf	Steinegg
Ascona	Seven
Bad Ragaz	Rössli
Beckenried	Schlüssel
Centovalli	Al Pentolino
Fläsch	Landhaus
Flüh	Wirtshaus Zur Säge
Genève	Vertig'O
Genève / Conches	Le Vallon
Grandvaux	Auberge de la Gare
Kandersteg	Ruedihus - Biedermeier Stuben
Lömmenschwil	Ruggisberg
Maloja	Bellavista
Meilen	Wirtschaft zur Burg
Saas Fee	Spielboden
Sankt Moritz	Chasellas
Satigny / Peney-Dessous	Le Café de Peney
Zermatt	CERVO
Zürich	Münsterhof

Wellness-Hotels

→ Bel espace de bien-être et de relaxation
→ Schöner Bereich zum Wohlfühlen
→ Centro attrezzato per il benessere ed il relax
→ Extensive facility for relaxation and well-being

Adelboden	Parkhotel Bellevue	
Adelboden	The Cambrian	
Appenzell / Weissbad	Hof Weissbad	
Arosa	Arosa Kulm	
Arosa	BelArosa	
Arosa	Tschuggen Grand Hotel	
Arosa	Waldhotel National	
Ascona	Castello del Sole	
Ascona	Eden Roc	
Ascona	Giardino	
Baden	Limmathof	
Bad Ragaz	Grand Resort	
Breil	La Val	
Cademario	Cacciatori	
Celerina	Cresta Palace	
Crans-Montana	Art de Vivre	
Crans-Montana	Crans Ambassador	
Crans-Montana	De L'Etrier	
Crans-Montana	Grand Hôtel du Golf	
Crans-Montana	Guarda Golf	
Crans-Montana	Hostellerie du Pas de l'Ours	
Crans-Montana / Plans-Mayens	Le Crans	
Ennetbürgen	Villa Honegg	
Feusisberg	Panorama Resort und Spa	
Flims	Adula	
Flims	Waldhaus Flims	
Genève	Four Seasons Hôtel des Bergues	
Genève	Grand Hôtel Kempinski	
Genève	InterContinental	
Genève / Bellevue	La Réserve	
Grindelwald	Schweizerhof	
Gstaad	Grand Hotel Park	
Gstaad	Gstaad Palace	
Gstaad	Le Grand Bellevue	
Gstaad	The Alpina Gstaad	
Gstaad / Schönried	ERMITAGE Wellness und Spa Hotel	
Gstaad / Saanenmöser	Golfhotel Les Hauts de Gstaad und SPA	
Gstaad / Saanen	Steigenberger	

Heiden	Heiden	🏨
Horn	Bad Horn	🏨
Interlaken	Lindner Grand Hotel Beau Rivage	🏨
Interlaken	Victoria-Jungfrau	🏨
Lausanne	Beau-Rivage Palace	🏨
Lausanne	Lausanne Palace	🏨
Lenk	Lenkerhof	🏨
Lenzerheide	Lenzerhorn	🏨
Lenzerheide	Schweizerhof	🏨
Lenzerheide / Valbella	Valbella Inn	🏨
Leukerbad	Les Sources des Alpes	🏨
Leukerbad	Mercure Hotel Bristol	🏨
Lipperswil	Golf Panorama	🏨
Locarno / Minusio	Esplanade	🏨
Locarno / Orselina	Villa Orselina	🏨
Lugano / Massagno	Villa Sassa	🏨
Luzern	Palace	🏨
Meisterschwanden	Seerose Resort und Spa	🏨
Melchsee-Frutt	frutt LODGE und SPA	🏨
Merligen	BEATUS	🏨
Le Mont-Pèlerin	Le Mirador Kempinski	🏨
Montreux	Fairmont Le Montreux Palace	🏨
Morcote	Swiss Diamond Hotel	🏨
Morschach	Swiss Holiday Park	🏨
Pontresina	Grand Hotel Kronenhof	🏨
Saas Almagell	Pirmin Zurbriggen	🏨
Saas Fee	Ferienart Resort und SPA	🏨
Saas Fee	Schweizerhof	🏨
Saillon	Bains de Saillon	🏨
Saint-Luc	Bella Tola	🏨
Samnaun	Chasa Montana	🏨
Sankt Moritz	Badrutt's Palace	🏨
Sankt Moritz	Carlton	🏨
Sankt Moritz	Kempinski Grand Hotel des Bains	🏨
Sankt Moritz	Kulm	🏨
Sankt Moritz	Suvretta House	🏨
Sankt Moritz / Champfèr	Giardino Mountain	🏨
Sigriswil	Solbadhotel	🏨
Verbier	Cordée des Alpes	🏨
Verbier	Le Chalet d'Adrien	🏨
Vevey	Trois Couronnes	🏨
Villars-sur-Ollon	Chalet Royalp	🏨
Villars-sur-Ollon	Du Golf	🏨
Vitznau	Park Hotel Vitznau	🏨
Vitznau	Vitznauerhof	🏨
Weggis	Park Weggis	🏨
Weggis	Rössli	🏨
Zermatt	Alpenhof	🏨
Zermatt	Grand Hotel Zermatterhof	🏨
Zermatt	La Ginabelle	🏨
Zermatt	Matterhorn Lodge	🏨
Zermatt	Mirabeau	🏨
Zermatt	Mont Cervin Palace	🏨
Zürich	The Dolder Grand	🏨

Pour en savoir plus

- → Gut zu wissen
- → Per saperne di piú
- → Further information

Les langues parlées

Outre le « Schwyzerdütsch », dialecte d'origine germanique, quatre langues sont utilisées dans le pays : l'allemand, le français, l'italien et le romanche, cette dernière se localisant dans la partie ouest, centre et sud-est des Grisons. L'allemand, le français et l'italien sont considérés comme langues officielles administratives et généralement pratiqués dans les hôtels et restaurants.

→ Die Sprachen

Neben dem "Schwyzerdütsch", einem Dialekt deutschen Ursprungs, wird Deutsch, Französisch, Italienisch und Rätoromanisch gesprochen, wobei Rätoromanisch im westlichen, mittleren und südöstlichen Teil von Graubünden beheimatet ist. Deutsch, Französisch und Italienisch sind Amtssprachen; man beherrscht sie in den meisten Hotels und Restaurants.

→ Le lingue parlate

Oltre allo "Schwyzerdütsch", dialetto di origine germanica, nel paese si parlano quattro lingue : il tedesco, il francese, l'italiano ed il romancio ; quest'ultimo nella parte ovest, centrale e sud-est dei Grigioni. Il tedesco, il francese e l'italiano sono considerate le lingue amministrative ufficiali e generalmente praticate negli alberghi e ristoranti.

→ Spoken languages

Apart from "Schwyzerdütsch", a dialect of German origin, four languages are spoken in the country: German, French, Italian and Romansh, the latter being standard to the West, Centre and South-East of Grisons. German, French and Italian are recognised as the official administrative languages and generally spoken in hotels and restaurants.

Les cantons suisses

La Confédération Helvétique regroupe 23 cantons dont 3 se divisent en demi-cantons. Le « chef-lieu » est la ville principale où siègent les autorités cantonales. Berne, centre politique et administratif du pays, est le siège des autorités fédérales (voir Le Guide Vert Suisse). Le 1er août, jour de la Fête Nationale, les festivités sont nombreuses et variées dans tous les cantons.

➔ Die Schweizer Kantone

Die Schweizer Eidgenossenschaft umfasst 23 Kantone, wobei 3 Kantone in je zwei Halbkantone geteilt sind. Im Hauptort befindet sich jeweils der Sitz der Kantonsbehörden. Bern ist verwaltungsmässig und politisch das Zentrum der Schweiz und Sitz der Bundesbehörden (siehe Der Grüne Reiseführer Schweiz). Der 1. August ist Nationalfeiertag und wird in allen Kantonen festlich begangen.

➔ I cantoni svizzeri

La Confederazione Elvetica raggruppa 23 cantoni, dei quali 3 si dividono in semi-cantoni. Il «capoluogo» è la città principale dove risiedono le autorità cantonali. Berna, centro politico ed amministrativo del paese, è sede delle autorità federali (vedere La Guida Verde Svizzera). Il 1° Agosto è la festa Nazionale e numerosi sono i festeggiamenti in tutti i cantoni.

➔ Swiss Districts (Cantons)

The Helvetica Confederation comprises 23 cantons of which 3 are divided into half-cantons. The «chef-lieu» is the main town where the district authorities are based. Bern, the country's political and administrative centre, is where the Federal authorities are based (see The Green Guide Switzerland). On 1st August, the Swiss National Holiday, lots of different festivities take place in all the cantons.

Allemand
Deutsch
Tedesco
German

Français
Französisch
Francese
French

Romanche
Rätoromanisch
Romancio
Romansh

Italien
Italienisch
Italiano
Italian

Les cantons suisses

→ Die Schweizer Kantone

→ I cantoni svizzeri

→ Swiss Districts (Cantons)

Basel • BS
BASEL (BÂL)
Liestal •
BL
Delémont •
JU
JURA
SO
SOLOTHU
(SOLEUR
Solothurn •

NE
NEUCHÂTEL
(NEUENBURG)
Neuchâtel •
BERN •
BE
BERN
(BERN

Fribourg •

VD
VAUD (WAADT)
FR
FRIBOURG
(FREIBURG)
Lausanne •

Sion •
VS
VALAIS (WALLI

Genève •
GE
GENÈVE
(GENF)

APPENZELL
(AR/AI)

AARGAU (AG) · BASEL-LAND (BL) · BASEL-STADT (BS) · BERN (BE) · FRIBOURG (FR) · GENÈVE (GE) · GLARUS (GL) · GRAUBÜNDEN (GR)

JURA (JU) · LUZERN (LU) · NEUCHÂTEL (NE) · ST.GALLEN (SG) · SCHAFFHAUSEN (SH) · SCHWYZ (SZ) · SOLOTHURN (SO) · TICINO (TI)

THURGAU (TG) · NIDWALDEN (NW) · OBWALDEN (OW) · URI (UR) · VALAIS (VS) · VAUD (VD) · ZUG (ZG) · ZÜRICH (ZH)

| → Demi-cantons | → Semi-cantoni |
| → Halbkantone | → Half-cantons |

APPENZELL	AI	Innerrhoden (Rhodes intérieures)
	AR	Ausserrhoden (Rhodes extérieures)
BASEL	BS	Basel-Stadt (Bâle-ville)
BÂLE	BL	Basel-Landschaft (Bâle-campagne)
UNTERWALDEN	NW	Nidwalden (Nidwald)
UNTERWALD	OW	Obwalden (Obwald)

Le fromage en Suisse

La Suisse est un pays de fromages, sa fabrication absorbe la moitié du lait fourni par les paysans. Les fromageries, souvent artisanales, font partie intégrante des villages helvétiques, on en compte environ 1100. La plupart de ces fromages sont élaborés à partir de lait cru frais qui confère aux pâtes traditionnelles leur plénitude d'arôme et favorise leur conservation prolongée.

➜ Der Käse in der Schweiz

Die Schweiz ist ein Land des Käses. Die Hälfte der Milch, welche die Bauern abliefern, wird zu Käse verarbeitet. Die ca. 1100 häufig noch handwerklich arbeitenden Käsereien sind Teil des schweizerischen Dorfbilds. Die meisten dieser Käse werden aus frischer Rohmilch hergestellt, sie verleiht ihnen volles Aroma und eine längere Haltbarkeit.

➜ Il formaggio in Svizzera

La Svizzera è un paese di formaggi, la metà del latte consegnato dai contadini viene trasformato in formaggio. I caseifici, spesso artigianali, sono parte integrante dei villaggi svizzeri, se ne contano circa 1100. La maggior parte de questi formaggi sono fabricadi con latte crudo fresco che conferisce un aroma particolarmente pieno e favorisce una conservazione prolungata.

➜ The cheese in Switzerland

Switzerland is a land of cheeses. In all there are around 1100 cheese dairies, most of whom use local traditional methods, and which together account for half of the national milk production. The majority of their cheeses are made from fresh raw milk, which gives them their strong flavours and helps preserve them longer.

76

→ Principaux fromages suisses
→ Wichtigste Schweizer Käse
→ Principali formaggi svizzeri
→ Main swiss cheese

→ Leur numéro fait référence à la carte → Ihre Nummer bezieht sich auf die Karte → Il numero fa riferimento alla carta → Number refers to the map	→ PÂTE → TEIG → PASTA → TEXTURE	→ GOÛT → GESCHMACK → GUSTO → TASTE	→ MATURATION → REIFEZEIT → STAGIONATURA → PERIOD OF MATURING
LA ROMANDIE ① **GRUYÈRE** Peu ou pas de trous, doux ou salé *Wenige oder keine Löcher, mild oder rezent* Con pochi o senza buchi, dolce o salato *Few or no holes, sweet or salted*	dure *hart* dura *hard*	**fin, corsé, racé** **fein, kräftig, würzig** **fine, saporito** **full-bodied**	4-12 mois et plus *4-12 Monate und mehr* 4-12 mesi e più *4-12 months and more*
② **VACHERIN FRIBOURGEOIS**	mi-dure *halb-hart* semidura *semi-hard*	**doux, crémeux puis corsé et un peu acide** *mild, cremig bis kräftiger, leicht säuerlich* dolce, cremoso poi saporito, acidulo *sweet, creamy then strong and with a slightly acid aftertaste*	2-4 mois *2-4 Monate* 2-4 mesi *2-4 months*
③ **VACHERIN MONT-D'OR** Entouré d'une écorce d'épicéa qui contribue à l'arôme *umhüllt von Tannenrinde aromatisierender avvolto* in corteccia di abete che contibusce all'aroma. *wrapped in pine bark to enhance the flavour*	molle *weich* molle *soft*	**légèrement doux puis plus relevé voire fort** *leicht süsslich, später sehr kräftig* leggermente dolce poi più saporito *slightly sweet then with a strong, spicy aftertaste*	2-4 semaines *2-4 Wochen* 2-4 settimane *2-4 weeks*
④ **TÊTE DE MOINE** Râclé à la girolle *Mit der Girolle geschabt* Raschiato con la girolle *Scraped with the girolle*	mi-dure *halb-hart* semidura *semi-hard*	**doux à relevé, aromatique** *mild bis pikant, aromatisch* da morbido a piccante, aromatico *sweet, fragrant and full bodied*	3-6 mois *3-6 Monate* 3-6 mesi *3-6 months*
⑤ **LE VALAIS (WALLIS)** Anniviers, Bagnes, Conthey, Gomser, Heida, Savièse... les noms sont gravés sur le talon. Les fromages d'alpage, souvent de raclette, sont les seuls à base de lait entier non pasteurisé. *...die Namen sind am Rand eingraviert. Die Alpkäse, meistens für Raclette, sind die einzigen, die aus Rohmilch und nicht pasteurisierter Milch hergestellt werden.*	mi-dure *halb-hart*	**doux puis corsé** *mild, später pikant und kräftig*	à la coupe 12 sem. à raclette 16-18 sem. à rebibes 32 sem *für Schnittkäse 12 Wochen für Raclette 16-18 Wochen für Hobbelkäse 32 Wochen.*

...i nomi sono marchiati sul tallone. I formaggi di alpeggio, speso da raclette, sono i soli a base di latte intero non pastorizzato	semidura	**morbido poi saporito**	al taglio 12 settimane da raclette 16-18 settimane, in trucioli 32 settimane
...the names are stamped into the rind. These mountain cheeses, often used for raclette, are the only cheeses made with fresh raw milk and not pasteurized milk	*semi-hard*	*sweet then full-flavoured*	*eating 12 weeks raclette 16-18 weeks in shaving 32 weeks*

BERN

⑥ EMMENTAL

Nombreux trous de 1 à 3 cm	dure	**doux, saveur de noisettes puis corsé**	le jeune 4 ou 5 mois le mûr 7-10 mois, l'extra dur jusqu'à 17 mois
zahlreiche Löcher von 1 bis 3 cm	*hart*	*mild, nussig, später kräftig, würzig*	*jung 4 oder 5 Monate reif 7-10 Monate extra-hart bis 17 Monate*
numerosi buchi da 1 a 3 cm.	dura	**dolce, gusto di noce poi robusto**	il giovane 4 o 5 mesi il maturo 7-10 mesi, il extra duro fino a 17 mesi
Many holes, 1-3 cm.	*hard*	*sweet, nutty then full-flavoured*	*young 4 or 5 months mature 7-10 months extra-mature 17 months*

ZENTRAL SCHWEIZ (SUISSE CENTRALE)

⑦ SBRINZ

Fromages à rebibes, à casser ou à râper	extra dure	**racé, aromatique, évoque la noix**	1-2 ans ou plus
Hobel- oder Reibkäse	*extra hart*	*rassig, aromatisch, nussig*	*1-2 Jahre und mehr*
Da spezzare o grattugiare	extradura	**saporito, aromatico, gusto di noce**	1-2 anni o più
scraped, crumbled or grated	*extra hard*	*fruity and fragrant, slightly nutty*	*1-2 years and more*

OST SCHWEIZ (SUISSE ORIENTALE)

⑧ APPENZELL

Passage dans une saumure aux herbes	mi-dure	**épicé, aromatique, fruité, doux puis très corsé**	6-8 mois pour l'extra.
mit einer gewürzten Lake behandelt	*halb-hart*	*Rässkäse aromatisch, würzig mild, später*	*6-8 Monate für das Besondere*
passato in una marinata a base di erbe	semidura	**kräftig speziato, aromatico, fruttato,**	6-8 mesi per il extra
washed in a pickle with herbs	*semi-hard*	*dolce poi molto robusto spiced and fragrant, fruity, sweet then with a strong aftertaste*	*6-8 months for extra*

⑨ SCHABZIGER

Fromage compact écrémé, mélangé au beurre à tartiner, ou sec et râpé en saupoudreur pour l'assaisonnement.	aux herbes	**corsé, piquant, inimitable**	4-12 semaines
Kompakter Magermilchkäse als Aufstrich mit Butter vermischt sowie getrocknet und gerieben in Streudose zum Würzen	*mit Kräutern*	*kräftig, pikant, unnachahmlich*	*4-12 Wochen*
Formaggio compatto scremato, mescolato con burro da spalmare, o secco e grattugiato per condimento	alle erbe	**robusto, piccante, inimitabile**	4-12 settimane

Compact skimmed cheese, for spreading herbed ordried and grated for sprinkling/ seasoning	*with herbs*	**an unmistakable, full-bodied, piquant flavour**	*4-12 weeks*
⑩ TILSIT SUISSE Trous ronds *runde Löcher*	mi-dure *halb-hart*	**un peu acide, doux à corsé** *leicht säuerlich, mild bis sehr kräftig*	
buchi rotondi *round holes*	semidura *semi-hard*	**acidulo, da dolce a saporito** *slightly acid, sweet to full-bodied*	
a. étiquette rouge *rotes Etikett* etichetta rossa *red label*			a. lait cru 3-5 mois *Rohmilch 3-5 Monate* latte crudo 3-5 mesi *raw milk 3-5 months*
b. étiquette verte			b. lait pasteurisé 1-2 mois
grünes Etikett			*pasteurisierte Milch 1 bis 2 Monate*
etichetta verde			latte pastorizzato 1-2 mesi
green label			*pasteurized milk 1-2 months*
c. étiquette jaune *gelbes Etikett* etichetta gialla *yellow label*			c. à la crème 1-2 mois *cremig 1-2 Monate* alla panna 1-2 mesi *creamy 1-2 months*

⑪ FROMAGES D'ALPAGE : Andeer, Brigels, Bivio, Ftan, Müstair... Au lait de vache ou de chèvre *Alpkäse, aus Kuh, oder Ziegenmilch*	mi-dure *halb-hart*	**corsé** *sehr kräftig*	4-8 semaines *4-8 Wochen*
Formaggi di alpeggio, di latte di mucca o Capra	semidura	**robusto**	4-8 settimane
Mountain cheeses, cow or goats milk	*semi-hard*	**full-flavoured**	4-8 weeks

Formaggini : petits fromages, quelquefois aux herbes et à l'huile d'olive, lait de chèvre ou de vache, cru ou pasteurisé	fromage frais	**plus ou moins prononcé ou aromatique**	de quelques jours à un mois
...kleine Käse, manchmal in Olivenöl und Kräuter eingelegt, Ziegen- oder Kuhmilch, roh oder pasteurisiert	*Frischkäse*	*mehr oder weniger kräftig oder aromatisch*	*einige Tage bis 1 Monat*
...A volte alle erbe e all'olio d'oliva, latte di capra o mucca, crudo o pastorizzato	formaggio fresco	**più o meno pronunciato o aromatico**	da qualche giorno a un mese
...Small cheeses, some with herbs and olive oil, goats or cows milk, raw or pasteurized	*cream cheese*	*characteristic, aromatic flavours*	*from a few days up to 1 month*
⑫ VALMAGGIA : dans le Locarnese, Campo la Torba, Zania... constitué avec 1/3 lait de chèvre, 2/3 lait de vache.	mi dure	**corsé à piquant**	3-4 mois
... aus Locarnese, hergestellt aus 1/3 Ziegenmilch und 2/3 Kuhmilch.	*halb-hart*	*sehr kräftig bis pikant*	*3-4 Monate*
... nel Locarnese, 1/3 latte di capra, 2/3 latte di mucca.	semidura	**da saporito a piccante**	3-4 mesi
... from Locarnese, made with 1/3 goats milk, 2/3 cows milk.	*semi-hard*	*full-bodied, piquant*	*3-4 months*

Cartes et Guides MICHELIN,
EXPLOREZ VOS ENVIES
DE VOYAGES !

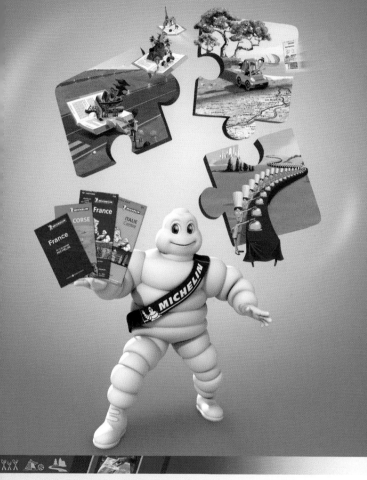

Explorez nos collections de guides de tourisme, de cartes routières et touristiques, de guides gastronomiques pour tout découvrir et mieux profiter de vos voyages.
Les cartes et guides MICHELIN emmènent les curieux plus loin !

www.michelin-boutique.com
voyage.michelin.fr

Cartes et Guides MICHELIN :
pour un voyage réussi !

QUEL ITINÉRAIRE ?

OÙ DORMIR ?

OÙ DÎNER ?

QUE VISITER ?

À QUEL PRIX ?

www.michelin-boutique.com
www.voyage.viamichelin.fr

Le vignoble suisse

La production vinicole Suisse est estimée à 1,1 million d'hectolitres, moitié en vins blancs, moitié en vins rouges. Le relief tourmenté du pays rend difficile l'exploitation du vignoble, mais assure une grande variété de climats et de terroirs. Cépage blanc typique de Suisse romande et peu cultivé ailleurs, le Chasselas est sensible à toute nuance de terroir et de vinification, d'où une grande variété de caractères selon les régions. À côté du chasselas, les principaux cépages blancs sont : Müller-Thurgau, chardonnay et sylvaner. Pinot noir, gamay, merlot et gamaret sont les principaux cépages rouges cultivés dans le pays. Les cépages blancs moins connus sont petite arvine, amigne et humagne blanc et les cépages rouges comme garanoir, humage rouge, cornalin et diolinoir, typiques dans le canton du Valais.

La réglementation d'« Appellation d'Origine Contrôlée », dans le cadre des ordonnances fédérales sur la viticulture et sur les denrées alimentaires, est de la compétence des cantons. 2010 et 2011 sont les meilleurs millésimes récents.

→ Das Schweizer Weinanbaugebiet

Die Weinproduktion in der Schweiz wird auf 1,1 Millionen Hektoliter geschätzt, je zu 50 % Weisswein und Rotwein. Die Topographie der Schweiz macht den Weinanbau zwar schwierig, sorgt jedoch für eine große Vielfalt verschiedener Klimazonen und Böden. Der Chasselas, die typische weiße Rebsorte aus der Westschweiz, die woanders kaum angebaut wird, reagiert sehr unterschiedlich auf den Boden und die Verarbeitung des Weins. Daher variiert der Charakter dieses Weins sehr stark je nach Region, in der er angebaut wird. Neben Chasselas sind Müller-Thurgau, Chardonnay und Sylvaner die wichtigsten weißen Rebsorten. Blauburgunder, Gamay, Merlot und Gamaret sind die wichtigsten roten Sorten. Weniger bekannt sind die weissen Sorten: Petite Arvine, Amigne und Humagne blanc, sowie die roten Sorten: Garanoir, Humagne rouge, Cornalin und Diolinoir, die typisch sind für den Kanton Wallis.

Die Regelung zur kontrollierten Ursprungsbezeichnung im Rahmen der Wein- und Lebensmittelverordnung, wurde vom Bund an die Kantone übertragen. 2010 und 2011 sind die besten letzten Jahrgänge.

→ La Svizzera vinicola

La produzione vinicola svizzera è stimata a 1,1 milione di ettolitri, di cui metà vini bianchi e la restante rossi. I rilievi tortuosi del paese non facilitano certo la coltivazione vitivinicola, ma contribuiscono alla varietà del suolo, nonché del clima. Cépage bianco tipico della Svizzera romanda e poco coltivato altrove, Chasselas è sensibile a qualsiasi sfumatura di terreno e vinificazione: tale "reattività" lo rende, quindi, poliedrico nel carattere a seconda delle regioni. Oltre al Chasselas, i principali bianchi sono: Müller-Thurgau, chardonnay e sylvaner. Pinot nero, gamay, merlot e gamaret sono tra i rossi più rinomati del paese; mentre petite arvine, amigne e humagne (bianco) si guadagnano un posto nella lista dei vitigni bianchi meno conosciuti, a cui fanno eco - tra i rossi - varietà come garanoir, humagne (rosso), cornalin e diolinoir, tipici del Cantone Vallese.

La normativa sulla "Denominazione di Origine Controllata", nell'ambito delle disposizioni federali sulla viticoltura e sui generi alimentari è di competenza dei cantoni. Tra le annate recenti più significative si ricordano il 2010 e 2011.

→ Swiss Wine

Swiss wine production is estimated at 1.1 million hectolitres per year, half white wine and half red wine. The tortuous relief of the country makes cultivation of vineyards difficult but ensures a great variation in climate and soil. The Chasselas, a typical white Swiss grape little grown elsewhere, is sensitive to the slightest variation in soil or fermentation; hence its noticeable change in character according to the region in which it is grown. Besides Chasselas, the most important white grape varieties are Müller-Thurgau, Chardonnay and Sylvaner. Pinot noir, Gamay, Merlot and Gamaret are the main red grapes grown in the country. Less known are the white grape varieties: Petite Arvine, Amigne and Humagne blanc and the red grape varieties: Garanoir, Humagne rouge, Cornalin and Diolinoir, which are all typical to the district Valais.

Under federal regulation for viticulture and foodstuffs, each district is responsible for the administration of the "Appellation d'Origine Contrôlée". 2010 and 2011 are the best of the recent vintages.

→ Principaux vins et spécialités régionales
→ Wichtigste Weine und regionale Spezialitäten
→ Principali vini e specialità regionali
→ Main wines and regional specialities

→ Principaux cépages → Wichtigste Rebsorten → Principali vitigni → Main grape stock (*)	→ Caractéristiques → Charakteristiken → Caratterische → Chatacteristics	→ Mets et principales spécialités culinaires régionales → Gerichte und wichtigste regionale kulinarische Spezialitäten → Vivande e principali specialità culinarie regionali → Food and main regional culinary specialities
GENEVE (Genf) (GE) **Chasselas (b)**	fruité, léger, frais *fruchtig, leicht mundig frisch*	**Poissons du lac (omble chevalier), Fondue, Gratin genevois** *Süsswasserfische (Saibling), Käse-Fondue, Genfer Auflauf*
Gamay (r)	frais, souple, fruité *mundig frisch, zart, fruchtig*	**Viandes blanches, Ragoût de porc (fricassée) Longeole au marc (saucisse fumée)** *helles Fleisch, Schweinsragout (Frikasse), « Longeole » (geräucherte Wurst)*
GRAUBÜNDEN (Grisons) (Grigioni) (GR) *Blauburgunder* **(Pinot noir) (r)**	velouté *körperreich, samtig*	**Bœuf en daube - Bündner Beckribraten, Viande de bœuf séchée des Grisons - Bündnerfleisch**
NEUCHÂTEL (Neuenburg) (NE) **Chasselas, Chasselas sur lie (b) Pinot noir (r)** *(Blauburgunder)* **Oeil de Perdrix** (rosé de Pinot noir) *Rosé von Blauburgunder*	nerveux *feine Säure* bouqueté, racé *blumig, rassig* vif *anregend-frisch*	**Palée : Féra du lac de Neuchâtel** *Felchen aus dem Neuenburgersee* **Viandes rouges** *dunkles Fleisch* **Tripes à la Neuchâteloise** *Kutteln nach Neuenburger Art*
TICINO (Tessin) (TI) **Merlot bianco (b)**	fruité, frais, léger *fruchtig, frisch, leicht fruttato, fresco, leggero*	**Poissons d'eau douce** *Süsswasserfische*
Merlot (r)	corsé, équilibré *kräftig, ausgeglichen robusto, equilibrato*	**Viandes rouges, Gibier à plumes, fromages, Polpettone (viandes hachées aromatisées)** *dunkles Fleisch, Wildgeflügel, Käse, « Polpettone » (gewürztes Hackfleisch)*

(*)(b)(w) : →*blanc* →*weiss* →*bianco* →*white*   (r) : →*rouge* →*rot* →*rosso* →*red*

→ Principaux cépages → Wichtigste Rebsorten → Principali vitigni → Main grape stock (*)	→ Caractéristiques → Charakteristiken → Caratteriche → Chatacteristics	→ Mets et principales spécialités culinaires régionales → Gerichte und wichtigste regionale kulinarische Spezialitäten → Vivande e principali specialità culinarie regionali → Food and main regional culinary specialities
TICINO (Tessin) (TI) Merlot rosato (rosé)	fruité, frais *fruchtig, mundig frisch* *fruttato, fresco*	**Poissons d'eau douce, Pesci in carpione (Fera en marinade)** *Süsswasserfische, Pesci in carpione, Felchen in einer Marinade*
VALAIS (Wallis) (VS) Fendant (Chasselas) (b)	rond, équilibré, fruité, parfois perlant *füllig, ausgeglichen, fruchtig, gelegentlich perlend*	**Poissons, Raclette, Filets de truite** *Fisch, Raclette, Forellenfilets*
Petite Arvine (b)	certains secs, d'autres doux *einige trocken, andere mild*	**Vins secs : Poissons, fromages de chèvre** *Trockene Weine : Fisch, Ziegenkäse*
Amigne (b)	corsé, sapide, parfois sec, très souvent doux *kräftig, harmonisch, voll, manchmal trocken, oft mild*	**Vins doux : Foie gras, desserts** *Milde Weine : Enten-, Gänseleber, Desserts*
Johannisberg (b) (Sylvaner) Malvoisie flétrie (Pinot gris vendanges tardives, *Grauburgunder Beerenauslese*) (b)	sec ou doux *trocken oder mild* moelleux, riche *weich, rund gehaltvoll*	**Vin d'apéritif et de dessert,** *Aperitif- und Dessert-Wein* **Foie Gras** *Enten-, Gänseleber*
Dôle (assemblage de Pinot noir et de Gamay) *(Mischung aus Blauburgunder und Gamay)* (r)	robuste, ferme, bouqueté *robust, verschlossen, bukettreich*	**Assiette valaisanne (viande séchée, jambon et fromage)** *Walliserteller (Trockenfleisch, Schinken, Hobel- und Bergkäse)*
Cornalin (r)	corsé, tanique *kräftig, gerbstoffhaltig*	**Gibiers : cerf, chevreuil, sanglier** *Wild : Hirsch, Reh, Wildschwein*
Humagne rouge	charnu, généreux *kernig, edel*	**Fromages - Käse**
VAUD (Waadt) (VD) Chasselas (b)	équilibré, fruité *ausgeglichen fruchtig*	**Truite, brochet, perche ; Fondue (vacherin et gruyère)** *Forelle, Hecht, Egli, Käse-Fondue (Vacherin und Greyerzer)*
Salvagnin (r) *(assemblage de Pinot noir et de Gamay)* *(Mischung aus Blauburgunder und Gamay)*	harmonieux, velouté *harmonisch, samtig*	**Viandes blanches, Papet vaudois (poireaux, p. de terre, saucissons)** *helles Fleisch, Waadtländer Papet (Lauch, Kartoffeln, Würste)*

(*)(b)(w) : → *blanc* → *weiss* → *bianco* → *white*   (r) : → *rouge* → *rot* → *rosso* → *red*

→ Principaux cépages → Wichtigste Rebsorten → Principali vitigni → Main grape stock (*)	→ Caractéristiques → Charakteristiken → Caratteristiche → Chatacteristics	→ Mets et principales spécialités culinaires régionales → Gerichte und wichtigste regionale kulinarische Spezialitäten → Vivande e principali specialità culinarie regionali → Food and main regional culinary specialities
ZÜRICH (ZH) **SCHAFFHAUSEN (Schaffhouse) (SH)** **THURGAU (Thurgovie) (TG)** **SANKT-GALLEN (Saint-Gall) (SG)** **AARGAU (Argovie) (AG)** *Riesling-Sylvaner* (w) *Blauburgunder (Pinot noir)* (r)		
Riesling-Sylvaner (w)	parfum délicat, léger, sec *feines Aroma, leicht, trocken*	**Zürich- und Bodenseefische** *Poissons des lacs de Zurich et Constance*
Blauburgunder (Pinot noir) (r)	léger, aromatique *leicht, aromatisch*	**Cochonailles. Deftige Wurstwaren** **Eminçé de veau** *Geschnetzeltes Kalbfleisch* Potée aux choux, *Zürcher Topf* *(verschiedene Fleischsorten mit Kohl)* Assiette bernoise (viandes diverses, choucroute, choux, haricots, pommes de terre) *Berner Platte (verschiedene Fleischsorten Sauerkraut, Kohl, Bohnen, Kartoffeln)*

(*)(b)(w) : → *blanc* → *weiss* → *bianco* → *white*   (r) : → *rouge* → *rot* → *rosso* → *red*

85

VOUS CONNAISSEZ LE GUIDE MICHELIN, DÉCOUVREZ LE GROUPE MICHELIN

L'Aventure Michelin

Tout commence avec des balles en caoutchouc ! C'est ce que produit, vers 1880, la petite entreprise clermontoise dont héritent André et Édouard Michelin. Les deux frères saisissent vite le potentiel des nouveaux moyens de transport. L'invention du pneumatique démontable pour la bicyclette est leur première réussite. Mais c'est avec l'automobile qu'ils donnent la pleine mesure de leur créativité. Tout au long du 20e s., Michelin n'a cessé d'innover pour créer des pneumatiques plus fiables et plus performants, du poids lourd aux voitures de course, en passant par le métro et l'avion.

Très tôt, Michelin propose à ses clients des outils et des services destinés à faciliter leurs déplacements, à les rendre plus agréables… et plus fréquents. Dès 1900, le guide MICHELIN fournit aux chauffeurs tous les renseignements utiles pour entretenir leur automobile, trouver où se loger et se restaurer. Il deviendra la référence en matière de gastronomie. Parallèlement, le Bureau des itinéraires offre aux voyageurs conseils et itinéraires personnalisés.

En 1910, la première collection de carte routière MICHELIN remporte un succès immédiat ! En 1926, un premier guide régional touristique invite à découvrir les plus beaux sites de Bretagne. Bientôt, chaque région de France a son Guide Vert. La collection s'ouvre ensuite à des destinations plus lointaines de New York en 1968… à l'Islande en 2012.

Au 21e s., avec l'essor du numérique, le défi se poursuit pour les cartes, les guides et les services numériques MICHELIN qui continuent d'accompagner le pneumatique. Aujourd'hui comme hier, la mission de Michelin reste l'aide à la mobilité, au service des voyageurs.

MICHELIN AUJOURD'HUI

- 69 sites de production dans 18 pays
- 113 400 employés de toutes cultures, sur tous les continents
- 6 000 personnes dans le centre Technologique Michelin
- Une présence commerciale dans plus de 170 pays

Avancer
monde où la

Mieux avancer, c'est d'abord innover pour mettre au point des pneus qui freinent plus court et offrent une meilleure adhérence, quel que soit l'état de la route.

LA JUSTE PRESSION

BONNE PRESSION

- Sécurité
- Longévité
- Consommation de carburant optimale

-0,5 bar

- Durée de vie des pneus réduite de 20% (- 8 000 km)

-1 bar

- Risque d'éclatement
- Hausse de la consommation de carburant
- Distance de freinage augmentée sur sol mouillé

ensemble vers un
mobilité est plus sûre

C'est aussi aider les automobilistes à prendre soin de leur sécurité et de leurs pneus. Pour cela, Michelin organise partout dans le monde des opérations **"Faites le plein d'air"** pour rappeler à tous que la juste pression est vitale.

L'USURE

COMMENT DETECTER L'USURE ?

Vos pneus MICHELIN sont munis d'indicateurs d'usure : ce sont de petits pains de gomme moulés au fond des sculptures et d'une hauteur de 1,6mm. Lorsque la profondeur des sculptures est au même niveau que les indicateurs, les pneus sont usés et doivent être remplacés

Les pneus constituent le seul point de contact entre le véhicule et la route, un pneu usé peut être dangereux sur chaussée mouillée.

PNEU NEUF

PNEU USÉ
(1,6 mm de sculpture)

*Ci-contre,
la zone de
contact réelle
photographiée
sur chaussée
mouillée.*

Mieux avancer,
c'est développer une
mobilité durable.

Chaque jour, Michelin innove pour réduire la quantité de matières premières utilisée dans la fabrication des pneumatiques, et 99,8% des pneus produits dans le Groupe le sont dans des usines certifiées ISO 14001. La conception des pneus MICHELIN permet déjà d'économiser des milliards de litres de carburant, et donc des millions de tonnes de CO_2.

De même, Michelin choisit d'imprimer ses cartes et guides sur des «papiers issus de forêts gérées durablement». L'obtention de la certification ISO 14001 atteste de son plein engagement dans une éco-conception au quotidien.

Un engagement que Michelin confirme en diversifiant ses supports de publication et en proposant des solutions numériques pour trouver plus facilement son chemin, dépenser moins de carburant.... et profiter de ses voyages !

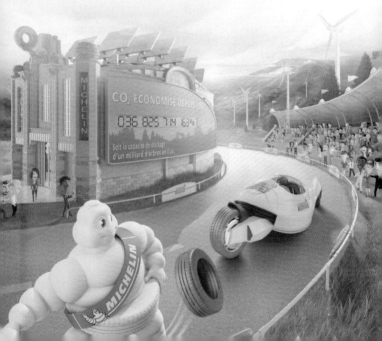

Chattez avec Bibendum

Rendez-vous sur : www.michelin.com

Découvrez l'actualité des produits et services et l'histoire de MICHELIN.

QUIZZ

Michelin développe des pneumatiques pour tous les types de véhicules. Amusez-vous à identifier le bon pneu...

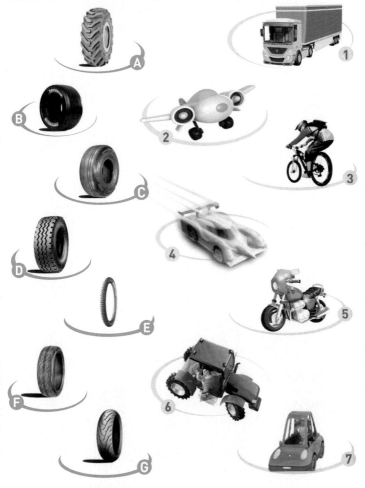

Villes

Classées par ordre alphabétique
(ä = ae, ö = oe, ü = ue)

*Les renseignements sont exprimés
dans la langue principale de la localité.*

→ Städte

In alphabetischer Reihenfolge
(ä = ae, ö = oe, ü = ue)

*Die Informationen sind in der lokalen
Sprache angegeben.*

→ Città

in ordine alfabetico
(ä = ae, ö = oe, ü = ue)

*Le informazioni sono indicate nella lingua
che si parla in prelavenza sul posto.*

→ Towns

in alphabetical order
(ä = ae, ö = oe, ü = ue)

Information is given in the local language.

AARAU Ⓚ – Aargau (AG) – 551 N4 – 19 840 Ew – Höhe 383 m – ✉ 5000   3 E3

▶ Bern 84 – Basel 54 – Luzern 51 – Zürich 47

🛈 Schlossplatz 1 A1, 𝒞 062 834 10 34, www.aarauinfo.ch

🛈 Entfelden, Oberentfelden, Süd: 4 km, 𝒞 062 723 89 84

🛈 Heidental, Stüsslingen, Süd-West: 9 km, 𝒞 062 285 80 90

Lokale Veranstaltungen:

4. Juli: Maienzug

Ⓖ Schönenwerd: Schuhmuseum★★, über Rain A2: 4,5 km · Schloss Hallwil★, über Buchserstrasse B2: 18 km

---

※ ※   **Mürset**   🛖 ⇔

Schachen 18 – 𝒞 062 822 13 72 – www.muerset.ch   A2**c**

Rest – (34 CHF) Menü 50 CHF (mittags)/88 CHF – Karte 58/98 CHF

Rest *Brasserie* – (26 CHF) Menü 24 CHF (mittags unter der Woche)/67 CHF – Karte 49/96 CHF

Rest *Weinstube* – (26 CHF) Menü 24 CHF (mittags unter der Woche)/67 CHF – Karte 37/85 CHF🌿

Eine gemütliche Atmosphäre herrscht in der Alten Stube mit schöner Holztäferung. Gekocht wird international. Sehr hübsch ist die grosse Terrasse unter alten Bäumen. Legere Brasserie. Bürgerlich isst man in der behaglich-rustikal dekorierten Weinstube.

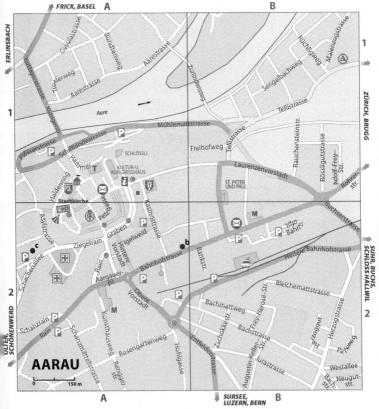

✗ **Einstein**   ⌂ ⟳
Bahnhofstr. 43 – ☏ 062 834 40 34 – www.restauranteinstein.ch – geschl. Sonntag
Rest – Menü 26 CHF (mittags)/78 CHF – Karte 49/94 CHF   A2**b**
Lebendig und angesagt ist diese trendige Adresse mit schmackhafter internatio-
naler Küche. Ungezwungen sind auch Bar-Lounge und "Chefs table". Mit im Haus
Radio Argovia.

AARBURG – Aargau (AG) – 551 M5 – 7 065 Ew – Höhe 412 m – ⊠ 4663   3 E3
▶ Bern 65 – Aarau 22 – Basel 50 – Luzern 51

🏨 **Krone**   ⌂ ℅ Rest, 🛜 ⚒ 🚗 🅿
Bahnhofstr. 52, (am Bahnhofplatz) – ☏ 062 791 52 52 – www.krone-aarburg.ch
⊜ *– geschl. 26. Januar - 9. Februar, 20. Juli - 10. August*
25 Zim ⌂ – ♦150/160 CHF ♦♦200/250 CHF
Rest – *(geschl. Sonntag)* (18 CHF) Menü 35 CHF – Karte 40/82 CHF
Sie finden diesen gut geführten Familienbetrieb in zentraler Lage gegenüber dem
Bahnhof. Die Gästezimmer sind zeitgemäss gestaltet und praktisch ausgestattet.
Klassisch-gediegener Speisesaal und nette, freundliche Gaststube.

ACLENS – Vaud (VD) – 552 D9 – 499 h. – alt. 460 m – ⊠ 1123   6 B5
▶ Bern 103 – Lausanne 15 – Thonon-les-Bains 117 – Annemasse 83

✗ **Auberge Communale** avec ch   ⌂ ⚒ rest, ℅ ch, ☎ 🅿
Rue du Village 2 – ☏ 021 869 91 17 – www.auberge-aclens.ch – fermé fin
⊜ *décembre - début janvier 2 semaines, Pâques une semaine, fin juillet - début*
🐕 *août 3 semaines, dimanche et lundi*
3 ch ⌂ – ♦95 CHF ♦♦160 CHF
Rest – (17 CHF) Menu 21 CHF (déjeuner en semaine)/125 CHF – Carte 58/99 CHF
Une sympathique auberge communale, où l'on mange fort bien ! Aux commandes
œuvre un couple très dynamique, lui aux fourneaux, elle au service et sommelière.
La cuisine explore la tradition avec beaucoup de goût(s), que ce soit côté restaurant ou côté bistrot. Quelques chambres bien tenues pour prolonger l'étape.

ADELBODEN – Bern (BE) – 551 J10 – 3 515 Ew – Höhe 1 356 m   7 D5
– Wintersport : 1 353/2 362 m ⚡5 ⚡18 ⚡ – ⊠ 3715
▶ Bern 67 – Interlaken 48 – Fribourg 104 – Gstaad 81
ℹ Dorfstr. 23, ☏ 033 673 80 80, www.adelboden.ch
Lokale Veranstaltungen:
11.-12. Januar: AUDI FIS Ski World Cup
◉ Engstligenfälle ★★★ (Ammerspitz ★★) • Mulde ★

🏨 **The Cambrian**   ⚙ ⟨ ⌂ ⌂ 🏊 📺 ⊕ ♨ 🛋 💺 ⚒ ℅ Rest, 🛜 ⚒ 🚗 🅿
Dorfstr. 7 – ☏ 033 673 83 83 – www.thecambrianadelboden.com – geschl.
22. April - 5. Juni
71 Zim ⌂ – ♦170/450 CHF ♦♦195/475 CHF – ½ P
Rest – *(nur Abendessen)* Menü 62/85 CHF – Karte 61/91 CHF
Das komfortable Hotel ist durchwegs in klarem Design gehalten und überzeugt
mit wohnlichen Gästezimmern und einem sehr schönen Spabereich auf 700 qm.
Restaurant in modernem Stil, davor die Terrasse mit Bergblick.

🏨 **Parkhotel Bellevue**   ⚙ ⟨ ⌂ 🏊 📺 ⊕ ♨ 🛋 🍴 🏋 💺 🛜 🅿
Bellevuestr. 15 – ☏ 033 673 80 00 – www.parkhotel-bellevue.ch – geschl. 21. April
- 28. Mai
50 Zim ⌂ – ♦195/270 CHF ♦♦350/550 CHF – 3 Suiten – ½ P
Rest *belle vue* – siehe Restaurantauswahl
Leicht erhöht und ruhig liegt das Hotel von 1901, wunderschön ist der Bergblick.
Mit den Zimmern "Tradition", "Nature" und "Privilege" sowie dem grosszügigen
hochwertigen Spa vereint das Haus Traditionelles und Modernes. Vom Pool
schaut man übers Tal!

🏠 Adler ≤ 🛱 🖺 🕅 ⅃⅍ 🖻 🕹 🛜

Dorfstr. 19 – ☎ 033 673 41 41 – www.adleradelboden.ch – geschl. 21. April - 29. Mai, 26. Oktober - 7. November
43 Zim 🖵 – †119/219 CHF ††198/358 CHF – ½ P
Rest – (20 CHF) Menü 56 CHF (abends) – Karte 35/82 CHF
In dem regionstypischen Chalet-Hotel im Zentrum stehen gemütlich-rustikal gestaltete Zimmer bereit. Eine Ferienadresse, die auch für Familien interessant ist. Mit Massageangebot. Verschiedene Restauranträume von traditionell bis rustikal-elegant.

🏠 Beau-Site ≤ 🛱 🕅 ⅃⅍ 🖻 🛜 🚗 🅿

Dorfstr. 5 – ☎ 033 673 22 22 – www.hotelbeausite.ch – geschl. 15. April - 1. Juni, 20. Oktober - 12. Dezember
38 Zim 🖵 – †100/150 CHF ††180/320 CHF – 2 Suiten – ½ P
Rest – (geschl. Dienstag, ausser Hochsaison) (18 CHF) Menü 20 CHF (mittags)/ 75 CHF – Karte 44/69 CHF
Das Hotel am Dorfrand verfügt über wohnliche Zimmer mit Balkon, besonders geräumig die Südzimmer. Freizeitangebot mit gutem Fitnessbereich und Aussensauna in Form eines Fasses. Das Restaurant: recht elegant mit schönem Panoramablick oder rustikaler.

🏠 Bristol ⌂ ≤ 🚗 🛱 🕅 🖻 🍴 🛜 🚗 🅿

Obere Dorfstr. 6 – ☎ 033 673 14 81 – www.bristol-adelboden.com – geschl. Mitte April - Mitte Mai, Mitte Oktober - Mitte Dezember
31 Zim 🖵 – †105/165 CHF ††170/340 CHF
Rest – (22 CHF) Menü 38 CHF (abends)/58 CHF – Karte 53/81 CHF
Das Hotel oberhalb der Kirche wird seit 1902 von der freundlichen und engagierten Familie geführt und bietet gemütlich-rustikale Zimmer. Freizeitbereich mit mediterraner Note.

🏠 Bären ≤ 🛱 🕅 🖻 🍴 Rest. 🛜 🚗

Dorfstr. 22 – ☎ 033 673 21 51 – www.baeren-adelboden.ch – geschl. Mitte April - Anfang Juni, Anfang November - Mitte Dezember
14 Zim 🖵 – †90/125 CHF ††180/270 CHF – ½ P
Rest – (geschl. Donnerstag) (26 CHF) Menü 38/70 CHF – Karte 40/95 CHF
Der älteste Gasthof Adelbodens stammt a. d. J. 1569 und ist ein sehr gepflegter Familienbetrieb mit behaglichen Zimmern im rustikalen Stil, darunter die urige "Grossmueters Stuba". In den Gaststuben speisen Sie in ländlichem Ambiente.

🍴🍴 belle vue – Parkhotel Bellevue ≤ 🛱 🍴 🅿

Bellevuestr. 15 – ☎ 033 673 80 00 – www.parkhotel-bellevue.ch – geschl. 21. April - 28. Mai
Rest – Menü 65/118 CHF – Karte 50/91 CHF 🍷
Wählen Sie einen Platz am Fenster! So können Sie neben dem schönen klaren Design auch noch die tolle Sicht geniessen! Aus der Küche kommen klassische Speisen, dazu reicht man eine erlesene Weinkarte.

🍴🍴 Alpenblick ≤ 🛱 🅿

Dorfstr. 9 – ☎ 033 673 27 73 – www.alpenblick-adelboden.ch – geschl. 9. Juni - 10. Juli, 10. November - 4. Dezember und Montag, im Sommer: Montag - Dienstag
Rest – (22 CHF) Menü 83 CHF (abends) – Karte 56/103 CHF
Das Haus in der Ortsmitte beherbergt eine bürgerliche Stube und ein Restaurant mit eleganter Note und schöner Aussicht. Traditionelle Küche aus überwiegend regionalen Produkten.

🍴 Hohliebe-Stübli 🛱 🅿 🚯

Hohliebeweg 17 – ☎ 033 673 10 69 – www.hohliebestuebli.ch – geschl. Mai und Sonntag - Montag
Rest – (nur Abendessen) (Tischbestellung erforderlich) Menü 87/97 CHF
In dem einsam gelegenen alten Bauernhaus oberhalb des Ortes (schön die Terrasse mit Aussicht) serviert man täglich ein Menü. Mit regionalen Produkten kocht der Chef zeitgemäss, teilweise auch kreativ. Lecker: Am Nachmittag gibt's Kuchen!

ADLIGENSWIL – Luzern (LU) – 551 O7 – 5 447 Ew – Höhe 540 m – ⌧ 6043   4 F3

▶ Bern 117 – Luzern 7 – Aarau 56 – Schwyz 32

XX **Rössli** mit Zim   🛜 🤶 ⇔ **P**

😊 Dorfstr. 1 – 𝒞 041 370 10 30 – www.roessli-adligenswil.ch – geschl. 24. Februar
- 9. März, 7. - 28. Juli und Mittwoch - Donnerstag
8 Zim ⊑ – ♥120/140 CHF ♥♥160/190 CHF
Rest – (Tischbestellung ratsam) (24 CHF) Menü 72/108 CHF – Karte 52/86 CHF
Die Atmosphäre hier ist sympathisch, das Essen gut! Mögen Sie es lieber etwas
gehobener in der Rössli-Stube (schmackhaft z. B. die Wildgerichte!) oder etwas
einfacher in der Gaststube (Schnitzel, Bauernbratwurst, aber auch Wildhackbra-
ten)? Bei den fairen Preisen bleibt man auch gerne über Nacht!

ADLISWIL – Zürich (ZH) – 551 P5 – 17 518 Ew – Höhe 451 m – ⌧ 8134   4 G3

▶ Bern 132 – Zürich 10 – Aarau 55 – Luzern 49

🏠 **Ibis** 🆕   🛜 🖾 ⅋ 🄰🄾 Rest, 🤶 **P**

😊 Zürichstr. 105 – 𝒞 044 711 85 85 – www.ibiszurich.ch
117 Zim – ♥99/169 CHF ♥♥99/169 CHF, ⊑ 15 CHF
Rest – (18 CHF) – Karte 26/51 CHF
Die Vorteile dieses Hotels? Man übernachtet gepflegt in modernen, funktionalen
Zimmern, kann kostenfrei parken, bekommt ein frisches Frühstück und im Restau-
rant "Boom" Burger, Flammkuchen sowie traditionelle Gerichte und dank der
Lage in einem kleinen Gewerbegebiet nahe der Autobahnauffahrt ist das Zen-
trum von Zürich gut erreichbar.

XX **Krone** 🆕   🛜 ⇔ **P**

Zürichstr. 4 – 𝒞 044 771 22 05 – www.krone-adliswil.ch – geschl. Juli - August 3
Wochen und Sonntag - Montag
Rest – (28 CHF) – Karte 67/106 CHF
Aussen regionales Riegelhaus, innen geradlinig-zeitgemässes Restaurant, so kann
man das nette Haus von Aline und Gion Spescha beschreiben. Die Küche des
Patrons gibt es traditionell (z. B. als "Capuns Sursilvans") oder moderner (z. B. als
"St. Pierre auf asiatischem Gemüse in Wasabischaum").

XX **Zen**   🛜 ⅋ **P**

Im Sihlhof 1 – 𝒞 043 377 06 18 – www.restaurant-zen.ch – geschl. Montag
Rest – (25 CHF) Menü 22 CHF (mittags unter der Woche)/70 CHF
– Karte 41/101 CHF
Das moderne Restaurant mit kleiner mittiger Lounge befindet sich in einem ver-
glasten Rundbau und bietet seinen Gästen authentische chinesische Speisen.

AESCH – Basel-Landschaft (BL) – 551 K4 – 10 246 Ew – Höhe 318 m   2 D2
– ⌧ 4147

▶ Bern 103 – Basel 14 – Delémont 30 – Liestal 22

🏠 **Mühle**   🛜 🖾 🤶 🎿 🏚

Hauptstr. 61 – 𝒞 061 756 10 10 – www.muehle-aesch.ch – geschl 1. - 7. Januar,
28. Juni - 22. Juli, 20. - 31. Dezember
18 Zim ⊑ – ♥135/140 CHF ♥♥190/200 CHF – ½ P
Rest – (geschl. Montag, ausser an Feiertagen) (25 CHF) Menü 20 CHF (mittags
unter der Woche)/78 CHF – Karte 43/90 CHF
Ein gepflegtes kleines Hotel in der Ortsmitte, das über zeitgemässe und funktionelle Gästezimmer mit gutem Platzangebot verfügt und auch für Tagungen gut
geeignet ist. Neuzeitlich-schlicht gehaltenes Restaurant mit Terrasse im Hinterhof.

XX **Klus**   🛜 ⅋ **P**

😊 Klusstr. 178, West: 2 km – 𝒞 061 751 77 33 – www.landgasthofklus.ch – geschl.
10. Februar - 4. März, 20. - 30. Dezember und Montag - Dienstag
Rest – (19 CHF) Menü 62/74 CHF – Karte 43/88 CHF
In dem netten Landgasthof in Nachbarschaft zur bekannten Domaine Nussbaumer freut sich Familie Mergel darauf, Ihnen französisch-internationale Küche auf-
zutischen, für die überwiegend Bioprodukte verwendet wird. Vor und nach dem
Essen gibt's Hausgebackenes aus der eigenen Bäckerei! Sehr schöne Terrasse.

AESCHI bei SPIEZ – Bern (BE) – **551** K9 – **2 069 Ew** – Höhe 859 m – ⊠ 3703   **8** E5
▶ Bern 44 – Interlaken 16 – Brienz 37 – Spiez 5

in Aeschiried Süd-Ost: 3 km – Höhe 1 000 m – ⊠ 3703 Aeschi bei Spiez

XX   **Panorama**   ⇐ 🖼 ⇔ P

⊛   *Aeschiriedstr. 36 – ℰ 033 654 29 73 – www.restaurantpanorama.ch – geschl.*
17. März - 1. April, 23. Juni - 22. Juli und Montag - Dienstag
Rest – (35 CHF) Menü 68/101 CHF – Karte 57/100 CHF
Der engagiert geführte Familienbetrieb liegt reizvoll auf einem Plateau, toll ist die
Panoramaterrasse mit Bergblick. Daniel Rindisbacher kocht regional und auch
gehoben - die Pasta kommt aus der eigenen Manufaktur und auch den Wein pro-
duziert man selbst! Dazu ein Spezialitätengeschäft mit Apérobar.

AIGLE – Vaud (VD) – **552** G11 – **9 599 h.** – alt. 404 m – ⊠ 1860   **7** C6
▶ Bern 105 – Montreux 17 – Evian-les-Bains 37 – Lausanne 44
🗼 Montreux, ℰ 024 466 46 16

X   **La pinte du paradis**   🖼 ᕝ ⇔

Place du Château d'Aigle 2 – ℰ 024 466 18 44 – www.lapinteduparadis.com
– fermé janvier, dimanche et lundi
Rest – (25 CHF) Menu 51/88 CHF – Carte 57/88 CHF
Une jeune équipe a pris possession de cette dépendance du château d'Aigle, véritable... nid d'aigle des 12e-15e s. ! À la croisée des époques, elle y propose une
cuisine pétillante et soignée, avec un plat du jour épatant. En terrasse, la vue se
déploie sur les vignobles – une invitation à découvrir les crus locaux.

AIRE-LA-VILLE – Genève – **552** A11 – **voir à Genève**

AIROLO – Ticino (TI) – **553** P10 – **1 559 ab.** – alt. 1 142 m – **Sport**   **9** G5
invernali : 1 175/2 250 m 🚡 2 ᕃ5 – ⊠ 6780
▶ Bern 162 – Andermatt 30 – Bellinzona 60 – Brig 75
🖪 via alla Stazione 22, ℰ 091 869 15 33, www.leventinaturismo.ch
🖸 Passo della Novena★★ • Museo nazionale del San Gottardo★ • Val Piora★, Est:
10 km

X   **Forni** con cam   ⇐ 🖾 🛜 ⇔ 🅰 P

via Stazione 19 – ℰ 091 869 12 70 – www.forni.ch – chiuso 3 novembre
- 18 dicembre e mercoledì da gennaio ad aprile
20 cam ⌂ – ♦95/130 CHF ♦♦150/190 CHF
Rist – (22 CHF) Menu 38/75 CHF – Carta 65/95 CHF ⅋
Di fronte alla stazione, nella parte bassa del paese, questo ristorante si distingue
per la sala moderna e per il menù vario e regolarmente rinnovato. Camere di
dimensioni eterogenee, con mobili chiari funzionali.

ALDESAGO – Ticino – **553** R13 – **vedere Lugano**

ALTDORF 🎑 – Uri (UR) – **553** Q8 – **8 903 Ew** – Höhe 447 m – ⊠ 6460   **4** G4
▶ Bern 152 – Luzern 42 – Andermatt 34 – Chur 133
🖪 Schützengasse 11, ℰ 041 874 80 00, www.uri.info
Lokale Veranstaltungen:

8.-9. Februar: Gugg Uri

16.-18. Mai: Volksmusik Festival

1. August: Dorffest

🏠   **Höfli**   🖼 🖾 ᕝ 🛜 🅰 🚗 P

⊛   *Hellgasse 20 – ℰ 041 875 02 75 – www.hotel-hoefli.ch*
30 Zim ⌂ – ♦100/155 CHF ♦♦160/200 CHF – ½ P
Rest – (18 CHF) – Karte 36/77 CHF
Das gut geführte Hotel überzeugt mit grosszügigen, zeitgemäss und funktionell
ausgestatteten Zimmern im Gästehaus. Schlichter sind die Zimmer im Haupthaus.
Bürgerliches Restaurant und Pizzeria.

ALTENDORF – Schwyz (SZ) – 551 R6 – **6 189 Ew** – **Höhe 412 m** – ⊠ 8852   4 G3
▶ Bern 161 – Zürich 39 – Glarus 35 – Rapperswil 7

⌂   **Garni Seehof** garni   📶 🛜 P
Churerstr. 64 – ☏ 055 462 15 00 – www.garni-seehof.ch – geschl. Weihnachten
- Neujahr
7 Zim – ♦105 CHF ♦♦145 CHF, � 10 CHF
Das sehr gepflegte kleine Hotel ist angenehm funktionell: Da wäre zum einen die
Lage zwischen Altendorf und Lachen, zum anderen grosszügige zeitgemässe Zim-
mer mit guter Technik, eine kleine, aber frische Frühstücksauswahl und dazu noch
kostenfreie Parkplätze. Ausserdem ist die Führung schön familiär und persönlich.

✗   **Steinegg**   🛜 ⇔ P
Steineggstr. 52 – ☏ 055 442 13 18 – www.restaurant-steinegg.ch – geschl. Januar
1 Woche, Mai 2 Wochen, Juli 1 Woche, 22. September - 8. Oktober und Montag
- Mittwoch
Rest – Menü 48 CHF (mittags)/86 CHF – Karte 58/99 CHF
In dem gemütlichen Lokal spürt man den ländlichen Charme des einstigen Bau-
ernhauses, ein lauschiges Plätzchen findet sich auch auf der hübsch begrünten
Laubenterrasse. Die Gerichte sind frisch und saisonal, der freundliche Service
wird von der Chefin geleitet.

ALTNAU – Thurgau (TG) – 551 T3 – **2 066 Ew** – **Höhe 409 m** – ⊠ 8595   5 H2
▶ Bern 198 – Sankt Gallen 31 – Arbon 18 – Bregenz 49

✗✗   **Urs Wilhelm's Restaurant** mit Zim   🛜 P
Kaffeegasse 1, (im Schäfli, neben der Kirche) – ☏ 071 695 18 47
– www.urswilhelm.ch – geschl. Montag - Donnerstag
4 Zim ⊇ – ♦120/160 CHF ♦♦200/260 CHF
Rest – *(nur Abendessen) (Tischbestellung erforderlich)* Menü 59/140 CHF
– Karte 69/142 CHF
Ein Urgestein am See - und genauso wenig kann man sich den rund 100 Jahre
alten Gasthof aus Altnau wegdenken! Innen allerlei Nostalgisches in Form zahlreicher Accessoire und antiker Möbelstücke, dazu die herzlichen Gastgeber Rita
und Urs Wilhelm. Spezialität ist Hummer.

AMRISWIL – Thurgau (TG) – 551 U4 – **12 422 Ew** – **Höhe 437 m**   5 H2
– ⊠ 8580 Amriswil
▶ Bern 198 – Frauenfeld 36 – Herisau 33 – Appenzell 48

✗   **Hirschen** mit Zim   🛜 🛜 P
Weinfelderstr. 80 – ☏ 071 412 70 70 – www.hirschen-amriswil.ch – geschl.
Februar 1 Woche, Ende Juli - Anfang August 2 Wochen und Sonntag - Montag
8 Zim ⊇ – ♦90 CHF ♦♦160 CHF – ½ P
Rest – (22 CHF) Menü 58 CHF (abends)/98 CHF – Karte 46/92 CHF
Fährt man die Hauptstrasse entlang, fällt einem das hübsche alte Haus mit sei-
nem hellblauen Fachwerk auf! Drinnen bekommt man in gemütlichen Räumen
Saisonales, aber auch internationale Klassiker.

ANDERMATT – Uri (UR) – 551 P9 – **1 279 Ew** – **Höhe 1 438 m**   9 G5
– **Wintersport : 1 444/2 963 m** ⚡2 ⚡7 ⚡ – ⊠ 6490
▶ Bern 148 – Altdorf 35 – Bellinzona 84 – Chur 94
🚌 Andermatt - Sedrun, Information ☏ 027 927 77 07
ℹ Gotthardstr. 2, ☏ 041 888 71 00, www.andermatt.ch
🏌 Gotthard Realp, Süd-West: 9 km Richtung Furka, ☏ 041 887 01 62
◐ Göscheneralpsee★★, Nord: 15 km • Schöllenen★★, Nord: 3 km

⌂   **3 Könige und Post**   🛜 ♨ 🛜 🚊 P
Gotthardstr. 69 – ☏ 041 87 00 01 – www.3koenige.ch – geschl. 7. April - 16. Mai,
13. Oktober - 19. Dezember
22 Zim ⊇ – ♦90/225 CHF ♦♦180/300 CHF – ½ P
Rest – (24 CHF) – Karte 31/99 CHF
Eine sehr gepflegte familiäre Adresse an der historischen Reussbrücke mitten im
Dorf. Die Zimmer sind rustikal oder in zeitgemässem Stil eingerichtet. Netter klei-
ner Saunabereich. Restauranträume von schlicht-rustikal bis gediegen.

ANIÈRES – Genève (GE) – 552 B11 – 2 258 h. – alt. 410 m – ⊠ 1247 6 A6

▶ Bern 168 – Genève 12 – Annecy 55 – Thonon-les-Bains 25

XXX **Le Floris** (Claude Legras) ⩽ 🍴 🕭 **P**
❀❀ *Route d'Hermance 287 – ☏ 022 751 20 20 – www.lefloris.com – fermé 22 décembre - 13 janvier, dimanche et lundi*
Rest – *(réservation conseillée)* Menu 78 CHF (déjeuner)/240 CHF – Carte 124/203 CHF
Rest *Le Café de Floris* ⊛ – voir la sélection des restaurants
Une cuisine d'une très belle exécution, sagace dans sa créativité, toujours guidée par le souci de la finesse et des saveurs... Le style Claude Legras ? L'évidence ! En terrasse, la vue magnifique sur le Léman ajoute au plaisir du moment.
➔ Alliance de homard et bar au râpé de lime quat, spoom de champagne rosé et fraises gariguette (selon saison). Le filet mignon de veau cuit au foin en feuilles d'épicéa, pommes rattes rôties au lard valaisan, fèves étuvées et chanterelles, décoction de jus de veau. La mangue, carré de terreau frais à la mangue et herbes fraîches, croustillant au sésame.

X **Le Café de Floris** – Restaurant Le Floris ⩽ 🍴 🍽 **P**
⊛ *Route d'Hermance 287 – ☏ 022 751 20 20 – www.lefloris.com – fermé 22 décembre - 13 janvier, dimanche et lundi*
Rest – *(réservation conseillée)* (22 CHF) Menu 53 CHF – Carte 65/89 CHF
Gaspacho andalou ou espadon mi-cuit aux chanterelles, poêlée de rognons de veau ou fajitas d'agneau... Le bon goût de la tradition et toutes les tendances réunies pour un joli festival de saveurs : le Floris version Bistrot séduit !

APPENZELL Ⓚ – Appenzell Innerrhoden (AI) – 551 U5 – 5 734 Ew 5 I2
– Höhe 789 m – ⊠ 9050

▶ Bern 215 – Sankt Gallen 20 – Bregenz 41 – Feldkirch 35
🛈 Hauptgasse 4, ☏ 071 788 96 41, www.appenzell.ch
🖸 Gonten, West: 4 km, ☏ 071 795 40 60

Lokale Veranstaltungen:
  Juni: Fronleichnamsprozession
  Oktober: Viehschau

◉ Lage★ • Hauptgasse★ • Appenzell Museum★ • Museum Liner Appenzell★ • Kunsthalle Ziegelhütte★

◫ Hoher Kasten★★, Süd-Ost: 7 km und Luftseilbahn • Ebenalp★★ (Seealpsee★), Süd: 7 km und Luftseilbahn

🏨 **Säntis** 🍴 🕭 🎙 & 🛜 🕭 **P**
Landsgemeindeplatz 3 – ☏ 071 788 11 11 – www.saentis-appenzell.ch – geschl. Februar
36 Zim ⊇ – †160/200 CHF ††240/320 CHF – ½ P
Rest – (25 CHF) Menü 25 CHF (mittags)/120 CHF – Karte 56/107 CHF
Am Landsgemeindeplatz fällt das Hotel mit der schön bemalten Appenzeller Holzfassade auf. Geboten werden moderne Juniorsuiten, Romantik- oder Standardzimmer. Das Restaurant ist in regionalem Stil eingerichtet.

🏨 **Appenzell** 🍴 🎙 & 🍽 Rest, 🛜 **P**
⊖ *Hauptgasse 37, (am Landsgemeindeplatz) – ☏ 071 788 15 15 – www.hotel-appenzell.ch – geschl. 12. November - 4. Dezember*
16 Zim ⊇ – †125/135 CHF ††210/230 CHF – ½ P
Rest – (geschl. Dienstagmittag) (20 CHF) – Karte 32/68 CHF
In dem regionstypischen Hotel mitten im Ort stehen zeitlos und gediegen gestaltete Zimmer bereit. Gefrühstückt wird in einem kleinen, teils antik eingerichteten Raum.

in Appenzell-Appenzell Schlatt Nord: 5 km Richtung Haslen – Höhe 921 m
– ⊠ 9050

X **Bären** mit Zim ⊗ ⩽ 🍴 & 🍽 Zim, 🛜 ↻ **P**
Dorf 6 – ☏ 071 787 14 13 – www.baeren-schlatt.ch/livecam – geschl. 27. Januar - 15. Februar, 14. - 30. Juli und Dienstag - Mittwoch
3 Zim ⊇ – †110/120 CHF ††170/180 CHF – ½ P
Rest – (29 CHF) Menü 44/75 CHF – Karte 44/66 CHF
Der Landgasthof am Dorfrand bietet in zwei netten Stuben eine traditionelle Küche. Von der Terrasse aus hat man einen sehr schönen Blick auf das Alpsteinmassiv.

in Weissbad-Schwende Süd-Ost: 4 km – Höhe 820 m – ⌧ 9057

🏠🏠 **Hof Weissbad** ♨ ≼ 📠 🕭 🍴 🗓 🕓 ⊛ ᵏₐ ⅙ ❊ 🛏 ᵼ 🕙 ⎙ 🅟
Im Park 1 – 𝒞 071 798 80 80 – www.hofweissbad.ch
82 Zim ⌸ – 🛉240/260 CHF 🛉🛉440/500 CHF – 5 Suiten – ½ P
Rest *Schotte-Sepp-Stube / Flickflauder* – siehe Restaurantauswahl
Kein Wunder, dass dieses Hotel zu den bestfrequentierten der Schweiz zählt,
denn hier wird so einiges geboten, angefangen beim grosszügigen Rahmen über
wohnlich-moderne Zimmer (schön die Stoffe in kräftigem warmem Rot) bis hin
zum vielfältigen Spa nebst medizinischer Abteilung für Kur und Reha. Nicht zu
vergessen der tolle Service mit persönlicher Note und das hochwertige HP-Ange-
bot, und dann sind da noch die guten Tagungsmöglichkeiten.

🗙🗙 **Schotte-Sepp-Stube / Flickflauder** – Hotel Hof Weissbad ≼ 🕋
Im Park 1 – 𝒞 071 798 80 80 – www.hofweissbad.ch ᵼ ❊ 🅟
Rest – *(Tischbestellung ratsam)* (35 CHF) Menü 48 CHF (mittags)/85 CHF
– Karte 56/76 CHF🕸
In der gemütlichen Schotte-Sepp-Stube können Sie die schöne Holzvertäferung aus
dem alten Kurhaus Weissbad bewundern, im Flickflauder dagegen zieht ein Wind aus
hypermodernem Style durch den Raum. In allen Bereichen können Sie die ambitionierte Küche von Käthi Fässler geniessen, zu der z. B. "Rehrückenfilet auf Shiitake-Pilzen
mit Heidelbeer-Kaki" gehört. Oder möchten Sie lieber das Gourmet-Menü probieren?

in Schwende Süd: 5 km – Höhe 842 m – ⌧ 9057

🏠🏠 **Alpenblick** ♨ ≼ 🕋 🛏 🛜 🅟
🍴 Küchenrain 7 – 𝒞 071 799 11 73 – www.alpenblick-appenzell.ch – geschl. Mitte
Februar - Anfang März, 1. November - 5. Dezember
17 Zim ⌸ – 🛉94/135 CHF 🛉🛉150/178 CHF – ½ P
Rest – *(geschl. Dienstag, November - Mai: Montag - Dienstag)* (26 CHF)
Menü 35/53 CHF – Karte 31/76 CHF
Hier bleibt man gerne auch ein bisschen länger: ruhige Lage, ringsum Natur, und
den "Alpenblick" können Sie wörtlich nehmen! Die Zimmer sind hell, wohnlich
und sehr gepflegt, mit individueller Note eingerichtet. Und auch Familie Streule-
Fässler trägt mit ihrer herzlichen Art dazu bei, dass man sich hier wohlfühlt. Richtig schön sitzt es sich bei traditioneller Küche auf der Aussichtsterrasse.

ARAN – Vaud (VD) – **552** E10 – alt. 468 m – ⌧ 1091 6 B5
▸ Bern 98 – Lausanne 5 – Montreux 22 – Yverdon-les-Bains 42

🗙🗙 **Le Guillaume Tell** 🕋 🎨 ❊ 🅟
Route de la Petite Corniche 5 – 𝒞 021 799 11 84 – www.leguillaumetell.ch
– fermé début janvier 2 semaines, fin juillet - mi-août 3 semaines, dimanche et lundi
Rest – (41 CHF) Menu 66 CHF (déjeuner)/159 CHF – Carte 88/113 CHF🕸
Une maison rose toute pimpante au cœur de ce village de vignerons qui domine
le lac Léman. Le chef propose une cuisine gastronomique mêlant les saveurs avec
originalité. Cadre traditionnel.

ARBON – Thurgau (TG) – **551** V4 – **13 768 Ew** – Höhe 399 m – ⌧ 9320 5 I2
▸ Bern 220 – Sankt Gallen 14 – Bregenz 32 – Frauenfeld 61
🄳 Schmiedgasse 5, 𝒞 071 446 13 80, www.infocenter-arbon.ch
Lokale Veranstaltungen:

3. Mai: Arbon Classics (Oldtimertreffen)
4.-6. Juli: Seenachtfest
31. August: slowUp (autofreier Erlebnistag)
29. November: Christkindlimarkt

🏠🏠 **Seegarten** ♨ 🕋 🛏 ❊ Rest, 🛜 🕙 ⎙ 🅟
🍴 Seestr. 66 – 𝒞 071 447 57 57 – www.hotelseegarten.ch – geschl. 23. Dezember - 12. Januar
42 Zim ⌸ – 🛉112 CHF 🛉🛉170/180 CHF – ½ P
Rest – *(geschl. November - Ende Februar: Sonntagabend)* (25 CHF) Menü 35 CHF
(mittags unter der Woche)/60 CHF – Karte 49/73 CHF
Ein sehr schönes funktionelles Hotel. Die Zimmer wurden alle renoviert und
sind wunderbar zeitgemäss! Auch ein freundliches Restaurant gehört zum Haus,
ebenso wie ein Anbau für Tagungen.

⌂ **Frohsinn** 🛏️ 🛜 P

Romanshornerstr. 15 – ℰ 071 447 84 84 – www.frohsinn-arbon.ch – geschl.
22. Dezember - 5. Januar
13 Zim ⌵ – ♦120/140 CHF ♦♦180/220 CHF – ½ P
Rest *Braukeller* – *(geschl. Sonntag)* (19 CHF) Menü 22 CHF (mittags unter der
Woche)/85 CHF – Karte 37/102 CHF
Rest *Allegro* – *(geschl. Sonntag - Montag)* Menü 30 CHF – Karte 53/85 CHF
Modern und funktional sind die Gästezimmer in dem familiär geführten kleinen
Hotel, einem erweiterten hübschen Fachwerkhaus. Eine nette rustikale Atmo-
sphäre herrscht im Braukeller. Täglich wechselndes 2- bis 3-Gänge-Menü im italie-
nischen Restaurant Allegro.

XX **Römerhof** mit Zim 🛏️ 🛜 P

Freiheitsgasse 3 – ℰ 071 447 30 30 – www.roemerhof-arbon.ch – geschl. Sonntag
- Montag
11 Zim ⌵ – ♦120/150 CHF ♦♦200/250 CHF
Rest – *(Tischbestellung ratsam)* Menü 40 CHF (mittags unter der Woche)/
150 CHF – Karte 53/101 CHF
Schon von aussen ist das sorgsam restaurierte Haus a. d. 16. Jh. hübsch anzu-
schauen, drinnen dann zurückhaltende Eleganz - markant die Kassettendecke.
Das engagierte Betreiberpaar bietet Ihnen hier international geprägte Küche.
Lust auf eine Zigarre? Dafür hat man eine gemütlich-moderne Lounge. Und wer
über Nacht bleiben möchte, darf sich auf schöne wohnliche Zimmer freuen.

ARLESHEIM – **Basel-Landschaft (BL)** – **551** K4 – **9 008 Ew** – **Höhe 330 m**   2 D2
– ⊠ **4144**

▶ Bern 103 – Basel 13 – Baden 68 – Liestal 12
◉ Domkirche ★★

⌂ **Gasthof Zum Ochsen** 🛗 🛜 🕍 🍴

Ermitagestr. 16 – ℰ 061 706 52 00 – www.ochsen.ch
34 Zim ⌵ – ♦150/175 CHF ♦♦230/280 CHF – 1 Suite – ½ P
Rest *Ermitagestübli* – siehe Restaurantauswahl
Eine weit über 300-jährige Tradition und Familienbesitz seit 1923 stehen für
Beständigkeit! Von einigen der ländlichen Zimmer kann man auf den Rebberg
von Arlesheim schauen - übrigens gibt es so nette Annehmlichkeiten wie Wasser,
Obst und hausgemachte Würste gratis!

XX **Ermitagestübli** – Gasthof zum Ochsen 🛏️

Ermitagestr. 16 – ℰ 061 706 52 00 – www.ochsen.ch
Rest – Karte 58/103 CHF
Im "Ochsen" speist man in drei charmanten Stuben mit Holztäfer. Natürlich
bekommt man in einem Haus wie diesem gepflegte traditionelle Küche, und die
lebt stark von den guten Produkten aus der eigenen Metzgerei! Auf der Dorfter-
rasse kommt's schön warm von unten - das liegt an der Bodenheizung!

ARNEGG – **Sankt Gallen (SG)** – **551** U4 – **Höhe 621 m** – ⊠ **9212**   5 H2
▶ Bern 196 – Sankt Gallen 16 – Bregenz 54 – Frauenfeld 37

⌂ **Arnegg** garni 🛗 🛜 P

Bischofszellerstr. 332 – ℰ 071 388 76 76 – www.hotel-arnegg.ch – geschl.
Weihnachten - Neujahr
14 Zim ⌵ – ♦110/120 CHF ♦♦168/178 CHF
Dank engagierter Leitung können Sie sich hier auf freundlichen Service und sehr
gepflegte Gästezimmer freuen, die man zu fairen Preisen bekommt. Ausserdem
bietet man Mo-Fr abends eine kleine Karte mit hausgemachter Pasta.

XX **Ilge** 🛏️ ✛ P

Bischofszellerstr. 336 – ℰ 071 388 59 00 – www.ilge.ch – geschl. Montag
Rest – (19 CHF) Menü 66/86 CHF – Karte 46/91 CHF
Möchten Sie an hochwertig eingedeckten Tischen sitzen oder ist Ihnen legere
Café-Atmosphäre lieber? Die Speisekarte ist jedenfalls in beiden Bereichen die
gleiche! Man findet hier z. B. Rinderschmorbraten und Kalbscordonbleu, oder
geniessen Sie zu zweit das Chateaubriand!

AROLLA – Valais (VS) – **552** J13 – alt. 2 003 m – Sports **7** D7
d'hiver : 2 000/3 000 m ⚡5 ⚡ – ✉ 1986

▶ Bern 195 – Sion 39 – Brig 90 – Martigny 69

⌂　**Du Pigne**　　　　　　　　　　　　⟨ 🏠 📶 **P**
　🍽　*Chemin de l'évêque 1 –* 📞 *027 283 71 00 – www.hoteldupigne.ch – fermé 26 mai*
　　　- 5 juin et 20 octobre - 12 décembre
　　　12 ch ⌷ – **♦**94/113 CHF **♦♦**144/182 CHF – ½ P
　　　Rest *– (fermé mercredi hors saison)* (22 CHF) Menu 62 CHF – Carte 39/73 CHF
　　　Niché au cœur d'un village de montagne, à 2 000 m d'altitude, un hôtel idéal
　　　pour les amoureux de nature, de rando et de ski. Les chambres sont spacieuses
　　　et pimpantes (certaines avec mezzanine) ; l'ambiance chaleureuse, y compris au
　　　restaurant et au carnotzet (cuisine traditionnelle et spécialités du Valais).

AROSA – Graubünden (GR) – **553** W9 – **2 237 Ew** – Höhe 1 739 m **10** J4
– Wintersport : 1 800/2 653 m ⚡3 ⚡10 ⚡ – ✉ 7050

▶ Bern 273 – Chur 31 – Davos 90 – Sankt Moritz 115

🛈 Poststrasse B2, 📞 081 378 70 20, www.arosa.ch

🅱18 📞 081 377 42 42

Lokale Veranstaltungen:

　　23.-24. Januar: IceSnowFootball

　　2.-8. Februar: Alpine Ballonwoche

　　11.-14. September: Classic Car

　　4.-14. Dezember: Humor-Festival

◉ Lage★ • Weisshorn★★ (Gipfelpanorama★★ mit ⚡)

🄲 Strasse von Arosa nach Chur★

Stadtplan auf der nächsten Seite

🏨　**Tschuggen Grand Hotel**　　　⟋ ⟨ 🚗 🏠 🏊 🔲 ☺ ♨ 🛋 ⚕ 🎠 🛗 ⬆ ♨♨
　　　Sonnenbergstr. 1 – 📞 *081 378 99 99*　　　　　　　♨ 📶 🛢 🚗 **P**
　　　– www.tschuggen.ch – geschl. 6. April - 4. Juli　　　　　A2**a**
　　　120 Zim ⌷ – **♦**225/495 CHF **♦♦**405/900 CHF – 10 Suiten – ½ P
　　　Rest *La Vetta* ✿ – siehe Restaurantauswahl
　　　Rest *La Collina – (Dezember - April: nur Mittagessen)* Karte 59/90 CHF
　　　Rest *Bündnerstube – (geschl. Anfang April - Mitte Dezember und Mittwoch)*
　　　(nur Abendessen) Karte 57/93 CHF
　　　Lifestyle pur - edel umgesetzt von Carlo Rampazzi und Mario Botta. Der eine
　　　schuf exklusive und überraschend farbenfrohe Wohnräume, der andere liess
　　　5000 qm Spa auf 4 Etagen im Berg verschwinden! Eigene Bergbahn ins Skigebiet.

🏨　**Arosa Kulm**　　　⟨ 🚗 🔲 ☺ ♨ 🛋 🛗 ♨♨ ♨ Zim, 📶 🛢 🚗 **P**
　　　Innere Poststrasse – 📞 *081 378 88 88 – www.arosakulm.ch – geschl. Anfang April*
　　　- Mitte Juni, Ende September - Anfang Dezember　　　　A2**b**
　　　105 Zim ⌷ – **♦**185/740 CHF **♦♦**370/1060 CHF – 14 Suiten – ½ P
　　　Rest *Ahaan Thai*☺　　**Rest** *Muntanella* – siehe Restaurantauswahl
　　　Rest *Taverne – (geschl. Donnerstag) (nur Abendessen)* Karte 59/95 CHF
　　　Eines der Traditionshäuser in Arosa. Wohnlich-moderne Lobby/Bar und schöner
　　　Spa. Die Zimmer: regional in Arvenholz oder elegant, geschmackvoll die Suiten.
　　　"Dine Around"-Möglichkeit für HP-Gäste.

🏨　**Waldhotel National**　　　⟋ ⟨ 🚗 🔲 ☺ ♨ 🛋 🛗 📶 🛢 🚗 **P**
　　　Tomelistrasse – 📞 *081 378 55 55 – www.waldhotel.ch – geschl. 21. April*
　　　- 20. Juni, 5. Oktober - 5. Dezember　　　　　　　B2**d**
　　　117 Zim ⌷ – **♦**145/470 CHF **♦♦**280/570 CHF – 11 Suiten – ½ P
　　　Rest *Kachelofa-Stübli* – siehe Restaurantauswahl
　　　100 Jahre Hotelgeschichte in exponierter Lage. Zum einen traditionell im Wald-
　　　hotel, zum anderen topmodern-alpin im Cheas Silva. Ganz mit der Zeit geht man
　　　auch in Sachen Wellness: sehenswert der "Aqua Silva"-Spa - hochwertig und
　　　chic! Sie kommen zum Essen hierher? Nicht nur als Hausgast kann man sich aus
　　　der Showküche des "Thomas Mann Restaurant & Zauberberg" das HP-Menü ser-
　　　vieren lassen.

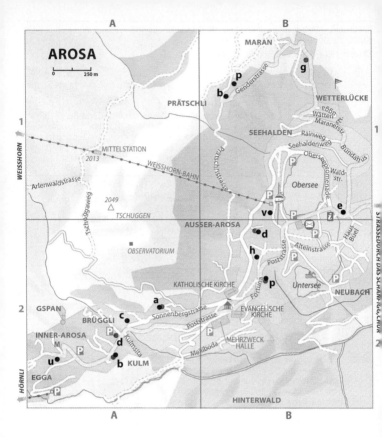

BelArosa garni ⚓ ☚ 🖥 🏔 🛋 🏥 📶 🚗 **P**
Prätschlistrasse – ☏ 081 378 89 99 – www.belarosa.ch – geschl. Anfang April
- Mitte Juni, Mitte Oktober - Anfang Dezember   B2**h**
6 Zim 🛏 – ♦130/250 CHF ♦♦220/680 CHF – 16 Suiten
Dass dieses kleine Schmuckstück kein Hotel "von der Stange" ist, wird Ihnen
schon beim persönlichen Empfang klar. Im grosszügigen Zimmer warten dann
neben der ausgesprochen wohnlichen Einrichtung noch diverse kleine Annehmlichkeiten und auch das Frühstücksbuffet ist nicht nur hochwertig, sondern
auch liebevoll angerichtet! Wer sich noch mehr Gutes tun will, verwöhnt sich im
charmanten Spa - und lassen Sie sich nicht die 25-m-Wasserrutsche entgehen!

Sporthotel Valsana ☚ 🚗 🏔 🖥 🏔 🍽 🏥 🚶 📶 🛋 **P**
Äussere Poststrasse – ☏ 081 378 63 63 – www.valsana.ch – geschl. Mitte April
- Mitte Juni, Mitte September - Ende November   B1**e**
65 Zim 🛏 – ♦132/330 CHF ♦♦256/620 CHF – 8 Suiten – ½ P
Rest – Karte 34/84 CHF
Wer sich gerade nicht in seinem wohnlichen Zimmer aufhält (schön modern die
Carlo-Rampazzi-Zimmer!), macht es sich in der Lobby & Bar gemütlich, gönnt
sich eine der vielfältigen Beautyanwendungen oder ist aktiv bei Beachvolleyball,
Putting Green und Boccia. Lust auf Fondue? Das gemütliche "Chesalina" hat
abends auf Reservierung geöffnet. Eine wirklich nette Alternative zum Restaurant
- Halbpension ist hier im Winter übrigens inklusive.

▢ Prätschli ❶ ☞ ⪡ 🛋 🖼 📶 📱

Prätschlistrasse, in Prätschli, Nord: 3 km – ℰ 081 378 80 80 – www.praetschli.ch
– geschl. 8. April - 5. Dezember B1**p**
61 Zim ⌑ – 🛏215/310 CHF 🛏🛏285/635 CHF – 7 Suiten – ½ P
Rest – (18 CHF) – Karte 56/96 CHF
Ruhe, Ausblick, das Skigebiet gleich vor der Tür... ein schönes Domizil für Winter-urlaubstage! Und das Ambiente? Wohnlich-neuzeitlich-alpenländisch. Nehmen Sie doch eines der Südzimmer - hier ist die Sicht besonders reizvoll und einen Balkon haben Sie auch! Die passende Stärkung (z. B. Regionales und Grillgerichte) haben das "Locanda" und das Tagesrestaurant "Serenata" samt Sonnenterrasse oder der urige "Prätschli-Stall" mit Käsefondue und Raclette.

▢ Cristallo ⪡ 📶 🖼 📶 🛁 📱

Poststrasse – ℰ 081 378 68 68 – www.cristalloarosa.ch – geschl. 12. April
- 26. Juni, 21. September - 4. Dezember B2**p**
36 Zim ⌑ – 🛏185/285 CHF 🛏🛏320/400 CHF – ½ P
Rest *Le Bistro* – siehe Restaurantauswahl
Hier überzeugen wohnliche Atmosphäre und Bergblick. Die Zimmer bieten moderne Bäder und gute Technik. Buchen Sie ein Südzimmer mit Balkon und traumhafter Sicht - in den Eckzimmern haben Sie sogar ein Wasserbett!

▢ Vetter 🖼 📶 📱

Seeblickstrasse – ℰ 081 378 80 00 – www.arosa-vetter-hotel.ch – geschl. 28. April
- 10. Juli B1**v**
22 Zim ⌑ – 🛏75/165 CHF 🛏🛏100/420 CHF – ½ P
Rest *Vetterstübli* – (19 CHF) – Karte 39/87 CHF
Das kleine Hotel bei den Bergbahnen nennt sein Design selbst passenderweise "Alpinstyle", entsprechend chic und modern-rustikal sind die Zimmer. Drei weitere Zimmer sind recht einfach.

▢ Belri ☞ ⪡ 🛋 📶 📱

Schwelliseestrasse – ℰ 081 378 72 80 – www.belri.ch – geschl. 13. April - 27. Juni,
8. September - 5. Dezember A2**u**
17 Zim ⌑ – 🛏80/160 CHF 🛏🛏160/340 CHF – 1 Suite – ½ P
Rest – (geschl. Mitte April - Anfang Dezember) (nur Abendessen) (Tischbestellung ratsam) Menü 38/52 CHF
Ein nettes regionstypisches Haus nahe den Pisten, das man mit viel Arvenholz ausgestattet hat. Gemütlich sind die geräumigen Gästezimmer und die Lounge, in der man am offenen Kamin beim Lesen schön relaxen kann.

▢ Sonnenhalde garni ☞ ⪡ 📶 🖼 🧺 📱

Sonnenbergstrasse – ℰ 081 378 44 44 – www.sonnenhalde-arosa.ch – geschl.
22. April - 27. Juni, 12. Oktober - 27. November A2**c**
25 Zim ⌑ – 🛏118/148 CHF 🛏🛏208/274 CHF
Einen sehr persönlichen Charakter hat das gastliche Schweizer Chalethaus, das mit seinen neuzeitlich-rustikalen, in hellem Holz gehaltenen Zimmern zu überzeugen weiss. Im Winter gibt es mittwochabends Fondue, Hausgäste bekommen täglich kleine Snacks.

▢ Arlenwald ☞ ⪡ 📶 📶 📱

Prätschlistrasse, in Prätschli, Nord: 3 km – ℰ 081 377 18 38
– www.arlenwaldhotel.ch – geschl. Juni B1**b**
9 Zim ⌑ – 🛏100/145 CHF 🛏🛏200/270 CHF – ½ P
Rest *Burestübli* – (geschl. Mai - Juni sowie September - November: Mittwoch - Donnerstag, Juli - August: Donnerstag) (20 CHF) – Karte 28/85 CHF
Inmitten einer wahrlich traumhaften Berglandschaft wohnt man in einem langjährigen Familienbetrieb, den Skilift hat man ganz in der Nähe. Freundlich die Zimmer, charmant die kleine Sauna mit Aussicht und Terrasse, bürgerlich-rustikal das Burestübli - hier bekommt man Grillgerichte.

Sie möchten spontan verreisen? Besuchen Sie die Internetseiten der Hotels, um von deren Sonderkonditionen zu profitieren.

XXX **La Vetta** – Tschuggen Grand Hotel   ☺ ⌘ P

🕄 *Sonnenbergstr. 1 – ℰ 081 378 99 99 – www.tschuggen.ch*
– geschl. 6. April - 4. Juli und Montag, Juli - November: Montag - Dienstag
Rest *– (nur Abendessen) (Tischbestellung ratsam)*   A2**a**
Menü 94/139 CHF 🏵

"Modern, ungezwungen & verführerisch" - dieses Motto findet sich in den drei Menüs von Küchenchef Tobias Jochim: "1929", "Weisshorn" und "vegetarisch" - Sie dürfen hier auch gerne variieren! Und der Rahmen dafür? Elegantes Ambiente und kompetenter Service. Letzterer empfiehlt Ihnen u. a. auch so manch schönen Rotwein aus dem Burgund oder Italien. Oder darf es ein feiner Champagner sein?
➝ Confierter Saibling, Charantais Melone, Aroser Joghurt, frische Mandeln, Miso Sponge. Bündner Milchkalb - Filet, Haxe, Bries, Lauch, Kartoffel-Espuma und Crunch, zweierlei Zwiebel. Erdbeeren in Texturen, aufgeschlagener Schokoladen Ganache, Schichtpraline, Zitronenthymianeis.

XXX **Muntanella** – Hotel Arosa Kulm   ⇐ 🏠 ✿ P

Innere Poststrasse – ℰ 081 378 88 88 – www.arosakulm.ch
– geschl. Anfang April - Mitte Juni, Ende September - Anfang Dezember
und Mittwoch   A2**b**
Rest – (22 CHF) Menü 65/145 CHF – Karte 69/108 CHF
Am Abend reicht man in dem modern-alpin gehaltenen Restaurant eine ansprechende zeitgemässe Karte. Eine ganz andere, einfache Speiseauswahl bietet mittags das Tagesrestaurant mit Lounge-Charakter.

XX **Kachelofa-Stübli** – Waldhotel National   🏠 🅰🅲 P

Tomelistrasse – ℰ 081 378 55 55 – www.waldhotel.ch – geschl. 21. April
- 20. Juni, 5. Oktober - 5. Dezember und im Winter: Dienstag   B2**d**
Rest – (Mitte Juni - Mitte Oktober nur Mittagessen) (25 CHF)
Menü 95/128 CHF 🏵

So behaglich, wie man sich ein "Kachelofa-Stübli" vorstellt: warmes Holz und Kachelofen sorgen für rustikale Gemütlichkeit, gepflegte Tischkultur für die elegante Note. Seit über 20 Jahren steht Gerd Reber hier am Herd: Am Abend bietet er die zwei ambitionierten Menüs "Tradition" und "Degustation" (Sie können auch à la carte daraus wählen), mittags gibt es nur ein einfacheres Angebot.

XX **Ahaan Thai** – Hotel Arosa Kulm   P

😊 *Innere Poststrasse – ℰ 081 378 88 88 – www.arosakulm.ch*
– geschl. Anfang April - Mitte Juni, Ende September - Anfang Dezember
und Dienstag - Mittwoch   A2**b**
Rest *– (nur Abendessen) (Tischbestellung ratsam)* Menü 66/99 CHF
– Karte 54/88 CHF
Wer könnte authentischer kochen als ein rein thailändisches Küchenteam? Da bestellt man nur zu gerne schmackhafte und aromatische Speisen wie Frühlingsrollen, Dim Sum oder Currys in verschiedenen Schärfestufen! Und das in angenehm landestypisch-elegantem Ambiente.

XX **Stüva Cuolm**   ⇐ 🏠 P

Innere Poststrasse – ℰ 081 378 88 88 – www.arosakulm.ch
– geschl. 13. April - 4. Dezember und Sonntagabend - Dienstagmittag
Rest *– Karte 52/101 CHF*   A2**d**
Das rustikale Winterrestaurant mit herrlicher Sonnenterrasse (grandios die Aussicht von hier!) gehört zum wenige Schritte entfernten Hotel Kulm. Italienisches Speiseangebot, das mittags einfacher ist.

X **Le Bistro** – Hotel Cristallo

Poststrasse – ℰ 081 378 68 68 – www.cristalloarosa.ch
– geschl. 12. April - 26. Juni, 21. September - 4. Dezember   B2**p**
Rest – (21 CHF) Menü 88/110 CHF – Karte 62/116 CHF
Ein beliebter Treff an der Promenade, deshalb ist es hier auch immer voll! Die Gäste mögen das charmante Bistro-Ambiente mit getrockneten Blumensträussen an der Decke und französischer Kunst an den Wänden.

※ **Golfhuus ❶**   ≤ 斎 **P**

Maranerstrasse – 𝒞 081 377 42 24 – www.golfhuus.ch – geschl. Ende April - Mai,
Ende Oktober - November und im Winter: Dienstag - Mittwoch   **B1g**
Rest – (20 CHF) Menü 65 CHF (abends)/110 CHF – Karte 61/96 CHF
Schön hell und modern ist es hier, und eine tolle Aussicht auf Golfplatz und
Berge hat man obendrein. Wer Schweizer Klassiker mag, wird auf der Karte
ebenso fündig wie Freunde asiatischer Currys (eine der Stationen von Küchenchef
Markus Trautvetter war Thailand). Abends bietet man zusätzlich Menüs, so z. B.
das beliebte "Petit Manger" mit kleinen Portionen im Tapas-Stil. Zum Mitnehmen:
hausgemachte luftgetrocknete Fleischspezialitäten.

ARTH – Schwyz (SZ) – **551** P7 – **10 921 Ew** – ✉ **6415**   **4** G3
▶ Bern 143 – Schwyz 14 – Zug 14 – Stans 52

※ **Gartenlaube**   ≤ 斎

Zugerstr. 15 – 𝒞 041 855 11 74 – geschl. Ende August - Mitte Juni: Mittwoch
- Donnerstag
Rest – (20 CHF) Menü 60 CHF (abends) – Karte 44/82 CHF
Eine nett dekorierte bürgerliche Gaststube, in der man frisch und regional isst. Im
Sommer ist die grosse Terrasse am See ein Besuchermagnet - kein Wunder bei
der Aussicht!

ARZIER – Vaud – **552** B10 – **2 348 h.** – alt. 842 m – ✉ **1273**   **6** A6
▶ Bern 139 – Lausanne 44 – Genève 39 – Fribourg 118

※※ **Auberge de l'Union** avec ch   ≤ & rest, 🖥 **P**

Route de Saint-Cergue 9 – 𝒞 022 366 25 04 – www.auberge-arzier.ch – fermé
dimanche soir, mardi midi et lundi
8 ch ☲ – †140/190 CHF ††180/230 CHF – ½ P
Rest – (19 CHF) Menu 26 CHF (déjeuner en semaine)/125 CHF – Carte 61/111 CHF
Le bois se marie à la pierre dans un commun accord de beige... Un écrin de douceur et d'authencité, où l'on savoure une savoureuse cuisine du marché. Et pour
prolonger l'étape, de vraies chambres cocon, à l'étage.

ASCONA – Ticino (TI) – **553** Q12 – **5 453 ab.** – alt. 210 m – ✉ **6612**   **9** H6
▶ Bern 240 – Locarno 4 – Bellinzona 23 – Domodossola 51
🖥 viale Papio 5 D1, 𝒞 091 791 00 91, www.ascona-locarno.com
🚆 Est : 1,5 km, 𝒞 091 791 21 32
🚆 Gerre Losone, Losone, Nord-Ovest : 5 km per Losone e strada Centovalli,
𝒞 091 785 10 90
Manifestazioni locali :
27 febbraio-1 marzo : Film and Video Art Festival
maggio : Festival Artisti di Strada
20-28 giugno : JazzAscona
24-27 luglio : Concorso ippico internazionale
agosto-ottobre : Settimane musicali
◎ Santa Maria della Misericordia★D2
⊡ Isole di Brissago★C2

Piante pagine seguenti

🏨 **Castello del Sole**   🖥≤🖥🖥🏊🖥⑩🕱🖥❊🖥★★🖥🖥🖥**P**

via Muraccio 142, Est : 1 km per via Muraccio B2 – 𝒞 091 791 02 02
– www.castellodelsole.com – chiuso 21 ottobre - 4 aprile
70 cam ☲ – †380/780 CHF ††570/820 CHF – 11 suites – ½ P
Rist *Locanda Barbarossa* ✿ – vedere selezione ristoranti
In riva al lago - all'interno di un grande parco con vigneto - questa raffinata casa
di fine Ottocento dispone di una meravigliosa Spa e di camere da sogno: degne
di nota le suite e le junior suite.

🏨 **Eden Roc**   🖥≤🖥斎🏊🖥⑩🕱🖥🖥&★★🖥❊rist,🖥🖥🖥**P**

via Albarelle 16 – 𝒞 091 785 71 71 – www.edenroc.ch   **D2r**
60 cam ☲ – †230/780 CHF ††290/890 CHF – 35 suites – ½ P
Rist *La Brezza*

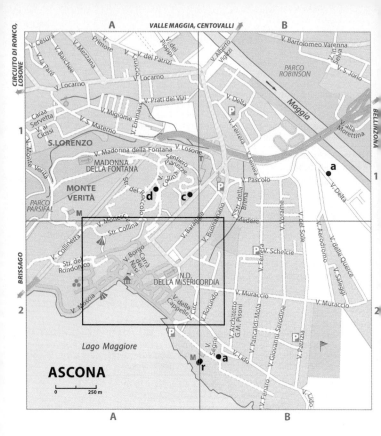

ASCONA

0 — 250 m

Rist _Eden Roc_ – vedere selezione ristoranti
Rist _Marina_ – *(13 dicembre - 5 gennaio : aperto solo a mezzogiorno)* (25 CHF)
Menu 35 CHF (pranzo)/60 CHF (cena) – Carta 58/94 CHF
Ad accogliervi, l'elegante hall che v'introdurrà a camere di design o a stanze più classiche, ma altrettanto confortevoli. Tre piscine, una bella Spa e il giardino completano lo charme, mentre specialità italiane vi attendono al ristorante Marina.

Giardino
via del Segnale 10, Est : 1,5 km per via Muraccio B2 – ℰ 091 785 88 88
– www.giardino.ch – chiuso fine ottobre - metà aprile
56 cam � – †440/580 CHF ††550/690 CHF – 16 suites – ½ P
Rist _Ecco_ ❀❀ **Rist _Aphrodite_** – vedere selezione ristoranti
Cinta da un romantico giardino mediterraneo che ospita stagnetti di ninfee e una piscina, questa lussuosa risorsa offre ambienti di grande fascino. Gestione competente e professionale, servizio impeccabile.

Parkhotel Delta
via Delta 137 – ℰ 091 785 77 85 – www.parkhoteldelta.ch
– chiuso 6 gennaio - 20 febbraio   B1**a**
42 cam ⊠ – †180/450 CHF ††290/540 CHF – 8 suites – ½ P
Rist _Da Jean-Pierre_ – *(chiuso in inverno : domenica sera e lunedì)* (24 CHF)
Menu 34/56 CHF – Carta 53/90 CHF
Ad un quarto d'ora di passeggiata dal lago, l'albergo è dedicato agli amanti degli spazi: ampie camere immerse in un parco con mini golf e otto campi da tennis di cui quattro coperti, svaghi e relax. Classiche proposte di cucina mediterranea al ristorante.

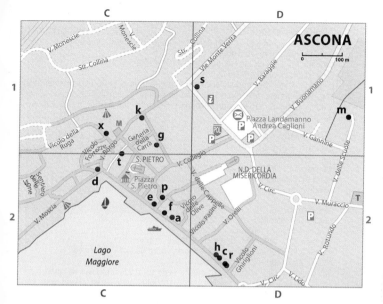

Ascovilla

🍸 🛖 🛝 ⌗ ⊞ AC rist, ⅀ rist, 🛜 🛋 P

via Albarelle 37 – ℰ 091 785 41 41 – www.ascovilla.ch – chiuso fine ottobre - metà marzo

50 cam ⌂ – ♦205/280 CHF ♦♦360/420 CHF – 5 suites – ½ P
Rist – (23 CHF) Menu 30 CHF (pranzo)/59 CHF (cena) – Carta 58/81 CHF

B2**a**

Affacciato su due giardini ognuno con piscina, l'hotel dispone di un'elegante hall impreziosita da marmi, belle suite e camere accoglienti (alcune con balconi). Piacevole area *wellness* con sauna e possibilità di massaggi. Ristorante di tono elegante.

Castello - Seeschloss

⌗ AC 🛜 🛋 P

via Circonvallazione 26, (piazza G. Motta) – ℰ 091 791 01 61 – www.castello-seeschloss.ch – chiuso inizio novembre - inizio marzo

45 cam ⌂ – ♦184/344 CHF ♦♦348/648 CHF – ½ P
Rist *al Lago* – vedere selezione ristoranti

D2**r**

Sulle rive del lago e a due passi dal centro della località, accoglienti camere - quasi tutte affrescate - in una suggestiva struttura del XIII secolo, di cui restano le antiche torri.

Ascona

cam, AC cam, ⅀ rist, 🛜 🛋 P

via Collina, (sopra via Signor in Croce 1) – ℰ 091 785 15 15 – www.hotel-ascona.ch

67 cam ⌂ – ♦100/240 CHF ♦♦190/510 CHF

A1**d**

Rist – (chiuso 3 gennaio - 1° marzo) Menu 45 CHF (cena) – Carta 30/70 CHF

In posizione dominante sulla città, dispone di un magnifico giardino con piscina da cui godere di un'ottima vista sul lago. Camere diverse per stile e dimensioni, ma tutte con balcone. Al ristorante la cucina riporta sapori e profumi del Mediterraneo: il grotto per l'inverno e la terrazza per l'estate.

Riposo

🛖 🛝 ⌗ 🛋

scalinata della Ruga 4 ⊠ 6612 – ℰ 091 791 31 64 – www.arthotelriposo.ch – chiuso novembre - fine marzo

30 cam ⌂ – ♦130/195 CHF ♦♦210/360 CHF – ½ P

C1**x**

Rist *Arlecchino* – (chiuso mercoledì - giovedì e domenica) Menu 45 CHF (cena) – Carta 53/80 CHF

Il profumo del vecchio glicine nella corte interna aggiunge romanticismo a questa struttura già ricca di fascino, dove ambienti in stile mediterraneo e belle camere assicurano un buon risposo. Sublime vista del lago dal solarium e piscina...sul tetto! Sabato, serata jazz; il martedì cena a lume di candela sotto le stelle nella splendida terrazza panoramica.

🏠 Sasso Boretto
🖼️ 🗻 📶 🚿 ⛅ 💺 rist, 🍴 rist, 📶 🛁 🚗

viale Monte Verità 45 – 𝒞 091 786 99 99 – www.sassoboretto.com
– chiuso novembre - marzo   A1**c**
44 cam ⌷ – ♦140/240 CHF ♦♦230/380 CHF – ½ P
Rist – *(solo a cena)* (28 CHF) – Carta 50/74 CHF
Lungo la strada che conduce al centro, l'hotel è stato oggetto di un recente restyling nelle camere, rese ancora più confortevoli, e di altri ambienti quali il ristorante o il lounge bar. L'offerta culinaria è piuttosto tradizionale, ma si differenzia da quella standard per turisti.

🏠 La Meridiana senza rist
◁ 🖼️ 🗻 📶 ⛅ 💺 🆎 🍴 📶 🅿️

piazza G. Motta 61 – 𝒞 091 786 90 90 – www.meridiana.ch – chiuso 6 gennaio
- 21 febbraio   D2**c**
21 cam ⌷ – ♦130/280 CHF ♦♦220/360 CHF
Punti di forza della struttura sono la vista mozzafiato sul lago e la grande terrazza solarium, ma anche le camere - moderne e funzionali - non sono da meno!

🏠 Al Porto
◁ 🖼️ 🏠 💺 🆎

piazza G. Motta 25 – 𝒞 091 785 85 85 – www.alporto-hotel.ch – chiuso
2 novembre - 28 febbraio   C2**p**
36 cam ⌷ – ♦95/205 CHF ♦♦215/340 CHF
Rist – *(chiuso 3 novembre - 28 febbraio: martedì sera e mercoledì)*
Menu 27/79 CHF – Carta 53/85 CHF
La famiglia Wolf é al timone di questa bella struttura composta da quattro antiche case ticinesi, le cui camere per la maggior parte si affacciano sulla corte interna o sul giardino. Piatti locali rivisitati con gusto e creatività nel caratteristico ristorante, dal cui balcone si gode di una vista sublime sulla piazza.

🏠 Mulino
🐟 🖼️ 🏠 🗻 📶 ⛅ 🆎 cam, 🛁 🅿️

via delle Scuole 17 – 𝒞 091 791 36 92 – www.hotel-mulino.ch – chiuso fine
ottobre - metà marzo   D1**m**
32 cam ⌷ – ♦120/220 CHF ♦♦200/280 CHF
Rist – Menu 38 CHF (cena)/48 CHF (cena) – Carta 35/83 CHF
Giardino con pergolato e piscina in un grazioso hotel sito in un quartiere residenziale: l'arredamento semplice e funzionale delle camere non ne compromette il confort. In estate il ristorante si apre sulla gradevole terrazza; menu particolare a cena.

🏠 Schiff - Battello senza rist
◁ 💺 📶 🚗

piazza G. Motta 21 – 𝒞 091 791 25 33 – www.hotel-schiff-ascona.ch
– chiuso fine novembre - metà gennaio   C2**e**
15 cam ⌷ – ♦85/145 CHF ♦♦175/275 CHF
Edificio che sorge proprio sul lungolago. Dalla reception si accede alle funzionali camere: alcune moderne ed ammobiliate in legno chiaro, altre meno recenti, più piccole e più semplici.

🏠 Piazza
◁ 🏠 💺 📶

piazza G. Motta 29 – 𝒞 091 791 11 81 – www.hotelpiazza.ch   C2**f**
43 cam ⌷ – ♦80/165 CHF ♦♦150/250 CHF
Rist – *(chiuso lunedì e martedì dal 7 gennaio al 1° marzo)* (22 CHF)
– Carta 38/67 CHF
Sul lungolago, una risorsa con camere di differenti tipologie, ma tutte rinnovate di recente. Alcune, dotate di piccoli balconi, godono della vista sulla passeggiata. Ristorante con veranda.

🍴🍴🍴🍴 La Brezza – Hotel Eden Roc
◁ 🏠 🆎 🍴 🅿️

via Albarelle 16 – 𝒞 091 785 71 71 – www.edenroc.ch – chiuso inizio gennaio
- metà marzo, inizio novembre - metà dicembre   D2**r**
Rist – *(solo a cena) (consigliata la prenotazione)* Menu 132 CHF
– Carta 76/110 CHF 🍷
Come una brezza piacevole e leggera, la cucina mediterranea e creativa di questo ristorante è pronta a deliziare i più esigenti gourmet, non tanto con clamorosi effetti speciali, ma con delicati ingredienti che ricordano il Sud.

ҲҲҲ **Ecco** – Hotel Giardino ⚙ **P**

⚙ ⚙ *via del Segnale 10, Est : 1,5 km per via Muraccio B2* – ☎ *091 785 88 88*
– *www.giardino.ch – chiuso fine ottobre - metà aprile, lunedì e martedì*
Rist – *(solo a cena) (consigliata la prenotazione)* Menu 138/194 CHF⊗
Le alchimie del giovane cuoco, enfant prodige della gastronomia tedesca, non cessano
di stupire: scelta ristretta a pochi piatti, la sua cucina è un viaggio tra i migliori prodotti
del continente e non solo. Ma anche l'ambiente ci mette del suo per giungere al cuore
del cliente; elegante e moderno, si contraddistingue per i suoi vivaci cromatismi.
→ Pancetta di maiale iberico - ostrica bretone - ravanello. San Pietro bretone
- capesanta - limone al sale. Triglia dell'Atlantico - carciofi - crema di riccio.

ҲҲҲ **Eden Roc** – Hotel Eden Roc ← 🛏 & 🅰🅲 ⚙ **P**

via Albarelle 16 – ☎ *091 785 71 71 – www.edenroc.ch – chiuso 6 gennaio - 27 febbraio,
3 novembre - 12 dicembre; 28 febbraio - 15 marzo : lunedì - martdedì* **D2r**
Rist – *(solo a cena)* Menu 58/102 CHF – Carta 64/102 CHF⊗
L'incanto di una terrazza sul lago ed il piacere di una cucina dai sapori mediterranei, nonché contemporanei, a cui si aggiunge un servizio impeccabile: ecco sve-
lato il successo di questo ristorante.

ҲҲҲ **Locanda Barbarossa** – Hotel Castello del Sole 🔔 🛏 & 🅰🅲 ⚙ **P**

⚙ *via Muraccio 142, Est : 1 km per via Muraccio B2* – ☎ *091 791 02 02*
– *www.castellodelsole.com – chiuso 21 ottobre - 4 aprile*
Rist – *(consigliata la prenotazione la sera)* Menu 65 CHF (pranzo)/140 CHF (cena)
– Carta 80/130 CHF⊗
La carta strizza l'occhio ai sapori mediterranei in questo ristorante rustico-elegante con un grazioso cortile attorno ad un grande e ombreggiato ulivo. Nella
bella stagione, l'adiacente Leone Terrazza vi attende per un light lunch o una
romantica cena a lume di candela.
→ Insalatina d'Astice tiepido. Filetto di Rombo con Composta di Peperoni. Parfait
al Cioccolato nero.

ҲҲҲ **Aphrodite** – Hotel Giardino 🛏 & ⚙ **P**

via del Segnale 10, Est : 1,5 km per via Muraccio B2 – ☎ *091 785 88 88*
– *www.giardino.ch – chiuso fine ottobre - metà aprile*
Rist – *(consigliata la prenotazione la sera)* (41 CHF) Menu 62/145 CHF
– Carta 63/114 CHF⊗
Una splendida terrazza, un fresco giardino ed una gustosa cucina mediterranea:
questa è la ricetta per una sosta gastronomica che si farà ricordare...

ҲҲ **Giardino Lounge e Ristorante** 🛏 🅰🅲

😊 *Viale Bartolomeo Papio 1* – ☎ *091 791 89 00 – www.giardino-lounge.ch – chiuso domenica*
Rist – Menu 24 CHF (pranzo in settimana) – Carta 50/70 CHF **D1s**
Nel centro di Ascona a pochi minuti a piedi dal lago, questo ristorante/lounge bar
sfoggia uno stile moderno ed originale: non passa infatti inosservato il giardino
interno verticale, ma anche la cucina fa parlare di sé grazie a sapori che evocano
terre lontane. Specialità indiane.

ҲҲ **Della Carrà** 🛏 🅰🅲

😊 *Carrà dei Nasi 18* – ☎ *091 791 44 52 – www.ristorantedellacarra.ch – chiuso
novembre - marzo : domenica e lunedì* **C1g**
Rist – (17 CHF) Menu 23 CHF (pranzo)/85 CHF – Carta 58/100 CHF
Cucina legata alla tradizione, con specialità alla griglia, in questo rustico ristorante
situato nella parte vecchia della città. Ameno e conviviale.

ҲҲ **Hostaria San Pietro** 🛏 🅰🅲

Passaggio San Pietro 6 – ☎ *091 791 39 76 – chiuso 7 gennaio - 7 febbraio e lunedì*
Rist – (22 CHF) Menu 22 CHF (pranzo)/56 CHF (cena) – Carta 50/71 CHF⊗ **C1_2t**
Piccola e raffinata osteria, situata nella parte vecchia della città, in una stradina
laterale. La cucina è tradizionale con offerte regionali a prezzi favorevoli.

ҲҲ **al Lago** – Hotel Castello - Seeschloss ← 🛏 **P**

via Circonvallazione 26, (piazza G. Motta) – ☎ *091 791 01 61*
– *www.castello-seeschloss.ch – chiuso inizio novembre - inizio marzo*
Rist – (28 CHF) Menu 48/78 CHF (cena) – Carta 57/92 CHF **D2r**
Cucina tradizionale in un grazioso e classico ristorante, che mutua il nome dalla
nota famiglia milanese che costruì il castello. Quando il clima si fa mite il servizio
viene spostato sulla bella terrazza con vista lago ed isole di Brissago.

⚕ **Seven** (Ivo Adam)   ≤ 🕃 ⅙ AC

🕄 *via Moscia 2 – 𝒞 091 780 77 88 – www.seven-ascona.ch – chiuso novembre - marzo;*
lunedì e martedì (escluso giugno, luglio e agosto)   C2**d**
Rist *– (consigliata la prenotazione)* Menu 127/177 CHF – Carta 102/135 CHF 🍴
Ingresso su un lounge bar di tendenza affacciato sul panorama lacustre, Seven è
una cucina-laboratorio tra le più stimolanti ed innovative del Ticino, in costante
ricerca ed incentrata su originali e riusciti accostamenti.
→ Gambero carabinero "dalla Spagna" ~ riso venere ~ ravanelli ~ rabarbaro. Sal-
merino "da Svitto" ~ lenticchie rosse ~ cavolfiore ~ madrocas curry. Yogurt "dalla
Grecia" ~ limone ~ mandarola ~ timo limone.

⚕ **Al Pontile**   ≤ 🕃

piazza G. Motta 31 – 𝒞 091 791 46 04 – www.alpontile.ch – chiuso
25 novembre - 15 dicembre   C2**a**
Rist – (25 CHF) Menu 79 CHF (cena) – Carta 49/78 CHF
Vivace nella cucina dai sapori regionali e nella frequentazione, il ristorante
dispone di un piacevole *dehors* estivo sul lungolago. Serate a tema nonché rasse-
gne gastronomiche.

⚕ **Seven Asia**   🕃 AC ⅙

🕊 *Via Borgo 19 – 𝒞 091 786 96 76 – www.seven-ascona.ch – chiuso 1° gennaio*
- 4 febbraio e lunedì; settembre - maggio : lunedì e martedì   C1**k**
🕄 **Rist** *– (consigliata la prenotazione)* (19 CHF) Menu 79/79 CHF – Carta 56/98 CHF
Vetrina delle cucina asiatiche, si passa con disinvoltura dal sushi su nastro e tempura alle specialità al curry, dagli involtini primavera alle cotture sulla piastra teppanyaki nonché proposte tailandesi.

⚕ **Seven Easy**   ≤ 🕃 ⅙ AC

piazza G. Motta 61 – 𝒞 091 780 77 71 – www.seven-ascona.ch – chiuso 10
- 20 novembre   D2**h**
Rist *– (consigliata la prenotazione la sera)* (30 CHF) – Carta 50/123 CHF
Ambiente moderno e di tendenza con grandi tavoloni in legno per un ristorante
aperto fin dal primo mattino: menu dalle stuzzicanti proposte mediterranee con
pasta, pizze e, la sera, anche grill. Bella terrazza vista lago.

a Moscia Sud-Ovest : 2 km per via Collinetta A2, verso Brissago – ✉ 6612

🏠 **Collinetta**   🍷 ≤ 🚗 🕃 📱 ⅙ rist, 🛜 🅿

strada Collinetta 115 – 𝒞 091 791 19 31 – www.collinetta.ch – chiuso metà
novembre- metà febbraio
44 cam 🍽 – ♦109/299 CHF ♦♦168/395 CHF
Rist – (25 CHF) Menu 49 CHF – Carta 32/80 CHF
Posizione invidiabile per questa piacevole struttura circondata da un ampio giardino, con parte delle camere recentemente rinnovate e buon livello di confort
anche in quelle (ancora) da ristrutturare. Alcune stanze vantano una vista emozio-
nante su monti e lago. Cucina mediterranea e bella terrazza estiva al ristorante.

a Losone Nord-Ovest : 2 km per via Alberto Vigizzi B1, verso Centovalli
– alt. 240 m – ✉ 6616

🏨 **Losone**   🍷 🚗 🕃 ⅃ 🌀 ⅙ 📷 📱 ⅙ cam, ✚ AC ⅙ rist, 🛜 🛁 🅿

via dei Pioppi 14 – 𝒞 091 785 70 00 – www.albergolosone.ch – chiuso 31 ottobre
- metà marzo
60 cam 🍽 – ♦190/336 CHF ♦♦380/580 CHF – 10 suites
Rist – (40 CHF) Menu 49 CHF (pranzo)/68 CHF (cena) – Carta 63/87 CHF
Struttura poliedrica in grado di soddisfare gli amanti del golf, ma anche una clien-
tela business o le famiglie. Nel verde dei prati, ampie camere in stile mediterraneo ed un'offerta wellness entusiasmante: massaggi con pietre laviche, tepida-
rium ed olii essenziali. Al ristorante, bella terrazza e cucina classica.

🏠 **Elena** senza rist   🍷 🚗 ⅃ 🛜 🅿

via Gaggioli 15 – 𝒞 091 791 63 26 – www.garni-elena.ch – chiuso 27 ottobre
- 28 marzo
20 cam 🍽 – ♦130/220 CHF ♦♦160/250 CHF
Costruzione che sorge in una tranquilla zona residenziale. Godetevi le calde
serate estive sotto le arcate, di fronte alla piscina e al giardino con le palme.

XX Osteria dell'Enoteca 🛱 P

contrada Maggiore 24 – 𝒞 091 791 78 17 – www.osteriaenoteca.ch – chiuso
13 gennaio - inizio febbraio, martedì e mercoledì; luglio e agosto : martedì
Rist *– (consigliata la prenotazione la sera)* (40 CHF) Menu 76/139 CHF
In una tranquilla zona residenziale, charme e raffinatezza sono gli atout di questa
moderna osteria, che propone sfiziose prelibatezze ed un piacevole servizio estivo
nel fiorito giardino. Angelo custode della sala, il grande camino!

X Delta Green ≼ 🛱 & P

via alle Gerre 5 – 𝒞 091 785 11 90 – www.deltagreen.ch – chiuso gennaio
Rist *– (novembre - aprile : solo a pranzo)* (26 CHF) Menu 49 CHF (pranzo)/85 CHF
(cena) – Carta 64/99 CHF
Ristorante moderno dispone di una splendida terrazza con vista impareggiabile
sui green del Golf Gerre e sulla valle. Cucina internazionale e mediterranea.

sulla strada Panoramica di Ronco Ovest : 3 km

🏠 Casa Berno 🐟 ≼ 🚗 🛱 🛱 🕅 🔳 ℀ rist, 穼 🎿 P

Via Gottardo Madonna 15 ⊠ 6612 Ascona – 𝒞 091 791 32 32
– www.casaberno.ch – chiuso metà ottobre - fine marzo
62 cam 🖙 – ♦234/260 CHF ♦♦340/504 CHF
Rist – (24 CHF) Menu 72 CHF – Carta 45/87 CHF
Beneficiate della posizione privilegiata delle colline, sopra il lago, per ammirare i
dintorni! Le camere vantano un buon livello di confort: in stile moderno o tradizionale, dispongono tutte di un grazioso balcone. Il ristorante dispone anch'esso
di una bella terrazza panoramica.

ASSENS – Vaud (VD) – 552 E9 – 1 006 h. – alt. 625 m – ⊠ 1042   6 B5
▶ Bern 91 – Lausanne 13 – Fribourg 83 – Thonon-les-Bains 126

XX Le Moulin d'Assens avec ch 🚗 ℀ ch, 穼 P

Route du Moulin 15, Est : 1 km, par route de Brétigny – 𝒞 021 882 29 50
– www.le-moulin-assens.ch – fermé Noël - Nouvel An, mi-juillet - mi-août,
dimanche soir, mardi midi et lundi, avril - août : dimanche soir, lundi et mardi
2 ch – ♦95/120 CHF ♦♦150/160 CHF, 🖙 20 CHF
Rest *– (nombre de couverts limité, réserver)* (45 CHF) Menu 65 CHF (déjeuner en
semaine)/160 CHF – Carte 73/109 CHF
Agréable maison dans cet authentique moulin du 18e s., niché dans une nature
préservée… La spécialité du chef, ce sont les grillades au feu de bois, préparées
avec une passion et un savoir-faire évidents ! Profitez de la terrasse pour prendre
l'apéritif ; il y a aussi deux jolies chambres pour passer la nuit...

AUBONNE – Vaud (VD) – 552 C10 – 2 978 h. – alt. 502 m – ⊠ 1170   6 B5
▶ Bern 119 – Lausanne 25 – Genève 44 – Montreux 56

XX L'Esplanade ≼ 🛱 & P

Avenue du Chêne 42 – 𝒞 021 808 03 03 – www.lesplanade.ch – fermé Noël
- Nouvel An, dimanche et lundi
Rest – (25 CHF) Menu 32 CHF (déjeuner)/70 CHF – Carte 58/85 CHF
Sur les hauteurs d'Aubonne, ce restaurant offre un magnifique panorama sur le
Léman et les vignobles environnants ! Un plaisir des yeux... et des papilles avec
un chef qui travaille les beaux produits frais. De quoi avoir envie de rester sur
cette savoureuse esplanade. Un bon rapport qualité-prix.

Les AVANTS – Vaud – 552 G10 – voir à Montreux

AVENCHES – Vaud (VD) – 552 G7 – 3 480 h. – alt. 475 m – ⊠ 1580   2 C4
▶ Bern 40 – Neuchâtel 37 – Fribourg 15 – Lausanne 72
🚹 Place de l'Église 3, 𝒞 026 676 99 22, www.avenches.ch
Manifestations locales :
   4-12 juillet : festival d'opéra
◉ Musée romain ★

🛏️ **Couronne** 🍽️ 🏠 ♿ 🛜 ⛷ 🚗

😊 *Rue Centrale 20 – ☏ 026 675 54 14 – www.lacouronne.ch*
24 ch 🖵 – 🛏130/145 CHF 🛏🛏190/220 CHF – ½ P
Rest – *(fermé 23 décembre - 15 janvier et dimanche soir)* (20 CHF)
Menu 50/150 CHF – Carte 43/88 CHF
Depuis que le fils a repris la Couronne, il souffle un vent nouveau, non pas sur le royaume mais sur cet établissement ! À deux pas des arènes romaines, les chambres se révèlent contemporaines et bien tenues. Côté restaurant : cuisine de saison et, fait original, des dégustations de vins dans la cave voûtée.

✗✗ **Des Bains** 🍽️ ♿ 🔄 **P**

😊 *Route de Berne 1 – ☏ 026 675 36 60 – www.restaurantdesbains.ch*
– fermé 17 février - 8 mars, 8 - 23 septembre, dimanche soir, mardi soir et lundi
Rest – (19 CHF) Menu 70/112 CHF – Carte 57/95 CHF
Ne vous y trompez pas, vous n'êtes pas dans une galerie d'art – on vend les tableaux des artistes exposés – mais bien au restaurant ! Les gourmands apprécieront l'agréable cuisine traditionnelle accompagnée de vins locaux. Pour l'anecdote : le nom de l'établissement évoque les anciens thermes d'Aventicum.

BAAR – Zug (ZG) – **551** P6 – **22 125 Ew** – ⊠ **6340** 4 G3
▶ Bern 136 – Zug 4 – Zürich 34 – Aarau 71

✗✗✗ **Baarcity** ⓝ ≤ 🅰🅲 🔄

Bahnhofstr. 7, (10. Etage) ⊠ 6340 – ☏ 041 760 77 99 – www.baarcity.ch
– geschl. 1. - 22. Januar, 27. Juli - 12. August und Sonntag - Montag
Rest – Menü 39 CHF (mittags)/144 CHF (abends) – Karte 91/116 CHF
Den neuesten Hotspot am Zuger "Gastronomie-Himmel" finden Sie im 10. Stock eines Wohngebäudes zwischen internationalen Top-Unternehmen. Hier bietet der gebürtige Schwabe Daniel Stütz mittags einen unkomplizierten Business-Lunch und am Abend ambitionierte Gerichte wie den "dänischen Steinbutt mit Eierschwämmli und Polenta". Das Ambiente ist stylish, die Sicht phänomenal! Tolle Dachterrasse und schicke Bar, für Langzeitgäste hat man drei topmoderne, luxuriöse Appartements.

BADEN – Aargau (AG) – **551** O4 – **18 189 Ew** – Höhe 396 m – Kurort – ⊠ **5400** 4 F2
▶ Bern 108 – Aarau 30 – Basel 68 – Luzern 75
🅸 Oberer Bahnhofplatz 1 A1, ☏ 056 200 87 87, www.baden.ch
🆗 Schinznach Bad, West: 14 km, ☏ 056 443 12 26
Lokale Veranstaltungen:
27. Februar-5. März: Badener Fasnacht

◉ Lage★ • Altstadt★ (Blick von der Hochbrücke★) · Historisches Museum Baden★ · Kindermuseum★ · Museum Langmatt★

🛏️ **Du Parc** 🍽️ 🏠 🛜 ⛷ 🚗

😊 *Römerstr. 24 – ☏ 056 203 15 15 – www.duparc.ch – geschl. 23. - 30. Dezember*
106 Zim 🖵 – 🛏135/265 CHF 🛏🛏175/360 CHF – ½ P B1**a**
Rest – (20 CHF) – Karte 44/89 CHF
Das Hotel ist vor allem auf Tagungen und Geschäftsreisende zugeschnitten. Die Zimmer sind frisch und funktional gestylt oder klassisch-komfortabel. Diverse Seminarräume. Hübsch ist das sehr zeitgemäss gehaltene Restaurant Elements.

🛏️ **Blue City** 🍽️ 🏠 🛜 ⛷ **P**

Haselstr. 17 – ☏ 056 200 18 18 – www.bluecityhotel.ch – geschl. 21. - 30. Dezember
25 Zim 🖵 – 🛏145/275 CHF 🛏🛏185/305 CHF – 3 Suiten A1**b**
Rest – *(geschl. 24. - 27. Dezember und Samstagmittag, Sonntagmittag)* (22 CHF)
Menü 50 CHF – Karte 40/76 CHF
Die zentrale Lage beim Bahnhof sowie wohnlich und modern eingerichtete Gästezimmer in warmen Farben machen dieses Businesshotel aus. Lemon nennt sich das bistroartige Restaurant mit Bar und Lounge, das Speiseangebot ist amerikanisch.

🛏️ **Limmathof** garni 💆 🖼 ⦾ 🕸 🛁 🛜 ⛷

Limmatpromenade 28 – ☏ 056 200 17 17 – www.limmathof.ch B1**f**
21 Zim 🖵 – 🛏230 CHF 🛏🛏290 CHF
Ein wohnlich-modernes Hotel in einem schmucken klassischen Gebäude a. d. 19. Jh. Hübscher Spa mit Schwimmbad unter einem Kreuzgewölbe. Zwei Juniorsuiten unter dem Dach. Sehenswert: der barocke Saal im OG zur Limmat hin.

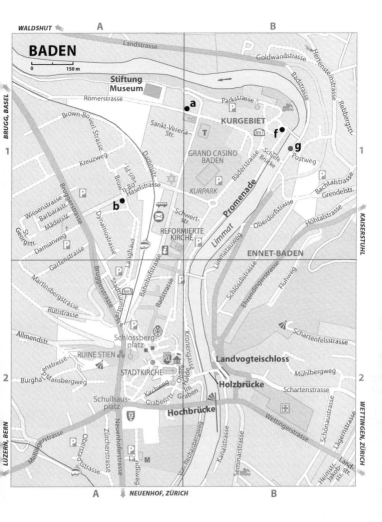

BADEN

WALDSHUT

Landstrasse

Goldwandstrasse

Stiftung
Museum

Römerstrasse

Parkstrasse

KURGEBIET

Sankt-Verena-Str.

GRAND CASINO
BADEN

Postweg

KURPARK

Promenade

REFORMIERTE
KIRCHE

Schwert-str.

Limmat

Oberdorfstrasse

Limmattalweg

ENNET-BADEN

Schlösslistrasse

Ehrendingerstrasse

Fluhweg

Schartenfelsstrasse

Schlossberg-platz

RUINE STIEN

STADTKIRCHE

Landvogteischloss

Holzbrücke

Mühlbergweg

Schartenstrasse

Schulhaus-platz

Hochbrücke

Wettingerstrasse

NEUENHOF, ZÜRICH

---

in Ennetbaden Nord-Ost: 1 km – Höhe 359 m – ⌧ 5408

🍴🍴 Hertenstein

⬿ ⌂ **P**

*Hertensteinstr. 80, Richtung Freienwil – ℰ 056 221 10 20 – www.hertenstein.ch
– geschl. Sonntag - Montag*
Rest – (32 CHF) Menü 50 CHF (mittags)/105 CHF – Karte 52/113 CHF🍷
Traditionelle Küche in einem hellen, klassischen Restaurant. Für den letzten
Schluck Rotwein reicht man jedem Gast ein Stück Parmesan. Terrasse mit Pano-
ramablick über die Stadt.

🍴 Sonne

⌂ 🍴

*Badstr. 3 – ℰ 056 221 24 24 – geschl. Ostern 1 Woche, Ende Juli - Anfang August
2 Wochen und Samstagmittag, Montag* **B1g**
Rest – (20 CHF) – Karte 45/99 CHF
Diese familiäre Adresse bietet ein traditionelles Restaurant mit internationalen
Speisen, einen modernen Wintergarten und eine Terrasse über der Limmat.

BAD RAGAZ – Sankt Gallen (SG) – **551** V7 – 5 499 Ew – Höhe 502 m   5 I3
– Kurort – ⊠ 7310

▶ Bern 222 – Chur 24 – Sankt Gallen 84 – Vaduz 24

🛈 Valenserstr. 6, ⌀ 081 720 08 20, www.heidiland.com

🏨 Bad Ragaz, Hans-Albrecht-Strasse, ⌀ 081 303 37 17

🏌 Heidiland, Maienfelderstr. 50, ⌀ 081 303 37 00

▣ Taminaschlucht★★

🏨🏨🏨 Grand Resort   ⊗ ⪤ 🛋 🦱 🛖 ⤵ 🗔 ⊛ 🕭 🛎 ♨ 💢 🗐 🗐 & 🚶 🛗
Bernhard-Simon-Str. 2 – ⌀ 081 303 30 30   ℅ Rest, 🛜 🛁 🚗 **P**
– www.resortragaz.ch
252 Zim ⊡ – †430/710 CHF ††530/890 CHF – 37 Suiten – ½ P
Rest Äbtestube ✿   **Rest Olives d'Or**   **Rest Namun**
Rest Zollstube – siehe Restaurantauswahl
Rest Bel-Air – (40 CHF) Menü 55/87 CHF – Karte 87/132 CHF
Etwas Luxuriöseres werden Sie in der Schweiz kaum finden: überwältigend in Grosszügigkeit und Weitläufigkeit, eindrucksvoll in der Zimmervielfalt (26 Kategorien), unvergleich-
lich in Wellbeing, führend im medizinischen Angebot (von Dermatologie bis Zahn-
gesundheit)... Das gastronomische Angebot lässt da natürlich auch keine Wünsche offen.

🏨🏨 Sorell Hotel Tamina   🦱 🗐 & Rest, 🛜 🛁 🚗
Am Platz 3 – ⌀ 081 303 71 71 – www.hoteltamina.ch
51 Zim ⊡ – †230/340 CHF ††280/380 CHF – ½ P
Rest Restaurant im Park – (18 CHF) Menü 48 CHF (abends) – Karte 56/88 CHF
In dem kürzlich renovierten Hotel mitten im Ort geht man ganz mit der Zeit
- modernes Design überall im Haus beweist es! So auch im Restaurant mit Winter-
garten-Feeling und im Loungebereich oder auf der Terrasse zum Garten hin!
Direkter Zugang zum "Spahouse".

🏨 Rössli   🗐 🛜 **P**
*Freihofweg 3 – ⌀ 081 302 32 32 – www.roessliragaz.ch – geschl. 22. Dezember
- 13. Januar, 6. - 27. Juli*
18 Zim ⊡ – †120/170 CHF ††205/260 CHF
Rest Rössli – siehe Restaurantauswahl
Modern in Technik und Design, spricht das Hotel vor allem junges Publikum und
Businessgäste an. In den Betten schläft man wie auf Wolken! Eine kleine Erfri-
schung zwischendurch? Auf jeder Etage gibt es Wasser, Tee und Obst.

🏨 Schloss Ragaz   ⊗ ⪤ ⥂ 🦱 ⤵ 🕭 🗐 ℅ Rest, 🛜 🛁 **P**
*Schloss-Strasse, Süd-Ost: 1,5 km Richtung Landquart – ⌀ 081 303 77 77
– www.hotelschlossragaz.ch – geschl. 27. Januar - 6. März*
48 Zim ⊡ – †110/172 CHF ††210/304 CHF – 4 Suiten – ½ P
Rest – (18 CHF) Menü 42/65 CHF – Karte 34/74 CHF
Wer ruhig ausserhalb des Ortes schlafen möchte, ist hier richtig. Im traditionellen
Haupthaus wohnt man gediegen, modern oder eher funktional sind die Zimmer
in den verschiedenen Pavillons auf dem reizvollen Parkgrundstück - einer davon
ist der Wellness-Pavillon. Schön isst man auf der Gartenterrasse.

🍴🍴🍴 Äbtestube – Hotel Grand Resort   ℅
✿ *Bernhard-Simon-Str. 2 – ⌀ 081 303 30 30 – www.resortragaz.ch – geschl.
16. Februar - 2. März, 6. Juli - 4. August und Sonntag - Montag*
Rest – *(nur Abendessen) (Tischbestellung ratsam)* Menü 130/160 CHF
– Karte 127/184 CHF 🍷
"Tradition mit einer Prise Avantgarde", so die Philosophie von Roland Schmid.
Welch grundlegende Bedeutung exzellente Produktqualität für ihn hat, zeigt er
in jeder seiner klassischen Speisen! Für wahre Raritäten lassen Sie sich neben der
"normalen" Weinkarte die einzigartige Romanée-Conti-Karte reichen!
→ Mariage von Saibling, Gurke, Dill, Joghurt-Gurkengelee. Symphonie vom weis-
sen "MSC" Thunfisch, Rettich, Yuzusorbet. Bisonfilet, Kalbshaxensauce, Mönchs-
bart, Estragon-Fazzoletti.

🍴🍴🍴 Olives d'Or – Hotel Grand Resort   ⪦ 🦱 & 🔏 **P**
Bernhard-Simon-Str. 2 – ⌀ 081 303 30 30 – www.resortragaz.ch
Rest – (34 CHF) Menü 65/85 CHF – Karte 46/109 CHF
Hier widmet man sich den Ländern rund ums Mittelmeer: Mit Antipasti, arabischer
Linsensuppe, Gnocchi, Tajine, Sardinen und Seezunge oder dem panierten Kalbs-
kotelett alla milanese bietet man Spezialitäten von orientalisch bis italienisch.

XX **Löwen**
Löwenstr. 5 – ℰ 081 302 13 06 – www.loewen.biz – geschl. April 3 Wochen,
Oktober 3 Wochen und Sonntag - Montag
Rest – (23 CHF) Menü 20 CHF (mittags) – Karte 42/79 CHF
Sympathisch, gemütlich und schön an der Tamina gelegen. Die engagierte Betrei-
berfamilie hat ihren Ursprung in Österreich, das sieht man auf der Karte. Hier ste-
hen neben schmackhaften Schweizer Gerichten auch österreichische Klassiker. Die
asiatischen Einflüsse hat der Seniorchef eingebracht.

XX **Namun** – Hotel Grand Resort
Bernhard-Simon-Str. 2 – ℰ 081 303 30 30 – www.resortragaz.ch – geschl. März 2
Wochen, August 2 Wochen und Sonntag - Montag
Rest – (nur Abendessen) Menü 58/89 CHF – Karte 71/92 CHF
Eine interessante asiatische Karte, die Thailand, Indien, Japan und China präsen-
tiert. Probieren Sie eines der "Dim Sum"-Gerichte, "Som Tam" oder "Indu Beef"!
Stimmig das edle puristisch-fernöstliche Ambiente.

X **Rössli** – Hotel Rössli
Freihofweg 3 – ℰ 081 81 302 32 32 – www.roessliragaz.ch – geschl.
22. Dezember - 13. Januar, 6. - 27. Juli und Sonntag - Montag
Rest – Menü 21/106 CHF – Karte 58/106 CHF
Ein angenehmes geradlinig-modernes Restaurant in warmen Tönen. Freuen Sie
sich auf gepflegte Tischkultur und herzlichen Service unter der Leitung der Chefin
sowie auf die schmackhafte zeitgemässe Küche von Ueli Kellenberger - er lockt
mit Gerichten wie "Offener Raviolo mit Spinat, Eigelb, Parmesan und Nussbutter"
die Gäste an.

X **Zollstube** – Hotel Grand Resort
Bernhard-Simon-Str. 2 – ℰ 081 303 30 30 – www.resortragaz.ch – geschl. März
- April 2 Wochen, Juni - Juli 2 Wochen und Dienstag - Mittwoch
Rest – (nur Abendessen) (34 CHF) Menü 61/73 CHF – Karte 54/93 CHF
In den urchig-gemütlichen Stuben mischen sich Hotelgäste mit Einheimischen.
Sie alle mögen die hiesigen Klassiker ebenso wie Fondue, Züricher Geschnetzeltes
und Waadtländer Wurst! Dazu gibt's natürlich Weine aus der Bündner Herrschaft
- die ist ja nur einen Steinwurf entfernt.

BAD SCHAUENBURG – Basel-Landschaft – 551 K4 – **siehe Liestal**

BÄCH – Schwyz (SZ) – 551 Q6 – **Höhe 411 m** – ✉ 8806   4 G3
▶ Bern 153 – Zürich 32 – Glarus 42 – Rapperswil 9

XX **Seeli**
Seestr. 189 – ℰ 044 784 03 07 – www.see.li – geschl. 22. Dezember - 6. Januar
und Sonntag - Montag
Rest – (Tischbestellung ratsam) (32 CHF) Menü 66/95 CHF – Karte 54/100 CHF
In dem Zürcher Riegelhaus schmeckt es - das beweisen die zahlreichen Stammgäste, die vor allem wegen der gebackenen Fischspezialitäten kommen! Im Sommer wird im Garten oder im Zelt serviert.

BAGGWIL – Bern – 551 I7 – **siehe Seedorf**

BÂLE – Basel-Stadt – 551 K3 – **voir à Basel**

BASEL *BÂLE*

© Danilo Donadoni/Marka/Age fotostock

Ⓚ – BS – Basel-Stadt – 164 516 Ew – Höhe 273 m – ⊠ 4000 – 551 K3+4

▶ Bern 100 – Aarau 56 – Belfort 79 – Freiburg im Breisgau 72

🛈 Tourist-Information

Steinenberg 14, im StadtCasino am Barfüsserplatz D2, ✆ 061 268 68 68, www.basel.com
im Bahnhof SBB D3, ✆ 061 268 68 68, www.basel.com

Automobilclub

Ⓐ Muttenz, Hofackerstr. 72, ✆ 061 465 40 40, 2 km über Reinacherstrasse B2

Flughafen

✈ EuroAirport, ✆ 061 325 31 11, Basel (Schweiz), 8 km über Flughafenstrasse A1

Fluggesellschaften

Swiss International Air Lines Ltd. ✆ 0848 700 700
British Airways, EuroAirport ✆ 0848 845 845

Messegelände

Messezentrum Basel, Auf dem Messeplatz, ⊠ 4005, ✆ 058 200 20 20

Messen und Veranstaltungen

10.-13. März: Basler Fasnacht
21.-25. Januar: Swissbau
14.-16. Februar: Ferienmesse
14.-23. Februar: muba
27. März-3.April: BASELWORD - Weltmesse für Uhren und Schmuck
19.-22. Juni: Art
18.-21. November: Swisstech

Golfplätze

🏌 Rheinfelden, Ost: 20 km Autobahn Ausfahrt Rheinfelden West, ✆ 061 833 94 07
🏌 Hagenthal-le-Bas (Frankreich), Süd-West: 10 km, ✆ (0033) 389 68 50 91
🏌 Markgräflerland, Kandern (Deutschland), Nord: 23 km, ✆ (0049) 7626 97 79 90

Sehenswert: Zoologischer Garten★★★C3 · Altstadt★★★(Münster★★) · Wettsteinbrücke (⩽★)E2 · Alte Strassen★ · Rathaus★D2
Museen: Kunstmuseum★★★ · Museum der Kulturen★★ · Historisches Museum★★ · Antikenmuseum und Sammlung Ludwig★★E2 · Basler Papiermühle★F2 · Haus zum Kirschgarten★E3 · Museum Jean Tinguely★B1
Ausflugsziele: Wasserturm Bruderholz★(❄★), über Gundeldingerrain B2 · Römische Ruinen★★ (in Augst, Süd-Ost: 11 km) · St.-Chrischona-Kapelle(⩽★), 8 km über Riehenstrasse B1 · Fondation Beyeler★★★ · Spielzeugmuseum★(in Riehen, Ost: 6 km über Riehenstrasse B1)

Grand Hotel Les Trois Rois   ⩽ ⋒ ₤₅ 🏢 ⅙ 🄰🄲 ⅏ 🛜 ⚒ 🚗
Blumenrain 8 ⊠ 4001 – ℰ 061 260 50 50 – www.lestroisrois.com   D1**a**
95 Zim ⊑ – ♦300/545 CHF ♦♦515/755 CHF – 6 Suiten
Rest *Cheval Blanc* ⊛⊛ **Rest** *Brasserie* – siehe Restaurantauswahl
In dem Traditionshaus von 1844 dürfen Sie ruhig Luxus erwarten! Der Service ist top, das Interieur geschmackvoll und alles andere als alltäglich - und genau das macht das Hotel in seiner Art so eindrücklich! Selbst Veranstaltungsräume und Smoker's Lounge (ausgewähltes Sortiment) sind exklusiv. Und die Lage hat auch ihren Reiz: direkt am Rhein und mitten in der Stadt.

Swissôtel Le Plaza Basel   ⋒ ⋒ ₤₅ 🏢 ⅙ 🄰🄲 🛜 ⚒ 🚗
Messeplatz 25 ⊠ 4005 – ℰ 061 555 33 33 – www.swissotel.com/basel
236 Zim ⊑ – ♦255/375 CHF ♦♦275/395 CHF, ⊑ 32 CHF – 2 Suiten   E1**r**
Rest – (29 CHF) – Karte 51/119 CHF
Das hier ist ein eher moderner "Klassiker" in Basel. Praktisch - und sehr business-freundlich - sind die Lage direkt beim Messegelände, variable Veranstaltungs-räume und der Kongressbereich. In der Standardkategorie bietet man mit die grössten Zimmer der Stadt. Wer Grilladen mag, isst im modernen "Grill25".

Radisson BLU   🖵 ⋒ ₤₅ 🏢 ⅙ 🄰🄲 🛜 ⚒ 🚗
⚇   *Steinentorstr. 25 ⊠ 4001 – ℰ 061 227 27 27 – www.radissonblu.com/hotel-basel*
205 Zim – ♦209/599 CHF ♦♦209/599 CHF, ⊑ 31 CHF – 1 Suite   D3**b**
Rest *filini* – ℰ 061 227 29 50 – (20 CHF) – Karte 62/107 CHF
In dem Stadthotel hat sich in den letzten Jahren so einiges getan: Alles ist modern, von der farbenfrohen Lobby über die jungen, frischen Zimmer mit neu-ester Technik bis zum grosszügigen Freizeitbereich. "Cucina italiano" gefällig? Im filini gibt es Antipasti, Pizza & Pasta sowie klassische Gerichte.

Victoria   ⋒ ₤₅ 🏢 ⅙ Rest, 🄰🄲 ⅏ Zim, 🛜 ⚒ 🚗
Centralbahnplatz 3 ⊠ 4002 – ℰ 061 270 70 70 – www.hotelvictoriabasel.ch
105 Zim – ♦270/550 CHF ♦♦270/650 CHF, ⊑ 27 CHF – 2 Suiten   DE3**d**
Rest *Le Train Bleu* – ℰ 061 270 78 17 – (22 CHF) Menü 59 CHF – Karte 59/99 CHF
Das Hotel gegenüber dem Hauptbahnhof ist eine ideale Businessadresse mit technisch modern ausgestatteten Zimmern. In der Residenz im Innenhof wohnt man ruhiger. Im Restaurant Le Train Bleu kommt die legere Atmosphäre gut an.

Ramada Plaza Basel   ⩽ ⋒ ₤₅ 🏢 ⅙ 🄰🄲 ⅏ 🛜 ⚒
Messeplatz 12 ⊠ 4058 – ℰ 061 560 40 00 – www.ramada-treff.ch/basel
218 Zim – ♦145/315 CHF ♦♦160/330 CHF, ⊑ 31 CHF – 6 Suiten   F1**h**
– ½ P
Rest *Filou* – ℰ 061 560 43 01 *(geschl. Samstagmittag, Sonntag)* Menü 41 CHF (mittags)/80 CHF – Karte 63/115 CHF
Näher an der Messe kann man in Basel nicht wohnen! Modernes Design, Pano-ramasicht durch Komplettverglasung, grosser Tagungsbereich, gute Anbindung an Autobahn und Bahnhof... Das Restaurant Filou ist ein hoher lichter Raum über dem Messeplatz. SkyLounge im 30. Stock!

Euler & City Inn   ⋒ 🏢 🄰🄲 Zim, ⅏ 🛜 🚗
Centralbahnplatz 14 ⊠ 4002 – ℰ 061 275 80 00 – www.hoteleuler.ch
66 Zim – ♦128/167 CHF ♦♦167/187 CHF, ⊑ 28 CHF – ½ P   D3**e**
Rest – (25 CHF) – Karte 45/93 CHF
Zwei Hotels unter einem Dach: zum einen das komfortable, historisch-stilvolle und zugleich moderne Hotel Euler, zum anderen das jugendlich-trendig in Grün-Weiss designte City Inn. Dieser Mix bietet nun Zimmer von "Low Budget" bis zur Juniorsuite! Dazu ein kleines Restaurant mit klassischer Küche.

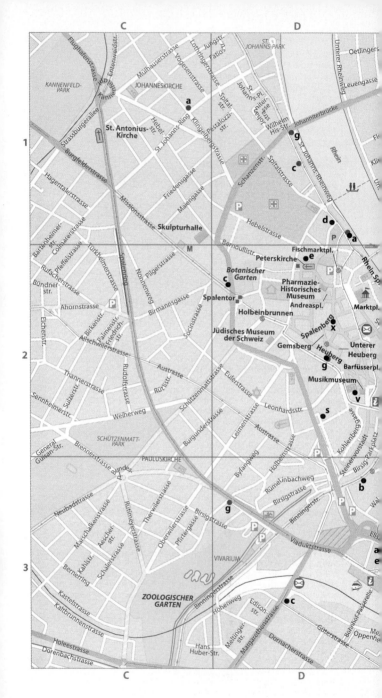

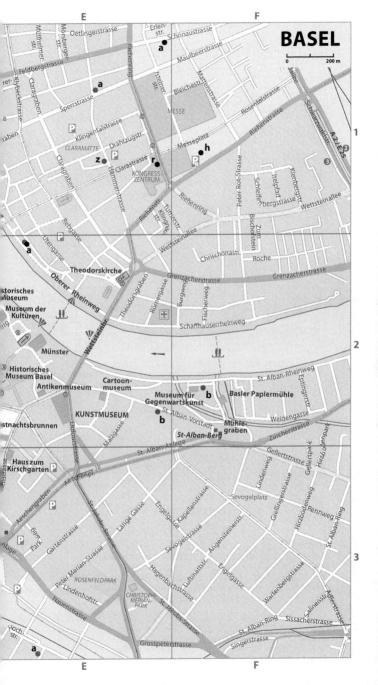

BASEL

0   200 m

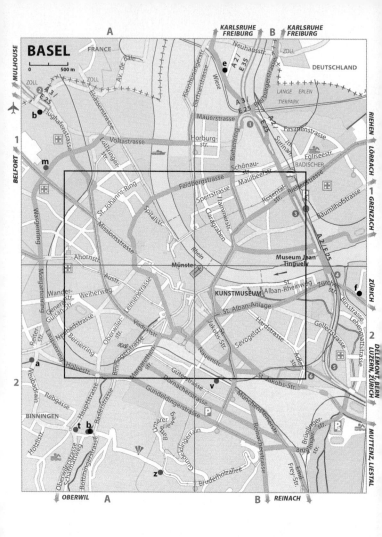

Hotel D garni

Blumenrain 19 ⊠ 4051 – ℰ 061 272 20 20 – www.hoteld.ch D1**d**

48 Zim – ♦205/400 CHF ♦♦205/400 CHF, ⌣ 22 CHF

Topmodern wohnen und dann auch noch im Herzen von Basel! Alles ist minimalistisch designt und hochwertig, chic die ruhigen, warmen Töne. Auch so manche technische Finesse werden Sie hier entdecken.

St. Gotthard garni

Centralbahnstr. 13 ⊠ 4002 – ℰ 061 225 13 13 – www.st-gotthard.ch

85 Zim ⌣ – ♦199/689 CHF ♦♦249/689 CHF – 1 Suite DE3**f**

Heute wie schon vor über 80 Jahren ist man hier bei Familie Geyer zu Gast - inzwischen ist die junge Generation im Haus, was der Seriosität und dem Engagement keinerlei Abbruch tut! Und wo kann man schon so stilvoll frühstücken wie in einem denkmalgeschützten Raum von 1902? Ideal die Lage am Hauptbahnhof.

Airport Hotel Basel ≼ 🕉 🗗 🕼 & 🄰🄲 💱 🛜 🖧 🚐
Flughafenstr. 215 ⌧ 4056 – ℰ 061 327 30 30 – www.airporthotelbasel.com
166 Zim – †140/210 CHF ††160/230 CHF, ☕ 22 CHF – 1 Suite – ½ P   A1**b**
Rest – *(geschl. Montag) (nur Abendessen)* Karte 43/88 CHF
Was Sie hier erwartet? Ein nur 3-minütiger Shuttle zum Flughafen, farbenfrohes und sehr modernes Design, topaktuelle Technik, eine 24-h-Bar und ein überaus futuristisch gestyltes Restaurant mit "Flambées" als Spezialität. Kasino nebenan.

Stücki garni 🗗🕼& 🄰🄲 🛜 🖧
Badenstr. 1 ⌧ 4019 – ℰ 061 638 34 34 – www.hotel-stuecki.ch   B1**e**
144 Zim – †120/350 CHF ††140/450 CHF, ☕ 23 CHF
Ob Sie nun einfach im gleichnamigen Einkaufszentrum shoppen wollen oder als Businessgast nach Basel kommen, die grosse Lobby mit Bar sowie geradlinig-funktionale Zimmer sind für alle attraktiv. Praktisch: zu fünft im Familienzimmer!

Der Teufelhof 🕼 🛜 🖧
Leonhardsgraben 49 ⌧ 4051 – ℰ 061 261 10 10 – www.teufelhof.com
29 Zim ☕ – †148/578 CHF ††174/648 CHF – 4 Suiten   D2**g**
Rest *Bel Etage* 🕸 **Rest** *Atelier* – siehe Restaurantauswahl
"Kultur- und Gasthaus" nennt sich diese besondere Adresse mit Theater und archäologischem Keller. Mit viel Engagement leitet Raphael Wyniger das Kunsthotel (sehr individuell die Künstlerzimmer) und das Galeriehotel (hier ständige Ausstellungen)!

Basel 🕮 🕼 🄰🄲 🛜 🖧 🚐
Münzgasse 12, (Am Spalenberg) ⌧ 4001 – ℰ 061 264 68 00
– www.hotel-basel.ch   D2**x**
71 Zim – †190/300 CHF ††220/330 CHF, ☕ 25 CHF – 1 Suite
Rest – (23 CHF) Menü 65 CHF – Karte 40/86 CHF
Die Fassade dieses 70er-Jahre-Gebäudes ist zwar nicht die allerschönste, aber sind moderne Zimmer (mit kostenfreier Minibar), Valet Parking und guter Service nicht viel wichtiger? Nett, lebendig und eine echte Basler Insitution sind die Brasserie und die Sperber Stube (hier traditionelle Küche).

Metropol garni 🕼 💱 🛜
Elisabethenanlage 5 ⌧ 4002 – ℰ 061 206 76 76 – www.metropol-basel.ch
– geschl. 23. Dezember - 4. Januar   D3**a**
46 Zim ☕ – †160/260 CHF ††220/350 CHF
Gut untergebracht ist man in dem Businesshotel nicht nur dank zeitgemässer Zimmer (chic die kräftigen Farben) und moderner Technik, auch beim Frühstück im 8. Stock bekommt man etwas geboten, nämlich den Blick über die Dächer von Basel!

Dorint 🕼 & 🄰🄲 💱 Rest, 🛜 🖧 🚐
Schönaustr. 10 ⌧ 4058 – ℰ 061 695 70 00 – www.dorint.com/basel
171 Zim – †195/255 CHF ††205/265 CHF, ☕ 26 CHF – ½ P   E1**a**
Rest – (28 CHF) Menü 30/82 CHF – Karte 53/88 CHF
Mit seinen funktional eingerichteten Zimmern und der günstigen Lage nahe Messe und Kongresszentrum ist das Hotel besonders auf Businessgäste zugeschnitten. Internationale Küche im geradlinig gestalteten Restaurant.

Spalentor garni 🕼 & 🛜 🅿
Schönbeinstr. 1 ⌧ 4056 – ℰ 061 262 26 26 – www.hotelspalentor.ch – geschl.
Weihnachten - 1. Januar   D2**c**
40 Zim ☕ – †179/200 CHF ††204/245 CHF
Einiges hier wird Ihnen in angenehmer Erinnerung bleiben - da wäre z. B. das freundliche Personal oder die modernen und ziemlich komfortablen Zimmer (u. a. mit DVD-Player), nicht zu vergessen die gute Auswahl am Frühstücksbuffet. Mobility Ticket für Bus und Tram inklusive.

Krafft ≼ 🕼 💱 🛜
Rheingasse 12 ⌧ 4058 – ℰ 061 690 91 30 – www.krafftbasel.ch   E2**a**
60 Zim – †110/350 CHF ††175/435 CHF, ☕ 25 CHF
Rest *Krafft* – siehe Restaurantauswahl
Das Hotel von 1873 liegt perfekt: sehr zentral, direkt am Rhein. Davon haben Sie natürlich auch in den Zimmern etwas, vor allem in den oberen Etagen! Besuchen Sie die Bar "consum" gegenüber - hier gibt's eine gute Käse- und Wurstauswahl.

🏠 **Au Violon** ⬛ 🛎 📶

im Lohnhof 4, (über Leonhardsgraben) ✉ *4051 –* 📞 *061 269 87 11*
– www.au-violon.com – geschl. 23. Dezember - 2. Januar D2**v**
20 Zim 🛏 – ✝120/160 CHF ✝✝160/180 CHF
Rest *– (geschl. Sonntag und an Feiertagen)* (23 CHF) – Karte 39/94 CHF
Ein recht spezielles Hotel, in dem man sich freundlich um die Gäste kümmert.
Man wohnt in den ehemaligen Zellen und Polizeibüros eines früheren Gefängnis-
ses, beim Frühstück blickt man über die Dächer der Altstadt. Im Restaurant
herrscht eine nette Brasserie-Atmosphäre, zudem hat man einen schönen schatti-
gen Innenhof.

🏠 **Steinenschanze** garni 🛎 📶

Steinengraben 69 ✉ *4051 –* 📞 *061 272 53 53 – www.steinenschanze.ch*
– geschl. 22. Dezember - 2. Januar D2**s**
51 Zim 🛏 – ✝150/370 CHF ✝✝170/420 CHF – 2 Suiten
Hier bekommen die Gäste schon ein bisschen mehr geboten als üblich, denn
neben farbenfrohen, modernen Zimmern gibt es tagsüber in der Lounge kostenfreie Snacks und Getränke! Und würden Sie nicht auch gerne bei schönem Wetter
im begrünten Innenhof frühstücken?

🏠 **Rochat** ⬛ 🛎 🆎 Zim, 📶 ⚕

😷 *Petersgraben 23* ✉ *4051 –* 📞 *061 261 81 40 – www.hotelrochat.ch*
50 Zim 🛏 – ✝115/150 CHF ✝✝150/210 CHF D2**e**
Rest *– (geschl. 21. Juli - 10. August und Samstag - Sonntag)* (16 CHF)
– Karte 27/57 CHF
Das zeitgemässe Hotel in dem 1899 erbauten Haus neben der Peterskirche wird
im Sinne des Genfer Pfarrers Rochat, Gründer des Blauen Kreuzes, alkoholfrei
geführt - ebenso das Restaurant.

🏠 **Ibis** garni 🛎 ♿ 🆎 📶 🚗

Margarethenstr. 33 ✉ *4053 –* 📞 *061 201 07 07 – www.ibishotel.com*
112 Zim – ✝139/250 CHF ✝✝139/250 CHF, 🛏 15 CHF D3**c**
Beim Hauptbahnhof gelegen, ist das in sachlich-modernem Stil gehaltene Hotel
ein praktischer Ausgangspunkt für Geschäftsreisende. Snacks in der Bar.

✗✗✗✗ **Cheval Blanc** – Grand Hotel Les Trois Rois ⪕ 🛎

❀❀ *Blumenrain 8* ✉ *4001 –* 📞 *061 260 50 07 – www.lestroisrois.com – geschl. 1.*
- 6. Januar, 25. Februar - 17. März, 5. - 20. Oktober und Sonntag - Montag
Rest *– Menü 89 CHF (mittags)/220 CHF – Karte 140/160 CHF*🍽 D1**a**
Stilvolle Eleganz ist Ihnen hier ebenso gewiss wie hervorragende klassisch-franzö-
sische Küche, die das unumstrittene Können von Peter Knogl widerspiegelt. Mit
bemerkenswerter Genauigkeit bringt er die exzellenten Produkte gebührend zur
Geltung. Komplett wird dieser Genuss durch das fabelhafte, bestens eingespielte
Serviceteam um Maître Grégory Rohmer.
→ Taschenkrebs mit gehobelter Gänseleber und grünem Apfel. Gebratener
Atlantik Steinbutt mit Brokkoli, Chorizo und Basilikum. Bresse-Taube mit marokka-
nischen Aromen, Salzzitrone und Karottenmousseline.

Die rote Kennzeichnung weist auf besonders angenehme Häuser hin 🏠 ✗✗✗.

✗✗✗ **Stucki** (Tanja Grandits) 🛎 ⇆ **P**

❀❀ *Bruderholzallee 42* ✉ *4059 –* 📞 *061 361 82 22 – www.stuckibasel.ch – geschl. 2.*
- 16. März, 5. - 19. Oktober und Sonntag - Montag A2**z**
Rest *– Menü 65 CHF (mittags)/170 CHF – Karte 125/141 CHF*🍽
Tanja Grandits und ihr Mann René führen in dem stattlichen Herrenhaus eine
grosse Tradition auf moderne Art weiter. Stylisches Interieur, schlicht-luxuriöse
Tischkultur und top Service (inklusive Weinberatung) veranschaulichen das
ebenso wie die feine, aromenintensive Küche der Patronne. Die Gartenterrasse
ist übrigens eine der schönsten in Basel!
→ Avocado Erdnuss Ricotta, Piment Melonen, Pandanblatt Öl. Lachs Kardamom
Sashimi, Roibusch Rauch, Süsskartoffel Grapefruit Dashi. Kalbsrücken Salzzitronen
Butter, Eigelb, Spargel Vanille Buchweizen.

XXX **Bel Etage** – Hotel Der Teufelhof
Leonhardsgraben 49, (1. Etage) ⊠ *4051* – ℰ *061 261 10 10* – *www.teufelhof.com*
– *geschl. Anfang Januar 1 Woche, Ende Juni - Ende Juli, 24. - 30. Dezember und*
Sonntag - Montag, Samstagmittag   D2**g**
Rest – (59 CHF) Menü 109/169 CHF – Karte 95/116 CHF
Das Kunsthotel des Teufelhofs beherbergt in der 1. Etage elegante Räume mit
schönem Parkettboden und modernen Bildern. Die klassische Küche von Michael
Baader überzeugt durch Geschmack und Bezug zum Produkt!
→ Kubus von Gänseleber mit Trüffel-Vinaigrette und Spargelsalat. Berner Ober-
länder Lamm mit Piment d'Espelette-Senfjus, Tessiner Polenta und Peperoni-
crème. Gefülltes Bio-Perlhuhn aus der Landes mit Morcheln und jungem Gemüse.

XX **Oliv**
Bachlettenstr. 1 ⊠ *4054* – ℰ *061 283 03 03* – *www.restaurantoliv.ch* – *geschl.*
10. - 17. März, 27. Juli - 19. August, 23. - 30. Dezember und Sonntag - Montag,
Samstagmittag   D3**g**
Rest – (22 CHF) – Karte 63/97 CHF
Lust auf "geschmorte Lammschulter mit mediterranem Gemüse und Tomaten-
Bramata"? Ein schönes Beispiel für wirklich guten Geschmack - und den gibt es
mittags auch preisgünstiger! Im Sommer können Sie auch an einem der wenigen
Tische auf dem Gehsteig sitzen.

XX **Zum Goldenen Sternen**
St. Alban-Rheinweg 70 ⊠ *4052* – ℰ *061 272 16 66* – *www.sternen-basel.ch*
– *geschl. 1. - 4. Januar*   F2**b**
Rest – (29 CHF) Menü 88/105 CHF – Karte 66/95 CHF
Ein Stückchen Tradition lebt noch heute in dem jahrhundertealten Bürgerhaus
am Rhein weiter: Holzdecke und Parkettboden vermitteln Wärme, während Sie
bei gepflegter Tischkultur saisonal-klassische Gerichte serviert bekommen. Die
Terrasse zum Fluss ist besonders hübsch!

XX **Brasserie** – Grand Hotel Les Trois Rois
Blumenrain 8 ⊠ *4001* – ℰ *061 260 50 02* – *www.lestroisrois.com*   D1**a**
Rest – (29 CHF) Menü 44 CHF (mittags)/120 CHF – Karte 63/130 CHF
Im linken Flügel des stattlichen Hotels verbirgt sich eine etwas legerere Restau-
rantvariante - in Form der netten und recht eleganten Brasserie, die sich grosser
Beliebtheit erfreut! Das liegt natürlich nicht zuletzt an der schmackhaften zeitge-
mässen Küche von Pablo Loehle.

XX **Ackermannshof**
St.-Johanns-Vorstadt 21 – ℰ *061 261 50 22* – *www.ackermannshof-restaurant.ch*
– *geschl. Weihnachten - Neujahr, 10. - 14. Februar, Anfang August 2 Wochen*
und Samstagmittag, Sonntag - Montag   D1**c**
Rest – *(Tischbestellung ratsam)* (28 CHF) Menü 58 CHF (mittags)/94 CHF
– Karte 56/94 CHF
Von der ehemaligen Druckerei merkt man hier nicht mehr viel, stattdessen wird
in dem wunderschön restaurierten Haus in ansprechend modernem Ambiente
gut und zeitgemäss gespeist. Für die Küche ist Dominic Lambelet verantwortlich,
für den Service seine charmante Frau Astrid! Mittags ideal für eilige Gäste.

XX **Matisse**
Burgfelderstr. 188 – ℰ *061 560 60 66* – *www.matisse-restaurant.ch* – *geschl.*
14. Juli - 10. August, 22. - 28. Dezember und Montag - Dienstag   A1**m**
Rest – *(nur Abendessen)* Menü 105/165 CHF
Nahe dem Kannenfeld-Park hat man mit viel Kunst, Jugendstillüstern und einer
Einrichtung mit 30er-Jahre-Touch einen schönen Rahmen für die innovative
Küche (ein Abendmenü mit 3-8 Gängen) von Erik Schröter geschaffen: Sie ist
sehr natürlich, basiert auf ausgezeichneten Produkten und ist stark von frischen
Kräutern geprägt. Deutlich einfacheres 3-gängiges Mittagsmenü.
→ St. Jakobsmuschel - Bouillon, Perlzwiebel, Lauch, Schwarzbrot-Gel, Paillasse.
Bretonischer St. Pierre - Bohnen-Melange, junge Erbsen, geräucherter Entenfond,
Mallorquinische Zitronenmarmelade, Borage Kraut. Gariguette Erdbeeren - Butter-
milch, Manjari Valrhona, Sauerampfer, Lakritz-Marshmallow.

XX **Schifferhaus** 🛆 🕸 **P**

Bonergasse 75, über Gärtnerstrasse B1 ✉ *4057 –* ☎ *061 631 14 00*
– www.schifferhaus.ch – geschl. 1. - 6. Januar, 9. - 17. März und Sonntag
- Montag, Samstagmittag
Rest – (25 CHF) Menü 65/90 CHF – Karte 62/103 CHF
Das Haus: eine wunderbare Villa, das Konzept: zweigleisig. Mittags schlichtes, schnelles Tagesessen bei Bistroflair, am Abend schmackhafte Küche zu fairen Preisen in schöner, ruhiger Restaurant-Atmosphäre! Hier könnte es dann z. B. "gebratenen Kalbsrücken mit Schwarzwurzeln" geben!

XX **Chez Donati** ⪕ 🛆 🕸

St. Johanns-Vorstadt 48 ✉ *4056 –* ☎ *061 322 09 19 – www.lestroisrois.com*
– geschl. 9. - 17. März, über Ostern, 6. Juli - 5. August, Weihnachten und Sonntag
- Montag D1**g**
Rest – (34 CHF) – Karte 65/113 CHF
Das Chez Donati gehört einfach zur Basler Gastronomie- und Kunstgeschichte! Mit Engagement empfiehlt man seinen Gästen am Tisch die traditionellen italienischen Gerichte! Nett die kleine Terrasse zum Rhein.

XX **Krafft** – Hotel Krafft ⪕ 🛆 🕸

Rheingasse 12 ✉ *4058 –* ☎ *061 690 91 30 – www.krafftbasel.ch* E2**a**
Rest – Menü 65 CHF – Karte 46/86 CHF
Bei dieser top Lage kann die Terrasse ja nur ein Highlight sein, also für den Sommer fest einplanen! Vom Restaurant aus hat man aber auch einen tollen Blick auf den Rhein und die andere Stadtseite - und dazu noch das angenehm helle klassisch-stilvolle Interieur. Internationale Küche.

XX **St. Alban-Stübli** 🛆 🕸 ⇔

St. Alban-Vorstadt 74 ✉ *4052 –* ☎ *061 272 54 15 – www.st-alban-stuebli.ch*
– geschl. 24. Dezember - 10. Januar, 26. Juli - 10. August und Samstag - Sonntag
ausser an Messen, November - Dezember: Samstagmittag, Sonntag
Rest – (35 CHF) Menü 35 CHF (mittags)/90 CHF – Karte 74/97 CHF E2**b**
Dass man in dem traditionellen kleinen Restaurant so sympathisch und umkompliziert empfangen wird, ist der Verdienst von Chefin Charlotte Bleile, die mit Herz und Verstand bei der Sache ist! Aber auch die klassische Küche und der schöne begrünte Innenhof locken Gäste an.

X **Bonvivant** 🕸

Zwingerstr. 10 ✉ *4053 –* ☎ *061 361 79 00 – www.bon-vivant.ch – geschl. 3.*
- 16. März, 28. Juli - 10. August, 6. - 19. Oktober und Samstagmittag, Sonntag
Rest – (39 CHF) Menü 80/130 CHF (abends) E3**a**
Ganz schön trendig kommt die ehemalige Seidenbandfabrik mit ihrer Loft-Atmosphäre daher - ein Hingucker sind zweifelsohne die Stühle, keiner wie der andere! Die schmackhaften und unkomplizierten Gerichte (z. B. "hell geschmorte Haxe vom Baselbieter Kalb") gibt es in Form eines Menüs, und das wird dem Gast direkt am Tisch vorgestellt. Mittags kleinere Auswahl.

X **Johann** 🛆
😊
St. Johanns-Ring 34 ✉ *4056 –* ☎ *061 273 04 04 – www.restaurant-johann.ch*
– geschl. 24. Dezember - 2. Januar und Samstagmittag, Sonntag C1**a**
Rest – (23 CHF) Menü 74/85 CHF – Karte 64/88 CHF
In entspannter urbaner Atmosphäre erwarten Sie schmackhafte Küche mit Klassikern wie "Tafelspitz in Meerrettichsauce" oder Flammkuchen nach altem Familienrezept sowie der lockere und gleichzeitig versierte Service um die Betreiber Melanie Moser und Markus Stocker! Einfachere Mittagskarte für den eiligen Gast.

X **Atelier** – Hotel Der Teufelhof

Leonhardsgraben 49 ✉ *4051 –* ☎ *061 261 10 10 – www.teufelhof.com*
Rest – (27 CHF) Menü 76/110 CHF – Karte 50/90 CHF 🍸 D2**g**
Ein sehr lebendiges, ungewöhnliches Restaurantkonzept wird hier verwirklicht. Der Künstler Tarek hat in dem Lokal ein grosses Kunstwerk errichtet, das die Gäste fertigstellen können. Dazu bietet man Küche aus aller Welt mit vielen regionalen Produkten.

X **Gundeldingerhof**   ⌂

Hochstr. 56 ⊠ 4053 – ℰ 061 361 69 09 – www.gundeldingerhof.ch
– geschl. Weihnachten - Anfang Januar, Juli und Samstagmittag, Sonntag
- Montag   B2**v**
Rest – *(Tischbestellung ratsam)* (30 CHF) Menü 84 CHF (abends)
– Karte 78/88 CHF ⅋⅋

So beliebt wie dieses Restaurant hier im Quartier ist, macht man mit einem Besuch garantiert keinen Fehler! Es ist ein wirklich nettes Haus (auch die Terrasse unter alter Kastanie) und die zeitgemäss-saisonale Küche ist ambitioniert - richtig gefragt ist die günstige Mittagskarte!

X **Zur Rebe**

☺ *Hammerstr. 69 ⊠ 4057 – ℰ 061 421 24 30 – www.rebebasel.ch – geschl. 19. Juli*
- 5. August und Samstagmittag, Sonntag   E1**z**
Rest – (22 CHF) Menü 27 CHF (mittags) – Karte 59/86 CHF

Für Basler Verhältnisse kann man hier recht preisgünstig essen - und das auch noch gut, wie z. B. das Lammkarree in Estragonjus beweist! Für solche schmackhaften Gerichte sorgt Elsässer Alexandre Schmitt, für Gemütlichkeit die heimelig-rustikale Holztäferung!

X **Zum Goldenen Fass**

Hammerstr. 108 ⊠ 4057 – ℰ 061 693 34 00 – www.goldenes-fass.ch – geschl.
Juli - August und Sonntag - Montag   E1**a**
Rest – *(nur Abendessen)* Menü 55 CHF – Karte 35/62 CHF

Internationale Küche mit saisonalem Bezug bietet man in dem Restaurant unweit der Messe. Die Atmosphäre ist freundlich und unkompliziert. Günstige Tagesangebote.

in Riehen über Riehenstrasse F1: 5 km – Höhe 288 m – ⊠ 4125 Riehen

⌂ **Landgasthof Riehen** Ⓝ   📶 🛜 ㊧

Baselstr. 38 ⊠ 4125 Riehen – ℰ 061 645 50 70 – www.landgasthof-riehen.ch
20 Zim ⌕ – 🛇125/150 CHF 🛇🛇190 CHF
Rest *Le Francais* – siehe Restaurantauswahl
Rest – (23 CHF) Menü 28 CHF (mittags unter der Woche) – Karte 40/72 CHF

Der Landgasthof mitten in Riehen ist ein nettes ländliches Hotel mit vielfältigem Angebot: helle, funktionale Zimmer mit freundlichen Farbakzenten und zeitgemässer Technik, gute Veranstaltungsmöglichkeiten und die quirligen Restaurantstuben (Gaststube und Wettsteinstube) mit traditionellem Angebot - und im Sommer kommt noch die lebendige Terrasse dazu.

XX **Le Francais** Ⓝ – Hotel Landgasthof Riehen   ⌂ 🄰🄲

Baselstr. 38 ⊠ 4125 Riehen – ℰ 061 645 50 70 – www.landgasthof-riehen.ch
– geschl. 5. - 13. Januar, 1. - 21. Juli und Sonntag - Montag
Rest – Menü 49 CHF (mittags unter der Woche)/110 CHF – Karte 95/117 CHF

Im Gourmet des Landgasthofs bietet Ihnen Küchenchef David Benoît eine klassisch-französische Küche, die auf guten Produkten basiert und sich sehr ambitioniert zeigt. In dem modernen Glasanbau oder auf der schönen Terrasse können Sie z.B. "Carpaccio von der Jakobsmuschel mit Roter Bete und weissem Balsamico" oder "Lammkarree mit Ziegenkäse und Aubergine" geniessen, dazu eine schöne Weinauswahl.

in Birsfelden – Höhe 260 m – ⊠ 4127

⌂ **Alfa**   📶 ㊧ Rest. 🛜 ㊧ 🄿

Hauptstr. 15 ⊠ 4127 – ℰ 061 315 62 62 – www.alfa-hotel-birsfelden.ch
51 Zim ⌕ – 🛇130/170 CHF 🛇🛇180/240 CHF – 1 Suite – ½ P   B2**f**
Rest – *(geschl. Sonntagabend)* (25 CHF) Menü 21 CHF (mittags)/92 CHF
– Karte 45/83 CHF

Ein mit funktionellen Gästezimmern ausgestattetes Hotel in verkehrsgünstiger Lage. Besonderheit ist der kostenfreie Parkplatz. Im UG befindet sich eine Kleinkunstbühne. Restaurant mit regional-internationalem Angebot.

in Muttenz Süd-Ost: 8,5 km über B2 und A 2, Richtung Luzern – Höhe 271 m – ✉ 4132

🛏️ **Baslertor** garni   🖪 🖪 🛜 🏋️ 🚗
St. Jakob-Str. 1 – 𝒞 061 465 55 55 – www.balehotels.ch
47 Zim – 🛏️160/460 CHF 🛏️🛏️170/460 CHF, ⌖ 15 CHF
So zeitgemäss wie die nicht ganz alltägliche Architektur ist auch die Einrichtung dieses Businesshotels. Die Zimmer sind geräumig und bieten moderne Technik - wenn Sie länger bleiben, sind die Appartements mit Küche ideal. Mit der S-Bahn sind Sie in wenigen Minuten im Zentrum von Basel.

in Binningen – Höhe 284 m – ✉ 4102

🛏️ **Im Schlosspark**   🖪 ♿ 🍽️ 🛜 🏋️ 🚗 🅿️
Schlossgasse 2 – 𝒞 061 425 60 00 – www.schlossbinningen.ch   A2**b**
23 Zim ⌖ – 🛏️130/180 CHF 🛏️🛏️150/220 CHF
Rest *Schloss Binningen* – siehe Restaurantauswahl
Schön anzusehen ist das harmonische Nebeneinander von Altem und Neuem! Zum einen das denkmalgeschützte Imhofhaus mit all seinen wunderbaren historischen Details, zum anderen puristischer Stil im Anbau. Hausgästen reicht man im Restaurant eine bürgerliche Zusatzkarte.

🍴🍴🍴 **Schloss Binningen** – Hotel Im Schlosspark   🏠 ♿ 🅿️
Schlossgasse 5 – 𝒞 061 425 60 00 – www.schlossbinningen.ch – geschl.
Samstagmittag, Sonntagabend - Montag   A2**b**
Rest – (34 CHF) Menü 59 CHF (mittags unter der Woche)/149 CHF
– Karte 58/113 CHF
Hier ist es so stilvoll, wie man es sich von einem Schloss a. d. 13. Jh. wünscht, und dazu kommt noch die gute zeitgemässe Küche von Thierry Fischer. Schön historisch ist es in den beiden Stuben - mal eher rustikal, mal klassisch-elegant! Im Sommer hat man noch eine tolle Terrasse.

🍴🍴 **Krone Kittipon's Thai Cuisine**   🏠 🍽️ ✿
Hauptstr. 127 – 𝒞 061 421 20 42 – www.kittipon-thai-restaurant.ch – geschl. 1. - 12. Januar und Samstagmittag, Sonntag - Montag   A2**t**
Rest – Menü 22 CHF (mittags unter der Woche)/87 CHF – Karte 46/92 CHF
Wer mit der Tramlinie 2 bis zur Endstation fährt, ist schon direkt beim freundlichen Restaurant der Geschwister Kerdchuen. Die authentische thailändische Küche gibt es auch als preislich attraktives Mittagsbuffet!

🍴 **Gasthof Neubad**   🏠 ✿ 🅿️
Neubadrain 4 ✉ 4102 – 𝒞 061 301 34 72 – www.gasthofneubad.ch – geschl. 9. - 18. März, 5. - 21. Oktober und Sonntag - Montag, Samstagmittag
Rest – (25 CHF) Menü 30 CHF (mittags unter der Woche)/110 CHF   A2**a**
– Karte 53/90 CHF
In dem traditionsreichen Gasthof gab es einen Betreiberwechsel: Julie Jaberg Wiegand und Philipp Wiegand haben sich nach erstklassigen Adressen hier in die Selbständigkeit gewagt und das wohl mit wachsendem Erfolg. In ungezwungener Atmosphäre bieten die beiden ambitionierte Küche, mittags ein 3-Gänge-Menü, am Abend bis zu 5 Gänge, zusätzlich eine kleine A-la-carte-Auswahl. Probieren Sie z. B. "Kalb/Bärlauch/Spargel" oder das klassische "Entrecôte mit Pommes Pont-Neuf". Im Sommer sitzt es sich im Garten recht lauschig.

in Bottmingen Süd: 4,5 km, über Bottmingerstrasse A2 – Höhe 292 m – ✉ 4103

🍴🍴🍴 **Schloss Bottmingen**   🏠 ✿ 🅿️
Schlossgasse 9 – 𝒞 061 421 15 15 – www.weiherschloss.ch – geschl. Februar 2 Wochen und Montag
Rest – (Tischbestellung ratsam) Menü 70 CHF (mittags unter der Woche)/ 125 CHF – Karte 78/120 CHF
Seit Jahrzehnten kann man in dem Wasserschloss a. d. 14. Jh. stilvoll und hochwertig essen - und das hat sich auch unter den neuen Betreibern Naomi Z. Steffen und David Picquenot nicht geändert! Ringsum ein toller Park mit altem Baumbestand, im Hof die idyllische Terrasse.

XX **Philippe Bamas - Restaurant Sonne** 🛍 & ⇆ **P**

Baslerstr. 4 – 𝒞 061 422 20 80 – www.sonne-bottmingen.ch – geschl. 7. Juli
- 11. August und Samstagmittag, Sonntag - Montag
Rest – (85 CHF) Menü 85/125 CHF – Karte 59/110 CHF
Rest *Bistro du Soleil*🏛 – siehe Restaurantauswahl
Philippe Bamas nennt seine Küche "La Cuisine du Soleil" - das sind ambitionierte
französische Gerichte mit asiatischem und mediterranem Einfluss. Lassen Sie sich
nicht den warmen Schokoladenkuchen entgehen! Das Restaurant selbst ist auch
interessant: moderner Stil, rustikale Holzbalken und Thai-Skulpturen!

XX **Basilicum** 🛍 **P**
🏛
Margrethenstr. 1 – 𝒞 061 421 70 70 – www.basilicum.ch – geschl. Ende Juli 2
Wochen und Montagabend, Samstagmittag, Sonntag
Rest – (32 CHF) Menü 42 CHF (mittags unter der Woche)/78 CHF
– Karte 50/66 CHF
Dass man hier in so netter Atmosphäre auf schicken modernen Lederpolstern
sitzt, würde man angesichts der recht unscheinbaren Fassade eher nicht ver-
muten! Aber auch wegen der schlichten, schmackhaften Küche von Jürgen Ger-
teiser kommt man gerne wieder - probieren Sie z. B. "Rehrücken in Orangen-Pfef-
fer-Sauce"!

X **Bistro du Soleil** – Philippe Bamas - Restaurant Sonne 🛍 & **P**
🏛
Baslerstr. 4 – 𝒞 061 422 20 80 – www.sonne-bottmingen.ch – geschl. 7. Juli
- 11. August und Samstagmittag, Sonntag - Montag
Rest – (24 CHF) – Karte 46/95 CHF
Das Bistro der Sonne ist nicht nur eine günstige und legere Alternative zum Restaurant, sondern hat auch eine eigenständige und schmackhafte Küche von Pasta
bis Charcuterie zu bieten - ganz typisch auf Schiefertafeln angeschrieben!

BAUEN – Uri (UR) – **551** P7 – **178 Ew** – Höhe 440 m – ✉ 6466   4 G4
▶ Bern 160 – Altdorf 11 – Stans 36 – Schwyz 28
◉ Lage★

XX **Zwyssighaus** ≤ 🛍 ⇆
Dorf – 𝒞 041 878 11 77 – www.zwyssighaus.ch – geschl. Februar, November und
Montag - Dienstag
Rest – (Tischbestellung ratsam) Menü 51 CHF (mittags)/98 CHF
– Karte 50/126 CHF
Das schmucke Haus, Geburtshaus des Komponisten der Schweizer Nationalhym-
ne, bietet einen charmant-traditionellen Rahmen. Balkonterrasse mit tollem Blick
auf See und Berge.

BAULMES – Vaud (VD) – **552** D8 – **978 h.** – ✉ 1446   6 B5
▶ Bern 90 – Lausanne 39 – Neuchâtel 45 – Fribourg 66

X **L'Auberge** avec ch 🛍 🛜 ⇆ **P**
🏛
Rue de l'hôtel de ville 16 – 𝒞 024 459 11 18 – www.lauberge.ch – fermé début
janvier 3 semaines, dimanche soir, mercredi soir, lundi et mardi
5 ch 🛏 – ♥60/120 CHF ♥♥100/170 CHF – ½ P
Rest – (21 CHF) Menu 50/82 CHF – Carte 45/81 CHF
Dans cette auberge de 1622 le temps ne s'est pas arrêté ! Dans les assiettes,
les poissons tout juste pêchés côtoient les beaux légumes de saison. La propriétaire, qui cuisine elle-même, porte les produits du terroir en étendard. Des chambres toutes simples permettent de prolonger l'étape.

BEATENBERG – Bern (BE) – **551** L9 – **1 139 Ew** – Höhe 1 150 m   8 E5
– ✉ 3803
▶ Bern 66 – Interlaken 10 – Brienz 34
🛈 Hälteli 400d, 𝒞 033 841 18 18, www.beatenberg.ch
◉ Lage★★ • Niederhorn★★(✳★★)

🏨 **Dorint Resort Blüemlisalp** ♨ ⋖ 🍽 🖼 🏠 🛗 🏃 📶 🛋 🚗 Ⓟ

Hubel 114 – 𝒞 033 841 41 11 – www.dorint.ch

🔁 **29 Zim** ☎ – 💁111/241 CHF 💁💁174/344 CHF – 100 Suiten – ½ P

Rest – (20 CHF) Menü 30 CHF (mittags)/44 CHF – Karte 41/75 CHF

Ein familienfreundliches Hotel mit beeindruckendem Blick auf Thunersee und Berge. Unterschiedlich geschnittene Zimmer, Appartements und Maisonetten sowie schöner Sauna- und Ruhebereich. Restaurant mit Wintergarten zum See und alpenländischem Stübli.

BECKENRIED – Nidwalden (NW) – **551** P7 – **3 335 Ew** – Höhe 435 m   4 G4
– Wintersport : 435/2 001 m ⛷2 ⛷10 – ✉ 6375

▶ Bern 135 – Luzern 22 – Andermatt 54 – Brienz 57

ℹ Seestr. 1, 𝒞 041 620 31 70, www.tourismus-beckenried.ch

🏨 **Schlüssel** ⋖ 🍽 ⅋ 📶 Ⓟ

Oberdorfstr. 26 – 𝒞 041 622 03 33 – www.schluessel-beckenried.ch

12 Zim ☎ – 💁150/222 CHF 💁💁240/380 CHF

Rest *Schlüssel* – siehe Restaurantauswahl

Hier ist man mit den überaus herzlichen Gastgebern Daniel und Gabrielle per Du. Wunderschönes Interieur mit liebenswerten, teilweise historischen Details macht die überwiegend in Weiss gehaltenen Zimmer zu individuellen Schmuckstücken.

🍴 **Schlüssel** ⋖ 🍽 Ⓟ

Oberdorfstr. 26 – 𝒞 041 622 03 33 – www.schluessel-beckenried.ch – geschl. 8. - 24. September und Montag - Dienstag

Rest – (nur Abendessen) Menü 56/93 CHF ⅋⅋

Errichtet anno 1727, als Gasthaus betrieben seit 1820 - in diesem erhaltenen historischen Ambiente kommt der Patron persönlich an den Tisch, um sein tagesfrisches Menüangebot ausführlich zu erklären.

BEINWIL am SEE – Aargau (AG) – **551** N5 – **2 887 Ew** – Höhe 519 m – ✉ 5712   4 F3

▶ Bern 100 – Aarau 22 – Luzern 31 – Olten 44

🏨 **Seehotel Hallwil** ♨ ⋖ 🍽 ⅋ Zim, 📶 🛋 🚗 Ⓟ

Seestr. 79 – 𝒞 062 765 80 30 – www.seehotel-hallwil.ch – geschl. Weihnachten - Mitte Januar

12 Zim ☎ – 💁110/135 CHF 💁💁180/210 CHF

Rest – (im Winter: nur Abendessen) (27 CHF) Menü 45/70 CHF – Karte 39/62 CHF

Das kleine Hotel mit den modern-funktionell ausgestatteten Zimmern überzeugt durch seine reizvolle, ruhige Lage am See. Mit Gästehaus. Gutbürgerlich-traditionelle Küche in der Brasserie, Fisch und Meeresfrüchte im Restaurant Mediterran. Schöne Terrasse zum See.

BELALP – Wallis – **552** M11 – siehe Blatten bei Naters

BELLEVUE – Genève – **552** B11 – voir à Genève

BELLINZONA Ⓒ – Ticino (TI) – **553** S12 – **17 544 ab.** – alt. 240 m   10 H6
– ✉ 6500

▶ Bern 216 – Locarno 20 – Andermatt 84 – Chur 115

ℹ Piazza Nosetto, 𝒞 091 825 21 31, www.bellinzonaturismo.ch

◎ Lago★★★ • Castello di Montebello★★ • Castelgrande★★ • Collegiata di SS. Pietro e Stefano★ • Castello di Sasso Corbaro (⋖★)

◎ Monte Carasso★, Ovest: 2 km • Monte Tamaro★, Sud-Est: 15 km

🏨 **Unione** 🍽 🖼 ⅙ 🆎 ⅋ rist, 📶 🛋

via Henri Guisan 1 – 𝒞 091 825 55 77 – www.hotel-unione.ch – chiuso 20 dicembre - 10 gennaio

41 cam ☎ – 💁125/145 CHF 💁💁200/240 CHF – 2 suites

Rist *Da Marco* – (chiuso domenica e giorni festivi) (34 CHF) Menu 31/95 CHF – Carta 45/78 CHF

Ubicato lungo la strada principale, hotel funzionale con camere accoglienti e dal confort attuale (soprattutto quelle del quarto piano, recentemente rinnovate): balcone e vista sul Castello Grande per alcune di esse. Ambiente classico al ristorante, che propone una carta internazionale.

✕✕ **Locanda Orico** (Lorenzo Albrici)

via Orico 13 – ✆ 091 825 15 18 – www.locandaorico.ch – chiuso 2 - 7 gennaio, 27 luglio - 20 agosto, domenica e lunedì
Rist – *(coperti limitati, prenotare)* Menu 48 CHF (pranzo)/120 CHF – Carta 94/136 CHF

Nella città vecchia, in un antico palazzo, due salette curate ed eleganti dove lasciarsi stupire da una cucina mediterranea con influenze francesi e regionali, a cui si accompagna un'interessante scelta enologica di etichette locali.
→ Ventaglio di astice e le sue chele in tartare, punte di asparagi verdi, mayonnaise all' aceto di lampoi. Fagotti di pasta della casa al foie gras dorato, spicchi di melacaramellati, glassa al porto invecchiato. Medaglioni di capriolo estivo, laccati allo sciroppo di fiori di sambuco, ventaglio di Charlotte, porri novelli.

✕✕ **Osteria Mistral**

via Orico 2 – ✆ 091 825 60 12 – www.osteriamistral.ch – chiuso 1 settimana a Carnevale, 3 settimane in agosto, sabato a mezzogiorno e domenica
Rist – (24 CHF) Menu 38 CHF (pranzo in settimana)/115 CHF

In centro, questo simpatico ristorante dal servizio informale propone una carta light per il pranzo e due menu - da quattro e sei portate - la sera. Cucina contemporanea in sintonia con le stagioni.

✕ **Osteria Sasso Corbaro**

via Sasso Corbaro 44, Salita al Castello Sasso Corbaro, Est : 4 km – ✆ 091 825 55 32 – www.osteriasassocorbaro.com – chiuso 26 dicembre - 20 gennaio, domenica sera e lunedì
Rist – *(consigliata la prenotazione)* (28 CHF) Menu 48/82 CHF – Carta 62/99 CHF

Buona cucina locale - a pranzo due menu esposti a voce - nell'amena cornice medievale del più alto dei tre castelli: in estate si mangia nella stupenda corte interna.

✕ **Osteria Malakoff**

Carrale Bacilieri 10, Ravecchia, (presso dell'ospedale) – ✆ 091 825 49 40 – chiuso 1° - 10 gennaio, domenica, mercoledì e giorni festivi
Rist – *(consigliata la prenotazione la sera)* (23 CHF) Menu 37 CHF (pranzo in settimana)/80 CHF – Carta 70/88 CHF

A pranzo il menu segue le stagioni, ma la sera sono numerose le proposte italiane a contendersi la carta. Tra le specialità: pasta fresca fatta in casa dalla proprietaria. Gestione squisitamente familiare.

BELLWALD – Wallis (VS) – 552 N11 – 438 Ew – Höhe 1 560 m – ⊠ 3997   8 F5
▶ Bern 157 – Brig 26 – Domodossola 89 – Interlaken 103

🏠 **Bellwald**   ☺ ≼ 🚗 🏠 🏖 ᵭ 🕏 Rest, **P.**

Dorf – ✆ 027 970 12 83 – www.hotel-bellwald.ch – geschl. 22. März - 29. Mai, 25. Oktober - 13. Dezember
15 Zim ☐ – ♦105/135 CHF ♦♦165/210 CHF – 1 Suite – ½ P
Rest – *(geschl. Montag)* (26 CHF) Menü 48/70 CHF – Karte 54/78 CHF

Weckt der Traumblick auf Rhonetal und Berge nicht Ihre Lust auf eine Wanderung? Die kann man mit dem Chef persönlich machen; das anschliessende Raclette-Essen in einer Hütte haben Sie sich dann verdient - genauso wie die Nacht in einem tipptopp gepflegten Haus!

✕ **Zur alten Gasse** mit Zim   ≼ 🚗 🏠 📶 **P.**

– ✆ 027 971 21 41 – www.alte-gasse.ch – geschl. 31. März - 1. Juni, 16. Oktober - 11. Dezember
15 Zim ☐ – ♦113/134 CHF ♦♦176/238 CHF – ½ P
Rest – (28 CHF) Menü 48 CHF (mittags)/92 CHF – Karte 32/74 CHF

Natürlich gibt es hier in der schönen erhöhten Lage bei der Sesselbahnstation auch eine tolle Terrasse mit Bergblick! Wer diese Aussicht auch am Morgen geniessen möchte, bleibt einfach über Nacht: Die Zimmer sind modern möbliert und haben alle einen Balkon. Das Speisenangebot ist mittags einfacher und kleiner.

BERG – Sankt Gallen – **551** U4 – 853 Ew – Höhe 580 m – ⊠ 9305
▶ Bern 219 – Sankt Gallen 15 – Zürich 100

X   **Zum Sternen**   🛱 🕸 **P**
     Landquart 13, Nord: 2 km in Richtung Arbon – 𝒞 071 446 03 03
     – www.sternen-berg.ch – geschl. Juli 3 Wochen und Sonntag - Montag
     Rest – (26 CHF) Menü 42 CHF (mittags unter der Woche)/86 CHF
     – Karte 57/93 CHF
     Das schmucke alte Fachwerkhaus mit den grünen Fensterläden sieht einladend
     aus! Hineingehen lohnt sich: Patron Franz Rumpler kocht hier schon über 10 Jahre
     - frisch und schmackhaft wie z. B. das feine Kalbsrückensteak mit Bärlauchsauce.

BERGÜN BRAVUOGN – Graubünden (GR) – **553** W10 – 465 Ew   **11** J4
– Höhe 1 372 m – Wintersport : ≴2 – ⊠ 7482
▶ Bern 295 – Sankt Moritz 37 – Chur 54 – Davos 39
🛈 Hauptstr. 83, 𝒞 081 407 11 52, www.berguen-filisur.ch

🏠   **Weisses Kreuz**   🛱 🛋 🤶 **P**
⊷   *Plaz 72 – 𝒞 081 407 11 61 – www.weisseskreuz-berguen.ch – geschl. 31. März*
     - 27. Mai, 20. Oktober - 27. November
     25 Zim ⊊ – ♦85/115 CHF ♦♦150/210 CHF – ½ P
     Rest – (20 CHF) – Karte 37/85 CHF
     Am schönen kleinen Dorfplatz steht das alte Engadiner Bauernhaus a. d. 16. Jh.
     Der Gast findet in seinem freundlichen Zimmer Flachbildschirm, DVD-Player und
     W-Lan vor. Die Stüvetta ist das hübsch erhaltene historische Arvenholzstübchen.

🏠   **Bellaval** garni   ⊗ ≼ 🛋 🕸 🤶 **P**
🏨   *Puoz 138 – 𝒞 081 407 12 09 – www.bellaval.com – geschl. 17. März - 31. Mai,*
     6. Oktober - 13. Dezember
     7 Zim ⊊ – ♦65/90 CHF ♦♦120/180 CHF
     Engagiert und persönlich leitet Caroline Cloetta das sympathische kleine Hotel am
     Ortsrand. Es stehen helle geräumige Zimmer mit Balkon oder Terrasse bereit.

BERIKON – Aargau (AG) – **551** O5 – 4 530 Ew – Höhe 550 m – ⊠ 8965   **4** F3
▶ Bern 110 – Aarau 33 – Baden 24 – Dietikon 14

🏠   **Stalden**   🛱 🛋 🤶 🛋 **P**
⊷   *Friedlisbergstr. 9 – 𝒞 056 633 11 35 – www.stalden.com – geschl. 23. Dezember*
🏨   *- 11. Januar*
     36 Zim ⊊ – ♦151/159 CHF ♦♦170/190 CHF – ½ P
     Rest – (19 CHF) Menü 59/76 CHF – Karte 39/79 CHF
     In dem von Familie Kuster seit vielen Jahren geleiteten Haus überzeugen gross-
     zügige, puristisch designte Zimmer mit Balkon oder Terrasse. Kostenfrei sind Tief-
     garage, Internet und Wasser auf dem Zimmer. Man speist im hellen, freundlichen
     Restaurant oder auf der Terrasse unter Kastanien.

BERN *BERNE*

Stadtpläne siehe nächste Seiten

© Sime/Photononstop

K – BE – Bern – 125 681 Ew – Höhe 548 m – ⊠ 3000 – 551 J7

▶ Biel 35 – Fribourg 34 – Interlaken 59 – Luzern 111

🛈 Tourist-Informationen

Bahnhofplatz 10a F2, ☎ 031 328 12 12, www.bern.com
Grosser Muristalden 6, Am Bärengraben H2, ☎ 031 328 12 12, www.bern.com

Automobilclub

🅐 Eigerstr. 2, ☎ 031 311 38 13 E3

Flughafen

✈ Bern-Belp, ☎ 031 960 21 11, über Seftigenstrasse C3

Fluggesellschaft

Swiss International Airlines Ltd., ☎ 0848 700 700

Messegelände

BEA bern expo AG, Mingerstr. 6, ⊠ 3000, ☎ 031 340 11 11

Messen

16.-19. Januar: Berner Ferien- und Gesundheitsmesse
31. Januar-2. Februar: MariNatal
3.-6. April: Eigenheim-Messe
25. April-4. Mai: BEA u. PFERD
10.-19. Oktober: Weinmesse

Veranstaltungen

6.-8. März: Berner Fasnacht
21. März: Museumsnacht
10. Mai: Grand Prix von Bern
29. Mai-1. Juni: Special Olympics

Golfplätze

🏌 Bern/Moossee, Münchenbuchsee, Nord: 11 km Richtung Münchenbuchsee-Schönbühl, ☏ 031 868 50 50

🏌 Blumisberg, Wünnewil, Süd-West: 18 km, ☏ 026 496 34 38

🏌 Oberburg, Nord-Ost: 20 km Richtung Burgdorf, ☏ 034 424 10 30

🏌 Aaretal, Kiesen, Süd: 22 km Richtung Thun, ☏ 031 782 00 00

◎ SEHENSWÜRDIGKEITEN

Sehenswert: Alt-Bern★★(Marktgasse★ · Zeitglockenturm★ · Kramgasse★G2 · Ausblicke★ von der Nydeggbrücke · Bärengraben★ · Junkergasse★H2) · Münster St. Vinzenz★ (Bogenfeld★★ · Rundblick★★ vom Turm)G2 · Botanischer Garten★F1 · Tierpark Dählhölzli★C3

Museen: Kunstmuseum★★F1 · Zentrum Paul Klee★★★D2 · Naturhistorisches Museum★★ · Bernisches Historisches Museum★★ · Schweizerisches Alpines Museum★★ · Museum für Kommunikation★G3

Ausflugsziel: Gurten★★(Rundblick★★)

🏨 Bellevue Palace　　　　　　　≼ 😊 🏠 ⛹ 🛗 ᴔ 🕸 ⋞ ⻖

Kochergasse 3 ✉ *3000 –* ☏ *031 320 45 45 – www.bellevue-palace.ch*
104 Zim – ♠399/432 CHF ♠♠524/624 CHF, ⇋ 38 CHF – 24 Suiten – ½ P　　　G2**p**
Rest *La Terrasse* **Rest** *Bellevue Bar* – siehe Restaurantauswahl
100 Jahre Bellevue! Das exklusive Grandhotel liegt mitten in Bern, hat klassische Zimmer und Suiten, einen modernen Gym über den Dächern der Stadt sowie elegante Veranstaltungsräume! In den Zimmern mit Blick über die Aare steht ein Fernglas für Sie bereit!

🏨 Schweizerhof　　　　　　　　😊 ⛹ 🏠 ⛷ 🛗 ⋞ ⻖

Bahnhofplatz 11 ✉ *3001 –* ☏ *031 326 80 80 – www.schweizerhof-bern.ch*
94 Zim – ♠355/580 CHF ♠♠455/790 CHF, ⇋ 30 CHF – 5 Suiten　　　　F2**s**
Rest *Jack's Brasserie* – (39 CHF) Menü 57 CHF (mittags unter der Woche)/ 105 CHF – Karte 69/111 CHF
Hinter der toll restaurierten historischen Fassade mischt sich Moderne in das klassisch-stilvolle Bild - elegant und wertig! Schöne Fotografien von Bern und Bilder von Paul Klee sind dekorative Details! Entspannung finden Sie im Freizeitbereich im Keller, den Charme von einst in Jack's Brasserie.

🏨 Allegro　　　　　　≼ 😊 😊 ⛹ 🏠 ⛷ 🛗 ⋞ ⋞ ⻖

Kornhausstr. 3 ✉ *3000 –* ☏ *031 339 55 00 – www.allegro-hotel.ch*　　　G1**a**
169 Zim – ♠180/320 CHF ♠♠210/380 CHF, ⇋ 26 CHF – 2 Suiten
Rest *Meridiano* ✿ **Rest** *Yù* – siehe Restaurantauswahl
Rest *Giardino* – ☏ 031 339 52 65 – (23 CHF) Menü 29 CHF (mittags)/69 CHF – Karte 64/95 CHF
Das Lifestylehotel ist für Seminare, Events und Individualgäste gleichermassen interessant, auch wegen des Kasinos im Haus. Modern sind die Zimmer (schön die Penthouse-Etage mit eigener Lounge) und der grosse Tagungsbereich. Im Giardino sitzt man bei italienischer Küche an einem kleinen Teich!

🏨 Innere Enge　　　　 ⤢ 😊 ⛹ ⛷ ᴔ Zim, ⋞ ⻖ 🅿

Engestr. 54 ✉ *3012 –* ☏ *031 309 61 11 – www.innere-enge.ch*　　　B1**n**
26 Zim ⇋ **–** ♠255/275 CHF ♠♠330/370 CHF – ½ P
Rest *Josephine Brasserie* – Menü 54 CHF (mittags)/92 CHF – Karte 50/100 CHF
Hier dreht sich alles um Jazz - die grosse Leidenschaft der Gastgeber! Viele Zimmer sind nach berühmten Musikern benannt und mit Unikaten versehen. Im Keller hat man sogar einen Jazzroom, und hier waren schon fast alle grossen Jazzer! Wen wundert's da, dass im Frühjahr im Garten ein Jazz-Zelt steht?

🏨 Hotelbern　　　　　　　　　　😊 ⛹ ᴔ ⋞ ⻖

Zeughausgasse 9 ✉ *3011 –* ☏ *031 329 22 22 – www.hotelbern.ch*
99 Zim – ♠150/190 CHF ♠♠190/230 CHF, ⇋ 18 CHF　　　　　　　G2**b**
Rest – (22 CHF) – Karte 29/75 CHF
In einem markanten Altbau mitten in Bern befindet sich dieses Businesshotel mit seinen farbenfroh und modern designten Zimmern sowie zeitgemässen Seminarräumen. Im Restaurant serviert man bürgerliche Küche.

Savoy garni · 🛗 AK 🛜

Neuengasse 26 ⊠ 3011 – ☎ 031 311 44 05 – www.hotel-savoy-bern.ch
54 Zim ⊑ – ♦205/235 CHF ♦♦280/330 CHF · F2**n**

Man bietet hier klassische Zimmer mit zeitgemässer Technik und einen hübschen Frühstücksraum mit gutem Buffet. Die Lage ist sehr zentral, praktisch die Nähe zum Bahnhof.

Bristol garni · 🌫 ♨ 🛗 AK 🛜

Schauplatzgasse 10 ⊠ 3011 – ☎ 031 311 01 01 – www.bristolbern.ch
92 Zim ⊑ – ♦165/300 CHF ♦♦180/370 CHF · F2**w**

Das Stadthaus in der Reihe beherbergt zeitgemässe Zimmer und einen kleinen Saunabereich (gegen Gebühr), den auch die Gäste des durch einen Gang angeschlossenen Hotel Bären nutzen.

Bären garni · 🌫 🛗 AK 🛜

Schauplatzgasse 4 ⊠ 3011 – ☎ 031 311 33 67 – www.baerenbern.ch
57 Zim ⊑ – ♦165/225 CHF ♦♦180/370 CHF · F2**s**

Nur wenige Schritte vom Bundesplatz entfernt wohnt man in einem gepflegten alten Stadthaus mit zeitgemässen, unterschiedlich möblierten Zimmern. Kleine Sauna gegen Gebühr.

Ambassador · ⬅ 🌫 ▧ 🌫 🛗 AK 🛜 🏋 🚗 🅿

Seftigenstr. 99 ⊠ 3007 – ☎ 031 370 99 99 – www.fassbindhotels.com
97 Zim – ♦210/360 CHF ♦♦255/399 CHF, ⊑ 24 CHF – ½ P · B3**v**
Rest – (20 CHF) – Karte 32/79 CHF
Rest *Taishi* – (geschl. Mitte Juli - Mitte August und Samstagmittag, Sonntag - Montag) (18 CHF) Menü 33/95 CHF – Karte 39/98 CHF

Ein Businesshotel in verkehrsgünstiger Lage am Stadtrand mit modern-funktionell designten und technisch gut ausgestatteten Zimmern sowie kostenfreier Tiefgarage. Fragen Sie nach den Zimmern in den oberen Etagen mit Blick über die Stadt! Japanische Küche im Taishi, internationale im hellen Pavillon.

City am Bahnhof garni · 🛗 🛜

Bubenbergplatz 7 ⊠ 3011 – ☎ 031 311 53 77
– www.fassbindhotels.com · F2**a**
58 Zim – ♦145/270 CHF ♦♦165/315 CHF, ⊑ 20 CHF

Das Hotel liegt günstig ganz in der Nähe der Fussgängerzone, gegenüber dem Bahnhofsplatz. Es stehen sachlich-funktional eingerichtete Gästezimmer bereit.

La Terrasse – Hotel Bellevue Palace · ⬅ 🌫 ❀

Kochergasse 3 ⊠ 3000 – ☎ 031 320 45 45 – www.bellevue-palace.ch
Rest – (42 CHF) Menü 78 CHF (mittags)/155 CHF · G2**p**
– Karte 88/154 CHF ✿

Ambitionierte modern-saisonale Küche mit klassischen Wurzeln, und das in gediegen-komfortablem Rahmen. Per iPad können Sie in die Küche schauen und mit den Köchen kommunizieren! Von der Terrasse hat man eine herrliche Sicht auf die Aare.

Meridiano – Hotel Allegro · ⬅ 🌫 AK ↔ 🅿

Kornhausstr. 3 ⊠ 3000 – ☎ 031 339 52 45 – www.allegro-hotel.ch
– geschl. 1. - 13. Januar, 6. - 21. April, 6. - 28. Juli, 21. - 30. Dezember
und Samstagmittag, Sonntag - Montag · G1**a**
Rest – (40 CHF) Menü 54 CHF (mittags)/165 CHF

Man muss zwar zuerst ein bisschen suchen, um das Restaurant zu finden, doch es lohnt sich, denn in modern-elegantem Ambiente - oder auf einer der schönsten Terrassen der Bundeshauptstadt! - bietet Ihnen nach dem Wechsel an der Küchenspitze Jan Leimbach seine fein abgestimmten und mediterran geprägten Speisen. Der Service unter Maître Christian Grimm steht der Leistung der Küche in nichts nach.

→ Entenleber, Gewürzapfel, Cidre, Popcorn. Venere-Risotto, violette Veilchen, Lotte, geräucherter Scampo, Melone, Zitrusfrüchte fumet. Lammrücken, Fagiolini di Spello, Schafmilch, Olivenmarmelade.

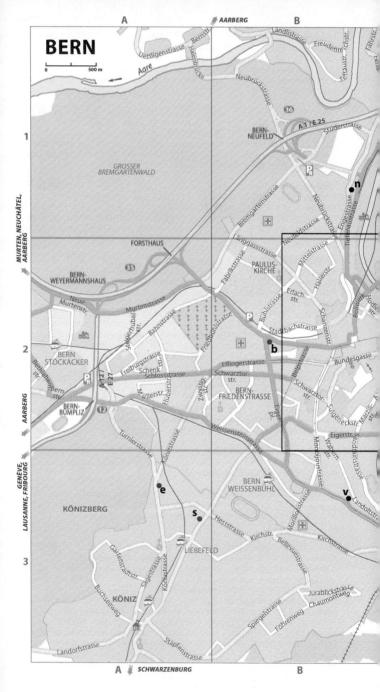

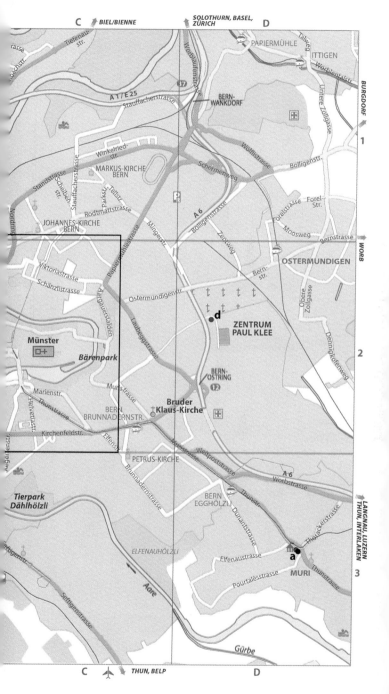

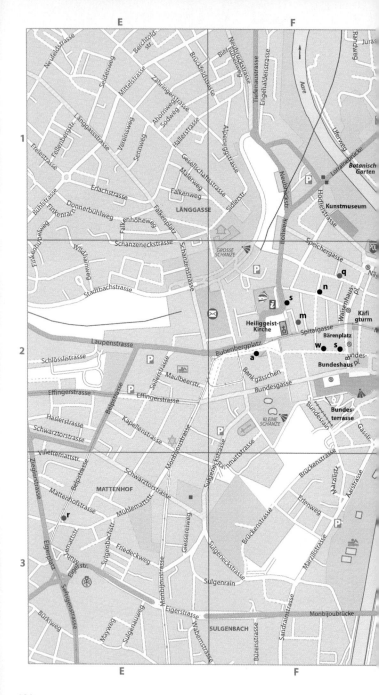

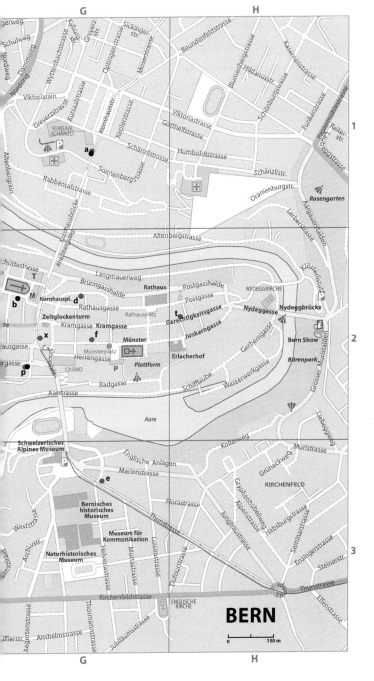

BERN

0   150 m

139

XX **Schöngrün** (Werner Rothen) 🛜 AK 🕸

🕸 *Monument im Fruchtland 1, (beim Zentrum Paul Klee)* ✉ *3006*
– ☎ 031 359 02 90 – www.restaurants-schoengruen.ch – geschl. Montag
- Dienstag D2**d**
Rest *– (Tischbestellung ratsam)* (64 CHF) Menü 78 CHF (mittags)/180 CHF (abends)
– Karte 117/133 CHF
Hell, luftig, puristisch... so zeigt sich der Glasanbau der historischen Villa - ein
schöner Kontrast! Zu finden ist das aparte Anwesen neben dem "Zentrum Paul
Klee". Während Sie auf schicken roten Stühlen die Atmosphäre geniessen, ist in
der offenen Küche ein Kreativer am Werk: Werner Rothen.
➜ Entenleber-Terrine, poelierte Artischocke, Cynar. Seeteufel aus Roscoff, Som-
mertrüffel, Spitzkohl, gelbe Bohnen, Verjus. Hereford Rind - Ribeye, grilliert, Mal-
don Pfeffer, Choron-Sauce, Shiitake-Marmelade.

XX **La Tavola Pronta** 🛜 🍽

Laupenstr. 57 ✉ *3008 – ☎ 031 382 66 33 – www.latavolapronta.ch – geschl. Juli*
- August 3 Wochen und Samstagmittag, Sonntag - Montag B2**b**
Rest *– (Tischbestellung ratsam)* (88 CHF) Menü 78/98 CHF
Ein sympathisches Kellerlokal mit moderner Einrichtung, in dem Chef Beat Thomi
schmackhafte piemontesische Küche in Menüform servieren lässt.

X **Lorenzini** 🛜 🕸

🍝 *Hotelgasse 10* ✉ *3011 – ☎ 031 318 50 67 – www.lorenzini.ch* G2**x**
Rest *–* (20 CHF) *–* Karte 34/72 CHF
Das italienische Ristorante in der Fussgängerzone ist ein schönes, mit Bildern
ansprechend dekoriertes Restaurant in der 1. Etage. Im EG Bar und Bistro, hübscher Innenhof.

X **milles sens - les goûts du monde** Ⓝ AK

😊 *Spitalgasse 38, (Schweizerhofpassage, 1. Etage)* ✉ *3011 – ☎ 031 329 29 29*
– www.millesens.ch – geschl. Ende Juli - Anfang August und Sonntag, im
Sommer: Samstag - Sonntag F2**m**
Rest *–* (38 CHF) Menü 59 CHF (mittags)/114 CHF *–* Karte 55/96 CHF
Nach dem Umzug von den Markthallen in die 1. Etage der Schweizerhof-Passage
bietet man hier in geradlinig-modernem Ambiente eine saisonal-internationale
Küche mit Schweizer Einflüssen als "Menu Surprise" und "Menu Tour Du Monde"
- begleitend zum Essen gibt es den "Wineflight". Mittags kommt man zum schnellen "Quick Tray" oder zum "Menu d'affaires".

X **Kirchenfeld** 🛜 🕸

😊 *Thunstr. 5* ✉ *3005 – ☎ 031 351 02 78 – www.kirchenfeld.ch – geschl. Sonntag*
- Montag G3**e**
Rest *– (Tischbestellung ratsam)* (21 CHF) Menü 30 CHF (mittags)/68 CHF
– Karte 42/88 CHF
Es macht richtig Spass, in diesem lauten und lebendigen Restaurant zu essen!
Hier schmecken z. B. "Zander auf mediterranem Couscous" und Süsses vom Des-
sertwagen wie Lemontarte oder Schokoladenkuchen! Mittags geben sich die
Geschäftsleute die Klinke in die Hand - sie schwören auf das Tagesmenü!

X **Wein & Sein mit Härzbluet** 🛜

Münstergasse 50, (im Keller) ✉ *3011 – ☎ 031 311 98 44 – www.weinundsein.ch*
– geschl. Juli - August 3 Wochen und Samstagmittag, Sonntag - Montag
Rest *–* Menü 27 CHF (mittags)/95 CHF *–* Karte 35/60 CHF EZ**f**
Eine steile Treppe führt in den gemütlichen Keller, in dem Sie am Abend ein täglich wechselndes 4-Gänge-Menü bekommen, mittags ein Lunch-Menü und eine
kleine A-la-carte-Auswahl. Sehr charmant - und somit natürlich beliebt! - ist die
Terrasse in der Gasse!

X **Zimmermania**

🍝 *Brunngasse 19* ✉ *3011 – ☎ 031 311 15 42 – www.zimmermania.ch – geschl.*
6. Juli - 5. August und Sonntag - Montag sowie an Feiertagen, Juli - September:
Samstagmittag G2**d**
Rest *–* (19 CHF) Menü 64/95 CHF *–* Karte 44/87 CHF
Recht urig und lebendig ist die Atmosphäre in dem gemütlichen, traditionell
gehaltenen Restaurant, das sich in einer kleinen Gasse in der Altstadt befindet.

Gourmanderie Moléson

Aarbergergasse 24 ✉ 3011 – ✆ 031 311 44 63 – www.moleson-bern.ch – geschl. Weihnachten - Neujahr und Samstagmittag, Sonntag F2**q**
Rest – (23 CHF) Menü 26 CHF (mittags)/79 CHF – Karte 51/85 CHF
Das seit 1865 bestehende Moléson ist ein quirliges Restaurant mitten in Bern. Die Küche ist traditionell geprägt, vom elsässischen Flammkuchen bis zum mehrgängigen Menü.

Frohegg

Belpstr. 51 ✉ 3007 – ✆ 031 382 25 24 – www.frohegg.ch – geschl. Sonntag und an Feiertagen E3**r**
Rest – *(Tischbestellung ratsam)* (20 CHF) Menü 28 CHF (mittags unter der Woche)/69 CHF – Karte 40/85 CHF
Seit über 20 Jahren wird das gemütliche Restaurant in dem Stadthaus von 1898 persönlich geführt. Schön sind auch der Wintergarten und die Terrasse. Die Küche ist saisonal.

Les Terroirs

Postgasse 49 – ✆ 031 332 10 20 – www.restaurant-les-terroirs.ch – geschl. 22. September - 7. Oktober und Samstagmittag, Sonntag - Montag H2**t**
Rest – (22 CHF) Menü 68 CHF (abends) – Karte 57/98 CHF
Man sitzt hier zwar recht einfach in einem etwas schlauchartigen Lokal in der Stadtmitte, aber dafür kommen aus der offenen Küche von Stefan Zingg schmackhafte Gerichte mit regionalem Bezug!

Bellevue Bar – Hotel Bellevue Palace

Kochergasse 3 ✉ 3000 – ✆ 031 320 45 45 – www.bellevue-palace.ch
Rest – (22 CHF) – Karte 47/115 CHF G2**p**
Kennen Sie das berühmte "Club Sandwich", das sogar in einem Roman Erwähnung findet? Hier bekommen Sie es! Den gediegenen Charme des alteingesessenen Grandhotels spürt man auch in diesem Restaurant bei internationaler Küche.

Yù – Hotel Allegro

Kornhausstr. 3 ✉ 3000 – ✆ 031 339 52 50 – www.allegro-hotel.ch – geschl. Juli und Sonntag - Montag G1**a**
Rest – *(nur Abendessen)* Menü 49 CHF – Karte 50/72 CHF
Eine der angesagtesten Ausgeh-Adressen der Stadt! Im Parterre - offen zum Atrium des Hotels - glänzt das Lokal mit stylish-asiatischer Coolness und moderner chinesischer Küche.

an der Autobahn A1 Nord-Ost: 8 km – ✉ 3063 Ittigen

Grauholz garni

(Raststätte Grauholz) ✉ 3063 – ✆ 031 915 12 12 – www.a1grauholz.ch
62 Zim – 100/150 CHF 150/210 CHF
Das technisch modern ausgestattete Hotel liegt etwas von der A1 zurückversetzt. Die Zimmer sind sehr gut schallisoliert, ein kleines 24-h-Buffet mit Getränken und Snacks ist inklusive.

in Muri bei Bern Süd-Ost: 3,5 km – ✉ 3074

Sternen

Thunstr. 80 – ✆ 031 950 71 11 – www.sternenmuri.ch D3**a**
44 Zim – 140/300 CHF 160/350 CHF
Rest *Sternen* – siehe Restaurantauswahl
Der erweiterte Gasthof bietet im Anbau neuzeitliche Zimmer in den Farben Gelb, Grün oder Blau, im Haupthaus teilweise mit altem Gebälk. Gute Anbindung an die Stadt.

Sternen – Hotel Sternen

Thunstr. 80 – ✆ 031 950 71 11 – www.sternenmuri.ch D3**a**
Rest – (18 CHF) – Karte 36/118 CHF
In den hübschen Stüblis hat man schönes warmes Holz mit zeitgemässem Stil gemischt. Witzig: In der Gaststube kreuzt man ein Gericht auf der Karte an und gibt sie dem Kellner! Für Feierlichkeiten sind die 170 Jahre alten kleinen Biedermeierstuben ideal.

in Liebefeld Süd-West: 3 km Richtung Schwarzenburg – ⊠ 3097

XX   **Landhaus Liebefeld** mit Zim   🗺 🏦 🕭 🤍 🛎 **P.**

⊗   *Schwarzenburgstr. 134 – ℰ 031 971 07 58 – www.landhaus-liebefeld.ch – geschl.*
Sonntag   A3**s**

6 Zim ⊑ – ♦175 CHF ♦♦280 CHF
Rest – *(Tischbestellung ratsam)* (60 CHF) Menü 95/133 CHF – Karte 58/111 CHF 🕸
Rest *Gaststube* – *(geschl. Sonntag)* (19 CHF) Menü 60 CHF – Karte 35/84 CHF
Wo man so gemütlich sitzen und gut essen kann wie in der ehemaligen Landvog-
tei von 1671, geht man gerne auch mal öfter hin. Tipp: die Fischsuppe - sie wird
seit 25 Jahren nach gleichem Rezept gekocht! In der Gaststube gibt es auch ein-
fachere Speisen wie Hackbraten oder Nudelgerichte. Sie möchten übernachten?
Die Zimmer sind sehr hübsch, individuell und hochwertig.

X   **Haberbüni**   🗺 🍴 **P.**

Könizstr. 175 – ℰ 031 972 56 55 – www.haberbueni.ch – geschl. Samstagmittag,
Sonntag   A3**e**

Rest – *(Tischbestellung ratsam)* (29 CHF) Menü 61 CHF (mittags unter der
Woche)/105 CHF – Karte 45/84 CHF 🕸
Man sitzt im gemütlichen Dachstock (Büni) eines Bauernhauses und lässt sich zeitgemässe Küche servieren. Das Konzept kommt an: am Abend zwei Menüs, mittags Busi-
nesslunch. Im Sommer sollten Sie im Garten essen - richtig schön urwüchsig!

in Brünnen West: 6 km über A2, Richtung Murten

🏨   **Holiday Inn Bern Westside**   🗺 🏦 🕭 AC 🤍 🛠 🚗

Riedbachstr. 96, (Am Westside-Center) ⊠ *3027 – ℰ 031 985 24 00*
– www.holidayinn.com
144 Zim – ♦167/350 CHF ♦♦167/350 CHF, ⊑ 23 CHF
Rest – (25 CHF) Menü 35 CHF (abends) – Karte 32/81 CHF
Ein modernes Businesshotel direkt an dem von Architekt Libeskind erbauten
Westside-Einkaufszentrum. Der Komplex beherbergt auch ein grosses Freizeitbad.
Restaurant im Bistrostil.

BERNECK – Sankt Gallen (SG) – **551** W5 – **3 686 Ew** – **Höhe 427 m** – ⊠ 9442   **5** I2
▶ Bern 235 – Sankt Gallen 31 – Altstätten 11 – Bregenz 21

XX   **Ochsen - Zunftstube**   🗺 🍴 🤍

Neugasse 8 – ℰ 071 747 47 21 – www.ochsen-berneck.ch – geschl. 15. Juli
- 5. August und Donnerstag, Sonntagabend
Rest – (38 CHF) Menü 70/90 CHF – Karte 42/106 CHF
Rest *Dorfstübli* – (26 CHF) – Karte 38/91 CHF
Die Brüder Kast arbeiten eng zusammen: Der eine betreibt die Metzgerei, der
andere das Restaurant. Ein gutes Gefühl, zu wissen, woher das Fleisch für die klassisch-traditionelle Küche kommt - eine Spezialität sind übrigens Kutteln. Alternativ
zur Zunftstube in 1. Stock gibt es das etwas einfachere Dorfstübli.

BETTLACH – Solothurn (SO) – **551** J6 – **4 801 Ew** – **Höhe 441 m**   **2** D3
– ⊠ 2544
▶ Bern 56 – Delémont 43 – Basel 82 – Biel 19

🏨   **Urs und Viktor**   🗺 🏦 🕭 🤍 🛠 **P.**

Solothurnstr. 35 – ℰ 032 645 12 12 – www.ursundviktor.ch
73 Zim ⊑ – ♦130/180 CHF ♦♦190/240 CHF – ½ P
Rest – (30 CHF) Menü 39 CHF – Karte 38/85 CHF
Der Gasthof von 1840 steht heute noch, erweitert zum Seminarhotel. In den
modernen Zimmern nutzen Sie W-Lan kostenfrei - und nicht nur das: Gäste erhalten einen Gutschein für die Freizeitanlage "Kakadu" sowie ein Bahnbillet nach
Solothurn oder Biel!

BETTMERALP – Wallis (VS) – **552** M11 – **Höhe 1 950 m**   **8** F6
– **Wintersport : 1 935/2 869 m** 🚠3 🚡14 🎿 – ⊠ 3992
▶ Bern 114 – Brig 20 – Andermatt 91 – Domodossola 80
Autos nicht zugelassen

                   mit Luftseilbahn ab Betten FO erreichbar

La Cabane garni 🦤 ⋜ 🕭 ▣ 🛜
– ☎ 027 927 42 27 – www.lacabane.ch – geschl. 27. April - 20. Juni, 12. Oktober
- 12. Dezember
12 Zim ⊑ – ♦125/195 CHF ♦♦190/285 CHF
Zur Seilbahn sind es 15 Gehminuten - ein Klacks angesichts der schönen ruhigen
Lage am Ende des Dorfes! Überall im Haus schafft helles Holz Gemütlichkeit. Die
Zimmer (auch Familienmaisonetten) tragen Namen von Berghütten.

Waldhaus 🦤 ⋜ 🛋 🕭 🛜
– ☎ 027 927 27 17 – www.ferienhotel-waldhaus.ch – geschl. 26. April - 15. Juni,
27. Oktober - 15. Dezember
22 Zim ⊑ – ♦98/120 CHF ♦♦176/320 CHF – 1 Suite – ½ P
Rest – (25 CHF) Menü 39 CHF (abends)/95 CHF – Karte 46/99 CHF
Ein stimmiges Bild: die Fassade aus Stein und Holz, ringsum Wald und Berge! Die
"Adlerhorst"-Suite macht ihrem Namen alle Ehre; oben im Giebel gelegen, bietet
sie eine einzigartige Sicht! Gemütliche kleine Bibliothek mit Kamin, ebenso rustikal das Restaurant.

BEVER – Graubünden (GR) – **553** X10 – **660 Ew** – Höhe 1 714 m   11 J5
– Wintersport : ⛷ – ⊠ 7502
▶ Bern 322 – Sankt Moritz 11 – Chur 82 – Davos 58
ℹ Via Maistra 21, ☎ 081 852 49 45, www.engadin.stmoritz.ch/bever

Chesa Salis 🛋 🕭 🛜 🚗 ℙ
Fuschigna 2 ⊠ 7502 – ☎ 081 851 16 16 – www.chesa-salis.ch – geschl. 1. April
- 13. Juni, 27. Oktober - 11. Dezember
18 Zim ⊑ – ♦175/310 CHF ♦♦225/350 CHF – ½ P
Rest Chesa Salis – siehe Restaurantauswahl
Ein historisches Patrizierhaus, 1590 als Bauernhaus erbaut... da ist so einiges an
Tradition erhalten: Malereien, Täferungen oder Stuck. Vor allem die neueren Zim-
mer sind schon echte Schmuckstücke, mit modernem Touch und richtig schönen
Bädern. Im Winter führt die Loipe direkt am Haus entlang.

Chesa Salis – Hotel Chesa Salis 🕭 🕉 ℙ
Fuschigna 2 ⊠ 7502 – ☎ 081 851 16 16 – www.chesa-salis.ch – geschl. 1. April
- 13. Juni, 27. Oktober - 11. Dezember
Rest – (35 CHF) Menü 58/98 CHF – Karte 57/117 CHF 🕸
Ganz so wie man es bei der traditionellen Fassade des alten Hauses vermutet,
geht es dahinter schön heimelig zu: Ausgesprochen charmant sind die teils getäferten Stuben, dennoch ist im Sommer die Terrasse im Garten ein Muss! Man serviert klassische Schweizer Küche - der Chef grillt auch am offenen Kamin.

BEX – Vaud (VD) – **552** G11 – **6 562 h.** – alt. 411 m – ⊠ 1880   7 C6
▶ Bern 112 – Martigny 20 – Évian-les-Bains 37 – Lausanne 53
◎ Mines de sel★

Le Café Suisse 🕭 ⟳
Rue Centrale 41 – ☎ 024 463 33 98 – www.cafe-suisse.ch – fermé 1er - 15 janvier,
début juillet 2 semaines, dimanche et lundi
Rest – (17 CHF) Menu 84/99 CHF – Carte 60/100 CHF
Un jeune couple plein d'enthousiasme préside aux destinées de cet ancien café
de village, lui en salle, elle aux fourneaux (et non l'inverse !). Avec sa jolie cuisine
contemporaine, accompagnée d'excellents vins locaux, l'adresse a conquis nombre d'habitués...

Route de Lavey Sud : 2 km

Le Saint Christophe avec ch 🕭 🛜 ℙ
Route de Lavey – ☎ 024 485 29 77 – www.stchristophesa.com – fermé jeudi midi
et mercredi
11 ch ⊑ – ♦110/130 CHF ♦♦180 CHF – 1 suite – ½ P
Rest – (25 CHF) Menu 47 CHF (déjeuner en semaine)/135 CHF – Carte 68/110 CHF
On accède facilement via l'autoroute à cette douane du 17e s. transformée en
auberge, tout en pierres et poutres apparentes. On y sert une fraîche cuisine gastronomique et des viandes grillées au feu de bois. Les chambres de style motel
offrent une solution d'hébergement tout à fait convenable.

BIASCA – Ticino (TI) – **553** S11 – **6 026 ab.** – **alt. 304 m** – ✉ **6710**   10 H5

▶ Bern 196 – Andermatt 64 – Bellinzona 24 – Brig 111

🚹 Contrada Cavalier Pellanda 4, ✆ 091 862 33 27, www.biascaturismo.ch

◙ Malvaglia : campanile★, Nord: 6 km

☗ **Al Giardinetto**   🛖 🖷 ♿ rist, 🛜 🕌 🚗 **P.**

🍝   via A. Pini 21 – ✆ *091 862 17 71* – *www.algiardinetto.ch*
24 cam ☲ – ♦100/138 CHF ♦♦158/188 CHF   **Rist** – (16 CHF) – Carta 28/74 CHF
Direttamente in centro, lungo un asse trafficato, la struttura dispone di camere funzionali ed accoglienti, rallegrate da pareti decorate. Cucina tradizionale e pizze al ristorante.

BIEL BIENNE – Berne (BE) – **551** I6 – **51 635 Ew** – **Höhe 437 m** – ✉ **2500**   2 D3

▶ Bern 44 – Basel 91 – La Chaux-de-Fonds 52 – Montbéliard 96

🚹 Bahnhofplatz, ✆ 032 329 84 84, www.biel-seeland.ch

Lokale Veranstaltungen:

5.-7. Juni: Bieler Lauftage

27.-29. Juni: Braderie

31. Juli: Bielerseefest mit Feuerwerk

◙ Lage★ • Altstadt★★ • Centre PasquArt★★

◙ Bieler See★★ • St. Petersinsel★ • Taubenlochschlucht★, Nord-Ost: 3 km

🏚 **Elite**   🖷 🛜 🕌

Bahnhofstr. 14 ✉ 2501 – ✆ *032 328 77 77* – *www.hotelelite.ch*
71 Zim ☲ – ♦145/235 CHF ♦♦200/300 CHF – 3 Suiten
Rest *Brasserie* – *(geschl. 7. Juli - 10. August und Samstagmittag, Sonntag)*
(32 CHF) Menü 49 CHF (mittags)/95 CHF – Karte 60/99 CHF
Das Art-déco-Hotel in einem Gebäude von 1930 liegt im Zentrum unweit des Bahnhofs und bietet neuzeitlich-funktionelle Zimmer, einige in warmen Beige- und Brauntönen. Brasserie mit traditioneller und zeitgemässer Küche, lebendig ist die moderne Bar Baramundo.

Süd-West 2 km Richtung Neuchâtel

🍴 **Gottstatterhaus**   < 🛖 ⌇ **P.**

Neuenburgstr. 18 ✉ 2505 Biel – ✆ *032 322 40 52* – *www.gottstatterhaus.ch*
– *geschl. Ende Dezember - Mitte Januar und Mittwoch, Oktober - April: Mittwoch - Donnerstag*
Rest – (31 CHF) Menü 39 CHF – Karte 35/91 CHF
Seit 1748 ist das einstige Rebhaus des Klosters Gottstatt im Besitz der Familie Römer. Geboten wird überwiegend Fischküche. Terrasse am Haus sowie am See unter Platanen.

BIENNE – Berne – **551** I6 – **voir Biel**

BINNINGEN – Basel-Landschaft – **551** K4 – **siehe Basel**

BIOGGIO – Ticino (TI) – **553** R13 – **2 375 ab.** – **alt. 292 m** – ✉ **6934**   10 H7

▶ Bern 241 – Lugano 6 – Bellinzona 28 – Locarno 40

🍴 **Grotto Antico**   🛖 ⇆ **P.**

via Cantonale 10 – ✆ *091 605 12 39* – *chiuso domenica*
Rist – *(prenotazione obbligatoria)* (30 CHF) Menu 45 CHF – Carta 56/85 CHF
All'interno di un edificio del 1838, immerso nel verde, il ristorante propone una cucina d'impronta classico/regionale ed un piacevole servizio estivo in terrazza.

Les BIOUX – Vaud – **552** C9 – **voir à Joux (Vallée de)**

BIRMENSTORF – Aargau (AG) – 551 O4 – **2 645 Ew** – Höhe 384 m – ⊠ 5413   4 F2
▶ Bern 102 – Aarau 25 – Baden 7 – Luzern 70

XX   **Pfändler's Gasthof zum Bären** mit Zim   🚗 🛱 🕍 ⅏ Zim, 🛜 🏋
     Kirchstr. 7 – 𝒞 056 201 44 00 – www.zumbaeren.ch – geschl.   🚗 P
🍴   *Samstagmittag, Sonntag - Montag*
     12 Zim ⊑ – 🛏145 CHF 🛏🛏210 CHF
     Rest – (30 CHF) Menü 76/102 CHF – Karte 61/105 CHF🏵
     Rest *Gaststube* – *(geschl. Samstagmittag, Sonntag - Montag)* (17 CHF)
     Menü 24 CHF (mittags unter der Woche)/31 CHF – Karte 41/84 CHF
     In der angenehm lichten Orangerie geniesst man bei schmackhafter Küche aus guten
     Produkten das mediterrane Ambiente und den Blick in den Garten. In der gemütli-
     chen Gaststube kommen bürgerliche Gerichte auf den Tisch. Übernachtungsgäste
     können sich auf sehr schöne, wohnliche und recht individuelle Zimmer freuen.

BIRSFELDEN – Basel-Landschaft – 551 K4 – **siehe Basel**

BISCHOFSZELL – Thurgau (TG) – 551 U4 – **5 551 Ew** – Höhe 506 m – ⊠ 9220   5 H2
▶ Bern 196 – Sankt Gallen 25 – Frauenfeld 35 – Konstanz 24
🏘 Waldkirch, Süd: 9 km Richtung Gossau, 𝒞 071 434 67 67

🏠   **Le Lion**   🛱 🕍 ⅙ 🆎 🛜
     Grubplatz 2 – 𝒞 071 424 60 00 – www.hotel-lelion.ch
     17 Zim ⊑ – 🛏155/185 CHF 🛏🛏215/255 CHF – ½ P
     Rest *Caprese* – 𝒞 071 424 60 03 *(geschl. Sonntagabend)* Karte 34/64 CHF
     In dem kleinen Stadthotel a. d. 16. Jh. hat man sehr hübsch Altes mit Neuem
     kombiniert: vom Empfangsbereich mit historischen Steinwänden über die Zimmer
     mit schönem Parkett, wertigem Mobiliar und moderner Technik bis zum Restau-
     rant mit nostalgischen Fotos (hier italienische Küche). Abends Lounge-Bar.

BISSONE – Ticino (TI) – 553 R14 – **856 ab.** – alt. 274 m – ⊠ 6816   10 H7
▶ Bern 250 – Lugano 10 – Bellinzona 38 – Locarno 50

🏠   **Campione**   🛱 ⤴ 🕍 🆎 ⅏ rist, 🛜 🏋 🚗 P
     via Campione 62, Nord : 1,5 km, direzione Campione – 𝒞 091 640 16 16
     – www.hotel-campione.ch
     40 cam ⊑ – 🛏113/213 CHF 🛏🛏143/293 CHF – 5 suites – ½ P
     Rist – *(novembre - marzo : chiuso a mezzogiorno)* (24 CHF) Menu 46/58 CHF
     – Carta 42/83 CHF
     Vicino alla frontiera di Campione con il suo nuovo casinò, sorge questa struttura
     d'impronta classica. Grandi camere arredate con sobrietà. Ameno servizio estivo
     sulla terrazza panoramica. Cucina tradizionale.

BIVIO – Graubünden (GR) – 553 W11 – **197 Ew** – Höhe 1 776 m   10 I5
– ⊠ 7457
▶ Bern 305 – Sankt Moritz 22 – Chiavenna 59 – Chur 65

🏠   **Post** 🆕   🏮 🕍 ⅏ Zim, P
     Julierstr. 64 ⊠ 7457 – 𝒞 081 659 10 00 – www.hotelpost-bivio.ch – geschl. Ende
🍴   *Oktober - Anfang Dezember, Mai - Mitte Juni*
     45 Zim ⊑ – 🛏82/140 CHF 🛏🛏142/268 CHF – ½ P
     Rest – (18 CHF) Menü 30 CHF (abends)/60 CHF – Karte 29/103 CHF
     Charmant und individuell wohnt man in der ehemaligen Telegrafen-Station von
     1778 an der Julierpassstrasse: mal gemütlich mit warmem Arvenholz, mal mit net-
     tem 60er Jahre Touch - TV gibt's übrigens auf Nachfrage.

BLATTEN bei MALTERS – Luzern (LU) – 551 N7 – Höhe 480 m – ⊠ 6102   4 F4
▶ Bern 115 – Luzern 8 – Aarau 55 – Altdorf 45

XX   **Krone**   🛱 ⅙ ⇄ P
     – 𝒞 041 498 07 07 – www.krone-blatten.ch – geschl. 22. Dezember - 6. Januar
     und Sonntagabend - Montag
     Rest – *(Tischbestellung ratsam)* (52 CHF) Menü 73/103 CHF – Karte 78/96 CHF🏵
     Rest *Gaststube* 🕭 – siehe Restaurantauswahl
     In dem netten Gasthof mit Schindelfassade und grünen Fensterläden sitzt man
     gemütlich in charmanten, in Holz gehaltenen Stuben und lässt sich gute zeitge-
     mässe Speisen oder den Business-Lunch servieren. Schöne Terrasse.

✗ **Gaststube** – Restaurant Krone 🖾 🕭 ✿ **P**
😊 – ℰ 041 498 07 07 – www.krone-blatten.ch – geschl. 22. Dezember - 6. Januar
und Sonntagabend - Montag
Rest – (Tischbestellung ratsam) (24 CHF) Menü 39 CHF – Karte 49/68 CHF ⅌
Heimelig und urig wie in einer Dorfbeiz (nach alten Bauplänen im Original rekon-
struiert) - da schmeckt das Essen besonders gut: z. B. Wollschwein-Trio (Holzen)
mit Lavendel-Polenta. Für Kinder Spielzimmer und Abenteuer-Spielplatz!

BLATTEN bei NATERS – Wallis (VS) – 552 M11 – Höhe 1 322 m   8 F6
– Wintersport : 1 327/3 112 m 🎿 1 💺 7 ⚞ – 🖂 3914
▶ Bern 103 – Brig 9 – Andermatt 85 – Domodossola 74

auf der Belalp mit 🚠 erreichbar – Höhe 2 096 m – 🖂 3914 Belalp

🏠 **Hamilton Lodge** 🕭 ≼ 🖾 🕅 🕭 ⅏ Rest, 🤶
Wolftola 1, (in 10 min. per Spazierweg erreichbar) – ℰ 027 923 20 43
– www.hamiltonlodge.ch – geschl. 7. April - 13. Juni
19 Zim 🖵 – 🛉120/150 CHF 🛉🛉190/230 CHF
Rest – (geschl. 7. April - 13. Juni, 14. Oktober - 20. Dezember) (24 CHF)
– Karte 42/66 CHF
Lodgestyle - alpin-modern, detailverliebt und mit ganz viel Charme! Keine Autos,
nur Ruhe und ein atemberaubendes Bergpanorama - kein Wunder, dass es hier
alle auf die sonnige Terrasse zieht! Für Kids: eigener Speiseraum und Pfann-
kuchenfrühstück!

BLATTEN im LÖTSCHENTAL – Wallis (VS) – 552 L11 – 305 Ew   8 E5
– Höhe 1 540 m – 🖂 3919
▶ Bern 73 – Brig 38 – Domodossola 101 – Sierre 38

🏠 **Edelweiss** 🕭 ≼ 🖾 🕅 🖩 🕭 🤶 **P**
Tiefe Fluh 2 – ℰ 027 939 13 63 – www.hoteledelweiss.ch – geschl. 15. April
- 20. Mai, 4. November - 15. Dezember
23 Zim 🖵 – 🛉85/145 CHF 🛉🛉170/230 CHF – ½ P   **Rest** – Karte 29/68 CHF
Ruhig ist die Lage in dem alten Walliserdorf, Panoramasicht bietet die Terrasse!
Von hier aus wandert es sich wunderbar, oder Sie machen mit dem Chef eine
Dorfführung. Die regionalen Produkte, die man im Haus verarbeitet, sind auch
ein schönes Mitbringsel.

BLAUSEE-MITHOLZ – Bern – 551 K10 – siehe Kandersteg

BLITZINGEN – Wallis (VS) – 552 N10 – 83 Ew – Höhe 1 296 m – 🖂 3989   8 F5
▶ Bern 145 – Andermatt 54 – Brig 24 – Interlaken 90

🏨 **Castle** 🕭 ≼ 🕅 🖩 🤶 🚗 **P**
Aebnet 27, Nord: 2,5 km – ℰ 027 970 17 00 – www.hotel-castle.ch – geschl.
30. März - 30. Mai, 19. Oktober - 19. Dezember
10 Zim 🖵 – 🛉105/165 CHF 🛉🛉180/300 CHF – 34 Suiten – ½ P
Rest Schlossrestaurant – siehe Restaurantauswahl
Die exponierte Lage entschädigt für die kurvenreiche Strasse hier hinauf zu den
freundlichen Gastgebern (seit über 15 Jahren im Haus)! Die Zimmer sind freundlich, wohnlich und geräumig, haben alle einen Balkon, teilweise nach Süden.

✗✗ **Schlossrestaurant** – Hotel Castle ≼ 🖾 **P**
Aebnet 27, Nord: 2,5 km – ℰ 027 970 17 00 – www.hotel-castle.ch – geschl.
30. März - 30. Mai, 19. Oktober - 19. Dezember und im Oktober: Montag
Rest – Menü 68/125 CHF – Karte 50/97 CHF
Natur wohin das Auge blickt! Ob Sie von einem Flight auf einem der schönsten
Berggolfplätze (8 km entfernt), einer Wanderung oder vom Wintersport kommen,
Peter Geschwendter verwöhnt Sie mit einer ambitionierten Küche.

BLUCHE – Valais – 552 J11 – voir à Crans-Montana

BÖNIGEN – Bern – 551 L9 – siehe Interlaken

BÖTTSTEIN – Aargau (AG) – 551 O4 – 3 671 Ew – Höhe 360 m – ⊠ 5315   4 F2
▶ Bern 114 – Aarau 31 – Baden 16 – Basel 59

🏨 **Schloss Böttstein**   ⊗ 🏛 🛜 ⅏ **P**
Schlossweg 20 – ℰ *056 269 16 16* – *www.schlossboettstein.ch*
32 Zim ⊡ – ♦125/155 CHF ♦♦205/255 CHF – ½ P
Rest *Schlossrestaurant* – Menü 29 CHF (mittags unter der Woche)
– Karte 63/97 CHF
Rest *Dorfstube* – Menü 29 CHF (mittags unter der Woche) – Karte 57/88 CHF
Der schlossartige Patrizierbau stammt aus dem Jahre 1615. Das Hotel verfügt über funktionelle Zimmer und ist ideal für Tagungen und Veranstaltungen. Die schlicht-rustikale Dorfstube ergänzt das in Küche und Ambiente (hohe Decken, glitzernde Kronleuchter und alte Gemälde) etwas gehobenere Schlossrestaurant.

BOGIS-BOSSEY – Vaud (VD) – 552 B10 – 912 h. – alt. 470 m – ⊠ 1279   6 A6
▶ Bern 144 – Genève 19 – Lausanne 49 – Montreux 79

✗✗ **Auberge Communale** avec ch   🏛 ఉ rest, 🛜 **P**
Chemin de la Pinte 1 – ℰ *022 776 63 26* – *www.auberge-bogis-bossey.ch* – *fermé 23 décembre - 10 janvier, 22 juillet - 13 août, lundi et mardi*
2 ch ⊡ – ♦110/130 CHF ♦♦220/240 CHF
Rest – (21 CHF) Menu 65 CHF (déjeuner en semaine)/135 CHF
– Carte 69/122 CHF ⊛
Dans cette maison de 1750, très engageante, on savoure une cuisine bien tournée, valorisant des produits de première qualité et accompagnée d'une bonne sélection de vins. Carte plus courte au café. Aux beaux jours, profitez du soleil en terrasse.

BONSTETTEN – Zürich (ZH) – 551 P5 – 5 173 Ew – ⊠ 8906   3 F3
▶ Bern 128 – Zürich 14 – Zug 29 – Aarau 51

in Bonstetten-Schachen Nord: 1,5 km

🏠 **Oktogon**   🏛 📶 ఉ 📞 ⅏ 🚗
⊗ *Stallikerstr. 1* – ℰ *043 466 10 50* – *www.hotel-oktogon.ch*
23 Zim ⊡ – ♦135 CHF ♦♦180 CHF
Rest – (geschl. Samstagmittag, Sonntagmittag) (20 CHF) Menü 70 CHF (abends)
– Karte 44/82 CHF
Hier können Sie dem Trubel der Stadt auch mal entfliehen, sind aber dennoch in 20 Min. mittendrin - die nahe S-Bahn bringt Sie hin. Wer im Glasturm wohnen möchte, bucht die Juniorsuite. Restaurant mit Wintergarten, dazu die Terrasse.

BOTTMINGEN – Basel-Landschaft – 551 K4 – siehe Basel

BOURGUILLON – Fribourg – 552 H8 – voir à Fribourg

BRAIL – Graubünden (GR) – 553 Y9 – ⊠ 7527   11 J4
▶ Bern 311 – Chur 98 – Triesen 104

🏨 **IN LAIN Hotel Cadonau**   🏛 🌲 📶 ఉ Zim, 🗡 🛜 **P**
Crusch Plantaun 217 – ℰ *081 851 20 00* – *www.inlain.ch* – *geschl. 28. April - 22. Mai und November*
10 Zim ⊡ – ♦♦330/910 CHF – 5 Suiten – ½ P
Rest *Vivanda* ⊛   **Rest** *Käserei* – siehe Restaurantauswahl
Rest *La Stüvetta* – Menü 78/108 CHF – Karte 76/106 CHF
Dass Familie Cadonau auch eine Holzmanufaktur betreibt, dürfte hier wohl niemanden wundern: Das Haus steckt voller Engadiner Holz! Aus hellem, warmem Arvenholz und klaren modernen Formen ist ein äusserst hochwertiges und ebenso attraktives Interieur entstanden! Frühstück gibt's auf dem ehemaligen Heuboden - oder auf Wunsch auf Ihrer eigenen Terrasse. Im Garten die Sauna und der Naturbadeteich.

XXX **Vivanda** – IN LAIN Hotel Cadonau   ᇓ 🅿

🏵 *Crusch Plantaun 217 – ☎ 081 851 20 00 – www.inlain.ch – geschl. 28. April - 22. Mai und November, Dienstag*
Rest – *(nur Abendessen) (Tischbestellung ratsam) (nur Überraschungsmenü)*
Menü 152/198 CHF ❀

Überraschungen wie diese hat man gerne: Chef Dario Cadonau bereitet je nach Einkauf ein 5-8-gängiges Menü zu, das er seinen Gästen am Tisch erklärt. Und was auch immer hier die Küche verlässt, ist überaus geschmackvoll und durchdacht, verbindet klassische und moderne Elemente. Sie mögen doch sicher schöne Weine zum Essen und guten Käse als Abschluss? Beides lagert gleich neben dem Restaurant - der Käse wird sogar im Haus hergestellt!
➡ Rote Bete und Hummer. Rindsfilet und Tatar. Schokoladen-Zitronengrasschnitte mit flüssiger Schokolade.

X **Käserei** – IN LAIN Hotel Cadonau   ᇓ 🅿
Crusch Plantaun 217 – ☎ 081 851 20 00 – www.inlain.ch – geschl. 28. April - 22. Mai und November
Rest – *(nur Abendessen)* (45 CHF) – Karte 70/95 CHF

In dem gemütlichen Gewölbe sitzt man wirklich nett, während man sich z. B. Brailer Heusuppe, Pizzoccheri, Münstertaler Käse und Speck-Knödel oder die mit Brailer Käse überbackenen Kräuter-Spätzli schmecken lässt. Apropos Käse: Fragen Sie ruhig nach, wann man das nächste Mal beim Käsen zuschauen kann!

Le BRASSUS – Vaud – **552** B9 – voir à Joux (Vallée de)

BRAUNWALD – Glarus (GL) – **551** S8 – 328 Ew – Höhe 1 280 m   5 H4
– Wintersport : 1 256/1 904 m 🎿5 ⛷2 ⛸ – ✉ 8784
▶ Bern 203 – Chur 90 – Altdorf 51 – Glarus 20
Autos nicht zugelassen
🛈 Dorfstr. 2, ☎ 055 653 65 65, www.braunwald.ch
Lokale Veranstaltungen:
    8.-9. Februar: Hornschlittenrennen
    5.-11. Juli: Musikwoche "Feuer und Wasser"

       mit Standseilbahn ab Linthal erreichbar

🏨 **Märchenhotel Bellevue**   🦢 ⪡ 🚗 🏡 🏕 🐎 🛁 🍴 📶 🛗 ♿ 🐕 ⅀ Zim, 📶
Dorfstr. 24 – ☎ 055 653 71 71 – www.maerchenhotel.ch – geschl. 10. April - 15. Mai, 21. Oktober - 14. Dezember
37 Zim ⊵ – 🛏190/300 CHF 🛏🛏320/550 CHF – 8 Suiten – ½ P
Rest – (25 CHF) Menü 55 CHF (abends)
Familienfreundliches Hotel mit individuellen Zimmern, teils mit Themenbezug. Toll sind die modernen Loftsuiten. Herrlicher Blick auch vom Freizeitbereich im OG. Jeden Abend Märchenstunde für Kinder.

BREIL BRIGELS – Graubünden (GR) – **553** S9 – 1 296 Ew   10 H4
– Höhe 1 289 m – Wintersport : 1 257/2 418 m 🎿7 ⛷ – ✉ 7165
▶ Bern 199 – Andermatt 52 – Chur 50 – Bellinzona 105
🛈 Casa Quader, ☎ 081 941 13 31, www.surselva.info
🛈 Brigels, ☎ 081 920 12 12

🏨 **La Val**   🦢 ⪡ 🚗 🏡 🏊 🌀 🏕 🛗 ᇓ Rest, 📶 🛁 🚗 🅿
Palius 804 – ☎ 081 929 26 26 – www.laval.ch – geschl. 1. November - 5. Dezember, Mitte April - Ende Mai
32 Zim ⊵ – 🛏180/370 CHF 🛏🛏330/520 CHF – ½ P
Rest *ustria miracla* – siehe Restaurantauswahl
Rest *bistro da rubi* – (24 CHF) Menü 89/127 CHF – Karte 59/95 CHF
Der modern-alpine Stil mit seinem Mix aus Naturmaterialien und klaren Formen zieht sich von der Halle über die Zimmer und den recht exklusiven Spa auf 500 qm bis in die Raucherlounge "Furnascha" - probieren Sie die eigene "La Val"-Zigarre! Sie suchen etwas ganz Besonderes? Dann buchen Sie die Kamin-Maisonettesuite! Und wenn Sie gerne mal ein bisschen rustikaler essen, gibt es in einem kleinen Holzhäuschen im Winter auf Nachfrage Fondue, im Sommer Grillgerichte.

Alpina ⚲ 🏠 📶 🅿️
– ☎ 081 941 14 13 – www.alpina-brigels.ch
9 Zim 🛏 – †67/81 CHF ††134/162 CHF – 4 Suiten – ½ P
Rest – (18 CHF) – Karte 29/65 CHF
In dem Familienbetrieb am Kirchplatz hat man ganz unterschiedlich geschnittene Zimmer, vom kleinen Einzelzimmer bis zu den vier schönen geräumigen Galerie-Appartements mit Küchenzeile. Hier hat man ebenso an Familien gedacht wie beim Kinderspielzimmer und beim Spielplatz. Behaglich wie die Zimmer ist auch das rustikale Restaurant - Spezialität sind Grillgerichte: Pferd, Bison, Rind oder Wild kommen auf dem heissen Speckstein auf den Tisch!

Casa Fausta Capaul mit Zim 🏠 📶 ⊙
Cadruvi 32 – ☎ 081 941 13 58 – www.faustacapaul.ch – geschl. Mitte April - Mitte Mai, Anfang November - Mitte Dezember und März - Oktober: Dienstag - Mittwoch, Januar: Mittwoch
7 Zim 🛏 – †75/81 CHF ††150/220 CHF
Rest – Menü 82 CHF (mittags)/152 CHF – Karte 75/117 CHF
Viel Holz und liebenswerte Deko machen es hier richtig gemütlich - genauso, wie es das traditionelle alte Holzhaus schon von aussen vermuten lässt. Wer sitzt da nicht gerne bei Linus Arpagaus' Klassikern wie "Rindsfiletspitzen auf Capuns" oder "Kalbskotelett mit Pizokel"? Sie sollten sich auch mal bei herrlichem Bergpanorama im Wintergarten oder auf der Terrasse den hausgebackenen Kuchen schmecken lassen! Wer länger in dem netten Haus bleiben möchte, übernachtet in einfachen, aber sehr heimeligen Zimmern oder im hübschen Appartement.

ustria miracla – Hotel La Val ⟨ & ⅏ 🅿️
Palius 804 – ☎ 081 929 26 26 – www.laval.ch – geschl. 1. November - 5. Dezember, Mitte April - Ende Mai
Rest – (nur Abendessen) (Tischbestellung ratsam) Karte 67/112 CHF ⌗
Auch in Sachen Kulinarik führt man die gelungene Mischung aus alpiner Tradition und Modernität fort. So bieten Rudolf Möller und sein Team eine ambitionierte mediterran-traditionelle Küche, zu der z. B. ein schöner Bordeaux passt - hier hat man eine besonders tolle Auswahl.

BREMGARTEN – Aargau (AG) – 551 O5 – 6 423 Ew – Höhe 386 m – ⊠ 5620   4 F3
▶ Bern 108 – Aarau 30 – Baden 27 – Luzern 46

Sonne garni ⟨ ⊟ ⅏ 📶 🛁 🚗
Marktgasse 1 – ☎ 056 648 80 40 – www.sonne-bremgarten.ch – geschl. 22. Dezember - 6. Januar
14 Zim 🛏 – †130 CHF ††185 CHF – 1 Suite
In einem Altstadthaus in der Fussgängerzone hat man dieses nette kleine Hotel eingerichtet, in dem solide und behaglige Gästezimmer zur Verfügung stehen.

Les BRENETS – Neuchâtel (NE) – 552 F6 – 1 106 h. – alt. 876 m   1 B4
– ⊠ 2416
▶ Bern 85 – Neuchâtel 34 – Besançon 79 – La Chaux-de-Fonds 16

Les Rives du Doubs ⚲ ⟨ 🏠 📶 🛁 🅿️
Pré du Lac 26 – ☎ 032 933 99 99 – www.rives-du-doubs.ch – fermé janvier
18 ch 🛏 – †99/119 CHF ††129/169 CHF – ½ P
Rest – (fermé janvier - février, en hiver : lundi et jeudi) (25 CHF) Menu 35 CHF (déjeuner)/45 CHF – Carte 37/68 CHF
Bâtisse moderne au bord du lac des Brenets, près de la frontière française. Chambres fonctionnelles meublées en bois, avec vue sur le Doubs. Au restaurant, carte traditionnelle assez poissonneuse (truites, perches, palées) et plaisante terrasse près de l'eau.

BRENT – Vaud – 552 F10 – voir à Montreux

BRIENZ – Bern (BE) – 551 M8 – 2 973 Ew – Höhe 566 m – ⊠ 3855   8 F4
▶ Bern 77 – Interlaken 22 – Luzern 52 – Meiringen 15
🄸 Hauptstr. 143, ☎ 033 952 80 80, www.brienz-tourismus.ch
◉ Lage★ • Jobin Living Museum★
◉ Brienzer Rothorn★★★ • Brienzersee★ • Freilichtmuseum Ballenberg★★(Ost: 2,5 km) • Giessbachfälle★★ (Süd: 8 km)

Lindenhof 　🥢 ⩻ 🌙 🛋 🖼 🎴 📶 ☎ Rest, 📶 🏋 **P**

Lindenhofweg 15 – ℰ 033 952 20 30 – www.hotel-lindenhof.ch – geschl.
2. Januar - 7. März
40 Zim ☟ – ⋔120/140 CHF ⋔⋔160/290 CHF – ½ P
Rest – *(geschl. März - April: Montag - Dienstag, November - Dezember: Montag*
- Dienstag) (22 CHF) Menü 50/130 CHF – Karte 41/74 CHF
Sechs Gebäude bilden die hübsche Hotelanlage oberhalb des Ortes. Die teils see-
seitigen Zimmer sind sehr individuell nach Themen gestaltet, so z. B. Schmuggler-
und Venuszimmer. Zum Restaurant gehören Alpstübli, Wintergarten und die Terrasse mit grandiosem Seeblick.

in Giessbach Süd-West: 6 km – ✉ 3855 Brienz

🏨🏨🏨 **Grandhotel Giessbach** 　🥢 ⩻ 🌙 🍳 🖼 🎴 � & 🏋 **P**

Axalpstrasse – ℰ 033 952 25 25 – www.giessbach.ch – geschl. Mitte Oktober
- Mitte April
69 Zim ☟ – ⋔152/412 CHF ⋔⋔234/474 CHF – 3 Suiten – ½ P
Rest *Les Cascades* – siehe Restaurantauswahl
Grandhotel a. d. 19. Jh. in einem schönen 22 ha grossen Park in traumhafter
Panoramalage neben den Giessbachfällen - fantastisch der Blick über den türkis-
farbenen See! Die eigene Standseilbahn (oder ein Waldweg) bringt Sie hinun-
ter ans Wasser. Stilvolles Interieur mit historischem Flair.

🍴🍴 **Les Cascades** – Grandhotel Giessbach 　　　⩻ 🌙 ☎ **P**

Axalpstrasse – ℰ 033 952 25 25 – www.giessbach.ch – geschl. Mitte Oktober
- Mitte April
Rest – (26 CHF) Menü 36 CHF (mittags)/90 CHF – Karte 49/98 CHF
Auch dieses Restaurant des Grandhotels trumpft allein schon durch seine Lage!
Tagesgäste kommen per Boot und fahren mit der Standseilbahn bis zur Terrasse!
Neben klassischer Küche geniesst man hier die Sicht auf die Wasserfälle!

BRIG – Wallis (VS) – **552** M11 – **12 511 Ew** – **Höhe 678 m** – ✉ **3900**　　　**8** F6
▶ Bern 94 – Andermatt 80 – Domodossola 66 – Interlaken 116
🚉 Bahnhofsplatz 1, ℰ 027 921 60 30, www.brig-belalp.ch
◎ Stockalperschloss (Hof★)
🌄 Simplonpass★★(⩻★★), Süd: 23 km

 Stadthotel Simplon 　　　🎴 🖼 **AC** Rest, 🏋
😏
Sebastiansplatz 6 – ℰ 027 922 26 00 – www.hotelsimplon.ch – geschl.
26. Oktober - 1. Dezember
32 Zim ☟ – ⋔125/150 CHF ⋔⋔150/190 CHF – ½ P
Rest – (20 CHF) Menü 25 CHF (mittags)/75 CHF – Karte 38/84 CHF
Sie wohnen nur wenige Schritte vom historischen Zentrum. Günstig parken kann
man in der öffentlichen Altstadtgarage (Ausgang Zentrum). Der Familienbetrieb
ist ein idealer Ausgangspunkt, um die Region Aletsch (UNESCO-Weltnaturerbe)
zu erkunden.

in Ried-Brig Süd-Ost: 3,5 km – ✉ 3911 Ried

🍴🍴 **Zer Mili** 　　　　　　⩻ 🎴 & ☎ ♻ **P**

Bleike 17 – ℰ 027 923 11 66 – www.zer-mili.ch – geschl. 5. - 16. Januar, 22. Juni
- 8. Juli, 18. September - 14. Oktober und Montag - Dienstag
Rest – *(Tischbestellung ratsam)* (38 CHF) Menü 79 CHF – Karte 39/81 CHF
Jakob ("Köbi") Ruppen und seine Frau Marianne sind wirklich herzliche Gastgeber.
Der Chef hat ein Faible für Munder Safran! Durch grosse Panoramafenster blickt
man auf Brig und das Tal.

BRIGELS – Graubünden – **553** S9 – **siehe Breil**

BRISSAGO – Ticino (TI) – **553** Q12 – **1 852 ab.** – **alt. 210 m** – ✉ **6614**　　**9** G6
▶ Bern 247 – Locarno 10 – Bellinzona 30 – Domodossola 53
🚉 via Leoncavallo 25, ℰ 091 791 00 91, www.ascona-locarno.com
Manifestazioni locali :
　maggio-giugno : Festival Leoncavallo

🏠 Villa Caesar   🦢 ≤ 🏠 �🏊 🖼 🍽 📶 🎿 rist, 🛜 🚗 **P**
via Gabbietta 3 – ℰ 091 793 27 66 – www.villacaesar.ch – chiuso metà novembre - inizio marzo
24 cam – 🛉108/304 CHF 🛉🛉159/360 CHF, ⚏ 18 CHF – 8 suites
Rist – *(chiuso martedì)* (25 CHF) Menu 49 CHF (cena) – Carta 70/77 CHF
Immaginate una residenza di villeggiatura di epoca romana, trasportatela sulle rive del Verbano ed ecco a voi l'hotel. Il confort è al passo con i tempi: camere spaziose in stile mediterraneo. Ristorante con terrazza e vista verso la bella piscina.

🏠 Yachtsport Resort   ≤ 🚒 🏠 🖼 🖲 🔥 🍽 🛜 🦶 🚗 **P**
Al Lago, Strada d'accesso : per via Crodolo – ℰ 091 793 12 34 – www.yachtsport-resort.com – chiuso gennaio - marzo
10 cam ⚏ – 🛉250/350 CHF 🛉🛉450/550 CHF   **Rist** – (50 CHF) – Carta 80/140 CHF
Il lussuoso mondo dello yacht è il filo rosso di questo splendido resort affacciato sul lago (vista offerta da ogni angolo della struttura) e con camere contraddistinte da termini nautici. Il top del confort nelle stanze che riprendono lo stile navy.

🏠 Mirto al Lago   ≤ 🏠 ⏳ 🖼 🅰 🍽 🛜 🚗
Lungolago 2 – ℰ 091 793 13 28 – www.hotel-mirto.ch – chiuso fine ottobre - metà marzo
25 cam ⚏ – 🛉150/170 CHF 🛉🛉185/280 CHF – ½ P
Rist – (33 CHF) Menu 48/52 CHF – Carta 44/77 CHF
Nella tranquillità di una strada pedonale - proprio di fronte all'imbarco turistico - l'hotel offre camere semplici, ma quasi tutte affacciate sul lago, e una piccola terrazza solarium. Al ristorante: proposte tradizionali e pizza.

✗✗ Osteria al Giardinetto   🏠 🍽 ⟳
Muro degli Ottevi 10 – ℰ 091 793 31 21 – www.al-giardinetto.ch – chiuso mercoledì
Rist – *(solo a cena)* Menu 65 CHF – Carta 52/81 CHF
Nel centro della località, una dimora patrizia del XIV secolo ospita questo piacevole ristorante: intima sala con camino o servizio estivo sotto il grazioso patio. Il menu contempla ricette mediterranee con piatti che seguono le stagioni. Conviviale atmosfera familiare.

✗ Graziella   ≤ 🏠
viale Lungolago 8 – ℰ 079 516 35 88 – www.ristorantegraziella.com – chiuso 2 novembre - 28 febbraio, 25 giugno - 3 luglio, mercoledì e sabato a mezzogiorno
Rist – Menu 27 CHF (pranzo)/72 CHF (cena) – Carta 41/78 CHF
Cucina tradizionale con un menu più contenuto per il pranzo, in questo piccolo ristorante sul lungolago dotato di una fresca terrazza affacciata sullo specchio d'acqua. Il buon rapporto qualità/prezzo e l'amabile gestione familiare contribuiscono alla piacevolezza della sosta.

a Piodina Sud-Ovest : 3 km – alt. 360 m – ✉ 6614 Brissago

✗ Osteria Borei   ≤ 🏠 🍽 ⟳ **P**
via Ghiridone 77, Ovest : 5 km, alt. 800 m – ℰ 091 793 01 95 – www.osteriaborei.ch – chiuso metà dicembre - metà marzo e giovedì; novembre - metà dicembre: aperto solo weekend
Rist – Carta 32/63 CHF
Grotto di ambiente familiare, da cui godrete della vista di tutto il lago in un solo colpo d'occhio! Cucina rigorosamente casalinga.

BROC – Fribourg (FR) – **552** H9 – **2 278 h.** – ✉ **1636**   7 C5
▶ Bern 64 – Fribourg 34 – Lausanne 57 – Neuchâtel 76

🏠 Broc'aulit sans rest   🍽 🛜
Rue Montsalvens 4 – ℰ 026 921 81 11 – www.brocaulit.ch – fermé carnaval et novembre 2 semaines
8 ch ⚏ – 🛉135/260 CHF 🛉🛉215/280 CHF – 2 suites
Amis des jeux de mots, bonjour ! Dans une belle maison du 19e s., cet hôtel – créé en 2009 – offre un splendide panorama sur les montagnes voisines. Ici, de charmantes chambres abriteront vos nuits. Accueil attentionné.

BRUGG – Aargau – 551 N4 – **10 540 Ew** – **Höhe 352 m**   4 F2
▶ Bern 105 – Aarau 27 – Liestal 63 – Zürich 36

XX   **essen'z**   ⌂ ✿ **P**
*Fröhlichstr. 35 – ☏ 056 282 20 00 – www.restaurant-essenz.ch – geschl. Januar 1
Woche, September - Oktober 2 Wochen und Sonntag - Montag*
Rest – (28 CHF) Menü 49 CHF (mittags unter der Woche)/93 CHF
– Karte 73/98 CHF
Das junge Betreiberpaar (Andri Casanova und Kathrin Spillmann) sorgt in dem
modernen Ecklokal für eine nette Atmosphäre und das lockt - ebenso wie die fri-
sche, schmackhafte Küche - Gäste an!

BRUNEGG – Aargau (AG) – 551 N4 – **670 Ew** – **Höhe 434 m** – ✉ 5505   4 F2
▶ Bern 93 – Aarau 18 – Luzern 61 – Olten 38

🏨   **Zu den drei Sternen**   ⚘ ⌂ **AC** Rest, 🖥 ⚥ 🕭 **P**
☞   *Hauptstr. 3 – ☏ 062 887 27 27 – www.hotel3sternen.ch – geschl. 14. - 27. April*
    25 Zim ⌁ – †150/180 CHF ††210/260 CHF
    Rest Gourmet – siehe Restaurantauswahl
    Rest Schloss-Pintli – (20 CHF) Menü 25 CHF (mittags unter der Woche)
    – Karte 36/73 CHF 🕸
    Das gut geführte Hotel ist ein ansprechender Gasthof a. d. 18. Jh. Man wohnt in
    hübschen, behaglichen Zimmern mit ländlichem Charme, darunter eine Suite mit
    Kamin. Elegantes Gourmet und schöner Weinkeller, dazu Snacks und Kleinigkei-
    ten im Schlosskeller sowie traditionelle Küche im Schloss-Pintli.

XX   **Gourmet** – Hotel Zu den drei Sternen   **AC** ✿ **P**
*Hauptstr. 3 – ☏ 062 887 27 27 – www.hotel3sternen.ch – geschl. 14. - 27. April
und Samstagmittag, Sonntagabend*
Rest – (35 CHF) Menü 48 CHF (mittags unter der Woche)/85 CHF
– Karte 63/116 CHF 🕸
Links vom Eingang führt Sie der Weg ins Restaurant. Das Gewand: klassisch mit
heller Zirbelholztäferung, netten Dekorationen und stilvoller Tischkultur.

BRUNNEN – Schwyz (SZ) – 551 Q7 – **Höhe 439 m** – ✉ 6440   4 G4
▶ Bern 152 – Luzern 48 – Altdorf 13 – Schwyz 6
🅹 Bahnhofstr. 15, ☏ 041 825 00 40, www.brunnentourismus.ch
◉ Lage★★ • Die Seeufer★★

🏨   **Seehotel Waldstätterhof**   ⚓ ≼ ⚘ ⌂ 🐾 🖥 🖥 🕭 **P**
Waldstätterquai 6 – ☏ 041 825 06 06 – www.waldstaetterhof.ch
106 Zim ⌁ – †180/415 CHF ††260/430 CHF – ½ P
Rest Rôtisserie – (30 CHF) Menü 55/88 CHF – Karte 43/91 CHF
Rest Sust-Stube – (30 CHF) – Karte 40/79 CHF
1870 wurde das traditionsreiche Hotel in wunderschöner Seelage eröffnet. Die
wohnlichen Zimmer blicken teilweise zum See, wo man ein eigenes Strandbad
und einen Bootssteg hat. Neben moderner internationaler Küche und guter Weinauswahl trumpft die elegante Rôtisserie mit einer tollen Terrasse am Urnersee.

🏨   **Weisses Rössli**   ⌂ 🖥 ✿ Zim, 🖥 🕭 **P**
*Bahnhofstr. 8 – ☏ 041 825 13 00 – www.weisses-roessli-brunnen.ch – geschl. 16.
- 25. Dezember*
17 Zim ⌁ – †100/120 CHF ††190/220 CHF
Rest – (22 CHF) Menü 37 CHF (mittags)/49 CHF – Karte 36/63 CHF
Das kleine Hotel in einer gepflegten Häuserreihe im Zentrum beherbergt im
Haupthaus wohnlich-moderne Zimmer, die in der Dependance sind etwas ein-
facher. Das Restaurant ist in neuzeitlich-ländlichem Stil gehalten.

🏠   **Schmid und Alfa**   ≼ ⌂ 🖥 🖥 🕭
*Axenstr. 5 – ☏ 041 825 18 18 – www.schmidalfa.ch – geschl. 17. November
- 1. März*
30 Zim ⌁ – †80/140 CHF ††140/220 CHF – 2 Suiten – ½ P
Rest – (geschl. März - Ostern: Dienstag - Mittwoch, 20. Oktober - 18. November:
Dienstag - Mittwoch) (22 CHF) Menü 28/35 CHF – Karte 30/68 CHF
Die zwei restaurierten Häuser liegen direkt am Vierwaldstättersee. Die Gästezimmer im Hotel Schmid sind etwas komfortabler als die im Alfa (hier befindet sich
das bürgerliche Restaurant).

BUBENDORF – Basel-Landschaft (BL) – **551** L4 – **4 405 Ew**
– Höhe 360 m – ⊠ 4416

▶ Bern 84 – Basel 25 – Aarau 55 – Liestal 5

🏠🏠🏠 **Bad Bubendorf**   🍴 🦵 🛎 🤶 🏊 P

🛁 Kantonsstr. 3 – 𝒞 061 935 55 55 – www.badbubendorf.ch
53 Zim ⌑ – ♦136/220 CHF ♦♦187/320 CHF
Rest *Osteria Tre* 🌸   **Rest** *Wintergarten* – siehe Restaurantauswahl
Rest *Zum Bott* – (18 CHF) – Karte 50/84 CHF
"Charming" und "Design" nennen sich die Zimmerkategorien in dem komfortablen Hotel der Familie Tischhauser-Buser. Ganz gleich, ob im traditionellen Stammhaus von 1742 oder im neueren Anbau, alle Zimmer sind richtig schön modern: klare Linien, wohltuende Farben. "Zum Bott": urige Wirtschaft mit Kreuzgewölbe.

🍴🍴 **Osteria Tre** – Hotel Bad Bubendorf   🍴 & P

🌸 Kantonsstr. 3 – 𝒞 061 935 55 55 – www.badbubendorf.ch – geschl. 1. - 6. Januar, 9. - 17. März, 13. Juli - 4. August und Sonntag - Montag
Rest – (nur Abendessen) (Tischbestellung ratsam) Menü 108/160 CHF 🏵
Hier ist ein neuer Chef am Ruder, und der sorgt weiter für konstante Qualität, aber auch für einen Stilwechsel: Der gebürtige Baselbieter Flavio Fermi ist ein kreativer seiner Zunft und die italienische Küche - oft nur noch Grundidee seiner Gerichte - wird ganz modern und finessenreich neu interpretiert. Unverändert aufmerksam ist das Serviceteam in dem schönen Restaurant, das auch für Weinliebhaber interessant ist.
→ Carne cruda vom heimischen Kalb, Ossietra di Venezia Kaviar, Brunnenkresse, Leccino Oliven. Mit Kastanienhonig marinierter Lammrücken, Trüffelcappelletti, Mais, Nadelbohnen. Creme von der "Guido Gobino" Gianduja, Karamell, Rauchsalz, Ananas und Single Malt Whiskey.

🍴🍴 **Le Murenberg**   🍴 🌸 ♻ P

Krummackerstr. 4 – 𝒞 061 931 14 54 – www.lemurenberg.ch – geschl. März - April 2 Wochen, Juli - August 2 Wochen, Oktober 1 Woche und Montag - Dienstag
Rest – (28 CHF) Menü 45 CHF (mittags unter der Woche)/105 CHF (abends) – Karte 65/110 CHF
Melanie und Denis Schmitt haben sich hier gut etabliert, die frische Küche des Patrons ist bekannt. Die Karte präsentiert sich als Tafel und dort finden sich z. B. "St. Pierre mit weissem Spargel in Safranvinaigrette" oder "Königstaube mit Artischocken und Wildspargel". Schön hell und modern das Restaurant, toll die Terrasse, charmant der Service durch die Chefin.

🍴🍴 **Wintergarten** – Hotel Bad Bubendorf   🍴 P

Kantonsstr. 3 – 𝒞 061 935 55 55 – www.badbubendorf.ch
Rest – Menü 50 CHF (mittags)/98 CHF – Karte 64/105 CHF 🏵
Wirklich chic ist dieser lichtdurchflutete Raum in silbrigen Grautönen! Serviert wird ambitionierte Küche mit Klassikern wie "Zweierlei vom Lamm in Lavendeljus". Im Sommer lässt sich die Glasfront öffnen - direkt davor die tolle Terrasse!

BUBIKON – Zürich (ZH) – **551** R5 – **6 776 Ew** – **Höhe 509 m** – ⊠ 8608
▶ Bern 159 – Zürich 31 – Rapperswil 7 – Uster 17

🍴🍴 **Löwen - Apriori** mit Zim   🍴 🌸 🤶 ♻ 🏊

Wolfhauserstr. 2 – 𝒞 055 243 17 16 – www.loewenbubikon.ch – geschl. Februar 2 Wochen, Juli - August 3 Wochen und Samstagmittag, Sonntag - Montag
11 Zim ⌑ – ♦130/150 CHF ♦♦220/260 CHF
Rest *Gaststube* – siehe Restaurantauswahl
Rest – (Tischbestellung ratsam) (45 CHF) Menü 62 CHF (mittags unter der Woche)/158 CHF (abends) – Karte 72/116 CHF
Der gestandene Gasthof von 1530 ist sicher eines der nettesten Häuser im Kanton, dafür sorgen Rita und Domenico Miggiano-Köferli mit viel Engagement und Herzblut: Er kocht mit besten Produkten und eigener Note, sie trumpft mit ihrem Charme. Und schauen Sie sich die schönen individuellen Gästezimmer an... möchten Sie da nicht bleiben?

✗ **Gaststube** – Restaurant Löwen ⌂ ⇔
Wolfhauserstr. 2 – ℰ 055 243 17 16 – www.loewenbubikon.ch – geschl. Februar 2
Wochen, Juli - August 3 Wochen und Sonntag - Montag
Rest – (25 CHF) – Karte 72/114 CHF
Eine Gaststube im besten Sinne, denn hier wird man gut und freundlich bewirtet
und die Atmosphäre stimmt auch: Holztäferung, Designerlampen, moderne Bil-
der... Nicht zu vergessen schmackhafte Gerichte wie z. B. "in Barolo geschmorte
Kalbskopf-Bäggli".

BUCHILLON – Vaud (VD) – **552** D10 – **640 h.** – **alt. 410 m** – ⊠ 1164   **6** B5
▶ Bern 120 – Lausanne 26 – Genève 45 – Thonon-les-Bains 81

✗ **Au Vieux Navire** ⌂ ⅙ 🄰🄲 🅿
Rue du Village 6c – ℰ 021 807 39 63 – www.auvieuxnavire.ch – fermé fin
décembre - mi-janvier 3 semaines et mardi, septembre - avril : lundi et mardi
Rest – Menu 64/84 CHF – Carte 43/166 CHF
C'est un vieux navire sur lequel on n'hésite pas à monter ! Passé la passerelle, par-
don la porte, on s'installe dans un décor bistrot. Quant à la terrasse, surplombant
le Léman, elle donne vraiment l'impression d'être sur le pont d'un bateau. Idéal
pour déguster la pêche du jour ou des plats plus traditionnels.

BUCHS – Sankt Gallen (SG) – **551** V6 – **11 418 Ew** – **Höhe 447 m** – ⊠ 9470   **5** I3
▶ Bern 237 – Sankt Gallen 63 – Bregenz 50 – Chur 46
🄸 Bahnhofplatz 3, ℰ 081 740 05 40, www.werdenberg.ch

⌂ **Buchserhof** ⌂ 🛏 🛜 🕮 🅿
⊖ *Grünaustr. 2 – ℰ 081 755 70 70 – www.buchserhof.ch*
55 Zim ⊡ – ♦102/138 CHF ♦♦164/180 CHF – ½ P
Rest – (18 CHF) – Karte 34/65 CHF
Freundlich, zeitgemäss und tipptopp in Schuss... Die Zimmer in dem Business-
hotel in Bahnhofsnähe sind wirklich gut zu empfehlen. Wer gerne etwas mehr
Platz hat, bucht die Komfort-Kategorie. Restaurant mit traditioneller Küche.

✗ **Traube** ⌂ 🍴 ⇔ 🅿
⊖ *St. Gallerstr. 7 – ℰ 081 756 12 13 – www.traube-restaurant.ch – geschl. Ende Juli*
- Anfang August 2 Wochen und Sonntag - Montag
Rest – (20 CHF) Menü 95 CHF – Karte 28/96 CHF
Das ist schon ein echtes Schmuckstück, und die Chefin lässt in Braustube und his-
torischem Saal ein Händchen für Dekoration erkennen! Aus der Küche kommen
französische Klassiker wie "Gänseleberterrine mit Brioche und Feigenchut-
ney" oder "Fischsuppe mit Safransauce" ebenso wie Eglifilets und Bratwurst.

BÜLACH – Zürich (ZH) – **551** P4 – **17 503 Ew** – **Höhe 428 m** – ⊠ 8180   **4** G2
▶ Bern 139 – Zürich 21 – Baden 39 – Schaffhausen 28

🏠 **Zum Goldenen Kopf** 🛏 ⅙ 🛜 🕮 🅿
Marktgasse 9 – ℰ 044 872 46 46 – www.zum-goldenen-kopf.ch
34 Zim – ♦133/188 CHF ♦♦186/236 CHF, ⊡ 15 CHF
Rest Zum Goldenen Kopf – siehe Restaurantauswahl
Bereits zu Goethes Zeit existierte das hübsche historische Riegelhaus in der Altstadt als Gasthaus. Praktisch sind die funktionellen Gästezimmer und die Nähe
zum Flughafen.

✗ **Zum Goldenen Kopf** – Hotel Zum Goldenen Kopf ⌂ ⅙ 🅿
☺ *Marktgasse 9 – ℰ 044 872 46 46 – www.zum-goldenen-kopf.ch – geschl. über*
Weihnachten
Rest – (21 CHF) Menü 60 CHF (mittags) – Karte 45/97 CHF
Österreich ist die Heimat von Patron Leo Urschinger - das sieht man gleich beim
Blick auf die Karte: z. B. Schnitzel unterschiedlicher Art oder Apfelstrudel mit
Vanillesauce. Natürlich stehen auch internationale Gerichte drauf!

BÜRCHEN – Wallis (VS) – **552** L11 – **725 Ew** – Höhe 1 340 m – ⊠ 3935   **8** E6
▶ Bern 95 – Brig 18 – Sierre 30 – Sion 46

🏠 **Bürchnerhof** 📎 ⪻ 🚗 🚁 🖵 📶 🛎 🕹 🎯 Rest. 🛜 🏤 **P.**
in Zenhäusern, Ronalpstr. 86 – 𝒞 027 934 24 34 – www.buerchnerhof.ch
– geschl. 23. März - 20. Mai, 20. Oktober - 20. Dezember
18 Zim ⌑ – 🛉116/136 CHF 🛉🛉182/244 CHF – 1 Suite – ½ P
Rest – (geschl. Montag - Dienstagmittag) Karte 49/85 CHF
Das Haus liegt ruhig oberhalb des Ortes und bietet einen schönen Ausblick auf
das Tal. Die Zimmer sind mit rustikalem hellem Naturholz oder mit dunkler Eiche
möbliert. Das Restaurant ist gemütlich und mit viel Liebe zum Detail eingerichtet.

BÜREN an der AARE – Bern (BE) – **551** I6 – **3 314 Ew** – Höhe 443 m   **2** D3
– ⊠ 3294
▶ Bern 31 – Biel 14 – Burgdorf 44 – Neuchâtel 46

🍴 **Il Grano** 🚁 🎯
Ländte 38 – 𝒞 032 351 03 03 – www.ilgrano.ch – geschl. Weihnachten
- 7. Januar, 6. - 22. April, 21. September - 6. Oktober und Mai - September:
Montag, Oktober - April: Samstagmittag, Sonntag - Montag
Rest – (Tischbestellung ratsam) (21 CHF) Menü 49 CHF (mittags unter der
Woche)/86 CHF🍷
Trendiges Restaurant im historischen Kornhaus. Die italienisch-internationale
Küche gibt es abends als Buffet (Di und Mi) oder mündlich empfohlen (Do bis
Sa). Schöne Weine aus Italien - alle werden offen ausgeschenkt.

BÜSINGEN – Baden-Württemberg – **551** Q3 – **1 380 Ew** – Höhe 421 m   **4** G1
– Deutsche Exklave im Schweizer Hoheitsgebiet
▶ Berlin 802 – Stuttgart 169 – Freiburg im Breisgau 96 – Zürich 58

🏠 **Alte Rheinmühle** 📎 ⪻ 🚗 🛎 🕹 🎯 🛜 🏤 **P.**
Junkerstr. 93 – 𝒞 052 625 25 50 – www.alte-rheinmuehle.ch
16 Zim ⌑ – 🛉120/190 CHF 🛉🛉160/280 CHF
Rest Alte Rheinmühle – siehe Restaurantauswahl
Malerisch schmiegt sich die a. d. J. 1674 stammende Mühle an das Ufer des Hoch-
rheins. Sie beherbergt individuelle, wohnliche Zimmer, teilweise mit Antiquitäten
und freigelegtem altem Fachwerk.

🍴🍴 **Alte Rheinmühle** – Hotel Alte Rheinmühle ⪻ 🚁 🎯 🔄 **P.**
Junkerstr. 93 – 𝒞 052 625 25 50 – www.alte-rheinmuehle.ch – geschl. Mitte
Januar - Mitte Februar
Rest – Menü 40 CHF (mittags)/78 CHF – Karte 44/84 CHF
Das Besondere hier: Man sitzt wirklich fast auf Rheinhöhe, von der Terrasse aus
führen ein paar Stufen sogar direkt ins Wasser - an heissen Tagen sehr ver-
lockend...! Auf den Tisch kommen viele Produkte aus dem Schaffhauser Blaubur-
gunderland.

BULLE – Fribourg (FR) – **552** G9 – **19 592 h.** – alt. 771 m – ⊠ 1630   **7** C5
▶ Bern 60 – Fribourg 30 – Gstaad 42 – Montreux 35
🅸 Place des Alpes 26, 𝒞 084 842 44 24, www.la-gruyere.ch
🔟 Gruyère, Pont-la-Ville, Nord-Est : 15 km par route de Fribourg - Echarlens,
𝒞 026 414 94 60
Manifestations locales :
24-26 avril : Technibois
27-31 mai : Francomanias
◎ Musée Gruérien ★

🏠 **Du Cheval Blanc** 🚁 🛎 🕹 rest. 🛜 🏤 **P.**
Rue de Gruyères 16 – 𝒞 026 919 64 44 – www.hotelchevalblanc.ch
⊜ – fermé 23 décembre - 12 janvier
19 ch ⌑ – 🛉123/150 CHF 🛉🛉180/250 CHF – 1 suite – ½ P
Rest – (fermé dimanche) (19 CHF) – Carte 31/81 CHF
Au cœur de Bulle, cette grande bâtisse aux volets bleus, coiffée de tuiles rouges, a
fière allure ! Elle a tout de l'hôtellerie traditionnelle où l'on fait étape avec plaisir : confort et simplicité côté hôtel, produits régionaux et petits plats côté restaurant. Accueil aimable.

⌂ Ibis La Gruyère sans rest　　　　　　⇐⋐⎮⚅🖧⬤ 🅿
Chemin des Mosseires 81 – ℰ 026 913 03 03 – www.ibishotel.com
80 ch – 🛏109/119 CHF 🛏🛏109/119 CHF, ⊑ 15 CHF
Ouvert en 2011, cet Ibis a tout d'un Lego (bâtiment cubique, petites fenêtres, etc.). C'est peu dire qu'il est fonctionnel ! Au cœur de La Gruyère et tout proche de l'A 12 menant à Fribourg et Berne, il est idéalement situé. En outre, ses chambres donnent sur la montagne ou la campagne. Petite restauration.

BUONAS – **Zug (ZG)** – **551** P6 – **619 Ew** – **Höhe 417 m** – ✉ **6343**　　4 F3
▶ Bern 127 – Luzern 22 – Zug 12 – Zürich 46

XX **Wildenmann**　　　　　　　　　⇐🕭❀⇔🅿
St. Germannstr. 1 – ℰ 041 790 30 60 – www.wildenmann-buonas.ch – geschl.
26. Januar - 16. Februar, 14. - 22. September und Sonntag - Montag
Rest – (38 CHF) Menü 54 CHF (mittags)/115 CHF – Karte 53/121 CHF
Familie Bürli-Knüsel hat dem schönen Zuger Haus von 1708 neues Leben eingehaucht. Der Patron sorgt für schmackhafte klassische Küche (spezialisiert ist man auf Fisch aus dem Zuger See!), seine Frau leitet in den drei sehr gemütlichen Stuben und auf der Terrasse charmant den Service.

BURGDORF – **Bern (BE)** – **551** K7 – **15 584 Ew** – **Höhe 533 m** – ✉ **3400**　　2 D4
▶ Bern 29 – Aarau 69 – Basel 85 – Biel 49
🆔 Bahnhofstr. 44, ℰ 034 402 42 52, www.emmental.ch
🖼 Oberburg, Süd: 3,5 km Richtung Langnau, ℰ 034 424 10 30
◉ Museum Franz Gertsch ★

🏨 **Stadthaus**　　　　　　　　🕭🕭⎮⚅⬤🅿
Kirchbühl 2 – ℰ 034 428 80 00 – www.stadthaus.ch
18 Zim ⊑ – 🛏220/260 CHF 🛏🛏280/350 CHF – ½ P
Rest *La Pendule* – siehe Restaurantauswahl
Rest *Stadtcafé* – (geschl. Sonntag) (21 CHF) – Karte 43/87 CHF
Das schmucke traditionsreiche Haus in der Altstadt stammt a. d. J. 1746. Es beherbergt Zimmer in klassischem Stil mit sehr schönen Bädern. Hübscher Lichthof als Lounge, dazu das gemütliche Stadtcafé als Treff zum Kaffee oder zum Essen.

XXX **Emmenhof** (Werner Schürch)　　　　　⚅❀🅿
🕸 *Kirchbergstr. 70 – ℰ 034 422 22 75 – www.emmenhofburgdorf.ch – geschl. Mitte*
Juli - Mitte August und Sonntagabend - Dienstag
Rest – Menü 75 CHF (mittags unter der Woche)/175 CHF 🍴
Rest *Gaststube* – siehe Restaurantauswahl
Seit 1910 als Familienbetrieb geführt, leiten nun Margit und Werner Schürch in 4. Generation diesen Gasthof. Der Chef kocht französisch, oft mit regionalen Produkten - bestellen Sie ein "Grosse Pièce"! Zudem bietet man eine schöne Auswahl an Rhône- und Burgunderweinen.
→ Kutteln à l'ancienne. Steinbutt gebraten. Emmentaler Côte de beef grilliert.

XXX **La Pendule** – Hotel Stadthaus　　　　　⚅🅿
Kirchbühl 2 – ℰ 034 428 80 00 – www.stadthaus.ch – geschl. Sonntag
Rest – Menü 60 CHF (abends) – Karte 59/99 CHF
Das historische Gebäude wurde ursprünglich als Rathaus erbaut. Heute empfängt man Gäste im eleganten Ambiente. Dafür sorgen mit edlem Damast bezogene Louis-XVI-Stühle und das glitzernde Kristall eines grossen Kronleuchters.

X **Zur Gedult**　　　　　　　　　　🕭⇔
Metzgergasse 12 – ℰ 034 422 14 14 – www.gedult.ch – geschl. 10. - 24. Februar,
14. Juli - 2. August und Sonntag - Montag
Rest – Menü 24 CHF (mittags)/145 CHF – Karte 59/100 CHF
Sie finden das Gasthaus (1716 erbaut und eines der ältesten Burgdorfs) in der unteren Altstadt. Freundlich und unkompliziert, wie man sich ein Bistro vorstellt, und mit Gerichten von der Tafel (z. B. Klassiker wie Kalbsleberli oder Cordon bleu).

X **Gaststube** – Restaurant Emmenhof   ⅍ ⅏ **P**
Kirchbergstr. 70 – ℰ 034 422 22 75 – www.emmenhofburgdorf.ch – geschl. Mitte
Juli - Mitte August und Sonntagabend - Dienstag
Rest – (25 CHF) Menü 50 CHF – Karte 47/85 CHF
Die einfache Stube ist die bürgerliche Alternative zum Restaurant Emmenhof. Für
alle, die nicht zu gehoben, aber dennoch gut essen möchten, kocht Werner
Schürch traditionelle Gerichte.

in Heimiswil Ost: 3 km – Höhe 618 m – ⌧ 3412

XX **Löwen**   😄 ⅍ ⇔ **P**
🍽 *Dorfstr. 2 – ℰ 034 422 32 06 – www.loewen-heimiswil.ch – geschl. 4.*
- 19. Februar, 15. Juli - 7. August und Montag - Dienstag
Rest – (18 CHF) Menü 25/62 CHF – Karte 37/64 CHF
In 4. Generation führt Familie Lüdi das geschichtsträchtige Haus. Traditionelle
Küche in heimeligen Stuben, lauschiger Kräutergarten, Sandsteinkeller im Löwen-
stock gegenüber.

BURSINEL – Vaud (VD) – 552 C10 – 481 h. – alt. 434 m – ⌧ 1195   6 A6
▶ Bern 127 – Lausanne 33 – Champagnole 76 – Genève 35

🏠 **La Clef d'Or**   🦢 ≤ 🛜 😼
Rue du Village 26 – ℰ 021 824 11 06 – www.laclefdor.ch – fermé 16 décembre
- 19 janvier et 14 - 20 avril
8 ch ⌧ – †120/155 CHF ††180/230 CHF
Rest *La Clef d'Or* – voir la sélection des restaurants
Charmante auberge que cette bâtisse rose aux volets blancs, donnant sur le
Léman ! Dans les chambres mansardées, au décor contemporain, la vue est
imprenable. On y passe de calmes nuits... bercées par le clapotis de l'eau. Accueil
charmant.

XX **La Clef d'Or** – Hôtel La Clef d'Or   ≤ 🏠
🍽 *Rue du Village 26 – ℰ 021 824 11 06 – www.laclefdor.ch – fermé 16 décembre*
- 19 janvier et 14 - 20 avril; mi-septembre - avril : dimanche et lundi
Rest – (20 CHF) Menu 28 CHF (déjeuner en semaine)/59 CHF – Carte 57/92 CHF
La Clef d'Or ouvre l'appétit des gourmands de la plus étonnante des façons ! Ima-
ginez une vue sur le Léman tout en dégustant des spécialités du Sud-Ouest de la
France... ou comment deux régions viticoles se rencontrent. Poissons d'eau
douce et produits du terroir sont aussi à la carte. Une belle adresse.

BURSINS – Vaud (VD) – 552 C10 – 735 h. – alt. 473 m – ⌧ 1183   6 A6
▶ Bern 126 – Lausanne 31 – Genève 34 – Thonon-les-Bains 92

XXX **Auberge du Soleil**   ≤ 🏠 & ⇔ **P**
Place du Soleil 1 – ℰ 021 824 13 44 – www.aubergedusoleil.ch – fermé
22 décembre - 8 janvier, 27 juillet - 19 août, dimanche et lundi
Rest – Menu 52 CHF (déjeuner en semaine)/120 CHF – Carte 62/96 CHF 🕮
Rest *Le Café* – voir la sélection des restaurants
Dans un village vigneron, une table élégante tenue depuis 1987 par Jean-Michel
Colin, disciple du grand cuisinier suisse Frédy Girardet. Ici, la gastronomie fran-
çaise, produits et saisons en vedette, est à l'honneur. Autre atout : le restaurant
et la terrasse donnent sur le lac et le mont Blanc.

X **Le Café** – Restaurant Auberge du Soleil   ≤ 🏠 & ⅍ ⇔ **P**
Place du Soleil 1 – ℰ 021 824 13 44 – www.aubergedusoleil.ch – fermé
22 décembre - 8 janvier, 27 juillet - 19 août, dimanche et lundi
Rest – Menu 25 CHF (déjeuner en semaine)/64 CHF – Carte 41/82 CHF
Le "Café" de l'Auberge du Soleil a les pieds bien sur terre, avec son cadre typiquement vaudois où l'on déguste aussi bien des spécialités régionales qu'une cuisine
teintée d'épices.

BUSSIGNY-PRÈS-LAUSANNE – Vaud (VD) – 552 D9 – 8 079 h.   6 B5
– alt. 407 m – ⌧ 1030
▶ Bern 102 – Lausanne 11 – Pontarlier 63 – Yverdon-les-Bains 31

Novotel 🚗 🏡 🏊 🐾 🛴 💈 🖕 🎿 🛗 🤵 📶 **P**
Route de Condémine 35 – ☎ *021 703 59 59* – *www.novotel.com*
141 ch – ♦125/240 CHF ♦♦125/240 CHF, ☑ 25 CHF
Rest – (24 CHF) Menu 42 CHF – Carte 40/83 CHF
Près de l'autoroute A 1 aux portes de Lausanne, un Novotel confortable et bien équipé : salles de réunion, fitness, sauna, etc. Avis aux courageux : l'étang voisin est aménagé pour la baignade !

CADEMARIO – Ticino (TI) – **553** R13 – **722 ab.** – alt. 770 m – ☒ 6936   10 H6
▶ Bern 247 – Lugano 13 – Bellinzona 34 – Locarno 46
◪ Monte Lema★ (✳★ per seggiovia da Miglieglia)

🏨 **Cacciatori** 🚻 ≤ 🚗 🏡 🏊 🎯 🐾 🛴 💈 📶 **P**
Ovest : 1,5 km – ☎ 091 605 22 36 – www.hotelcacciatori.ch
😊 – chiuso 31 ottobre - 1° aprile
30 cam ☑ – ♦120/250 CHF ♦♦250/330 CHF
Rist – (20 CHF) Menu 55 CHF (pranzo) – Carta 54/105 CHF
Moderna struttura con diverse tipologie di camere (solo alcune con balcone), ma un unico comune denominatore: l'ottimo comfort. Tutt'intorno, il lussureggiante giardino con piscine e per coloro che badano alla forma fisica, una piccola Spa. Al ristorante, oltre all'offerta tradizionale - nel fine settimana - anche pizze.

CADRO – Ticino (TI) – **553** S13 – **2 037 ab.** – alt. 456 m – ☒ 6965   10 H6
▶ Bern 246 – Lugano 7 – Bellinzona 35 – Como 39

✗ **La Torre del Mangia** 🏡 **P**
via Margherita 2 – ☎ 091 943 38 35 – www.torredelmangia.ch – chiuso 2
😊 settimane fine febbraio - inizio marzo, 2 settimane luglio - inizio agosto
e martedì; giugno - agosto : domenica e martedì
Rist – (coperti limitati, prenotare) (20 CHF) Menu 35/59 CHF – Carta 54/74 CHF
Immerso nella natura, questo originale ristorante dalla forma ottagonale propone una cucina mediterranea su base classica. Il marito ai fornelli, la moglie in sala, d'inverno il crepitante camino aggiunge un ulteriore tocco di fascino all'ambiente.

CARONA – Ticino (TI) – **553** R14 – **827 ab.** – alt. 602 m – ☒ 6914   10 H7
▶ Bern 251 – Lugano 9 – Bellinzona 39 – Locarno 51

🏠 **Villa Carona** ≤ 🚗 🍴 📶 **P**
via Principale 53, (piazza Noseed) – ☎ 091 649 70 55 – www.ristorantelasosta.ch
– chiuso novembre - febbraio
18 cam ☑ – ♦150/175 CHF ♦♦195/220 CHF
Rist La Sosta – vedere selezione ristoranti
Nel bellissimo villaggio di Carona, calorosa gestione familiare in una villa patrizia del XIX secolo abbracciata da un curato giardino: ampie camere, alcune eleganti ed affrescate, altre più rustiche.

✗ **Posta** 🏡 🎛
Via Principale – ☎ 091 649 72 66 – www.ristorante-posta.ch – chiuso 13 gennaio
- 11 febbraio, 16 giugno - 24 giugno, lunedì e martedì a mezzogiorno
Rist – Carta 42/81 CHF
Nel centro di questa pittoresca località ticinese, una graziosa stube all'insegna della rusticità e dell'autentica cucina regionale.

✗ **La Sosta** – Hotel Villa Carona ≤ 🏡 **P**
via Principale 53, (piazza Noseed) – ☎ 091 649 70 55 – www.ristorantelasosta.ch
– chiuso novembre - febbraio
Rist – (consigliata la prenotazione la sera) (35 CHF) – Carta 59/89 CHF
Una calda atmosfera rustica con camino per i pochi tavoli all'interno e un romantico glicine per le giornate estive: è il contorno di una cucina creativa, curata ed elegantemente presentata.

CAROUGE – Genève – **552** B11 – voir à Genève

CASLANO – Ticino (TI) – **553** R13 – **4 090 ab.** – alt. 289 m – ☒ 6987   10 H7
▶ Bern 247 – Lugano 11 – Bellinzona 33 – Locarno 45
🚗 Lugano, Magliaso, ☎ 091 606 15 57

Gardenia senza rist
via Valle 20 – ℰ 091 611 82 11 – www.albergo-gardenia.ch – chiuso fine ottobre - inizio aprile
23 cam ⌷ – †160/250 CHF ††270/350 CHF
Edificio del 1800, squisita fusione di antico e moderno, immerso in un bel giardino con piscina in pietra viva. Camere moderne e confortevoli.

CAVIGLIANO – Ticino (TI) – 553 Q12 – 697 ab. – ✉ 6654 Cavigliano 9 G6
▶ Bern 282 – Bellinzona 30 – Altdorf 137 – Chur 148

Tentazioni 🍴 cam, 🛜 P
Via Cantonale – ℰ 091 780 70 71 – www.ristorante-tentazioni.ch – chiuso 7 gennaio - 13 febbraio
5 cam ⌷ – †120/200 CHF ††180/270 CHF   **Rist** – *(chiuso lunedì; in inverno : lunedì e martedì)* (25 CHF) Menu 45/148 CHF – Carta 73/140 CHF
E' il colore lilla a dominare nelle moderne camere di questa piacevole struttura, il cui ristorante - nell'esperte mani dello chef Andreas Schwab - propone una cucina di stampo francese, ma con interessanti influenze mediterranee.

CELERINA SCHLARIGNA – Graubünden (GR) – 553 X10 – 1 514 Ew 11 J5
– Höhe 1 730 m – Wintersport : 1 720/3 057 m 🚡5 🚠18 🎿 – ✉ 7505
▶ Bern 332 – Sankt Moritz 4 – Chur 90 – Davos 65
� Plazza da la Staziun 8, ℰ 081 830 00 11, www.engadin.stmoritz.ch/celerina
Lokale Veranstaltungen:

1. März: Chalandamarz

Cresta Palace
Via Maistra 75 – ℰ 081 836 56 56 – www.crestapalace.ch – geschl. 10. April - 20. Juni, 12. Oktober - 4. Dezember
96 Zim ⌷ – †170/444 CHF ††320/740 CHF – 4 Suiten – ½ P
Rest *Giacomo's* – siehe Restaurantauswahl
Engagiert leitet Familie Herren das 1906 eröffnete klassische Ferienhotel in einem parkähnlichen Garten. Schön relaxen lässt es sich im grosszügigen Spa. Wer Wellness-Vergnügen zu zweit vorzieht, gönnt sich die Spa-Suite! Praktisch ist die Lage direkt an der Gondelbahn.

Chesa Rosatsch
Via San Gian 7 – ℰ 081 837 01 01 – www.rosatsch.ch – geschl. April - Mai
35 Zim ⌷ – †147/336 CHF ††410/650 CHF – 2 Suiten
Rest *Stüvas* – siehe Restaurantauswahl   **Rest** *Uondas da l'En* – Karte 31/106 CHF
Romantisch liegt das hübsche Engadiner Haus am Inn. Alle Zimmer sind nach Bergen der Region benannt, passend dazu die charmant-rustikale Einrichtung. Besonders liebenswert: "Suite a l'En" mit wunderschöner authentischer Arvenholzstube als Wohnraum! Im modernen Uondas kommen Grillgerichte aus der offenen Küche, aber auch Flammkuchen und Pasta.

Petit Chalet garni
Via Pradé 22 – ℰ 081 833 26 26 – www.petit-chalet.ch
5 Zim ⌷ – †200/230 CHF ††245/300 CHF – 3 Suiten
Sie mögen es eher privat? Gastgeberin Elke Testa betreibt das kleine Hotel angenehm persönlich und hat wirklich ausgesprochen hübsche Zimmer für Sie: geradlinig-moderner Stil harmoniert wunderbar mit der wohltuenden Wärme von heimischem Holz. Und da man sich hier gerne etwas länger aufhält, bekommt man das Frühstück auch aufs Zimmer gebracht!

Misani 🛜 🚗
Via Maistra 70 – ℰ 081 839 89 89 – www.hotelmisani.ch – geschl. 30. März - 20. Juni, 16. Oktober - 5. Dezember
38 Zim ⌷ – †125/175 CHF ††170/360 CHF – 1 Suite – ½ P
Rest *Voyage* – *(nur Abendessen)* Menü 38/80 CHF – Karte 65/98 CHF
Rest *Ustaria* – (21 CHF) Menü 36/80 CHF – Karte 58/89 CHF
Rest *Bodega* – *(nur Abendessen)* Menü 24/76 CHF – Karte 28/78 CHF
In dem Haus von 1872, einer ehemaligen Weinkellerei, wohnt man in ganz individuellen Zimmern (Basic, Style, Super Style) mit Namen wie Savannah, Waikiki oder Kioto. Vielfältig auch der Restaurantbereich: modernes Voyage mit frischer Marktküche, urige Ustaria und spanische Bodega im altem Gewölbekeller. Kleine Aperitif-Lounge.

🏠 **Saluver**　　　　　　　　　　　　＜🚗🖼️🐾🍴🛎️📶🚙🅿️
🍴 **22 Zim** 🛏️ – 👤125/135 CHF 👤👤250/270 CHF – 2 Suiten – ½ P
Rest – (17 CHF) – Karte 49/104 CHF
Via Maistra 128 – 📞 081 833 13 14 – www.saluver.ch
Am Ortsrand steht das Haus im Engadiner Stil mit seinen praktischen, in Arve gehaltenen Zimmern - viele liegen nach Süden und haben einen Balkon. Im gemütlich-rustikalen Restaurant mit Kachelofen kocht der Chef selbst, und zwar Schweizer Gerichte.

🍴🍴 **Stüvas** – Hotel Chesa Rosatsch　　　　　　　　　　🅿️
Via San Gian 7 – 📞 081 837 01 01 – www.rosatsch.ch – geschl. April - Mai
Rest – (nur Abendessen) Menü 72 CHF – Karte 51/97 CHF🍴
So reizend das rund 400 Jahre alte Haus von aussen ist, so gemütlich sind die alten Stüblis mit ihrer geschmackvollen Deko, behaglichem Holz, Herzlstühlen... Da darf Schweizer Küche nicht fehlen.

🍴🍴 **Giacomo's** – Hotel Cresta Palace　　　　　　　　🍴🅿️
Via Maistra 75 – 📞 081 836 56 56 – www.crestapalace.ch – geschl. 10. April - 20. Juni, 12. Oktober - 4. Dezember und Donnerstagabend
Rest – Menü 85/125 CHF – Karte 53/101 CHF
Hier trifft man sich zu Pasta & Risotto... aber auch die Grillgerichte haben ihre Freunde. Und damit auch das Ambiente stimmt: weiche Farbtöne, warmes Holz und klare Formen. In dieses schöne modern-alpenländische Bild passen natürlich auch die Kuhglocken an der Decke, ein nettes kleines Detail!

CÉLIGNY – Genève (GE) – **552** B10 – 649 h. – alt. 391 m – ✉ 1298　　6 A6
▶ Bern 143 – Genève 21 – Saint-Claude 56 – Thonon-les-Bains 53

🏠 **La Coudre** sans rest　　　　　　　　　　🌿🏊🍴📶♨️🅿️
Route des Coudres 200 – 📞 022 960 83 60 – www.bnb-lacoudre.ch – fermé 5 - 27 août
7 ch 🛏️ – 👤180/240 CHF 👤👤220/290 CHF – 1 suite
Dans la campagne genevoise, une propriété du 19ᵉ s. aux airs de maison d'hôtes : façade couverte de vigne vierge, objets anciens, joli jardin... Calme et simplicité, avec un accès rapide à Genève.

🍴 **Buffet de la Gare**　　　　　　　　　　　🏊🍴🅿️
🍴 Route de Founex 25 – 📞 022 776 27 70 – www.buffet-gare-celigny.ch – fermé décembre 2 semaines, février 3 semaines, début septembre 2 semaines, dimanche et lundi
Rest – (19 CHF) Menu 47 CHF (déjeuner en semaine) – Carte 54/104 CHF
Un "buffet" comme on n'en fait plus : boiseries Art déco, plaques en émail, vitres colorées... et un joli atout, une terrasse ouverte sur la verdure ! La carte aussi a le bon goût de la tradition, avec pour spécialité la perche du Léman.

CENTOVALLI – Ticino (TI) – **553** Q12 – 1 166 ab.　　　　9 G6
▶ Bern 285 – Bellinzona 33 – Altdorf 140 – Sion 151

a Golino – alt. 270 m – ✉ 6656

🏠 **Al Ponte Antico** senza rist　　　　　　　　　🌿＜🚗📶🅿️
– 📞 091 785 61 61 – www.ponteantico.ch – chiuso 31 ottobre - 1° aprile
11 cam 🛏️ – 👤130/165 CHF 👤👤190/220 CHF
In riva alla Melezza sorge questo albergo dagli interni eleganti, in stile provenzale, e grazioso giardino con pergola. Camere personalizzate con mobili di buona fattura.

🏠 **Cà Vegia** senza rist　　　　　　　　　　🌿🚗🍴📶🅿️
– 📞 091 796 12 67 – www.hotel-cavegia.ch – chiuso novembre - metà marzo
10 cam 🛏️ – 👤95/148 CHF 👤👤142/176 CHF – 2 suites
Con la facciata ornata da un bell'affresco, questa tipica casa ticinese del '400 - situata in una romantica piazzetta - apre i battenti per accogliere con grande senso dell'ospitalità i propri ospiti. Camere funzionali e grazioso giardino; d'inverno la colazione è servita attorno al crepitante camino.

ad Intragna – alt. 342 m – ⊠ 6655

XX **Stazione Da "Agnese & Adriana"** con cam   ← 🚗 🛏 ⅃ 📶 **P**
piazzale Fart – ℰ *091 796 12 12* – *www.daagnese.ch* – *chiuso 15 novembre*
- 10 marzo
14 cam – ♦150/220 CHF ♦♦170/220 CHF, ⌨ 11 CHF – 1 suite
Rist – *(consigliata la prenotazione la sera)* (40 CHF) Menu 70 CHF
– Carta 61/106 CHF
Un'instituzione ticinese sostenuta dall'intera famiglia Broggini... Ristorante luminoso ed accolliente, dove gustare, in un contesto armonioso di tradizione e modernità, squisiti piatti regionali. Dalla lounge nel giardino, una splendida vista. Camere in stile mediterraneo.

a Verdasio – alt. 702 m – ⊠ 6655

X **Al Pentolino**   🛏 🍽
∞   – ℰ *091 780 81 00* – *www.alpentolino.ch* – *chiuso inizio novembre - Pasqua, da*
lunedì a giovedì
Rist – *(coperti limitati, prenotare)* (19 CHF) Menu 69/89 CHF – Carta 35/79 CHF 🐑
I proprietari di questo delizioso ristorante, vicino alla chiesa, vi vizieranno come ospiti di un'abitazione privata: cucina ambiziosa, e a pranzo una carta più ridotta. Difficile non rimanere soddisfatti! Comodo parcheggio.

CERTOUX – Genève – **552** A12 – **voir à Genève**

CHALET-à-GOBET – Vaud – **552** E9 – **voir à Lausanne**

CHAMBÉSY – Genève – **552** B11 – **voir à Genève**

CHAMPÉRY – Valais (VS) – **552** F12 – **1 272 h.** – alt. 1 053 m – **Sports**   7 C6
d'hiver : 900/2 466 m ✦ 13 ✦173 ✦ – ⊠ 1874
▶ Bern 124 – Martigny 39 – Aigle 26 – Évian-les-Bains 50
🚹 Route de la Fin 44, ℰ 024 479 05 50, www.champery.ch
Manifestations locales :
    21-25 mars : Rock the Pistes Festival
    21-29 novembre : Masters de Curling
◉ Site ★★

🏨 **Beau-Séjour** sans rest   ← 📶 📶 🚗 **P**
Rue du Village 114 – ℰ *024 479 58 58* – *www.beausejour.ch* – *fermé mai,*
octobre - novembre
16 ch ⌨ – ♦80/155 CHF ♦♦125/275 CHF – 2 suites
Charmant accueil dans ce joli chalet, au cœur de l'un des plus beaux villages du Valais. Les chambres sont habillées de bois blond et, le matin, on prend le petit-déjeuner face aux Dents du Midi. Douceurs "maison" à l'heure du thé...

🏨 **Suisse** sans rest   ← 📶 📶 🛁 **P**
Rue du Village 55 – ℰ *024 479 07 07* – *www.hotel-champery.ch* – *fermé 1ᵉʳ*
octobre - 15 décembre
40 ch ⌨ – ♦99/195 CHF ♦♦144/320 CHF
Un grand chalet dans le centre de la station, aux chambres rustiques et cosy, certaines donnant sur la montagne. La vue est tout aussi jolie du jardin d'hiver et de sa terrasse, et l'on aime s'y attarder pour prendre une boisson chaude.

XX **L'Atelier Gourmand**   🛏
∞   *Rue du Village 106, (1ᵉʳ étage)* – ℰ *024 479 11 26* – *www.atelier-gourmand.ch*
– *fermé 15 avril - 1ᵉʳ juin, 25 octobre - 1ᵉʳ décembre, décembre - mi-avril :*
dimanche et lundi, juin - octobre : dimanche - mercredi
Rest – *(dîner seulement)* Menu 107 CHF – Carte 90/104 CHF
Rest *Le Nord* – *(fermé mercredi hors saison)* (20 CHF) Menu 54 CHF
– Carte 30/76 CHF
L'un des bistrots "historiques" de Champéry, né en 1886 ! En bas, au Nord, c'est rösti maison et spécialités valaisannes, avec un large choix de fromages ; à l'étage, L'Atelier Gourmand propose une cuisine plus sophistiquée, où se révèlent les produits de saison.

CHAMPEX – **Valais (VS)** – **552** H13 – **270 h.** – **alt. 1 472 m** – ✉ **1938**   7 C7

▶ Bern 151 – Martigny 20 – Aosta 62 – Chamonix-Mont-Blanc 54

🄳 Immeuble Beau-Site, ☏ 027 775 23 83, www.verbier.ch

Manifestations locales :

28 juillet : grand marché du terroir et de l'artisanat

◉ Site★★

🄶 La Breya★★, Sud-Ouest par ⛷

🏠 **Alpina**   ◷ ⟨ 🛏 🏠 ⅏ rest, 🛜 🅿

Route du Signal 32 – ☏ 027 783 18 92 – www.alpinachampex.ch – *fermé 15 - 30 avril et 1er- 30 novembre*

6 ch ⭇ – 🛉110/130 CHF 🛉🛉160/180 CHF – ½ P

Rest – *(fermé dimanche) (dîner seulement)* Menu 60 CHF

Une petite maison de montagne en bois à l'écart du centre, que l'on peut quand même rejoindre à pied. On est accueilli chaleureusement et, dans certaines chambres – toutes simples et attachantes –, on profite d'une jolie vue sur le Grand Combin...

CHAMPFÈR – **Graubünden** – **553** W10 – **siehe Sankt Moritz**

CHANCY – **Genève (GE)** – **552** A11 – **1 134 h.** – ✉ **1284 Chancy**   6 A6

▶ Bern 173 – Genève 21 – Lausanne 78 – Nyon 42

🍴 **De la Place**   🏠 ⟳ 🅿 ⤢

Route de Bellegarde 55 – ☏ 022 757 02 00 – *fermé Noël - Nouvel An, avril 2 semaines, septembre 2 semaines, dimanche soir, lundi et mardi*

Rest – (20 CHF) – Carte 47/84 CHF

Un sympathique café-restaurant tenu par un chef généreux : tout est fait maison et la tradition y retrouve tout son goût ! Attention, pas de paiement par carte bancaire...

CHARDONNE – **Vaud** – **552** F10 – **voir à Vevey**

CHARMEY – **Fribourg (FR)** – **552** H9 – **1 852 h.** – **alt. 891 m** – **Sports**   7 C5
d'hiver : 900/1 630 m ⛷ 1 ⛷6 ⛷ – ✉ **1637**

▶ Bern 72 – Fribourg 40 – Bulle 12 – Gstaad 48

🄳 Les Charrières 1, ☏ 026 927 55 80, www.charmey.ch

Manifestations locales :

27 septembre : Rindya

10-12 octobre : Bénichon de la montagne

🏠 **Cailler**   ⟨ 🛏 🏠 ⅏ 🛎 🛗 & 🛜 ⅏ 🅿

Gros Plan 28 – ☏ 026 927 62 62 – www.hotel-cailler.ch

54 ch ⭇ – 🛉170/190 CHF 🛉🛉270/290 CHF – 9 suites – ½ P

Rest *Les Quatre Saisons* – *(fermé dimanche et lundi)* Menu 78 CHF (déjeuner)/150 CHF – Carte 85/96 CHF

Rest *Le Bistrot* – (35 CHF) Menu 49 CHF (déjeuner)/78 CHF – Carte 51/92 CHF

De longues enfilades de balcons en bois... Ce complexe hôtelier s'intègre parfaitement à son environnement naturel. Avec ses chambres d'esprit montagnard, ses belles suites contemporaines et, à deux pas, son centre thermal ultradesign, l'endroit est tout indiqué pour se ressourcer dans les Préalpes !

🍴🍴 **La Table - Hôtel Le Sapin** avec ch   🛎 & rest, ⅏ rest, 🛜 ⅏

Rue du Centre 25 – ☏ 026 927 23 23 – www.hotel-le-sapin.ch – *fermé 8 avril - 8 mai, dimanche, lundi et mardi*

13 ch ⭇ – 🛉130/170 CHF 🛉🛉210/250 CHF – 2 suites – ½ P

Rest – (59 CHF) Menu 80/130 CHF – Carte 82/121 CHF

Parquet, petits fauteuils sombres, murs habillés de bois brut : une élégance toute contemporaine, sobre et feutrée, pour des assiettes créatives, colorées et savoureuses. Chambres pour l'étape.

CHÂTEL-sur-MONTSALVENS – **Fribourg (FR)** – **552** H9 – **245 h.**   7 C5
– **alt. 881 m** – ✉ **1653**

▶ Bern 69 – Fribourg 38 – Lausanne 62 – Neuchâtel 81

✗ **De la Tour**   🛜 **P**

⊜ *Route de la Jogne 41 – ℰ 026 921 08 85 – www.restodelatour.ch – fermé 17 décembre - 8 janvier, 21 - 30 avril, 8 - 30 juillet, mardi et mercredi*
Rest – (16 CHF) Menu 22 CHF (déjeuner en semaine) – Carte 63/85 CHF
Non loin du joli lac de Montsalvens, ce restaurant propose une cuisine du terroir gourmande et bien travaillée. Ici, tout est fait maison. De bons petits plats à déguster dans un décor rustique et chaleureux.

La CHAUX-de-FONDS – Neuchâtel (NE) – 552 F6 – 37 843 h.   2 C4
– alt. 994 m – ✉ 2300

🚉 Bern 71 – Neuchâtel 20 – Biel 52 – Martigny 157
🛈 Espacité 1, ℰ 032 889 68 95, www.neuchateltourisme.ch
⛳ Les Bois, Nord-Est : 12 km par route de Saignelégier, ℰ 032 961 10 03
Manifestations locales :
    5-7 juin : Corbak festival
    3-9 août : festival de la Plage des Six-Pompes
◎ Musée International d'Horlogerie★★ • Musée des Beaux-Arts★
🝔 Route de la Vue des Alpes★★ • Tête de Ran★★

🏨 **Grand Hôtel Les Endroits**   🛁 ⋖ 🚲 🏊 ⅃å 🖪 ♿ 🛜 ⚒ **P**
Boulevard des Endroits 94 – ℰ 032 925 02 50 – www.hotel-les-endroits.ch
54 ch 🖵 – †185/225 CHF ††230/300 CHF – 3 suites – ½ P
Rest *Rose des Vents* – voir la sélection des restaurants
Cet imposant bâtiment moderne affiche un standing certain. Rien d'impersonnel cependant : on travaille ici en famille (fils en cuisine, fille à la comptabilité, gendre en salle...). Les chambres, spacieuses et contemporaines, jouissent pour certaines d'un spa privatif, d'un home cinema ou d'une terrasse !

🏨 **Athmos** sans rest   🏊 🖪 ♿ 🛜 ⚒ **P**
*Avenue Léopold-Robert 45, (Rue du Midi) – ℰ 032 910 22 22
– www.athmoshotel.ch – fermé 28 décembre - 3 janvier*
42 ch – †170/223 CHF ††265/290 CHF
En plein centre-ville, cette imposante bâtisse respire le charme rétro des années 1950 ! Les chambres, bien confortables, disposent toutes d'une salle de bains en marbre. Le plus : le parking à proximité.

✗✗ **Rose des Vents** – Grand Hôtel Les Endroits   ⋖ 🏠 ♿ ⇄ **P**
Boulevard des Endroits 94 – ℰ 032 925 02 50 – www.hotel-les-endroits.ch
Rest – (21 CHF) Menu 53/130 CHF – Carte 43/125 CHF ⅏
Au sein du Grand Hôtel Les Endroits, une table classique et soignée, où l'on apprécie des recettes de saison et des spécialités comme le homard, le bœuf flambé au cognac ou la fondue chinoise. Le tout accompagné d'une intéressante carte des vins.

✗ **La Parenthèse**   🏠 **P**

⊜ *Rue de l'Hôtel-de-Ville 114 – ℰ 032 968 03 89 – www.la-parenthese.ch – fermé Noël - Nouvel An 2 semaines, juillet - août 3 semaines , lundi, dimanche et jours fériés*
Rest – (nombre de couverts limité, réserver) (18 CHF) Menu 32 CHF (déjeuner en semaine)/110 CHF – Carte 59/96 CHF
L'occasion d'une parenthèse gourmande dans un coquet petit restaurant, simple et chaleureux. Ici, la cuisine suit la valse des saisons et fait la part belle aux produits régionaux. Le must : pour choisir son fromage affiné, il faut descendre à la cave !

✗ **L'heure bleue**

⊜ *Avenue Léopold-Robert 29 – ℰ 032 913 44 35 – fermé lundi soir et dimanche*
Rest – (18 CHF) Menu 34 CHF – Carte 33/74 CHF
À deux pas du musée international de l'Horlogerie, cet agréable restaurant est installé dans un théâtre de 1837 : éléments décoratifs d'époque et souvenirs de spectacles peuplent la salle... La carte, entre tradition et brasserie, ne fait pas illusion !

CHAVANNES-de-BOGIS – Vaud (VD) – 552 B11 – 1 080 h.   6 A6
– alt. 483 m – ✉ 1279

🚉 Bern 142 – Genève 19 – Saint-Claude 54 – Thonon-les-Bains 53

🏨 Chavannes-de-Bogis 🚿 🛋 🎯 🏨 ♿ 🖥 🛜 ♨ 🅿

Les Champs-Blancs – 𝒞 022 960 81 81 – www.hotel-chavannes.ch
178 ch – ♦199/310 CHF ♦♦230/340 CHF, ⌸ 22 CHF – 2 suites
Rest – (22 CHF) Menu 50/55 CHF – Carte 51/92 CHF
Entre le parc naturel régional du Haut-Jura et le Léman... Cet hôtel s'adapte aussi bien à la clientèle d'affaires (salles de séminaires) que touristique (cours de tennis, piscine, etc.). La nuit venue, on apprécie les chambres climatisées. Le must : de la terrasse du restaurant, on admire lac et montagnes.

CHEMIN – Valais – **552** G12 – **voir à Martigny**

CHESEAUX-NOREAZ – Vaud – **552** E8 – **voir à Yverdon-les-Bains**

CHÉSEREX – Vaud (VD) – **552** B10 – **1 238 h.** – **alt. 529 m** – ⊠ 1275   6 A6
▶ Bern 138 – Genève 28 – Divonne-les-Bains 13 – Lausanne 43
🏌 Bonmont, 𝒞 022 369 99 00

✕✕ Auberge Les Platanes 🎯 🎛 ♿ 🅿

Rue du vieux collège 2 – 𝒞 022 369 17 22 – www.lesplatanes.ch – fermé Noël - 10 janvier, 23 juillet - 10 août, dimanche et lundi
Rest – (26 CHF) Menu 32 CHF (déjeuner)/135 CHF – Carte 55/108 CHF
Rest *Bistrot* – voir la sélection des restaurants
Une élégante maison patricienne du 17ᵉ s. avec ses salons bourgeois meublés en style Régence. La cuisine est à l'image du lieu, soignée et classique, changeant au fil des saisons pour mieux mettre en valeur la fraîcheur des produits.

✕ Bistrot – Restaurant Auberge Les Platanes 🎯 🎛 🅿

Rue du vieux collège 2 – 𝒞 022 369 17 22 – www.lesplatanes.ch – fermé Noël - 10 janvier, 23 juillet - 10 août, dimanche et lundi
Rest – (26 CHF) Menu 32 CHF (déjeuner) – Carte 55/96 CHF
L'Auberge des Platanes... côté Bistrot ! Dans cette salle règne une ambiance détendue et rétro, qui va bien à la cuisine un peu plus simple mais toujours gourmande. L'accueil est très prévenant.

CHEXBRES – Vaud (VD) – **552** F10 – **2 117 h.** – **alt. 580 m** – ⊠ 1071   7 C5
▶ Bern 90 – Lausanne 13 – Montreux 16 – Fribourg 60
🅳 Place de la Gare 2, 𝒞 084 886 84 84, www.montreuxriviera.com

🏨 Préalpina ⪕ 🎯 🏠 🎛 ♿ 🖥 rest, 🛜 ♨ 🍸 🅿

Route de Chardonne 35 – 𝒞 021 946 09 09 – www.prealpina.ch
– fermé 18 décembre - 8 janvier
55 ch ⌸ – ♦125/250 CHF ♦♦166/320 CHF – ½ P
Rest – *(fermé dimanche soir)* (25 CHF) Menu 30 CHF (déjeuner en semaine)/78 CHF – Carte 36/109 CHF
Immanquable, cette imposante bâtisse Belle Époque domine les hauteurs du lac. De là, le panorama sur les ondes et les vignobles est superbe ! Les chambres sont assez modernes et fonctionnelles, mais les lieux invitent à la villégiature...

CHIASSO – Ticino (TI) – **553** S14 – **7 776 ab.** – **alt. 238 m** – ⊠ 6830   10 H7
▶ Bern 267 – Lugano 26 – Bellinzona 54 – Como 6

🏨 Mövenpick Hotel Touring 🎯 🏋 🎛 ♿ rist, 🖥 🕾 ♨ 🍸

piazza Indipendenza 1 – 𝒞 091 682 53 31 – www.moevenpick.com
78 cam ⌸ – ♦125/160 CHF ♦♦160/210 CHF
Rist – (23 CHF) Menu 40 CHF (pranzo)/75 CHF (cena) – Carta 41/96 CHF
Albergo con ampie arcate all'esterno, situato nei pressi della stazione, in posizione centrale. Dispone di camere spaziose e funzionali. Al ristorante una grande sala da pranzo con soffitto intarsiato e servizio estivo in piazza.

a Chiasso-Seseglio Sud - Ovest : 4 km – ⊠ 6832

✕✕ Vecchia Osteria Seseglio 🎯 ♿ ♨ 🅿

via Campora 11 – 𝒞 091 682 72 72 – www.vecchiaosteria.ch
– chiuso 2 settimane fine dicembre - inizio gennaio e domenica sera - lunedì
Rist – (28 CHF) Menu 65/82 CHF – Carta 72/116 CHF
Il tanto impegno in cucina fa sì che sulla tavola arrivino poi gustosi piatti mediterranei, rispettosi della tradizione locale. Immerso nel verde, ambiente rustico e bella terrazza.

CHOËX – Valais – 552 G11 – voir à Monthey

CHUR COIRE 🔲 – 553 V8 – 33 984 Ew – Höhe 585 m – ✉ 7000   5 |4

▶ Bern 242 – Feldkirch 55 – Davos 59 – Bludenz 77

🅱 Bahnhofplatz 3 A1, 𝒞 081 252 18 18, www.churtourismus.ch

🚆 Domat/Ems, West: 6 km, 𝒞 081 650 35 00

Lokale Veranstaltungen:

   16.-17. August: Churer Fest

   28.-29. November: Weihnachtsmarkt

👁 Lage★★ • Kathedrale (Schnitzaltar★)B2 • Bündner Kunstmuseum★★A1

🅖 Parpaner Rothorn★★ (Süd-Ost: 16 km über Welschdörfli A2 und 🚡)• Strasse von
Chur nach Arosa★

🏨   **City West** ⓝ   🍴 ⅃₅ 📶 ⅁ 🔲 ⅌ 📶 ⅏ 🚗
      Comercialstr. 32, West: 2 km Richtung San Bernardino A2 – 𝒞 081 256 55 00
      – www.citywestchur.ch
      49 Zim – †127/177 CHF ††195/245 CHF, ⊑ 12 CHF
      Rest – (24 CHF) Menü 32 CHF (mittags unter der Woche) – Karte 48/64 CHF
      Was die kleinen "Twin Towers" von Chur attraktiv macht? Minibar, Espressomaschine,
      W-Lan, Parken... ansprechend sind die kostenfreien Annehmlichkeiten, aber auch
      der geradlinig-moderne Stil, schön die Sicht von den oberen Etagen (auch vom kleinen
      Fitnessbereich im 10. Stock), im Restaurant gibt es Lunch und eine kleine Abendkarte.

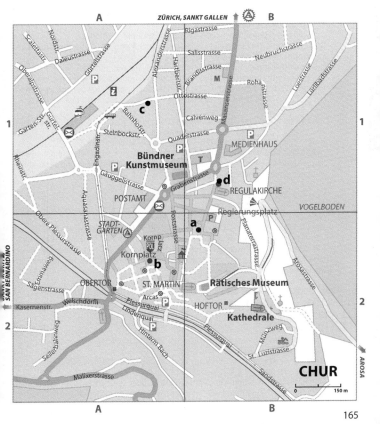

Stern 🏨 🛗 📶 ♨ **P**

Reichsgasse 11 – ☏ 081 258 57 57 – www.stern-chur.ch B1**d**
67 Zim 🛏 – 🛏118/208 CHF 🛏🛏208/310 CHF – 2 Suiten – ½ P
Rest *Veltliner Weinstuben zum Stern* – siehe Restaurantauswahl
Hier pflegt man über 300 Jahre Tradition. Es stehen sehr individuell geschnittene
Zimmer von regional bis modern bereit. Auf Voranmeldung holt man Sie sogar
mit dem Buick von 1933 vom Bahnhof ab!

ABC garni 🛁 🛗 📺 📶 ♨ 🅿 **P**

Ottostr. 8, (Bahnhofplatz) – ☏ 081 254 13 13 – www.hotelabc.ch A1**c**
44 Zim 🛏 – 🛏137/167 CHF 🛏🛏217/242 CHF
Hier wohnt man auch auf der Businessreise praktisch und schön: die Zimmer hell,
modern, mit Holzfussboden und technisch aktuell, das Frühstück gut, Fitnessraum
und Sauna angenehm zeitgemäss, die Lage günstig am Bahnhof... Für Langzeitgäste ab 1 Monat hat man auch Studios.

Freieck garni 🏨 📶

Reichsgasse 44 – ☏ 081 255 15 15 – www.freieck.ch B2**a**
37 Zim 🛏 – 🛏80/160 CHF 🛏🛏150/200 CHF – 2 Suiten
Sie wohnen mitten in der Altstadt in einem Haus von 1575. Am Morgen ein grosses Buffet im modernen Frühstücksraum, dazu ein Wintergarten-Café. Geräumige
Superior-Zimmer.

Basilic ≤ 🏠 **P**

*Susenbühlstr. 43, über Malixerstrasse A2, Richtung Lenzerheide : 1 km
– ☏ 081 253 00 22 – www.basilic.ch
– geschl. über Ostern 1 Woche, Juli 2 Wochen und Sonntag - Montag*
Rest – *(abends Tischbestellung ratsam)* (33 CHF) Menü 48 CHF (mittags unter der
Woche)/85 CHF – Karte 58/97 CHF
Die schöne Hanglage über den Dächern von Chur war einst bei Kälbern als Wei-
deplatz beliebt, heute steht hier ein modern eingerichteter kleiner Pavillon aus
Holz und Glas, in dem Thomas Portmann für Sie saisonal, regional und zeitgemäss
kocht. Partnerin Romana Hendry kümmert sich indes charmant um die Gäste.

Veltliner Weinstuben zum Stern – Hotel Stern 🏠 🍽 ♨ **P**

Reichsgasse 11 – ☏ 081 258 57 57 – www.stern-chur.ch B1**d**
Rest – (28 CHF) Menü 39/98 CHF – Karte 56/87 CHF 🍴
Die Stuben sind gemütlich ganz in Holz gehalten, die Küche bietet Regionales mit
zeitgemässen Elementen - Spargel vom hauseigenen Feld. Schöne Auswahl an
Bündner Weinen und Edelbränden.

Zum Kornplatz 🏠 🍽

*Kornplatz 1 – ☏ 081 252 27 59 – www.restaurant-kornplatz.ch – geschl.
Februar 1 Woche, Anfang August 3 Wochen und Sonntag - Montag*
Rest – (23 CHF) Menü 20 CHF (mittags)/99 CHF – Karte 41/98 CHF 🍴 A2**b**
Capuns, Topfenknödel, Blut- oder Leberwürste... Bei Familie Blümel bekommen
Sie Schweizer und österreichische Gerichte aufgetisch - hier wie auch bei der
Weinauswahl zeigt sich die Herkunft des Chefs: Österreich. Man hat auf der Karte
einige schöne Rotweine von dort.

in Malix Süd: 4,5 km über Malixerstrasse A2, Richtung Lenzerheide
– Höhe 1 130 m – ✉ 7074

Belvédère ≤ 🏠 ♨ **P**

*Hauptstr. 4, Nord: 1,5 km Richtung Chur – ☏ 081 252 33 78
– geschl. Montag - Dienstag*
Rest – *(nur Abendessen, sonntags auch Mittagessen)* Menü 49/89 CHF
– Karte 55/108 CHF
Das Restaurant mit herrlicher Panoramasicht über Chur ist bekannt für Gerichte
vom Holzgrill (Wagyu-Rind als Spezialität). Hier legt der Chef selbst Hand an und
kümmert sich daneben noch herzlich um die Gäste - und das bereits seit 1965!

COINSINS – Vaud (VD) – **552** B10 – **399 h.** – alt. 475 m – ✉ 1267   **6** A6
▶ Bern 131 – Genève 31 – Lausanne 35 – Neuchâtel 98

  🏠   **Auberge de la Réunion**   🕭 |📶| & rest, ℅ ch, 🛜 **P**
       Route de la Tourbière 3 – ℰ 022 364 23 01 – www.auberge-coinsins.ch
  ✧ **16 ch** ⌘ – ▮135 CHF ▮▮170 CHF – ½ P
      Rest – *(fermé dimanche soir)* (20 CHF) Menu 34 CHF (déjeuner en semaine)/
      88 CHF – Carte 38/89 CHF
      Ne vous attendez pas à ce qu'on vous parle créole ou à voir le piton de la Four-
      naise apparaître au loin ! Cette ancienne ferme vaudoise (1804) dispose de cham-
      bres simples et spacieuses, idéales pour un séjour dans la région. Restaurant tra-
      ditionnel (produits régionaux et gibier en saison).

COINTRIN – Genève – **552** B11 – **voir à Genève**

COIRE – **553** V8 – **voir à Chur**

Les COLLONS – Valais – **552** I12 – **voir à Thyon - Les Collons**

COLOGNY – Genève – **552** B11 – **voir à Genève**

COMANO – Ticino (TI) – **553** R13 – **2 000 ab.** – alt. 511 m – ✉ 6949   **10** H6
▶ Bern 243 – Lugano 7 – Bellinzona 30 – Como 36

  🏠   **La Comanella**   ❦ 🛋 🕭 ⅃ 🛜 ♨ **P**
      via al Ballo 9/10 – ℰ 091 941 65 71 – www.hotel-la-comanella.ch
  ✧ **17 cam** ⌘ – ▮98/146 CHF ▮▮220/246 CHF   **Rist** – (20 CHF) – Carta 41/74 CHF
      In posizione collinare, sorge questo accogliente albergo con giardino e piscina.
      Camere ampie e ben arredate, così come gli spazi comuni. Il ristorante, immerso
      nel verde delle palme, vanta una bella terrazza. Vi è, inoltre, un meraviglioso
      ulivo secolare.

COPPET – Vaud (VD) – **552** B11 – **3 097 h.** – alt. 394 m – ✉ 1296   **6** A6
▶ Bern 146 – Genève 13 – Lausanne 52 – Saint-Claude 61
◎ Château ★

  🏠🏠 **Du Lac**   ≤ |📶| 🛜 ♨ 🚗 **P**
      Grand-Rue 51 – ℰ 022 960 80 00 – www.hoteldulac.ch – fermé janvier
      12 ch – ▮150/215 CHF ▮▮185/250 CHF, ⌘ 19 CHF – 7 suites – ½ P
      Rest *La Rôtisserie* – **voir la sélection des restaurants**
      Sur la route principale du village, au bord du lac comme son nom l'indique, cet
      ancien relais du 17ᵉ s. a su préserver son cachet ancien. Dans les chambres, spa-
      cieuses, plus ou moins rustiques ou stylées, le temps semble s'être arrêté...

  XX **La Rôtisserie** – Hôtel Du Lac   ≤ 📶 **P**
      Grand-Rue 51 – ℰ 022 960 80 00 – www.hoteldulac.ch – fermé janvier, lundi
      midi et dimanche
      Rest – (24 CHF) Menu 55 CHF (déjeuner en semaine)/65 CHF – Carte 69/102 CHF
      La réputation de cette Rôtisserie n'est pas usurpée : on saisit bien les grillades sur
      une cheminée d'époque ! Et quoi de mieux que de siroter un verre sur la belle
      terrasse devant le magnifique panorama ?

CORSIER – Vaud – **552** F10 – **voir à Vevey**

CORTAILLOD – Neuchâtel (NE) – **552** F7 – **4 576 h.** – alt. 482 m   **2** C4
– ✉ 2016
▶ Bern 62 – Neuchâtel 11 – Biel 44 – La Chaux-de-Fonds 29

  🏠   **Le Chalet**   ❦ 🕭 ℅ rest, 🛜 ♨ **P**
      Chemin Chanélaz 15 – ℰ 032 843 42 42 – www.lechalet.ch – fermé fin décembre
  ✧ *- mi-janvier 3 semaines, fin juillet - début août 2 semaines*
      17 ch ⌘ – ▮135/145 CHF ▮▮190/210 CHF – ½ P
      Rest – *(fermé dimanche et lundi midi)* (18 CHF) Menu 49/89 CHF
      – Carte 39/94 CHF
      Avant de devenir hôtel, ce grand chalet de 1860 a d'abord abrité un centre ther-
      mal réputé ! À l'orée d'une forêt, l'endroit est en effet idéal pour se reposer, en
      toute simplicité. Restauration traditionnelle.

Le Buffet d'un Tram 🛜 P

Avenue François-Borel 3 – 📞 032 842 29 92 – www.buffetduntram.ch
Rest – (réservation conseillée) (19 CHF) – Carte 44/82 CHF
Le tram ne passe plus ici depuis longtemps... mais l'essentiel demeure : le buffet.
Ici, suggestions de saison et produits du terroir ont la part belle. L'été, surprenez
vos convives en réservant une table dans l'arbre du jardin !

COSSONAY – Vaud (VD) – 552 D9 – 3 404 h. – alt. 565 m – ✉ 1304   6 B5
▶ Bern 100 – Lausanne 20 – Fribourg 88 – Genève 69

Le Funi sans rest 🥂 🚂 🏢 🕭 🍸 🛜 P

Avenue du Funiculaire 11 – 📞 021 863 63 40 – www.lefuni.ch
– fermé 21 décembre - 13 janvier et 26 juillet - 4 août
16 ch ⌴ – ♦120/150 CHF ♦♦150/180 CHF
Dans une belle demeure ancienne, des chambres lumineuses et fonctionnelles,
parfaitement tenues, d'où l'on peut apercevoir les montagnes et le lac Léman
par beau temps. L'adresse convient aussi à une clientèle d'affaires.

Le Cerf (Carlo Crisci)
🕸 🕸
Rue du Temple 10 – 📞 021 861 26 08 – www.lecerf-carlocrisci.ch – fermé Noël
- Nouvel An 2 semaines, juillet 3 semaines, dimanche, lundi et mardi midi
Rest – Menu 88 CHF (déjeuner)/360 CHF – Carte 145/206 CHF 🍴
Rest La Fleur de Sel🕭 – voir la sélection des restaurants
Dans une maison du 17ᵉ s., une salle élégante scandée d'arches et de piliers de
pierre… C'est, depuis une trentaine d'années, le terrain d'expression de Carlo
Crisci. Produits nobles, herbes ou fleurs fraîches, recettes classiques et techniques
nouvelles : tout est source d'inspiration pour le chef !
→ Croustillant de langoustine en duo de betterave rouge et wasabi. Pot au feu
de foie gras. Côte de veau luté aux senteurs de flouve.

La Fleur de Sel – Restaurant Le Cerf 🄰🄲

Rue du Temple 10 – 📞 021 861 26 08 – www.lecerf-carlocrisci.ch – fermé Noël
- Nouvel An 2 semaines, juillet 3 semaines, dimanche, lundi et mardi midi
Rest – (21 CHF) Menu 55/95 CHF – Carte 60/97 CHF
Ambiance conviviale et recettes régionales, l'inventivité en plus, dans ce bistrot
qui dépend du restaurant Le Cerf : les assiettes sont goûteuses et soignées, à
base de produits choisis.

COURGENAY – Jura (JU) – 551 H4 – 2 179 h. – alt. 488 m – ✉ 2950   2 C3
▶ Bern 92 – Delémont 24 – Basel 51 – Biel 51

De la Gare 🛜 🛜 P

Rue de la Petite-Gilberte 2 – 📞 032 471 22 22 – www.lapetitegilberte.ch
– fermé début janvier 2 semaines
7 ch ⌴ – ♦90 CHF ♦♦160 CHF
Rest La Petite Gilberte – (fermé dimanche et lundi, avril - mi-octobre :
dimanche soir et lundi) (15 CHF) Menu 18 CHF (déjeuner en semaine)/51 CHF
– Carte 41/67 CHF
Face à la gare, un établissement tout simple et sympathique – bâtisse du début
du 20ᵉ s. –, qui permet de faire étape à prix doux. Pour l'anecdote, réservez la
chambre de Gilberte, cette ancienne chanteuse du pays qui prête aussi son nom
à la brasserie.

Boeuf avec ch 🛜 🍸 🛜 ♻ P

Rue de l'Eglise 7 – 📞 032 471 11 21 – www.boeuf-courgenay.ch – fermé 3
- 18 février, 7 - 14 octobre, lundi et mardi
10 ch ⌴ – ♦50/65 CHF ♦♦90/110 CHF
Rest – (18 CHF) Menu 48/88 CHF – Carte 46/89 CHF
La façade rose de ce restaurant fait d'emblée un "effet bœuf" ! Outre la viande de
ce même animal, on y apprécie une cuisine soignée, fraîche et de saison, qui
mêle les influences internationales. Au bistrot, on propose une carte de rösti,
cette galette de pommes de terre si prisée dans le pays. Quelques chambres
pour l'étape.

– **Sports d'hiver : 1 500/3 000 m** 🚡6 ⛷17 🎿 – ✉ 3963

▶ Bern 182 – Sion 25 – Brig 58 – Martigny 54

🛈 Rue Centrale 60 B2, ☏ 027 485 04 04, www.crans-montana.ch

🛈 Avenue de la Gare 22 C1, ☏ 027 485 04 04, www.crans-montana.ch

🖪 ☏ 027 485 97 97

Manifestations locales :

  1-2 mars : Coupe du monde de sky

  8-16 mars : Caprices festival

◎ Site ★

◪ Bella Lui ★★, par 🚡 B1

🏨 Guarda Golf   ⇐ 🚗 🛋 🕸 ♨ 🕸 ⅃🖪 🖫 ⅃ 🏊 🛜 🍽 🚗

Route de Zirès 14 – ☏ 027 486 20 00 – www.hotelguardagolf.com
– fermé 31 mars - 14 juin et 15 septembre - 10 décembre   **B2g**
23 ch ⌷ – 🛏500/850 CHF 🛏🛏650/1000 CHF – 2 suites – ½ P

Rest *Giardino* – voir la sélection des restaurants

Ce superbe établissement exerce une certaine fascination sur ses hôtes : on s'y
sent tout de suite chez soi, bercé par un luxe discret et raffiné, un accueil et un
service des plus prévenants. Les œuvres et mobilier d'art, le spa et le spectacle
des Alpes complètent ce tableau, et promettent un séjour... enchanteur.

🏨 Grand Hôtel du Golf   🅿️ ⇐ 🚗 🛋 🕸 ♨ ⅃🖪 🖫 ♨🍽 🏊 🛜🛋

Allée Elysée Bonvin 7 – ☏ 027 485 42 42 – www.ghgp.ch   **🅿**
– fermé 1er avril - 1er juin et 30 septembre - 30 novembre   **AB2a**
72 ch ⌷ – 🛏300/750 CHF 🛏🛏400/1250 CHF – 8 suites – ½ P

Rest – (45 CHF) Menu 70/130 CHF – Carte 72/110 CHF

L'un des plus anciens fleurons de l'hôtellerie locale, né en 1914 et reconstruit au
milieu du siècle. Les espaces communs sont cossus et richement décorés, le style
néobaroque domine dans les chambres, et les prestations sont nombreuses :
health center, piscine, restaurant (cartes italienne, asiatique ou libanaise), etc.

🏨 Crans Ambassador 🆕   🅿️ ⇐ 🚗 🛋 🕸 ♨ ⅃🖪 🖫 ⅃ 🛜 🛋 🚗 🅿

Route du Petit Signal 3 – ☏ 027 485 48 48 – www.cransambassador.ch
– fermé 6 avril - 14 juin et 14 septembre - 13 décembre   **B1a**
51 ch ⌷ – 🛏410/1400 CHF 🛏🛏580/1400 CHF – 9 suites – ½ P

Rest – (38 CHF) Menu 80 CHF – Carte 62/123 CHF

Inauguré en 2013, c'est "the place to be" avec son architecture montagnarde
high-tech, son panorama unique sur la chaîne des Alpes, ses chambres très
design, son bar – Le 180° – très en vue, son restaurant élégant (carte méditerranéenne)... Un cadre d'exception pour un séjour tout-confort et dernier cri !

🏨 Royal   🅿️ ⇐ 🚗 🛋 🕸 ♨ ⅃🖪 🖫 🛜 🛋 🚗 🅿

Rue de l'Ehanoun 10 – ☏ 027 485 95 95 – www.hotel-royal.ch – fermé mi-avril
- mi-juin, mi-septembre - début décembre   **B2z**
47 ch ⌷ – 🛏450/550 CHF 🛏🛏650/750 CHF – 4 suites – ½ P   **Rest** – Carte 74/114 CHF

Le grand hôtel cossu par excellence, avec ses chambres spacieuses et confortables,
souvent avec balcon – la vue des derniers étages est superbe ! À l'intérieur, lumière,
bois et photographies dédiées à la montagne ajoutent à l'élégance des lieux...

🏨 Hostellerie du Pas de l'Ours   ⇐ ♨ 🕸 ⅃🖪 🖫 🛜 🚗 🅿

Route du Pas de l'Ours 41 – ☏ 027 485 93 33 – www.pasdelours.ch
– fermé 21 avril - 6 juin et 12 octobre - 28 novembre   **A2f**
9 ch – 🛏300/600 CHF 🛏🛏350/600 CHF, ⌷ 30 CHF – 6 suites

Rest *Hostellerie du Pas de l'Ours* ❀ **Rest** *Le Bistrot des Ours* – voir la
sélection des restaurants

Du bois, du bois partout ! Ce chalet est bourré de charme et d'élégance, jusqu'au
salon où l'on se réchauffe devant une cheminée très originale ; et les plus belles
suites se parent de touches design. Spa complet partagé avec l'hôtel voisin.

🏨 De L'Etrier   ⇐ 🚗 🕸 🏊 🛋 🕸 ♨ ⅃🖪 🖫 ⅃ 🍽 rest, 🛜 🛋 🚗 🅿

Route du Pas de l'Ours – ☏ 027 485 44 00 – www.hoteletrier.ch – fermé mai
59 ch ⌷ – 🛏120/420 CHF 🛏🛏280/470 CHF – ½ P   **A2u**
Rest – (septembre - avril dîner seulement) (30 CHF) – Carte 65/81 CHF

Derrière une belle façade typiquement montagnarde, un hôtel accueillant et
confortable, avec de grandes baies vitrées donnant sur les Alpes. Les chambres,
sobres et très spacieuses, sont une invitation au repos.

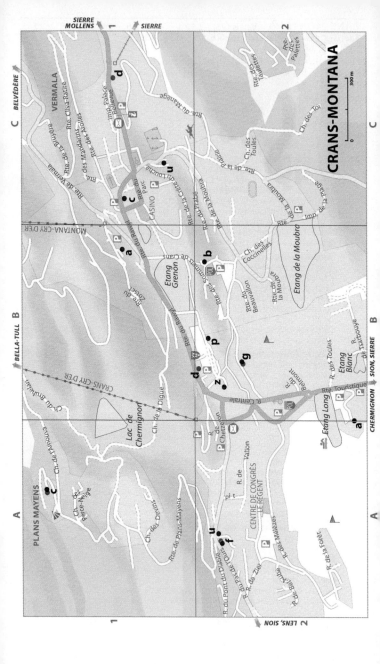

CRANS-MONTANA

Aïda Castel

Chemin du Bethania 1 – ℰ 027 485 41 11 – www.aida-castel.ch   B2**b**
60 ch ⌲ – †100/320 CHF ††140/370 CHF – ½ P
Rest – (45 CHF) Menu 35/120 CHF – Carte 61/98 CHF
L'hospitalité comme doctrine. Les chambres (la majorité avec balcon) sont décorées dans un style montagnard à la fois typique et fonctionnel. À l'heure du repas,
on choisit entre deux versants de la chaîne des Alpes : valaisan ou italien.

Helvetia Intergolf

Route de la Moubra 8 – ℰ 027 485 88 88 – www.helvetia-intergolf.ch
– fermé 30 mars - 20 juin, 5 octobre - 19 décembre   C1**u**
53 ch ⌲ – †100/320 CHF ††160/490 CHF – 36 suites – ½ P
Rest – (fermé dimanche hors saison) (dîner seulement) Carte 50/88 CHF
Ceux qui préfèrent un style plus moderne apprécieront cet hôtel bien exposé,
non loin du centre de Montana. Il propose deux types d'hébergement, des chambres spacieuses ou des appartements équipés d'une cuisinette.

Le Mont-Paisible

Chemin du Mont-Paisible 12, Est : 2 km par C1 et route d'Aminona – ℰ 027 480 21 61
– www.montpaisible.ch – fermé 21 avril - 1ᵉʳ juin et 27 octobre - 15 décembre
40 ch ⌲ – †102/165 CHF ††144/260 CHF – ½ P
Rest – (fermé dimanche soir, lundi et mardi hors saison) (39 CHF)
Menu 41/72 CHF – Carte 41/47 CHF
Paisible, c'est le mot ! À quelques kilomètres du centre, le silence est d'or. Depuis
les chambres, au décor montagnard, on admire à loisir la magnifique vallée envi-
ronnante, avant de rejoindre les pistes de ski toutes proches...

Art de Vivre

Route de Fleurs des Champs 17 – ℰ 027 481 33 12 – www.art-vivre.ch – fermé novembre
27 ch ⌲ – †125/300 CHF ††195/400 CHF – ½ P   B2**p**
Rest *Tout un art* – (fermé mai et lundi) Menu 32 CHF (déjeuner en semaine)
– Carte 41/88 CHF
Cet hôtel du secteur résidentiel a été entièrement rénové en 2012 : il règne un
agréable esprit contemporain dans les chambres, qui revisitent le style montagnard avec originalité... et qui offrent un panorama à tomber ! Autres arts de
vivre : salon avec cheminée, piscine, fitness, spa, sauna et soins à la carte.

Central *sans rest*

Place du Marché 5 – ℰ 027 481 36 65 – www.Lhotelcentral.ch – fermé début mai
2 semaines et début novembre 3 semaines   C1**c**
28 ch ⌲ – †105/200 CHF ††180/250 CHF – 3 suites
Cet hôtel familial moderne est vraiment... central, et ce depuis 1961 ! Les chambres sont confortables et contemporaines, et il est possible de réserver un appartement pour six personnes.

Hostellerie du Pas de l'Ours (Franck Reynaud) – Hôtel Hostellerie du Pas de l'Ours

Route du Pas de l'Ours 41 – ℰ 027 485 93 33
– www.pasdelours.ch – fermé 6 avril - 4 juillet, 5 octobre - 19 décembre,
dimanche soir, lundi et mardi midi   A2**f**
Rest – (réservation conseillée) Menu 65 CHF (déjeuner en semaine)/195 CHF
– Carte 128/160 CHF
Le chef de cet établissement de caractère, Franck Reynaud, n'a pas oublié ses
racines provençales ! Dans un décor rustique, tout de pierre et de bois, il aime
travailler les produits de saison, terriens, gorgés de soleil... Pour accompagner
ses belles créations, on pioche dans une séduisante sélection de vins du Valais.
→ Turbot sauvage en vapeur de coquillages. Mignon de veau du Simmental rôti
aux olives taggiasche et strudel de joue confite. Cœur de bœuf mariné à l'huile
d'olive aromatisé au Kumbawa.

Giardino – Hôtel Guarda Golf

Route de Zirès 14 – ℰ 027 486 20 00 – www.hotelguardagolf.com
– fermé 15 avril - 15 juin et 15 septembre - 10 décembre   B2**g**
Rest – (28 CHF) Menu 150 CHF (dîner) – Carte 72/110 CHF
Giardino ? "Jardin" en italien, tout simplement. Celui-ci est cultivé avec passion
par le jeune chef, qui signe une cuisine originale inspirée par des produits de
qualité. Aux murs, les tableaux contemporains de Tylek et Tylecek, un couple d'artistes tchèques, incitent à la rêverie... comme la terrasse face aux Alpes !

XX **Le Bistrot des Ours** – Hôtel Hostellerie du Pas de l'Ours   🏵 **P**
Route du Pas de l'Ours 41 – 𝒞 027 485 93 33 – www.pasdelours.ch – fermé 21
avril - 6 juin, 12 octobre - 28 novembre, mardi soir, mercredi et jeudi midi
Rest – Menu 35 CHF (déjeuner en semaine) – Carte 70/95 CHF 🏵   A2**f**
Qu'est-ce qui pourrait pousser une bande d'ours affamés à choisir ce bistrot entre
tous ? Facile ! Son atmosphère rustique et montagnarde, associée à une cuisine
savoureuse et taillée pour les grands carnivores : onglet de bœuf du pays à
l'échalote, pâté de cerf et foie gras à la gelée de vin cuit... À rugir de plaisir !

X **La Diligence** avec ch   ⇐ 🏠 🏵 ch, 🛜 🚗 **P**
Route de la Combaz 56 – 𝒞 027 485 99 85 – www.ladiligence.ch   C1**d**
8 ch � – 🛏85/125 CHF 🛏🛏140/180 CHF   **Rest** – (22 CHF) – Carte 40/82 CHF
Manger libanais dans un décor typiquement montagnard, voilà ce que propose
ce chalet tenu par la famille Lamaa : chawarma, couscous royal, chich taouk...
à accompagner de vins du Valais ou du Liban ! Avec de petites chambres toutes
simples pour passer la nuit.

X **Le Thaï**   🏠 🏵
📀 *Route du Rawyl 12 – 𝒞 027 481 82 82 – www.le-thai.ch – fermé 1ᵉʳ - 25 mai,*
novembre, lundi et mardi hors saison   B2**d**
Rest – *(réservation conseillée le soir)* (18 CHF) – Carte 42/86 CHF
Ce petit restaurant thaï est l'œuvre de toute une famille passionnée, qui, pendant
les périodes de fermeture, part en Thaïlande pour se perfectionner ! L'authenticité
des parfums, l'originalité des recettes (toutes accompagnées de légumes, desserts
compris) et les jolies présentations mettent l'eau à la bouche...

à Plans Mayens Nord : 4 km – ✉ 3963 Crans-Montana

🏨 **Le Crans**   ⑄ ⇐ 🚗 🎿 📺 🌐 🏠 🛗 💆 🛜 🧖 **P**
Chemin du Mont-Blanc 1 – 𝒞 027 486 60 60 – www.lecrans.com – fermé mai et
novembre   A1**c**
7 ch ⊑ – 🛏430/680 CHF 🛏🛏550/1600 CHF – 8 suites – ½ P
Rest *Le Mont Blanc* – voir la sélection des restaurants
Cet hôtel haut de gamme – et haut perché – promet un séjour exclusif : une vue
extraordinaire sur la vallée et les sommets, des chambres qui sont de vrais bijoux
(l'esprit montagnard est interprété avec un raffinement exquis), des suites et un
wellness voluptueux... Un sommet de romantisme, à l'écart de tout.

XXX **Le Mont Blanc** – Hôtel Le Crans   ⇐ 🏠 **P**
Chemin du Mont-Blanc 1 – 𝒞 027 486 60 60 – www.lecrans.com – fermé mai et
novembre   A1**c**
Rest – Menu 55 CHF (déjeuner en semaine)/149 CHF – Carte 95/150 CHF 🏵
Ses grandes baies vitrées en demi-cercle donnent presque l'impression de naviguer sur le magnifique paysage environnant... À la barre, le chef, Pierre Crepaud,
signe des mets créatifs portés par des produits nobles : filet de féra en croûte de
pain, râble de lapin à la tapenade alpestre, etc. Belle traversée !

à Bluche Est : 3 km par C1, direction Sierre – alt. 1 263 m – ✉ 3975 Randogne

X **Edo**   ⇐ 🏠 🛗 **P**
😊 *Route Sierre-Montana 43 – 𝒞 027 481 70 00 – www.edo-tokyo.ch – fermé 15 juin*
- 17 juillet, mi-octobre 2 semaines, lundi midi et mardi midi, hors saison : lundi
- mercredi midi, jeudi midi, vendredi midi
Rest – (25 CHF) Menu 50/130 CHF (dîner) – Carte 34/71 CHF
On peut être à la montagne et déguster une authentique cuisine japonaise ! Au
menu, on retrouve les spécialités emblématiques de l'archipel, préparées avec
soin et des ingrédients de qualité. De la terrasse, la vue sur les sommets donne
d'autant plus de relief aux sushis, sashimis et autres grillades...

CRAP MASEGN – Graubünden – **553** T8 – siehe Laax

CRISSIER – **Vaud (VD)** – 552 E9 – **7 288 h.** – **alt. 470 m** – ✉ 1023   6 B5
▶ Bern 102 – Lausanne 7 – Montreux 38 – Nyon 45

XXXX   **Restaurant de l'Hôtel de Ville** (Benoît Violier)   ⇔

🕸🕸🕸 *Rue d'Yverdon 1 – ✆ 021 634 05 05 – www.restaurantcrissier.com – fermé*
22 décembre - 7 janvier, 23 - 27 février, 20 - 24 avril, 8 - 12 juin, 27 juillet
- 18 août, dimanche et lundi
Rest – *(réservation indispensable)* Menu 185 CHF (déjeuner en semaine)/370 CHF
– Carte 161/250 CHF 🍴

Un véritable temple de la gastronomie ! Après Frédy Girardet et Philippe Rochat,
Benoît Violier mène cette noble maison avec un rare talent. Ses assiettes, magis-
trales, subtiles et puissantes, sont dignes de classiques ; le service – d'exception – cultive la grande tradition. Goût d'immuable, goût d'inédit : la nouveauté
s'inscrit dans l'excellence…
→ Morilles pointues des monts d'Auvergne. Langoustines de casier de la mer
d'Irlande. Pintadeau de la Drôme.

La CROIX-de-ROZON – **Genève (GE)** – 552 B12 – **1 290 h.** – **alt. 483 m**   6 A6
– ✉ 1257
▶ Bern 174 – Genève 7 – Gex 31 – Saint-Julien-en-Genevois 6

à Landecy Ouest : 3 km – alt. 490 m – ✉ 1257 La Croix-De-Rozon

X   **Auberge de Landecy**   🏡 ⇔

🍴   *Route du Prieur 37 – ✆ 022 771 41 41 – www.auberge-de-landecy.ch – fermé*
Noël, Nouvel An, fin avril une semaine, août une semaine, dimanche et lundi
🍴   **Rest** – (19 CHF) Menu 39 CHF (déjeuner en semaine)/82 CHF – Carte 53/71 CHF

Non loin de la frontière, une jolie auberge dans la campagne… On tombe sous le
charme de ses murs du 18ᵉ s., de sa terrasse fleurie et plus encore de sa cuisine,
pleine des saveurs de saison. Excellent rapport qualité-prix !

Les CROSETS – **Valais (VS)** – 552 F12 – ✉ 1873   7 C6
▶ Bern 129 – Sion 69 – Lausanne 70 – Genève 134

🏨   **Mountain Lodge**   🏡 📺 🕸 📶 🛜 🚗

Hameau des Crosets – ✆ 024 479 25 80 – www.lemountainlodge.ch
– fermé 27 avril - 14 décembre
23 ch ⌸ – †280/490 CHF ††280/490 CHF – ½ P
Rest – (25 CHF) – Carte 40/70 CHF

L'établissement idéal pour les amateurs de montagne et de glisse. À deux pas des
pistes (1 670 m d'altitude) : location de skis, cheminée, sauna et jacuzzi… avec une
vue sur les Dents du Midi ! Pour la télé, il faut demander, mais est-ce bien utile ?

🏠   **L'Étable**   🏡 📶 🛜 ch, 📶 🚗

🍴   *Hameau des Crosets – ✆ 024 565 65 55 – www.hotel-etable.ch – fermé mai - juin*
et septembre - novembre
17 ch ⌸ – †88/238 CHF ††126/326 CHF – ½ P
Rest *La cuisine de l'Étable* – *(fermé mai - novembre)* (17 CHF) Menu 23 CHF
(déjeuner)/39 CHF – Carte 51/95 CHF

Ce chalet rend hommage avec humour au charme des alpages, avec ses chambres habillées de bois et… de peaux de vache. Le restaurant se révèle tout aussi
chaleureux (joli mélange d'ancien et de contemporain, cuisine créative). Du
cachet à deux pas des pistes !

CROY – **Vaud (VD)** – 552 D8 – **318 h.** – **alt. 642 m** – ✉ 1322   6 B5
▶ Bern 95 – Lausanne 31 – Pontarlier 41 – Yverdon-les-Bains 20

XX   **Rôtisserie au Gaulois**   🏡 🅰🅒 🅿

🍴   *Route du Dîme 3 – ✆ 024 453 14 89 – www.au-gaulois.com – fermé janvier 2*
semaines, fin juin - mi-juillet 3 semaines, lundi et mardi
Rest – (17 CHF) Menu 52/120 CHF – Carte 54/104 CHF

Sentez-vous cette bonne odeur ? Regardez plutôt vers la cheminée : pavés, faux-
filets et autres côtes de bœuf grillent et rôtissent sous vos yeux ! Et parce que,
dans cette sympathique auberge, on aime satisfaire tout le monde, les amateurs
de poissons et crustacés seront conquis par la fraîcheur de leurs mets favoris.

CULLY – Vaud (VD) – **552** E10 – **1 763 h.** – alt. 391 m – ⊠ 1096   **6** B5

▶ Bern 96 – Lausanne 9 – Montreux 15 – Pontarlier 77

🛈 Place de la Gare 4, ✆ 084 886 84 84, www.montreuxriviera.com

Manifestations locales :

4-12 avril : Jazz festival

20-29 juin : festival Cully classique

🏨 **Lavaux** ❶   ⇐ 🛋 ⴷ ch, Ⓐ ch, 🛜 ⴶ 🅿

Route Cantonale ⊠ *1096 – ✆ 021 799 93 93 – www.hotellavaux.ch*
58 ch – †140/250 CHF ††180/300 CHF, ⌸ 18 CHF – 6 suites – ½ P
Rest – (20 CHF) Menu 55 CHF – Carte 42/88 CHF
Niché sur les coteaux viticoles du Léman, ce bâtiment d'un beau modernisme
(1964), avec un toit-terrasse dominant superbement le lac, a été entièrement
rénové en 2012. Design et épure font tout le caractère apaisant des chambres, à
l'unisson de la vue sur les flots ou les vignes...

🍴🍴 **Le Raisin** avec ch   🛋 🍴 ⴷ rest, Ⓐ rest, 🛜 ⟳ ⴶ

*Place de l'Hôtel-de-Ville 1 – ✆ 021 799 21 31 – www.aubergeduraisin.ch – fermé
début janvier une semaine et dimanche soir*
10 ch ⌸ – †130/180 CHF ††180/220 CHF
Rest – (28 CHF) Menu 58/140 CHF – Carte 72/116 CHF🍸
Près du lac, voilà une maison de caractère avec son élégante rôtisserie, où les
viandes à la broche côtoient notamment les poissons nobles du Léman... Les
amoureux des beaux produits se régalent à petits prix ! L'été, profitez de
l'agréable terrasse ou prolongez l'étape du côté de l'hôtel, de belle tenue.

🍴 **La Gare**   🛋

Place de la Gare 2 – ✆ 021 799 21 24 – www.lagarecully.ch
*– fermé 21 décembre - 14 janvier, 29 août - 23 septembre, samedi midi,
dimanche et lundi*
Rest – (20 CHF) Menu 69/129 CHF – Carte 65/105 CHF🍸
Face à la gare, ce sympathique établissement traditionnel a le goût des classiques : le chef affectionne les bons produits (perche du lac, pigeon de Racan,
etc.), son dada étant le foie gras, chaud ou froid. Belle sélection de vins locaux.

CURAGLIA – Graubünden (GR) – **553** R9 – **424 Ew** – Höhe 1 332 m   **9** H5
– ⊠ 7184

▶ Bern 184 – Andermatt 38 – Altdorf 71 – Bellinzona 78

🏠 **Vallatscha** ❶   🛏 🛋 🛜 ⴶ ⟵ 🅿

Via Lucmagn – ✆ 081 936 44 90 – www.vallatscha.com – geschl. Juni, November
10 Zim – †90/115 CHF ††150/170 CHF – ½ P
Rest – *(geschl. Mittwoch)* (28 CHF) Menü 28/48 CHF – Karte 42/71 CHF
Ein bisschen spürt man in dem gepflegten Haus von 1910 noch den historischen
Charme und gleichzeitig geniesst man das frische Ambiente heller und schön zeitgemässer Zimmer. Ebenso freundlich das Restaurant "Aurina", und auch die "Stiva"
(das gastronomische Herzstück) lässt trotz gemütlicher alter Täferung moderne
Elemente erkennen. Hier wie dort bekommen Sie traditionelle Regionalküche mit
italienischem Einfluss. Übrigens: Im gesamten Haus gibt es gutes Medelser Berg-
quellwasser!

in Mutschnengia West: 2 km – ⊠ 7184 Curaglia

🏠 **Cuntera**   ⟋ ⇐ 🛋 🛜 🅿

Mutschnengia – ✆ 081 947 63 43 – www.hotel-cuntera.ch – geschl. November
13 Zim ⌸ – †85/90 CHF ††130/140 CHF – ½ P
Rest – *(geschl. Dienstag)* (19 CHF) Menü 19 CHF (mittags unter der Woche)/
48 CHF – Karte 29/48 CHF
Die Idylle rings um das ruhige kleine Bergdorf wird Sie begeistern... und sie macht
Lust auf eine Schneewanderung - Die Schneetourschuhe dafür können Sie hier
leihen! Auch wenn Sie nicht in dem netten Familienbetrieb wohnen, sollten Sie
dennoch mal das Panoramarestaurant samt toller Terrasse und grandioser Sicht
ins Medelsertal besuchen!

DALLENWIL – Nidwalden (NW) – **551** O7 – **1 796 Ew** – Höhe 486 m   **4** F4
– ⊠ 6383

▶ Bern 128 – Luzern 18 – Chur 160 – Zürich 79

XX **Gasthaus zum Kreuz** 🏯 ⇔ **P**
Städtlistr. 3 – ☎ 041 628 20 20 – www.kreuz-dallenwil.ch – geschl. Juli - August und Montag - Dienstag
Rest – (22 CHF) Menü 63 CHF (mittags)/129 CHF – Karte 71/114 CHF
Der Gasthof im Ortskern wird freundlich-familiär geführt und bietet zeitgemässe klassische Küche aus guten Produkten. In den getäferten Stuben herrscht eine gemütliche Atmosphäre.

DAVESCO-SORAGNO – Ticino – 553 R13 – vedere Lugano

DAVOS – Graubünden (GR) – 553 X8 – 11 131 Ew – Höhe 1 560 m   11 J4
– Wintersport : 1 560/2 844 m ⛷ 11 ⛷ 17 ⛸ – ⊠ 7270
▶ Bern 271 – Chur 59 – Sankt Moritz 68 – Vaduz 78
🛈 Alvaneu Bad, Süd-West: 29 km Richtung Tiefencastel, ☎ 081 404 10 07
🛈 Davos, ☎ 081 416 56 34
🛈 Klosters, Nord: 11 km an der Selfrangastr. 44, ☎ 081 422 11 33
Lokale Veranstaltungen:
   22.-25. Januar: Weltwirtschaftsforum - WEF
   7.-9. März: Parsenn Derby
   3.- 6. Juli: Eidgenössiches Jodlerfest
◉ Lage★★ • Kirchnermuseum★★ M A1_2• Weissfluhgipfel★★ (mit Standseilbahn), über A1• Schatzalp★A1 • Hohe Promenade★B1
◖ Die Zügenschlucht★

Stadtplan auf der nächsten Seite

DAVOS DORF – Höhe 1 560 m – ⊠ 7260

▶ Bern 270 – Chur 58 – Bludenz 105 – Mels 58
🛈 Bahnhofstr. 8 B1, ☎ 081 415 21 21, www.davos.ch

🏨 **Seehof** ⇐ 🏯 🕸 🛋 🛜 🛁 🚗 **P**
Promenade 159 – ☎ 081 417 94 44 – www.seehofdavos.ch – geschl. 21. April - 16. Mai, 13. Oktober - 22. November B1**a**
94 Zim ⊡ – †105/330 CHF ††210/660 CHF – 5 Suiten – ½ P
Rest *Amrein's Seehofstübli* ⊗ – siehe Restaurantauswahl
Rest *Chesa Seehof* – (22 CHF) – Karte 40/97 CHF
Ein Logenplatz an der Promenade! Von der repräsentativen Lobby gelangt man in individuelle Zimmer von zeitgemäss-elegant bis zum etwas einfacheren Classic-Zimmer, teils mit Balkon und Bergblick. Eine schöne Alternative zum Gourmetres-taurant ist das gemütlich-rustikale Chesa mit Kreuzgewölbe - hier kocht man regional und international.

🏨 **Turmhotel Victoria** ⇐ 🏯 🕸 🅙 🛋 🛜 🛁 🚗 **P**
Alte Flüelastr. 2 – ☎ 081 417 53 00 – www.victoria-davos.ch – geschl. 6. April - 15. Mai, 15. Oktober - 25. November B1**d**
87 Zim ⊡ – †135/275 CHF ††210/510 CHF – 11 Suiten – ½ P
Rest *La Terrasse* – siehe Restaurantauswahl
Von aussen fällt sofort der hübsche Turmanbau ins Auge, drinnen warten unter-schiedlich geschnittene Zimmer - wie wär's z. B. mit einem Superior mit Balkon zur Südseite? Oder vielleicht eine der tollen geräumigen "Bel Etage"-Suiten? Ent-spannung findet man bei Kosmetik und Massage, und auch beim Speisen, z. B. Fondue und Grillgerichte im Kirchner Stübli.

🏨 **Meierhof** 🚗 🏯 🖥 🕸 🛋 🛜 🚗 **P**
⊛ *Promenade 135 – ☎ 081 417 14 14 – www.meierhof.ch* B1**c**
67 Zim ⊡ – †108/233 CHF ††196/466 CHF – 8 Suiten – ½ P
Rest *Jarno* – (19 CHF) – Karte 47/103 CHF
Das Hotel liegt zentral an der Promande, wird engagiert geführt und ist freund-lich mit alpenländischer Note eingerichtet. Recht moderner Saunabereich und Hallenbad mit Blick in den Garten. Im Restaurant (benannt nach dem Formel-1-Rennfahrer Jarno Trulli) bietet man bei gemütlicher Atmosphäre regional-saison-ale Küche auf klassischer Basis.

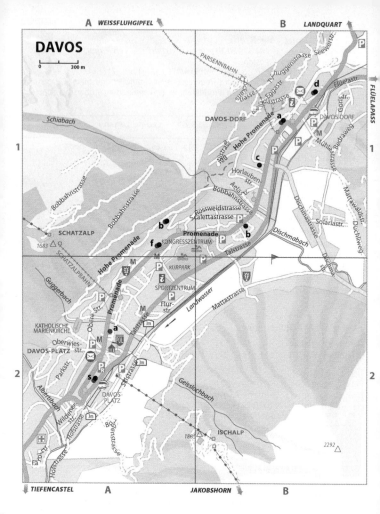

DAVOS

A WEISSFLUHGIPFEL   B   LANDQUART

0   300 m

PARSENNBAHN

Schiabach

DAVOS-DORF

Hohe Promenade

DAVOS-DORF

Bobbahnstrasse

SCHATZALP

1683

SCHATZALPBAHN

Horlauben str.

Aelas tr.

Bobbahnstrasse

Rossweidstrasse

Scalettastrasse

Promenade

KONGRESSZENTRUM

Hohe Promenade

Talstrasse

Dischmabach

Dischma

KURPARK

SPORTZENTRUM

Flur- str.

Landwasser

Mattastrasse

Guggerbach

KATHOLISCHE MARIENKIRCHE

Oberwies- str.

DAVOS-PLATZ

Obere Str.

Promenade

Parkstr.

Albertibach

Wildener str.

Horlstrasse

DAVOS-PLATZ

Geisslochbach

Bründstrasse

ISCHALP

1883

2292

TIEFENCASTEL   A   JAKOBSHORN   B

FLÜELAPASS

Flüelastr.

Seewerstr.

Mühlestrasse

Bedraweg

Matterwaldstr.

Duchliweg

Solarlastr.

XXX **Amrein's Seehofstübli** – Hotel Seehof

✿ *Promenade 159 – ☎ 081 417 94 44 – www.seehofdavos.ch – geschl. 13. April*
- 6. Juni, 13. Oktober - 6. Dezember und Montag - Dienstag   B1**a**
Rest – *(Tischbestellung ratsam)* Menü 54/170 CHF – Karte 93/148 CHF ⌘
Nach dem Walserhof in Klosters ist nun hier die Wirkungsstätte von Armin
Amrein. Kreativ und mit gewohntem Engagement kocht er für die Gäste das
Degustations- oder das Bündnermenü, aber auch à la carte und natürlich seine
Klassiker. Und am Mittag gibt es in der gemütlich-eleganten Arvenholzstube zu
fairem Preis das ebenfalls niveauvolle Lunchmenü!
→ Engadiner Forelle, Whisky, Wald und Wiese. Hummer und Kalbshaxe, Eier-
schwämmli, Spinat, Kartoffel "Red Fantasy". Zwetschgen "Hacienda Elvesia", Ama-
ranth, Brioche.

Gute Küche zu moderatem Preis? Folgen Sie dem Bib Gourmand ⌂.

XX **La Terrasse** – Turmhotel Victoria ≼ 🏡 & ✿ **P**

Alte Flüelastr. 2, (1. Etage) – 𝒞 081 417 53 00 – www.victoria-davos.ch – geschl.
6. April - 15. Mai, 15. Oktober - 25. November B1**d**
Rest – (18 CHF) – Karte 46/121 CHF
Das um einen grosszügigen Wintergarten verbreiterte Restaurant wirkt durch den
Lichteinfall hell und freundlich. Nahe an der Talstation der Parsennbahn gelegen,
ein idealer Ort zur Stärkung nach dem Skifahren oder Bergwandern.

DAVOS PLATZ – Höhe 1 540 m – ✉ **7270**

▶ Bern 273 – Chur 61 – Bludenz 108 – Mels 61
🛈 Talstr. 41 B2, 𝒞 081 415 21 21, www.davos.ch

🏨 **Steigenberger Belvédère** ≼ 🏡 📺 🕸 🏋 🛗 💈 Zim, 🛜 🎵 **P**

Promenade 89 – 𝒞 081 415 60 00 – www.steigenberger.com/davos
– geschl. Anfang April - Mitte Mai, Mitte Oktober - Mitte November
119 Zim �)️ – 🕈217/470 CHF 🕈🕈242/970 CHF – 8 Suiten A1**f**
Rest *Romeo und Julia / Trattoria* – siehe Restaurantauswahl
Rest *Bistro Voilà* – Karte 39/102 CHF
Das Grandhotel in Davos schlechthin! Hier trifft Tradition (das Haus wurde 1875
erbaut) auf den Komfort von heute. Zur Wahl stehen klassische oder modern-
alpine Zimmer. Schöne Aussicht.

🏨 **Waldhotel Davos** ⬙ ≼ 🚗 📺 🕸 🏋 🎵 💈 Rest, 🛜 🎵 **P**

Buolstr. 3 – 𝒞 081 415 15 15 – www.waldhotel-davos.ch – geschl. 30. April
- 1. Juni, 30. Oktober - 22. November A1**b**
43 Zim ☺️ – 🕈150/320 CHF 🕈🕈250/490 CHF – 3 Suiten – ½ P
Rest *Mann und Co* – siehe Restaurantauswahl
Rest – (abends Tischbestellung ratsam) (25 CHF) Menü 135/195 CHF
– Karte 65/115 CHF
Dieses Haus hoch über Davos (traumhaft das Bergpanorama!) war schon immer
prädestiniert für Erholung: einst als Sanatorium, heute als schönes zeitgemässes
und engagiert geführtes Hotel. Buchen Sie ein Panorama-Zimmer oder gönnen
Sie sich eines mit eigener Sauna! Oder das Highlight: die Thomas-Mann-Suite.
Und lassen Sie sich auch das historische Gästezimmer zeigen! Im Hotelrestaurant
kocht man traditionell-regional-saisonal.

🏨 **Grischa**   💈 & Rest, 💈 Rest, 🛜 🎵 🚗 **P**

Talstr. 3 – 𝒞 081 414 97 97 – www.hotelgrischa.ch A2**s**
81 Zim ☺️ – 🕈110/440 CHF 🕈🕈210/540 CHF – 12 Suiten – ½ P
Rest *Golden Dragon* **Rest** *Leonto* – siehe Restaurantauswahl
Rest *Pulsa* – (19 CHF) – Karte 46/92 CHF
Rest *Monta* – (nur Abendessen) Menü 115 CHF – Karte 67/119 CHF
Das Hotel setzt auf Bergatmosphäre als Designkonzept: heimisches Altholz, Stein,
loungige Ledersessel im schicken Shabby-Look... und an der Decke eine beachtliche Lichtskulptur aus Muranoglas-Elementen in Eiszapfenoptik - was in der
Lobby so geschmackvoll beginnt, findet in den Zimmern mit ihrem edlen Inte-
rieur aus klaren Formen, gedeckten Farben und Seidenschimmer seine stilvoll-
moderne Fortsetzung. Zum visuellen Genuss kommt der kulinarische, z. B. bei
Grillgerichten im "Monta" oder im "Pulsa" bei Fondue und Raclette oder beim
günstigen Lunch.

🏠 **Alpenhof**   🏡 💈 🛜 🎵 🚗 **P**

Hofstr. 22, (über A2, Richtung Tiefencastel) ✉ 7270 – 𝒞 081 415 20 60
– www.alpenhof-davos.ch – geschl. 28. April - 9. Mai
12 Zim ☺️ – 🕈105/150 CHF 🕈🕈190/270 CHF – 7 Suiten – ½ P
Rest – (20 CHF) – Karte 37/91 CHF
Die Zimmer hier sind freundlich und wohnlich im Stil der Region eingerichtet,
viele mit Balkon nach Süden. Sie machen Urlaub mit der Familie? Dann buchen
Sie am besten die Suiten! Gemütlich das ganz aus Rundholz gebaute Restaurant,
am Eingang ein kleines Fondue-Stübli. Als Spezialität gibt es das "Porterhouse-
Steak" für zwei Personen, am Tisch tranchiert! Ausserdem stehen "Crépinette
vom Davoser Lamm" oder "Prättigauer Knödli" auf der Karte. Schön die Aussicht
von der grossen Terrasse.

🏠 **Casanna** ⟨ 🚋 📧 🛜 **P**

Alteinstr. 6 – ℰ 081 417 04 04 – www.casanna.ch – geschl. Ende April - Anfang Juni, Mitte Oktober - Ende November B1**b**
26 Zim 🖵 – 👤110/160 CHF 👤👤170/300 CHF – ½ P
Rest *– (nur Abendessen für Hausgäste)*
Charmant! Die Zimmer in dem kleinen Hotel sind hell und wohnlich, der Service ist freundlich und familiär. Kurpark und Bushaltestellen befinden sich ganz in der Nähe, Businessgäste haben es nicht weit zum Kongresszentrum.

XXX **Mann und Co** – Waldhotel Davos ⟨ 🍴 **P**

Buolstr. 3 – ℰ 081 415 15 15 – www.waldhotel-davos.ch – geschl. 30. April - 1. Juni, 30. Oktober - 22. November und Montag, Juli - Oktober: Montag - Dienstag A1**b**
Rest *– (nur Abendessen) (Tischbestellung ratsam)* Menü 135/195 CHF
– Karte 60/115 CHF 🍷
Nachdem sich Thomas Mann hier schon zu seinem "Zauberberg" inspirieren liess, geht die Inspiration heute auf die Gäste über, wenn sie sich auf die Menüs von Thorsten Bode einlassen. Seine modernen und kreativen Gerichte basieren auf erstklassigen Produkten und das Ganze wird in stimmigem modern-elegantem Ambiente bestens vom hervorragenden Serviceteam ergänzt.

XX **Leonto** ⓝ – Hotel Grischa ♿ **P**

Talstr. 3 – ℰ 081 414 97 97 – www.hotelgrischa.ch – geschl. April - Ende November und Montag - Dienstag A2**s**
Rest *– (nur Abendessen)* Menü 79 CHF – Karte 81/143 CHF
Die Gourmetvariante der Grischa-Gastronomie präsentiert sich modern-elegant in klaren Linien und strahlendem Weiss (aparter Kontrast ist der rote Teppichboden). Bevor Sie hier die kreative, zeitgemässe und saisonale Küche geniessen, nehmen Sie im angeschlossenen Bar-Lounge-Bereich Ihren Apéro ein.

XX **Romeo und Julia / Trattoria** – Hotel Steigenberger Belvédère 🍴

Promenade 89 – ℰ 081 415 60 00 ⇔ **P**
– www.steigenberger.com/davos – geschl. Anfang April - Mitte Mai, Mitte Oktober - Mitte November A1**f**
Rest *– (nur Abendessen)* Karte 56/120 CHF
Sicher hat schon manch grosser Politiker beim alljährlichen Weltwirtschaftsforum auf einem der Stühle in diesem netten rustikalen Lokal gesessen. Die Küche orientiert sich an italienischen Rezepten.

X **Golden Dragon** ⓝ – Hotel Grischa 🛋 ♿ **P**

Talstr. 3 – ℰ 081 414 97 97 – www.hotelgrischa.ch – geschl. Mitte April - Mitte Mai und Montag - Dienstag A2**s**
Rest – Karte 44/68 CHF
Dass man in Davos nicht nur regional essen kann, beweist dieses chinesische Restaurant. Probieren Sie z. B. das Menü "Jasmin" (ab 3 Personen)! Und wie könnte es im "Grischa" anders sein: Alles ist hochwertig und stimmig designt: Holz, Stein, Leder... elegant die dunklen, warmen Töne.

in Davos-Monstein Süd-West: 11 km über A2, Richtung Tiefencastel – ✉ 7270

🏠 **Ducan** 🍽 🛋 🎵 🛜 🚗 **P**

Hauptstr. 15 – ℰ 081 401 11 13 – www.hotelducan.ch – geschl. 19. April - 31. Mai, 21. Oktober - 5. Dezember
12 Zim 🖵 – 👤100/180 CHF 👤👤140/280 CHF – ½ P
Rest *– (geschl. Mittwoch)* Karte 36/92 CHF
Ein uriger Gasthof ganz in Holz in einem einsamen kleinen Dorf. Liebenswerte Zimmer mit modernen Bädern (Flat-TV auf Wunsch), reizendes "Saunahüüschi" mit Brunnen im Freien. Mit "Älpli Grill" und "Bramata Polenta"-Gerichten (freitags) passt auch die Küche zum regionalen Charakter.

Die Auswahl an Hotels und Restaurants ändert sich jährlich.
Kaufen Sie deshalb jedes Jahr den neuen Guide MICHELIN!

in Wolfgang Nord-Ost: 4 km über A2, Richtung Landquart – Höhe 1 629 m
– ⊠ 7265 Davos-Wolfgang

⌂ **Kessler's Kulm** ⬚ ⬚ ⬚ ⬚ ⬚
Prättigauerstr. 32 – ℰ *081 417 07 07* – *www.kessler-kulm.ch*
40 Zim ⬚ – ♦81/148 CHF ♦♦130/316 CHF – ½ P
Rest – (22 CHF) Menü 27/50 CHF – Karte 31/63 CHF
Das Hotel befindet sich an der Durchgangsstrasse, am Ende der Parsenn Skiregion
- die Loipe führt am Haus vorbei, die Alpin-Piste endet direkt oberhalb des Hotels.
Einige der Zimmer sind neuzeitlich-frisch, andere etwas älter (auch die im Gästehaus gegenüber). Fragen Sie nach den Zimmern mit besonders schöner Tal-
sicht! Auch beim Essen (bürgerliche Küche) können Sie den Ausblick geniessen
- am besten von der Terrasse.

in Sertig Dörfli Süd: 9 km über A2, Richtung Tiefencastel
– ⊠ 7272 Davos Clavadel

⌂ **Walserhuus** ⬚ ⬚ ⬚ ⬚ Rest, ⬚ ⬚ ⬚
Sertigerstr. 34, Süd: 1 km ⊠ *7272* – ℰ *081 410 60 30* – *www.walserhuus.ch*
11 Zim ⬚ – ♦105/140 CHF ♦♦150/220 CHF – ½ P
Rest – (21 CHF) – Karte 32/86 CHF
Einmalig schön, ja geradezu paradiesisch liegt das Haus der Familie Biäsch am
Ende eines Hochtales. Umgeben von liebenswertem rustikalem Charme schlafen
Sie bequem auf Gänsedaunen und Arvenholzspänen und lassen sich im Schwin-
ger-, Arven- oder Panoramastübli - oder natürlich draussen auf der Terrasse bei
grandioser Aussicht - z. B. Heidelbeerrisotto und Parmesan schmecken. Besuchen
Sie unbedingt den Wasserfall Sertig!

DEGERSHEIM – Sankt Gallen (SG) – **551** T5 – 3 887 Ew – Höhe 799 m   5 H2
– ⊠ 9113
▶ Bern 197 – Sankt Gallen 18 – Konstanz 50 – Winterthur 62

⌂ **Wolfensberg** ⬚ ⬚ ⬚ ⬚ ⬚ ⬚ ⬚ ⬚
Wolfensberg – ℰ *071 370 02 02* – *www.wolfensberg.ch*
27 Zim ⬚ – ♦125/138 CHF ♦♦178/188 CHF – 1 Suite – ½ P
Rest – (18 CHF) Menü 15 CHF (mittags unter der Woche)/65 CHF
– Karte 37/89 CHF
Das Haus gibt es inzwischen seit rund 80 Jahren. Es wird engagiert-familiär
geführt, liegt schön ruhig (toll die Aussicht!) und bietet top gepflegte sonnige
Zimmer sowie einen grossen Garten. Sie speisen im hellen, freundlichen Restau-
rant oder in der rustikalen Stube.

DELÉMONT Ⓒ – Jura (JU) – **551** I5 – 11 676 h. – alt. 413 m – ⊠ 2800   2 D3
▶ Bern 90 – Basel 42 – Montbéliard 62 – Solothurn 36
🛈 Place de la Gare 9, ℰ 032 420 47 71, www.juratourisme.ch
Manifestations locales :
   29 juin : Slow Up
   27 septembre : Notes d'Equinoxe

⌂ **La Bonne Auberge** sans rest ⬚ ⬚
Rue du 23 Juin 32, (accès piétonnier) – ℰ *032 422 17 58*
– *www.labonneauberge.ch* – *fermé début janvier une semaine*
7 ch ⬚ – ♦110/120 CHF ♦♦180 CHF
Au cœur de cette cité historique, cette maison séculaire – un ancien relais de
poste de 1850 – se dresse fièrement au bord d'une rue piétonne. L'établissement
se révèle chaleureux et confortable ; l'on s'y sent bien. Oui, voilà bien une Bonne
Auberge !

⌂ **Ibis** sans rest ⬚ ⬚ ⬚ ⬚
Avenue de la Gare 37 – ℰ *032 421 10 00* – *www.ibis.com*
78 ch – ♦99/149 CHF ♦♦99/149 CHF, ⬚ 15 CHF
Situation avantageuse pour cet Ibis créé en 2011, à 2mn à pied de la gare (et
avec un parking en sous-sol). Les chambres, modernes et fonctionnelles, se prê-
tent aussi bien à la clientèle d'affaires que touristique.

XX **du Midi** avec ch   AK rest, ℅ ch, 📶

Place de la Gare 10 – ℰ 032 422 17 77 – www.hoteldumidi.ch
– fermé 10 - 26 mars, 6 - 22 octobre, mardi soir et mercredi
7 ch – †75/90 CHF ††120/140 CHF, ⌷ 16 CHF – ½ P
Rest – (21 CHF) – Carte 46/112 CHF
En descendant du train, si la faim se fait sentir, poussez la porte de ce restaurant
qui fait face à la gare ! Le chef fait profession de tradition, faisant évoluer sa carte
au plus près des saisons, avec professionnalisme. Autres atouts : la brasserie et les
chambres, utiles si vous devez faire étape à Delémont.

Les DIABLERETS – Vaud (VD) – 552 H11 – 1 464 h. - alt. 1 155 m   7 C6
– Sports d'hiver : 1 151/2 120 m ≤3 ≤25 ⚐ – ⊠ 1865
▶ Bern 126 – Montreux 38 – Aigle 22 – Gstaad 21
🖪 Chemin du collège 2, ℰ 024 492 00 10, www.diablerets.ch
Manifestations locales :
1 janvier-1 mars : festival musique et neige
28 février-2 mars : Diablerets 3D
25-27 juillet : les Diables en Fête
août : festival international du film
◉ Site★
🖸 Scex Rouge★★★, Est : 4 km et ⚐

🏛 **Eurotel Victoria**   🕭 ≤ 🏠 🖾 🕊 🖷 📶 🛁 🚗 P

Chemin du Vernex 3 – ℰ 024 492 37 21 – www.eurotel-victoria.ch
– fermé 4 octobre - 21 décembre
101 ch ⌷ – †114/210 CHF ††246/378 CHF – ½ P
Rest – (dîner seulement) Menu 55/85 CHF – Carte 39/72 CHF
Ce grand bâtiment moderne semble naviguer sur les cimes... Pour un séjour en altitude,
pour les loisirs comme les affaires, l'établissement offre de nombreux agréments :
chambres avec balcon face aux pistes, nombreuses salles de séminaire, restaurant, etc.

🏠 **du Pillon**   🕭 ≤ 🖾 📶 🛁 P

Chemin des Bovets 16 – ℰ 024 492 22 09 – www.hoteldupillon.ch
13 ch ⌷ – †120/150 CHF ††160/200 CHF – ½ P
Rest – (dîner pour résidents seulement) Menu 35 CHF – Carte 39/54 CHF
Suisse éternelle ! Sur les hauteurs du village, parmi les sapins, ce beau chalet de
1875 pavoise devant les sommets, en particulier le glacier des Diablerets. Une vue
superbe, dont on ne peut se lasser dans le décor des salons et chambres, qui ont
la charmante simplicité d'une demeure de famille...

DIELSDORF – Zürich (ZH) – 551 P4 – 5 770 Ew – Höhe 429 m – ⊠ 8157   4 F2
▶ Bern 127 – Zürich 22 – Baden 16 – Schaffhausen 36
🖪 Lägern, Otelfingen, Nord-Ost: 12 km, ℰ 044 846 68 00

🏠 **Löwen**   🏠 🖷 ㅤ 🔊 📶 🛁 P

Hinterdorfstr. 21 – ℰ 044 855 61 61 – www.loewen-dielsdorf.ch
37 Zim ⌷ – †168 CHF ††200/236 CHF
Rest – (geschl. Samstagmittag, Sonntag) (20 CHF) Menü 17 CHF (mittags unter
der Woche)/22 CHF – Karte 33/75 CHF
Die Zimmer des a. d. 13. Jh. stammenden Gasthofs in der Ortsmitte sind topmodern oder wohnlich im Landhausstil eingerichtet. W-Lan bietet man kostenfrei. Zum
Restaurant gehören die rustikale Beiz, die helle Taverne und die beliebte Terrasse.

XX **Bienengarten** mit Zim   🏠 🖷 ⇔ P

Regensbergstr. 9 – ℰ 044 853 12 17 – www.bienengarten-dielsdorf.ch
– geschl. 4. - 20. Oktober und Samstagmittag
8 Zim – †140/230 CHF ††180/290 CHF, ⌷ 18 CHF
Rest – (Tischbestellung ratsam) (24 CHF) Menü 75/120 CHF – Karte 54/125 CHF
Mit den neuen Betreibern Christoph und Alexandra Hager ist auch ein moderner
Touch ins Haus eingezogen. Die Küche ist nach wie vor klassisch, aber eben mit
frischer Note. Da probiert man gerne Gerichte wie "Kalbskopfbäggli geschmort in
Merlot, Tagliatelle und Ofengemüse" oder "Dry-Aged Beef" - und das im Sommer
am liebsten auf der Terrasse im schönen Garten. Die recht grosszügigen Zimmer
laden auch zu einem längeren Aufenthalt ein.

DIESSBACH bei BÜREN – Bern (BE) – 551 I6 – 894 Ew – Höhe 457 m   2 D3
– ✉ 3264

▶ Bern 30 – Biel 14 – Burgdorf 34 – Neuchâtel 43

XX **Storchen**   ⌂ **P**

Schmiedgasse 1 – ℰ 032 351 13 15 – www.storchen-diessbach.ch – geschl.
1. - 8. Januar, 24. Juli - 6. August und Dienstag - Mittwoch
Rest – (18 CHF) Menü 55 CHF (mittags)/95 CHF – Karte 46/89 CHF
Seit über 20 Jahren leitet Familie Holenweger das historische Gasthaus mit
gemütlichen Stuben und netter Terrasse. Spezialität: Sauce Woronov nach
Geheimrezept des Chefs.

DIESSENHOFEN – Thurgau (TG) – 551 R3 – 3 507 Ew – Höhe 413 m   4 G2
– ✉ 8253

▶ Bern 172 – Zürich 52 – Baden 72 – Frauenfeld 22

🏨 **Unterhof**   ⏲ ⌂ ⍰ ⅃₆ ▣ ⅙ ⅗ Rest, 중 ⍼ ⌁ **P**

Schaffhauserstr. 8 – ℰ 052 646 38 11 – www.unterhof.ch – geschl. 22. Dezember
- 4. Januar
88 Zim ⌂ – †130/155 CHF ††170/210 CHF   **Rest** – (20 CHF) – Karte 42/61 CHF
An das reizvolle Anwesen der historischen Burg schliesst sich das Hotel an, das
mit funktionellen, wohnlichen und immer grosszügig geschnittenen Zimmern
auf Tagungen spezialisiert ist. Sie frühstücken im alten Rittersaal und speisen im
modern-rustikalen Restaurant in der Burg - davor die Terrasse am Rhein.

XX **Gasthaus Schupfen**   ⇐ ⌂ ⅙ **P**

Steinerstr. 501, Ost: 3 km Richtung Stein am Rhein – ℰ 052 657 10 42
– www.schupfen.ch – geschl. 6. - 28. Januar und Montag - Dienstag
Rest – (19 CHF) Menü 74/110 CHF – Karte 52/78 CHF
Seine bis ins Jahr 1455 zurückreichende Historie macht das schöne Riegelhaus zu
einer Besonderheit. Auch wenn man in den drei liebenswerten Stuben noch so
gemütlich sitzt, sollten Sie im Sommer vielleicht doch der idyllischen Terrasse direkt am Rhein den Vorzug geben. André Döberts gute bodenständige
A-la-carte-Gerichte (z. B. "gebratener Zander auf Graupenrisotto") oder das aufwändige Gourmetmenü gibt es hier wie dort!

XX **Krone** mit Zim   ⇐ 중 **P**

Rheinstr. 2 – ℰ 052 657 30 70 – www.krone-diessenhofen.ch – geschl. Februar 2
Wochen, Juli 2 Wochen, Anfang August 1 Woche und Montag - Dienstag
6 Zim ⌂ – †130 CHF ††150/180 CHF – ½ P
Rest – (32 CHF) Menü 38 CHF (mittags unter der Woche) – Karte 40/81 CHF
Das alte Stadthaus liegt direkt an der überdachten Holzbrücke von 1816, einem
Grenzübergang nach Deutschland. Heimelig ist die gediegene Gaststube mit Aus-
sicht. Übernachtungsgästen bietet man freundliche und praktische Zimmer.

DIETIKON – Zürich (ZH) – 551 O5 – 24 183 Ew – Höhe 388 m – ✉ 8953   4 F2

▶ Bern 113 – Zürich 18 – Aarau 37 – Baden 14

🏨 **Conti**   ⌂ ▣ ⅙ Rest, ⅙ Zim, 중 ⍼ **P**

Heimstr. 41, (Industriegebiet Nord), Richtung N1 – ℰ 044 745 86 86
– www.conti.ch
68 Zim ⌂ – †190/200 CHF ††235/255 CHF – 3 Suiten – ½ P
Rest – (24 CHF) Menü 19 CHF (mittags unter der Woche)/85 CHF
– Karte 50/74 CHF
Ein Teil der Gästezimmer in diesem Hotel ist sehr modern in klarem Design gehal-
ten, auch die übrigen sind funktionell und technisch auf dem neuesten Stand.
Freundlich und geradlinig ist das Ambiente im Restaurant.

XX **Taverne zur Krone**   ⌂ ⅙ ⅙ ⇔

Kronenplatz 1 – ℰ 044 744 25 35 – www.taverne-zur-krone.ch – geschl. Anfang
August 2 Wochen, Ende Dezember 1 Woche und Sonntag
Rest – (24 CHF) Menü 56 CHF (mittags unter der Woche)/105 CHF
– Karte 41/104 CHF
Was hier auf den Teller kommt, sieht nicht nur gut aus, es schmeckt auch so. In
der eleganten holzgetäferten Stube spürt man förmlich die Historie des Barock-
baus, in Brasserie und Bistro-Bar Moderne als Kontrast.

DIETINGEN – Thurgau (TG) – **551** R4 – **Höhe 435 m**   4 G2
– ⊠ 8524 Uesslingen

▶ Bern 170 – Zürich 50 – Frauenfeld 8 – Konstanz 35

XX   **Traube**   ⪡ 🛋 ⅋ ⇦ **P**
Schaffhauserstr. 30, Süd-West: 1 km – 𝒞 052 746 11 50
– www.traube-dietingen.ch – geschl. 27. Januar - 11. Februar, 14. - 29. Juli und
Mittwoch - Donnerstag
Rest – (34 CHF) Menü 34/125 CHF – Karte 61/122 CHF 🕸
Mitten in den Weinbergen liegt das Fachwerkhaus a. d. 19. Jh. mit stimmigem
rustikal-elegantem Interieur und schöner Terrasse. Vielfältige Auswahl an interna-
tionalen Weinen. Übernachten kann man in zwei einfachen Zimmern.

DOMBRESSON – Neuchâtel (NE) – **552** G6 – **1 607 h.** – **alt. 743 m** – ⊠ 2056   2 C4
▶ Bern 64 – Neuchâtel 14 – Biel 46 – La Chaux-de-Fonds 16

X   **Hôtel de Commune**   🛋 ⇦ **P**
Grand'Rue 24 – 𝒞 032 853 24 01 – www.hoteldombresson.ch – fermé 3
- 29 janvier, mardi et mercredi
Rest – (30 CHF) Menu 50 CHF (déjeuner)/125 CHF – Carte 70/105 CHF
Certains établissements sont à un village ce qu'est l'horlogerie à la Suisse : indisso-
ciables ! Tel est le cas de cette imposante maison de pays, dans la même famille
depuis trois générations. On y sert une cuisine du marché goûteuse et soignée.

DÜDINGEN – Freiburg (FR) – **552** H8 – **7 383 Ew** – **Höhe 596 m**   2 C4
– ⊠ 3186

▶ Bern 28 – Neuchâtel 39 – Fribourg 10

X   **Gasthof zum Ochsen**   🛋 🛆 **AC** ⅋
⊜   *Hauptstr. 2 – 𝒞 026 505 10 59 – www.zumochsen.ch – geschl. 28. Juli*
- 10. August und Sonntagabend - Montag
🥗   **Rest** – (19 CHF) Menü 49 CHF (mittags)/103 CHF – Karte 52/87 CHF
Der "Ochsen" hat es in sich! In dem stattlichen regionstypischen Haus schwingen
zwei Brüder die Kochlöffel. Dieses Schlemmer-Duo steht für eine bunte, aromen-
reiche und schmackhafte Saisonküche wie z. B. "Gebratenes Lammkarree an Rosmarin" - und die gibt es zu einem fairen Preis!

DÜRNTEN – Zürich (ZH) – **551** R5 – **7 054 Ew** – **Höhe 515 m** – ⊠ 8635   4 G3
▶ Bern 157 – Zürich 29 – Rapperswil 9 – Uster 14

🏨   **Sonne**   📶 🛆 ⅋ 📶 🛆 **P**
Oberdürntnerstr. 1 – 𝒞 055 251 40 10 – www.sonne-duernten.ch
30 Zim ⊑ – 🛆127/145 CHF 🛆🛆165/190 CHF
Rest – (geschl. Sonntag - Montag) (22 CHF) Menü 65/95 CHF – Karte 68/99 CHF
Wer in der Gegend zu tun hat, findet beim Ehepaar Leschhorn eine zeitgemässe
Übernachtungsadresse mit hellen, sachlich-funktionalen Zimmern und Räumlichkei-
ten für Seminare und Feiern. Im Restaurant hüllt das interessante Beleuchtung die
hellen Holzmöbel in ein schönes Licht. Die Küche: international, saisonal, regional.

DÜRRENROTH – Bern (BE) – **551** L6 – **1 060 Ew** – **Höhe 669 m** – ⊠ 3465   3 E3
▶ Bern 45 – Olten 48 – Luzern 53 – Thun 49

🏨   **Bären**   🖾 🛆 📶 📶 🛆 🛋 **P**
🍽   *Dorf 17 – 𝒞 062 959 00 88 – www.baeren-duerrenroth.ch*
27 Zim ⊑ – 🛆85/130 CHF 🛆🛆120/200 CHF – 3 Suiten – ½ P
Rest Bären 🍴 – siehe Restaurantauswahl
Die wohnlichen Zimmer befinden sich im Gästehaus Kreuz gegenüber dem Gasthof Bären, darunter Honeymoon-, Rosen-, Romantik- und Wellness-Suite - Letztere
mit Dampfbad, Sauna und Whirlpool direkt neben dem Bett! Schöner Rosengarten.

XX   **Bären** – Hotel Bären   🛋 ⅋ **P**
⊜   *Dorf 17 – 𝒞 062 959 00 88 – www.baeren-duerrenroth.ch*
🥗   **Rest** – (19 CHF) Menü 55/110 CHF – Karte 48/106 CHF
Die hübsche Holzstube hat schon Charme, und hier serviert man Regionales wie
"Simmentaler Kalbsragout" oder "frisch gebackenes Madelaine mit weissem Scho-
koladeneis und Schweizer Rose". In der einfacheren Gaststube gibt es mittags das
Tagessen. Gut die Auswahl an Schweizer Weinen.

EBERSECKEN – Luzern (LU) – 551 M6 – 422 Ew – Höhe 548 m   3 E3
– ✉ 6245

▶ Bern 86 – Aarau 39 – Luzern 46 – Solothurn 58

XX   **Sonne**   🕯 ♻ **P**

😊 *Dorf 2 – ☎ 062 756 25 14 – www.sonne-ebersecken.ch – geschl. Anfang März*
😊 *2 Wochen, Ende Juli - Mitte August 2 Wochen und Sonntagabend - Montag*
     Rest – (20 CHF) Menü 65/84 CHF – Karte 46/84 CHF
     Familie Häfliger bietet in dem hübschen Gasthaus schmackhafte regional-saison-
     ale Küche und sympathischen Service. Man sitzt im schönen zeitgemässen A-la-
     carte-Stübli oder in der rustikalen Gaststube. Reizvoll ist auch die Gartenterrasse.

ECHANDENS – Vaud (VD) – 552 D9 – 2 225 h. – alt. 434 m – ✉ 1026   6 B5
▶ Bern 104 – Lausanne 9 – Pontarlier 65 – Yverdon-les-Bains 34

X   **Auberge Communale**   🕯 ♻

😊 *Place du Saugey 8 – ☎ 021 702 30 70 – www.auberge-echandens.ch – fermé*
     23 - 6 mars, 23 juillet - 10 août, mardi et mercredi
     Rest – (20 CHF) Menu 58/140 CHF – Carte 44/93 CHF
     Voilà bien une auberge communale typique ! Deux formules, deux atmosphères :
     d'un côté le café, ses petits plats et son ambiance conviviale ; de l'autre, le restau-
     rant, sa gastronomie d'inspiration française et son cadre plus contemporain.

EFFRETIKON – Zürich (ZH) – 551 Q5 – 15 965 Ew – Höhe 511 m   4 G2
– ✉ 8307
▶ Bern 140 – Zürich 20 – Rapperswil 39 – Wil 32

X   **QN-Restaurant**   🕯 **P**

😊 *Rikonerstr. 52, Richtung Autobahn Winterthur, Ost: 1 km – ☎ 052 355 38 38*
     – www.qn-world.ch – geschl. Samstagmittag, Sonntag
     Rest – (20 CHF) Menü 40 CHF (mittags unter der Woche)/110 CHF
     – Karte 52/94 CHF 🍴
     Italienisch beeinflusste Küche in moderner Atmosphäre, dazu über 400 Weine mit
     Schwerpunkt Italien und Spanien sowie über 240 verschiedene Zigarren im histori-
     schen Mühlenkeller.

EGERKINGEN – Solothurn (SO) – 551 L5 – 3 153 Ew – Höhe 435 m   3 E3
– ✉ 4622
▶ Bern 58 – Basel 44 – Aarau 30 – Luzern 57

🏨 **Mövenpick**   ← 🚗 🕯 🏋 🛗 ⚐ 🅰 🛜 ⚓ **P**
     Höhenstr. 12 – ☎ 062 389 19 19 – www.moevenpick-hotels.com/egerkingen
     131 Zim – ♦169/370 CHF ♦♦169/370 CHF, ⌾ 26 CHF – 6 Suiten
     Rest – (24 CHF) Menü 22 CHF (mittags)/41 CHF – Karte 32/75 CHF
     Das Hotel liegt auf einer Anhöhe über dem Ort und bietet eine schöne Aussicht.
     Für die Gäste stehen freundlich und modern eingerichtete Zimmer bereit. Die ver-
     schiedenen Restaurantbereiche schliessen sich offen an die grosszügige Lobby an.

XX **Kreuz - Cheminée** mit Zim   🕯 ⚐ ✗ 🛜 ♻ ⚓ 🍴 **P**
     Oltnerstr. 11 – ☎ 062 398 03 33 – www.kreuz.ch – geschl. 12. - 23. April,
     4. - 13. Oktober, 21. Dezember - 5. Januar und Sonntag - Montag
     7 Zim ⌾ – ♦130/165 CHF ♦♦180/215 CHF – 1 Suite
     Rest – Menü 75/125 CHF – Karte 63/108 CHF
     Rest *Luce* – (25 CHF) Menü 33 CHF (mittags unter der Woche)
     – Karte 47/104 CHF
     Das Cheminée im Biedermeierstil befindet sich im Parterre des restaurierten Gast-
     hofs a. d. 18. Jh. Zeitgemässe Küche und freundlicher Service unter der Leitung
     der Patronne. Luce: rustikale Gaststube mit Wintergarten. Hübsche Terrasse mit
     Blick zum Fusse des Jura.

EGLISAU – Zürich (ZH) – **551** P4 – **4 501 Ew** – **Höhe 392 m** – ✉ 8193   4 G2
▶ Bern 145 – Zürich 28 – Schaffhausen 23 – Aarau 67

🏨 **Gasthof Hirschen**   📠 🛜 🏊
Untergass 28 – ℰ 043 411 11 22 – www.hirschen-eglisau.ch – geschl.
22. Dezember - 10. Februar
5 Zim 🔲 – 🛏170/240 CHF – 🛏🛏199/280 CHF – 2 Suiten
Rest *La Passion* 🕸 – siehe Restaurantauswahl
Rest *Bistro* – (geschl. Montag, April - September: Sonntagabend - Montag)
(25 CHF) – Karte 45/85 CHF
Historischer Gasthof im alten Ortskern am Rhein. In den individuellen Zimmern
schaffen schöne Details wie Holzböden, Stuck und antike Möbel Atmosphäre.

🍽🍽 **La Passion** – Hotel Gasthof Hirschen
🕸 *Untergass 28 – ℰ 043 411 11 22 – www.hirschen-eglisau.ch – geschl.*
22. Dezember - 10. Februar und Sonntag - Montag
Rest – (nur Abendessen) (Tischbestellung erforderlich) Menü 135/195 CHF
Der junge Küchenchef Christian Kuchler hat die Leidenschaft fürs Kochen offen-
sichtlich von seinem Vater (Sternekoch in Wigoltingen) geerbt - er offeriert eine
zeitgemässe Küche auf klassischer Basis als Menü mit zwei bis sieben Gängen!
➔ Jakobsmuschel, Blumenkohl, Sommertrüffel. Königstaube, Orange, Steinpilze.
Bergamotte, Thymian, Birne.

EGNACH – Thurgau (TG) – **551** U4 – **4 328 Ew** – **Höhe 401 m** – ✉ 9322   5 I2
▶ Bern 223 – Sankt Gallen 20 – Bregenz 41 – Frauenfeld 45

🏠 **Seelust**   📠 📱 🍴 Rest, 🛜 🏊 🅿
🍢 *Wiedehorn, Süd-Ost: 1,5 km Richtung Arbon ✉ 9322 – ℰ 071 474 75 75*
– www.seelust.ch
25 Zim 🔲 – 🛏112/135 CHF 🛏🛏170/195 CHF – ½ P
Rest – (20 CHF) Menü 32 CHF (mittags)/66 CHF – Karte 34/68 CHF
Der Familienbetrieb mit guter Autobahnanbindung liegt ganz in der Nähe des
Bodensees und bietet zeitgemässe Zimmer, einige mit Blick auf See und Obstbäu-
me. Zum Restaurant gehört eine lauschige Terrasse - ein Teil davon ist wetter-
geschützt!

EICH – Luzern (LU) – **551** N6 – **1 671 Ew** – **Höhe 516 m** – ✉ 6205   4 F3
▶ Bern 100 – Luzern 19 – Olten 44 – Sursee 14

im Ortsteil Vogelsang Nord: 2,5 km

🏨 **Vogelsang**   ≤ 📱 🛜 🅿
Eichbergstr. 2 – ℰ 041 462 66 66 – www.vogelsang.ch – geschl. 17. Februar
- 6. März
27 Zim 🔲 – 🛏130/160 CHF 🛏🛏230 CHF
Rest *Vogelsang* – siehe Restaurantauswahl
Ein Traum ist die erhöhte Lage! Buchen Sie ein Zimmer zum See (zum Parkplatz
hin kann es etwas lauter werden)! Zur Wahl stehen die Zimmertypen "Loft" (dies
sind die neuren) und "Classic". Oder möchten Sie von der Badewanne Ihrer topmodernen Juniorsuite auf Sempachersee und Berge blicken?

🍽🍽 **Vogelsang** – Hotel Vogelsang   ≤ 📠 🅿
🍢 *Eichbergstr. 2 – ℰ 041 462 66 66 – www.vogelsang.ch – geschl. 17. Februar*
- 6. März
Rest – (17 CHF) Menü 75/109 CHF – Karte 45/97 CHF
Wenngleich Wintergarten und Schmittenstube wirklich ansprechend sind in ihrer
klassisch-eleganten Art, so können sie doch die Terrasse - eine der schönsten der
Region - nicht toppen! Kulinarisch gesehen verdienen die Grilladen besondere
Aufmerksamkeit.

EINSIEDELN – Schwyz (SZ) – **551** Q6 – **14 438 Ew** – **Höhe 881 m**   4 G3
– ✉ 8840
▶ Bern 166 – Luzern 67 – Glarus 53 – Schwyz 24
🏛 Hauptstr. 85, ℰ 055 418 44 88, www.einsiedeln.ch
⛳ Ybrig, Studen, Süd-Ost: 16 km über Euthal - Studen, ℰ 055 414 60 50
◎ Lage ★★ – Klosterkirche ★★

🏠 **Boutique Hotel St. Georg** Ⓝ garni   🕙 ⑩ 📶 ☕ 🛁
Hauptstr. 72 – ℰ 055 418 24 24 – www.hotel-stgeorg.ch
40 Zim ⌙ – ♦80/120 CHF ♦♦120/220 CHF – 2 Suiten
Das Hotel ist modern funktional eingerichtet und liegt ideal im charmanten Zentrum - das sehenswerte Benediktinerkloster in unmittelbarer Nähe ist ein schöner Freizeittipp! Parken können Sie übrigens problemlos im 300 m entfernten Parkhaus Brühl. Hungrige haben es auch nicht weit: gleichnamiges Restaurant nebenan.

✗ **Linde** Ⓝ mit Zim   🕙 📶 ☕ ⇄ 🅿
Schmiedenstr. 28 ✉ 8840 – ℰ 055 418 48 48 – www.linde-einsiedeln.ch
17 Zim ⌙ – ♦95/125 CHF ♦♦160/240 CHF – ½ P
Rest – (30 CHF) – Karte 38/78 CHF
Mitten in Einsiedeln sitzt man hier in netten, mit viel Holz schön wohnlich ausgestatteten Stuben. Zur gepflegten Atmosphäre bietet Patron Daniel Mariotto seine klassisch und traditionell geprägte Küche. Auch zum Übernachten ist das Haus mit seinen verschiedenen Zimmerkategorien eine gute Adresse.

ELM – Glarus (GL) – **551** T8 – 698 Ew – Höhe 962 m   5 H4
– Wintersport : 1 000/2 105 m ⛷1 ⛷5 ⚟ – ✉ **8767**
▶ Bern 213 – Chur 91 – Altdorf 74 – Andermatt 106
🄸 Sägereistr. 7, ℰ 055 642 52 52, www.elm.ch

🏠 **Elmer**   🕙 📶 ☕ 🛁 🅿
Dorf 51 – ℰ 055 642 60 80 – www.hotelelmer.ch – geschl. April - Mai, November - Ende Dezember
22 Zim ⌙ – ♦85/180 CHF ♦♦150/250 CHF – ½ P
Rest – *(geschl. Sonntagabend - Montag) (nur Abendessen)* Karte 32/74 CHF
Das gepflegte und gut geführte Haus befindet sich direkt im Dorfkern und verfügt über zeitgemäss und funktionell ausgestattete Gästezimmer.

EMMEN – Luzern (LU) – **551** O6 – 28 481 Ew – ✉ **6032**   3 F3
▶ Bern 108 – Luzern 5 – Stans 18 – Zug 31

✗✗ **Kreuz**   🕙 ⇄ 🅿
🔗 *Seetalstr. 90 – ℰ 041 260 84 84 – www.kreuz-emmen.ch – geschl. Ende Juli - Anfang August 3 Wochen und Sonntag sowie an Feiertagen*
Rest – (20 CHF) Menü 65 CHF (abends)/128 CHF – Karte 52/96 CHF
Sie werden überrascht sein, wie sorgsam und hübsch man das Gasthaus drinnen modernisiert hat! Gaststube und Reussstube bieten bürgerliche Gerichte, in der "Speisekammer" bekommt man man abends internationale Saisonküche sowie zwei Menüs auf Vorbestellung.

ENGELBERG – Obwalden (OW) – **551** O8 – 3 942 Ew – Höhe 1 000 m   8 F4
– Wintersport : 1 050/3 028 m ⛷8 ⛷12 ⚟ – ✉ **6390**
▶ Bern 145 – Andermatt 77 – Luzern 35 – Altdorf 47
🄸 Klosterstr. 3, ℰ 041 639 77 77, www.engelberg.ch
🏌 Engelberg Titlis, ℰ 041 638 08 08
Lokale Veranstaltungen:
  12. April: Titlis Fire Ride
◉ Lage★
�𝐆 Titlis★★★, Süd mit ⛷

🏨 **Ramada Hotel Regina Titlis**   ⛷ 🕙 📺 ⑩ 📶 ☕ ♨ ✗ ☕ 🛁 🚐
🔗 *Dorfstr. 33 – ℰ 041 639 58 58 – www.ramada.ch – geschl. Mitte Oktober - Mitte November*
96 Zim – ♦140/340 CHF ♦♦190/390 CHF, ⌙ 25 CHF – 32 Suiten – ½ P
Rest *La Strega* – (19 CHF) Menü 68/88 CHF – Karte 56/94 CHF
In dem Hotel im Zentrum erwarten Sie eine geräumige Halle mit Bar sowie zeitgemässe Gästezimmer mit Balkon. Fragen Sie nach den Zimmern in den oberen Stockwerken. Italienische Küche im La Strega mit offener Feuerstelle. Nur im Winter: Fondue-Restaurant Titlis.

Schweizerhof   🏨 🍴 📶 🎿 **P**

Dorfstr. 42 – ℰ 041 637 11 05 – www.schweizerhof-engelberg.ch – geschl. November

38 Zim 🛏 – 🧍115/175 CHF 🧍🧍180/310 CHF – ½ P
Rest *Fonduestube – (geschl. April - November) (nur Abendessen)*
Karte 30/81 CHF

Hinter den klassischen Fassade dieses gut geführten Hotels in Bahnhofsnähe stehen teilweise ganz moderne Zimmer bereit. Freundliche kleine Lobby mit Bar. Eine alte Täferung ziert die gediegen-rustikale Fonduestube.

Spannort   🍴 🏨 🍴 📶 **P**

Dorfstr. 28 – ℰ 041 639 60 20 – www.spannort.ch
18 Zim 🛏 – 🧍135/150 CHF 🧍🧍220/270 CHF – 2 Suiten
Rest – *(geschl. Montag) (nur Abendessen)* Menü 53 CHF – Karte 46/95 CHF

Die Zimmer in dem Familienbetrieb am Rande der Fussgängerzone sind freundlich im wohnlich-alpenländischen Stil eingerichtet. Sehr schön: Lounge und Frühstücksraum. Gemütlich-rustikales Ambiente im Restaurant.

Engelberg   🍴 🍴 📶 🎿

Dorfstr. 14 – ℰ 041 639 79 79 – www.hotel-engelberg.ch – geschl. Ende Oktober - Anfang Dezember
20 Zim 🛏 – 🧍85/150 CHF 🧍🧍170/300 CHF – ½ P
Rest – *(geschl. Mitte April - Ende Juni: Mittwoch - Donnerstag, Juli - Ende Oktober: Mittwoch)* (25 CHF) – Karte 38/92 CHF

Der in der autofreien Zone im Zentrum des Dorfes gelegene alte Gasthof verfügt über wohnliche, im Landhausstil gehaltene Zimmer. Gemütlich sitzt man im ländlich gestalteten Dorfstübli. Vor dem Haus: das Strassencafé.

Hess by Braunerts   🍴 **P**

Dorfstr. 50 – ℰ 041 637 09 09 – www.hess-restaurant.ch – geschl. nach Ostern 3 Wochen, November und Montag - Dienstag
Rest – (24 CHF) Menü 79/110 CHF – Karte 46/84 CHF

Ulf und Isolde Braunert legen Wert auf unkomplizierte Küche, schmackhaft und zeitgemäss - so wie die Hausspezialität Kotelett vom Ennetbürger Limousin-Kalb. Sie schätzen nach dem Essen eine gute Zigarre? Die Lounge ist ein gemütlicher Ort dafür.

Schweizerhaus   🍴 & 🎿 ✿ **P**

Schweizerhausstr. 41 – ℰ 041 637 12 80 – www.schweizerhaus.ch – geschl. Mai - November: Montag
Rest – (18 CHF) Menü 29 CHF (mittags)/98 CHF – Karte 44/94 CHF

Im Anbau des charmanten Gasthofs von 1744 befindet sich ein helles, neuzeitliches Restaurant mit internationaler Küche. Im Beizli bietet man auch Gerichte vom heissen Stein.

ENNETBADEN – Aargau – **551** O4 – **siehe Baden**

ENNETBÜRGEN – Nidwalden (NW) – **551** O7 – **4 397 Ew** – **Höhe 435 m**   3 F4
– ✉ **6373 Ennetbürgen**

▶ Bern 130 – Stans 6 – Sarnen 22 – Luzern 19

Villa Honegg   ⬅ 🚗 🍴 🏊 🗖 🖥 🏨 🛗 🍴 🏋 Rest, 📶 🅿 **P**

Honegg – ℰ 041 618 32 00 – www.villa-honegg.ch
18 Zim 🛏 – 🧍480/580 CHF 🧍🧍530/790 CHF – 5 Suiten – ½ P
Rest – (44 CHF) Menü 48 CHF (mittags unter der Woche)/134 CHF – Karte 64/118 CHF

Hier wurde so einiges in Sanierung und Umbau investiert, um aus der Villa von 1905 dieses Schmuckkästchen zu machen. Es hat sich gelohnt: Wahrhaft herrschaftlich und mit reichlich Privatsphäre wohnt es sich nun hier oben auf dem Bürgenstock, von der fantastischen Aussicht ganz zu schweigen!

ERLEN – Thurgau (TG) – **551** T4 – **3 213 Ew** – **Höhe 449 m** – ✉ **8586**   5 H2
▶ Bern 193 – Sankt Gallen 29 – Bregenz 51 – Frauenfeld 29
🖸 Erlen, ℰ 071 648 29 30

XX **Aachbrüggli** mit Zim   🖼 🏵 Zim, 📶 ⇄ **P**

Poststr. 8 – ✆ 071 648 26 26 – www.aachbrueggli.ch – geschl. Ende Juli - Anfang August und Sonntagabend - Montag

8 Zim 🍽 – †90/100 CHF ††160/200 CHF – ½ P

Rest – (19 CHF) Menü 45 CHF (mittags)/85 CHF – Karte 55/90 CHF

Das familiär geleitete Haus bietet ein modernes Restaurant mit gepflegter Tischkultur, einen farbenfroh gestalteten Bistrobereich und eine eher traditionelle Stube. Die Küche ist klassisch. Zum Übernachten stehen solide, funktionelle Zimmer bereit.

ERLENBACH – Zürich (ZH) – **551** Q5 – **5 265 Ew** – **Höhe 419 m**   **4** G3
– ✉ **8703**

▶ Bern 136 – Zürich 9 – Rapperswil 21 – Winterthur 50

XX **Zum Pflugstein**   🖼 **P**

Pflugsteinstr. 71 – ✆ 044 915 36 49 – www.pflugstein.ch – geschl. Weihnachten - Anfang Januar, Februar 2 Wochen, Oktober 1 Woche und Montag - Dienstagmittag, Samstagmittag

Rest – (24 CHF) Menü 30 CHF (mittags)/105 CHF – Karte 50/99 CHF

Mit dem aufwändigen Umbau des "Pflugstein" hat es die charmante Jeannine Meili ihren Gästen nun noch schwerer gemacht, den schönsten Platz zu wählen, denn inzwischen gibt es hier nicht nur eine der tollsten platanenbegrünten Terrassen der gesamten Region, man hat auch das urig-gemütliche Restaurant aufgefrischt und um ein stylish-elegantes Kaminzimmer erweitert - da heisst es wohlfühlen! Dazu bietet Küchenchefin Maria Appel die bewährte traditionell geprägte Küche vom Wiener Schnitzel über Siedfleisch bis zum mehrgängigen Dinner.

XX **Sinfonia**   🖼 🏵 ⇄

Bahnhofstr. 29 – ✆ 044 910 04 02 – www.restaurantsinfonia.ch – geschl. 3. - 12. April, 27. Juli - 18. August, 21. Dezember - 5. Januar und Sonntag - Montag

Rest – (29 CHF) Menü 78 CHF (abends)/88 CHF – Karte 62/99 CHF 🌿

Ein neuzeitliches Restaurant mit klassisch-italienischer Küche und lebendigem Service. Dielenboden, stimmige helle Töne und moderne Bilder schaffen ein freundliches Ambiente.

ERLINSBACH – Aargau (AG) – **551** M4 – **3 686 Ew** – **Höhe 390 m**   **3** E2

▶ Bern 81 – Aarau 6 – Liestal 31 – Basel 54

XXX **Hirschen** mit Zim   🖼 📶 ⇄ 🛁 **P**

Hauptstr. 125 – ✆ 062 857 33 33 – www.hirschen-erlinsbach.ch – geschl. 2. Dezember - 5. Januar

22 Zim 🍽 – †135/150 CHF ††180/220 CHF

Rest – (30 CHF) Menü 59 CHF (mittags unter der Woche)/125 CHF – Karte 47/133 CHF 🌿

Gute Küche aus regionalen Produkten in einem zeitlosen Restaurant. Dazu eine Gaststube, in der man "Speuzerli" (Tapas) serviert, sowie eine Terrasse zum schönen Kräuter- und Obstgarten. Zum Übernachten stehen in Stamm- und Gästehaus gepflegte Zimmer bereit.

ERMATINGEN – Thurgau (TG) – **551** T3 – **2 914 Ew** – **Höhe 402 m**   **5** H2
– ✉ **8272**

▶ Bern 89 – Sankt Gallen 46 – Frauenfeld 27 – Konstanz 9

XX **Adler** mit Zim   🖼 🏠 📶 ⇄ **P**

Fruthwilerstr. 2 – ✆ 071 664 11 33 – www.adler-ermatingen.ch – geschl. 10. Februar - 12. März und Montag - Dienstag

5 Zim 🍽 – †120/145 CHF ††180/190 CHF

Rest – Menü 30 CHF (mittags unter der Woche)/80 CHF – Karte 46/85 CHF

Ein jahrhundertealter Gasthof mit schönen holzgetäferten Stuben. Es wird internationale Küche mit regionalen Einflüssen geboten, Schwerpunkt ist Fisch aus dem Bodensee.

ERNEN – Wallis (VS) – **552** N11 – **541 Ew** – **Höhe 1 200 m**   **8** F5
– ✉ **3995 Ernen**

▶ Bern 152 – Sion 73 – Bellinzona 139 – Sarnen 98

St. Georg Ⓝ

Dorfplatz – ✆ 028 711 128 – www.stgeorg-ernen.ch – geschl. Mitte Mai - Mitte Juni, November und Montag - Dienstag

Rest – (20 CHF) Menü 56 CHF (abends)/110 CHF – Karte 48/80 CHF

Dass man hier in wirklich charmanter Chalet-Atmosphäre isst, lässt das schöne jahrhundertealte Haus schon von aussen vermuten. Angenehm sitzt es sich auch auf der Terrasse mitten in dem ruhigen kleinen Dorf (bekannt ist Ernen übrigens für musikalische Veranstaltungen). Gekocht wird regional-traditionell, auf leicht modernisierte Art.

ERZENHOLZ – Thurgau – 551 R4 – siehe Frauenfeld

ESCHLIKON – Thurgau (TG) – 551 S4 – 3 948 Ew – Höhe 567 m – ✉ 8360 4 H2

Bern 176 – Sankt Gallen 38 – Frauenfeld 18 – Zürich 57

Löwen

Bahnhofstr. 71 – ✆ 071 971 17 83 – www.loewen-eschlikon.ch – geschl. 23. Februar - 9. März, 20. Juli - 10. August und Sonntagabend - Montag

Rest – (24 CHF) Menü 41 CHF (mittags unter der Woche)/98 CHF – Karte 58/96 CHF

In dem historischen Gasthof mit rosa Fassade erwarten Sie gemütliche holzgetäferte Stuben mit netter Kaminlounge. Die Küche ist klassisch und saisonal.

ESCHOLZMATT – Luzern (LU) – 551 M7 – 3 138 Ew – Höhe 853 m – ✉ 6182 3 E4

Bern 47 – Interlaken 73 – Langnau im Emmental 13 – Luzern 46

Rössli - Jägerstübli (Stefan Wiesner)

Hauptstr. 111 – ✆ 041 486 12 41 – www.hexer.ch – geschl. Januar 3 Wochen, Juni 3 Wochen und Sonntagabend - Dienstag

Rest – *(nur Abendessen, sonntags auch Mittagessen) (Tischbestellung erforderlich)* Menü 165 CHF

Rest *Chrüter Gänterli* – siehe Restaurantauswahl

Das Konzept hier nennt sich "Avantgardistische Naturküche" - klingt speziell, ist es auch! Mit ganzheitlichem Denken als Basis misst der Patron bewussten Naturerfahrungen und Einflüssen unterschiedlichster Wissenschaften eine grosse Bedeutung bei!

→ Escholzmatter Forelle in Holunderblütenöl gegart. Gebackene Rehbällchen und Scheiben von der eingelegten grünen Walnuss. In Met gegarte Wachtelbrust.

Chrüter Gänterli – Restaurant Rössli

Hauptstr. 111 – ✆ 041 486 12 41 – www.gasthofroessli.ch – geschl. Januar 3 Wochen, Juni 3 Wochen und Sonntagabend - Dienstag

Rest – *(Tischbestellung ratsam)* (30 CHF) Menü 64/90 CHF – Karte 50/80 CHF

Stefan Wiesner bietet im zweiten Restaurant des Gasthofs Rössli eine schmackhafte und frische Regionalküche mit saisonalem Bezug. Ebenso wie die Küche ist auch das heimelige Ambiente etwas bodenständiger. Spezialität sind hausgemachte Würste.

ESTAVAYER-le-LAC – Fribourg (FR) – 552 F8 – 5 435 h. – alt. 463 m – ✉ 1470 2 C4

Bern 59 – Neuchâtel 54 – Fribourg 32 – Pontarlier 67

Rue de l'Hôtel de Ville 16, ✆ 026 663 12 37, www.estavayer-payerne.ch

Manifestations locales :

30 juillet-2 août : Estivale Open Air

Choeur★ de l'Église Saint-Laurent

à Lully Sud : 3 km par route de Payerne et direction Frasses – alt. 494 m – ✉ 1470

Park Inn by Radisson sans rest

Aire de la Rose de la Broye, (A1, sortie 26) – ✆ 026 664 86 86 – www.parkinn.com/hotel-lully

80 ch – †145 CHF ††165 CHF, ☕ 15 CHF

En bord d'autoroute, sur une aire de services, un hôtel contemporain et coloré, qui bénéficie heureusement d'une isolation phonique optimale. Fonctionnelles et bien tenues, les chambres sont parfaites pour une étape, à mi-route entre Lausanne et Bern.

EUTHAL – Schwyz (SZ) – *551* R7 – 591 Ew – Höhe 893 m – ✉ 8844   4 G3
▶ Bern 170 – Luzern 72 – Einsiedeln 9 – Rapperswil 26

XX   **Bürgi's Burehof**   📶 ✿ **P**
Euthalerstr. 29 – ☏ 055 412 24 17 – www.buergis-burehof.ch – geschl. Montag
- Dienstag
Rest – *(Tischbestellung ratsam)* (40 CHF) Menü 59/120 CHF – Karte 64/104 CHF
Hier ist es so, wie man es von einem ehemaligen Bauernhaus (1860) erwartet:
gemütlich! Alte Holzbalken an der Decke, hübsche Vorhangstoffe an Sprossen-
fenstern... Spezialität sind Gerichte vom Holzkohlegrill für zwei Personen. Zwei
Übernachtungszimmer.

FEUSISBERG – Schwyz (SZ) – *551* R6 – 4 810 Ew – Höhe 685 m   4 G3
– ✉ 8835
▶ Bern 157 – Luzern 58 – Zürich 35 – Einsiedeln 12

🏨   **Panorama Resort & Spa**   ॐ ≤ 🚗 ⅃ 🎰 ⊕ 🏊 ⅃ᵎ 📶 🛁 🚗 **P**
Schönfelsstrasse – ☏ 044 786 00 00 – www.panoramaresort.ch
105 Zim ⊑ – ♦220/450 CHF ♦♦370/800 CHF – 2 Suiten – ½ P
Rest *Collina* – siehe Restaurantauswahl
Rest *Zafferano* – ☏ 044 786 00 88 *(geschl. 29. Juni - 14. August und Sonntag*
- Donnerstag) (nur Abendessen) Menü 90/110 CHF – Karte 55/105 CHF
"Wellbeing" in toller Panoramalage - nicht nur vom Aussenpool geniesst man
die Aussicht auf den Zürichsee! Der Spa erstreckt sich über 2 Etagen mit über
2000 qm. Viele Zimmer sind grosse Juniorsuiten. Im Zafferano weht ein Hauch
von Morgenland: Die Einrichtung stammt von dort und auch die Küche ist
geprägt vom mediterran-orientalischen Einfluss.

XX   **Collina** – Hotel Panorama Resort & Spa   ≤ **P**
Schönfelsstrasse – ☏ 044 786 00 88 – www.panoramaresort.ch
Rest – (35 CHF) Menü 110 CHF (abends) – Karte 48/142 CHF
Ein wenig erinnert die Einrichtung an ein Revival der 60er Jahre, denn diese spe-
zielle schlichte Eleganz bestimmt das harmonische Bild. Beeindruckender Blick auf
den Zürichsee. Schweizer Küche.

FEX-CRASTA – Graubünden – *553* W11 – siehe Sils Maria

FIDAZ – Graubünden – *553* U8 – siehe Flims Dorf

FIESCH – Wallis (VS) – *552* N11 – 968 Ew – Höhe 1 062 m   8 F5
– Wintersport : 1 060/2 869 m ⛷3 ⛷14 ⛷ – ✉ 3984
▶ Bern 153 – Brig 17 – Domodossola 83 – Interlaken 98
🛈 Furkastr. 44, ☏ 027 970 60 70, www.fiesch.ch
🅶 Eggishorn★★★ , Nord-West mit ⛷

🏨   **Christania**   ॐ ≤ 🚗 🏊 🍴 🍽 Zim, 📶 **P**
Hejistr. 13 – ☏ 027 970 10 10 – www.christania.ch – geschl. 15. April - 30. Mai,
20. Oktober - 20. Dezember
22 Zim ⊑ – ♦120/140 CHF ♦♦150/200 CHF – ½ P
Rest – *(nur Abendessen)* Karte 43/92 CHF
Das Hotel befindet sich in ruhiger Lage am Rande des Dorfes und verfügt über
helle, zeitgemäss eingerichtete Zimmer, alle mit Balkon und schönem Ausblick.

im Fieschertal Nord-Ost: 2 km – Höhe 1 043 m – ✉ 3984

🏨   **Alpenblick**   ॐ ≤ 🚗 🏊 🍴 🍽 ⅃ 🛁 🚗 **P**
☎   *Zer Flie 2 – ☏ 027 970 16 60 – www.hotelalpenblick.ch – geschl. 2. November*
- 19. Dezember, 26. April - 24. Mai
53 Zim ⊑ – ♦85/135 CHF ♦♦130/240 CHF – 1 Suite – ½ P
Rest – (20 CHF) Menü 30/45 CHF – Karte 32/63 CHF
Das Hotel in ruhiger Lage am Ende des Tales bietet im Stammhaus wie auch im
Montanara hell und funktionell gestaltete Zimmer, darunter einige "Superior" mit
Kitchenette. Im Restaurant serviert man traditionelle Küche.

in Niederernen Süd-Ost: 3 km Richtung Ernen – ⊠ 3995 Ernen

※※ **Gommerstuba** ＜ 🕭 ⅋ **P**
– ℰ 027 971 29 71 – www.gommerstuba.com – geschl. Mai 2 Wochen, Mitte
November - Mitte Dezember und Montag - Dienstag, Juli - August: Montag
Rest – (32 CHF) Menü 65/110 CHF – Karte 62/103 CHF 🕸
Wenn Sie auf dem Weg zum Furkapass sind, legen Sie doch hier einen Stopp ein
und probieren Sie Gomser Klassiker und dazu ausgewählte Walliser Weine - auch
auf der Terrasse ein Genuss!

auf der Fiescheralp/Kühboden mit 🚡 erreichbar – Höhe 2 214 m
– ⊠ 3984 Fiesch

🏠 **Eggishorn** 🕸 ＜ 🕭 📱
😊😊 Fiescheralp 3 – ℰ 027 971 14 44 – www.hotel-eggishorn.ch – geschl. Mitte April
- Mitte Juni, Mitte Oktober - Anfang Dezember
24 Zim ⊊ – ♦75/105 CHF ♦♦150/190 CHF – ½ P
Rest – (19 CHF) Menü 24 CHF (mittags)/65 CHF – Karte 26/61 CHF
Die Stammgäste kommen immer wieder: perfekt die ruhige Lage im Ski- und
Wandergebiet direkt an der Bergstation Eggishorn - fantastisch der Bergblick! Die
Maisonetten sind ideal für Familien. Restaurant und Terrasse mit Panoramasicht.

FILZBACH – Glarus (GL) – **553** T6 – 510 Ew – Höhe 707 m – ⊠ 8757   **5** H3
▶ Bern 195 – Sankt Gallen 110 – Altdorf 89 – Glarus 16

🏨 **Römerturm** 🕸 ＜ 🕭 🦅 📱 🛜 🛁 **P**
Kerenzerbergstrasse 104 – ℰ 055 614 62 62 – www.roemerturm.ch
– geschl. Anfang Januar 2 Wochen
31 Zim ⊊ – ♦140/160 CHF ♦♦230/260 CHF – 7 Suiten – ½ P
Rest – (27 CHF) – Karte 52/100 CHF
Wo heute das Hotel im Chaletstil liegt, stand früher der namengebende Römerturm. Man bietet komfortable Zimmer (Bad mit Whirlwanne), schön ist die Lage
oberhalb des Walensees. Den grandiosen Seeblick geniesst man am besten von
der Restaurantterrasse.

FINDELN – Wallis – **552** K13 – siehe Zermatt

FISLISBACH – Aargau (AG) – **551** O4 – 5 367 Ew – Höhe 429 m   **4** F2
– ⊠ 5442
▶ Bern 105 – Aarau 26 – Baden 6 – Luzern 71

🏨 **Linde** 🍽 🕭 ⅃ 🛜 **P**
Niederrohrdorferstr. 1 – ℰ 056 493 12 80 – www.linde-fislisbach.ch – geschl. 2.
- 16. Februar, 13. Juli - 3. August
35 Zim ⊊ – ♦120/160 CHF ♦♦200/210 CHF
Rest – (28 CHF) Menü 70 CHF – Karte 44/76 CHF
Das ehemalige Zehntenhaus des Klosters bietet rustikale und neuzeitlichere Zimmer, verteilt auf Haupthaus und Anbau. Schön ist die Juniorsuite im DG mit grossem Balkon. Unterschiedlich gestaltete Restauranträume, hübsche begrünte Terrasse und sehr moderne Bar.

FLAACH – Zürich (ZH) – **551** Q4 – 1 249 Ew – Höhe 362 m – ⊠ 8416   **4** G2
▶ Bern 155 – Zürich 40 – Baden 55 – Schaffhausen 22

※※ **Sternen** 🕭 ⅋ 😊 **P**
Hauptstr. 29 – ℰ 052 318 13 13 – www.sternen-flaach.ch – geschl. 21. Januar
- 21. Februar, 14. - 29. Juli und Montag - Dienstag, Mitte April - Mitte Juni:
Montag
Rest – (28 CHF) – Karte 49/102 CHF
Flaach ist eine Hochburg des Spargelanbaus! Während der Saison ist das feine
Gemüse bei Thomas Rüegg in dem hübschen Riegelhaus natürlich Spezialität.
Viele Hauptgänge auch als halbe Portion.

▶ Bern 223 – Chur 24 – Sankt Gallen 84 – Bad Ragaz 15

XX   **Mühle**   🛖 ⅋ ⇔ **P**

Mühle 99, Richtung Maienfeld: 1 km – ℰ 081 330 77 70 – www.muehle-flaesch.ch
– geschl. 22. Dezember - 12. Januar, 6. - 20. Juli und Sonntag - Montag
Rest – (35 CHF) Menü 45 CHF (mittags)/128 CHF – Karte 57/104 CHF🍷
Gute regelmässe Küche mit regionalem Einfluss, dazu überwiegend Weine aus
der Bündner Herrschaft. Mühle-Stube mit eleganter Note, urchige Wy-Stube und
Terrasse mit Blick in die Weinberge.

XX   **Adler**   🛖 ⅋

Kreuzgasse 2, (1. Etage) – ℰ 081 302 61 64 – www.adlerflaesch.ch – geschl. März
2 Wochen, August 3 Wochen und Mittwoch - Donnerstag
Rest – (Tischbestellung ratsam) (38 CHF) Menü 89 CHF – Karte 56/106 CHF
Im 1. Stock befinden sich die beiden heimeligen Stuben, die ganz in Holz gehalten sind. Serviert wird eine klassische Küche auf regionaler Basis, die unkompliziert und schmackhaft ist.

X   **Landhaus**   🛖 ⅋ **P**

Ausserdorf 28, (1. Etage) – ℰ 081 302 14 36 – www.landhaus-flaesch.com
– geschl. Februar 2 Wochen, Juni 2 Wochen und Montag - Dienstag
Rest – (28 CHF) – Karte 42/85 CHF
Die hübschen Stuben sprühen nur so vor ländlichem Charme, dafür sorgt die
schöne Holztäferung. Draussen ist es nicht weniger reizend: Auf der lauschigen
Terrasse könnte man glatt vergessen, dass das Haus mitten im Dorf steht, denn
hier sitzt man direkt am Weinberg! Und was bei Theresa und Ignaz Baumann
(wirklich herzliche Gastgeber!) auf den Tisch kommt, kann sich ebenfalls sehen
lassen: eine ehrliche regionale Küche - nicht wegzudenken sind z. B. das Prättigauer Kalbskotelett oder der Kalbshackbraten!

▶ Bern 261 – Chur 22 – Andermatt 74 – Bellinzona 118
🏔 Breil / Brigels, Süd-West: 25 km, ℰ 081 920 12 12
◎ Caumasee ★

▶ Bern 261 – Chur 21 – Davos 78 – Buchs 63
🅸 Via Nova 62, ℰ 081 920 92 00, www.flims.com

XX   **Cavigilli** Ⓝ   🛖 ⅋ **P**

Via Arviul 1 – ℰ 081 911 01 25 – www.cavigilli.ch – geschl. 24. November
- 12. Dezember, Juni und Sommer: Montag - Dienstag, Winter: Montag
- Dienstagmittag
Rest – (Tischbestellung ratsam) Menü 75/150 CHF
Historisch, rustikal, modern... die Mischung macht's! So herrscht in dem liebevoll
sanierten Bündner Haus von 1453 eine ausgesprochen angenehme und gemütliche Atmosphäre, ob Sie nun in der Gotischen Stube oder in der Carigiet-Stube
sitzen. Auf den Tisch kommen gute, frische Produkte, die auf klassischer Basis,
aber doch auch mit zeitgemäss-kreativer Note zubereitet werden.

X   **Conn**   ⇐ 🛖 ⅋

Conn, (über Wanderweg 60 min. oder mit Pferdekutschenfahrt ab Waldhaus Post
erreichbar 40 min.) – ℰ 081 911 12 31 – www.conn.ch – geschl. 6. - 16. April,
22. April - 17. Mai, 26. Oktober - 20. Dezember
Rest – (nur Mittagessen) Karte 40/88 CHF
Wer es romantisch mag, fährt mit der Kutsche in dieses wirklich idyllische Maiensäss oberhalb der Rheinschlucht. Probieren Sie unbedingt die hausgemachten
Ravioli: herzhaft als "Conner Kartoffelravioli" oder etwas süsser als "Trinser Bir-
nenravioli"! Dazu gibt es u. a. schöne italienische Rotweine. Wer die tolle Lage
etwas länger geniessen möchte, bleibt über Nacht: Man kann das schön sanierte
"Holzerheim" mieten. Tipp: Nur 5 Minuten entfernt befindet sich ein sehenswerter
Aussichtspunkt!

in Fidaz Nord: 1 km – Höhe 1 151 m – ⊠ 7019

⌂ **Fidazerhof** ≼ 🏠 🛜 🅿️
*Via da Fidaz 34 – ☏ 081 920 90 10 – www.fidazerhof.ch – geschl. 28. April
- 9. Mai, 3. - 14. November*
12 Zim ⌧ – ♚130/200 CHF ♚♚160/300 CHF – ½ P
Rest *Fidazerhof* – siehe Restaurantauswahl
Das Haus bietet nicht nur zum Essen einen ansprechenden Rahmen. Als Hotelgast
wohnen Sie in wirklich netten modernen Zimmern und auch an Ihre Entspannung ist gedacht: Die Chefin ist Spezialistin für Ayurveda-Anwendungen!

✗ **Fidazerhof** – Hotel Fidazerhof ≼ 🛜 🅿️
*Via da Fidaz 34 – ☏ 081 920 90 10 – www.fidazerhof.ch – geschl. 28. April
- 9. Mai, 3. - 14. November und im Sommer: Montag*
Rest – (39 CHF) Menü 40/85 CHF – Karte 48/109 CHF
Hier ist es drinnen wie draussen gleichermassen schön: Mit ihrem regionalem Stil
verbreiten die Gaststuben Gemütlichkeit, die Terrasse lockt mit der tollen Sicht
auf Berge und Flimstertal! Gekocht wird international.

FLIMS-WALDHAUS – Höhe 1 103 m – ⊠ 7018

▶ Bern 262 – Chur 22 – Davos 79 – Buchs 64

🏨 **Waldhaus Flims** 🍸 ≼ 🚗 🐾 ♨️ 📺 🌐 🏠 ♨️ Ⅳ ✗ 📱 ♿ 🕴️ ✗ 🛜 🧖
*Via dil Parc 3 – ☏ 081 928 48 48 – www.waldhaus-flims.ch 🚗 🅿️
– geschl. Mitte April - Mitte Mai*
135 Zim ⌧ – ♚210/540 CHF ♚♚280/720 CHF – 15 Suiten – ½ P
Rest *Epoca* **Rest** *Grand Restaurant Rotonde* – siehe Restaurantauswahl
Von den verschiedenen Gebäuden auf dem 40 ha grossen Areal, ist das stilvolle
Grandhotel von 1877 das schönste und komfortabelste! Zum edel designten Spa
auf 3000 qm Spa gehören auch zwei bemerkenswerte Private Spas für Ihr ganz
persönliches Wellness-Vergnügen. Aber auch das eigene Hotelmuseum ist einen
Besuch wert! Und zur Stärkung bietet das Lounge-Bistro kleine Speisen und Klas-
siker.

🏨 **Adula** 🍸 🚗 🛜 📺 🌐 🏠 Ⅳ ♨️ 📱 ♿ Zim, ✗ Zim, 🛜 🧖 🚗 🅿️
🐾 *Via Sorts Sut 3 – ☏ 081 928 28 28 – www.adula.ch – geschl. 14. April - 15. Mai*
92 Zim ⌧ – ♚131/464 CHF ♚♚244/528 CHF – ½ P
Rest *Barga* – siehe Restaurantauswahl
Rest *La Clav* – (16 CHF) Menü 49/75 CHF – Karte 48/94 CHF
Dass es sich hier schön wohnen lässt, liegt an der ansprechenden grossen Halle,
an den mit regionalen Materialien eingerichteten Zimmern (modern oder auch
rustikaler), am Spa La Mira auf 1200 qm (relaxen Sie u. a. im kleinen 35°C warmen
Sole-Aussenbecken!) und auch an der Gastronomie im Haus, z. B. dem La Clav mit
seinen Schweizer Spezialitäten. Sie kommen mit der Familie? Kinderprogramm
gibt es auch zeitweise.

🏨 **Schweizerhof** 🆕 🍸 ≼ 🚗 🛜 📺 🏠 Ⅳ ♿ Rest, ✗ Rest, 🛜 🧖 🅿️
*Rudi Dadens 1 – ☏ 081 928 10 10 – www.schweizerhof-flims.ch – geschl. April
- Juni, Mitte Oktober - Dezember*
48 Zim ⌧ – ♚125/220 CHF ♚♚230/460 CHF – ½ P
Rest – (abends Tischbestellung ratsam) Menü 69 CHF (abends)
– Karte 47/108 CHF
Das Haus hat ein ganzes Stück Geschichte bewahrt, das zeigt schon die schmucke
Fassade im viktorianischen Stil. Und auch drinnen in dem 1903 erbauten
Hotel erlebt man die Belle Epoque: Lobby, Bibliothek, Speisesaal... und in den
komfortablen Zimmern hier und da Jugendstil-Dekor. Während vier Generatio-
nen Familientradition haben auch die Schmidts Spuren hinterlassen, und zwar
künstlerische, wie die von Onkel Daniel, Opernregisseur und Filmemacher.

🏨 **Cresta** 🍸 ≼ 🚗 🛜 ♨️ 🏠 Ⅳ 📱 ✗ Rest, 🛜 🧖 🚗 🅿️
*Via Passadi 5 – ☏ 081 911 35 35 – www.cresta.ch – geschl. 15. April - 10. Juni,
16. Oktober - 15. Dezember*
47 Zim ⌧ – ♚90/160 CHF ♚♚160/300 CHF – 3 Suiten – ½ P
Rest – (nur Abendessen für Hausgäste) Menü 30 CHF
Vier Häuser in einem schönen grossen Garten mit individuell geschnittenen Zim-
mern (geräumiger sind die Superiorzimmer) und vielfältigem Wellnessbereich mit
Ganzjahres-Aussenpool.

XXX **Epoca** – Hotel Waldhaus Flims   ⊰ 🕭 🚐 ᕼ 🕸 **P**
Via dil Parc 3 – ☏ 081 928 48 48 – www.waldhaus-flims.ch – geschl. Mitte April
- Mitte Mai und Montag - Dienstag
Rest – *(Mittwoch - Freitag nur Abendessen) (Tischbestellung ratsam)*
Menü 125/155 CHF
Unter der Leitung von Pascal Schmutz geht es in der Küche modern-kreativ zu, und
zwar in Form des "Epoca-Style"-Menüs. Oder essen Sie lieber auf Bündner Art? Die "Epo-
ca-Bergküche" gibt es à la carte. Und auch der schönen Umgebung hat man Rechnung
getragen: In dem modernen lichten hohen Glasbau fühlt man sich fast wie im Freien!
Rustikaler wird's im Sommer: Da wird donnerstagabends auf der Alm gegrillt!

XX **Grand Restaurant Rotonde** – Hotel Waldhaus Flims   ⊰ 🕭 ᕼ 🕸
Via dil Parc 3 – ☏ 081 928 48 48 – www.waldhaus-flims.ch   ⇔ **P**
– geschl. Mitte April - Mitte Mai
Rest – *(nur Abendessen)* Karte 78/123 CHF
Exponierter könnte die Lage nicht sein: Von hier aus haben Sie einen grandiosen
Blick auf die voralpine Bergwelt von Flims/Laax! Die riesigen Panoramafenster
holen praktisch die Natur in das moderne Restaurant.

XX **Barga** – Hotel Adula   🕸 **P**
Via Sorts Sut 3 – ☏ 081 928 28 28 – www.adula.ch – geschl. April - September
und ausser Saison: Montag - Dienstag
Rest – *(nur Abendessen)* (58 CHF) Menü 65/145 CHF – Karte 86/122 CHF
In dem Restaurant herrscht eine gediegen-rustikale Atmosphäre, der offene
Kamin sorgt zusätzlich für Behaglichkeit. Die Küche ist zeitgemäss und saisonal.

FLÜELI RANFT – **Obwalden (OW)** – **551** O8 – **Höhe 748 m** – ⊠ **6073**   **4 F4**
▶ Bern 104 – Luzern 25 – Altdorf 50 – Brienz 33

🏠 **Jugendstilhotel Paxmontana**   ⌖ ⊰ 🚐 🚐 🕮 🕸 📶 🏋 **P**
Dossen 1 – ☏ 041 666 24 00 – www.paxmontana.ch
74 Zim ⌑ – ♦120/200 CHF ♦♦200/320 CHF – 9 Suiten – ½ P
Rest – (25 CHF) Menü 60/100 CHF – Karte 48/98 CHF
Man sieht das wie ein Schlösschen über dem Ort thronende ehemalige Kurhaus schon
von weitem! Innen hübsche Details wie Antiquitäten, Stuckdecken, restaurierter
Kachelofen... Die Zimmer - ganz bewusst ohne TV und Wifi - reichen von historisch
angehaucht bis modern, alle mit unterschiedlicher, aber immer schöner Aussicht! Im
Restaurant Veranda: traditionelle Küche und Blick auf Pilatus und Sarner See!

FLÜH – **Solothurn (SO)** – **551** J4 – **Höhe 381 m** – ⊠ **4112**   **2 D2**
▶ Bern 110 – Basel 15 – Biel 75 – Delémont 32

XXX **Martin**   🚐 ⇔ **P**
Hauptstr. 94 – ☏ 061 731 10 02 – www.restaurant-martin.ch – geschl. über
Fasnacht 2 Wochen, Anfang Juli 2 Wochen und Sonntag - Montag
Rest – *(Tischbestellung ratsam)* (30 CHF) Menü 65/135 CHF – Karte 76/143 CHF 🕸
Werner Martin ist einer der grossen Klassiker im Basler Umland, seine Küche ist
geschmackvoll und er verarbeitet nur ausgezeichnete Produkte. Im eleganten
Restaurant kümmert sich indes seine Frau Evelyne um die Gäste. Versuchen Sie, im
Sommer einen Platz draussen unter den Kastanien zu bekommen!

X **Wirtshaus Zur Säge** (Felix Suter)   🚐 ⇔ **P**
🕸 *Steinrain 5 – ☏ 061 731 15 77 – www.saege-flueh.ch – geschl. Anfang Januar 1*
Woche, nach Ostern 1 Woche, Mitte Juli - Anfang August und Montag
- Dienstag, Samstagmittag
Rest – (35 CHF) Menü 75 CHF (mittags)/125 CHF (abends)
Sie ist Gastgeberin aus Leidenschaft: Sandra Marugg Suter. Mit viel Charme emp-
fängt sie in der historischen Säge nun schon seit über 20 Jahren ihre Gäste. Und
das kommt genauso gut an wie die Küche von Patron Felix Suter: geschmackvoll,
unkompliziert und aus erstklassigen Produkten. Sein Menü (hier kann man auch
variieren) wird Ihnen von der Chefin in gemütlichem Wohnzimmer-Ambiente am
Tisch vorgestellt.
➜ Südafrikanischer Scampo mit Blutorangenrisotto. Zander auf Bärlauchgnocchi
mit Feta und geräuchten Mandeln. Emmentaler Rinderrücken mit Dörrbohnen
und gebackenen Kartoffeln.

▶ Bern 139 – Zürich 14 – Rapperswil 24 – Winterthur 38

🏠   **Wassberg**   🏊 ≼ 🖳 🛜 🔥 **P**
Wassbergstr. 62 – 𝒞 043 366 20 40 – www.hotel-wassberg.ch
– geschl. 27. Dezember - 12. Januar
18 Zim ☑ – 🛉150/210 CHF 🛉🛉220/280 CHF
Rest *Wassberg* – siehe Restaurantauswahl
Hier überzeugen die traumhafte Lage auf einem Hochplateau mit grandiosem Blick auf den Greifensee sowie schicke wohnliche Designerzimmer mit moderner Technik und ansprechenden Farbakzenten.

🍴🍴   **Wassberg** – Hotel Wassberg   ≼ 🚹 **P**
Wassbergstr. 62 – 𝒞 043 366 20 40 – www.hotel-wassberg.ch
– geschl. 27. Dezember - 12. Januar
Rest – (29 CHF) Menü 68/85 CHF – Karte 50/103 CHF
Kommen Sie herein in die gute Stube mit gemütlichem Holz und geniessen zum einen (dank grosser Fenster) den fantastischen Ausblick, zum anderen traditionelle Schweizer Gerichte, wie z. B. Geschnetzeltes vom Züri Oberländer Kalb mit Rösti oder Nüdeli.

🍴   **Neue Forch** ⓝ   🛜 **P**
Alte Forchstr. 65, OT Neue Forch – 𝒞 043 288 07 88 – www.neueforch.ch
– geschl. 24. Dezember - 2. Januar und Samstagmittag, Sonntagmittag
Rest – (35 CHF) – Karte 56/114 CHF
Praktisch, dass das nette kleine Restaurant am Ortsrand auch mit der S-Bahn gut zu erreichen ist, denn die italienische Gastfreundschaft hier ist durchaus zu empfehlen! Patron Renato Zambelli und sein Küchenchef Luca Grandin bieten frische Pasta und feine Spezialitäten vom offenen Grill - und dazu eine schöne Weinauswahl. Für warme Sommertage: Terrasse mit Aussicht.

▶ Bern 167 – Zürich 46 – Konstanz 30 – Sankt Gallen 47

🅸 Bahnhofplatz 75, 𝒞 052 721 31 28, www.tourismusregiofrauenfeld.ch

🔟 Lipperswil, Nord-Ost: 16 km über Kantonalstrasse Richtung Kreuzlingen,
    𝒞 052 724 01 10

Lokale Veranstaltungen:

    7.-8. März: Blues-Festival

    12.-15. Juni: Stadtfest

🏨   **Domicil**   🛜 🖳 🍴 Rest, 🛜 🔥 **P**
Oststr. 51, (an der Autobahnausfahrt Frauenfeld-Ost)
– 𝒞 052 723 53 53 – www.domicil.ch
– geschl. Weihnachten - Anfang Januar
46 Zim ☑ – 🛉127/135 CHF 🛉🛉195/205 CHF – ½ P
Rest – (31 CHF) – Karte 46/75 CHF
In dem Hotel stehen helle, modern-funktionelle Zimmer mit gutem Platzangebot bereit; diese sind ebenso wie die direkte Verkehrsanbindung interessant für Businessgäste. Neuzeitlich sind Gaststube und Restaurant, beide mit Zugang zur Terrasse.

🏠   **Hirt**   🛜 🖳 ⅃ Zim, 🛜 🚗
☜ *Rheinstr. 11 – 𝒞 052 728 93 00 – www.hirt-im-rhyhof.ch*
15 Zim ☑ – 🛉135 CHF 🛉🛉210 CHF
Rest – (nur Mittagessen) (20 CHF) – Karte 23/65 CHF
Die gepflegten zeitgemässen Gästezimmer dieses kleinen Hotels in Bahnhofsnähe sind nach Orten der Umgebung benannt und alle mit einem regionalen Gemälde dekoriert. Im Café-Restaurant bietet man u. a. Produkte aus der angeschlossenen hauseigenen Confiserie.

XX **Zum Goldenen Kreuz** mit Zim 🏡 📶 ⚡ Zim, 🛜 ✿ ♨
Zürcherstr. 134 ✉ *8500 –* ☎ *052 725 01 10 – www.goldeneskreuz.ch*
9 Zim 🛏 – 🧍120/140 CHF 🧍🧍190/210 CHF – ½ P
Rest – (26 CHF) Menü 48 CHF (mittags)/90 CHF – Karte 50/98 CHF
In diesem Haus war schon Goethe zu Gast. Eine erhaltene bemalte Täferung aus
dem 17. Jh. verleiht dem hübschen Goethe-Stübli seinen unverwechselbaren rustikalen Charme. Zum Übernachten hat man geräumige Zimmer mit neuzeitlicher
und funktioneller Einrichtung.

in Erzenholz West: 4 km Richtung Schaffhausen – Höhe 385 m
– ✉ **8500 Frauenfeld**

XX **Wirtschaft zur Hoffnung** 🏡 ✿ 🅿
Schaffhauserstr. 266 – ☎ *052 720 77 22 – www.hoffnung-erzenholz.ch – geschl.*
Montag - Dienstag
Rest – Menü 24 CHF (mittags)/95 CHF – Karte 49/90 CHF
Die saisonal beeinflusste klassische Karte dieses hübschen alten Gasthauses wird
in der rustikalen Stube, im eleganten Restaurant oder im luftig-lichten Wintergar-
ten gereicht.

FREIDORF – Thurgau (TG) – **551** U4 – ✉ **9306** 5 I2
▶ Bern 220 – Frauenfeld 62 – Appenzell 26 – Herisau 26

XXX **Mammertsberg** ⓝ mit Zim ⟨ 🏡 📶 ♿ Rest, ⚡ 🛜 ✿ ♨ 🅿
Bahnhofstr. 28 ✉ *9306 –* ☎ *071 455 28 28 – www.mammertsberg.ch – geschl.*
19. Januar - 17. Februar und Montag - Dienstag
6 Zim 🛏 – 🧍270 CHF 🧍🧍320 CHF
Rest – (Tischbestellung ratsam) (34 CHF) Menü 64 CHF (mittags)/140 CHF
– Karte 72/127 CHF
Hier hat man ein rund 100 Jahre altes Gasthaus wirklich geschmackvoll saniert
und erweitert. Im Restaurant mischt sich moderne Einrichtung mit schöner alter
Holztäferung. Mittig: eine schicke Wendeltreppe, über die man in die Lounge-Bar
im 1. Stock kommt. Am Hang gelegen, bietet das Haus eine wunderbare Aussicht
auf die Umgebung und den Bodensee! Teilweise haben Sie diesen Blick auch von
den modernen Zimmern, die über einen verglasten Lift erreichbar sind.

FREIENBACH – Schwyz (SZ) – **551** R6 – 15 730 Ew – Höhe 410 m 4 G3
– ✉ **8807**
▶ Bern 157 – Schwyz 30 – Zug 31 – Zürich 33

XX **Funkes Obstgarten - Gourmetstübli** 🏡 ⚡ 🅿
⌘ *Kantonsstr. 18 –* ☎ *044 784 03 08 – www.funkesobstgarten.ch – geschl. Ende*
Dezember - Anfang Januar 2 Wochen, August 3 Wochen und Sonntag - Montag
Rest – (nur Abendessen) (Tischbestellung ratsam) Menü 125/165 CHF 🍷
Rest *Bistro* 🙂 – siehe Restaurantauswahl
Im Gourmetstübli von Tobias Funke wird Ihnen am Mittag ein einfacher Business-
lunch serviert, abends dann ein kreatives und mit Finesse zubereitetes Menü. Das
kleine Restaurant zeigt sich ebenso kontrastreich wie die Küche: traditionelle Täfe-
rung zu moderner Einrichtung. Freundlicher Service und gute Weinauswahl runden das schöne Bild ab.
➜ Ente, Aprikose, Szechuan. Angus, Zwiebel, Grünkern. Schweizer Kirschen.

X **Bistro** – Restaurant Funkes Obstgarten 🏡 ⚡ 🅿
😊 *Kantonsstr. 18 –* ☎ *044 784 03 08 – www.funkesobstgarten.ch – geschl. Ende*
Dezember - Anfang Januar 2 Wochen, August 3 Wochen und Sonntag - Montag,
Samstagmittag
Rest – Menü 65 CHF (abends) – Karte 65/114 CHF
Im gemütlichen Bistro des "Obstgartens" bieten Tobias Funke und sein Team
leckere Klassiker wie Wiener Schnitzel und Rindstatar, aber auch Feineres wie "Ka-
beljau in Thymian-Bitterorangensauce".

FRIBOURG *FREIBURG*

Plans de la ville pages suivantes

© Franck Guiziou/Hemis.fr

Ⓒ – FR – Fribourg – 35 680 h. – alt. 640 m – ✉ 1700 – 552 H8
▶ Bern 34 – Neuchâtel 55 – Biel 50 – Lausanne 71

❱ Office de tourisme

Place Jean-Tinguely 1 A2, ☎ 026 350 11 11, www.fribourgtourisme.ch

Automobile clubs

🅫 Rue de l'Hôpital 21 A1 , ☎ 026 350 39 39
🅐 Avenue de la Gare 2 A2 , ☎ 026 341 80 20

Foires et Manifestations

14-16 février : salon du jardinage
28 février-4 mars : carnaval des Bolzes
mars : Energissima
22-23 mars : bourse OTM
29 mars-5 avril : festival international de films
avril : ecoHome
juillet : festival Belluard Bollwerk International
5-13 juillet : festival de musiques
19-24 août : rencontre de folklore
3-12 octobre : foire de Fribourg
7-9 novembre : Bédémania
30 décembre-12 janvier : opéra de Fribourg

Golfs

🔲 Gruyère, Pont-la-Ville, Sud : 17 km par route de Bulle, ☎ 026 414 94 60
🔲 Wallenried, Nord : 10 km par route de Morat, ☎ 026 684 84 80

◉ DÉCOUVRIR

A voir : Site★★ · Hôtel de Ville★B2 · Cathédrale St-Nicolas★(tympan★★ · stalles★)
B1 · Eglise des Cordeliers (triptyque★ · retable★★ · stalles★)AB1
Musées : Musée d'art et d'histoire★(14 statues★)A1 · Musée Gutemberg★★B1
Excursion : Barrage de Rossens★ (Sud : 15 km par Avenue du Midi A2, direction
Rossens)

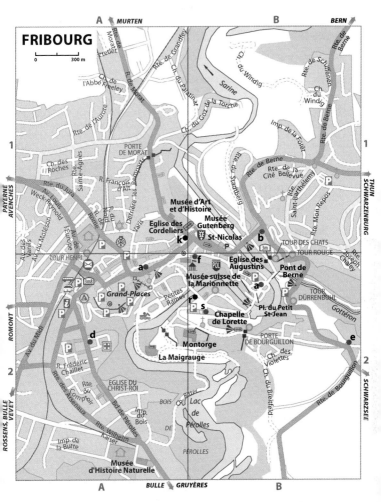

Au Parc

Route de Villars 37, par A2, direction Romont – ✆ 026 429 56 56 – www.auparc-hotel.ch
71 ch 🖵 – 🛉145/210 CHF 🛉🛉185/270 CHF – 2 suites – ½ P
Rest La Coupole – voir la sélection des restaurants
Rest La Terrasse – (fermé dimanche) (26 CHF) Menu 45 CHF – Carte 48/80 CHF
À l'entrée de Fribourg, cet ensemble hôtelier des années 1980, en cours de rénovation, convient particulièrement aux voyages d'affaires et aux séminaires. Il comprend un centre commercial et deux restaurants, utiles car l'établissement est excentré.

Au Sauvage

Planche-Supérieure 12 – ✆ 026 347 30 60 – www.hotel-sauvage.ch   **B2r**
16 ch 🖵 – 🛉195/230 CHF 🛉🛉280/380 CHF
Rest Le Sauvage – (fermé août 2 semaines, fin décembre - début janvier 2 semaines, dimanche et lundi) (23 CHF) Menu 45 CHF (déjeuner)/98 CHF
– Carte 53/74 CHF
Vous serez bien reçu chez ce Sauvage-là ! Au cœur de la ville basse, cet hôtel se révèle confortable, très cosy et particulièrement bien tenu. On y revient avec plaisir... Restaurant gastronomique au rez-de-chaussée.

197

🏠 **De la Rose** sans rest 🛗 🛜 ⚃

Rue de Morat 1 – 𝒞 026 351 01 01 – www.hoteldelarose.ch A1**k**
38 ch – ♦95/170 CHF ♦♦130/210 CHF, ⌑ 20 CHF – 1 suite
À deux pas de la cathédrale St-Nicolas, cette bâtisse du 17ᵉ s. est idéalement située. Dans le hall, on est accueilli sous un superbe plafond d'époque en bois peint. Les chambres sont plus modernes et fonctionnelles, mais le point de chute est agréable.

XXX **Le Pérolles / P.- A. Ayer** 🍴 ⅚ 🄰🄲 ⇔
⚘
Boulevard de Pérolles 18a – 𝒞 026 347 40 30 – www.leperolles.ch – fermé Noël
- Nouvel An 2 semaines, fin juillet - mi-août 3 semaines, dimanche, lundi et mardi
Rest – (48 CHF) Menu 75 CHF (déjeuner)/165 CHF A2**d**
– Carte 128/188 CHF
Une belle cuisine, éprise des produits de saison : voilà ce que l'on trouve au Pérolles. Ajoutez à cela les allusions au terroir, la sobriété du cadre, la qualité du service, et vous obtiendrez la recette de cette table généreuse et savoureuse.
➜ Les ravioles de pommes de terre à l'ail des ours et jambonnettes de cuisses de grenouilles. La salade de langoustine grillée en coque aux rouelles de fenouil mariné. La tarte Tatin de coings et goldens caramélisés, noix de pécan en duo de glaces.

XX **Schild** 🍴 ⅏ ⇔
⚘
Planche-Supérieure 21 – 𝒞 026 322 42 25 – www.le-schild.ch – fermé 1ᵉʳ
- 5 janvier, 21 juillet - 13 août, dimanche et lundi B2**s**
Rest – Menu 62 CHF (déjeuner en semaine)/160 CHF – Carte 82/133 CHF
Rest *Brasserie* – (17 CHF) Menu 29 CHF (déjeuner)/62 CHF – Carte 56/88 CHF
Cette maison de 1587, nichée dans la ville basse, compte parmi les plus anciens restaurants de Fribourg. Ses salons feutrés et son caveau offrent un cadre élégant pour découvrir des mets aux accents créatifs. Également une brasserie traditionnelle. Terrasse sur la place.

XX **Grand Pont La Tour Rouge** ⇐ 🍴 ⅏ **P**
Route de Bourguillon 2 – 𝒞 026 481 32 48 – www.legrandpont.ch – fermé avril 2
semaines, 15 - 30 octobre, dimanche soir, mardi soir et mercredi B1**b**
Rest – Menu 60 CHF (déjeuner)/140 CHF – Carte 60/117 CHF ⅋
Rest *La Galerie* – voir la sélection des restaurants
À l'extrémité nord du pont de Zaehringen, la terrasse jouit d'une très belle vue sur la vieille ville, surtout à la tombée du jour... La cuisine, classique, fait la part belle aux produits de saison et se révèle à travers un joli choix de vins. Une valeur sûre.

XX **L'Aigle-Noir** ⇐ ⅚ ⇔
Rue des Alpes 10 – 𝒞 026 322 49 77 – www.aiglenoir.ch – fermé 23 décembre
- 5 janvier, 14 - 20 avril, 2 - 17 août, dimanche et lundi A2**a**
Rest – (38 CHF) Menu 57 CHF (déjeuner)/135 CHF – Carte 81/125 CHF
Nouvelle déco contemporaine, jeune équipe... ce restaurant s'est offert une cure de jouvence ! Mais que les habitués se rassurent, la vue sur la vieille ville et les Préalpes reste inchangée. En cuisine, le chef travaille avec application les beaux produits du terroir. C'est soigné, bien maîtrisé et goûteux.

XX **La Coupole** – Hôtel Au Parc 🍴 ⅏ **P**
Route de Villars 37, par A2, direction Romont – 𝒞 026 429 56 56
– www.auparc-hotel.ch – fermé mi-juillet - mi-août, lundi et mardi
Rest – Menu 45/45 CHF – Carte 43/68 CHF
Surprenant de trouver un restaurant thaïlandais au sein d'un complexe hôtelier comme celui du Parc. Les clients apprécient et viennent tout exprès y déguster une cuisine raffinée, à laquelle le décor apporte aussi une touche exotique (ombrelles, éventails).

X **Hôtel de Ville** ⇐ ⇔
Grand-Rue 6 – 𝒞 026 321 23 67 – www.restaurant-hotel-de-ville.ch
– fermé 21 décembre - 7 janvier, 20 - 29 avril, 13 juillet - 18 août, mardi midi,
dimanche et lundi B2**f**
Rest – *(réservation conseillée)* (21 CHF) Menu 29 CHF (déjeuner)/91 CHF
– Carte 62/100 CHF
Ambiance arty pour ce restaurant voisin de l'hôtel de ville : le chef – très jovial – est un ancien historien d'art ! Des œuvres contemporaines s'exposent, et la cuisine s'impose, goûteuse et généreuse (veau à la sauge, dos de sandre à l'estragon...). La formule déjeuner est très intéressante. Belle vue sur la cité de la loggia.

✗ **Auberge de La Cigogne**
*Rue d'Or 24 – ℰ 026 321 18 30 – www.aubergedelacigogne.ch – fermé Noël,
Nouvel An, carnaval une semaine, dimanche et lundi* B2**a**
Rest – (21 CHF) Menu 25 CHF (déjeuner en semaine)/105 CHF – Carte 68/92 CHF
Un vent d'Alsace souffle sur Fribourg ! Le chef, originaire de Mulhouse, signe une
jolie cuisine de saison et ces bons petits plats vont bien à cette maison de la vieille
ville (1771), sur une place face au pont couvert. Un cadre pittoresque à souhait.

✗ **La Galerie** – Restaurant Grand Pont La Tour Rouge
*Route de Bourguillon 2 – ℰ 026 481 32 48 – www.legrandpont.ch – fermé avril 2
semaines, 15 - 30 octobre, dimanche soir, mardi soir et mercredi* B1**b**
Rest – Menu 22 CHF (déjeuner)/94 CHF – Carte 42/118 CHF
Il ne faudrait pas oublier que le restaurant du Grand Pont La Tour Rouge abrite
aussi une brasserie ! La vue sur Fribourg et sur la Sarine en contrebas est ravissante, parfaite pour déguster salades ou entrecôtes...

à Bourguillon Sud-Est : 2 km – alt. 669 m – ✉ 1722

XXX **Des Trois Tours** (Alain Bächler)
℘ *Route de Bourguillon 15 – ℰ 026 322 30 69 – www.troistours.ch – fermé
22 décembre - 13 janvier, 27 juillet - 18 août, dimanche et lundi* B2**e**
Rest – Menu 78 CHF (déjeuner)/165 CHF – Carte 116/148 CHF
Cette vaste maison patricienne, érigée en 1839, est d'une incontestable élégance.
Le chef y revisite avec audace les saisons, magnifiant volailles, crustacés, pois-
sons... dans leur prime fraîcheur. Au final : c'est une explosion de saveurs !
➔ Pyramide de tartare d'espadon aux moules et gaspacho. Caille farcie au foie
gras, lentilles Beluga et vieux balsamique. L'éclair de petits fruits à la vanille,
glace pistache.

FRICK – Aargau (AG) – 551 M4 – 4 956 Ew – Höhe 360 m – ✉ 5070 3 E2
▶ Bern 113 – Aarau 16 – Baden 28 – Basel 41

🏨 **Platanenhof**
*Bahnhofstr. 18 – ℰ 062 865 71 71 – www.platanenhof.ch – geschl. 21. Dezember
- 6. Januar, 19. Juli - 4. August*
25 Zim ⌾ – †160/210 CHF ††240/300 CHF – ½ P
Rest *La Volière* – (geschl. Sonntag) (40 CHF) – Karte 62/111 CHF
Das Haus liegt verkehrsgünstig nahe der Autobahnausfahrt und nicht weit vom
Bahnhof. Man bietet funktionell ausgestattete Zimmer und einen Hotel-Shuttle-
Bus. Im Restaurant wirken Royalblau und Ecru harmonisch und elegant, gekocht
werden klassisch-französische Gerichte.

FRUTIGEN – Bern (BE) – 551 K9 – 6 712 Ew – Höhe 803 m 8 E5
– Wintersport : 1 300/2 300 m ⚡1 ⚡7 – ✉ 3714
▶ Bern 54 – Interlaken 33 – Adelboden 16 – Gstaad 65
ℹ Dorfstr. 18, ℰ 033 671 14 21, www.frutigen-tourismus.ch

🏠 **National**
*Obere Bahnhofstr. 10 – ℰ 033 671 16 16 – www.national-frutigen.ch – geschl.
22. - 30. April, 1. - 26. November*
16 Zim ⌾ – †95/120 CHF ††150/180 CHF – ½ P
Rest *Philipp Blaser* – siehe Restaurantauswahl
Schon in der 4. Generation wird das kleine Landhotel etwas abseits der Touristen-
ströme von Familie Blaser geführt. Es erwarten Sie eine sympathische Atmosphäre, ländliche, schlichte, aber immer gepflegte Zimmer, ein frisches Frühstück mit
Backwaren aus der eigenen Backstube, und im "Tea Room" können Sie sich mit
allerlei süssen Leckereien verwöhnen lassen, denn der Patron ist nicht nur ein
guter Koch, sondern auch Konditor!

XX **Philipp Blaser** – Hotel National   ≼ 😋 **P**

Obere Bahnhofstr. 10 – ℰ 033 671 16 16 – www.national-frutigen.ch – geschl. 22. - 30. April, 1. - 26. November und Mittwoch

Rest – (18 CHF) Menü 60/82 CHF – Karte 35/77 CHF

Neben dem modernen Interieur samt schönem Dielenboden und auffallender Beleuchtung hebt sich hier die schmackhafte Küche von Patron Philipp Blaser hervor: ein interessanter Mix aus regionalen, mediterranen und thailändischen Gerichten, vom Cordon bleu über die hausgemachten Mezzelune bis hin zum milden Curry mit Erdnüssen und Rind.

FTAN – Graubünden (GR) – **553** Z9 – 526 Ew – Höhe 1 648 m   **11** K4
– Wintersport : 1 684/2 783 m ⚡2 ⚡10 ⚡ – ⊠ 7551

▶ Bern 313 – Scuol 7 – Chur 101 – Davos 45

🖪 Platz 114, ℰ 081 864 05 57, www.ftan.ch

🏨 **Paradies**   🦶 ≼ 🚗 🐎 🛁 🛗 🛜 🍽 **P**

Süd-West: 1 km Richtung Ardez – ℰ 081 861 08 08 – www.paradieshotel.ch – geschl. Mitte April - Mitte Mai, Ende Oktober - Mitte Dezember

15 Zim � – ♥270/330 CHF ♥♥390/470 CHF – 8 Suiten – ½ P

Rest *L'Autezza* ✿ **Rest** *Stüva Paradies* – siehe Restaurantauswahl

Die Lage über dem Inntal, Zimmer mit warmem Arvenholz, wohnliche Accessoires im ganzen Haus, dazu zuvorkommendes Personal... das ist nur durch den fantastischen Blick auf die Lischana-Bergkette zu steigern - und den sollten Sie unbedingt mal von einer der holzbefeuerten Badewannen auf der Sonnenterrasse geniessen! Auch Kandinsky hat sich hier schon zu Bildern inspirieren lassen!

🏨 **Munt Fallun** garni   🦶 ≼ 🚗 🛜 **P**

Munt Fallun 1 – ℰ 081 860 39 01 – www.hotel-muntfallun.ch – geschl. 19. April - 13. Mai, 4. November - 15. Dezember

10 Zim ⊐ – ♥81/104 CHF ♥♥140/180 CHF

Das 300 Jahre alte Engadiner Bauernhaus mit Blick auf Schloss Tarasp bietet einen historischen Rahmen für das mit hellem Holz in zeitgemässem Stil eingerichtete kleine Hotel. Sehenswert sind Zimmer Nr. 7 und die gemütliche Frühstücksstube. "Dresscode": Hausschuhe.

🏨 **Engiadina**   😋 **P**

Mugliner – ℰ 081 864 04 34 – www.engiadina-ftan.ch – geschl. November - Mitte Dezember, Mitte April - Ende Mai

13 Zim ⊐ – ♥125/155 CHF ♥♥170/240 CHF – 1 Suite – ½ P

Rest – (20 CHF) Menü 35 CHF (mittags)/70 CHF – Karte 33/75 CHF

Kleines Hotel nahe der Sesselbahn-Talstation. Von den Zimmern (teils mit Balkon oder Terrasse) blickt man auf den Ort und die Berge. Man bietet auch ein grosses Familienzimmer. Traditionelle und regionale Küche im Restaurant mit hübscher rustikaler Gartenterrasse.

XXX **L'Autezza** – Hotel Paradies   ≼ 🍽 **P**

Süd-West: 1 km Richtung Ardez – ℰ 081 861 08 08 – www.paradieshotel.ch – geschl. Mitte April - Mitte Mai, Ende Oktober - Mitte Dezember und Montag - Dienstag

Rest – (nur Abendessen) (Tischbestellung ratsam) Menü 175/210 CHF🍽

"Chadafö Unica"-Küche heisst sein Konzept: Martin Göschel, unumstrittener Könner seines Fachs, präsentiert sein Menü in zahlreichen kleinen Gängen, die sowohl Bezug zur Region als auch kreative Einflüsse haben. Und so zeigt sich auch das Restaurant selbst: Moderne in Kombination mit heimischem Holz.

➔ Spargel aus Maienfeld, Eigelb, Bachtel Lachs. Egli, Arve, Burrata. "Gruyère Poularde" in zwei Gängen - Brust, Mais, Trüffel - Nudelsuppe.

X **Stüva Paradies** – Hotel Paradies   ≼ 😋 🍽 **P**

Süd-West: 1 km Richtung Ardez – ℰ 081 861 08 08 – www.paradieshotel.ch – geschl. Mitte April - Mitte Mai, Ende Oktober - Mitte Dezember

Rest – Menü 63/92 CHF – Karte 47/92 CHF

Arvenholz, wohin das Auge blickt - lassen Sie sich nieder in dieser historischen Bauernstube aus dem 19. Jh. und geniessen Sie die urige Bündner Küche und Gemütlichkeit.

DISCOVERING
THE SECRETS
OF THE BEST CHEFS
IS NOT SO DIFFICULT.
JUST TAKE A SEAT
AT THEIR TABLE.

THE FINE DINING WATERS

FÜRSTENAU – Graubünden (GR) – 553 U9 – 351 Ew – Höhe 665 m **10 I4**
– ✉ 7414

▶ Bern 263 – Chur 24 – Andermatt 99 – Davos 48

XXX   **Schauenstein** (Andreas Caminada) mit Zim   ⇘ ⇐ 🛏 🚼 🐾 Rest, 🛜 P
ⰅⰅ ⰅⰅ   *Schlossgasse 71 – ℰ 081 632 10 80 – www.schauenstein.ch – geschl. 6.*
   - 15. Januar, 21. April - 22. Mai, 25. - 29. August, 27. Oktober - 27. November, 22.
   - 26. Dezember und Montag - Mittwochmittag
   6 Zim – ♦375/665 CHF ♦♦375/665 CHF, ⌑ 42 CHF
   Rest – *(Tischbestellung erforderlich)* Menü 198/310 CHF – Karte 198/260 CHF🐾
   Nur ein paar Stufen bis zur Tür dieses stilvollen Herrenhauses, nur wenige Schritte
   bis zum hochwertig-puritistisch eingedeckten Tisch, Momente voller Vorfreude
   auf das, was folgt: Ausdrucksstärke und Stimmigkeit in Perfektion, vollbracht von
   Andreas Caminada, angerichtet auf speziell entworfenem Porzellan und begleitet
   vom professionellen und gleichzeitig legeren Serviceteam um Restaurantleiter
   und Sommelier Oliver Friedrich. In der "Remisa" vis-à-vis: Kaffee und Kuchen,
   abends Tafel ab 8 Personen und am Morgen frühstücken hier die Übernachtungsgäste - im charmanten Garten hat man übrigens auch einen kleinen Pool für Sie.
   ➔ Forelle, Karotte, Rauchfisch. Ziegenfrischkäse, Gänseleber, Mais. Bündner
   Lamm, Sellerie, Zitrone.

FULDERA – Graubünden (GR) – 553 AA10 – 121 Ew – Höhe 1 641 m   **11 K4**
– Wintersport : 🎿 – ✉ 7533

▶ Bern 332 – Scuol 60 – Chur 119 – Davos 65

🏠   **Staila**   ⇐ 🛏 🏠 🛏 🚼 🐾 Zim, 🛜 P
🏠   *Via Maistra 20 – ℰ 081 858 51 60 – www.hotel-staila.ch – geschl. 22. April*
   - 16. Mai, 2. November - 19. Dezember
   18 Zim ⌑ – ♦100/124 CHF ♦♦160/208 CHF – ½ P   **Rest** – Karte 39/84 CHF
   Ein wirklich netter und familiärer Gasthof mit ländlichem Charakter, dessen Zimmer recht schlicht, aber behaglich mit Arvenholz eingerichtet sind. Auch geführte
   Wanderungen werden angeboten. Regionstypisch-rustikales Restaurant.

FURI – Wallis – 552 K13 – siehe Zermatt

GAIS – Appenzell Ausserrhoden (AR) – 551 V5 – 3 039 Ew – Höhe 919 m   **5 I2**
– ✉ 9056

▶ Bern 221 – Herisau 20 – Konstanz 100 – Sankt Gallen 16

X   **Truube**   🏠 🚼 P
   Rotenwies 9 – ℰ 071 793 11 80 – www.truube.ch – geschl. 26. Januar
   - 6. Februar, 14. Juli - 14. August und Dienstag - Mittwoch
   Rest – Menü 39 CHF (mittags unter der Woche)/140 CHF – Karte 84/130 CHF
   In dem gut geführten Gasthaus leitet der Chef freundlich und geschult den Service, die Chefin kocht klassische Speisen aus saisonalen Produkten. Weinkarte
   mit 180 Positionen.

GALS – Bern (BE) – 552 H7 – 725 Ew – Höhe 449 m – ✉ 2076   **2 C4**

▶ Bern 42 – Neuchâtel 14 – Biel 26 – La Chaux-de-Fonds 31

XX   **Zum Kreuz**   🏠 P
🐾   *Dorfstr. 8 – ℰ 032 338 24 14 – www.kreuzgals.ch – geschl. 22. Dezember*
   - 7. Januar, 14. Juli - 5. August und Montag - Dienstag
   Rest – *(Tischbestellung ratsam)* (19 CHF) Menü 49/99 CHF – Karte 54/93 CHF
   Der Familienbetrieb bietet im Restaurant mit gepflegter ländlicher Atmosphäre
   moderne und traditionelle Küche, Tagesteller in der Stube. Von der Terrasse blickt
   man in den Garten.

GATTIKON – Zürich (ZH) – **551** P5 – Höhe 510 m – ⊠ 8136   4 G3

▶ Bern 136 – Zürich 13 – Luzern 47 – Zug 20

XX   **Sihlhalde** (Gregor Smolinsky)   🛖 ⇔ **P**

⊗   *Sihlhaldenstr. 70 – 𝒞 044 720 09 27 – www.smoly.ch – geschl. 22. Dezember*
     - 6. Januar, 14. Juli - 5. August und Sonntag - Montag, Dezember: Sonntag
     Rest – *(Tischbestellung ratsam)* (44 CHF) Menü 60 CHF (mittags)/136 CHF
     – Karte 86/117 CHF
     Es ist ein Landgasthof wie aus dem Bilderbuch, den Gregor Smolinsky hier in
     2. Generation führt. Die Stuben sind ebenso nett wie der Service unter der Lei-
     tung der Mutter. Der Patron kocht klassisch, aufs Wesentliche reduziert, immer
     bodenständig und nie abgehoben... und vor allem geschmackvoll! Im Sommer
     ist die Terrasse ein Muss.
     ➜ Pulpo mit Artischocken, Tomaten und Basilikum. Brasato-Ravioli mit Perigord
     Trüffelsauce. St. Petersfisch aus dem Ofen mit Kräutern.

GEMPENACH – Freiburg (FR) – **552** H7 – 290 Ew – Höhe 508 m   2 C4
– ⊠ 3215

▶ Bern 24 – Neuchâtel 30 – Biel 34 – Fribourg 24

XXX   **Gasthaus zum Kantonsschild**   🛖 ⊗ ⇔ **P**
     Hauptstr. 24 – 𝒞 031 751 11 11 – www.kantonsschild.ch – geschl.
     3. - 25. Februar, 21. Juli - 12. August und Montag - Dienstag
     Rest – Menü 45/117 CHF – Karte 42/103 CHF
     Das Gasthaus ist schon in 4. Generation ein Familienbetrieb. Der Patron ist sehr
     naturverbunden - er ist Jäger, züchtet Forellen, verarbeitet in der Saison gerne
     Trüffel und Pilze... - und so kocht er marktfrisch auf klassischer Basis.

*L'institution de la
chocolaterie genevoise
– une apothéose
des sens –*

GENÈVE *GENF*

© imagebroker/Hemis.fr

Ⓒ – GE – Genève – 188 234 h. – alt. 375 m – ⊠ 1200 – 552 B11

▶ Bern 164 – Annecy 45 – Grenoble 148 – Lausanne 60

🄸 Offices de tourisme

18 rue du Mont-Blanc E2, ℰ 022 909 70 00
Aéroport, niveau des arrivées B1, ℰ 022 909 70 00

Automobile clubs

🅰 Cours de Rive 8, 1204 Genève F3
🅰 Chemin de Blandonnet 4, 1214 Vernier, ℰ 022 417 20 30 B2
🅐 Chemin du Clos de la Fonderie 19, 1227 Carouge, ℰ 022 342 22 33 C3

Aéroport

🄰 de Genève, ℰ 022 717 71 05 B1

Compagnies aériennes

Swiss International Air Lines Ltd., ℰ 0848 700 700
Air France, Route de l'Aéroport 15, ℰ 022 827 87 87
Alitalia, Genève-Airport, ℰ 022 798 20 80
British Airways, Chantepoulet 13, ℰ 0848 801 010
Lufthansa, Route de Prébois 29, Cointrin, ℰ 022 929 51 51

Foires et Manifestations

20-24 janvier : salon international de la haute horlogerie
24-26 janvier : salon des vacances, voyages & loisirs
30 janvier-2 février : ArtByGenève
1-16 février : festival Antigel
7-16 mars : festival du film
12-16 mars : festival Voix de Fête
2-6 mars : salon international de l'automobile
2-6 avril : salon international des inventions
30 avril-4 mai : salon international du livre et de la presse
3-4 mai : marathon
13-15 mai : EBACE
3-6 juin : EPMT
11-14 décembre : concours hippique international

GENÈVE

Golfs

- 🖫 Cologny, ☎ 022 707 48 00
- 🖫 Bossey (France), par rte de Troinex, ☎ (0033) 450 43 95 50
- 🖭 Esery (France), Sud-Est : 15 km, ☎ (0033) 450 36 58 70
- 🖫 Maison Blanche, Echenevex-Gex (France), Nord-Ouest : 17 km, ☎ (0033) 450 42 44 42

◩ DÉCOUVRIR

A voir : Site★★★ · Parcs Mon Repos★★F1· Perle du Lac★★ · Villa Barton★★C1_2 · Conservatoire et Jardin Botaniques★ (jardin de rocaille★★) **E**C1 · Parc de la Grange★ · Parc des Eaux-Vives★C2 · Palais des Nations★★C1 · Vieille ville★★ (Monument de la Réformation★)E3 · Cathédrale St-Pierre★★ (tour Nord :☀★★ · Crypte archéologique★★)E3· Maison Tavel★E2_3 · Fondation Baur★F3

Musées : Musée Ariana★★**M**^{2}C1 · Musée d'Art et d'Histoire★★ · Musée d'Histoire naturelle★★F3 · Musée international de la Croix-Rouge et du Croissant-Rouge★★**M**^{3}C1 · Musée international de la Réforme★F2 · Musée Barbier-Mueller★**M**E2 · Institut et musée Voltaire★B1

Liste alphabétique des hôtels
Alphabetische Liste der Hotels
Elenco alfabetico degli alberghi
Index of hotels

206

Liste alphabétique des hôtels
Alphabetische Liste der Hotels
Elenco alfabetico degli alberghi
Index of hotels

Restaurants ouverts le dimanche
Restaurants sonntags geöffnet
Ristoranti aperti domenica
Restaurants open on Sunday

Rive droite (Gare Cornavin - Les Quais)

⛉⛉⛉ Mandarin Oriental ≼ 爺 ⓕⓢ 🛏 & 🅰🅲 💕 🛜 🛴 🚗
Quai Turrettini 1 ✉ *1201* – ☏ *022 909 00 00*
– *www.mandarinoriental.com/geneva*   E2**r**
182 ch – 🛉490/1530 CHF 🛉🛉590/1530 CHF, ☕ 49 CHF – 15 suites
Rest *Rasoi by Vineet* ✿ **Rest *Le Sud*** – voir la sélection des restaurants
Tissus moirés, bois précieux, panneaux de marbre… l'esprit du style Art déco
transcende ce luxueux établissement des bords du Rhône. Au 7ᵉ étage, les suites
avec terrasse dominent toute la ville ; partout, le confort est parfait… Extrême-
ment chic et infiniment feutré !

⛉⛉⛉ Four Seasons Hôtel des Bergues ≼ 🖫 ⊛ ⓕⓢ 🛏 & 🅰🅲 🛜 🛴 🚗
Quai des Bergues 33 ✉ *1201* – ☏ *022 908 70 00*
– *www.fourseasons.com/geneva*   E2**f**
93 ch – 🛉725/1150 CHF 🛉🛉725/1150 CHF, ☕ 55 CHF – 22 suites
Rest *Il Lago* ✿ – voir la sélection des restaurants
À ses pieds, le Rhône jaillit des eaux claires du lac Léman : joli symbole pour celui
qui fut le premier des palaces genevois (1834) et qui semble avoir filtré la quintessence de la grande hôtellerie. Excellence du service, faste des décors (meubles
de style, marbres, tissus précieux, etc.) : une superbe institution.

⛉⛉⛉ Président Wilson ≼ 爺 ⌇ ⓙ ⓕⓢ 🛏 & rest, 🅰🅲 💕 🛜 🛴 🚗
Quai Wilson 47 ✉ *1201* – ☏ *022 906 66 66* – *www.hotelpwilson.com*
144 ch – 🛉850 CHF 🛉🛉1200 CHF, ☕ 47 CHF – 36 suites   F1**d**
Rest *Bayview* ✿
Rest *L'Arabesque* ⊛ – voir la sélection des restaurants
Rest *Poolgarden Terrasse* – ☏ *022 906 64 52* *(fermé septembre - avril)* (45 CHF)
Menu 65 CHF (déjeuner) – Carte 87/135 CHF
Un grand édifice moderne sur les quais, aménagé avec un extrême souci du
confort : espaces pleins de styles, beaux matériaux, piscine panoramique, plusieurs
restaurants… Des étages supérieurs côté Léman, Genève s'efface et l'on ne voit
plus que l'étendue d'eau environnée de verdure ou de neige : la nature à la ville !

⛉⛉⛉ Grand Hôtel Kempinski ≼ 爺 🖫 ⊛ 爺 ⓕⓢ 🛏 & 🅰🅲 💕 🛜 🛴 🚗
Quai du Mont-Blanc 19 ✉ *1201* – ☏ *022 908 90 81*
– *www.kempinski.com/geneva*   F2**y**
379 ch – 🛉850/1500 CHF 🛉🛉850/1500 CHF, ☕ 50 CHF – 33 suites
Rest *Le Grill* – voir la sélection des restaurants
Rest *Il Vero* – ☏ *022 908 92 24* – (30 CHF) Menu 48 CHF (déjeuner)
– Carte 63/103 CHF
De belles prestations dans cet hôtel contemporain dressé face au célèbre jet
d'eau – qui ajoute encore à la vue dégagée sur le lac… Atmosphère moderne et
feutrée, bars et restaurants (grill, italien), nombreuses salles de réunion et ban-
quet, commerces, etc. : on devance vos moindres désirs !

⛉⛉⛉ Beau-Rivage ≼ ⓕⓢ 🛏 🅰🅲 🛜 🛴 🚗
Quai du Mont-Blanc 13 ✉ *1201* – ☏ *022 716 66 66* – *www.beau-rivage.ch*
85 ch – 🛉800/1300 CHF 🛉🛉800/1300 CHF, ☕ 47 CHF – 5 suites   F2**d**
Rest *Le Chat Botté* ✿ **Rest *Patara*** – voir la sélection des restaurants
Hôtel historique s'il en est, le Beau-Rivage fut fondé au milieu du 19ᵉ s. et brille toujours au firmament. Définitivement mythique, il vit s'éteindre Sissi l'Impératrice en
1898. Le passé y est partout présent, sans être pesant : beautés intemporelles des
colonnes et pilastres, marbres et stucs, objets d'art… Un refuge plein de délicatesse.

⛉⛉⛉ Le Richemond 爺 爺 ⓕⓢ 🛏 & 🅰🅲 🛜 🛴 🚗
Rue Adhémar - Fabri 8 ✉ *1201* – ☏ *022 715 70 00* – *www.lerichemond.com*
99 ch – 🛉485/870 CHF 🛉🛉485/870 CHF, ☕ 55 CHF – 10 suites   E2**a**
Rest *Le Jardin* – ☏ *022 715 71 00* – (38 CHF) Menu 68 CHF (déjeuner en
semaine)/98 CHF – Carte 84/148 CHF
La belle alliance du style européen fin 19ᵉ s. – le Richemond a été inauguré en
1863 – et du goût international d'aujourd'hui : une rotonde classique en forme
de lobby, des balcons en fer forgé ouverts sur la ville, mais aussi des espaces
repensés dans un esprit de grand confort, où raffiné rime avec discret…

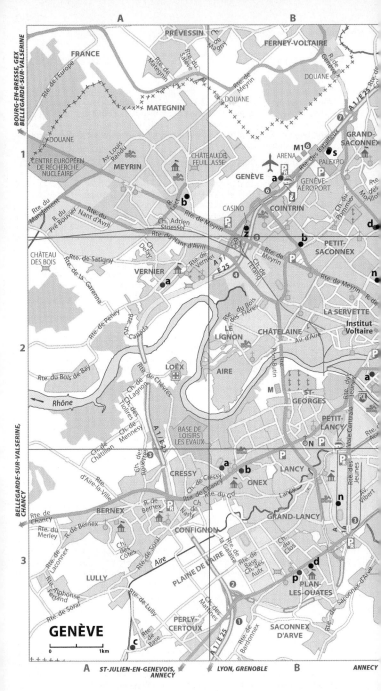

GENÈVE

0   1km

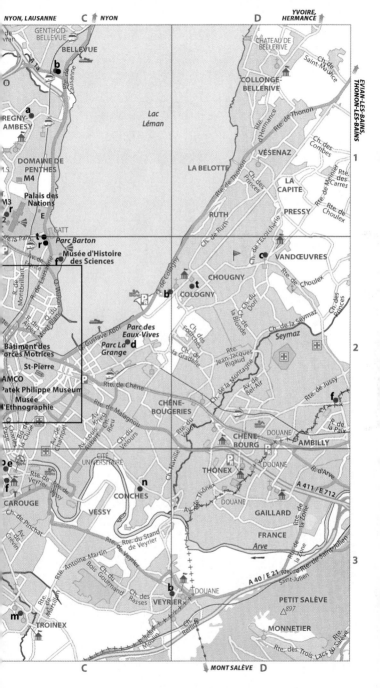

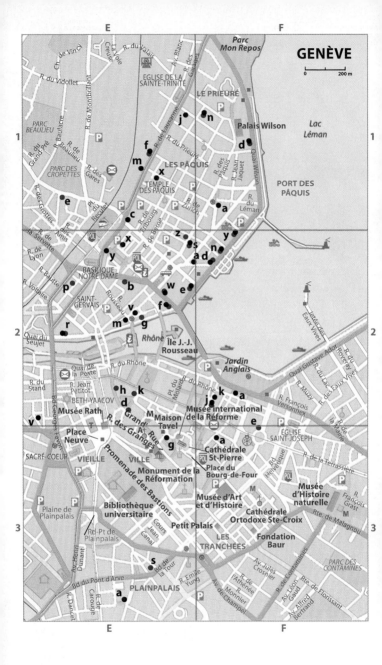

GENÈVE

0   200 m

Parc Mon Repos

Lac Léman

PORT DES PÂQUIS

LE PRIEURÉ

Palais Wilson

EGLISE DE LA SAINTE-TRINITÉ

LES PÂQUIS

TEMPLE DES PÂQUIS

PARC BEAULIEU

PARC DES CROPETTES

BASILIQUE NOTRE DAME

SAINT-GERVAIS

Rhône

Île J.-J. Rousseau

Jardin Anglais

Quai du Seujet

BETH-YAACOV

Musée Rath

Place Neuve

SACRÉ-COEUR

VIEILLE VILLE

Maison Tavel

Musée international de la Réforme

Cathédrale St-Pierre

Place du Bourg-de-Four

ÉGLISE SAINT-JOSEPH

Monument de la Réformation

Bibliothèque universitaire

Plaine de Plainpalais

Petit Palais

Musée d'Art et d'Histoire

Cathédrale Ortodoxe Ste-Croix

Musée d'Histoire naturelle

Fondation Baur

LES TRANCHÉES

PARC DES CONTAMINES

PLAINPALAIS

D'Angleterre ⇐ ⋔ ⓕ⅁ ⎚ ⓐⓒ 🛜 ⓢⓐ
Quai du Mont-Blanc 17 ✉ *1201* – ☏ *022 906 55 55* – *www.hoteldangleterre.ch*
45 ch – ⚤490/1100 CHF ⚤⚤490/1100 CHF, ⌐ 49 CHF – ½ P   F2**n**
Rest *Windows* – voir la sélection des restaurants
Est-ce sa façade en pierre qui possède un je-ne-sais-quoi du Paris d'Haussmann,
l'esprit british et feutré de ses salons, le décor soigné de chacune de ses chambres (classique, vénitienne, design, etc.) ? Rien ne peut réellement résumer le
caractère de cet hôtel né en 1872, sinon un mot : l'élégance.

De la Paix ⇐ ⓕ⅁ ⎚ ⓐⓒ 🛜 ⓢⓐ
Quai du Mont-Blanc 11 ✉ *1211* – ☏ *022 909 60 00*
– *www.concorde-hotels.com/hoteldelapaix*   E2**e**
82 ch – ⚤675/1290 CHF ⚤⚤675/1290 CHF, ⌐ 43 CHF – 2 suites
Rest *Vertig'O* ✿ – voir la sélection des restaurants
Gouttes d'eau ou bien pétales de rose ? Côté lac ou côté jardin, les deux théma-
tiques se déclinent dans chaque chambre, expression d'un design soucieux d'une
forme de symbiose avec son environnement. Apaisant pour sûr, et avec tout le
sens du service d'un établissement né en 1865.

Bristol ⋔ ⓕ⅁ ⎚ ⓐⓒ 🛜 ⓢⓐ
Rue du Mont-Blanc 10 ✉ *1201* – ☏ *022 716 57 00* – *www.bristol.ch*
99 ch – ⚤290/850 CHF ⚤⚤290/850 CHF, ⌐ 38 CHF – 1 suite – ½ P   E2**w**
Rest *Relais Bristol* – voir la sélection des restaurants
Un hôtel éminemment bourgeois, aux chambres très confortables, dans une
veine classique sans fioritures. Et après une journée de travail harassant, direction
le sous-sol pour profiter des espaces fitness, sauna, hammam et jacuzzi...

N'vY ❶ ⓕ⅁ ⎚ ⓐⓒ ch, 🛜 ⓢⓐ 🚗
Rue de Richemont 18 ✉ *1202* – ☏ *022 544 66 66* – *www.manotel.com*
152 ch – ⚤320/650 CHF ⚤⚤320/650 CHF, ⌐ 30 CHF – 1 suite – ½ P   F1**n**
Rest *Trilby* – voir la sélection des restaurants
Rest *Tag's Café* – *(fermé dimanche)* (21 CHF) – Carte 40/68 CHF
Quand le besoin fait place à l'N'vY... L'hôtel sort d'une véritable cure de jouvence,
et le résultat est explosif : design arty, hyper branché, équipements high-tech
omniprésents, chambres lumineuses qui doivent autant à l'écrivain Jack Kerouac
qu'à l'art de rue... À couper le souffle !

Royal ⌖ ⋔ ⓕ⅁ ⎚ ⅁ ⓐⓒ 🛜 ⓢⓐ 🚗
Rue de Lausanne 41 ✉ *1201* – ☏ *022 906 14 14* – *www.manotel.com*
196 ch – ⚤260/620 CHF ⚤⚤260/620 CHF, ⌐ 30 CHF – 6 suites – ½ P   E1**f**
Rest *Le Duo - Côté Resto* – voir la sélection des restaurants
Rest *Le Duo - Côté Bistro* – (21 CHF) – Carte 43/89 CHF
Une certaine distinction émane de cet établissement, dont le décor s'inspire du
goût néoclassique et évoque, dans les salons et les chambres les plus cossues,
une demeure particulière. Joli Duo pour se restaurer : gastro ou bistro (cuisine
internationale).

Eastwest ⋔ ⓕ⅁ ⎚ ⓐⓒ 🛜 ⓢⓐ
Rue des Pâquis 6 ✉ *1201* – ☏ *022 708 17 17* – *www.eastwesthotel.ch*
39 ch – ⚤235/560 CHF ⚤⚤265/730 CHF, ⌐ 29 CHF – 2 suites   E2**s**
Rest *Eastwest* – voir la sélection des restaurants
Mobilier contemporain, tons sombres et notes colorées, salles de bains ouvertes
sur les chambres, etc. : un hôtel pile dans la tendance, qui se révèle impeccable
et agréable à vivre. Situation très centrale, non loin des quais.

Warwick ⎚ ⓐⓒ ✗ ch, 🛜 ⓢⓐ

165 ch – ⚤200/750 CHF ⚤⚤200/750 CHF, ⌐ 29 CHF – 2 suites – ½ P   E1**c**
Rue de Lausanne 14 ✉ *1201* – ☏ *022 716 80 00* – *www.warwickgeneva.com*
Rest *Teseo* – ☏ *022 716 82 84* – (20 CHF) Menu 38 CHF (déjeuner en
semaine)/55 CHF – Carte 40/91 CHF
Un accès on ne peut plus aisé pour qui arrive à Genève en train : la gare est juste
en face ! Ce n'est pas le moindre atout de cet hôtel qui remplit parfaitement son
office avec ses chambres contemporaines, confortables et apaisantes (tons gris
perle, brun, mordoré...).

Tiffany 🏠 🏵 🏖 |≑| 🅰🅲 ch, 🛜 🐎

Rue de l'Arquebuse 20 ☒ 1204 – ℰ 022 708 16 16 – www.tiffanyhotel.ch – fermé
Pâques E2**v**
65 ch – 🛉180/395 CHF 🛉🛉197/710 CHF, ⌒ 29 CHF
Rest – (26 CHF) Menu 37 CHF (déjeuner en semaine) – Carte 50/92 CHF
Envie d'un "Breakfast At Tiffany's" ? Dans ce petit immeuble Belle Époque, le
décor oscille, selon les chambres, entre Art nouveau et contemporain le plus
chic. L'atmosphère est chaleureuse, notamment dans ce grand salon-bibliothèque
pour le moins cossu...

Auteuil sans rest 🏖 |≑| 🅰🅲 🛜 🐎

Rue de Lausanne 33 ☒ 1201 – ℰ 022 544 22 22 – www.manotel.com
104 ch – 🛉240/570 CHF 🛉🛉240/570 CHF, ⌒ 28 CHF E1**m**
Entretien sans faille dans cet hôtel bien dans son époque : l'élégance s'y décline
avec sobriété, sur la base d'accords de couleurs bien pensés, et les chambres,
exposées au nord ou au sud, sont bien insonorisées. En un mot : séduisant !

Kipling sans rest |≑| 🅰🅲 🛜 🐎 🅿

Rue de la Navigation 27 ☒ 1201 – ℰ 022 544 40 40 – www.manotel.com
62 ch – 🛉220/438 CHF 🛉🛉220/438 CHF, ⌒ 18 CHF E1**x**
Du nom du célèbre romancier voyageur, cet hôtel joue la carte de l'ailleurs : le
style colonial domine partout, évoquant ici les comptoirs d'Orient, là le charme
suranné du Sud lointain... Original et réussi.

Jade sans rest |≑| 🅰🅲 🛜

Rue Rothschild 55 ☒ 1202 – ℰ 022 544 38 38 – www.manotel.com
47 ch – 🛉220/440 CHF 🛉🛉220/440 CHF, ⌒ 18 CHF E1**j**
Un hôtel feng shui ! La célèbre philosophie chinoise a inspiré son agencement :
face visible des arcanes secrètes des circulations d'énergie, les objets ethniques
et l'ambiance zen appellent à la sérénité. Pour le repos du corps et... de l'esprit.

The Ambassador 🏠 |≑| 🅰🅲 ⅏ rest, 🛜 🐎

Quai des Bergues 21 ☒ 1201 – ℰ 022 908 05 30 – www.the-ambassador.ch
62 ch – 🛉200/460 CHF 🛉🛉300/560 CHF, ⌒ 24 CHF – 2 suites E2**m**
Rest – *(fermé dimanche midi et samedi)* (30 CHF) Menu 44/72 CHF
– Carte 40/90 CHF
Modernité et fonctionnalité face au Rhône – une situation privilégiée à la rencontre des deux principaux quartiers du centre-ville. L'entretien des chambres est
irréprochable et met en valeur les différents styles, du zen au baroque !

The New Midi 🏠 |≑| 🕭 ⅏ rest, 🛜 🐎

Place Chevelu 4 ☒ 1201 – ℰ 022 544 15 00 – www.the-new-midi.ch
76 ch – 🛉200/460 CHF 🛉🛉300/560 CHF, ⌒ 24 CHF – 2 suites E2**v**
Rest – *(fermé samedi midi et dimanche)* (30 CHF) Menu 44/72 CHF
– Carte 40/90 CHF
Couleurs et motifs : une signature pour toutes les chambres de cet hôtel, dont le
décor revendique une vraie modernité... sans renier un certain classicisme. Bonne
situation sur une petite place bordée par le Rhône.

Edelweiss |≑| 🅰🅲 🛜

Place de la Navigation 2 ☒ 1201 – ℰ 022 544 51 51 – www.manotel.com
42 ch – 🛉220/540 CHF 🛉🛉220/540 CHF, ⌒ 18 CHF – ½ P F1**a**
Rest – *(fermé 2 - 13 janvier et dimanche)* (dîner seulement) Menu 48/50 CHF
– Carte 45/87 CHF
L'edelweiss, "l'immortelle des neiges" au joli duvet blanc... Un nom de fleur et une
carte d'identité pour cet hôtel, digne d'un chaleureux chalet suisse. Le bois blond
abonde dans les chambres et, au restaurant, on se croirait dans une station de
ski, entre musiciens (chaque soir) et spécialités fromagères !

Eden |≑| 🅰🅲 🛜

🐎 *Rue de Lausanne 135 ☒ 1202 – ℰ 022 716 37 00 – www.eden.ch* C1_2**t**
54 ch ⌒ – 🛉190/290 CHF 🛉🛉245/345 CHF
Rest – *(fermé 23 décembre - 5 janvier, 26 juillet - 17 août, samedi et dimanche)*
(20 CHF) Menu 33 CHF – Carte 46/64 CHF
Cet immeuble années 1930 est né en même temps que le palais des Nations, tout
proche. Nombre de fonctionnaires de l'ONU – mais pas seulement – apprécient
ses chambres, fonctionnelles et confortables, particulièrement bien tenues.

Mon-Repos sans rest 🖃 🛜 🖴

Rue de Lausanne 131 ⊠ 1202 – ℰ 022 909 39 09 – www.hotelmonrepos.ch
84 ch – ♦170/290 CHF ♦♦220/310 CHF, ☲ 19 CHF   C2**r**

Près des institutions internationales et juste en face du parc Mon-Repos, une logique invitation au sommeil : cet hôtel a récemment été rénové dans un style contemporain assez épuré et... reposant. En cas de fringale, on peut "snacker" au bar (fermé vendredi et samedi).

Les Nations sans rest 🖃 🛜 🚗

Rue du Grand-Pré 62 ⊠ 1202 – ℰ 022 748 08 08 – www.fassbindhotels.com
71 ch – ♦240 CHF ♦♦280 CHF, ☲ 15 CHF   B2**n**

Sur l'avant, une façade moderne sans attrait ; sur l'arrière, toute une fresque représentant un alpage et des vaches... cubistes ! Une vraie curiosité pour cet hôtel somme toute assez classique, qui se distingue par la qualité de son accueil et ses expositions de peintres suisses.

Suisse sans rest 🖃 🔤 🛜

Place de Cornavin 10 ⊠ 1201 – ℰ 022 732 66 30 – www.hotel-suisse.ch
62 ch ☲ – ♦155/275 CHF ♦♦185/305 CHF   E2**y**

Un hôtel fonctionnel et bien tenu, qui donne sur le parvis de la gare centrale de Genève. Chaque étage possède sa propre identité, avec des chambres "provinciales", contemporaines ou classiques (petits balcons au 6e).

Cristal 🆕 sans rest 🖤 🔤 🛜

Rue Pradier 4 ⊠ 1201 – ℰ 022 716 12 21 – www.fassbindhotels.com
78 ch – ♦215 CHF ♦♦255 CHF, ☲ 19 CHF   E2**x**

À deux pas de la gare, ce Cristal étonne : par sa démarche environnementale, d'abord, avec panneaux solaires et chauffage par circulation d'air et d'eau ; par son aménagement, ensuite, lumineux et design, où dominent l'argenté et le verre.

XXXX **Le Chat Botté** – Hôtel Beau Rivage ⩽ 🍴 🔤

🏵 *Quai du Mont-Blanc 13 ⊠ 1201 – ℰ 022 716 69 20 – www.beau-rivage.ch*
– fermé 18 - 27 avril, samedi midi et dimanche   F2**d**
Rest – *(réservation conseillée)* Menu 70 CHF (déjeuner)/220 CHF
– Carte 123/211 CHF🍷

Foie gras des Landes, canette des Dombes, sole de l'île d'Yeu... Au menu : les meilleurs produits des terroirs français, des vins superbes et surtout l'habileté d'un chef qui illustre parfaitement la morale du Chat Botté : "L'industrie et le savoir-faire valent mieux que des biens acquis". Service irréprochable et magnifique terrasse face au Léman.
➜ Langoustine du Cap en kadaïf, vinaigrette aux agrumes, chiffonnade de basilic. Grenouille de Vallorbe en gigotin et tempura, mousseline de pousses d'épinards, crème d'ail. Foie gras de canard des Landes troussé et poêlé en tranche épaisse, olives noires confites.

XXXX **Il Lago** – Four Seasons Hôtel des Bergues 🍴 🖤 🔤 🏵

🏵 *Quai des Bergues 33 ⊠ 1201 – ℰ 022 908 71 10*
– www.fourseasons.com/geneva   E2**f**
Rest – *(réservation indispensable)* Menu 78 CHF (déjeuner)/130 CHF
– Carte 105/163 CHF🍷

Il Lago ou le lac Léman à l'italienne, la dolce vita dans ce qu'elle a de plus chic (superbe décor de pilastres et de scènes peintes) et la gastronomie transalpine... de plus raffiné. Parfums, subtilité, légèreté... À découvrir !
➜ Coquilles St. Jacques au topinambour glacé, nage de crustacés et marrons. Risotto de homard. Filet de bar sauvage, artichauts grillés et émulsion de citron.

XXX **Bayview** – Hôtel Président Wilson ⩽ 🖤 🔤 🏵

🏵 *Quai Wilson 47 ⊠ 1201 – ℰ 022 906 65 52 – www.hotelwilson.com – fermé 1er*
- 13 janvier, 29 juillet - 18 août, dimanche et lundi   F1**d**
Rest – *(45 CHF)* Menu 65 CHF (déjeuner)/170 CHF – Carte 113/191 CHF🍷

De grandes baies face au lac ; un décor au design étudié, sobre et chic... L'écrin est idéal pour déceler le talent d'un chef fameux, Michel Roth, qui s'est fait connaître, à Paris, chez Lasserre et au Ritz. Sa cuisine, d'une grande finesse, revisite le répertoire français avec créativité et subtilité. Belle partition !
➜ Salade de homarde tiède, fruits d'été en vinaigrette miel-citron confit, barbajuans aux pinces. Pigeon Mieral aux cerises, polenta croustillante et guimauve pistache. Délice litchi pomme en coque meringuée.

XXX La Perle du Lac ⟨ 🍷 🍴 📷 ⇔ 🅿

Rue de Lausanne 126 ✉ 1202 – ☏ 022 909 10 20 – www.laperledulac.ch – fermé
22 - 26 décembre et lundi **C2f**
Rest – (23 CHF) Menu 62 CHF (déjeuner)/110 CHF – Carte 74/115 CHF
Dans le parc Mon-Repos, un pavillon centenaire dont la large terrasse ouvre sur le
lac. Dans un décor intemporel, on déguste une cuisine empreinte de classicisme :
goujonnettes de sole aux mousserons, parmentier de canard au jus d'olives...
Tout reflète l'attention du chef. Une institution qui mérite sa réputation !

XXX Windows – Hôtel D'Angleterre ⟨ 📷

Quai du Mont-Blanc 17 ✉ 1201 – ☏ 022 906 55 55 – www.hoteldangleterre.ch
– fermé dimanche **F2n**
Rest – (29 CHF) Menu 51 CHF (déjeuner en semaine)/195 CHF – Carte 94/163 CHF
Dans l'hôtel d'Angleterre, une superbe "fenêtre" sur le lac Léman, le jet d'eau et
les sommets, et une fine gastronomie ouverte à tous les terroirs. Pour sûr, les
Alpes ne font pas écran aux belles saveurs et jolies senteurs, même lointaines !

XX Le Sud – Hôtel Mandarin Oriental ⟨ 🍴 ⟨ 📷 ⟨

Quai Turrettini 1 ✉ 1201 – ☏ 022 909 00 05
– www.mandarinoriental.com/geneva **E2r**
Rest – Menu 54 CHF – Carte 46/133 CHF
Sur les quais, la brasserie chic du Mandarin Oriental se fait voyageuse ! À la carte,
les saveurs de la Méditerranée, de toute la Méditerranée : caviar d'aubergine,
tajine au poulet fermier et citron confit, picatta de veau à l'italienne...

XX Rasoi by Vineet – Hôtel Mandarin Oriental 🍴 📷 ⟨ ⇔
⟨⟨
Quai Turrettini 1 ✉ 1201 – ☏ 022 909 00 06
– www.mandarinoriental.com/geneva – fermé 22 - 30 décembre, samedi midi,
dimanche et lundi **E2r**
Rest – (réservation conseillée) (45 CHF) Menu 70 CHF (déjeuner)/160 CHF
– Carte 86/147 CHF
Toutes les fragrances et les couleurs de la cuisine indienne, interprétées avec
énormément de raffinement : beau moment de gastronomie dans ce restaurant
chic et feutré, où l'on peut se rêver en maharaja du 21e s. !
→ Assiette Rasoi : Noix de St. Jacques au "Gunpowder", chutney de crabe, Pun-
jabi-volaille aux trois moutardes, agneau "achari pasanda". Homard, cacao :
Homard grillé aux épices, risotto khichdi au brocoli-gingembre, poudre d'épices-
cacao. Cheesecake, Kulfi : Cheese-cake au safran-Gulab jamun, kulfi aux mûres.

XX L'Arabesque – Hôtel Président Wilson ⟨ ⟨ 📷 ⟨
⟨⟨
Quai Wilson 47 ✉ 1211 – ☏ 022 906 67 63 – www.hotelpwilson.com
Rest – Menu 59 CHF (déjeuner)/105 CHF – Carte 60/96 CHF **F1d**
Beau geste décoratif que cette Arabesque en mosaïque d'or, cuir blanc et laque
noire, qui évoque la magie de l'Orient... Et particulièrement du Liban : du bas-
torma (bœuf séché aux épices) au houmous (purée de pois chiches), l'authenticité
des parfums nous transporte au pays du Cèdre !

XX Le Duo - Côté Resto – Hôtel Royal 🍴 ⟨ 📷

Rue de Lausanne 41 ✉ 1201 – ☏ 022 906 14 14 – www.manotel.com
– fermé Noël - Nouvel An 2 semaines, août 3 semaines, samedi et dimanche
Rest – Menu 48 CHF (déjeuner en semaine)/85 CHF **E1f**
– Carte 71/104 CHF
Des produits de belle origine, des plats inventifs composés avec soin – ainsi ces
deux filets de sole et leur petite sauce acidulée au liquemat, un plat fin et délicat – et un cadre intime propice aux... duos. À noter : l'intéressant choix de vins
au verre.

XX Patara – Hôtel Beau-Rivage ⟨ 📷

Quai du Mont-Blanc 13 ✉ 1201 – ☏ 022 731 55 66 – www.patara-geneva.ch
Rest – Menu 95 CHF (déjeuner)/125 CHF – Carte 61/105 CHF **F2d**
Le goût de la Thaïlande au sein de l'un des plus beaux palaces de la ville. Aux
murs, des motifs d'or stylisés évoquent les raffinements du royaume siam ; dans
les assiettes, le cortège des spécialités invite littéralement au voyage...

XX **Relais Bristol** – Hôtel Bristol   AC
Rue du Mont-Blanc 10 ⊠ 1201 – ℰ 022 716 57 57 – www.bristol.ch
Rest – *(fermé samedi et dimanche)* (25 CHF) Menu 55 CHF (déjeu-   E2**w**
ner en semaine)/125 CHF – Carte 90/112 CHF
Voici un endroit d'un élégant classicisme, dans lequel boiseries et tableaux entre-
tiennent un dialogue aristocratique ; non loin du bar, quelques notes s'échappent
d'un joli piano noir. Sur une nappe d'un blanc immaculé, on déguste des plats
savoureux, variant les textures et les saveurs, et l'on soupire d'aise...

XX **Trilby** ⓝ   & AC
Rue de Richemont 18 ⊠ 1202 – ℰ 022 544 66 66 – www.manotel.com
Rest – *(dîner seulement)* Menu 120/135 CHF – Carte 46/84 CHF   F1**n**
Vous ôterez votre trilby (ce chapeau à bords courts au chic indémodable depuis
le 19e s.) en entrant dans ce restaurant élégant et chaleureux. La spécialité de
l'endroit : le bœuf d'exception, qu'il soit écossais (Black Angus), japonais (Wagyu
de Kobé) ou helvétique (Simmental), accompagné de sauces originales.

X **Vertig'O** – Hôtel de la Paix   ⩽ AC
ꙮ *Quai du Mont-Blanc 11 ⊠ 1201 – ℰ 022 909 60 73*
– www.concorde-hotels.com/vertigo – fermé Noël - Nouvel An, Pâques une
semaine, juillet - août 4 semaines, samedi midi, dimanche et lundi   E2**e**
Rest – *(réservation conseillée le soir)* Menu 65 CHF (déjeuner en semaine)/
170 CHF – Carte 128/165 CHF
Point de sueurs froides à la Hitchcock dans ce Vertig'O où l'on se pâme surtout
pour la cuisine : des mets ciselés et centrés sur l'essentiel, où l'habileté crée l'illusion de la simplicité, pour le bonheur du produit ! Décor très tendance.
➜ Pomme de ris de veau au pays caramélisée au jus. Dos de barbue des côtes
bretonnes, légèrement gratiné au beurre d'aromates. Rhubarbe de Hollande
pochée, vacherin glacé de ciflorettes.

X **Le Grill** – Grand Hôtel Kempinski   ⩽ & AC ⌦ ↔
Quai du Mont-Blanc 19 ⊠ 1201 – ℰ 022 908 92 20
– www.kempinski.com/geneva   F2**y**
Rest – (36 CHF) Menu 68/125 CHF – Carte 81/184 CHF
Chic et... original : la vue porte à la fois sur le lac Léman et les cuisines, la rôtisserie et la chambre froide où trônent de belles pièces de viande ! Du bar grillé au
steak bien fondant, en passant par la coquille Saint-Jacques et l'agneau ibérique,
les cuissons sont précises et la formule convainc.

X **Chez Jacky**   ⌂ AC ↔
Rue Necker 9 ⊠ 1201 – ℰ 022 732 86 80 – www.chezjacky.ch
– fermé 1er - 6 janvier, juillet - août 4 semaines, samedi et dimanche
Rest – (24 CHF) Menu 76/99 CHF – Carte 69/91 CHF   E2**p**
Un restaurant ravissant, où tout est fait pour mettre à l'aise. Dans la salle, plantes
vertes, aquarium et couleurs douces ; sur la terrasse, du bois et de la pierre, dans
une rue calme. Côté cuisine, on revisite la tradition (râble de lièvre, suprême de
pintade, etc.) sous les ordres de... Jacky himself !

X **Le Lexique**   AC
Rue de la Faucille 14 ⊠ 1201 – ℰ 022 733 31 31 – www.lelexique.ch – fermé
22 décembre - 7 janvier, fin juillet - mi-août, samedi midi, dimanche et lundi
Rest – *(réservation conseillée)* (22 CHF) Menu 68/105 CHF   E1**e**
– Carte 75/87 CHF
De F comme foie gras à P comme pastilla, révisez l'alphabet des saveurs dans ce
sympathique restaurant proche de la gare. Goûts de saison, produits frais : on se
fait plaisir et le rapport qualité-prix est excellent !

X **Miyako**   ↔
Rue Chantepoulet 11 ⊠ 1201 – ℰ 022 738 01 20 – www.miyako.ch – fermé
dimanche   E2**b**
Rest – (25 CHF) Menu 33 CHF (déjeuner)/105 CHF – Carte 57/100 CHF
Miyako ou "cœur" en japonais... plongez donc dans l'intimité de l'archipel. On
s'installe sur un tatami ou face à un teppanyaki, le poisson respire la fraîcheur, le
service est très attentionné. Arigato !

☆ Bistrot du Boeuf Rouge

Rue Dr. Alfred-Vincent 17 ⊠ 1201 – ℰ 022 732 75 37 – www.boeufrouge.ch
– fermé Noël - 2 janvier, 19 juillet - 17 août, samedi et dimanche   E2**z**
Rest – *(réservation conseillée)* (19 CHF) Menu 38 CHF (déjeuner)/54 CHF
– Carte 52/81 CHF
Terrine de caneton, filet de féra du Léman à l'estragon, tarte à la framboise, etc.
Une cuisine simple et rustique, mais fraîche et goûteuse : tout le savoir-faire de la
famille Farina depuis plus de 20 ans – dans un joli décor de bistrot parisien !

☆ Le Rouge et le Blanc

Quai des Bergues 27 ⊠ 1201 – ℰ 022 731 15 50 – www.lerougeblanc.ch – fermé
23 décembre - 4 janvier, samedi midi et dimanche   E2**g**
Rest – *(réservation conseillée)* (28 CHF) – Carte 56/159 CHF
Des petits plats mijotés comme autrefois, une cave bien fournie, la côte de bœuf
en spécialité chaque soir (pour deux ou trois personnes) et une ambiance
très décontractée et conviviale : l'adresse pour passer un bon moment.

☆ Eastwest – Hôtel Eastwest

Rue des Pâquis 6 ⊠ 1201 – ℰ 022 708 17 07 – www.eastwesthotel.ch
Rest – *(réservation conseillée)* (35 CHF) – Carte 54/106 CHF   E2**s**
Un joli cadre japonisant et un patio invitant au zen : on apprécie la sobre élégance de cet Eastwest qui abolit les longitudes et où les légumes de Provence
et le tartare de bœuf dialoguent avec la sauce teriyaki et le basilic thaï...

Rive gauche (Centre des affaires)

Swissôtel Métropole

Quai Général-Guisan 34 ⊠ 1204 – ℰ 022 318 32 00
– www.swissotel.com/geneva   F2**a**
118 ch – †410/690 CHF ††540/950 CHF, ⊡ 42 CHF – 9 suites
Rest Le Grand Quai – ℰ 022 318 34 63 – (27 CHF) Menu 55/79 CHF
– Carte 63/103 CHF
Au creux du lac Léman, face au Jardin Anglais, ce long bâtiment néoclassique
(1854) évoque les fastes de la capitale diplomatique historique. Un véritable
hôtel de standing, aux rouages huilés par les ans... Classiques ou contemporaines,
les chambres sont très confortables.

Les Armures

Rue du Puits-Saint-Pierre 1 ⊠ 1204 – ℰ 022 310 91 72
– www.hotel-les-armures.ch   E3**g**
32 ch – †445/535 CHF ††730/855 CHF, ⊡ 35 CHF
Rest – (20 CHF) Menu 49 CHF – Carte 59/77 CHF
Au cœur de la vieille ville, cette demeure du 17ᵉ s. distille un charme certain : vieilles pierres, poutres (avec quelques superbes plafonds peints), mais aussi aménagement résolument contemporain, chaleureux et bien équipé. Côté restaurant,
ambiance suisse traditionnelle avec fondue et raclette !

De la Cigogne

Place Longemalle 17 ⊠ 1204 – ℰ 022 818 40 40
– www.relaischateaux.com/cigogne   F2**j**
46 ch ⊡ – †510 CHF ††620 CHF – 6 suites
Rest De la Cigogne – voir la sélection des restaurants
Pour les oiseaux migrateurs... et tous les amoureux de nids douillets ! Jolis impri-
més, mobilier ancien, tableaux, tapis, etc. : un classicisme chic et délicat se
dégage de cet hôtel... dont on ne voudra peut-être pas repartir.

La Cour des Augustins sans rest

Rue Jean-Violette 15 ⊠ 1205 – ℰ 022 322 21 00 – www.lacourdesaugustins.com
32 ch – †180/550 CHF ††195/650 CHF, ⊡ 24 CHF – 8 suites   E3**a**
On peut dater de 1850 et être à la pointe de la mode ! Jeune, ultracontemporain,
design et... made in Switzerland : cet hôtel est idéal pour un séjour urbain à
Genève. Quelques chambres avec kitchenettes.

🏠 **Longemalle** sans rest 　　　　　　　　🖿 🗚 🛜 🏊
Place Longemalle 13 ⊠ *1204 –* ☏ *022 818 62 62 – www.longemalle.ch*
55 ch ⊡ – 💈280/325 CHF 💈💈365 CHF – 3 suites 　　　　　F2**k**
Un haut toit de tuiles, des lucarnes en chien-assis, des parements de pierre d'inspiration médiévale : sa grande façade Belle Époque se remarque ! Même esprit
d'éclectisme dans les chambres, où meubles anciens et tonalités vives forment
des décors tous originaux, un peu comme dans une maison de famille.

🏠 **Bel'Espérance** sans rest 　　　　　　　　　🖿 🛠 🛜
Rue de la Vallée 1 ⊠ *1204 –* ☏ *022 818 37 37 – www.hotel-bel-esperance.ch*
39 ch ⊡ – 💈125/235 CHF 💈💈160/235 CHF 　　　　　　　F3**a**
L'Armée du Salut est propriétaire de cet hôtel, qui fut autrefois un refuge. Sa philosophie ? Le sens du service et de l'utilité, avec des chambres simples, fonctionnelles, bien tenues et aux tarifs mesurés. Cuisine à disposition.

XX **Roberto** 　　　　　　　　　　　　　🛏 🗚 ⇆
Rue Pierre-Fatio 10 ⊠ *1204 –* ☏ *022 311 80 33 – www.restaurantroberto.ch*
– fermé samedi soir, dimanche et jours fériés 　　　　　　F2_3**e**
Rest *– (réservation conseillée)* Menu 96/118 CHF – Carte 75/120 CHF
Une institution de la cuisine italienne à Genève. On y vient et revient pour les
pâtes fraîches – faites maison, évidemment –, les produits pleins de soleil et l'ambiance indémodable, sous l'égide de toute une véritable *famiglia italiana* !

XX **Brasserie du Parc des Eaux-Vives** 　　　　⇇ 🛏 🛠 ⇆ 🅿
Quai Gustave-Ador 82 ⊠ *1211 –* ☏ *022 849 75 75 – www.parcdeseauxvives.ch*
Rest – (28 CHF) Menu 49 CHF (déjeuner en semaine)/89 CHF 　　　C2**d**
– Carte 75/109 CHF
Dans le parc des Eaux-Vives, une belle architecture classique et un long tapis vert
qui descend vers le lac : le lieu dégage une certaine magie... À la carte dominent
les produits suisses et bio : truite du Jura, bœuf des alpages vaudois, féra du
Léman, etc. Les soirs d'été (du mardi au samedi), grill en terrasse.

XX **De la Cigogne** – Hôtel De la Cigogne 　　　　　🛏 🗚 🛠 ⇆
Place Longemalle 17 ⊠ *1204 –* ☏ *022 818 40 40*
– www.relaischateaux.com/cigogne – fermé Noël - Nouvel An et dimanche midi
Rest – (40 CHF) Menu 65/125 CHF – Carte 77/107 CHF 　　　F2**j**
Saint-Pierre poêlé aux artichauts, câpres et citron ; carré d'agneau rôti au vadou-
van, dattes et chou pak-choï ; etc. Sous l'égide d'un jeune chef formé au sein de
tables renommées, un esprit nouveau souffle sur les cuisines de ce restaurant au
décor très classique. Promesse de plaisirs renouvelés...

X **La Finestra** 　　　　　　　　　　　　　🛏 🛠
Rue de la Cité 11 ⊠ *1204 –* ☏ *022 312 23 22 – www.lafinestra.ch – fermé*
24 décembre - 3 janvier, samedi midi et dimanche 　　　　　E2**h**
Rest *– (réservation conseillée)* (25 CHF) Menu 39/98 CHF – Carte 88/118 CHF
Frère et sœur, ils veillent avec chaleur sur leur "fenêtre" nichée dans le centre historique. Depuis 2008, leur chef est sud-américain, ce qui ne l'empêche pas de
signer une savoureuse cuisine italienne, dont on aurait tort de se priver. La petite
terrasse vit au rythme de la rue piétonne...

X **Le 3 Rive Gauche** 　　　　　　　　　　　　🛏
⊛ *Grand Rue 3* ⊠ *1204 –* ☏ *022 810 29 29 – www.le3rg.com – fermé fin décembre*
- début janvier 2 semaines, fin juillet - début août une semaine, samedi et
dimanche 　　　　　　　　　　　　　　　E2**d**
Rest – (23 CHF) Menu 69/85 CHF – Carte 62/89 CHF
Tatin d'aubergine et tomate confite ; poire de veau en croûte de parmesan ; can-
nellonis de crêpes façon suzette... Dans la vieille ville, ce restaurant a de jolis airs
de bistrot contemporain, et l'on y fait le plein de saveurs !

X **La Cantine des Commerçants** 　　　　　　　🛏 🛠
⊛ *Boulevard Carl Vogt 29* ⊠ *1205 –* ☏ *022 328 16 70 – www.lacantine.ch*
– fermé 23 décembre - 4 janvier, lundi soir, samedi midi et dimanche
Rest – (22 CHF) Menu 39 CHF (déjeuner)/79 CHF – Carte 60/86 CHF 　B2**a**
Un vrai néobistrot dans le quartier des anciens abattoirs : murs blancs et anis,
objets rétro, grand comptoir où l'on peut s'attabler, etc. À la carte, un panaché
bien dans l'air du temps : risotto aux gambas et herbes folles, poisson à la plancha, filet de bœuf au sautoir et queue confite...

※ **Le Socrate** ⬛   🍽 AK
Rue Micheli-du-Crest 6 ⊠ 1205 – ℰ 022 320 16 77 – www.lesocrate.ch – fermé
samedi midi et dimanche   **E3s**
Rest – (23 CHF) – Carte 46/74 CHF
Un bistrot où l'on ne tergiverse pas : dans une salle délicieusement rétro, avec des affiches anciennes aux murs, on se régale de plats canailles, gourmands, simples et efficaces, dans une ambiance au coude-à-coude. Un lieu de bonne chère et de dialogue, que n'aurait pas renié un certain philosophe grec...

※ **Le Portugais** ⬛   AK
Boulevard du Pont d'Arve 59 ⊠ 1205 – ℰ 022 329 40 98 – www.leportugais.ch
– fermé début janvier une semaine, mi-juillet - mi-août, dimanche et lundi
Rest – (21 CHF) Menu 45 CHF (déjeuner)/69 CHF – Carte 52/94 CHF   **C2p**
Le Portugais, d'accord ! Mais lequel ? Ils sont nombreux, de Vasco de Gama à Magellan, à avoir marqué l'histoire. Mais l'exploration de ce Portugais-là sera culinaire ou ne sera pas. De beaux poissons, un choix de bons vins du pays et un chef passionné, le tout dans une ambiance rustique et conviviale... Obrigado !

※ **Brasserie Lipp** ⬛   🍽 ⇔
Rue de la Confédération 8 ⊠ 1204 – ℰ 022 318 80 30 – www.brasserielipp.ch
Rest – Carte 46/105 CHF🍽   **E2k**
Au dernier étage de l'espace shopping Confédération Centre, dès le seuil franchi, plus de doute : il s'agit bien d'une brasserie, avec vieux comptoir, banquettes et lustres de rigueur. Au coude-à-coude, en salle ou sur la grande terrasse, on se régale d'huîtres, de tête de veau et de choucroute, bref... de plats ravigotants !

AU NORD

Palais des Nations

🏨🏨 **InterContinental**   ⩽ 🍽 ⊼ ⬛ ⑰ ㎡ ㎘ 🔇 & AK ch, ⚒ rest, 📶 ㎙ 🅿
Chemin du Petit-Saconnex 7 ⊠ 1209 – ℰ 022 919 39 39
– www.intercontinental-geneva.ch   **B1d**
277 ch – ♦330/910 CHF ♦♦330/910 CHF, ⊇ 46 CHF – 56 suites
Rest *Woods* – voir la sélection des restaurants
Rest *Poolside* – ℰ 022 919 33 63 *(fermé mi-septembre - mi-mai)* (39 CHF)
– Carte 56/116 CHF
Derrière les Nations Unies et non loin du vieux Genève, le type même du grand hôtel international, idéal pour les voyages d'affaires. Des prestations de qualité, avec deux restaurants, dont l'un au bord de la piscine.

※※ **Woods** – Hôtel InterContinental   ⩽ 🍽 & AK ⚒ 🅿
Chemin du Petit-Saconnex 7 ⊠ 1209 – ℰ 022 919 33 33
– www.intercontinental-geneva.ch   **B1d**
Rest – Menu 59 CHF (déjeuner)/120 CHF – Carte 85/125 CHF
Woods, ou "bois" en anglais : le matériau prête sa noblesse à l'ensemble du décor, et son essence à la cuisine, naturelle et pleine de sève, car fondée sur de beaux produits. Une partition contemporaine tout à fait dans le ton d'un séjour à l'InterContinental...

※※ **Vieux-Bois**   🍽 ⇔ 🅿
Avenue de la Paix 12, (Ecole Hôtelière) ⊠ 1202 – ℰ 022 919 24 26
– www.vieux-bois.ch – fermé 23 décembre - 5 janvier, 12 juillet - 11 août, 5
- 8 septembre, samedi et dimanche   **C1r**
Rest – *(déjeuner seulement) (réservation conseillée)* Menu 56/60 CHF
Juste derrière les Nations Unies, ce bâtiment du 18e s. abrite l'école hôtelière de Genève et... son restaurant d'application, où la tradition est reine ! Sous l'œil expert de leurs professeurs, les étudiants assurent cuisine et service. Bon rapport qualité-prix.

à Chambésy 5 km – alt. 389 m – ⊠ 1292

※※ **Le Relais de Chambésy**   🍽 🅿
Place de Chambésy 8 – ℰ 022 758 11 05 – www.relaisdechambesy.ch – fermé
23 décembre - 5 janvier, samedi midi et dimanche soir   **C1a**
Rest – (24 CHF) Menu 32 CHF (déjeuner en semaine)/82 CHF – Carte 64/85 CHF
Dans un village assez calme, cet ancien relais de poste perpétue une longue tradition d'accueil aux portes de Genève. Cuisine française classique. Agréable terrasse verdoyante.

à Bellevue par route de Lausanne : 6 km – alt. 380 m – ⊠ 1293

🏨 **La Réserve** 〰 ⬱ 🖥 🕊 🛋 ⬜ 🔲 🕙 🕸 🍴 ⛵ 📶 & ch, ⚹ 🅰 ch, 📶 🏋
Route de Lausanne 301 – 𝒞 *022 959 59 59 – www.lareserve.ch* 🛋 🅿
85 ch – ✝420/995 CHF ✝✝480/995 CHF, ⛁ 45 CHF – 17 suites C1**b**
Rest *Le Loti* **Rest** *Tsé-Fung* – voir la sélection des restaurants
Rest *Le Lodge –* 𝒞 *022 959 59 24 (fermé octobre - avril)* Carte 86/144 CHF
Une réserve naturelle de beauté ! Dans un style évoquant les lodges africains, le décorateur Jacques Garcia a imaginé des chambres dépaysantes, aux couleurs profondes, comme une invitation au voyage. Superbe spa, accès au lac, patinoire couverte l'hiver ; tout semble possible ! Trois restaurants à disposition, pour les palais voyageurs...

XXX **Le Loti** – Hôtel La Réserve ⬱ 🅰 🅿
Route de Lausanne 301 – 𝒞 *022 959 59 79*
– www.lareserve.ch C1**b**
Rest – (52 CHF) Menu 55/70 CHF (déjeuner) – Carte 88/130 CHF ⅏
Pierre Loti était un écrivain voyageur ; ce restaurant – teintes chaudes, allusions exotiques – évoque cette envie d'ailleurs. Sauf qu'ici, l'on rêve de risotto aux truffes, côte de veau fermière, baba au rhum, île flottante aux agrumes...

XXX **Tsé-Fung** – Hôtel La Réserve ⬱ 🕊 & 🅰 🅿
Route de Lausanne 301 – 𝒞 *022 959 58 88 – www.lareserve.ch* C1**b**
Rest – Menu 90/160 CHF – Carte 74/155 CHF ⅏
Une adresse que l'on se recommande à voix basse, sur les rives du lac Léman... Au sein du palace La Réserve, dans un décor élégant et original, le Tsé-Fung rend un hommage vibrant à la grande tradition chinoise. Au menu : crevettes aux épices du Sichuan, dim sum, médaillons de bœuf à la mongole... Savoureux !

À L'EST PAR ROUTE D'EVIAN

à Cologny 3,5 km – alt. 432 m – ⊠ 1223

XXXX **Auberge du Lion d'Or** (Thomas Byrne et Gilles Dupont) ⬱ 🕊 & 🅰
🥨 *Place Pierre-Gautier 5 –* 𝒞 *022 736 44 32 – www.dupont-byrne.ch* ⬌ 🅿
– fermé 24 décembre - 13 janvier, samedi et dimanche CD2**b**
Rest – Menu 78 CHF (déjeuner en semaine)/195 CHF – Carte 118/182 CHF ⅏
Rest *Le Bistro de Cologny* – voir la sélection des restaurants
Quatre mains et deux têtes : six fois plus de raisons de bien faire ? Pour sûr, les deux chefs de cette auberge conjuguent les talents : choix des produits, originalité et pertinence des associations, évidence des saveurs... Avec, en prime, une vue romantique sur le lac. Une belle adresse !
➜ Escalope de foie gras de canard à la plancha aux agrumes et nougat. Saint-Pierre et grosse crevette sauvage aux artichauts poivrade, arancini à l'écorce de citron. Carré de veau d'élevage naturel, cromesquis de ris de veau, soubise d'oignons.

X **Le Bistro de Cologny** – Restaurant Auberge du Lion d'Or ⬱ 🕊 & 🅰
Place Pierre-Gautier 5 – 𝒞 *022 736 57 80 – www.dupont-byrne.ch* 🅿
– fermé 24 décembre - 6 janvier, samedi et dimanche CD2**b**
Rest – (26 CHF) Menu 51 CHF (déjeuner)/120 CHF – Carte 77/89 CHF
Si le restaurant gastronomique est un Lion, son Bistro est un joli lionceau : cette annexe ne fait pas figuration, avec des assiettes bien gourmandes qui confirment que la maison sait cuisiner ! Ambiance informelle, vue superbe en terrasse.

X **La Closerie** 🕊 ⛵ ⬌
Place du Manoir 14 – 𝒞 *022 736 13 55 – www.lacloserie.ch – fermé mi-juillet*
- mi-août, mardi midi et lundi D2**t**
Rest – (24 CHF) Menu 98 CHF – Carte 75/100 CHF
Sur la place communale postée sur les hauteurs du lac, une grande terrasse et une salle assez élégante, tout en tons crème et beige. À la carte, l'Italie est là : risotto et pâtes maison, loup de mer entier rôti à l'huile d'olive...

à Vandoeuvres 4,5 km – alt. 465 m – ✉ 1253

XX **Cheval Blanc** 🎴 ⇔
*Route de Meinier 1 – ℰ 022 750 14 01 – www.chevalblanc.ch – fermé Noël
- Nouvel An 2 semaines, juillet - août 3 semaines, dimanche et lundi*
Rest – Menu 50/150 CHF – Carte 78/117 CHF   D2**c**
Au centre du village, une jolie auberge à la façade toute blanche. Ici, on pourrait
s'appeler "Ristorante", car on honore la cuisine transalpine. Pâtes et ravioles sont
faites maison, *naturalmente* !

À L'EST PAR ROUTE D'ANNEMASSE

à Thônex Sud-Est : 5 km – alt. 414 m – ✉ 1226

XX **Le Cigalon** (Jean-Marc Bessire) 🎴 P
❀ *Route d'Ambilly 39, (à la douane de Pierre-à-Bochet) – ℰ 022 349 97 33
– www.le-cigalon.ch – fermé fin décembre - début janvier 2 semaines, mars
- avril 2 semaines, fin juillet - mi-août 3 semaines, dimanche et lundi*
Rest – Menu 54 CHF (déjeuner en semaine)/148 CHF   D2**f**
– Carte 86/122 CHF
Le Cigalon, proche de la frontière française, est connu pour ses spécialités de
poisson. À en juger par les poissons frais figurant sur la carte, on pourrait croire
que les côtes de Bretagne et de la Méditerranée sont devant sa porte. L'aménagement intérieur est moderne.
➜ Le bar de ligne rôti sur écailles. Ormeaux de Bretagne à la plancha et tartare
d'algues. La brioche façon pain perdu aux pêches jaunes et au miel de fleurs.

AU SUD

à Conches Sud-Est : 5 km – alt. 419 m – ✉ 1231

X **Le Vallon** ⓝ 🎴 ⇔ P
🏠 *Route de Florissant 182 – ℰ 022 347 11 04 – www.restaurant-vallon.com – fermé
Noël - début janvier et dimanche*   C2**n**
Rest – *(réservation conseillée)* (26 CHF) Menu 45 CHF (déjeuner en semaine)/
125 CHF – Carte 62/98 CHF
Une façade rose, des volets verts, une glycine qui court autour de l'enseigne, une
terrasse sous les arbres... et à l'intérieur, un décor d'auberge à l'ancienne parfaitement briquée. Ce Vallon joue la partition du classicisme jusque dans l'assiette : la
cuisine est fine, gourmande et toujours sage.

à Veyrier 6 km – alt. 422 m – ✉ 1255

XX **Café de la Réunion** 🎴 P
*Chemin Sous-Balme 2 – ℰ 022 784 07 98 – www.restaurant-reunion.ch – fermé
22 décembre - 6 janvier, 20 - 28 avril, 24 août - 8 septembre, samedi
midi, dimanche et lundi*   CD3**b**
Rest – (22 CHF) Menu 51 CHF (déjeuner)/105 CHF – Carte 97/104 CHF
L'enseigne s'écrit en lettres gothiques peintes sur la façade – une vraie carte postale ancienne –, mais la salle est résolument moderne. Un joli petit restaurant gastronomique, où dominent les saveurs de saison, tout près de la frontière.

à Carouge 3 km – alt. 382 m – ✉ 1227

🏨 **Ramada Encore** 📶 & 🖥 ⅏ rest, 🛜 🎤 🚗
🍴 *Route des Jeunes 12 – ℰ 022 309 50 00 – www.ramada-encore-geneve.ch*
154 ch – ✦159/272 CHF ✦✦159/272 CHF, ⌧ 24 CHF   B3**n**
Rest – *(fermé juillet - août, samedi et dimanche)* (19 CHF) Menu 36 CHF
(déjeuner)/39 CHF – Carte 29/32 CHF
Entre le stade de Genève et le centre commercial de la Praille, cet hôtel moderne
convient essentiellement à une clientèle d'affaires. Chambres fonctionnelles, spacieuses et confortables.

L'Olivier de Provence 🕭 🗚

Rue Jacques-Dalphin 13 ⊠ 1227 – ℰ 022 342 04 50 – www.olivierdeprovence.ch
– fermé 21 décembre - 5 janvier, 27 juillet - 10 août, samedi midi et dimanche
Rest – (35 CHF) Menu 50 CHF (déjeuner)/132 CHF   C3**p**
– Carte 85/113 CHF
Rest *Bistro de L'Olivier* – (20 CHF) Menu 35 CHF (déjeuner)/69 CHF
– Carte 64/75 CHF
Soupe de poissons de roche, fougasse à l'huile d'olive et rouille en espuma ; loup
rôti aux herbes aromatiques, sauce vierge de tomates cœur-de-bœuf... Cet olivier
est bien provençal ! Décor traditionnel (murs en pierre, poutres, cheminée). Choix
plus simple au Bistro, pour un bon rapport qualité-prix.

Le Flacon ⓝ (Serge Labrosse) 🕭 🕭 🗚 ↔

Rue Vautier 45 – ℰ 022 342 15 20 – www.leflacon.ch – fermé samedi midi,
dimanche et lundi   C3**f**
Rest – Menu 39 CHF (déjeuner en semaine)/89 CHF – Carte 77/92 CHF
N'en déplaise à Alfred de Musset, ce Flacon-là importe, et nous enchante même !
On peut d'abord admirer le travail du chef, Serge Labrosse, qui s'est installé avec
son équipe dans une cuisine vitrée... Puis le plaisir continue avec les plats, allé-
chants, sans esbroufe, et qui recèlent des saveurs explosives. Enivrant !
➔ Veau en chiffonnade, yuzu et girolles pickles, pastèque et quinoa. Suprême de
pintade aux épices tajine, abricot, salade de pois chiche et socca. Fraises Mara des
bois, crème de la gruyère, brioche et menthe.

Café des Négociants 🕭 🗚 ↔

Rue de la Filature 29 – ℰ 022 300 31 30 – www.negociants.ch – fermé Noël
- 4 janvier, samedi et dimanche   C3**e**
Rest – *(réservation conseillée)* (19 CHF) Menu 29 CHF (déjeuner en semaine)/
74 CHF – Carte 61/93 CHF 🍷
Les plaisirs d'une savoureuse cuisine saisonnière et d'une cave rabelaisienne mise
en valeur par de savants conseils, dans un cadre bistrotier qui joue la carte de la
nostalgie. Une recette qui a fait ses preuves : l'adresse fait souvent salle comble !

Au Lavandou 🕭

Rue Jacques-Dalphin 54 – ℰ 022 343 68 22 – www.restaurant-lavandou.ch
– fermé 1ᵉʳ - 15 janvier, 1ᵉʳ - 15 septembre, mardi midi, mercredi midi, samedi
midi, dimanche et lundi   C3**u**
Rest – (20 CHF) Menu 48/110 CHF – Carte 62/111 CHF
Il se revendique "resto de la mer, mais aussi du lac Léman" : d'eau douce ou
d'eau salée, ici, le poisson est roi ! Une table chaleureuse, tenue par un couple
sympathique – lui aux fourneaux, elle en salle – et aux prix mesurés.

à Troinex 5 km par route de Troinex – alt. 425 m – ⊠ 1256

La Chaumière 🕭 🕭 ↔ 🅿

Chemin de la Fondelle 16 – ℰ 022 784 30 66 – www.lachaumiere.ch – fermé
dimanche soir et lundi   C3**m**
Rest – (22 CHF) Menu 32 CHF (déjeuner en semaine)/79 CHF – Carte 54/92 CHF 🍷
En sortant de Genève, la nature reprend ses droits et cette authentique auberge
ne dépare pas (banquettes rouges, lustres anciens, etc.). Pour une escapade loin
de la vie moderne, autour d'une cuisine d'aujourd'hui...

à Plan-les-Ouates 5 km – alt. 403 m – ⊠ 1228

Des Horlogers sans rest 🛗 🕭 🤶

Route de Saint-Julien 135 – ℰ 022 884 08 33 – www.horlogers-ge.ch
– fermé 19 décembre - 4 janvier   B3**d**
32 ch – ♦170/220 CHF ♦♦230/300 CHF, ⬭ 15 CHF
Utile pour vivre à l'heure suisse, cet hôtel est implanté dans l'un des principaux
bassins d'activités de l'horlogerie nationale. En guise de numéros de chambres,
des heures et, pour remonter le temps, de vieux outils d'horloger... Les chambres
sont plutôt jolies.

✕✕ La Place   🌿 ℗

Route de Saint-Julien 143 – ℰ 022 794 96 98 – www.restaurant-laplace.ch
– fermé Noël - Nouvel An 2 semaines, fin juillet - mi-août 3 semaines, samedi et
dimanche   **B3p**
Rest – (35 CHF) Menu 45 CHF (déjeuner)/140 CHF – Carte 80/104 CHF
Un plat d'été : pressé de légumes confits estivaux, onctuosité de robiola et son
sorbet au poivron rouge... et autant de déclinaisons au plus près des saisons.
Toute l'année, les deux chefs de cette Place ne ménagent pas leurs efforts, avec
des assiettes aussi agréables à regarder que savoureuses ! Accueil chaleureux.

à Certoux 9 km – alt. 425 m – ⊠ 1258 Perly

✕✕ Café de Certoux   ℗

Route de Certoux 133 – ℰ 022 771 10 32 – www.cafe-certoux.ch – fermé Noël
- 6 janvier, 16 juillet - 10 août, dimanche et lundi   **A3c**
Rest – (25 CHF) Menu 53 CHF (déjeuner)/98 CHF – Carte 65/110 CHF
Une autre bonne raison de quitter le centre de Genève : dans ce village presque
campagnard, une maison traditionnelle, flanquée d'une très jolie terrasse. Tout est
fait maison, notamment avec les produits du potager. Ambiance familiale.

à Onex 4,5 km – alt. 426 m – ⊠ 1213

✕✕ Auberge d'Onex ℕ   ℗

Route de Loëx 18 – ℰ 022 792 32 59 – fermé 23 décembre - 5 janvier, 13 juillet
- 5 août, dimanche et lundi   **B3a**
Rest – *(réservation conseillée)* Menu 85 CHF – Carte 97/104 CHF
Cette auberge est nichée au cœur de la verdure, dans l'ancien club-house du premier golf de Genève, aujourd'hui transféré ailleurs. Dans l'assiette, c'est toute la
générosité de la cuisine italienne – rien de moins – que l'on nous propose,
comme ces farfalle "al dente" aux scampis émincés et sautés... Un délice !

✕✕ Les Fourneaux du Manège ℕ   ℗
🐌

Route de Chancy 127 – ℰ 022 870 03 90 – www.fourneauxdumanege.ch – fermé
23 décembre - 7 janvier, samedi midi, dimanche soir et lundi   **B3b**
Rest – (20 CHF) Menu 52 CHF (déjeuner)/90 CHF – Carte 62/111 CHF
Dans cette belle bâtisse du 19ᵉ s. située au cœur de la ville, on est accueilli par
une équipe de passionnés qui travaillent principalement des produits de la
région, et notamment les célèbres poissons du lac Léman : brochet, féra, omble
chevalier, perches... Servis avec dynamisme, en salle ou en terrasse !

À L'OUEST

à Aire-la-Ville 10 km – 1 144 h. – ⊠ 1288

✕ Café du Levant   ℗
🐌

Rue du Vieux Four 53, Nord-Ouest : 3,5 km par A3 – ℰ 022 757 71 50
– www.cafedulevant.ch – fermé 31 mars - 8 avril, 21 juillet - 5 août, 22 décembre
- 6 janvier, dimanche et lundi
Rest – *(réservation conseillée)* (20 CHF) Menu 40 CHF (déjeuner en semaine)/
82 CHF – Carte 59/94 CHF
Une cuisine régionale pleine de fraîcheur et de saveurs, accompagnée d'une
petite sélection de vins genevois : dans ce restaurant convivial, on apprécie le
bon air du pays ! Cadre rustique, très clair et lumineux.

à Cointrin 4 km – alt. 428 m – ⊠ 1216

🏨 Mövenpick   ℗

Route de Pré-Bois 20 ⊠ 1215 – ℰ 022 717 11 11
– www.moevenpick-geneva-airport.com   **B1z**
343 ch – †280/550 CHF ††280/550 CHF, ⊑ 39 CHF – 7 suites
Rest *Latitude* – (26 CHF) Menu 62 CHF – Carte 57/98 CHF
Rest *Kamome* – *(fermé fin décembre - début janvier 2 semaines, fin juillet - mi-
août 3 semaines, lundi midi, samedi midi et dimanche)* Menu 46/210 CHF
– Carte 51/195 CHF
Des chambres très confortables et spacieuses, plusieurs bars et restaurants (cuisine internationale au Latitude, japonaise au Kamome), de nombreuses salles de
réunion et de conférence... et même un casino ! Près de l'aéroport, cet hôtel
Mövenpick est idéal pour la clientèle d'affaires.

⊞⊞ Suite Novotel 🛜 🖪 ⅙ 🎟 🛜 🛎 **P**

Avenue Louis-Casaï 28 – ℰ 022 710 46 46 – www.suitenovotel.com
86 ch – ♦118/215 CHF ♦♦118/215 CHF, 🖵 12 CHF   B2**b**
Rest Swiss Bistro – (fermé samedi et dimanche) (19 CHF) – Carte 37/66 CHF
Un bon rapport qualité-prix sur la route de l'aéroport. Les chambres sont grandes,
bien équipées et impeccables – à choisir, si possible, côté cour pour plus de calme.

✗ Altitude ⅙ 🎟 ⇔

Route de l'Aéroport 13 ⊠ 1215 – ℰ 022 817 46 09 – www.altitude-geneva.ch
Rest – (28 CHF) Menu 65 CHF – Carte 69/104 CHF   B1**a**
Ce restaurant est logé au troisième niveau de l'aéroport (suivez l'affichage à partir
de l'enregistrement). Déco contemporaine et saveurs internationales (buffets certains week-ends), avec vue sur les pistes et les Alpes. Pour prendre de la hauteur...
avant de s'envoler !

à Meyrin 5 km – alt. 445 m – ⊠ 1217

⊞⊞⊞ NH Geneva Airport 🛜 🖪 ⅙ ch, 🎟 ⅙ 🛜 🔌 🛎

Avenue de Mategnin 21 – ℰ 022 989 00 00 – www.nh-hotels.com   A1**b**
190 ch – ♦180/250 CHF ♦♦180/250 CHF, 🖵 31 CHF
Rest Le Pavillon – (dîner seulement) Menu 40/70 CHF – Carte 45/73 CHF
Près des pistes, le type même de l'hôtel moderne façonné pour une clientèle
internationale. On pourrait être à Genève aussi bien que partout ailleurs sans
doute, mais le style et le confort sont réels.

à Vernier 5 km – alt. 448 m – ⊠ 1214

✗ La Grange 🛜 ⇔ **P**

Rue du Village 64a – ℰ 022 341 42 20 – www.restolagrange.ch – fermé
24 décembre - 7 janvier, 29 juillet - 18 août, samedi, dimanche et lundi
Rest – (réservation conseillée) (19 CHF) Menu 55/88 CHF   A2**a**
– Carte 47/90 CHF
Pour batifoler en dehors de Genève, une auberge assez sympathique, où l'on
apprécie des petits plats simples et néanmoins goûteux. Exemples : cassolette
de chanterelles, perche meunière du lac Léman, côtes d'agneau à la provençale...

 Se régaler sans se ruiner ? Repérez les Bib Gourmand 🐷. Ils vous aideront à
dénicher les bonnes tables sachant marier cuisine de qualité et prix ajustés !

Palais des Expositions 5 km – alt. 452 m – ⊠ 1218 Grand-Saconnex

⊞⊞⊞⊞ Starling 🖳 🛜 🗗 🖪 ⅙ 🎟 🛜 🔌 🛎 **P**

Route François-Peyrot 34 – ℰ 022 747 02 02 – www.shgeneva.com   B1**s**
496 ch – ♦230/480 CHF ♦♦250/510 CHF, 🖵 39 CHF
Rest L'Olivo – voir la sélection des restaurants
Rest Starling Café – ℰ 022 747 02 47 (fermé samedi) (déjeuner seulement)
Carte 53/89 CHF
Près de l'aéroport et de Palexpo, un hôtel digne de l'A380, avec près de 500
chambres qui drainent une importante clientèle d'affaires et de congrès. Rien
d'impersonnel pour autant : le personnel est attentif, les occasions de se détendre
nombreuses (fitness, espace bien-être, restaurants, etc.).

✗✗ L'Olivo – Hôtel Starling 🛜 ⅙ 🎟 **P**

Route François-Peyrot 34 – ℰ 022 747 04 00 – www.olivo-geneva.ch
– fermé 19 décembre - 8 janvier et 17 - 22 avril   B1**s**
Rest – (55 CHF) Menu 55 CHF (déjeuner en semaine) – Carte 62/100 CHF
Une table plutôt agréable près de l'aéroport : une grande terrasse à l'ombre...
d'oliviers et, pour se sentir déjà loin, tous les parfums de l'Italie (pasta, risottos,
gnocchi à la châtaigne, escalopes de veau à la milanaise, etc.).

GENOLIER – Vaud (VD) – 552 B10 – 1 858 h. – alt. 562 m – ⊠ 1272   6 A6
▶ Bern 135 – Genève 29 – Lausanne 39 – Neuchâtel 99

XX   **Auberge des Trois Tilleuls**   🏦

   Place du Village 7 – ℰ 022 366 05 31 – www.troistilleuls.ch – fermé Noël, Nouvel
   An, dimanche et lundi
   Rest – (18 CHF) Menu 70/110 CHF – Carte 63/83 CHF
   Rest *Bistrot* – (18 CHF) Menu 25 CHF (déjeuner)/90 CHF – Carte 56/72 CHF
   Si vous passez à Genolier, arrêtez-vous dans cette charmante auberge qui abrite
   non pas un, mais deux restaurants ! Les gourmands s'y régalent d'une cuisine tra-
   ditionnelle ou bistrot. Le chef fait tout maison – à l'exception de la glace. Accueil
   aux petits soins et terrasse pour les beaux jours.

GERLAFINGEN – Solothurn (SO) – 551 K6 – 4 842 Ew – Höhe 452 m   2 D3
– ⊠ 4563
▶ Bern 34 – Biel 29 – Solothurn 7 – Sursee 48

X   **Frohsinn** ⓝ   🏦 ✿ P

   Obergerlafingerstr. 5 – ℰ 032 675 44 77 – geschl. Mitte April - Anfang Mai 3
   Wochen und Sonntag - Montag
   Rest – Karte 46/60 CHF
   Seit über 25 Jahren sind Alois und Veronika Nussbaumer nun schon in ihrem
   "Frohsinn". In ländlich-gemütlicher Atmosphäre serviert die Chefin die bürgerliche
   Küche ihres Mannes, in der die Einflüsse aus der österreichischen Heimat natür-
   lich nicht fehlen dürfen! Wie wär's also mal mit "Semmelknödel in Schwammerl-
   sauce" oder mit einem Wiener Schnitzel?

GEROLDSWIL – Zürich (ZH) – 551 P4 – 4 704 Ew – Höhe 403 m   4 F2
– ⊠ 8954
▶ Bern 114 – Zürich 18 – Aarau 38 – Baden 14

🏨   **Geroldswil**   🏦 📧 ⅃ Rest, 📶 🎿 🚗

   Huebwiesenstr. 36, (am Dorfplatz) – ℰ 044 747 87 87 – www.hotelgeroldswil.ch
   70 Zim ⌁ – †160/220 CHF ††230/270 CHF – ½ P
   Rest – (geschl. Sonntag) (20 CHF) – Karte 33/82 CHF
   Rest *Brasserie* – Menü 52 CHF (mittags unter der Woche)/65 CHF
   – Karte 52/82 CHF
   Das ganze Haus ist geradlinig-neuzeitlich im Stil. Ein Garagenplatz ist im Zimmer-
   preis inbegriffen. Der gastronomische Bereich besteht aus der Brasserie, der Piz-
   zeria Geroldswil und einer Bar. Auf der Terrasse spendet eine grosse Markise
   Schatten.

GEROLFINGEN – Bern (BE) – 552 H6 – Höhe 502 m – ⊠ 2575   2 C4
▶ Bern 39 – Neuchâtel 29 – Biel 10 – Solothurn 36

XX   **Züttel**   🏦 ✺ ✿ P

   Hauptstr. 30 – ℰ 032 396 11 15 – www.restaurantzuettel.ch – geschl. Februar 2
   Wochen, September 2 Wochen und Mittwoch - Donnerstag
   Rest – (21 CHF) Menü 55/99 CHF – Karte 47/88 CHF
   Familie Züttel leitet den Gasthof seit über 75 Jahren. Die traditionelle, teilweise
   asiatisch angehauchte Karte bietet reichlich Fisch. Die Seelandbahn hält vor
   dem Haus.

GERRA GAMBAROGNO – Ticino (TI) – 553 Q13 – 292 ab. – alt. 222 m   9 H6
– ⊠ 6576
▶ Bern 236 – Locarno 20 – Bellinzona 22 – Lugano 43

a Ronco Sud : 1 km – alt. 290 m – ⊠ 6576 Gerra Gambarogno

X   **Roccobello**   ≤ 🏦 ☞

   via Ronco 1 – ℰ 091 794 16 19 – www.roccobello.ch – chiuso inizio gennaio
   - metà marzo, 3 settimane metà novembre - metà dicembre, lunedì (escluso
   luglio e agosto), martedì, mercoledì a mezzogiorno
   Rist – Menu 60/70 CHF (cena) – Carta 39/72 CHF
   Caratteristico ristorantino dotato di terrazza panoramica con bella vista sul lago e
   sulle montagne. Atmosfera familiare e cucina legata al territorio, nonché alle tra-
   dizioni, ma anche sensibile ad influenze internazionali.

GERSAU – Schwyz (SZ) – **551** P7 – **2 108 Ew** – **Höhe 435 m** – ✉ 6442   **4** G4
▶ Bern 159 – Luzern 55 – Altdorf 20 – Einsiedeln 39
🛈 Seestr. 27, ✆ 041 828 12 20, www.gersau.ch
◉ Lage★★

🏠   **Seehof**   ⪦ 🎏 🕸 🔌 🛜 P
Seestr. 1, Richtung Brunnen ✉ 6442 – ✆ 041 829 83 00 – www.seehof-gersau.ch
– geschl. Oktober - Mitte April
5 Zim – †98/178 CHF ††148/198 CHF, ⚏ 20 CHF
Rest – *(geschl. Oktober - Mai) (nur Abendessen)* Karte 47/110 CHF
Die zwei Gebäude des Hotels liegen an der Seestrasse. Die Zimmer sind funktionell oder komfortabler, alle zum See hin und viele mit Balkon. Bootssteg und eigenes Strandbad. Restaurant mit grosser moderner Veranda und schöner Terrasse direkt am See.

✗   **Gasthaus Tübli** mit Zim   🎏 🍴 Zim, 🛜 ♻ P
    Dorfstr. 12 – ✆ 041 828 12 34 – www.gasthaus-tuebli-gersau.ch – geschl.
🕿   *22. Februar - 5. März, 27. September - 15. Oktober und November - April:*
Montag - Dienstag
7 Zim ⚏ – †50/120 CHF ††130/190 CHF – ½ P
Rest – *(18 CHF)* – Karte 34/72 CHF
Seit über 200 Jahren existiert das Gasthaus mit Holzfassade und ländlich-gemütlicher Atmosphäre. Man kocht mit saisonalen, regionalen Produkten, Spezialität ist Fohlenfleisch. Gut übernachten kann man in netten Zimmern - im rustikalen "Heidistyle" oder hell und freundlich-alpenländisch.

GESCHINEN – Wallis (VS) – **552** O10 – **65 Ew** – **Höhe 1 340 m** – ✉ 3985   **8** F5
▶ Bern 136 – Andermatt 45 – Brig 35 – Interlaken 81

✗   **Baschi**   🎏 ⅙ 🍴 P
Wyler 1, Nord-Ost: 1 km – ✆ 027 973 20 00 – www.baschi-goms.ch – geschl.
1. April - 3. Juni, 30. Oktober - 19. Dezember und im Sommer: Sonntag
Rest – *(28 CHF)* – Karte 35/77 CHF
Lust auf Grillspezialitäten vom Holzfeuer? Sie können direkt von der Loipe (gleich vis-à-vis) einkehren! Der Chef grillt hier nun seit 30 Jahren - wie vor ihm schon sein Vater. Probieren Sie zum Nachtisch unbedingt das hausgemachte Eis! Im Winter hat man durchgehend geöffnet.

GIESSBACH – Bern – **551** M9 – **siehe Brienz**

GILLY – Vaud (VD) – **552** C10 – **964 h.** – **alt. 486 m** – ✉ 1182   **6** A6
▶ Bern 126 – Lausanne 31 – Genève 34 – Thonon-les-Bains 93

🏠   **Auberge Communale**   🎏 ⅙ 🍴 ch, 🛜 🛁 P
📷   *Sur la Place 16 – ✆ 021 824 12 08 – www.aubergegilly.ch – fermé 22 décembre*
- 7 janvier et 16 juillet - 6 août
9 ch ⚏ – †120/140 CHF ††180/210 CHF
Rest – *(fermé dimanche et lundi)* Menu 23 CHF (déjeuner en semaine)/79 CHF
– Carte 67/91 CHF
Sur la route des vignobles suisses, cette auberge propose de confortables chambres d'où l'on aperçoit... les vignes. Il fait bon s'installer au café pour s'imprégner de l'ambiance vaudoise ou au restaurant pour savourer la cuisine traditionnelle. Grande terrasse pour les beaux jours.

GIRENBAD bei TURBENTHAL – Zürich (ZH) – **551** R4 – **Höhe 740 m**   **4** G2
– ✉ **8488 Turbenthal**
▶ Bern 157 – Zürich 36 – Frauenfeld 16 – Rapperswil 32

🏠   **Gyrenbad**   ⅌ ⪦ 🎏 ⅙ Rest, 🛜 🛁 P
Girenbadstr. 133 – ✆ 052 385 15 66 – www.gyrenbad.ch – geschl. 17. Februar
- 11. März
7 Zim ⚏ – †90 CHF ††155 CHF – ½ P
Rest – *(geschl. Dienstag)* Menü 27 CHF (mittags)/46 CHF – Karte 37/76 CHF
Schon vor 500 Jahren wusste man das idyllische Fleckchen zu schätzen: damals Badebetrieb (die Original-Badeordnung von 1602 existiert noch!), heute wie gemacht für Wanderungen oder Nordic Walking. Charmante Gaststuben mit historischem Flair, Feuerkeller für Grillfeste.

GLARUS GLARIS 🄺 – Glarus (GL) – **551** S7 – **12 291 Ew** – **Höhe 472 m**   5 H3
– ⊠ 8750

▶ Bern 195 – Chur 71 – Sankt Gallen 90 – Buchs 66

Lokale Veranstaltungen:
   4. Mai: Landsgemeinde

◉ Lage★

XX **Sonnegg**   🛍 ⇔ **P**
Asylstr. 32, (beim Spital) – 𝒞 *055 640 11 92* – *geschl. 13. Juli - 4. August und*
Dienstag - Mittwoch
Rest – (22 CHF) Menü 59 CHF (mittags)/92 CHF – Karte 60/100 CHF
Von der Gaststube mit nur drei Tischen gelangt man in das Restaurant mit vor-
gelagerter kleiner Terrasse. Das Saisonangebot ist klassisch ausgelegt.

GLATTBRUGG – Zürich – **551** P4 – **siehe Zürich**

GLATTFELDEN – Zürich (ZH) – **551** P4 – **4 474 Ew** – ⊠ 8192   4 F2
▶ Bern 144 – Zürich 28 – Schaffhausen 28 – Aarau 67

in Glattfelden-Zweidlen Nord: 2,5 km

🏨 **riverside**   🛍 ⅃ℬ |⊜| ⅋ 🄰🄺 🛜 ⅍ **P**
Spinnerei-Lettenstr. 1 – 𝒞 *043 500 92 92* – *www.riverside.ch* – *geschl. 26.*
- 29. Dezember
44 Zim ⌕ – 🛉195/265 CHF 🛉🛉215/285 CHF – ½ P
Rest *thaigarden* – *(geschl. Sonntag - Montag) (nur Abendessen)*
Karte 53/81 CHF
Rest *kesselhaus & turbinenstube* – (23 CHF) Menü 36 CHF (mittags unter der
Woche) – Karte 52/99 CHF
Einst Garnspinnerei, heute Business und Design direkt an der Glatt im Grünen, 15
Min. vom Flughafen. Sehenswert: die Autosammlung des Chefs! Restaurant kes-
selhaus & turbinenstube mit internationaler und Schweizer Küche, thailändische
Spezialitäten und Klassiker im thaigarden. Sonntags Brunch.

GLION – Vaud – **552** F10 – **voir à Montreux**

GOLDACH – Sankt Gallen (SG) – **551** V4 – **9 144 Ew** – **Höhe 447 m**   5 I2
– ⊠ 9403
▶ Bern 217 – Sankt Gallen 12 – Bregenz 34 – Konstanz 35

XX **Villa am See**   ⇐ 🛍 ⇔ **P**
Seestr. 64 – 𝒞 *071 845 54 15* – *www.villa-am-see.ch* – *geschl. 20. Januar*
- 4. Februar, 7. - 15. April, 5. - 28. Oktober und Montag - Dienstag
Rest – (45 CHF) Menü 65 CHF (mittags)/95 CHF – Karte 59/120 CHF
Hier wird mit Geschmack gekocht, und die Beilagen zu "Rindsfilet mit Chili-Zwie-
belsauce" oder "Kalbssteak mit Trüffeljus" suchen Sie sich selber aus. Kosten Sie
unbedingt auch etwas aus der Patisserie... fein! Herrliche Terrasse am See.

GOLINO – Ticino – **553** Q12 – **vedere Centovalli**

GONDO – Wallis (VS) – **552** N12 – **Höhe 855 m** – ⊠ 3907   8 F6
▶ Bern 249 – Sion 96 – Bellinzona 90 – Sarnen 160

🏠 **Stockalperturm**   ⅍ 🛍 |⊜| ⅋ Rest, 🛜 ⇆
🍴 **10 Zim** ⌕ – 🛉95/110 CHF 🛉🛉150/160 CHF – ½ P
Simplonstrasse – 𝒞 *027 979 25 50* – *www.stockalperturm.ch* – *geschl. Dezember*
🍴 **Rest** – *(geschl. Oktober - Mai: Mittwoch)* (19 CHF) Menü 25 CHF (mittags)/45 CHF
– Karte 45/58 CHF
Die aparte Architektur sticht sofort ins Auge! Der 340 Jahre alte Turm direkt am
Grenzposten nach Italien (einst Warenlager und Umschlagplatz - auch für
Schmuggler!) verbindet Historie mit puristischem Stil und moderner Infrastruktur!
Interessant: permanente Kunstausstellungen.

GORDEVIO – Ticino (TI) – **553** Q12 – **834 ab.** – **alt. 312 m**   9 G6
– ⊠ 6672
▶ Bern 285 – Bellinzona 32 – Varese 89 – Lugano 54

🏠 **Casa Ambica** senza rist   ⧉ 🚗 📶 📶 **P** ⇥

🍽 *(Zona Villa)* – ☎ 091 753 10 12 – www.casa-ambica.ch – *chiuso 27 ottobre
- 28 marzo*
6 cam ⌑ – †140/180 CHF ††170/200 CHF
Nel pittoresco nucleo della località, opere d'arte ed esposizione di sculture in una
dimora patrizia ticinese caratterizzata da camere moderne in stile mediterraneo,
giardinetto e lounge con camino. Offerte speciali in primavera ed autunno: quattro pernottamenti, una passeggiata a tema, nonché una cena di quattro portate
con prodotti biologici e regionali di stagione.

GORNERGRAT – Wallis – 552 K13 – siehe Zermatt

GOTTLIEBEN – Thurgau – 551 T4 – siehe Kreuzlingen

GRÄCHEN – Wallis (VS) – 552 L12 – 1 386 Ew – Höhe 1 617 m   8 E6
– Wintersport : 1 617/2 868 m ⧈ 2 ⧉ 11 – ⊠ 3925
▶ Bern 108 – Brig 33 – Sion 67
ℹ Dorfplatz, ☎ 027 955 60 60, www.graechen.ch

🏠 **Turm Hotel Grächerhof**   ⧉ ⧈ 🏠 📶 🎵 ♿ 📶

– ☎ 027 956 25 15 – www.graecherhof.ch – *geschl. 21. April - 30. Mai,
19. Oktober - 19. Dezember*
28 Zim ⌑ – †95/168 CHF ††148/320 CHF – ½ P
Rest – *(geschl. Montag - Dienstag) (nur Abendessen)* (28 CHF) Menü 35/68 CHF
– Karte 52/91 CHF
Das Hotel liegt in unmittelbarer Nähe der Bergbahn-Talstation, nicht weit vom Zentrum. Besonders schön sind die "Alpe"-Zimmer, ein Mix aus modernem Stil und rustikalem Holz. Teil des Restaurants ist das Sacré Feu mit Grillgerichten als Spezialität.

GRANDVAUX – Vaud (VD) – 552 E10 – 1 995 h. – alt. 565 m – ⊠ 1091   6 B5
▶ Bern 97 – Lausanne 8 – Montreux 22 – Yverdon-les-Bains 46

✕ **Auberge de la Gare** avec ch   ⧈ 🏠 📶 **P**

⊂⊃ *Rue de la Gare 1* – ☎ 021 799 26 86 – www.aubergegrandvaux.ch – *fermé
22 décembre - 8 janvier, 23 février - 3 mars, 3 - 20 août, dimanche et lundi*
5 ch ⌑ – †140/170 CHF ††200/240 CHF – ½ P
Rest – (20 CHF) Menu 56 CHF – Carte 34/82 CHF
De là se déploie un superbe panorama sur le Léman et les sommets ! Autre
attrait : un accueil d'une grande gentillesse, tout au service des clients… On en
apprécie d'autant mieux la cuisine, aux accents familiaux. Cette maison de 1862
abrite également de jolies chambres. Une étape très recommandable, donc.

GRELLINGEN – Basel-Landschaft (BL) – 551 K4 – 1 756 Ew   2 D2
– Höhe 322 m – ⊠ 4203
▶ Bern 107 – Basel 17 – Delémont 26 – Liestal 26

✕ **Lüber's zur Brücke**   **P**

Bahnhofstr. 4 – ☎ 061 741 12 36 – www.luebers.ch – *geschl. 9. - 18. März, Ende
Juli - Mitte August 2 Wochen und Samstagmittag, Sonntag - Montag*
Rest – (27 CHF) Menü 45 CHF (mittags unter der Woche)/85 CHF – Karte 38/76 CHF
Schon viele Jahre hat Familie Lüber dieses Haus an der Birs und ihre Gäste schät-
zen die traditionelle Küche und vor allem die zahlreichen Fischgerichte! Serviert
werden diese in gemütlich-ländlichen Stuben.

GRENG – Freiburg – 551 H7 – siehe Murten

GRINDELWALD – Bern (BE) – 551 M9 – 3 796 Ew – Höhe 1 034 m   8 F5
– Wintersport : 1 034/2 500 m ⧈ 5 ⧉ 17 ⧓ – ⊠ 3818
▶ Bern 77 – Interlaken 20 – Brienz 38 – Spiez 36
Lokale Veranstaltungen:
17.-19. Januar: Lauberhornrennen
5. April: SnowpenAir auf der Kleinen Scheidegg
◎ Lage ★★
◎ Jungfraujoch ★★★ mit ⧈ • Faulhorn ★★★ • Männlichen ★★★
• First ★★★ mit ⧉ • Bachalpsee ★★ • Gletscherschlucht ★

Schweizerhof ⬧⬧⬧ ⪕ ⌂ 🖼 🏵 🏠 🛁 🛗 🎨 👜

Swiss Alp Resort 1 – ☏ 033 854 58 58 – www.hotel-schweizerhof.com – geschl. 30. März - 10. Mai, 19. Oktober - 18. Dezember

37 Zim ⬛ – †175/325 CHF ††340/600 CHF – 37 Suiten

Rest *Schmitte* – siehe Restaurantauswahl

Wer ganz besonders schön und luxuriös wohnen möchte, bucht eines der modernen Chalets, die per Lift mit dem Haupthaus (hübsch die dunkle Fassade mit roten Fensterläden!) verbunden sind - so kommen Sie ganz bequem zum eleganten Spa! Die Aussicht ist fantastisch!

Belvedere ⬧⬧⬧ ⪕ ⌂ 🖼 🏠 🛁 🛗 🅺 Rest, 🍴 🎨 ⛛ 👜

Dorfstr. 53 – ☏ 033 888 99 99 – www.belvedere-grindelwald.ch

49 Zim ⬛ – †219/439 CHF ††278/678 CHF – 7 Suiten

Rest – *(Mitte April - Mitte Mai: nur Mittagessen, Mitte Oktober - Mitte Dezember: nur Mittagessen)* Menü 59 CHF (abends)/89 CHF – Karte 55/95 CHF

In dem Hotel von 1907 empfängt Sie ein schöner Hallenbereich mit grosser Fensterfront und Blick zum Eiger. Die Zimmer sind individuell, teils modern gestaltet. Zum Relaxen hat man den Aussen-Sole-Whirlpool. Internationale Küche im eleganten Restaurant.

Kirchbühl ⬧⬧ 🌿 ⪕ ⌂ 🏡 🏠 🛁 👜 Rest, 🍴 Rest, 🎨 ⛛ 👜

Kirchbühlstr. 23 – ☏ 033 854 40 80 – www.kirchbuehl.ch – geschl. 10. April - 17. Mai, 28. Oktober - 10. Dezember

41 Zim ⬛ – †130/245 CHF ††200/430 CHF – 2 Suiten – ½ P

Rest *La Marmite* – *(nur Abendessen)* (25 CHF) Menü 35/92 CHF – Karte 50/103 CHF

Rest *Hilty-Stübli* – (25 CHF) Menü 35/92 CHF – Karte 35/83 CHF

Der engagiert geführte Familienbetrieb in ruhiger Hanglage überzeugt mit wohnlichen Zimmern in alpenländischem und modernem Stil sowie tollem Bergblick. Chalets mit Appartements. Das La Marmite bietet klassische und asiatische Gerichte. Regionales im Hilty-Stübli.

Kreuz und Post ⬧⬧ ⪕ 🏡 🏠 🛁 ⛛ 👜

⊗

Dorfstr. 85 – ☏ 033 854 54 92 – www.kreuz-post.ch – geschl. 7. April - 22. Mai

42 Zim ⬛ – †110/240 CHF ††190/430 CHF – ½ P

Rest – *(geschl. im Sommer: Montag)* (18 CHF) Menü 20 CHF (mittags unter der Woche)/55 CHF – Karte 26/81 CHF

In dem familiär geführten Hotel nicht weit vom Bahnhof wohnt der Gast in individuellen Zimmern. Einige Antiquitäten unterstreichen das behagliche Ambiente im Haus. Teil des Restaurants ist das hübsche original erhaltene Challistübli. Bar mit Live-Musik.

Bodmi ⬧⬧ 🌿 ⪕ 🏡 🏠 🛁 ⛛ 👜

Terrassenweg 104 – ☏ 033 853 12 20 – www.bodmi.ch – geschl. 7. April - 22. Mai, 12. Oktober - 12. Dezember

20 Zim ⬛ – †185/210 CHF ††260/324 CHF – ½ P

Rest – *(geschl. Mitte Mai - Mitte Juni: Mittwoch, Mitte September - Oktober: Mittwoch)* Menü 60 CHF (abends) – Karte 49/95 CHF

Ein wohnlich eingerichtetes Chalet in traumhafter Panoramalage mit freundlichfamiliärer Atmosphäre. Originell: Vom Saunabereich blickt man in den Ziegenstall. Skischule nebenan. Ländlich gehaltenes Restaurant.

Caprice ⬧⬧ 🌿 ⪕ 🏡 🏠 🍴 Rest, ⛛ 👜

Kreuzweg 11 – ☏ 033 854 38 18 – www.hotel-caprice.ch – geschl. Mitte April - Mitte Mai, Ende Oktober - Mitte Dezember

24 Zim ⬛ – †149/374 CHF ††210/464 CHF – ½ P

Rest – *(nur Abendessen für Hausgäste)* Menü 40 CHF (abends)

Dieser beispielhaft gepflegte Familienbetrieb liegt ruhig oberhalb des Ortes. Kleiner Freizeitbereich mit mediterraner Note, netter Garten und individuell geschnittene Zimmer.

Parkhotel Schoenegg ⬧⬧ 🌿 ⪕ 🏡 🖼 🏠 🛁 🛗 Rest, 🍴 ⛛ 👜

Dorfstr. 161 – ☏ 033 854 18 18 – www.parkhotelschoenegg.ch – geschl. 6. April - 14. Juni, 12. Oktober - 20. Dezember

50 Zim ⬛ – †175/225 CHF ††320/420 CHF – 1 Suite – ½ P

Rest – *(nur Abendessen für Hausgäste)* Menü 30/55 CHF

Seit 1892 ist dieses Hotel im Familienbesitz. Hübsch ist die Halle mit Kamin und Bar. Sie wählen zwischen Nord- und Südzimmern. Besonders freundlich und modern: die Chaletzimmer.

Eiger ⟨ 🏠 ⅃ぅ 🏢 & Rest, 🛜 🚗 🅿

Dorfstr. 133 – 𝒞 033 854 31 31 – www.eiger-grindelwald.ch
58 Zim ⌷ – �120/220 CHF ♠♠235/400 CHF – ½ P
Rest *Barry's* – *(geschl. Zwischensaison: Sonntag - Mittwoch) (nur Abendessen)*
Karte 52/77 CHF
Hotel im Zentrum mit Blick auf den namengebenden Eiger. Die Zimmer sind wohnlich-rustikal, man bietet auch einige sehr schöne neuere. Guter Fitnessbereich. Originell und urig-gemütlich ist das Barry's im Stil einer Almhütte.

Derby ⟨ 🏮 🏢 🏢 🛜 🅿

Dorfstr. 75, (am Bahnhof) – 𝒞 033 854 54 61 – www.derby-grindelwald.ch
– geschl. 31. Oktober - Mitte Dezember
69 Zim ⌷ – ♦129/149 CHF ♠♠188/278 CHF – ½ P
Rest – Menü 20 CHF (mittags unter der Woche)/85 CHF – Karte 37/77 CHF
Seit mehr als 100 Jahren befindet sich das im Ortskern gelegene Hotel im Familienbesitz. Vor dem Haus kann man direkt in die Bergbahn steigen. Die meisten Zimmer mit Balkon. Alpenländische Restaurantstuben, darunter das heimelige Kellerlokal Cava für Fondue.

Alpenhof 🖎 ⟨ 🏮 🏢 🏢 🛜 🅿

Kreuzweg 36 – 𝒞 033 853 52 70 – www.alpenhof.ch – geschl. Mitte April - Mitte Mai
12 Zim ⌷ – ♦112/157 CHF ♠♠204/304 CHF – 5 Suiten – ½ P
Rest – *(geschl. ausser Saison und Sonntag) (nur Abendessen)* Menü 34/54 CHF – Karte 40/88 CHF
Das hübsche Chalet in ruhiger, leicht erhöhter Aussichtslage ist eine sehr nette familiäre Adresse, die über behagliche regionstypische Zimmer mit gutem Platzangebot verfügt. Das Menü in der rustikalen Gaststube wird ergänzt durch Fondue und Raclette.

Alte Post ⟨ 🏮 🏢 ⅃ぅ 🏢 🚗 🅿

Dorfstr. 173 – 𝒞 033 853 42 42 – www.altepost-grindelwald.ch – geschl. 1. April - 20. Mai, 20. Oktober - 20. Dezember (Hotel)
19 Zim ⌷ – ♦90/150 CHF ♠♠170/290 CHF – 1 Suite
Rest – *(geschl. Anfang Mai 2 Wochen und Mittwoch)* (30 CHF) – Karte 27/69 CHF
Ein familiengeführtes Haus im Chalet-Stil mit wohnlich-alpenländischen Gästezimmern und eigener Käserei. In der ursprünglichen Alten Post sind die Zimmer einfacher. Traditionelle, aber auch internationale Gerichte in der gemütlichen Gaststube.

Gletschergarten ⟨ 🏢 🏢 🏾 Rest, 🛜 🅿

Gletscherstr. 1 – 𝒞 033 853 17 21 – www.hotel-gletschergarten.ch – geschl. Ende März - Ende Mai, Anfang Oktober - Mitte Dezember
26 Zim ⌷ – ♦120/190 CHF ♠♠180/300 CHF – ½ P
Rest – *(nur Abendessen für Hausgäste)* Menü 30/40 CHF
Inzwischen leitet bereits die 4. Generation diesen Familienbetrieb mit traditionellem Charakter. Zimmer in drei Kategorien, darunter geräumige Superior-Zimmer. Tolle Aussicht.

Hirschen garni ⟨ 🏢 🏾 🅿

Dorfstr. 135 – 𝒞 033 854 84 84 – www.hirschen-grindelwald.ch – geschl. 6. April - 17. Mai, 20. Oktober - 6. Dezember
34 Zim ⌷ – ♦90/160 CHF ♠♠150/240 CHF
In dem seit mehreren Generationen familiär geleiteten Haus erwarten Sie wohnlich-rustikal eingerichtete Zimmer. Chic sind die drei ganz modernen Superior-Zimmer. Im Restaurant gibt es Flammkuchen und Käsefondue.

XXX Schmitte – Hotel Schweizerhof ⟨ 🏮 & 🅿

Swiss Alp Resort 1 – 𝒞 033 854 58 58 – www.hotel-schweizerhof.com – geschl. 30. März - 10. Mai, 19. Oktober - 18. Dezember
Rest – (35 CHF) Menü 45/100 CHF – Karte 54/88 CHF
Täferung und Wandmalerei schaffen im Restaurant eine traditionelle und gleichzeitig elegante Atmosphäre und passen schön zum Charakter des Hauses! Das Speiseangebot ist klassisch.

In Kleine Scheidegg – nur mit Zug ab Grindelwald oder Lauterbrunnen erreichbar – ⌂ 3823

🏨 **Bellevue des Alpes**   ⌖ ≤ ⌖
- – ℰ 033 855 12 12 – www.scheidegg-hotels.ch – geschl. 22. April - 13. Juni, 22. September - 18. Dezember
62 Zim ⌸ – 🛏140/280 CHF 🛏🛏350/510 CHF – ½ P   **Rest** – Karte 30/73 CHF
Mit wunderschönem klassischem Interieur bewahrt das Grandhotel von 1840 seine lange Tradition. Die stilvollen Zimmer versprühen historischen Charme. Traumhafte Bergkulisse! Die Restaurantterrasse bietet eine herrliche Sicht.

GROSSHÖCHSTETTEN – Bern (BE) – **551** K7 – 3 233 Ew   3 E4
– Höhe 743 m – ⌂ 3506
▶ Bern 18 – Burgdorf 22 – Luzern 76 – Thun 21

in Zäziwil Ost: 2 km – Höhe 680 m – ⌂ 3532

🏠 **Appenberg unique**   ⌖ 🚗 🏠 📶 ⌖ ⌖ 🛜 ⚒ P
⊜   Appenbergstr. 36, Süd: 3,5 km in Richtung Oberhünigen – ℰ 031 790 40 40
– www.appenberg.ch – geschl. 22. - 27. Dezember
40 Zim ⌸ – 🛏92/97 CHF 🛏🛏168/178 CHF – ½ P
Rest – (geschl. Sonntagabend) (20 CHF) Menü 27 CHF (mittags) – Karte 34/67 CHF
Rest *Spycher-Grotto* – (geschl. 15. Juni - 15. August, 22. Dezember - 15. Januar und Sonntag - Montag) (nur Abendessen) Karte 35/63 CHF
Wie ein kleines Dörfli ist der aus acht hübschen Emmentaler Häusern bestehende Familienbetrieb angelegt. Eine gemütliche Adresse, die auch für Tagungen geeignet ist. Das Spycher-Grotto in der "Felsen-Höhli" bietet Grilladen und Fondue.

GRUB – Appenzell Ausserrhoden (AR) – **551** V5 – 997 Ew – Höhe 813 m – ⌂ 9035   5 I2
▶ Bern 218 – Sankt Gallen 17 – Altstätten 16 – Bregenz 23

✕✕ **Bären** mit Zim   🏠 🛜 ⌖ P
⊜   Halten 112, Süd-West: 1 km Richtung Eggersriet – ℰ 071 891 13 55 – www.baeren-grub.ch
– geschl. 27. Januar - 2. Februar, 21. Juli - 8. August und Montag - Dienstag
4 Zim ⌸ – 🛏75/85 CHF 🛏🛏125/135 CHF – ½ P
Rest – (Tischbestellung ratsam) (20 CHF) Menü 33 CHF (mittags)/109 CHF
– Karte 50/102 CHF
Neben der einfachen Gaststube, in der auch Tagesgerichte serviert werden, erwartet Sie ein kleines ländlich-rustikales Stübli mit gutem Gedeck und zeitgemässer Küche.

GRÜNINGEN – Zürich (ZH) – **551** R5 – 3 188 Ew – Höhe 503 m – ⌂ 8627   4 G3
▶ Bern 155 – Zürich 23 – Zug 51 – Schwyz 49

✕ **Landgasthof Adler** mit Zim   🏠 🛜 ⌖ P
Binzikerstr. 80 – ℰ 044 935 11 54 – www.adler-grueningen.ch
8 Zim ⌸ – 🛏98/108 CHF 🛏🛏156/176 CHF – ½ P
Rest – (25 CHF) Menü 25 CHF (mittags unter der Woche)/38 CHF – Karte 45/84 CHF
Der familiär geleitete traditionelle Gasthof von 1830 beherbergt eine schlicht-rustikale Dorfbeiz und die gediegenere Gourmetstube mit gepflegter Tischkultur. Terrasse im Hof.

GRUND bei GSTAAD – Bern – **551** I10 – siehe Gstaad

GRUYÈRES – Fribourg (FR) – **552** G9 – 1 867 h. – alt. 830 m – ⌂ 1663   7 C5
▶ Bern 65 – Fribourg 35 – Gstaad 38 – Lausanne 57
Interdit à la circulation automobile
🛈 Rue du Bourg 1, ℰ 084 842 44 24, www.la-gruyere.ch
Manifestations locales :
    début mai : fête du fromage
◉ Château★★

Hôtel de Ville

🏠 ℁ ⌂ ch, 🤝 ⟳

Rue du Bourg 29 – 𝒞 026 921 24 24 – www.hoteldeville.ch
8 ch ⌨ – 🛏130/180 CHF 🛏🛏180/280 CHF – ½ P
Rest – *(fermé novembre - janvier : mercredi et jeudi)* (19 CHF) Menu 31/62 CHF
– Carte 37/80 CHF

Nichées à deux pas du château des contes de Gruyère, des chambres à la fois simples et cosy : parquet, tissus coordonnés, meubles en bois, etc. Toutes portent des noms de fleurs mais une seule, Edelweiss, dispose d'un lit à baldaquin. Au menu du restaurant, raclettes et autres fondues !

GSTAAD – Bern (BE) – **551** I10 – **2 000 Ew** – Höhe 1 050 m   7 D5
– Wintersport : 1 050/2 151 m ⧊6 ⧊10 ⧊ – ✉ 3780

▶ Bern 88 – Interlaken 71 – Aigle 48 – Fribourg 73

🅸 Promenade 41, Haus des Gastes, 𝒞 033 748 81 81, www.gstaad.ch

🅸8 Gstaad-Saanenland, 𝒞 033 748 40 30

Lokale Veranstaltungen:

31. Januar-8. Februar: Klassisches Musikfestival

8.-13. Juli: FIVB Beach Volleyball World Tour - Grand Slam

19.-27. Juli: Suisse Open, ATP-Tennisturnier

◉ Lage ★★

The Alpina Gstaad ⓝ

≤ ⿻ 🏊 ☸ ♨ ⛱ ℁ ⌂ Zim, 🅰🅲 ⌀ Rest, 🤝 🍴

Alpinastr. 23 – 𝒞 033 888 98 88 – www.thealpinagstaad.ch
– geschl. April - Mai, Oktober - November
55 Zim ⌨ – 🛏550/4200 CHF 🛏🛏550/4200 CHF – 1 Suite
Rest Sommet ⌘   **Rest MEGU** – siehe Restaurantauswahl
Rest Swiss Stübli – *(geschl. April - November)* (Tischbestellung ratsam)
Menü 89 CHF – Karte 58/111 CHF

Dezentes Understatement? Purer Luxus? Geschmackvolle Wohnlichkeit? Exzellenter Service? Alles ist mit einem klaren "Ja" zu beantworten, denn dieses aussergewöhnliche Chalet "de luxe" ist einer der neuesten Hotspots am Schweizer Hotelhimmel: beeindruckende Grandezza gepaart mit warmem Altholz und wertigen Antiquitäten... Highlights: die 400-qm-Panorama-Suite und der einzige "Six Senses Spa" der Schweiz! HP à la carte in allen Restaurants frei wählbar.

Gstaad Palace

⚓ ≤ ⌂ ⿻ 🏊 🌐 ☸ ♨ ⛱ ⌀ ℁ ⌀ Rest, 🤝 🍴 ⚓

Palacestr. 28 – 𝒞 033 748 50 00 – www.palace.ch – geschl. Mitte 🅿
März - Ende Juni, Mitte September - Mitte Dezember
97 Zim ⌨ – 🛏410/970 CHF 🛏🛏650/1890 CHF – 7 Suiten
Rest Gildo's Ristorante – siehe Restaurantauswahl
Rest Le Grill - Rôtisserie – *(nur Abendessen)* Karte 117/562 CHF

100 Jahre Palace! Das schlossähnliche weisse Hotel über Gstaad gehört mit seinen vier Spitztürmen fest zum Ortsbild! Zimmer modern und doch klassisch, Spa (1800 qm) ebenfalls zeitgemäss und wertig. Auch die Gastronomie hat einiges zu bieten: Schweizer Küche, Italienisches, Grillgerichte... im Winter auch "La Fromagerie". HP inklusive.

Grand Hotel Park

⚓ ≤ ⌂ ⿻ 🏊 🌐 ☸ ♨ ⛱ 🍴 ℁ ⌀ ⌀ Rest, 🤝

Wispilenstr. 29 – 𝒞 033 748 98 00 – www.grandhotelpark.ch 🍴 ⚓ 🅿
– geschl. Mitte März - Ende Juni, Mitte September - Mitte Dezember
84 Zim ⌨ – 🛏470/1450 CHF 🛏🛏600/1800 CHF – 10 Suiten – ½ P
Rest Grand Restaurant – 𝒞 033 748 98 28 – Menü 75/95 CHF ⌘
Rest Marco Polo – 𝒞 033 748 98 28 *(geschl. Mitte März - Mitte Dezember)* (nur Abendessen) Menü 105/125 CHF – Karte 98/126 CHF ⌘
Rest Greenhouse – 𝒞 033 748 98 28 – Karte 104/116 CHF

Elegant-urbaner Luxus in schöner Aussichtslage. Wer in der wohl grössten Suite im Alpenraum wohnt (sie nennt sich "My-Gstaad Chalet Suite"), findet auf 400 qm vier Schlafzimmer, vier Bäder, Butler-Service... - das ist das Nonplusultra! Chic-moderner Spa und vielfältige Gastronomie: "Grand Restaurant", "Marco Polo" mit internationaler Küche, das einladend frische "Greenhouse", Bar mit Sushi-Angebot (auch ausser Haus).

Le Grand Bellevue ⟨icons⟩ Zim, 📶 🏋 🌲

Hauptstrasse – ℰ 033 748 00 00 – www.bellevue-gstaad.ch – geschl. **P**
Anfang April - Mitte Mai, Anfang Oktober - Anfang Dezember
48 Zim ⌑ – ♥290/1350 CHF ♥♥390/1520 CHF – 9 Suiten
Rest LEONARD'S ✿ – siehe Restaurantauswahl
Rest Le Petit Chalet – *(geschl. Montag - Donnerstag) (nur Abendessen)*
(Tischbestellung ratsam) Karte 68/108 CHF
Luxuriös und gleichzeitig "smart casual", geschmackvoll-zeitgemäss und zugleich den
Charme des historischen Hauses bewahrend... so leitet Daniel Koetser sein Hotel und
mit demselben Engagement ist er auch bei seinen Gästen präsent. Die Zimmer
modern in Design und Technik, sehr grosszügig und vielfältig der Spa, dazu diverse
kostenfreie Extras (z. B. Mountainbike-Verleih). Gemütlich-elegant hat man es nachmittags bei der Teatime in der Lounge, liebenswert-rustikal bei Käse- und Grillgerichten
im "Le Petit Chalet" im Park - reizend im Sommer die kleine Terrasse unter Bäumen.

 Le Grand Chalet ⟨icons⟩ **P**

Neueretstr. 43 – ℰ 033 748 76 76 – www.grandchalet.ch – geschl. Ende März
- Ende Mai, Mitte Oktober - Mitte Dezember
21 Zim ⌑ – ♥170/500 CHF ♥♥280/550 CHF – 2 Suiten – ½ P
Rest – siehe Restaurantauswahl
Schon von aussen vermittelt das Chalet alpenländische Behaglichkeit, die sich im
überaus wohnlichen Interieur fortsetzt. Die ruhige Panoramalage oberhalb von
Gstaad verspricht ebenfalls Erholung, und es gibt auch was zum Anschauen:
Man hat eine kleine Amboss-Sammlung im Haus!

 Arc-en-ciel ⟨icons⟩ **P**

Egglistr. 24 – ℰ 033 748 43 43 – www.arc-en-ciel.ch
33 Zim ⌑ – ♥120/256 CHF ♥♥252/495 CHF – 6 Suiten
Rest – (23 CHF) – Karte 36/95 CHF
Ganz besonders Familien finden hier eine schöne Urlaubsadresse: funktionelle
Zimmer, nettes Freibad, Kinder- und Jugendspielbereich. Für ungestörtes Relaxen
hat man zudem eine Sauna als Private Spa. Praktisch: Talstation gleich vis-à-vis!
Zum breiten Speisenangebot gehört auch Pizza aus dem Holzofen.

 Bernerhof ⟨icons⟩ Rest. 📶 🌲 **P**

Bahnhofstr. 2, (Bernerhofplatz) – ℰ 033 748 88 44 – www.bernerhof-gstaad.ch
45 Zim ⌑ – ♥193/263 CHF ♥♥340/480 CHF – ½ P
Rest – (20 CHF) Menü 28 CHF (mittags)/65 CHF – Karte 47/112 CHF
Rest Blun-Chi – *(geschl. Mitte März - Mitte Juni: Dienstag - Mittwoch)*
(Tischbestellung ratsam) (20 CHF) Menü 47/88 CHF – Karte 49/121 CHF
Das familiär geleitete Ferienhotel liegt mitten im Zentrum. Viele Zimmer in geradlinig-modernem Design, auch Familienzimmer sind vorhanden. Internationale und
regionale Karte im rustikalen Restaurant. Blun-Chi mit chinesischer Küche, ausser-
dem Restaurant Basta mit Pastagerichten sowie eine urige Schweizer Stube.

Gstaaderhof ⟨icons⟩

Lauenenstr. 19 – ℰ 033 748 63 63 – www.gstaaderhof.ch – geschl. 31. März
- 10. Mai, 26. Oktober - Anfang Dezember
64 Zim ⌑ – ♥133/246 CHF ♥♥236/462 CHF – ½ P
Rest Müli – (17 CHF) Menü 35/89 CHF – Karte 46/89 CHF
Rest Saagi-Stübli – *(geschl. 30. März - Anfang Dezember) (nur Abendessen)*
Karte 32/103 CHF
Zentraler kann man in Gstaad kaum wohnen, zudem spürt man das grosse Engagement, mit dem die Familie Huber-Schärli ihr Hotel führt, und man hat es in
den Zimmern und Maisonetten schön gemütlich. Einladend auch der kleine Saunabereich und die Restaurants: frische internationale Küche im Müli, im Winter
Schweizer Spezialitäten im urigen Saagi-Stübli.

 Wie entscheidet man sich zwischen zwei gleichwertigen Adressen?
In jeder Kategorie sind die Häuser nochmals geordnet, die besten
Adressen stehen an erster Stelle.

Bellerive   🏠 🍴 ⚫ Zim, 🍽 🛜 🚗 **P**

Bellerivestr. 42 – ☏ 033 748 88 33 – www.gstaad4.com – geschl. 21. April
- 23. Mai, 3. November - 6. Dezember
13 Zim 🛏 – **♦**90/350 CHF **♦♦**180/370 CHF – 1 Suite
Rest – *(geschl. Mitte März - Ende Juni, Mitte September - Ende Dezember und*
Sonntagabend - Montag) Karte 28/70 CHF

Etwas abseits des Zentrums finden Sie das nette Chalet unter freundlich-familiärer
Leitung. Zwei der technisch gut ausgestatteten Zimmer sind die Themenzimmer
"Kuh" und "Romantic". Im Restaurant serviert man Bürgerliches.

Posthotel Rössli   🍴 🛜 🚗 **P**

Promenade 10, (Gstaadplatz) – ☏ 033 748 42 42 – www.posthotelroessli.ch
18 Zim 🛏 – **♦**110/320 CHF **♦♦**160/400 CHF – ½ P
Rest – *(geschl. Mai, November : Mittwoch)* (21 CHF) Menü 33 CHF
– Karte 37/93 CHF

Beim Dorfbrand von 1898 blieb das seit 1922 familiengeführte Gasthaus ver-
schont und gilt daher als das älteste im Ort. Die Zimmer sind mit viel Holz im
gemütlichen Chaletstil eingerichtet. Stübli und Alti Poscht sind Restaurantstuben
mit ländlichem Charme.

XXX **Chesery** (Robert Speth)   🍴 **P**
 🌿
Alte Lauenenstr. 6 – ☏ 033 744 24 51 – www.chesery.ch – geschl. Anfang April
- Anfang Juni, Anfang Oktober - Anfang Dezember und Montag
Rest – *(Tischbestellung ratsam)* Menü 78 CHF (mittags)/172 CHF
– Karte 90/174 CHF 🍷

Wo derartig produktbezogen gekocht wird, die Qualität über jeden Zweifel erha-
ben ist und man so exakt arbeitet, da ist es eine wahre Freude zu essen! Was in
dem wunderschönen Chalet serviert wird, ist klassische Küche mit mediterranem
Einfluss. Der frische Fisch wird am Tisch präsentiert!
➔ Hausgemachte Gnocchi mit hiesigen Waldpilzen. Ganzer wilder Wolfsbarsch in der
Salzkruste. Streifen vom Simmentaler Rind auf japanische Art mit Sojasauce und Limone.

XXX **Sommet** ❶   🍴 🆓 🍽
 🌿
Alpinastr. 23 – ☏ 033 888 98 88 – www.thealpinagstaad.com – geschl. April - Mai,
Oktober - November
Rest – *(Juni - September: nur Abendessen)* (Tischbestellung ratsam)
Menü 160/180 CHF – Karte 124/220 CHF 🍷

Nach seinem Umzug aus dem Züricher "mesa" ins Gstaader "Sommet" weiss Mar-
cus G. Lindner hier mit ausdrucksstarker moderner Küche aus besten Zutaten zu
überzeugen - so z. B. ganzjährig das Degustationsmenü, ebenso die ergänzenden
Grillgerichte sowie im Sommer eine einfache Karte. Und das Restaurant selbst ist
eine wahre Augenweide: handgeschnitzte Altholzdecke, edle Sessel mit Sattelle-
der... und draussen auf der tollen Terrasse haben Sie die Saaner Bergwelt im Blick.
➔ Rindstatar mit Belperknolle und Avocado. Steinbutt und Jakobsmuschel mit Fre-
gola Sarda und Kresse. Gebrannte Banane mit Karamell, Passionsfrucht und Pistazien.

XXX **Gildo's Ristorante** – Hotel Gstaad Palace   🍽 **P**

Palacestr. 28 – ☏ 033 748 50 00 – www.palace.ch – geschl. Mitte März - Ende
Juni, Mitte September - Mitte Dezember
Rest – *(nur Abendessen)* Karte 103/166 CHF 🍷

Lust auf traditionelle italienische Küche? Dann müssen Sie das alpenländisch-
gemütliche Restaurant im Winter besuchen - denn leider nur dann kocht hier das
Team des Sternerestaurants "Il Pellicano" in Porto Ercole an der toskanischen Küste!

XXX **LEONARD'S** – Grand Hotel Bellevue   🍴 ⚫ **P**
 🌿
Hauptstrasse – ☏ 033 748 00 00 – www.bellevue-gstaad.ch – geschl. 17. März
- 21. Juni, 23. September - 18. Dezember
Rest – (29 CHF) Menü 75/185 CHF – Karte 47/120 CHF 🍷

Ungezwungen und dennoch anspruchsvoll präsentiert sich das Restaurant nach
seinem Umbau. Nach dem Apero an der Bar ist man auch schon gleich am Tisch,
wo man die unverändert gute klassische Küche von Urs Geschwend geniesst: ein
bisschen breiter gefächert und internationaler als im einstigen "Prado - Grill" und
angenehm reduziert im Stil, top nach wie vor die Qualität der Produkte. Günstiges
Lunchmenü inkl. Wasser und Kaffee. Samstags Brunch.
➔ Bouillabaisse Marseillaise. L'œuf de Gstaad poché sur lit d'épinards et truffe
d'été. Émincé de foie de veau sauté à la vénitienne.

✗✗ **La Bagatelle** – Hotel Le Grand Chalet ← 🛋 ❄ **P**
Neueretstr. 43 – ☎ 033 748 76 76 – www.grandchalet.ch – geschl. Ende März
- Ende Mai, Mitte Oktober - Mitte Dezember
Rest – *(Tischbestellung ratsam)* (42 CHF) Menü 58 CHF (mittags)/158 CHF
– Karte 74/150 CHF 🍴

Wenn das Wetter es zulässt, sollten Sie hier unbedingt auf der Terrasse essen und
dabei Sonne und Aussicht geniessen! Es erwarten Sie die ambitionierte klassische
Küche von Steve Willié sowie eine bemerkenswerte Weinkarte. Die Freundlichkeit,
mit der man seine Gäste betreut, tut ihr Übriges!

✗✗ **MEGU**  AK ❄
Alpinastr. 23 – ☎ 033 888 98 88 – www.thealpinagstaad.ch – geschl. April - Mai,
Oktober - November und Dienstag - Mittwoch
Rest – *(Tischbestellung ratsam)* Menü 120 CHF – Karte 62/165 CHF

Japan - New York - Gstaad... Das hiesige Konzept brachte eine weite Reise hinter
sich, um nun in einer Dependance des bekannten New Yorker Restaurants
niveauvolle japanische Küche aus exklusiven Zutaten zu bieten. Das besondere
Interieur dazu stammt aus der Feder des Stardesigners Noé Duchafour-Lawrence
- lassen Sie sich überraschen!

in Schönried Nord: 7 km Richtung Zweisimmen – Höhe 1 231 m – ✉ 3778

🏠 **ERMITAGE Wellness & Spa Hotel** ← 🚗 🖵 📺 🛁 𝄢 🍴 📶 ♿
Dorfstr. 46 – ☎ 033 748 04 30 – www.ermitage.ch 📶 🛁 🚗 **P**
93 Zim 🖵 – ♦200/282 CHF ♦♦370/792 CHF – 6 Suiten
Rest *Ermitage-Stube* – siehe Restaurantauswahl
Rest *Fondue Spycher* – ☎ 033 748 60 60 *(geschl. April - November*
und Montag - Dienstag) (nur Abendessen) Karte 47/87 CHF

Heiner Lutz und Laurenz Schmid haben hier ein Wellnesshotel par excellence. In
den unterschiedlich geschnittenen und wirklich geschmackvollen Zimmern
mischt sich alpenländischer Stil mit modernem Komfort, daneben lassen 3500
qm Spa-Vielfalt kaum Wünsche offen, und dann gibt es da noch das Prunk-
stück: die Swarovski-Bar in der Lobby, in der eine Million Kristalle funkeln! Kulinarisch kommt man auch nicht zu kurz, denn die HP in den wunderschönen Stuben
ist hochwertig und im Preis inbegriffen.

🏠 **Hostellerie Alpenrose** ← 🖵 📶 🛁 ♿ 📶 🚗 **P**
Dorfstr. 14 – ☎ 033 748 91 91 – www.hotelalpenrose.ch – geschl. 7. April
- 10. Mai, 14. Oktober - 14. Dezember
18 Zim 🖵 – ♦135/450 CHF ♦♦200/630 CHF – 2 Suiten – ½ P
Rest *Azalée* – siehe Restaurantauswahl
Rest *Sammy's* – *(geschl. Sommer: Mittwoch - Donnerstag, Winter: Mittwoch)*
(nur Abendessen) Menü 52 CHF – Karte 44/93 CHF

Schon von aussen versprüht das Chalet ursprünglichen Charme und auch drinnen
sorgt eine schöne, von Holz dominierte Einrichtung für Behaglichkeit. Dazu kommen noch die fantastische Aussicht und natürlich die sehr freundliche Gästebetreuung durch Familie von Siebenthal! Sammy's mit Grill- und Raclettegerichten.

🏠 **Kernen**   📶 ♿ Zim, 📶 🚗 **P**
 Dorfstr. 58 – ☎ 033 748 40 20 – www.hotel-kernen.ch
22 Zim 🖵 – ♦90/300 CHF ♦♦180/370 CHF – ½ P
Rest – (20 CHF) Menü 25/65 CHF – Karte 33/71 CHF

Im Stammhaus des einstigen Ski-Rennfahrers Bruno Kernen kann man schön
gemütlich-rustikal wohnen und regional essen. Was in der charmanten Gaststube
auf den Tisch kommt, reicht von der Kalbsbratwurst bis zum Simmentaler Entrecôte, nicht zu vergessen die interessanten Weine!

✗✗ **Ermitage-Stube** – ERMITAGE Wellness & Spa Hotel ← 🛋 ♿ **P**
Dorfstr. 46 – ☎ 033 748 60 60 – www.ermitage.ch
Rest – Menü 69 CHF (abends)/135 CHF – Karte 81/117 CHF

Appetit auf "Hamachi mit Pastinake und Clementine"? Auch die anderen Gerichte
von Uwe Seegert und seinem Team sind ambitioniert, klassisch und mit zeitgemässen Akzenten zubereitet. Schmecken lässt man sie sich in einem behaglichen
Ambiente, das moderne Formen und warmes Holz harmonisch vereint.

XX **Azalée** – Hotel Hostellerie Alpenrose ⟨ 🏠 **P**
Dorfstr. 14 – ☏ 033 748 91 91 – www.hotelalpenrose.ch – geschl. 7. April
- 10. Mai, 14. Oktober - 14. Dezember
Rest *– (geschl. Sommer: Montag - Dienstag, Winter: Montag - Dienstagmittag)*
(42 CHF) Menü 62 CHF (mittags)/119 CHF – Karte 53/130 CHF
Seit über 20 Jahren schätzen die Gäste nun schon die gehobene klassische Küche von Michel von Siebenthal - mittags ist das Angebot kleiner. Das Ambiente verbindet Eleganz mit einer angenehmen Rustikalität, die aus diesem Haus nicht wegzudenken ist. Draussen lockt die Terrasse mit grandiosem Bergblick!

in Saanenmöser Nord: 9 km Richtung Zweisimmen – Höhe 1 269 m – ✉ 3777

🏨 **Golfhotel Les Hauts de Gstaad & SPA** ⟨ 🚗 🏠 🔲 🌐 🏛 ♨
Bahnhofstr. 7 – ☏ 033 748 68 68 🛗 ✂ Zim, 🛜 🛁 🐶 **P**
– www.golfhotel.ch
52 Zim 🛏 – ♦135/390 CHF ♦♦250/750 CHF – ½ P
Rest *Belle Epoque* – siehe Restaurantauswahl
Rest *Bärengraben* – *(nur Abendessen)* Menü 70 CHF – Karte 58/90 CHF
Grosszügig angelegtes Chalet mit modernem Wellnessbereich auf 1000 qm. Besonders wohnlich: die Zimmer im Haus Golfino, allergikerfreundlich mit Terrakottafliesen ausgestattet. Bärengraben: rustikal, mit Wandmalereien von 1922.

🏨 **Des Alpes by Bruno Kernen** 🆕 garni 🛗 ♿ 🛜 **P**
Saanenmöserstr. 168 – ☏ 033 748 04 50 – www.desalpes.ch – geschl. 28. Oktober
- 7. Dezember
11 Zim 🛏 – ♦100/190 CHF ♦♦180/360 CHF
Das hat was: Unbehandeltes rustikales Altholz und trendiges Design ergeben einen richtig schicken modern-alpinen Look - in der Lobby, beim Frühstück (hier eine frische Auswahl vom Buffet) und in den Zimmern, die gleichermassen wohnlich und technisch "up to date" sind.

🏨 **Hornberg** 🛥 ⟨ 🚗 🏠 🔳 🏛 ✂ 🛜 🛁 🐶 **P**
Bahnhofstr. 36 – ☏ 033 748 66 88 – www.hotel-hornberg.ch – geschl.
7. - 16. April, 22. April - 9. Mai, 4. - 22. November
39 Zim 🛏 – ♦120/190 CHF ♦♦310/390 CHF – ½ P
Rest – (30 CHF) – Karte 38/91 CHF
Direkt am Ende der Piste gelegen, ist der engagiert geleitete Familienbetrieb im Chalet-Stil eine ideale Winter-Adresse. Schöner moderner Bade- und Saunabereich, im Sommer Bio-Schwimmteich. Das behagliche Restaurant bietet internationale und traditionelle Küche.

XX **Belle Epoque** – Golfhotel Les Hauts de Gstaad & SPA ⟨ **P**
Bahnhofstr. 7 – ☏ 033 748 68 68 – www.golfhotel.ch
Rest – Menü 70 CHF (abends)/135 CHF – Karte 62/106 CHF
Louis-Seize-Stühle, rustikal bezogen, dazu heimelige Holztäferung - das ergibt eine interessante Melange, die auf den Betrachter äusserst attraktiv wirkt.

in Lauenen Süd: 6,5 km – Höhe 1 250 m – ✉ 3782

🏠 **Alpenland** 🛥 ⟨ 🏠 🛗 🛜 🐶 **P**
🐕 *Hinterseestr. 5, Süd: 1 km – ☏ 033 765 91 34 – www.alpenland.ch – geschl.*
23. März - 16. April, 27. Oktober - 21. November
19 Zim 🛏 – ♦120/212 CHF ♦♦185/320 CHF – 3 Suiten – ½ P
Rest – *(geschl. April - Mitte Juni: Mittwoch - Donnerstag, Mitte September - Mitte Dezember: Mittwoch - Donnerstag)* (18 CHF) Menü 27 CHF (mittags)
– Karte 31/82 CHF
Das wohnliche Chalet liegt ruhig ausserhalb des Ortes nahe der Skilifte. Alle Zimmer mit Balkon, zwei geräumige Wohnungen unterm Dach für Familien. Hunde sind hier willkommen. Zum Restaurant gehört eine Terrasse mit schöner Aussicht auf die Berge.

in Saanen Nord-West: 3 km – Höhe 1 010 m – ✉ 3792

◎ Chalets ★ • Kirche (Wandmalereien ★)

Steigenberger ⟨icons⟩

Schönriedstr. 74, Ost: 2 km – ℰ 033 748 64 64
– www.steigenberger.com/gstaad_saanen – geschl. November
122 Zim ⌂ – ♦224/470 CHF ♦♦329/535 CHF – 8 Suiten – ½ P
Rest – (39 CHF) Menü 65 CHF – Karte 53/93 CHF
Ein komfortables Hotel in schöner Hanglage mit tollem Blick auf Saanen und Gstaad.
Die Zimmer sind wohnlich-rustikal, der moderne, 1100 qm grosse Spa erstreckt sich
über drei Etagen. Gemütlich-alpenländisch präsentiert sich das A-la-carte-Restaurant.

Alpine Lodge ⟨icons⟩ Rest, ⟨icons⟩

Wyssmülleriweg 10 – ℰ 033 748 41 51 – www.alpinelodge.ch – geschl.
22. Oktober - Mitte Dezember
29 Zim ⌂ – ♦125/165 CHF ♦♦170/450 CHF – ½ P
Rest – (25 CHF) Menü 45 CHF (mittags)/45 CHF – Karte 55/87 CHF
Neben modernen und freundlichen Zimmern - alle mit Computer und freiem
Internetzugang - bietet dieses Hotel auch viele Outdoor-Aktivitäten an. Einige
Themenzimmer. Helles neuzeitliches Restaurant.

Sonnenhof ⟨icons⟩

Sonnenhofweg 33, Nord-Ost: 3 km – ℰ 033 744 10 23
– www.restaurantsonnenhof.ch – geschl. ausser Saison: Montag - Dienstag
Rest – (Tischbestellung ratsam) (32 CHF) Menü 62 CHF (mittags)/125 CHF
– Karte 65/123 CHF
Chalet-Atmosphäre versprüht das Restaurant unter engagierter und charmanter
Leitung. Wählen Sie einen Terrassenplatz - die erhöhte Lage ermöglicht bei schö-
nem Wetter eine grandiose Sicht auf Gstaad und die Berge. Schmackhafte klassi-
sche und zeitgemässe Küche.

GUARDA – Graubünden (GR) – 553 Z9 – 164 Ew – Höhe 1 653 m – ☒ 7545   11 K4
▶ Bern 304 – Scuol 19 – Chur 94 – Davos 36

Meisser ⟨icons⟩

Dorfstr. 42 – ℰ 081 862 21 32 – www.hotel-meisser.ch – geschl. März - Mai,
November - Mitte Dezember
19 Zim ⌂ – ♦113/125 CHF ♦♦230/280 CHF – 3 Suiten – ½ P
Rest – (geschl. Winter: Dienstag) (28 CHF) Menü 58 CHF (abends) – Karte 49/66 CHF
Aus zwei alten Engadiner Bauernhäusern (19. Jh.) mitten im Dorf ist ein inzwischen in 5. Generation familiengeführtes Hotel geworden. Recht schlichte Zimmer
im Haupthaus (hier ohne TV), Suiten und Bar in der Chasa Pepina. Zum Essen
geht man in den schönen historischen Speisesaal im einstigen Heustall oder ins
Panoramarestaurant La Veranda - sehr gefragt ist bei der tollen Aussicht im Sommer natürlich die Terrasse. Einfachere Karte am Mittag.

Romantica Val Tuoi Ⓝ ⟨icons⟩ Rest, ⟨icons⟩

Chasa 72 – ℰ 081 862 24 70 – www.romanticavaltuoi.ch – geschl. 3. November
- 21. Dezember
18 Zim ⌂ – ♦125/157 CHF ♦♦156/196 CHF – ½ P
Rest – (geschl. 22. April - 28. Mai) (22 CHF) Menü 38/58 CHF – Karte 45/85 CHF
Regionalen Charme versprüht das 1728 erbaute Haus mit der bemalten Fassade
- auch drinnen: Die Zimmer sind richtig gemütlich mit ihrem heimelig-rustikalen
Holz. Wer ein bisschen was Besonderes sucht, bucht die Juniorsuite unterm Dach
samt herrlicher Sicht von der Dachterrasse!

GUDO – Ticino (TI) – 553 R12 – 770 ab. – alt. 218 m – ☒ 6515   10 H6
▶ Bern 224 – Locarno 14 – Bellinzona 7 – Lugano 32

a Progero Ovest : 1,5 km

Osteria Brack con cam ⟨icons⟩ rist, ⟨icons⟩

A Malacarne 26 – ℰ 091 859 12 54 – www.osteriabrack.ch – chiuso inizio
dicembre - inizio marzo, martedì e mercoledì
7 cam ⌂ – ♦95/110 CHF ♦♦175/200 CHF
Rist – (solo a cena) (consigliata la prenotazione) Menu 45/75 CHF – Carta 47/64 CHF
In zona collinare e verdeggiante, la vista vi sarà riconoscente per il bel panorama,
il palato per la buona cucina casalinga elaborata principalmente con prodotti biologici. La prenotazione è vivamente consigliata! Camere moderne in stile locale.

GÜTTINGEN – Thurgau (TG) – **551** U3 – **1 461 Ew** – Höhe 410 m   5 H2
– ✉ 8594
▶ Bern 200 – Frauenfeld 38 – Herisau 39 – Appenzell 54

🏠 **Seemöwe**   ← 🚗 🕭 & ⅋ 🛜 🖪 P
Hauptstr. 54 – 𝒞 071 695 10 10 – www.seemoewe.ch
15 Zim ⌂ – †95/120 CHF ††145/220 CHF – ½ P
Rest – Menü 38/57 CHF – Karte 30/73 CHF
Ein kleines Hotel - gepflegt, zeitgemäss und familiär. Von einigen Zimmern kann man den 1 km entfernten Bodensee sehen, ebenso von der Terrasse! Sie möchten länger bleiben? Man hat auch 7 Ferienwohnungen.

GUGGISBERG – Bern (BE) – **552** I8 – **1 538 Ew** – Höhe 1 118 m   7 D4
– ✉ 3158
▶ Bern 29 – Fribourg 23 – Interlaken 61 – Thun 35

🏠 **Sternen**   🐾 ← 🕭 🖼 & Rest, 🛜 P
Dorf 71 – 𝒞 031 736 10 10 – www.sternen-guggisberg.ch
9 Zim ⌂ – †85/100 CHF ††150/170 CHF – ½ P
Rest – (25 CHF) Menü 95 CHF – Karte 43/95 CHF
Der gut geführte Familienbetrieb ist ein traditioneller Gasthof mit Hotelanbau, der über hell und zeitgemäss eingerichtete Zimmer mit Aussicht aufs Freiburgerland verfügt. Am Haus befindet sich auch ein eigener Kinderspielplatz. Traditionell und saisonal speist man im Restaurant mit Blick ins Grüne.

GUNTEN – Bern (BE) – **551** K9 – Höhe 560 m – ✉ 3654   8 E5
▶ Bern 36 – Interlaken 15 – Brienz 35 – Spiez 23

🏠 **Parkhotel**   ← 🚗 🕭 🕉 🛁 🖼 ⅋ 🛜 🖪 ⌛ P
Seestr. 90 – 𝒞 033 252 88 52 – www.parkhotel-gunten.ch – geschl. 2. Januar - 8. Februar
48 Zim ⌂ – †105/147 CHF ††210/320 CHF – ½ P
Rest – (geschl. 9. Februar - Ende Mai: Dienstag - Mittwoch sowie Mitte Oktober - 2. Januar: Dienstag - Mittwoch) (24 CHF) – Karte 51/80 CHF
Das 100 Jahre alte Hotel mit Garten liegt sehr schön direkt am See, reizvoll ist der Blick aufs Berner Oberland. Die Zimmer sind meist neuzeitlich eingerichtet, teilweise auch einfacher. Modernes Restaurant mit Terrasse am Haus bzw. am See. Traditionelle Küche.

GUNZGEN – Solothurn (SO) – **551** L5 – **1 641 Ew** – Höhe 429 m   3 E3
– ✉ 4617
▶ Bern 61 – Solothurn 31 – Liestal 27 – Aarau 32

🍴🍴 **Sonne**   🕭 P
Mittelgäustr. 50 – 𝒞 062 216 16 10 – www.sonne-gunzgen.ch – geschl. Samstagmittag, Sonntag - Montag sowie an Feiertagen
Rest – Karte 63/108 CHF
Ob "Rindsfilet mit geschmortem Ochsenschwanz" oder "karamellisiertes Birnen-Chüechli mit Vanille-Quarkglace", die Küche von Lorenzo Ghilardelli zieht so manchen Gast in das ländlich gehaltene Restaurant. Im Service seine charmante Frau Bea Mettler, die Sie auch gerne berät, wenn Sie bei der Weinauswahl unentschlossen sind.

GUTTANNEN – Bern (BE) – **551** O9 – **300 Ew** – Höhe 1 060 m – ✉ 3864   8 F5
▶ Bern 100 – Andermatt 55 – Brig 72 – Interlaken 43

an der Grimselpass Strasse Süd: 6 km

🏠 **Handeck**   🐾 ← 🚗 🌊 🕉 🛜 ⌛ P
Am Grimselpass – 𝒞 033 982 36 11 – www.grimselwelt.ch – geschl. November - Mai
39 Zim ⌂ – †125/135 CHF ††210/270 CHF – ½ P
Rest – (24 CHF) Menü 19 CHF (mittags)/64 CHF – Karte 34/83 CHF
Ein familienorientiertes Hotel mit wohnlichen Zimmern, die sich auf Haupthaus, Chalet und Steinhaus verteilen. Beeindruckend ist die umgebende Hochgebirgslandschaft. Spielplatz und eigene Käserei.

an der Grimselpass Strasse Süd: 12 km

🏠🛏 **Grimsel Hospiz** 🦢 ⪡ 🚗 🛋 🛎 🕭 🤝 🏋 **P**

😎 *Grimselstrasse – ℰ 033 982 46 11 – www.grimselwelt.ch – geschl. November, Mai*
28 Zim 🖵 – ♦125 CHF ♦♦240 CHF – ½ P
Rest – *(geschl. November, Mai und von Dezember - April: Montag - Dienstag)*
(18 CHF) Menü 24 CHF (mittags)/54 CHF
Das historische Gasthaus in spektakulärer alpiner Lage in über 2000 m Höhe ist zu
einem geschmackvoll-modernen Hotel gewachsen, das dennoch den ursprünglichen Charakter wahrt. Restaurant mit rustikalem Charme.

HÄGENDORF – Solothurn (SO) – 551 L5 – 4 648 Ew – Höhe 428 m – ✉ 4614   3 E3
▶ Bern 62 – Aarau 33 – Basel 46 – Luzern 62

🍴🍴🍴 **Lampart's** 🛋 ✿ **P**

😃😃 *Oltnerstr. 19 – ℰ 062 209 70 60 – www.lamparts.ch – geschl. Weihnachten
- Mitte Januar, Mitte Juli - Anfang August 3 Wochen und Sonntag
- Montag, ausser an Adventssonntagen*
Rest – *(Tischbestellung ratsam)* (44 CHF) Menü 78 CHF (mittags)/295 CHF
– Karte 133/176 CHF🍷
Reto Lampart kocht klassisch-modern, mit Substanz, dafür ohne grosse Schnörkel.
Wer von den genussvollen Gängen der "Sinfonie plaisir" oder der "Sinfonie
naturelle" nicht genug bekommen kann, lässt sich beide Menüs zum "Concerto
grosso" kombinieren! Und es bleibt nicht beim kulinarischen Vergnügen, denn
die wundervolle alte Remise mit ihrem südfranzösischen Charme zählt zu den
schönsten Adressen der Schweiz! Nicht wegzudenken ist natürlich auch Gastgeberin Anni Lampart, die dem ohnehin schon freundlichen und versierten Service noch eine zusätzliche Portion Herzlichkeit gibt.
➜ Kalbsbrust-Carpaccio, rote Zwiebeln, schwarzer Rettich, Eierschwämmli, Kräuter-
Vinaigrette, Senfglace. St. Pierre aus Roscoff, Coco Bohnen, Wildreis, Lardo aus Ennetbürgen, Datterinotomate. Soufflé mit Kaffee, Kirschenkompott, Tahiti Vanille Glace.

HARDERN – Bern – 551 I6 – siehe Lyss

HAUTE-NENDAZ – Valais (VS) – 552 I12 – 5 389 h. – alt. 1 255 m   7 D6
– Sports d'hiver : 1 400/3 300 m ✼ 16 ⚡47 ⚡ – ✉ 1997
▶ Bern 159 – Sion 14 – Martigny 33 – Montreux 71
🛈 Route de la Télécabine 1, ℰ 027 289 55 89, www.nendaz.ch
Manifestations locales :

25-27 juillet : festival de cor des Alpes

🏠 **Les Etagnes** 🆕 🛋 🐾 🍽 🤝 🚗 **P**

😎 *Route de la Télécabine 69, (à côté du téléphérique) – ℰ 027 565 90 00
– www.lesetagnes.com – fermé mai et novembre*
8 ch 🖵 – ♦85/135 CHF ♦♦125/205 CHF – ½ P
Rest – *(fermé mai - juin, octobre - novembre; juillet - septembre : mercredi)*
(18 CHF) Menu 35 CHF – Carte 43/59 CHF
Au pied du téléphérique (parfait pour les amateurs de glisse !), un chalet tenu avec
sérieux par un couple néerlandais. Les chambres sont sobres et fonctionnelles,
dans le style contemporain, et le restaurant propose une cuisine internationale.

🍴🍴 **Mont-Rouge** 🛋

*Route de la Télécabine 23 – ℰ 027 288 11 66 – www.mont-rouge.ch – fermé juin
- mi-juillet, mardi et mercredi*
Rest – (55 CHF) Menu 55 CHF (déjeuner)/110 CHF – Carte 72/123 CHF
Les atouts de ce restaurant au cadre montagnard ? Une atmosphère élégante et
plaisante, et un jeune chef qui invite au voyage avec des mets à la fois suisses,
français et internationaux, inspirés par les produits locaux. Autre proposition : la
petite brasserie adjacente et ses plats du jour.

HAUTERIVE – Neuchâtel – 552 G7 – voir à Neuchâtel

HEIDEN – Appenzell Ausserrhoden (AR) – **551** V5 – **4 030 Ew**
– Höhe 794 m – ⊠ 9410
▶ Bern 220 – Sankt Gallen 19 – Bregenz 21 – Herisau 25
🛈 Bahnhofstr. 2, ℰ 071 898 33 01, www.heiden.ch

🏥 **Heiden** ⟨ 🚗 🛋 🖥 ⊛ 🎴 ⅃⅌ 🎐 🛋 **P**
Seeallee 8 – ℰ 071 898 15 15 – www.hotelheiden.ch
66 Zim ⌁ – 🕴165/200 CHF 🕴🕴290/400 CHF – ½ P
Rest – (23 CHF) Menü 36 CHF (mittags)/91 CHF – Karte 42/92 CHF
Die Zimmer in dem Hotel beim Kurpark sind hell und zeitgemäss gestaltet und
liegen teilweise zum See hin. Schön ist der geradlinig-moderne Bade-, Ruhe- und
Anwendungsbereich. Elegantes Restaurant "Bö's" mit hübscher Terrasse und Gar-
tenlounge.

HEIMISWIL – Bern – **551** K6 – **siehe Burgdorf**

HERBLINGEN – Schaffhausen – **551** Q3 – **siehe Schaffhausen**

HERGISWIL – Nidwalden (NW) – **551** O7 – **5 404 Ew** – Höhe 449 m
– ⊠ 6052
▶ Bern 120 – Luzern 9 – Interlaken 63 – Stans 6
🛈 Seestr. 24, ℰ 041 630 12 58, www.hergiswil.ch

🏥 **Pilatus** ⟨ 🚗 🛋 🖥 🎴 ⅃⅌ 🎐 🛋 **P**
Seestr. 34 – ℰ 041 632 30 30 – www.pilatushotel.ch
70 Zim ⌁ – 🕴115/150 CHF 🕴🕴200/265 CHF – ½ P
Rest – (24 CHF) Menü 54 CHF – Karte 43/66 CHF
Das Hotel bietet neben einem herrlichen Seeblick auch einen grossen Garten am
See mit Bootssteg sowie solide, rustikal möblierte Zimmer. Einige der Zimmer
sind etwas einfacher. Zum Restaurant gehört eine tolle Seeterrasse.

🍴🍴 **Seerestaurant Belvédère** ⟨ 🛋 🕭 🌝 ✿ **P**
𝄪 Seestr. 18a – ℰ 041 630 30 35 – www.seerestaurant-belvedere.ch – geschl.
11. Februar - 8. März und Sonntag - Montag, Juli - August: Montag
Rest – Menü 53 CHF (mittags unter der Woche)/158 CHF – Karte 94/113 CHF
Rest *Bistro* – Menü 40 CHF (mittags)/97 CHF (abends) – Karte 59/108 CHF
Schon der Blick durch die Fensterfront auf den direkt davor liegenden See ist
Grund genug, das moderne Restaurant zu besuchen - dem kann nur die frische
ambitionierte Saisonküche von Fabian Inderbitzin das Wasser reichen! Mit Bistro-
bereich.
➡ Krustentier-Eis, Scampo, Melone, Joghurt-Gelée. Hecht, Kapern, Petersilien-
Emulsion. Rindsfiletmedaillon "Rossini", gebratene Entenleber, Trüffeljus, Petersi-
lienrisotto.

HERISAU 🄺 – Appenzell Ausserrhoden (AR) – **551** U5 – **15 174 Ew**
– Höhe 771 m – ⊠ 9100
▶ Bern 200 – Sankt Gallen 12 – Bregenz 47 – Konstanz 51

🍴🍴 **Rüti** ⟨ 🛋 🕭 **P**
Rütistr. 1683, Nord-Ost: 2 km Richtung Winkeln – ℰ 071 352 32 80
– www.ruetiherisau.ch – geschl. Anfang Oktober 2 Wochen und Montag
Rest – (35 CHF) Menü 45 CHF (mittags)/105 CHF – Karte 42/94 CHF 🍷
Von dem wintergartenähnlichen, modern eingerichteten Restaurant auf dem
Hügelkamm bietet sich eine sehr schöne Sicht auf die Umgebung - ebenso von
der Terrasse! Traditionell geprägte Karte.

HERLISBERG – Luzern (LU) – **551** N6 – **239 Ew** – Höhe 737 m – ⊠ 6028
▶ Bern 102 – Aarau 30 – Luzern 23 – Zürich 63

🍴🍴 **Wirtshaus zum Herlisberg** ⟨ 🛋 🕭 ✿ **P**
Dorf – ℰ 041 930 12 80 – www.herlisberg.ch – geschl. 1. - 15. November
Rest – (30 CHF) Menü 35 CHF (mittags unter der Woche)/88 CHF
– Karte 65/110 CHF 🍷
In dem historischen Bauernhaus bieten die freundlichen und engagierten Gast-
geber in gemütlichem Rahmen regionale und saisonale Küche. Terrasse mit tol-
lem See- und Bergblick.

HERMANCE – Genève (GE) – **552** B11 – **946 h.** – **alt. 381 m** – ✉ **1248**   6 A6
▶ Bern 173 – Genève 16 – Annecy 59 – Saint-Claude 80

XX   **L'Auberge d'Hermance** ⓝ avec ch   ⤳ 🏠 📶
⊗   *Rue du Midi 12 – ℰ 022 751 13 68 – www.hotel-hermance.ch – fermé*
23 décembre - 10 janvier, mercredi midi et mardi, octobre - avril : mardi et
mercredi
6 ch ⬚ – ♥185/205 CHF ♥♥280/310 CHF – 2 suites
Rest – (20 CHF) Menu 42 CHF (déjeuner en semaine)/160 CHF – Carte 87/124 CHF
Une auberge pleine de chaleur, au cœur de la cité médiévale. Le jeune chef valorise les produits du terroir avec finesse et modernité, et l'on s'installe au coin de
la cheminée ou sur la terrasse, selon la saison... Pour les dormeurs, plusieurs
chambres coquettes et bien équipées sont disponibles à l'étage.

HERRLIBERG – Zürich (ZH) – **551** Q5 – **6 130 Ew** – **Höhe 445 m**   4 G3
– ✉ **8704**
▶ Bern 137 – Zürich 12 – Zug 47 – Schwyz 71

X   **Buech**   ⤳ 🏠 ⚘ 🅿
Forchstr. 267 – ℰ 044 915 10 10 – www.restaurantbuech.ch
Rest – (42 CHF) – Karte 70/120 CHF
Diese reizende und überaus gemütliche Adresse hat man sicherlich nie für sich
alleine - nicht bei dem Ausblick! Wenn das Wetter es zulässt, sollten Sie unbe-
dingt auf der rebenberankten Terrasse essen.

X   **Rebe** ⓝ mit Zim   🏠 📶 ↻ 🚗
Dorf 20 – ℰ 044 915 27 27 – www.rebeherrliberg.ch – geschl. 26. Dezember
- 3. Januar, Februar 1 Woche, Mitte Juli - Mitte August 1 Woche, Oktober 1
Woche und Montag, Samstagmittag, Sonntagmittag
10 Zim ⬚ – ♥100/160 CHF ♥♥140/200 CHF – ½ P
Rest – (22 CHF) – Karte 40/88 CHF
Betreiberin Jeannin Meili hat frischen Wind in das über 300 Jahre alte Riegelhaus
gebracht: rustikale Eleganz (nett die recht derben blanken Tische) gepaart mit der
guten traditionellen Küche von Felipe Almeida. Und zum Übernachten: hübsche
Zimmer mit individueller Note.

HERTENSTEIN – Luzern – **551** O7 – **siehe Weggis**

HESSIGKOFEN – Solothurn (SO) – **551** J6 – **261 Ew** – **Höhe 586 m**   2 D3
– ✉ **4577**
▶ Bern 34 – Solothurn 13 – Delémont 66 – Aarau 65

X   **Taverna Romana im Sternen** ⓝ   🏠 ⚘ ↻ 🅿
⊗   *Hauptstr. 24 – ℰ 032 315 74 75 – www.tavernaromana.ch – geschl. Anfang*
- Mitte Februar, Mitte - Ende Juni und Montag - Dienstag
Rest – (18 CHF) Menü 85 CHF – Karte 54/91 CHF
Mitten in dem kleinen Ort steht der "Sternen", ein sehr schönes Riegelhaus a. d.
19. Jh., in das nun Familie Meola mit ihrer Taverna eingezogen ist. Und hier heisst
es frische italienische Küche, z. B. als "Branzino alle Vongole e Cozze" oder als inte-
ressantes Menu Degustazione "Pesce" oder "Carne". Dazu eine nette Weinauswahl.

HIRZEL – Zürich – **551** Q6 – **siehe Sihlbrugg**

HOCHDORF – Luzern (LU) – **551** O6 – **8 822 Ew** – **Höhe 482 m** – ✉ **6280**   4 F3
▶ Bern 122 – Aarau 41 – Luzern 20 – Stans 31

XX   **Braui - Gourmet**   🏠 ⚱
Brauiplatz 5 – ℰ 041 910 16 66 – www.restaurantbraui.ch – geschl. Weihnachten
- Anfang Januar, Februar 2 Wochen, Juli - August 3 Wochen und Samstagmittag,
Sonntag - Montag
Rest – (Tischbestellung ratsam) (25 CHF) Menü 105/125 CHF
– Karte 81/119 CHF ⚱
Rest *Brasserie* ⚱ – siehe Restaurantauswahl
Bevor Sie die modern-saisonalen Speisen und die guten Weine geniessen, können
Sie direkt in der Küche mit dem Chef persönlich Ihr Menü besprechen! Wenn es
mittags schneller gehen soll: Da gibt es Lunchmenü und Plat du Jour.

�X **Brasserie** – Restaurant Braui - Gourmet   🏠 ₺

🍷 *Brauiplatz 5 – ☎ 041 910 16 66 – www.restaurantbraui.ch – geschl. Weihnachten*

🍴 *- Anfang Januar, Februar 2 Wochen, Juli - August 3 Wochen und Samstagmittag,*

😊 *Sonntag - Montag*

Rest *– (Tischbestellung ratsam)* (19 CHF) Menü 49 CHF (mittags)
– Karte 53/109 CHF 🍷

In der Brasserie geht es etwas einfacher zu, die Küche ist aber nicht weniger frisch und schmackhaft. Lassen Sie sich nicht die Metzgete des Hauses entgehen! Mittags bekommt man das gleiche Angebot wie im Gourmet.

HOMBURG – Thurgau – **551** S3 – **1 462 Ew** – Höhe 600 m – ⊠ 8508   4 G2
▶ Bern 180 – Frauenfeld 18 – Zürich 61 – Herisau 51

�X X **Schloss Klingenberg** ❶   🏠 ⟳ **P**

Klingenbergstr. 1, Süd : 2 km – ☎ 052 763 26 31
– www.restaurant-klingenberg.ch – geschl. Januar 2 Wochen, Oktober 2 Wochen
und Mittwoch - Donnerstag
Rest – (25 CHF) Menü 65/120 CHF

In dem ehemaligen Bischofssitz, dessen Geschichte bis ins Jahr 1341 zurückreicht, hat Stefan Pfanzelt heute sein Refugium. In historisch-klassischem Ambiente (schön mit Parkett, Lüster, Stuckdecke...) oder auf der Terrasse lässt man sich z. B. "Rindsfilet mit Kartoffelkompott, grünem Spargel und Portweinjus" servieren, dazu gibt es eine gute Weinauswahl mit rund 180 Positionen. Stilgerecht übernachten kann man in den drei Gästezimmern. Hauseigene Kapelle.

HORGEN – Zürich (ZH) – **551** Q5 – **19 095 Ew** – Höhe 409 m – ⊠ 8810   4 G3
▶ Bern 146 – Zürich 21 – Luzern 47 – Schwyz 41

🏨 **Meierhof** garni   ⟨ 🛁 🛗 🛜 🏋 🚗

Bahnhofstr. 4 – ☎ 044 728 91 91 – www.hotelmeierhof.ch
108 Zim ☐ – ♦225/285 CHF ♦♦250/300 CHF

Von vielen Zimmern hat man Seesicht, die EZ sind allerdings recht klein. "Lounge au lac" in frischem Pink: Frühstücken und dabei vom 5. Stock den Blick auf den Zürichsee geniessen. "Activ Fitness" inklusive.

🏠 **Schwan**   🛜

Zugerstr. 9, (am Schwanenplatz) – ☎ 044 725 47 19 – www.hotel-schwan.ch
18 Zim ☐ – ♦150/190 CHF ♦♦200/260 CHF – 2 Suiten
Rest *Schwan* – siehe Restaurantauswahl

Beschaulich, charmant, gemütlich... Ein schmucker alter Gasthof (1466 erstmals erwähnt) am Schwanenplatz mitten in Horgen. Romantik kommt auch in den Zimmern und im Restaurant auf: stilvolles Dekor und schöne Stoffe. Parkhaus in der Nähe.

�X X **Schwan** – Hotel Schwan   🏠

Zugerstr. 9, (am Schwanenplatz) – ☎ 044 725 47 19 – www.hotel-schwan.ch
– geschl. 21. Juli - 10. August und Sonntag - Montag
Rest – (31 CHF) Menü 49 CHF (mittags)/98 CHF – Karte 60/105 CHF

Die fröhlich gestreiften Hussen der Stühle passen wunderbar zum floralen Dekor der Vorhänge - herrlich ist es im Sommer auf dem Plätzchen vor dem Restaurant am plätschernden Schwanenbrunnen. Italienische Küche.

HORN – Thurgau (TG) – **551** V4 – **2 595 Ew** – Höhe 403 m – ⊠ 9326   5 I2
▶ Bern 217 – Sankt Gallen 12 – Bregenz 35 – Frauenfeld 58

🏨🏨 **Bad Horn**   ⟨ 🚗 🏠 🗔 🌐 🍴 🛁 🛗 ₺ 🆎 Rest, 🛜 🏋 🚗 **P**

Seestr. 36 – ☎ 071 844 51 51 – www.badhorn.ch
65 Zim ☐ – ♦140/210 CHF ♦♦220/350 CHF – 2 Suiten – ½ P
Rest *Captains Grill* – siehe Restaurantauswahl
Rest *Al Porto* – (25 CHF) Menü 25 CHF (mittags) – Karte 50/81 CHF

Für Ihren Urlaub am See ist das hier ein Logenplatz! Von vielen Zimmern geniesst man den Ausblick, vom modernen Spa auf 1500 qm hat man direkten Zugang zum See und sogar eine Anlegestelle für Schiffe ist vorhanden! Nicht anders sieht es bei den Restaurants aus: alle mit Seeterrasse.

XX **Captains Grill** – Hotel Bad Horn   ≤ 帝 ᕒ AC P
Seestr. 36 – ℰ *071 844 51 51* – *www.badhorn.ch*
Rest – (45 CHF) Menü 42 CHF (mittags)/115 CHF – Karte 73/89 CHF
Der Blick auf den Bodensee ist natürlich auch hier von der Terrasse am schönsten!
Die Küche ist international geprägt und kann auch in Form eines Gourmetmenüs
bestellt werden.

HORW – Luzern – **551** O7 – siehe Luzern

HÜNENBERG – Zug (ZG) – **551** P6 – **8 795 Ew** – **Höhe 451 m** – ☒ **6331**   4 F3
▶ Bern 127 – Luzern 23 – Zürich 46 – Aarau 47

XX **Wart**   帝 ⇔ P
Wart 1, Nord: 1 km Richtung Wart - Sankt Wolfgang – ℰ *041 780 12 43*
– *www.wart.ch* – *geschl. Ende Februar 2 Wochen, Ende Juli - Anfang August und*
Sonntagabend - Montag
Rest – *(Tischbestellung ratsam)* (23 CHF) Menü 23 CHF (mittags unter der
Woche)/60 CHF – Karte 72/118 CHF
Etwas ausserhalb finden Sie das alleinstehende historische Haus - hübsch anzu-
schauen ist die bemalte Fassade. In einer schön getäferten Stube bietet man
eine traditionelle Küche mit internationalen und regionalen Einflüssen.

HÜTTENLEBEN – Schaffhausen – **551** Q2 – siehe Thayngen

HURDEN – Schwyz (SZ) – **551** R6 – **272 Ew** – **Höhe 411 m** – ☒ **8640**   4 G3
▶ Bern 162 – Zürich 37 – Rapperswil 3 – Schwyz 32

🏠 **Rössli** ◐   ≤ 帝 ⌂ 令 ᕫ P
Hurdnerstr. 137 – ℰ *055 416 21 21* – *www.hotel-restaurant-roessli.ch*
23 Zim ☑ – ♦145/185 CHF ♦♦180/240 CHF – 5 Suiten – ½ P
Rest – (36 CHF) Menü 45/86 CHF – Karte 56/101 CHF
Hier wurde einiges investiert und so wohnt es sich in dem Hotel auf einer Land-
zunge mitten im Zürichsee richtig schön: Wählen Sie zwischen modernen Zimmern, Suiten und Service-Appartements (für Longstays oder auch nur für eine
Nacht) und nehmen Sie zum Essen (gekocht wird überwiegend traditionell) am
besten auf der traumhaften Terrasse am See Platz! Sollte das Wetter nicht mit-
spielen, ist das Restaurant mit seinem geradlinigen Design eine wirklich ansprechende Alternative.

XX **Markus Gass zum Adler**   ≤ 帝 AC P
✿ *Hurdnerstr. 143* – ℰ *055 410 45 45* – *www.mg-adlerhurden.ch* – *geschl. Februar*
3 Wochen, Oktober 3 Wochen und Montag - Dienstag
Rest – *(Tischbestellung ratsam)* (55 CHF) Menü 85 CHF (mittags unter der
Woche)/175 CHF – Karte 111/155 CHF ⊱
Es ist schon ein besonderer Gasthof, der "Adler" von Markus Gass, denn das top
gepflegte Haus liegt nicht nur schön (vor allem die Terrasse zum See... sensatio-
nell!), auch die angenehm schlicht-moderne Atmosphäre des Restaurants ist etwas
zum Wohlfühlen! Und die Küche? Der Patron ist Koch mit Leib und Seele, seine
Gerichte sind geradlinig, intensiv und unkompliziert - vielleicht ein bisschen wie
er selbst? Tolles Mittagsmenü zu fairem Preis!
→ Der Atlantik Hummer auf Salat von Mango und Purple Curry-Mayonnaise. Die
Périgord Entenleber mit Aprikosen und sizilianischen Mandeln. Die Ente von Mieral mit Lavendelhonig glasiert auf Spitzkohl und Kartoffel-Mousseline (2 Pers.).

HUTTWIL – Bern (BE) – **551** L6 – **4 689 Ew** – **Höhe 638 m** – ☒ **4950**   3 E3
▶ Bern 48 – Luzern 48 – Olten 43 – Thun 74

🏠 **Kleiner Prinz**   ᕫ ⌂ Zim, 令 ᕫ P
⊜ *Marktgasse 5* – ℰ *062 962 20 10* – *www.kleiner-prinz.ch* – *gsechl. 20. Juli*
- 10. August
30 Zim ☑ – ♦85/95 CHF ♦♦160/170 CHF – ½ P
Rest *Mohrenkönig* – *(geschl. Montag)* (17 CHF) – Karte 25/56 CHF
Der 1469 erstmals urkundlich erwähnte traditionelle Gasthof ist ein netter Familienbetrieb, dessen Zimmer im Haupthaus rustikal, im Gästehaus neuzeitlicher sind.
Eine Weinpresse und Bilder des Künstlers Anker zieren das in ländlichem Stil
gehaltene Restaurant.

ILANZ – Graubünden (GR) – **553** T9 – **2 327 Ew** – **Höhe 698 m** – ⊠ **7130**   10 H4
▶ Bern 209 – Chur 34 – Bad Ragaz 53 – Disentis 32

in Schnaus Nord-West: 3 km – Höhe 713 m – ⊠ 7130

※※   **Stiva Veglia**   ⇱ ⅋ ⇔ **P.**
– ℰ 081 925 41 21 – www.stiva.veglia.ch – geschl. 22. April - 24. Mai,
2. November - 6. Dezember und Mittwoch - Donnerstag, im Winter: Mittwoch
- Donnerstagmittag
Rest – (abends Tischbestellung ratsam) Menü 87 CHF (mittags)/142 CHF
– Karte 72/125 CHF
Man sieht es dem wunderbaren, liebevoll restaurierten Bündnerhaus von 1761
förmlich an, dass sein Besitzer Architekt ist. Drinnen zwei heimelige Stuben ganz
in Holz (im Winter bringt der Specksteinofen wohlige Wärme), draussen die hübsche weinberankte Terrasse. Tino Zimmermann kocht schmackhaft und zeitge-
mäss-regional. Weinliebhaber aufgepasst: Es gibt eine schöne Auswahl an Mag-
num-Flaschen Rotwein!

ILLNAU – Zürich (ZH) – **551** Q5 – **Höhe 517 m** – ⊠ **8308**   4 G2
▶ Bern 145 – Zürich 24 – Rapperswil 29 – Wil 50

※※   **Rössli** mit Zim   ⇱ ⅑ Rest. � 🛜 ⇔ **P.**
Kempttalstr. 52 – ℰ 052 235 26 62 – www.roessli-illnau.ch – geschl. 21. Juli
- 3. August
6 Zim � – ♦120 CHF ♦♦180 CHF
Rest – (37 CHF) Menü 58/98 CHF – Karte 58/102 CHF
Vreni und René Kaufmann sind Gastgeber mit Leib und Seele. Sie setzen auf eine
Mischung aus Moderne und Tradition. Die Küche ist saisonal und ambitioniert
- am besten lässt man sie sich im Garten servieren! In den Zimmern: geradliniger
Stil und alte Holzdecken.

INTERLAKEN – Bern (BE) – **551** L9 – **5 468 Ew** – **Höhe 564 m** – ⊠ **3800**   8 E5
▶ Bern 57 – Luzern 68 – Montreux 149 – Sion 88
🅸 Höheweg 37 A1, ℰ 033 826 53 00, www.interlaken.ch
🆘 Interlaken-Unterseen, West: 2 km Richtung Gonten über Seestrasse,
ℰ 033 823 60 16

Lokale Veranstaltungen:
1. August: August-Feier mit Freuerwerk & Festumzug
Mitte Juni-Anfang September: Tell Freilichtspiele
◉ Lage★★★ • Höheweg★★ (Aussicht★★★)AB1 • Ansicht★ der Kirche von
Unterseen**B**A1
◉ Jungfraujoch★★★ mit Bahn • Schynige Platte★★, Süd-Ost: 2,5 km über
Gsteigstrasse B2 und Zahnradbahn • Harderkulm★★ mit Standseilbahn B1
• Heimwehfluh★ A2

🏨🏨🏨 **Victoria-Jungfrau**   ⇐ ⌾ ⇱ 🏊 📺 ⓦ ⅑ ⅄ ⅋ 🏋 ⌖ 🛜 ♨ 🛥   A1**g**
Höheweg 41 – ℰ 033 828 28 28 – www.victoria-jungfrau.ch
215 Zim ⊔ – ♦405/605 CHF ♦♦450/650 CHF – 9 Suiten – ½ P
Rest La Terrasse
Rest Jungfrau Brasserie – siehe Restaurantauswahl
Rest Quaranta Uno – ℰ 033 828 26 53 – Menü 33/45 CHF (mittags)
– Karte 52/102 CHF
Wirklich ein imposantes Haus, ein Grandhotel eben! Top der Service, elegant die
Einrichtung, herrlich die alten Säle, exklusiv der Spa (mit japanischem "Sensai
Select Spa"), toll die Terrasse vor dem Haus... Die "Bel Air Junior Suiten" über
dem Spa sind perfekt für den Wellness-Aufenthalt! Im geradlinig gestalteten Qua-
ranta Uno bekommen Sie ambitionierte italienische Küche.

🏨🏨🏨 **Lindner Grand Hotel Beau Rivage**   ⇐ ⌾ ⅌ 📺 ⓦ ⅑ 🏋 🖥 ⅄
Höheweg 211 – ℰ 033 826 70 07 – www.lindnerhotels.de   🛜 ♨ **P.**
98 Zim ⊔ – ♦169/469 CHF ♦♦249/669 CHF – 3 Suiten – ½ P   B1**t**
Rest L'Ambiance / La Bonne Fourchette – siehe Restaurantauswahl
Aus dem 19. Jh. stammt das traditionsreiche Grandhotel, das angenehm in einem
Park liegt. Klassisches Ambiente bestimmt das Haus, neuzeitlicher Stil im Spa.
Belle Epoque-Saal.

245

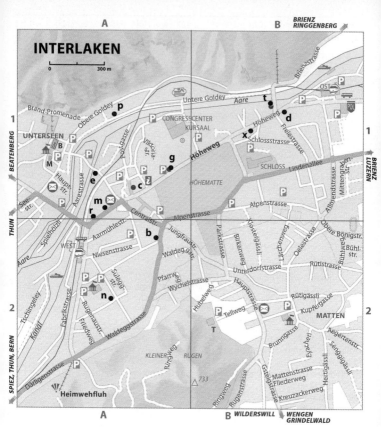

INTERLAKEN

BRIENZ RINGGENBERG

BEATENBERG

THUN

SPIEZ, THUN, BERN

BRIENZ LUZERN

WILDERSWILL WENGEN GRINDELWALD

🏠 **Krebs** 🛜🛎️♿️⚙️🤏P

Bahnhofstr. 4 – ☎ 033 826 03 30 – www.krebshotel.ch A1**m**
42 Zim 🖵 – †165/290 CHF ††200/460 CHF – 2 Suiten – ½ P
Rest – (geschl. Januar - März: Montag - Dienstag) (20 CHF) Menü 32 CHF
(abends) – Karte 34/83 CHF
Das Hotel mitten im lebendigen Zentrum, nicht weit vom Bahnhof Interlaken West,
vereint auf ansprechende Weise traditionelle Architektur mit schöner moderner Einrichtung. Restaurant mit internationalem Angebot. Nett ist die Lounge-Terrasse.

🏠 **Goldey** 🛜⟨⟩🍴♿️🤏P

Obere Goldey 85 – ☎ 033 826 44 45 – www.goldey.ch – geschl. Dezember - Februar
39 Zim 🖵 – †130/190 CHF ††160/280 CHF – 1 Suite – ½ P A1**p**
Rest – (nur Abendessen für Hausgäste)
In ruhiger Lage oberhalb der Aare findet man dieses Hotel in zeitgemässem Stil.
Die Südzimmer bieten Balkon und Bergblick. Besonders komfortabel und modern:
die "Loverooms".

🏠 **Interlaken** ⟨⟩🛜🏠🛎️🤏P

Höheweg 74 – ☎ 033 826 68 68 – www.hotelinterlaken.ch – geschl. 20. Januar - 12. Februar
61 Zim 🖵 – †116/250 CHF ††176/325 CHF – ½ P B1**x**
Rest – (geschl. Januar - Februar 3 Wochen) (Januar - Mitte April: Sonntag
- Montag) (18 CHF) – Karte 44/79 CHF
Das 1323 erstmals erwähnte Klostergasthaus beim kleinen japanischen Garten ist das
älteste Hotel Interlakens, das heute wohnlich-moderne oder klassisch-gediegene Zim-
mer bietet. Internationale Küche im gemütlich-neuzeitlichen Restaurant. Mit netter
Lounge/Bar.

🏨 **Carlton - Europe** garni   🚗 🕍 🖥 🛜 🧖 🅿
Höheweg 94 – ☏ 033 826 01 60 – www.carltoneurope.ch   **B1d**
75 Zim 🍽 – 🛏120/190 CHF 🛏🛏180/320 CHF
Zwei klassische Hotelgebäude nahe dem Ost-Bahnhof beherbergen sehr unterschiedliche Zimmer. Schöner Frühstücksraum im Jugendstil. Kosmetik und Massageangebot.

🏨 **Stella**   🏡 🗔 🖥 🛜 🧖 🅿
General Guisan Str. 2 – ☏ 033 822 88 71 – www.stella-hotel.ch – geschl.
23. Februar - 13. März   **A2b**
30 Zim 🍽 – 🛏135/245 CHF 🛏🛏170/405 CHF – ½ P
Rest *Stellambiente* – (25 CHF) Menü 55 CHF (abends)/95 CHF – Karte 40/103 CHF
Der traditionsreiche Familienbetrieb ist ein vor über 150 Jahren erbautes und inzwischen erweitertes Haus. Die freundlichen Gastgeber bieten ganz individuelle Zimmer. Das Restaurant ist neuzeitlich gestaltet und saisonal dekoriert. Internationale Küche.

🏠 **Bernerhof** garni   🖥 🛜 🅿
Bahnhofstr. 16 – ☏ 033 826 76 76 – www.bestwestern-bernerhof.ch
43 Zim 🍽 – 🛏110/190 CHF 🛏🛏160/300 CHF   **A1r**
Auch wenn die Fassade schon ein bisschen in die Jahre gekommen ist, so bietet das Hotel doch gepflegte und funktionale Zimmer, meist sogar mit Balkon. Ein Vorteil ist auch die praktische Lage nahe dem Bahnhof West.

🏠 **Bellevue** garni   🚗 🖥 🛜 🅿
Marktgasse 59 – ☏ 033 822 44 31 – www.hotel-bellevue-interlaken.ch
37 Zim 🍽 – 🛏105/210 CHF 🛏🛏165/305 CHF   **A1e**
Das Jugendstilhaus liegt schön an der Aare im Ortskern und verfügt über gediegene wie auch modernere Zimmer und einen hübschen hellen Frühstücksraum in historischem Rahmen.

🏠 **De la Paix** garni   🖥 🛜 🅿
Bernastr. 24 – ☏ 033 822 70 44 – www.hotel-de-la-paix.ch – geschl. Ende
Oktober - April   **A2n**
21 Zim 🍽 – 🛏90/140 CHF 🛏🛏130/220 CHF
Das hübsche Gebäude von 1910 ist eine familiäre Adresse mit individuellen Zimmern. Überall im Haus finden sich Antiquitäten und alte Uhren. Kleiner Garten.

XXXX **La Terrasse** – Hotel Victoria-Jungfrau   🏡 � 🖫
Höheweg 41 – ☏ 033 828 26 41 – www.victoria-jungfrau.ch – geschl. Sonntag
- Montag   **A1g**
Rest – *(nur Abendessen)* Menü 170 CHF – Karte 94/138 CHF 🍷
Eine klassische Servicebrigade umsorgt Sie in eleganter Atmosphäre, dazu dezente Pianomusik. Während Sie zeitgemässe Küche und gute Weinberatung geniessen, schauen Sie durch die Fensterfront (im Sommer lässt sie sich öffnen!) auf die Berge.

XXX **L'Ambiance / La Bonne Fourchette** – Lindner Grand Hotel Beau Rivage
Höheweg 211 – ☏ 033 826 70 07   ⇐ 🅿 🏡 🖫 🅿
- www.lindnerhotels.ch   **B1t**
Rest – Menü 59/99 CHF – Karte 55/87 CHF
In den Sommermonaten speisen Sie in dem in leuchtenden Gelbtönen eingerichteten L'Ambiance oder bei geeigneten Temperaturen auch auf der herrlichen Terrasse mit Blick auf die Aare. Im Winter öffnet das La Bonne Fourchette mit knisterndem Kaminfeuer seine Pforten.

XX **Jungfrau Brasserie** – Hotel Victoria-Jungfrau   🏡 ⅊
Höheweg 41 – ☏ 033 828 26 53 – www.victoria-jungfrau.ch – geschl. Dienstag
- Donnerstag   **A1g**
Rest – *(nur Abendessen)* (47 CHF) Menü 85 CHF – Karte 64/90 CHF
Ein besonderes Flair verbreitet der wunderschön erhaltene Jugendstilsaal mit Täferung und sehenswerten Malereien. Geboten wird eine moderne Schweizer Küche, sonntags zusätzlich Brunch.

X **Spice India** 🛜 ✪

Postgasse 6 – 𝒞 033 821 00 91 – www.spice-india.net – geschl. Montag,
Dezember - Februar: Montagabend A1**c**
Rest – Karte 44/58 CHF
Hier umgibt Sie der Duft indischer Gewürze. Viele der authentischen Gerichte
werden in dem aus Indien importierten Tandoori-Ofen zubereitet. Lounge sowie
Nebenraum für Gruppen.

in Bönigen Ost: 2 km über Lindenallee B1 – Höhe 568 m – ✉ 3806

🏨 **Seiler au Lac** ⅏ ⪡ 🛋 🏠 🔳 ⅋ 🛜 🅿

am Quai 3 – 𝒞 033 828 90 90 – www.seileraulac.ch – geschl. 30. Oktober
- 1. April
42 Zim ⌷ – 🛏120/190 CHF 🛏🛏240/326 CHF – ½ P
Rest – *(geschl. Montag, April: Montag - Dienstag)* (24 CHF) Menü 32 CHF (mittags
unter der Woche)/64 CHF – Karte 47/93 CHF
Am Ufer des Brienzersees gelegenes Hotel mit klassischem Rahmen und recht
geräumigen Zimmern. Besonders beliebt sind die Zimmer zum See mit Balkon
und herrlicher Aussicht. Gediegenes Restaurant und rustikale Pizzeria.

🏠 **Seehotel** ⅏ ⪡ 🛋 🔳 ⅋ Rest, ⅌ Rest, ⅍ 🅿

Seestr. 22 – 𝒞 033 827 07 70 – www.seehotel-boenigen.ch – geschl. Januar,
November
39 Zim ⌷ – 🛏90/120 CHF 🛏🛏197/247 CHF – 1 Suite – ½ P
Rest – *(geschl. 20. Dezember - Januar, Oktober - November und Februar - April:*
Montag - Dienstag) Menü 25 CHF – Karte 36/90 CHF
Das gepflegte familiär geleitete Ferienhotel in schöner ruhiger Lage verfügt über
teilweise seeseitig gelegene Zimmer, die besonders gefragt sind. Im Restaurant
bietet man in geradlinig-modernem Ambiente eine junge, frische Schweizer
Küche. Terrasse zum See.

in Wilderswil Süd-Ost: 4 km über Gsteigstrasse B2 – Höhe 584 m – ✉ 3812

🏠 **Berghof Amaranth** ⅏ ⪡ 🛋 ⛶ 🔳 ⅋ Rest, 🛜 🅿

Oberdorfstr. 23 – 𝒞 033 822 75 66 – www.hotel-berghof.ch – geschl.
1. November - 15. Dezember
40 Zim ⌷ – 🛏55/115 CHF 🛏🛏110/290 CHF – ½ P
Rest – *(nur Abendessen)* Menü 25/49 CHF – Karte 35/49 CHF
Eine familiäre Adresse in toller Lage. Neuzeitliche Superior-Zimmer mit Sicht auf
Jungfrau und Eiger, Standard-Zimmer mit Seeblick. Schön ist der Garten mit
Pool. Kinderspielplatz.

🏠 **Alpenblick** 🛋 ⅍ 🅿

Oberdorfstr. 3 – 𝒞 033 828 35 50 – www.hotel-alpenblick.ch
35 Zim ⌷ – 🛏75/180 CHF 🛏🛏140/280 CHF – ½ P
Rest *Gourmetstübli* ✿ **Rest** *Dorfstube* ⊕ – siehe Restaurantauswahl
Sehr aufmerksam sind die Gastgeber Yvonne und Richard Stöckli hier bei der
Sache. Es ist ein typischer Schweizer Gasthof, der in verschiedenen Häusern Zim-
mer von zweckmässig bis zeitgemäss-wohnlich bietet, manche mit Balkon.

XX **Gourmetstübli** (Richard Stöckli) – Hotel Alpenblick 🛜 🅿
✿
Oberdorfstr. 3 – 𝒞 033 828 35 50 – www.hotel-alpenblick.ch – geschl. Anfang
November - Anfang Dezember und Montag - Dienstag
Rest – Menü 105/195 CHF – Karte 117/133 CHF ⅍
Für Gourmets die passende Restaurant-Variante im Hause Stöckli: intim, gemüt-
lich-elegant und gehoben. Für seine saisonale und kreative Küche verwendet der
Chef vor allem regionale Produkte. Auch die Auswahl an Schweizer und interna-
tionalen Weinen kann sich sehen lassen, ebenso die Beratung durch die Chefin!
→ Saibling in der Salzkruste mit Kräutern und diversen kaltgepressten Olivenölen
(2 Pers.). Simmentaler Kalbskotelett mit Erbsli und Rüebli. Knusprig gebratenes
Hereford Rinds-Entrecôte mit drei Saucen.

X **Dorfstube** – Hotel Alpenblick 🖼 **P**

Oberdorfstr. 3 – ☏ 033 828 35 50 – www.hotel-alpenblick.ch – geschl. Anfang November - Anfang Dezember und Montag - Dienstag, Juli - August: Montag - Dienstagmittag

Rest – (19 CHF) Menü 32 CHF (mittags unter der Woche)/58 CHF – Karte 51/91 CHF

Warmes, heimeliges Holz und charmanter Zierrat, wohin man schaut! Patron Richard Stöckli kocht regional - so kommen Kalbsleberli, Rösti Co. auf den hübsch eingedeckten Tisch!

INTRAGNA – Ticino – 553 Q12 – **vedere Centovalli**

ISELTWALD – Bern (BE) – 551 M9 – **424 Ew** – **Höhe 566 m** – ⊠ 3807   8 E5
▶ Bern 67 – Interlaken 11 – Brienz 15 – Luzern 59

🏠 **Chalet du Lac** ⑊ ≼ 🖼 🛜 🔏 **P**

Schoren – ☏ 033 845 84 58 – www.dulac-iseltwald.ch – geschl. November - Februar

21 Zim ⊑ – ♦65/125 CHF ♦♦110/210 CHF – ½ P

Rest – (geschl. Oktober - April: Montag - Dienstag) (16 CHF) – Karte 31/75 CHF

In herrlicher Lage am Brienzersee steht dieses schöne Haus im Chalet-Stil mit seinen wohnlichen Gästezimmern. Die meisten Zimmer verfügen über einen Balkon zum See. Im Restaurant erwartet Sie ein günstiges traditionelles Angebot mit vielen Fischspezialitäten. Nett ist die grosse Terrasse mit Seeblick.

JOUX (Vallée de) – Vaud (VD) – **Sports d'hiver : 1 010/1 437 m ⚡9 ⚡**   6 A5
▶ Bern 120 – Lausanne 69 – Genève 71 – Neuchâtel 86
🛈 Rue de l'Orbe 8, ☏ 021 845 17 77, www.myvalleedejoux.ch

Manifestations locales :

28-29 juin : XTERRA Switzerland

6 juillet : Slow Up

13-16 août : Hockeyades

27 septembre : fête du Vacherin Mont d'Or

◎ Site★★ • Dent de Vaulion★★ (❊★★)

LE BRASSUS – Vaud (VD) – 552 B9 – **alt. 1 022 m** – ⊠ 1348

▶ Bern 121 – Lausanne 49 – Les Rousses 16 – Vallorbe 21

🏨 **Des Horlogers** ≼ 🐾 🖪 📶 🛜 🔏 **P**

Route de France 8 – ☏ 021 845 08 45 – www.hotel-horlogers.ch – fermé 20 décembre - 3 janvier, 18 - 27 avril et 18 juillet - 10 août

27 ch ⊑ – ♦185/330 CHF ♦♦260/420 CHF – ½ P

Rest *Brasserie Le Carillon* ⊛ **Rest** *Le Chronographe* – voir la sélection des restaurants

Dans cette grande bâtisse donnant sur la vallée de Joux, il n'est pas rare de croiser des hommes d'affaires (horlogerie oblige !) et des amateurs de sports nature. On vient pour les chambres, cossues, et les restaurants, placés sous la houlette de Philippe Guignard.

XXX **Le Chronographe** – Hôtel Des Horlogers ≼ 🍷 ⇆ **P**

Route de France 8 – ☏ 021 845 08 45 – www.hotel-horlogers.ch – fermé 20 décembre - 3 janvier, 18 - 27 avril, 18 juillet - 10 août, samedi midi et dimanche

Rest – Menu 62 CHF (déjeuner)/122 CHF – Carte 71/120 CHF

Que le paysage soit verdoyant ou couvert de neige, la vue offerte à table est toujours agréable ! La cuisine, classique, tire parti de produits bien sélectionnés. Et il faut goûter la pâtisserie, spécialité de la maison.

X **Brasserie Le Carillon** – Hôtel Des Horlogers 🖼 🕭 **P**

Route de France 8 – ☏ 021 845 08 45 – www.hotel-horlogers.ch – fermé 20 décembre - 3 janvier, 18 - 27 avril, 18 juillet - 10 août et dimanche soir

Rest – (20 CHF) Menu 26 CHF (déjeuner en semaine) – Carte 57/87 CHF

Un excellent rapport qualité-prix dans cette luxueuse brasserie, où les saveurs sonnent juste ! Terrine de chevreuil au foie gras, tartare de bœuf au couteau, râbles de lièvre en tournedos, etc. : spécialités et produits du terroir sont à l'honneur.

LE SENTIER – Vaud (VD) – 552 B9 – alt. 1 024 m – ⊠ 1347

▶ Bern 118 – Lausanne 66 – Les Rousses 21 – Vallorbe 19

⌂ **Bellevue Le Rocheray**   ॐ ≼ 龠 ℀ ch, 令 வ P
Le Rocheray 23, (au lac) – ℰ 021 845 57 20 – www.rocheray.ch
– fermé 17 décembre - 6 janvier
20 ch ⌂ – ♦140/170 CHF ♦♦180/230 CHF – 2 suites – ½ P
Rest – (fermé dimanche soir) (19 CHF) Menu 49/71 CHF – Carte 43/78 CHF
Pour de douces nuits sur les rives du lac de Joux… Dans les chambres, la simplicité est de mise, et elle va bien à la tranquillité du site et au joli panorama. Restaurant et brasserie.

KANDERSTEG – Bern (BE) – 551 K10 – 1 220 Ew – Höhe 1 176 m   8 E5
– Wintersport : 1 200/1 700 m ⚞1 ⚟2 ⚟ – ⊠ 3718
▶ Bern 66 – Interlaken 45 – Montreux 156 – Sion 47
🚆 Kandersteg - Goppenstein, Information ℰ 058 327 27 27, 0900 553 333
🛈 Hauptstrasse, ℰ 033 675 80 80, www.kandersteg.ch
Lokale Veranstaltungen:
   19.-26. Januar: Belle-Epoque-Woche
   14.-16. Februar: Schlittenhunderennen - Weltmeisterschaften
   30.-31. März: Ski Marathon
◉ Lage★
Ⓖ Oeschinensee★★★ • Klus★★

⌂⌂ **Waldhotel Doldenhorn**   ॐ ≼ 龠 🖻 🏠 🖺 ⅙ ℀ 令 வ P
Vielfalle, Süd: 1,5 km – ℰ 033 675 81 81 – www.doldenhorn-ruedihus.ch
40 Zim ⌂ – ♦150/230 CHF ♦♦270/490 CHF – 3 Suiten – ½ P
Rest Au Gourmet **Rest** Burestube – siehe Restaurantauswahl
Idyllische Lage am Ortsrand, wohnliches Ambiente, freundliche Führung und guter Service… beste Voraussetzungen für erholsame Ferien! Einige der Zimmer und luxuriöse Suiten/Juniorsuiten sind in modernem Stil gehalten. Sehr ansprechend auch der zeitgemässe Bade-, Sauna- und Beautybereich.

⌂ **Bernerhof**   ≼ 龠 龠 🏠 𝄢 🖺 令 வ ⌾ P
Aeussere Dorfstr. 37 – ℰ 033 675 88 75 – www.bernerhof.ch
– geschl. 24. März - 10. Mai, 20. Oktober - 14. Dezember
43 Zim ⌂ – ♦110/160 CHF ♦♦175/240 CHF – 2 Suiten – ½ P
Rest – (geschl. Donnerstagmittag) (24 CHF) Menü 34/60 CHF – Karte 31/69 CHF
Herzlich und engagiert, so wie man sich Gastgeber wünscht, sind Claudia und Gerhard Lehmann! Halle, Kaminzimmer, Restaurant, Gästezimmer… alles in dem familiär geführten Gasthaus ist schön wohnlich.

⌂ **Adler**   ≼ 龠 🖻 🏠 🖺 ⅙ Rest, 令 P
Äussere Dorfstr. 19 – ℰ 033 675 80 10 – www.chalethotel.ch
26 Zim ⌂ – ♦110/125 CHF ♦♦180/210 CHF
Rest – (22 CHF) Menü 39/43 CHF – Karte 40/94 CHF
Das charmante Chalet im Ortskern wird seit über 100 Jahren familiär geführt und hält gemütlich-rustikale Zimmer bereit. "Loverooms" mit einem auf den Balkon ausfahrbaren Whirlpool! Bürgerlich-traditionelles Angebot im Restaurant mit schöner Terrasse.

⌂ **Ermitage**   ॐ ≼ 龠 🏠 令 வ P
(bei der Oeschinensee Sesselbahn) – ℰ 033 675 80 20
– www.ermitage-kandersteg.ch – geschl. April, November
15 Zim ⌂ – ♦93/100 CHF ♦♦170/200 CHF – ½ P
Rest – (29 CHF) Menü 15/29 CHF – Karte 36/64 CHF
Das kleine Hotel an der Talstation der Oeschinenseebahn ist ein engagiert geführter Familienbetrieb mit recht individuellen und zeitgemäss ausgestatteten Gästezimmern. Im Restaurant serviert man u. a. reine Bio-Gerichte mit "Goût Mieux"-Gütesiegel.

⌂ **Blümlisalp** ⪪ 🍴 🛎 🐕 ♨ 📶 **P**
Hauptstrasse – ☎ *033 675 18 44* – *www.hotel-bluemlisalp.ch*
– *geschl. 1. April - 8. Mai, 1. November - 18. Dezember*
24 Zim 🛏 – ⑂95/160 CHF ⑂⑂160/240 CHF – ½ P
Rest – *(geschl. Montag)* (22 CHF) Menü 35/90 CHF – Karte 33/103 CHF
Auffallend gepflegt ist dieses familiär geleitete Hotel mit schönem Ausblick. Die
Zimmer im Chalet-Anbau sind neuzeitlich und geräumig, die im Haupthaus
etwas einfacher. Restaurant mit traditioneller Karte.

𝕏𝕏 **Au Gourmet** – Waldhotel Doldenhorn ⪪ 🍴 ♨ **P**
Vielfalle, Süd: 1,5 km – ☎ *033 675 81 81* – *www.doldenhorn-ruedihus.ch* – *geschl.*
April 2 Wochen, November 2 Wochen
Rest – (28 CHF) Menü 50 CHF (mittags unter der Woche)/125 CHF
– Karte 50/94 CHF
Ein recht kleines Restaurant in angenehmen Blautönen, das für seine elegante
Atmosphäre und den herzlichen Service ebenso geschätzt wird wie für die klas-
sisch-französischen Speisen.

𝕏 **Ruedihus - Biedermeier Stuben** mit Zim 🛌 ⪪ 🍴 ♨ **P**
Vielfalle, Süd: 1,5 km – ☎ *033 675 81 82* – *www.doldenhorn-ruedihus.ch*
– *geschl. Mittwoch*
10 Zim 🛏 – ⑂120/140 CHF ⑂⑂240/270 CHF – ½ P
Rest – *(Tischbestellung ratsam)* (28 CHF) Menü 59 CHF
Rest *Chäs- und Wystube* – (22 CHF) – Karte 37/63 CHF
Wunderschön und heimelig sind die mit viel altem Holz, Ofen und hübschem
Dekor ausgestatteten Biedermeierstuben in dem liebenswerten denkmalgeschütz-
ten Holzhaus von 1753. Traditionelle Schweizer Küche. Urig-rustikales Flair in der
Chäs- und Wystube im EG. Äusserst gemütliche Gästezimmer. Romantisch: die
"Liebeslaube".

𝕏 **Burestube** – Waldhotel Doldenhorn ⪪ 🍴 ♿ ♨ **P**
Vielfalle, Süd: 1,5 km – ☎ *033 675 81 81* – *www.doldenhorn-ruedihus.ch* – *geschl.*
Dienstag, ausser Saison
Rest – (28 CHF) Menü 50 CHF (mittags unter der Woche)/125 CHF
– Karte 37/94 CHF
Die Stube ist so liebenswert und gemütlich (viel rustikales Holz, nettes Dekor...),
da kann man sich nur wohlfühlen! Zu diesem Ambiente könnte wohl nichts bes-
ser passen als traditionelle Gerichte.

in Blausee-Mitholz Nord: 4 km – Höhe 974 m – ✉ 3717

⌂ **Blausee** 🛌 ⪪ 🍴 🐕 ♨ **P**
(im Naturpark Blausee, über Spazierweg 5 min. erreichbar)
– ☎ *033 672 33 33* – *www.blausee.ch*
– *geschl. 6. - 23. Januar*
17 Zim 🛏 – ⑂145 CHF ⑂⑂276 CHF – ½ P
Rest *Blausee* – siehe Restaurantauswahl
Auf TV und Internet verzichtet man hier angesichts der nahezu unberührten
Natur ringsum nur zu gerne! Die Zimmer sind charmant und ganz individuell
(von modern bis Jugendstil), toll das Sauna- und Badehaus! Der Clou: zwei alte
Badewannen und ein "Hotpot" im Freien mit Blick auf die Berge!

𝕏𝕏 **Blausee** – Hotel Blausee ⪪ 🍴 ♿ **P**
(im Naturpark Blausee, über Spazierweg 5 min. erreichbar) – ☎ *033 672 33 33*
– *www.blausee.ch* – *geschl. 6. - 23. Januar*
Rest – Menü 55 CHF (mittags)/128 CHF – Karte 38/89 CHF
In dem Jugendstil-Restaurant dreht sich alles um Forellen: Man züchtet sie hier,
Sie sehen sie im Blausee gleich vor dem Haus und natürlich geniessen Sie sie als
Gericht! Die Terrasse ist schlichtweg ein Traum!

KASTANIENBAUM – Luzern – **551** O7 – **siehe Luzern**

KEHRSATZ – Bern (BE) – 551 J7 – 4 079 Ew – ⊠ 3122   2 D4

▶ Bern 6 – Fribourg 40 – Solothurn 51 – Delémont 99

🍴 **Tanaka**   🔚 ⚅ ⚘ 🅿

Bernstr. 70 – ℰ 031 961 66 22 – www.tanaka-restaurant.ch – geschl. Januar 1
Woche, April 3 Wochen, Dezember 1 Woche und Sonntag - Montag
Rest – (24 CHF) Menü 89 CHF (abends)/120 CHF – Karte 45/118 CHF
Ein Restaurant in klarem modernem Design, dessen "Newstyle"-Konzept europäische
und japanische Küche vereint, auch Sushi sowie Teppanyaki. Freundlicher Service.

KEMMERIBODEN-BAD – Bern (BE) – 551 L-M8 – **siehe Schangnau**

KESTENHOLZ – Solothurn (SO) – 551 L5 – 1 671 Ew – Höhe 453 m   3 E3
– ⊠ 4703

▶ Bern 55 – Basel 54 – Aarau 39 – Luzern 67

🍴🍴 **Eintracht**   🔚 ⟺ 🅿

🐝 *Neue Strasse 6 – ℰ 062 393 24 63 – www.eintrachtkestenholz.ch – geschl.*
Februar 2 Wochen, Juli 2 Wochen und Sonntag - Montag
Rest – (19 CHF) Menü 76/99 CHF – Karte 40/92 CHF
Das seit 1848 existierende Gasthaus ist inzwischen zu einem modernen Restau-
rant geworden, in dem man international isst. Legerer geht's im Bistrobereich zu
- hier gibt es zusätzlich Tagesteller und Mittagslunch.

KILCHBERG – Zürich (ZH) – 551 P5 – 7 570 Ew – Höhe 424 m – ⊠ 8802   4 G3

▶ Bern 132 – Zürich 7 – Aarau 53 – Luzern 52

🍴🍴 **Chez Fritz**   ⩽ 🔚 🅿

Seestr. 195b – ℰ 044 715 25 15 – www.dinning.ch – geschl. 16. - 23. Februar
und Oktober - März: Samstagmittag, Sonntag
Rest – (24 CHF) – Karte 62/112 CHF
Ein schönes modernes Restaurant mit wohnlicher Lounge in top Lage am Zürichsee - die Terrasse unmittelbar am Wasser ist ein Muss! Ein Hingucker ist auch die
von Inhaber Thomas Krebs kunstvoll gestaltete Speisekarte, auf der sich mediter-
ran-saisonal inspirierte Gerichte finden.

KIRCHDORF – Bern – 551 J8 – 823 Ew – Höhe 610 m – ⊠ 3116   2 D4

▶ Bern 26 – Fribourg 65 – Solothurn 63 – Luzern 109

🍴🍴 **mille privé - Urs Messerli**   ⟺ 🅿

💠 *Halden 48 – ℰ 031 781 18 34 – www.milleprive.ch – geschl. Sonntag - Dienstag*
Rest – *(nur Abendessen) (Tischbestellung erforderlich)* Menü 98/138 CHF
– Karte 102/120 CHF
Hochwertige Produkte, und die am besten aus der Region... das ist die Basis für
Urs Messerli, der Ihnen sein Menü am Tisch präsentiert. Wundern Sie sich nicht:
Nach dem Essen verlassen Sie das charmante alte Bauernhaus durch die Küche!
➜ Bio-Lachsforelle, Forellenkaviar, Frühzwiebeln, Safran-Noilly Prat Emulsion. Gur-
tenbeef-Rindsfilet, Bärlauchkruste, Gemüse, Neue Kartoffeln. Schokoladen-
Schmelzkuchen, Sauerrahmglace, Erdbeeren.

KLEINE SCHEIDEGG – Bern – 551 M9 – **siehe Grindelwald** – ⊠ 3823

KLOSTERS – Graubünden (GR) – 553 X8 – 3 887 Ew – Höhe 1 191 m   11 J4
– Wintersport : 1 124/2 844 m ⚞ 11 ⚟ 24 ⚟ – ⊠ 7250

▶ Bern 258 – Chur 47 – Davos 12 – Vaduz 57

🚉 Klosters Selfranga - Susch Sagliains, Information ℰ 081 288 37 37
🛈 Alte Bahnhofstr. 6, ℰ 081 410 20 20, www.klosters.ch
📷 Selfrangastr. 44, ℰ 081 422 11 33

🏨 **Alpina**   🔲 🀆 ⛱ 🛗 📶 🎿 🚗

Bahnhofstr. 1 – ℰ 081 410 24 24 – www.alpina-klosters.ch – geschl. 21. April
- 13. Juni, 19. Oktober - 28. November
39 Zim 🖵 – ✦160/492 CHF ✦✦240/492 CHF – 6 Suiten – ½ P
Rest *Bündnerstube* **Rest** *Grischunstübli* – siehe Restaurantauswahl
Das Hotel steht für persönliche Führung, schöne Zimmer und guten Service mit
vielen kleinen Annehmlichkeiten. Und auch die hochwertige Halbpension gehört
zu den Vorzügen des Hauses. Praktisch: die Lage gegenüber dem Bahnhof.

🛏️ **Walserhof ⓝ** 🛎️ 🛜 🍽️ **P**
Landstr. 141 – ℰ 081 410 29 29 – www.walserhof.ch – geschl. 21. April -
12. Juni, 20. Oktober - 11. Dezember
2 Zim ⬜ – ♦175/1090 CHF ♦♦250/1090 CHF – 4 Suiten
Rest *Walserstube* ✿ – siehe Restaurantauswahl
Heribert und Silvia Dietrich bieten nicht nur zum Speisen ein wirklich geschmackvolles Ambiente. Beim Anblick der hochwertig eingerichteten Zimmer mit ihrem
wunderschönen Mix aus warmem Holz, modernem Stil und wohnlichen Stoffen
werden Sie hier übernachten wollen!

🛏️ **Silvretta Parkhotel** 🚞 🍴 🖥️ 🐎 💆 🛎️ 🚶 🛜 🏋️ 🍽️ **P**
Landstr. 190 – ℰ 081 423 34 35 – www.silvretta.ch – geschl. 6. April - 23. Mai,
🐾 *19. Oktober - 12. Dezember*
85 Zim ⬜ – ♦145/270 CHF ♦♦220/390 CHF – 8 Suiten – ½ P
Rest – (18 CHF) Menü 28 CHF (mittags)/65 CHF – Karte 39/73 CHF
Das Ferienhotel im Zentrum zeigt sich aussen im typischen Chaletstil, innen ist es
wohnlich und trotz der Grösse nicht unpersönlich. Die Zimmer reichen von Eco-
nomy bis hin zur Suite, von eher ländlich bis ganz modern. Das Stübli (gemütlich
mit viel Holz) bietet mediterrane Küche, im Winter öffnet das Fondue-Restaurant
"Grischalina".

🏠 **Chesa Grischuna** 🛜 **P**
Bahnhofstr. 12 – ℰ 081 422 22 22 – www.chesagrischuna.ch – geschl. Mitte April
- Ende Juni, Mitte Oktober - Anfang Dezember
12 Zim ⬜ – ♦140/255 CHF ♦♦220/430 CHF – ½ P
Rest *Chesa Grischuna* – siehe Restaurantauswahl
Seit 1938 gibt es dieses Chalet und seither wird es von der Familie geleitet. Der
ganz eigene regionale Charme dieses Bündnerhauses ist allgegenwärtig: wohl-
tuendes warmes Holz von der Fassade bis in die individuell geschnittenen Zimmer. Sie möchten die Aussicht direkt von Ihrem Zimmer aus geniessen? Dann
buchen Sie am besten ein Superior-Zimmer oder eine Juniorsuite!

🍴🍴🍴 **Walserstube ⓝ** (Heribert Dietrich) – Hotel Walserhof 🍴 **P**
ⵚ *Landstr. 141 ✉ 7250 – ℰ 081 410 29 29 – www.walserhof.ch – geschl. 21. April*
- 12. Juni, 20. Oktober - 11. Dezember und Juni - Oktober: Sonntag - Montag
Rest – Menü 49 CHF (mittags)/139 CHF – Karte 76/112 CHF
Das Ehepaar Dietrich hat hier das Zepter übernommen. Der Chef kocht grössten-
teils mit Produkten aus dem Prättigau und dem Engadin, hier und da finden sich
in den Gerichten auch schöne mediterrane Einschläge. Und dazu einen der zahlreichen Bündner Weine? Der Service ist übrigens ebenso angenehm, was nicht
zuletzt an der herzlichen Chefin liegt.
→ DER SCAMPUN - Klassischer Capun mit Scampo, Brandade und getrockneten
Tomaten. DAS UNTERENGADINER RIND - Rosa Medaillon, gebackene Cannelloni,
geschmorte Barbecue-Brust mit Steinpilzpolenta. DIE SCHOKOLADE - Komposition
aus Schokolade, Himbeeren und Champagner-Buttereis.

🍴🍴 **Grischunstübli** – Hotel Alpina
Bahnhofstr. 1 – ℰ 081 410 24 24 – www.alpina-klosters.ch – geschl. 21. April
- 13. Juni, 19. Oktober - 28. November und Sonntag - Montag, im Sommer:
Sonntag - Dienstag
Rest – (nur Abendessen) (Tischbestellung ratsam) Menü 78/180 CHF
– Karte 88/133 CHF
Wenn Sie es gerne mal ein bisschen eleganter haben, aber nicht auf ländlichen
Charme verzichten möchten, wird Ihnen die reizende Stube mit all ihrem warmen
alpenländischen Holz, dem offenen Kamin, hübschen Stoffen und gepflegter
Tischkultur gefallen.

🍴🍴 **Bündnerstube** – Hotel Alpina 🏠
Bahnhofstr. 1 – ℰ 081 410 24 24 – www.alpina-klosters.ch – geschl. 21. April
- 13. Juni, 19. Oktober - 28. November
Rest – (24 CHF) Menü 64/90 CHF – Karte 62/112 CHF
Wo Arvenholz Behaglichkeit und Wärme verbreitet, macht man es sich gerne
beim Essen gemütlich, und das gibt es hier als Schweizer oder internationale
Küche, als "Alpina's Klassiker-Menü" oder als kleinere Mittagskarte. Dazu eine
schöne Weinauswahl.

☆ **The Rustico Hotel** Ⓝ mit Zim 🛖 🏠 🛜 **P**
Landstr. 194 – ℰ 081 410 22 88 – www.hotel-rustico.ch – geschl. Mai - Anfang
Juni und im Sommer: Mittwoch
14 Zim ⬜ – 🛏50/190 CHF 🛏🛏130/258 CHF – ½ P
Rest – (21 CHF) Menü 23 CHF (mittags)/95 CHF – Karte 33/123 CHF
Eine richtig charmante Adresse! Ob Sie nun zum Essen kommen oder auch übernachten möchten, alles in diesem familiären Haus ist mit reichlich Holz schön gemütlich gestaltet. Während man im Restaurant euro-asiatisch kocht, gibt es nebenan im reizenden 226 Jahre alten "Prättiger Hüschi" an Winterabenden Fondue und Raclette.

☆ **Chesa Grischuna** – Hotel Chesa Grischuna 🛖 ⌘ **P**
Bahnhofstr. 12 – ℰ 081 422 22 22 – www.chesagrischuna.ch – geschl. Mitte April
- Ende Juni, Mitte Oktober - Anfang Dezember
Rest – (26 CHF) Menü 36 CHF (mittags unter der Woche)/108 CHF
– Karte 66/113 CHF
Ein heimeliges liebevoll dekoriertes Restaurant. Wirklich sehenswert ist hier die alte Handwerkskunst wie Holzschnitzereien, Wand- und Deckenbemalungen sowie Intarsienarbeiten, die noch im Original erhalten sind. Auf den Tisch kommt bürgerliche und Schweizer Küche.

in Klosters-Dorf Nord: 2 km

🏨 **Sunstar Boutique Hotel** 🛥 ← 🚃 🛖 🖥 🏠 🛎 🍴 Rest, 🛜 🚗 **P**
Boscaweg 7 – ℰ 081 423 21 00 – www.klosters.sunstar.ch – geschl. 6. Oktober
- 13. Dezember, 6. April - 13. Juni
59 Zim ⬜ – 🛏96/156 CHF 🛏🛏192/312 CHF – ½ P
Rest – (nur Abendessen) (30 CHF) Menü 44/74 CHF – Karte 55/78 CHF
Ein behagliches alpenländisches Hotel, das relativ ruhig liegt und auch gerne von Familien besucht wird. Viele Zimmer haben einen Balkon, von dem man die Bergsicht geniessen kann. Die Minibar ist übrigens kostenfrei und im Restaurant lässt man sich traditionelle Speisen schmecken. Zur Entspannung können Sie ausserdem Massageanwendungen buchen.

in Klosters-Monbiel Ost: 3 km

☆ **Höhwald** ← 🛖
Monbielerstr. 171 – ℰ 081 422 30 45 – www.hoehwald-klosters.ch – geschl.
22. April - 7. Juni, 19. Oktober - 13. Dezember und Dienstag, im Sommer: Montag
- Dienstag
Rest – Karte 57/107 CHF
Wo könnte man es bei Schweizer Gerichten wie Kalbsbratwurst mit Rösti gemütlicher haben als in zwei komplett mit Holz ausgekleideten Stuben? Und wenn dann in dem sympathischen Dorfgasthaus in 1300 m Höhe im Winter abends auch noch an der offenen Feuerstelle gegrillt wird... Da kann nur die Terrasse mit ihrer schönen Aussicht mithalten.

KLOTEN – Zürich – **551** Q4 – siehe Zürich

KONOLFINGEN – Bern (BE) – **551** K8 – **4 792 Ew** – **Höhe 728 m**   **8** E4
– ✉ **3510**
▶ Bern 20 – Fribourg 57 – Langnau im Emmental 15 – Thun 19

in Stalden Süd: 1 km – Höhe 654 m – ✉ 3510 Konolfingen

🏨 **Parkhotel Schloss Hünigen** 🛥 🚃 🕭 🛖 🏠 🛎 🔒 🛜 🏋 **P**
Freimettigenstr. 9 – ℰ 031 791 26 11 – www.schlosshuenigen.ch – geschl.
20. Dezember - 4. Januar
49 Zim ⬜ – 🛏140/215 CHF 🛏🛏175/310 CHF – ½ P
Rest – (geschl. Sonntagabend) (24 CHF) Menü 85 CHF – Karte 59/80 CHF ⅋
Wirklich gelungen ist das Ergebnis der Grossrenovation: stilvoll-modern sind Lobby, Zimmer, Restaurant und Schlossbar (Fumoir im UG), dazu diverse schöne Bankett- und Seminarräume. Geblieben sind natürlich der attraktive historische Rahmen und der tolle Park mit Rosengarten.

▶ Bern 189 – Sankt Gallen 40 – Bregenz 62 – Frauenfeld 27

🔢 Sonnenstr. 4, ☏ 071 672 38 40, www.kreuzlingen-tourismus.ch

🔲 Lipperswil, 14 km Richtung Frauenfeld, ☏ 052 724 01 10

🏨 **Kreuzlingen am Hafen** garni   ⇐ 🕏 ᠖ 🕾 🔐 **P**

Seestr. 50 – ☏ 071 677 88 99 – www.hotel-kreuzlingen.ch
45 Zim – ♦110/150 CHF ♦♦145/220 CHF, ☲ 15 CHF
Ein engagiert geführtes und geradlinig-modern designtes Businesshotel am
Kreuzlinger Hafen und gegenüber dem Seeburgpark. Ab dem späten Nachmittag:
Snacks im "Vanillaroom".

🏨 **Swiss Die Krone** ⓝ garni   🕏 🄰🄲 🛜 🔐 **P**

Hauptstr. 72 – ☏ 071 677 80 40 – www.hoteldiekrone.ch
17 Zim ☲ – ♦80/160 CHF ♦♦140/280 CHF
Das Stadthotel mitten im Zentrum ist schon von aussen ansprechend mit seiner weissen Fassade und den roten Fensterläden. Und drinnen warten angenehm wohnliche,
zeitgemässe Zimmer mit guter technischer Ausstattung und hochwertigen Marmorbä-
dern. Am Morgen gibt es ein rein veganes Frühstück in einem eleganten Raum, der
freitags auch als Restaurant dient - gekocht wird hier dann ebenfalls vegan.

XXX **Nocturne** ⓝ mit Zim   🕲 🎧 🛜 **P**

⌘ *Girsbergstrasse, (im Schloss Brunnegg), West : 2 km Richtung Tägerwilen*
– ☏ 071 672 36 36 – www.restaurantnocturne.ch – geschl. Februar 2 Wochen,
Oktober 2 Wochen und Sonntag - Montag
5 Zim ☲ – ♦150/170 CHF ♦♦260/290 CHF – 4 Suiten
Rest *Brunneggstube* – siehe Restaurantauswahl
Rest – *(nur Abendessen)* Menü 135/165 CHF – Karte 92/137 CHF
Stilvoll und modern zugleich ist der in weiche, warme Töne getauchte Raum - so
fügt sich das kleine Abendrestaurant ganz harmonisch in den historischen Rahmen von Schloss Brunnegg a. d. 14. Jh. ein. Küchenchef Joachim Fecht (er kochte
zuvor in diversen erstklassigen Häusern) bietet hier ein sehr ambitioniertes kreatives Menü. Möchten Sie nicht nach dem Essen den Tag in einer der schicken
modern designten Suiten gebührend beenden?
→ Mieral Schwarzfederhuhn und Escabeche. Schrofenhof Kalb, Kohlrabi, Eierschwämmli, Cipollini. Thurgauer Kirschen und Lindt Schoggi, Tonkabohne, Salzka-
ramell.

XX **Seegarten**   🎧 🕏 🔁 **P**

Promenadenstr. 40, (am Yachthafen) – ☏ 071 688 28 77 – www.seegarten.ch
– geschl. 1. - 3. Januar, 27. Januar - 9. Februar und Montag, September - Mai:
Montag - Dienstag
Rest – *(29 CHF)* Menü 80 CHF (mittags)/120 CHF – Karte 44/101 CHF🍨
Anlässlich des 25-jährigen Jubiläums (2012) hat man das Restaurant am Yachthafen hübsch modernisiert! In frischem Ambiente serviert man Ihnen z. B. "Kalbsrücken vom Schrofenhof mit Pilz-Morchelrahmsauce" oder "Knuspriges Eglifilet
vom Bodensee mit Sauce Tartar".

XX **Jakobshöhe**   🎧 🄰🄲 🕏 **P**

Bergstr. 46 – ☏ 071 670 08 88 – www.jakobshoehe.ch – geschl. Ende Januar 2
Wochen, Ende Juni - Anfang Juli 2 Wochen und Montag - Dienstag
Rest – *(30 CHF)* Menü 66/92 CHF – Karte 51/79 CHF
Internationale Küche mit regionalem Einfluss bietet man den Gäs-
ten in zwei hellen Restauranträumen mit gediegener Note, im Sommer speist
man im schönen Garten.

X **Brunneggstube** ⓝ – Restaurant Nocturne   🎧

Girsbergstrasse, (im Schloss Brunnegg), West : 2 km Richtung Tägerwilen
– ☏ 071 672 36 36 – www.restaurantnocturne.ch – geschl. Februar 2 Wochen,
Oktober 2 Wochen und Sonntag - Montag, Samstagmittag
Rest – *(26 CHF)* – Karte 50/100 CHF
Das Team um Thomas Haist kümmert sich auch im zweiten Restaurant des hübschen Anwesens freundlich um die Gäste - hier mit guter internationaler Küche in
gemütlicher, etwas ländlicherer Atmosphäre. Lassen Sie sich Gerichte wie "Kalbs-
kinnbacken in Mole-Gewürzjus" oder "Steinbutt im Salzteig gebacken" im Sommer auch auf der reizvollen Gartenterrasse schmecken!

in Tägerwilen Nord-West: 4 km Richtung Schaffhausen – ✉ 8274

🏠 **Trompeterschlössle** 🦢 🏠 🍴 Zim, 🛜 **P.**

🏚 *Konstanzerstr. 123, (am Zoll)* – 🕿 *071 669 31 31* – *www.trompeterschloessle.ch* – *geschl. 24. Dezember - 14. Februar*
17 Zim 🛏 – 👤100/110 CHF 👥👤158/170 CHF – ½ P
Rest – *(geschl. Oktober - März: Mittwoch - Donnerstag) (nur Abendessen, sonntags auch Mittagessen)* Karte 35/70 CHF
Das kleine Schloss mit Türmchen (hier die "Türmli-Suite") liegt nur 100 m vom Grenzübergang entfernt und auch der Seerhein ist nicht weit! Bei Familie Wild kann man nicht nur gut schlafen, zum Einkehren wählen Sie zwischen der rustikalen Gaststube und dem gediegenen Restaurant.

in Gottlieben Nord-West: 4 km Richtung Schaffhausen – ✉ 8274

🏨 **Die Krone** ⑩ 🦢 ⇐ 🛋 🍴 🛜 **P.**

Seestr. 11 – 🕿 *071 666 80 60* – *www.hoteldiekrone.ch* – *geschl. 30. September - 1. März*
24 Zim – 👤80/180 CHF 👥👤120/280 CHF, 🛏 20 CHF – 1 Suite – ½ P
Rest *Restaurant Die Krone* – siehe Restaurantauswahl
Passend zur "Krone" mit ihrer über 300-jährigen Geschichte, standen hier die europäischen Königshäuser Pate. In den exklusiven "Königszimmern" (Victoria, Windsor...) mischen sich Designermöbel mit historischem Charme - das und die wunderschöne Lage direkt am Seerhein machen das Haus zu einem Boutique-Hotel der besonderen Art! Wer aufs Budget achtet, bucht ein etwas schlichteres "Fürstenzimmer". Für den Abend ist das eigene kleine Kino eine hübsche Idee.

🏨 **Drachenburg & Waaghaus** 🦢 ⇐ 🛋 🛜 🍴 **P.**

Am Schlosspark 7 – 🕿 *071 666 74 74* – *www.drachenburg.ch* – *geschl. Mitte Dezember - Mitte Januar*
44 Zim 🛏 – 👤85/145 CHF 👥👤230/280 CHF – 1 Suite
Rest – Menü 32 CHF (mittags unter der Woche)/65 CHF – Karte 49/78 CHF
Die lange Geschichte des Familienbetriebs begann um 1620 und diesen Charme strahlen die schmucken Fachwerkhäuser am Seeufer schon äusserlich aus. Und drinnen passen die individuellen Zimmer mit ihren Stilmöbeln ins schöne Bild. Restaurant in der Drachenburg oder im Waaghaus, dazu eine hübsche Seeterrasse.

🍴🍴 **Restaurant Die Krone** ⑩ – Hotel Die Krone 🏠 🍴 **P.**

Seestr. 11 – 🕿 *071 666 80 60* – *www.hoteldiekrone.ch* – *geschl. 30. September - 1. März und Sonntag - Montag*
Rest – (19 CHF) Menü 65/130 CHF – Karte 42/106 CHF
Gehobene klassische Küche mit internationalem Einfluss heisst es im Kronenrestaurant, und zwar in der Kronenstube, im Schwarzen Schwan und im Sommer auch auf der traumhaften Terrasse am Wasser. Probieren Sie z. B. die 30 Stunden gegarte Kalbshaxe! Im "Kleinen Napoleon" gibt es auf Reservierung ein 6-Gänge-Menü.

KRIEGSTETTEN – Solothurn (SO) – 551 K6 – 1 233 Ew – Höhe 455 m – ✉ 4566   2 D3
▶ Bern 34 – Biel 35 – Solothurn 12

🏨 **Sternen** 🚗 🏠 🛋 ♿ 🍴 🛜 🛜 **P.**

Hauptstr. 61 – 🕿 *032 674 41 61* – *www.sternen.ch*
23 Zim 🛏 – 👤130/190 CHF 👥👤190/280 CHF – ½ P
Rest *Gartenzimmer* – siehe Restaurantauswahl
Rest *Sternenstube* – *(geschl. Februar 2 Wochen, Oktober 2 Wochen und November - April: Sonntagabend)* (20 CHF) Menü 45 CHF (abends)/55 CHF – Karte 35/67 CHF
Über 30 Jahre leitet Familie Bohren mit Engagement das aus einem ehemaligen Bauerngut entstandene Hotel mit wohnlichen, individuellen Zimmern. Schweizer und österreichische Spezialitäten in der Sternenstube.

🍴🍴 **Gartenzimmer** – Hotel Sternen 🏠 ♿ 🍴 **P.**

Hauptstr. 61 – 🕿 *032 674 41 61* – *www.sternen.ch* – *geschl. Februar 2 Wochen, Oktober 2 Wochen und November - April: Sonntagabend*
Rest – (37 CHF) Menü 69 CHF (abends)/120 CHF – Karte 48/96 CHF 🍸
Hinter den über 200 Jahre alten Mauern begrüsst man Sie mit einem geschmackvoll eingerichteten Restaurant: schöne alte Gemälde, dunkle Holztäferung und stilvolle Tischkultur gepaart mit einer klassisch-französischen Küche.

▶ Bern 133 – Zürich 8 – Aarau 54 – Einsiedeln 43

🏠   **Seehotel Sonne**   ⪡ 🚗 🕍 🎮 📶 ⌂ **P**

Seestr. 120 – 𝒞 044 914 18 18 – www.sonne.ch
40 Zim ⌑ – ♥195/375 CHF ♥♥225/405 CHF
Rest *Seehotel Sonne* **Rest** *Gaststuben* – siehe Restaurantauswahl
Das Haus an sich spricht einen schon an: Historie gepaart mit Moderne und Kunst
(Kunsttour mit Guide möglich). Die Seelage ist die Krönung; Strandbad und Wiese,
dazu der Biergarten unter Platanen direkt am Wasser!

☆☆☆   **Rico's Kunststuben** (Rico Zandonella)   🍴 🄰 ✂ **P**

❀❀   *Seestr. 160* ⊠ 8700 – 𝒞 044 910 07 15 – www.kunststuben.com
– geschl. Weihnachten - Anfang Januar, August 3 Wochen und Sonntag - Montag
Rest – Menü 58 CHF (mittags unter der Woche)/180 CHF – Karte 114/174 CHF
Der Namenszusatz "Kunststuben" ist auch unter Rico Zandonella geblieben - und
der ist angesichts der sehr persönlichen Note und der farbenfrohen Gestaltung
mehr denn je verdient! Der Patron hat seinen eigenen Stil entwickelt, nach wie
vor klassisch, produktbezogen und angenehm unspektakulär, dafür sehr
geschmackvoll und mit modernen Akzenten. Betreut werden Sie vom lockeren
und engagierten jungen Team um Steffen Kümpfel.
→ Lasagnetta von Langustinen, Zucchini, Granatapfel, Zitronensabayon. Hum-
mermedaillons auf Mandel-Gurken-Melone-Gazpacho, Hummertatar mit Wasabita-
pioka. Weisse Schokoladenkugel gefüllt mit Walderdbeerespuma, Waldbeeren
und Joghurtsorbet.

☆☆   **Steinburg** Ⓝ

Seestr. 110 – 𝒞 044 910 06 38 – www.steinburg.ch – geschl. 1. - 15. Januar und
Mittwochabend, Samstagmittag, Sonntag
Rest – (32 CHF) Menü 43 CHF (mittags)/119 CHF – Karte 52/122 CHF
In dem 180 Jahre alten Gasthaus am Ortseingang ist Daniel Schöchli in der Küche
ambitioniert am Werk, während seine Frau charmant den Service leitet. Probieren
Sie von der traditionell beeinflussten klassischen Karte z. B. "Dani's Kalbskotelett".
Im UG gibt es noch das Bistro: im Winter mit Berghütten-Atmosphäre, im Sommer
kommt fast Strand-Feeling auf.

☆☆   **Seehotel Sonne** – Seehotel Sonne   ⪡ 🍴 🅰 **P**

Seestr. 120 – 𝒞 044 914 18 18 – www.sonne.ch
Rest – Karte 59/110 CHF
Passend zum Namen des Restaurants fallen sofort die sonnengelben Lederstühle
ins Auge. Sie harmonieren gut mit dem modernen Raum, der durch eine Bilderga-
lerie viel Charme ausstrahlt. Saisonal beeinflusste Küche und herrliche Seeterrasse!

☆   **Zum Trauben**   🍴 **P**

Untere Wiltisgasse 20 – 𝒞 044 910 48 55 – geschl. Mitte Juli - Mitte
August und Sonntag - Montag
Rest – (Tischbestellung erforderlich) (33 CHF) – Karte 42/85 CHF
Im Zentrum findet man das schlichte gepflegte Restaurant, in dem der Chef den
sympathisch-familiären Service leitet und die Chefin ländlich-italienische Gerichte
zubereitet.

☆   **Chez Crettol - Cave Valaisanne**   ✧

Florastr. 22 – 𝒞 044 910 03 15 – geschl. Anfang Juni - 1. September
Rest – (nur Abendessen) (Tischbestellung ratsam) Menü 55/95 CHF
– Karte 47/95 CHF
Typische Schweizer Käsegerichte sind hier Spezialität, überall Kunst und Deko. Am
offenen Kamin wird das Raclette frisch zubereitet (richtig heimelig!), daneben gibt
es allerlei Käsefondues.

☆   **Gaststuben** – Seehotel Sonne   ⪡ 🅰 **P**

🍴   *Seestr. 120* – 𝒞 044 914 18 18 – www.sonne.ch
Rest – (18 CHF) Menü 22 CHF (mittags unter der Woche)/104 CHF
– Karte 42/98 CHF
Als Wirtschaft "Zur Sonne" taucht das Haus am rechten Zürichseeufer 1641 erstmals urkundlich auf. Viele stumme Zeitzeugen (alte Holztäferung, wunderschöner
antiker Kachelofen und Gemälde) weisen heute auf diese lange Zeit hin. Schweizer Küche!

KÜSSNACHT am RIGI – Schwyz (SZ) – **551** P7 – **12 238 Ew**   4 F3
– Höhe 435 m – ✉ 6403

▶ Bern 133 – Luzern 16 – Schwyz 25 – Zürich 52
🚉 ✆ 041 850 70 60

🛏️ Frohsinn   🖭 🛎️ 🐾 Zim, 🛜 🚶 P

*Zugerstr. 3 – ✆ 041 850 14 14 – www.rest-frohsinn.ch – geschl. Weihnachten
- 31. Dezember*
30 Zim 🍽️ – ♦113/135 CHF ♦♦180/200 CHF – ½ P
Rest – (21 CHF) – Karte 24/80 CHF
Praktisch, besonders für Businessgäste: die Lage an der Durchgangsstrasse am
Ortsrand und die gute Autobahnanbindung sowie die modern-funktionale Ausstattung. Restaurant im Stammhaus mit bürgerlicher Karte und Saisonangebot.

LAAX – Graubünden (GR) – **553** T8 – **1 376 Ew** – Höhe 1 023 m   10 I4
– Wintersport : 1 100/3 018 m ⛷️ 10 🚡13 ⛷️ – ✉ 7031

▶ Bern 266 – Chur 27 – Andermatt 69
🅸 Via Principala - Dorf, ✆ 081 920 92 00, www.laax.com

🏠 Bellaval   ≤ 🛋️ 🐾 🛜 P

*Via Falera 112 – ✆ 081 921 47 00 – www.hotelbellaval.ch – geschl. 8. April
- 15. Juni, 15. Oktober - 5. Dezember*
27 Zim 🍽️ – ♦85/125 CHF ♦♦150/250 CHF – ½ P
Rest – (nur Abendessen) (Tischbestellung ratsam) Menü 45 CHF
– Karte 45/103 CHF
Wer wünscht sich nicht, auch auf der Reise angenehm persönlich umsorgt zu
werden? Bei einem engagierten Gastgeber wie Denny Wolf ist das eine Selbstver-
ständlichkeit: Da gibt's eine wohnlich-charmante Atmosphäre, freundliche Mitarbeiter, die Ihnen stets mit Rat und Tat zur Seite stehen, ein leckeres Frühstück,
Obst und kleine Extras auf dem Zimmer... und zudem liegt das Haus auch noch
schön an einem kleinen Badesee in Laax-Dorf!

🍴🍴 Ziegler's Riva am See   ≤ 🛖 P
🍴

*Via Principala 95 – ✆ 081 921 64 64 – www.zieglers-riva.ch – geschl. Ende April
- Anfang Mai und ausser Saison: Dienstagabend, Mittwochabend*
Rest – (18 CHF) Menü 17 CHF (mittags)/99 CHF – Karte 42/115 CHF
Sie schwören auf den berühmten Hackbraten? Oder dürfen es auch mal "Ravioli
mit gebratener Entenstopfleber und Dörrpflaumen" sein? Klaus Ziegler bietet
eine schöne Mischung schmackhafter international-schweizerischer Gerichte, die
man natürlich am besten auf der tollen Terrasse zum See geniesst. Mittags ist
auch der zusätzliche Lunch im einfacheren Tagesrestaurant gefragt.

🍴🍴 Posta Veglia mit Zim   🛖 🛜 ♿ P
🍴

*Via Principala 54 – ✆ 081 921 44 66 – www.postaveglia.ch – geschl. 13. April
- 13. Juni und im Sommer: Montag*
7 Zim 🍽️ – ♦110/150 CHF ♦♦150/290 CHF – ½ P
Rest – (20 CHF) Menü 63 CHF (abends) – Karte 43/68 CHF
Die Stuben auf den zwei Etagen des historischen Gasthauses von 1880 sind alle-
samt überaus gemütlich - da passt die Schweizer Küche gut ins Bild. Originell: die
vielen Spiegel im Beizli. Und wie wär's am Abend mit Grillgerichten vom heissen
Stein in der Remise an der schönen Sonnenterrasse? Oder im Winter Fondue?
Wer sich schon im Restaurant wohlfühlt, sollte über Nacht bleiben: Die Zimmer
sind ebenso heimelig und liebenswert-rustikal!

in Murschetg Nord: 2 km – Höhe 1 080 m – ✉ 7031 Laax

🍴🍴 Mulania   ♿

Via Mulania – ✆ 081 927 91 91 – www.mulania.ch – geschl. Mai - November
Rest – (nur Abendessen) Menü 95/150 CHF – Karte 72/125 CHF
Klarer moderner Stil in Kombination mit rustikalen Deckenbalken... so bietet das
alte Bündnerhaus einen schönen Rahmen für die zeitgemäss-saisonale Küche
von Michael Bauer (mittags betreut er übrigens zeitweise auch seine Gäste im
"Elephant" auf dem Berg). Dazu gibt es alle Weine auch glasweise.

in Salums Ost: 2 km – Höhe 1 020 m – ⊠ 7031 Laax

X **Strassennest** ≤ 🎍 P

Via Salums 516 – 𝒞 081 921 59 71 – www.straussennest.ch – geschl.
3. November - 4. Dezember, 28. April - 28. Mai und Montag, ausser an Feiertagen
Rest – (27 CHF) Menü 39 CHF (mittags)/69 CHF – Karte 44/84 CHF
Diese Terrasse werden Sie nicht für sich alleine haben - einfach fantastisch die Sicht auf die Signinakette! Aber auch drinnen sitzt man schön, denn all das warme Holz um Sie herum macht's richtig gemütlich. Während der Chef traditionelle Gerichte zubereitet, ist die Chefin freundlich am Gast. Früher verkauften der Maler Strauss und seine Frau hier Kaffee und Kuchen, daher der Name des Hauses.

auf dem Crap Masegn mit 🚡 erreichbar – Höhe 2 477 m – ⊠ 7032 Laax

X **Das Elephant** ≤ 🎍

😊 – 𝒞 081 927 73 90 – geschl. Mai - November
Rest – (nur Mittagessen) (Tischbestellung ratsam) (35 CHF) – Karte 56/113 CHF
Mit der Gondelbahn geht es hinauf auf knapp 2500 m... Können Sie bereits erahnen, welch einmaliges Bergpanorama Sie hier erwartet? Keine Frage, da sitzt man am besten auf der Terrasse, während man sich z. B. "Rucola-Wasabicremesuppe mit Garnelen" oder "Rinderschmorbraten mit Polenta" schmecken lässt! Und zum Nachtisch eine leckere Crème brûlée mit Rahmeis.

LACHEN – Schwyz (SZ) – 551 R6 – 7 873 Ew – Höhe 417 m – ⊠ 8853   4 G3
▶ Bern 164 – Zürich 42 – Sankt Gallen 81 – Schwyz 38

🏨 **Marina Lachen** ≤ 🎍 📶 ⅋ 🖥 🛜 🏋 P

Hafenstr. 4 – 𝒞 055 451 73 73 – www.marinalachen.ch
20 Zim ⊑ – ♦240/390 CHF ♦♦240/390 CHF – 1 Suite
Rest *Steakhouse* – *(geschl. 25. Dezember - 3. Januar, Oktober 1 Woche und Samstagmittag, Oktober - März: Dienstag)* (30 CHF) – Karte 44/125 CHF
Rest *OX Asian Cuisine* – *(geschl. 23. Dezember - 20. Januar, 1. - 7. April und Samstagmittag, Sonntag - Montag)* (23 CHF) Menü 20 CHF (mittags)/49 CHF – Karte 42/69 CHF
Rest *Osteria Vista* – *(geschl. Ende Februar 2 Wochen, Oktober 1 Woche)* Menü 21 CHF (mittags)/38 CHF – Karte 39/89 CHF
Ein bestechendes Argument: die Lage direkt am Hafen! Überall klares Design; In den Sunset-Juniorsuiten Whirlwanne mit Blick zum See. Drei Restaurants, da fällt die Wahl schwer: Steakhouse, Osteria mit Pizza und Pasta oder lieber Asiatisches im Ox? Herrliche Terrassen!

XX **Oliveiras** 🎍 ⇄ P

Sagenriet 1 – 𝒞 055 442 69 49 – www.oliveiras.ch – geschl. Ende Juli - Anfang August 2 Wochen und Samstagmittag, Sonntag - Montag
Rest – (25 CHF) Menü 79 CHF (abends)/109 CHF – Karte 71/109 CHF
Die Küche in diesem Haus lässt die portugiesische Herkunft der herzlichen Gastgeber erkennen, zeigt aber auch schweizerische Einflüsse. Mittags- und Abendmenü auf einer Tafel.

LAI – Graubünden – 553 V9 – siehe Lenzerheide

LANDECY – Genève – 552 A12 – voir à La Croix-de-Rozon

LANGENTHAL – Bern (BE) – 551 L6 – 15 091 Ew – Höhe 472 m   3 E3
– ⊠ 4900
▶ Bern 46 – Aarau 36 – Burgdorf 24 – Luzern 56

🏨 **Bären** 🎍 📶 ⅋ ℀ Rest, 🛜 🏋 P

St. Urbanstr. 1 – 𝒞 062 919 17 17 – www.baeren-langenthal.ch
37 Zim ⊑ – ♦147/165 CHF ♦♦220/240 CHF – ½ P
Rest – Menü 21/57 CHF – Karte 41/88 CHF
Rest *Bärenstube* – Menü 21/57 CHF – Karte 41/88 CHF
In dem schmucken historischen Haus stehen wohnlich-zeitgemässe Zimmer bereit; einige neuere im geradlinig-modernen Business-Stil. Sehenswerter Barocksaal. International und traditionell speist man im stilvollen Restaurant. Schweizer Küche in der legeren Bärenstube.

Auberge ⓝ
Murgenthalstr. 5 – ℰ 062 926 60 10 – www.auberge-langenthal.ch – geschl. Anfang Januar 2 Wochen
15 Zim ⌷ – ♦125/165 CHF ♦♦185/225 CHF – 1 Suite
Rest – *(geschl. Samstagmittag, Sonntag - Montag)* (33 CHF) Menü 78/125 CHF – Karte 60/88 CHF

Die schmucke Villa von 1870 samt Nebengebäude und gepflegter Aussenanlage ist schon ein geschmackvolles kleines Domizil mit seinen hübschen Zimmern: Hier und da mischen sich historische Details wie alte Öfen in die moderne Einrichtung. Auch im Restaurant ein Mix aus zeitgemässem Stil und Villen-Flair. Im Sommer sitzt man am besten im hübschen Garten mit Baumbestand.

LAUENEN – Bern – **551** I10 – **siehe Gstaad**

LAUERZ – Schwyz (SZ) – **551** P7 – **1 049 Ew** – **Höhe 460 m** – ✉ 6424   4 G3
▶ Bern 145 – Luzern 39 – Altdorf 22 – Schwyz 8

XXX Rigiblick
Seestr. 9 – ℰ 041 811 54 66 – www.rigiblick-lauerz.ch – geschl. 27. Januar - 6. März und Montag - Dienstag
Rest – (38 CHF) Menü 45 CHF (mittags unter der Woche)/148 CHF – Karte 59/135 CHF

Der Lauerzersee ist zweifelsohne ein toller Ort für ein Restaurant - vor allem, wenn es eine so wunderbare Terrasse bietet! Die Küche ist klassisch, mit zahlreichen Fischgerichten; gute französische Weinauswahl.

A voir : Site★★ · Cathédrale★★ (≤★ de la tour)B1 · Signal (≤★★), par Avenue Louis Vullemin B1 · Parc de Montriond (≤★★)A2 · Ouchy★★(≤★★ des quais et du sentier du bord du lac)A3 · Collection de l'Art brut★A1

Musées : Musée Olympique★★B3 · Musée cantonal des Beaux-Arts★B1

Excursions : croisières en bateau sur le lac (renseignements auprès de la Compagnie Générale de Navigation, Avenue de Rhodanie 17 A3, ☎ 0848 811 848)

🏨🏨🏨🏨 **Lausanne Palace** ≤ 🏠 🖥 🎬 🏋 ♨ 🖹 ♿ 🗚 ch, 🛜 ᴪᴸ 🚗

Rue Grand-Chêne 7 ⊠ *1002* – ☎ *021 331 31 31* – *www.lausanne-palace.com*
139 ch – ♦370/480 CHF ♦♦410/560 CHF, ⊒ 40 CHF – 8 suites   A2**b**
Rest *La Table d'Edgard* ☸
Rest *Sushi-Zen* – voir la sélection des restaurants
Rest *Côté Jardin* – ☎ 021 331 32 08 – (34 CHF) – Carte 68/93 CHF
Rest *Grand-Chêne* – ☎ 021 331 32 24 – (28 CHF) – Carte 61/120 CHF
Ce palace construit en 1915 a tous les atouts pour un séjour d'exception : d'opulents décors, des volumes impressionnants, de belles suites avec vue sur le lac, une superbe piscine... Il abrite également plusieurs bars et restaurants. L'un des meilleurs établissements de la région.

🏨🏨🏨 **De la Paix** ≤ 🏠 🖹 ♿ ch, 🗚 🛜 ᴪᴸ 🚗

Avenue Benjamin-Constant 5 ⊠ *1003* – ☎ *021 310 71 71*
– *www.hoteldelapaix.net*   B2**c**
104 ch ⊒ – ♦310/430 CHF ♦♦430/500 CHF – 5 suites
Rest *La Paix* – (26 CHF) Menu 39 CHF (déjeuner)/78 CHF – Carte 64/96 CHF
Un établissement de standing (1910) à la lisière de la vieille ville. Sa griffe : un style classique et élégant ; en outre, les chambres du 6e étage offrent une belle vue sur la cité. Pour les repas, au choix : restaurant ou bistrot.

🏨🏨🏨 **Alpha-Palmiers** ♨ 🎝 🖹 🗚 🛜 ᴪᴸ 🚗

Rue Petit-Chêne 34 ⊠ *1003* – ☎ *021 555 59 99* – *www.fassbindhotels.com*
215 ch – ♦200/500 CHF ♦♦200/500 CHF, ⊒ 25 CHF   A2**g**
Rest *Le Jardin Thaï* – *(fermé mi-juillet - mi-août et dimanche)* Carte 56/84 CHF
Rest *L'Esprit Bistrot* – (30 CHF) – Carte 52/90 CHF
La façade ancienne cache un grand bâtiment ultramoderne, entièrement vitré sur l'arrière et ouvert sur un jardin exotique. Les chambres, elles, se révèlent spacieuses, tout en lignes contemporaines. Autres agréments : sauna, fitness, salles de réunion, restaurant thaï, bistrot, etc.

🏨🏨🏨 **Victoria** sans rest ♨ 🎝 🖹 🗚 🛜

Avenue de la Gare 46 ⊠ *1001* – ☎ *021 342 02 02* – *www.hotelvictoria.ch*
– *fermé 20 décembre - 4 janvier*   A2**m**
60 ch ⊒ – ♦210/285 CHF ♦♦340/400 CHF
Kilims turcs, masques africains, vases chinois, etc. : le propriétaire a glané des antiquités à travers le monde et, ça et là, celles-ci rehaussent le décor des chambres, avant tout classiques. Un établissement très confortable et fort bien tenu.

🏨🏨🏨 **Mirabeau** 🏠 🖹 🗚 ᴪᴸ

Avenue de la Gare 31 ⊠ *1003* – ☎ *021 341 42 43* – *www.mirabeau.ch*
73 ch ⊒ – ♦200/250 CHF ♦♦264/330 CHF – 2 suites – ½ P   B2**y**
Rest – (34 CHF) Menu 55 CHF – Carte 41/93 CHF
Près de la gare, sous des dehors d'élégant immeuble Belle Époque, un hôtel traditionnel et cossu, particulièrement dévoué à la satisfaction de ses hôtes. À noter : une vingtaine de chambres (du 3e au 6e étage) offrent une belle vue sur le lac. Brasserie traditionnelle.

🏨 **L'Hotel** sans rest 🖹 🗚 ᴪ 🛜

Place de l'Europe 6 ⊠ *1003* – ☎ *021 331 39 39* – *www.lhotel.ch*   A1_2**m**
26 ch – ♦100/120 CHF ♦♦120/140 CHF, ⊒ 14 CHF
Au cœur de la ville, cet hôtel inauguré en 2011 joue la carte de la modernité avec réussite : blancheur et minimalisme dans les chambres, ambiance feutrée et, sur le toit, un bar (avec petite restauration) et une terrasse pour admirer la ville et profiter du soleil. Un ensemble séduisant.

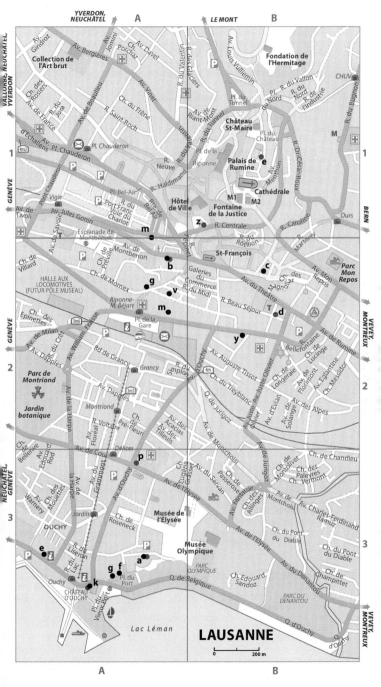

LAUSANNE

0   200 m

⌂ **Élite** sans rest ⠀⠀⠀⠀⠀⠀⠀⠀⠀⠀⠀⠀⠀⠀⠀⠀⠀⠀⠀⠀⠀⠀⠀⠀⠀⠀⠀⠀⠀⠀ 🕭 🖷 🛗 🕸 🛜 **P**

Avenue Sainte-Luce 1 ⊠ *1003 –* ℰ *021 320 23 61 – www.elite-lausanne.ch*
33 ch ⌑ – †145/275 CHF ††185/300 CHF ⠀⠀⠀⠀⠀⠀⠀⠀⠀⠀⠀⠀⠀⠀⠀ A2**v**

Près de la gare, dans un quartier piéton, de petites chambres toutes simples, bien agréables quand elles jouissent d'un balcon sur le jardin – un îlot de calme en ville ! Une bonne option pour séjourner à Lausanne.

XXXX **La Table d'Edgard** – Hôtel Lausanne Palace ⠀⠀⠀⠀⠀⠀⠀⠀ ← 🖙 **AC**

ξ3 *Rue Grand-Chêne 7* ⊠ *1002 –* ℰ *021 331 32 15 – www.lausanne-palace.com*
– fermé juillet - août 6 semaines, samedi midi, dimanche et lundi ⠀⠀⠀⠀ A2**b**
Rest – Menu 75 CHF (déjeuner)/170 CHF – Carte 117/140 CHF 🕸

Au sein du Lausanne Palace, une valeur sûre pour une gastronomie tout en finesse et recherche. La passion du chef, Edgard Bovier, c'est la cuisine méditerranéenne, en particulier niçoise, dont il cherche à exprimer la quintessence : soleil, suavité et saveurs... Superbe vue sur la ville et le lac, en terrasse comme en salle.
➜ Focaccia de thon rouge "Riviera", copeaux de poutargue. Ravioli à la "Nissarde" poêlée de pistes, olives Picholine tomate et basilic. L'Abricot : glace à l'amande amère arrosée à la liqueur d'abricot, madeleine tiède à l'huile d'olive.

XX **Le Cinq** ⠀⠀⠀⠀⠀⠀⠀⠀⠀⠀⠀⠀⠀⠀⠀⠀⠀⠀⠀⠀⠀⠀⠀⠀⠀⠀⠀⠀⠀⠀⠀⠀⠀ 🖙 🕸

Rue Centrale 9 ⊠ *1003 –* ℰ *021 312 40 11 – www.lecinq.ch – fermé début janvier une semaine, juillet - août 3 semaines, samedi et dimanche*
Rest – (25 CHF) Menu 95/125 CHF (dîner) – Carte 60/110 CHF ⠀⠀⠀ B1**z**

Au cinquième et dernier étage de l'immeuble, salle et la terrasse dominent joliment Lausanne. Prendre de la hauteur : tel était sans doute le pari des deux chefs ici associés. À quatre mains, ils concoctent une cuisine de belle tenue, sûre de ses fondamentaux et tout en fraîcheur. Bon rapport qualité-prix.

X **Au Chat Noir** ⠀⠀⠀⠀⠀⠀⠀⠀⠀⠀⠀⠀⠀⠀⠀⠀⠀⠀⠀⠀⠀⠀⠀⠀⠀⠀⠀⠀ **AC** ⇔

🕭 *Rue Beau-Séjour 27* ⊠ *1003 –* ℰ *021 312 95 85 – fermé Noël - Nouvel An, fin juillet - mi-août, samedi et dimanche* ⠀⠀⠀⠀⠀⠀⠀⠀⠀⠀⠀⠀⠀⠀⠀⠀⠀ B2**d**
Rest – (19 CHF) Menu 45 CHF (déjeuner) – Carte 66/92 CHF

Des petit plats à se pourlécher les babines comme un chat, une ardoise concoctée selon le marché, des saveurs classiques et plutôt fines, une ambiance chaleureuse : tout près du théâtre, un bistrot comme on aimerait en croiser plus souvent !

X **A la Pomme de Pin** ⠀⠀⠀⠀⠀⠀⠀⠀⠀⠀⠀⠀⠀⠀⠀⠀⠀⠀⠀⠀⠀⠀⠀⠀⠀⠀ 🖙

🕭 *Rue Cité-Derrière 11* ⊠ *1005 –* ℰ *021 323 46 56 – www.lapommedepin.ch*
– fermé mercredi soir, samedi midi et dimanche, juin - août : samedi et dimanche ⠀⠀⠀⠀⠀⠀⠀⠀⠀⠀⠀⠀⠀⠀⠀⠀⠀⠀⠀⠀⠀⠀⠀⠀⠀⠀⠀⠀⠀⠀⠀⠀⠀⠀⠀⠀⠀ B1**e**
Rest – (19 CHF) Menu 60 CHF (déjeuner)/86 CHF – Carte 64/101 CHF
Rest *Café* – (19 CHF) Menu 24 CHF (déjeuner) – Carte 30/57 CHF

Dans une ruelle ancienne non loin de la cathédrale, un restaurant des plus traditionnels (foie gras, rognons de veau, coquelet, etc.), comprenant également un café proposant de petits plats du terroir.

X **Sushi-Zen** – Hôtel Lausanne Palace ⠀⠀⠀⠀⠀⠀⠀⠀⠀⠀⠀⠀⠀⠀⠀⠀⠀ ♿

Rue Grand-Chêne 7 – ℰ *021 331 39 88 – www.lausanne-palace.com – fermé dimanche et lundi* ⠀⠀⠀⠀⠀⠀⠀⠀⠀⠀⠀⠀⠀⠀⠀⠀⠀⠀⠀⠀⠀⠀⠀⠀⠀⠀⠀⠀⠀⠀⠀ A2**b**
Rest – Menu 36/46 CHF – Carte 40/97 CHF

Sashimis, sushis, soupe miso... Toutes les délicatesses de la cuisine nippone – présentées avec une grande recherche esthétique – sont réunies dans ce restaurant du Lausanne Palace, dédié à la gastronomie japonaise.

à Ouchy

🏨 **Beau-Rivage Palace** ⠀⠀⠀⠀⠀ ← 🖙 🐾 🖙 🏊 🖾 📺 🕸 ♨ Ⅰ5 🕸 🛗 🖙 ♿ rest, **AC** 🛜

Place du Port 17 ⊠ *1000 –* ℰ *021 613 33 33 – www.brp.ch* ⠀⠀⠀⠀⠀⠀ 🎣 ⌂
161 ch – †450/900 CHF ††550/900 CHF, ⌑ 49 CHF – 7 suites ⠀⠀ A3**a**
Rest *Anne-Sophie Pic* ξ3ξ3
Rest *Miyako* – voir la sélection des restaurants
Rest *Café Beau-Rivage* – ℰ *021 613 30 30* – (29 CHF) Menu 52 CHF (déjeuner)/88 CHF – Carte 79/122 CHF

Au sommet de l'hôtellerie suisse depuis le 19e s., un mythe vivant et nullement figé ! La vue à couper le souffle sur le lac Léman et les montagnes, le parc arboré, les salons somptueux, les suites d'un grand raffinement, le spa, les restaurants... Tout est exquis.

🏠🏠🏠 Château d'Ouchy ≤ 🚗 ⅃ 📶 📱 ⅃ 🛗 🤵 ⅃ 📶 ᵃ 🅿

Place du Port 2 ⊠ 1006 – 𝒞 021 331 32 32 – www.chateaudouchy.ch
48 ch – 🛏290/800 CHF 🛏🛏330/800 CHF, ⊑ 30 CHF – 2 suites   A3**k**
Rest *Château d'Ouchy* – voir la sélection des restaurants

Le décor romantique d'un immense château néogothique, élevé au 19ᵉ s. sur les
ruines d'une forteresse médiévale… Les chambres réconcilient vieilles pierres, nobles boiseries et décoration design ! Quelques balcons ouvragés ouvrent
sur le lac pour prolonger la rêverie.

🏠🏠🏠 Angleterre et Résidence ≤ 🚗 🛋 ⅃ ⅃5 📱 ⅃ rest, 🆔 ch, 🛗 🤵

Place du Port 11 ⊠ 1006 – 𝒞 021 613 34 34
– www.angleterre-residence.ch – fermé 20 décembre - 4 janvier   A3**f**
75 ch – 🛏235/500 CHF 🛏🛏275/540 CHF, ⊑ 34 CHF
Rest *L'Accadémia* – (24 CHF) Menu 52 CHF (déjeuner en semaine)/74 CHF
– Carte 74/106 CHF

En bord de lac, un établissement au charme sûr, évoquant avec son jardin impeccablement tenu les villégiatures d'autrefois… Au chapitre de ses principaux agréments : un grand confort et une équipe à l'écoute des clients. Carte italienne à
L'Accadémia.

🏠🏠🏠 Mövenpick ≤ 🛋 📶 ⅃5 📱 ⅃ 🆔 🛗 🤵

Avenue de Rhodanie 4 ⊠ 1006 – 𝒞 021 612 76 12
– www.moevenpick-hotels.com/lausanne   A3**e**
336 ch – 🛏220/540 CHF 🛏🛏220/540 CHF, ⊑ 35 CHF – 1 suite
Rest – *(fermé début janvier une semaine et samedi midi)* (35 CHF) Menu 49 CHF
– Carte 60/98 CHF

Un véritable paquebot amarré sur le port de plaisance ! Tout est très moderne
dans cet immense établissement qui allie confort et fonctionnalité, au bénéfice
notamment de la clientèle d'affaires. Une partie des chambres ouvrent sur le lac.

🏠🏠 Du Port ≤ 🛋 📱 ⅃ rest, 🛗 🤵

*Place du Port 5 ⊠ 1006 – 𝒞 021 612 04 44 – www.hotel-du-port.ch – fermé
15 décembre - 25 janvier*   A3**g**
22 ch ⊑ – 🛏145/160 CHF 🛏🛏170/215 CHF
Rest – (20 CHF) Menu 42/57 CHF – Carte 49/94 CHF

Cet établissement ne manque pas d'atouts : ses chambres se révèlent spacieuses
et impeccablement tenues, et sa situation séduit face au lac et à la promenade
des quais. Une bonne escale !

🍴🍴🍴🍴🍴 Anne-Sophie Pic – Hôtel Beau-Rivage Palace ≤ 🛋 📱 🆔 🍴

🌸🌸 *Place du Port 17 ⊠ 1000 – 𝒞 021 613 33 39 – www.pic-beaurivagepalace.ch*
– fermé 5 janvier - 5 février, 12 - 29 octobre, dimanche et lundi   A3**a**
Rest – Menu 85 CHF (déjeuner)/330 CHF – Carte 185/275 CHF 🍷

La célèbre chef française préside aux destinées de cette table luxueuse, au sein
du Beau-Rivage Palace : moment de poésie face aux eaux imperturbables du lac
Léman… On retrouve avec plaisir les grands classiques de la maison valentinoise,
et le souci de l'invention exigeante qui a lié l'histoire de la famille Pic à celle de la
gastronomie française.
➔ La féra du lac fumée et légèrement marinée, bille coulante à la réglisse,
concombre et radis en acidulé. Le rougets de roche, petits pois et pois gourmands primeurs au basilic et fève de Tonka. Le mille-feuille blanc, crème légère
à la vanille de Tahiti, fine gelée au Jasmin, émulsion au poivre Voatsiperifery.

🍴🍴 Château d'Ouchy – Hôtel Château d'Ouchy ≤ 📶 🆔 🍷 🤍 🅿

Place du Port 2 ⊠ 1006 – 𝒞 021 331 51 81 – www.chateaudouchy.ch
Rest – (29 CHF) Menu 71/102 CHF – Carte 60/101 CHF   A3**k**

Huile d'olive, légumes, poissons, etc. : le chef de cet élégant restaurant a la passion de la Méditerranée, de toute la Méditerranée ! L'été, on apprécie d'autant
mieux ces saveurs ensoleillées en terrasse, face à la promenade de bord du lac…

🍴 Miyako – Hôtel Beau-Rivage Palace 📶 🆔 🆔

*Place du Port 17 ⊠ 1000 – 𝒞 021 613 33 91 – www.brp.ch – fermé 2 février
- 3 mars, 27 octobre - 10 novembre et dimanche*   A3**a**
Rest – Menu 42 CHF (déjeuner)/68 CHF – Carte 62/88 CHF

Le Beau-Rivage Palace à l'heure japonaise ! Ce très tendance Miyako propose sushis et sashimis minute, dans un décor qui respecte tous les codes du minimalisme nippon…

✗ **La Croix d'Ouchy** ☞
Avenue d'Ouchy 43 ✉ *1006 –* ☏ *021 616 22 33 – fermé 23 - 26 décembre,*
31 décembre - 2 janvier et samedi midi A3**p**
Rest – (22 CHF) Menu 61 CHF (déjeuner)/87 CHF – Carte 56/84 CHF
Cette table compte à Lausanne une nombreuse clientèle de fidèles habitués. La
faute à sa cuisine, pleine des bonnes saveurs de la botte italienne (entre autres
inspirations). Le cadre, classique, ne manque pas non plus de caractère.

au Mont-sur-Lausanne Nord : 5 km par A1, direction Yverdon – alt. 702 m – ✉ 1052

✗ **Auberge Communale** ⓝ ☆ ♿ ⒶⒸ ⇪ **🄿**
↩ *Place du Petit-Mont –* ☏ *021 653 23 23 – www.aubergedumont.ch – fermé juillet*
- août 3 semaines, dimanche et lundi
Rest – *(réservation conseillée)* (19 CHF) Menu 65/114 CHF – Carte 49/96 CHF
Un chef passionné – il collectionne plusieurs centaines de livres de cuisine – œuvre
dans cette auberge communale, sise dans une belle maison du 18ᵉ s., face à la
mairie de cette localité des hauteurs de Lausanne. Esprit brasserie côté café, créativité côté restaurant gastronomique, et savoir-faire dans les deux cas.

au Chalet-à-Gobet Nord-Est : 6 km par B2, direction Bern – alt. 863 m – ✉ 1000

✗✗✗ **Le Berceau des Sens** ⇐ ♿ ⒶⒸ ⅏ ⇪ **🄿**
⊛ *Route de Cojonnex 18, (Ecole Hôtelière de Lausanne) –* ☏ *021 785 12 21*
– www.berceau-des-sens.ch – fermé 21 décembre - 5 janvier, 22 février
- 2 mars, 18 - 27 avril, 18 juillet - 22 septembre, samedi, dimanche et jours fériés
Rest – *(réservation indispensable)* Menu 55 CHF (déjeuner)/65 CHF
– Carte 70/97 CHF
Le "Berceau", car cette table gastronomique dépend de la célèbre École hôtelière
de Lausanne, où s'exercent tous ses élèves – sous le regard de leurs professeurs.
La prestation n'a rien d'un exercice, car les saveurs sont au rendez-vous et le service, même hésitant, toujours de bonne volonté. Une bonne note !

à Vers-chez-les-Blanc Nord-Est : 6 km par B2, direction Bern – alt. 840 m
– ✉ 1000

🏨 **Hostellerie Les Chevreuils** ⇗ ⇐ ⇘ ⇗ **🄿**
Route du Jorat 80 – ☏ *021 785 01 01 – www.chevreuils.ch – fermé 22 décembre*
- 8 janvier
30 ch � – †157/176 CHF ††194/229 CHF – ½ P
Rest *Les Chevreuils* – voir la sélection des restaurants
En pleine campagne, à seulement quelques kilomètres de Lausanne,
cette demeure de caractère dégage un charme tranquille avec ses volets bleus,
son joli jardin et ses chambres au cachet suranné... Une bonne adresse, au calme.

✗✗✗ **Les Chevreuils** – Hôtel Hostellerie Les Chevreuils ⇐ ☆ **🄿**
Route du Jorat 80 – ☏ *021 785 01 01 – www.chevreuils.ch – fermé 22 décembre*
- 8 janvier, dimanche et lundi
Rest – (25 CHF) Menu 35 CHF (déjeuner en semaine)/129 CHF – Carte 62/107 CHF
Au milieu de la verdure... La véranda et la terrasse invitent même à un véritable
bain de nature et de lumière ! Un cadre agréable pour apprécier une savoureuse
cuisine, signée par un véritable artisan sûr de ses classiques.

LAUTERBRUNNEN – Bern (BE) – 551 L9 – 2 509 Ew – Höhe 797 m 8 E5
– ✉ 3822
🚊 Bern 69 – Interlaken 12 – Brienz 30 – Kandersteg 55
🄸 Stutzli 460, ☏ 033 856 85 68, www.mylauterbrunnen.com
◉ Staubbachfall★★ , Nord
🄶 Lauterbrunnental★★★ • Trümmelbachfälle★★★ , Süd

🏠 **Silberhorn** ⇗ ⇐ ☆ ⅏ Zim, ⇗ **🄿**
– ☏ *033 856 22 10 – www.silberhorn.com – geschl. 20. Oktober - 20. Dezember*
29 Zim ⊡ – †89/109 CHF ††159/209 CHF – 3 Suiten – ½ P
Rest – (23 CHF) – Karte 29/95 CHF
Ein netter Familienbetrieb in ruhiger Lage ganz in der Nähe der Bergbahn. Die
Gäste wohnen in ländlich oder neuzeitlich-freundlich gestalteten Zimmern, teils
mit Balkon. Rustikales Restaurant mit Wintergarten.

LAVEY-VILLAGE – Vaud (VD) – **552** G12 – 864 h. – alt. 450 m – Stat.　　7 C6
thermale – ✉ 1892

▶ Bern 125 – Martigny 25 – Aigle 19 – Lausanne 64

🏨　**Grand Hôtel des Bains**　♨ 🚗 🐕 🍴 ⅀ 🖥 🏠 ♨ 📶 & rest, ⌘ rest,
Route des Bains 48, Sud : 2 km – ℰ 024 486 15 15　　　　　　　📶 🏊 **P**
– www.lavey-les-bains.ch – fermé fin juin 2 semaines
66 ch ⅀ – †170/190 CHF ††300/360 CHF – 2 suites – ½ P
Rest – (22 CHF) Menu 36/52 CHF
Séjour revigorant en perspective dans ce vaste établissement qui conjugue nature, espace bien-être et accès direct aux bains thermaux de Lavey. Les chambres sont agréables (modernes et colorées) et, au restaurant, on a le choix entre buffets traditionnels et suggestions "minceur".

LAVIGNY – Vaud (VD) – **552** B10 – 847 h. – alt. 522 m – ✉ 1175　　6 B5
▶ Bern 122 – Lausanne 26 – Genève 46 – Montreux 57

✗✗　**Auberge de la Croix Blanche** avec ch　🏠 & rest, ⌘ ch, 📶 **P**
ⓔ　*Route du Vignoble 43 – ℰ 021 808 86 54 – www.la-croix-blanche.ch – fermé Noël*
- Nouvel An 2 semaines, Pâques une semaine, juillet - août 2 semaines, lundi et
mardi
3 ch ⅀ – †100 CHF ††170 CHF
Rest – (19 CHF) Menu 40 CHF (déjeuner)/102 CHF – Carte 44/96 CHF
Pour ne pas oublier votre réservation, marquez-la d'une Croix Blanche dans votre agenda ! Et si, le jour J, vous avez une faim de loup, cela tombera bien : ici, on sert de copieuses assiettes d'une bonne cuisine traditionnelle française. Préférez la salle, tout en verre et béton, donnant sur la jolie terrasse.

LAVORGO – Ticino (TI) – **553** R11 – alt. 615 m – ✉ 6746　　　9 H5
▶ Bern 180 – Andermatt 49 – Bellinzona 43 – Brig 96

✗　**Alla Stazione**　　　　　　　　　　　　　　🅺 ⇔ **P**
ⓔ　*via Cantonale – ℰ 091 865 14 08 – chiuso 1 settimana inizio gennaio, fine*
giugno - metà luglio, domenica sera e lunedì
Rist – (16 CHF) Menu 32 CHF (pranzo)/82 CHF (cena) – Carta 43/80 CHF
Simpatico indirizzo la cui cucina leggera è di stampo regionale con accenti mediterranei. Le piccole dimensioni della sala da pranzo impongono di riservare!

LENK im SIMMENTAL – Bern (BE) – **551** I10 – 2 450 Ew　　　7 D5
– Höhe 1 068 m – Wintersport : 1 068/2 200 m ⛷ 4 ⛷18 ⛷ – ✉ 3775

▶ Bern 84 – Interlaken 66 – Montreux 88 – Spiez 51

🛈 Rawilstr. 3, ℰ 033 736 35 35, www.lenk-simmental.ch

Lokale Veranstaltungen:

Februar: Schlittenhunderennen

◉ Iffigenfall ★

🏨　**Lenkerhof**　　♨ ← 🚗 🐕 ⅀ 🖥 🌐 🏠 🏋 ♨ 🖥 & ⅃ 📶 🏊 🚗 **P**
Badstr. 20 – ℰ 033 736 36 36 – www.lenkerhof.ch – geschl. 7. April - 29. Mai
70 Zim ⅀ – †310/430 CHF ††510/680 CHF – 10 Suiten – ½ P
Rest *Spettacolo* **Rest** *Oh de Vie* – siehe Restaurantauswahl
Berühmt geworden ist das einstige Badehaus durch seine eigene Schwefelquelle. Das ist heute längst nicht mehr alles: Nun kommen die Gäste wegen des freundlichen Service, der stilvoll-modernen Einrichtung, des zeitgemässen Spabereichs auf 2000 qm (alle Saunen mit Talblick!) und auch wegen der Küche! Die Skipiste verläuft übrigens durch den Park des Hauses!

🏨　**Simmenhof**　　　　♨ 🚗 🐕 ⅀ 🖥 🏠 🖥 & 📶 🚗 **P**
Lenkstr. 43, Nord: 2 km – ℰ 033 736 34 34 – www.simmenhof.ch – geschl.
2. April - 2. Mai, 28. Oktober - 28. November
35 Zim ⅀ – †130/190 CHF ††240/340 CHF – 5 Suiten – ½ P
Rest – (26 CHF) Menü 45/60 CHF – Karte 27/92 CHF
Die Zimmer dieses etwas ausserhalb des Ortes gelegenen Hotels sind mit hellem massivem Holzmobiliar modern-rustikal gestaltet. Recht geräumig: die Juniorsuiten. Das Restaurant teilt sich in nach Schweizer Regionen benannte Stuben. Die Küche ist traditionell.

XX **Spettacolo** – Hotel Lenkerhof ⟨≼ 🛱 🕸 P⟩
Badstr. 20 – ℰ 033 736 36 36 – www.lenkerhof.ch – geschl. 7. April - 29. Mai
Rest *– (nur Abendessen)* Menü 88/328 CHF ⅋
In dem geradlinig gehaltenen Restaurant serviert man täglich ein 15-Gänge-Menü. Fünf bis sechs der kleinen schmackhaften Gerichte sollten Sie schon nehmen, umso mehr Eindrücke bekommen Sie von der ambitionierten zeitgemässen Küche! Mit Wintergarten und begehbarem Weinkeller.

XX **Oh de Vie** – Hotel Lenkerhof ⟨≼ 👁 ⅋ P⟩
Badstr. 20 – ℰ 033 736 36 36 – www.lenkerhof.ch – geschl. 7. April - 29. Mai und Montag - Dienstag
Rest *–* (44 CHF) Menü 49 CHF (mittags) – Karte 64/99 CHF
Das Restaurant kommt schon recht stylish daher: mit lindgrünem Samt bezogene Stühle und Bänke, vergoldete Stuckapplikationen, Spiegelverkleidungen und glitzernde Hängeleuchter... Hier gibt es Bistrogerichte aus der Showküche von mediterran bis regional.

LENZBURG – **Aargau (AG)** – **551** N5 – **8 532 Ew** – **Höhe 406 m** – ✉ **5600**   **4** F3
▶ Bern 93 – Aarau 12 – Baden 16 – Luzern 58

🏨 **Krone** 🛱 🔲 🕸 🕮 🛜 ⅏ 🚗
Kronenplatz 20 – ℰ 062 886 65 65 – www.krone-lenzburg.ch – geschl.
22. - 28. Dezember
69 Zim ⌷ – †185/200 CHF ††230 CHF – 1 Suite
Rest *Charly* – (30 CHF) Menü 50/80 CHF – Karte 44/92 CHF
Am Rande der Altstadt liegt das gewachsene Hotel mit Stammhaus a. d. J. 1765. Es stehen helle, gut ausgestattete Zimmer bereit. Das Haus wird gerne für Tagungen genutzt. Im Restaurant Charly erwarten Sie gemütlich-traditionelles Ambiente und bürgerliche Küche.

🏨 **Ochsen** 🛱 ⅋ Zim, 🛜 ⅏ P
Burghaldenstr. 33 – ℰ 062 886 40 80 – www.ochsen-lenzburg.ch
– geschl. Weihnachten - Anfang Januar
35 Zim ⌷ – †130/165 CHF ††200/225 CHF
Rest *– (geschl. Sonntag - Montag)* (22 CHF) Menü 39/89 CHF – Karte 36/71 CHF
Ein wirklich nettes und gut geführtes Haus, das schon lange als Familienbetrieb besteht. Schön sind die wohnlichen und zeitgemässen Gästezimmer - die neuesten hat man in der "Ochsen Lodge" gegenüber (hier kostenfreie Extras wie iPhone-Anschluss, Tiefgarage...). Zum Restaurant gehört eine neuzeitlich gestaltete Stube.

X **Rosmarin** 🛱 ⇥
Rathausgasse 13 – ℰ 062 892 46 00 – www.restaurant-rosmarin.ch – geschl.
22. Dezember - 6. Januar, 10. August - 1. September und Samstagmittag, Sonntag - Montag
Rest *– (Mittwoch - Donnerstag und nur Abendessen)* (22 CHF) Menü 34 CHF (mittags unter der Woche)/39 CHF – Karte 56/102 CHF
Mediterrane Speisen wie z. B. wilder Alaska-Lachs "mi-cuit" auf Kartoffelsalat mit Cappuccino von badischem Spargel machen die Küche von Philipp Audolensky so beliebt! Wer am Ende des freundlich, geradlinig-modernen Raumes sitzt, kann ihm sogar beim Kochen zuschauen.

LENZERHEIDE LAI – **Graubünden (GR)** – **553** V9 – **2 621 Ew**   **10** I4
– **Höhe 1 476 m** – **Wintersport : 1 475/2 865 m** 🚡2 ⛷25 ⛷ – ✉ **7078**
▶ Bern 263 – Chur 21 – Andermatt 113 – Davos 41
🛈 Postfach, ℰ 081 385 57 00, www.lenzerheide.com
🚠 Lenzerheide, Süd: 2 km, ℰ 081 385 13 13

🏨 **Schweizerhof** 🚡 🛱 🔲 🕮 🕸 🖹 🏋 🛜 ⅏ 🚗 P
Voa Principala 39 – ℰ 081 385 25 25 – www.schweizerhof-lenzerheide.ch
– geschl. 21. April - 21. Mai
81 Zim ⌷ – †210/450 CHF ††320/700 CHF – ½ P
Rest *–* (24 CHF) – Karte 58/103 CHF
Alpenländisch-moderner Stil in den Zimmern "Alpenchic", "Nostalchic" (hier eine Spur eleganter) oder "Budget" (kleiner und günstiger). Attraktiver Spa - allein der Hamam misst 450 qm! Dazu "Open Air"-Solebad. Allegra ist das A-la-carte-Restaurant des Hotels.

Lenzerhorn   🛏🗺⊕🏔🛎%Zim,🛜🖼🛋🅿

Voa Principala 41 – ☎ 081 385 86 87 – www.hotel-lenzerhorn.ch
– geschl. 6. April - 8. Mai, 19. Oktober - 8. Dezember
38 Zim ⊆ – †125/295 CHF ††225/350 CHF – ½ P
Rest – (20 CHF) Menü 45/100 CHF – Karte 39/90 CHF
So hat man es gerne... nämlich zeitgemäss und wohnlich, und ganz besonders chic in den Alpenstyle-Zimmern. Auch komfortable Juniorsuiten mit Balkon sind zu haben. Relaxen kann man bei Massagen (auch als Abo) oder im Solebad unter freiem Himmel. Restaurant Giardino mit Wintergarten, Kuchikästli mit rustikaler Note, Sonnenterrasse.

Spescha   🛏🏔🖼%Rest,🛜🛋

Voa Principala 60 – ☎ 081 385 14 24 – www.hotel-spescha.ch
– geschl. 20. April - 20. Mai
12 Zim ⊆ – †95/165 CHF ††158/210 CHF – 4 Suiten – ½ P
Rest – (16 CHF) – Karte 54/72 CHF
In dem Familienbetrieb mitten im Ort wohnt man schön gepflegt wahlweise zur Dorf- oder zur Südseite (einige Zimmer auch mit Balkon) und frühstückt am Morgen gemütlich in der hübschen Bündnerstube mit Kachelofen. Zum Essen hat man es im "ustria" mit seinem modern-alpinen Look besonders nett. Gut die kleine Weinkarte.

La Riva   🏔⇔🅿

Voa Davos Lai 27 – ☎ 081 384 26 00 – www.la-riva.ch – geschl. 21. April
- 27. Juni, 19. Oktober - 12. Dezember und Montag
Rest – (28 CHF) Menü 44 CHF (mittags)/59 CHF
– Karte 55/113 CHF🍃
Hell und zeitgemäss-alpenländisch ist es hier - schönes Holz schafft Wärme, die grosse Fensterfront sorgt für Ausblicke auf den nahen Heidsee und die Berge. Gekocht wird international, mittags ist das Angebot etwas einfacher.

Scalottas - La Scala   🅿

Voa Principala 39 – ☎ 081 384 21 48 – www.schweizerhof-lenzerheide.ch
– geschl. 10. April - 15. Juli und Montag; im Sommer: Montag - Mittwoch
Rest – (nur Abendessen) Karte 62/99 CHF
Rest *Bündnerstube* – (nur Abendessen) Karte 62/102 CHF
Sie wählen typische mediterrane Speisen wie Pasta und Risotto, aber auch Fleisch und Fisch. Die Einrichtung ist geradlinig und in warmen Tönen gehalten. Zu den regionalen Spezialitäten der rustikalen Bündnerstube gehören vor allem Fondues und Raclette.

in Sporz Süd-West: 2,5 km – ✉ 7078

Maiensäss Hotel Guarda Val   🍃≤🖼🏔🏔%🛜🖼🛋🅿

Voa Sporz 85 – ☎ 081 385 85 85 – www.guardaval.ch
50 Zim ⊆ – †220/1065 CHF ††293/1420 CHF – ½ P
Rest *Guarda Val* – siehe Restaurantauswahl
Rest *Crap Naros* – (geschl. Mai 3 Wochen) Karte 50/69 CHF
Das hätten sich die elf jahrhundertealten Scheunen und Ställe nicht träumen lassen, dass aus Ihnen mal ein derartig schönes Hotel wird! Seinen heimelig-regionalen Bergdorf-Charme hat man dem liebenswerte Ensemble bewahrt und ihn mit ausgesprochen wertigem modernem Design gemischt! Und dann noch die romantische Lage... ein echtes Bündner Alpen-Bijou!

Guarda Val – Maiensäss Hotel Guarda Val   ≤🏔⇔🅿

Voa Sporz 85 – ☎ 081 385 85 85 – www.guardaval.ch
Rest – Menü 79 CHF (mittags)/175 CHF – Karte 82/107 CHF
Was könnte einen in diesem historischen Bauernhaus Schöneres erwarten als die Gemütlichkeit von rustikalem altem Holz gepaart mit einer modernen Note? Wer gerne den Überblick hat, nimmt auf der Empore Platz. Noch weiter geht der Blick auf der wunderbaren Terrasse... auch im Winter! Abends serviert man ambitionierte Menüs.

in Tgantieni Süd-West: 3,5 km – Höhe 1 755 m – ⌧ 7078 Lenzerheide

⌂ **Berghotel Tgantieni** ⌁ ⌁ ⌁ ⌁ Zim, ⌁ P

⌁ *Voa Tgantieni 17 – ⌁ 081 384 12 86 – www.tgantieni.ch – geschl. 6. April
- 21. Juni, 20. Oktober - 5. Dezember*
15 Zim ⌁ – ♦80/150 CHF ♦♦160/270 CHF – ½ P
Rest – (18 CHF) Menü 20 CHF – Karte 28/87 CHF
Familientradition in 1796 m Höhe. Zimmer meist mit fantastischer Aussicht. Die Bar
in der Marola Hütte gleich neben der Piste ist tagsüber ein Treff für Skifahrer.
Besonders gemütlich speist man in der Arvenstube. Die Karte ist bürgerlich-regional.

in Valbella Nord: 3 km – Höhe 1 546 m – ⌧ 7077

⌂⌂ **Valbella Inn** ⌁ ⌁ ⌁ ⌁ ⌁ ⌁ ⌁ ⌁ ⌁ ⌁ ⌁ ⌁ ⌁ Rest, ⌁ ⌁ ⌁ P

⌁ *Voa selva 3 – ⌁ 081 385 08 08 – www.valbellainn.ch – geschl. 21. April - 7. Juni*
61 Zim ⌁ – ♦160/280 CHF ♦♦260/380 CHF – 17 Suiten – ½ P
Rest – (18 CHF) Menü 40/75 CHF – Karte 33/84 CHF
Ideal für Familienurlaub: Kinderland, Familienbad, Kinder-Skilift direkt hinter dem
Hotel. Im Neubau "Tgiasa da Lenn" und im Wellness-Turm "Tor da Lenn" (ab 16
Jahre): alpines Design in Naturmaterialien und Naturfarben. Aussichtsterrasse
beim Restaurant.

⌂⌂ **Posthotel** ⌁ ⌁ ⌁ ⌁ ⌁ ⌁ P

*Voa Principala 11 – ⌁ 081 385 12 12 – www.posthotelvalbella.ch
– geschl. im Sommer*
19 Zim ⌁ – ♦150/250 CHF ♦♦190/350 CHF – 1 Suite – ½ P
Rest *Stoiva* – (nur Abendessen) Karte 41/102 CHF ⌁
Rest *Mamma Mia* – (25 CHF) – Karte 34/98 CHF
Das kleine Hotel empfängt Sie gleich im Eingangsbereich mit schönen Gemälden.
An einigen Abenden lauscht man in der gemütlichen Lobby am offenem Kamin
Pianoklängen (live). Wunderschön im Bündner Stil gestaltete Stoiva: Arvenholz-
täferung und hellblau-weisse Stoffe, dazu moderne Küche.

⌂⌂ **Seehof** ⌁ ⌁ ⌁ ⌁ ⌁ ⌁ ⌁ ⌁ ⌁ ⌁ P

Voa Davos Lai 26 – ⌁ 081 384 35 35 – www.seehof-valbella.ch
28 Zim ⌁ – ♦100 CHF ♦♦200/258 CHF – 1 Suite – ½ P
Rest – Menü 28 CHF (mittags)/59 CHF – Karte 50/88 CHF ⌁
Ruhig liegt dieses Haus an der Seeuferstrasse. Wohnliche Arvenholzzimmer mit
eigenem Quellwasser zur Begrüssung, darunter auch einige Juniorsuiten und
eine Suite. Das Restaurant ist behaglich und wirkt durch die grosse Fensterfront
hell und freundlich; seitlich eine Terrasse für warme Tage. Die Küche ist mediterran beeinflusst.

LEUKERBAD LOÈCHE-LES-BAINS – **Wallis (VS)** – **552** K11 – **1 596 Ew**   **8** E6
– Höhe 1 404 m – Wintersport : 1 411/2 700 m ⌁3 ⌁9 ⌁ – Kurort – ⌧ 3954
▶ Bern 101 – Brig 47 – Interlaken 81 – Sierre 27
⌁ Rathausstr. 8, Rathaus, ⌁ 027 472 71 71, www.leukerbad.ch
Lokale Veranstaltungen:

4.-6. Juli: Literaturfestival

⌂⌂⌂ **Les Sources des Alpes** ⌁ ⌁ ⌁ ⌁ ⌁ ⌁ ⌁ ⌁ ⌁ ⌁ ⌁

Tuftstr. 17 – ⌁ 027 472 20 00 – www.sourcesdesalpes.ch
26 Zim ⌁ – ♦330/550 CHF ♦♦450/650 CHF – 4 Suiten – ½ P
Rest *La Malvoisie* – siehe Restaurantauswahl
Klassisch und stilvoll wie eh und je! Ein engagiertes Team, das Gäste verschie-
denster Nationen kompetent und aufmerksam umsorgt, sowie geräumige, elegante Zimmer in zarten, hellen Tönen (das kleinste misst 34 qm!). Auch das
umfassende Wellnessangebot wird Sie überzeugen!

⌂⌂⌂ **Mercure Hotel Bristol** ⌁ ⌁ ⌁ ⌁ ⌁ ⌁ ⌁ ⌁ ⌁ ⌁ ⌁ Rest, ⌁

Rathausstr. 51 – ⌁ 027 472 75 00 – www.mercure.com/6927   ⌁ ⌁ P
73 Zim ⌁ – ♦195/215 CHF ♦♦290/320 CHF – 1 Suite – ½ P
Rest – (nur Abendessen) Menü 45/58 CHF – Karte 55/86 CHF
Die zwei Gebäude mit schönem grossem Garten-Poolbereich liegen ruhig am
Dorfrand. Die Zimmer des Haupthauses sind moderner eingerichtet, die im
Annexe einfacher. Auffallend: das markante Rot im Bar- und Restaurantbereich.

Lindner Hotels & Alpentherme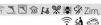
Dorfplatz – ☎ 027 472 10 00 – www.lindnerhotels.ch
134 Zim 🛏 – †109/169 CHF ††219/279 CHF – 1 Suite – ½ P
Rest *Sacré Bon* – ☎ 027 472 17 47 – Karte 52/85 CHF
Drei miteinander verbundene Häuser mit den wohlklingenden Namen "Hotel de France" (1845), "Maison Blanche" (1625) und "Grand Bain". Bequem: von der Lobby durch den Bademantelgang in die Alpentherme! Eine Alternative zum Restaurant "Sacré Bon" ist das kleine "Fin Bec".

Grichting und Badnerhof
Kurparkstr. 13 – ☎ 027 472 77 11 – www.hotel-grichting.ch
48 Zim 🛏 – †80/125 CHF ††160/240 CHF – ½ P
Rest *La Terrasse* – Menü 18 CHF (mittags)/59 CHF – Karte 40/81 CHF
Familien verbringen gerne die Ferien in den beiden Chalets. Der Tag beginnt mit einem guten Frühstück und Panoramablick! Die Zimmer haben teilweise einen eigenen Balkon. Restaurant La Terrasse mit gemütlicher Zirbenstube.

Waldhaus
Promenade 17 – ☎ 027 470 32 32 – www.hotel-waldhaus.ch – geschl. 21. April - 16. Mai
16 Zim 🛏 – †140/190 CHF ††232/392 CHF – ½ P
Rest – *(geschl. Dienstag - Mittwochmittag, ausser Saison)* (19 CHF)
– Karte 39/97 CHF
Von Ihrem Südbalkon (einen solchen haben acht der schön renovierten Zimmer) schauen Sie auf die Berge, der Wald direkt am Haus! Das Thermalbad können Sie gratis nutzen. Werfen Sie einen Blick auf die bemerkenswerte Bordeaux-Weinkarte - ein Faible des Chefs!

Viktoria garni
Pfolongstutz 2 – ☎ 027 470 16 12 – www.viktoria-leukerbad.ch – geschl. 21. April - 28. Mai, 23. November - 26. Dezember
20 Zim 🛏 – †98/134 CHF ††180/252 CHF
Ein tipptopp gepflegtes Haus mit gut ausgestatteten Zimmer in frischen, wohnlichen Farben, alle mit Balkon. Gleich nebenan die Burgerbad Therme, zu der die Hausgäste kostenfreien Zugang haben. Ebenfalls gratis: Gemmibahn einschliesslich Pendelbahn zum Daubensee, Green Fee für 18-Loch-Golfplatz in Leuk/Susten, Sportarena Leukerbad...

La Malvoisie – Hotel Les Sources des Alpes
Tuftstr. 17 – ☎ 027 472 20 00 – www.sourcesdesalpes.ch
Rest – (35 CHF) Menü 75 CHF (abends)/140 CHF – Karte 57/116 CHF 🍴
Zuerst ein Aperitif bei Pianomusik in der Bar, dann bei klassischem Ambiente und stets präsentem Service ambitionierte Küche und erlesene Weine geniessen! Von den Fensterplätzen hat man zudem noch eine schöne Sicht.

LIEBEFELD – Bern – 551 J7 – siehe Bern

LIECHTENSTEIN – (FÜRSTENTUM) – 551 V-W6-7 – siehe Seite 463

LIESTAL Ⓚ – Basel-Landschaft (BL) – 551 L4 – 13 609 Ew – Höhe 327 m 3 E2
– ✉ 4410

▶ Bern 82 – Basel 20 – Aarau 52 – Baden 59
🛈 Rathausstr. 30, ☎ 061 921 01 25, www.liestal.ch
Lokale Veranstaltungen:
9. März: Chienbäse-Umzug
◎ Lage★

Engel
Kasernenstr. 10 – ☎ 061 927 80 80 – www.engel-liestal.ch
49 Zim 🛏 – †140/200 CHF ††160/230 CHF – ½ P
Rest – (18 CHF) Menü 23 CHF (mittags unter der Woche)/46 CHF
– Karte 34/75 CHF
Ein Hotel in zentraler Lage, das über neuzeitlich und funktionell ausgestattete Gästezimmer verfügt, darunter auch zwei besonders komfortable Maisonetten. Zur Wahl stehen die drei Restaurants Raphael's, Taverne und Le Papillon.

in Bad Schauenburg Nord-West: 4 km – Höhe 486 m – ⊠ 4410 Liestal

🛏️ **Bad Schauenburg** ⚓ ⋞ 🏨 🛜 🦽 **P**

Schauenburgerstr. 76 ⊠ *4410 –* ℰ *061 906 27 27 – www.badschauenburg.ch*
– geschl. 20. Dezember - 15. Januar
34 Zim 🛏️ – ♦150/210 CHF ♦♦210/280 CHF – ½ P
Rest *Basler Stübli* – siehe Restaurantauswahl
Vorbei an Feld, Wald und Wiese, dann durch den wunderbaren Garten mit Biotop
und Koiteich: Das 300 Jahre alte einstige Heilbad ist auch heute noch ein wahres
Idyll! Verständlich, dass hier auch gerne geheiratet wird. Für das Brautpaar (natürlich nicht nur): die "Biedermeier-Suite".

🍴🍴 **Basler Stübli** – Hotel Bad Schauenburg ⋞ 🛜 **P**

Schauenburgerstr. 76 – ℰ *061 906 27 27 – www.badschauenburg.ch – geschl.*
20. Dezember - 15. Januar und Sonntagabend
Rest – Menü 60 CHF (mittags unter der Woche)/145 CHF – Karte 91/120 CHF
Elegantes Herzstück des Restaurants ist das Basler Stübli (schön aber auch die
Terrasse mit toller Sicht!). Was hier auf den Tisch kommt, ist klassisches Handwerk
- probieren Sie z.B. Tatar von St. Jakobsmuscheln oder die legendären Kalbfleisch-
ravioli mit Trüffelschaum!

Wie entscheidet man sich zwischen zwei gleichwertigen Adressen?
In jeder Kategorie sind die Häuser nochmals geordnet, die besten
Adressen stehen an erster Stelle.

LINDAU – Zürich (ZH) – **551** Q4 – 5 079 Ew – Höhe 530 m – ⊠ 8315   4 G2
▶ Bern 141 – Zürich 22 – Schaffhausen 37 – Zug 64

🍴🍴🍴 **Rössli** 🛜 ♿ 🆎 ⇌ **P**

Neuhofstr. 3 – ℰ *052 345 11 51 – www.roessli-lindau.com – geschl. 23.*
- 26. Dezember, 1. - 5. Januar und Sonntag - Montag
Rest – (35 CHF) Menü 49 CHF (mittags unter der Woche)/139 CHF
– Karte 70/113 CHF
"Aus alt mach neu", so erging es dem Rössli, das komplett abgerissen und exakt
nach dem Vorbild des Originals wieder aufgebaut wurde. Nun ist es ein elegantes
Restaurant, dem es nicht an Grosszügigkeit mangelt, in dem man gut isst und
von Rolf und Christine Grob freundlich umsorgt wird. Empfehlenswert ist z. B.
"Seezunge und Jakobsmuscheln mit Lauch und Fenchel". Im Dorf-Bistro gibt es
auch Kleinigkeiten.

LIPPERSWIL – Thurgau (TG) – **551** S3 – ⊠ 8564   5 H2
▶ Bern 179 – Frauenfeld 17 – Herisau 71 – Zürich 59
🏌️ Golf Lipperswil AG, Golf Park 1, ℰ 052 724 01 10

🏨 **Golf Panorama** ⚓ ⋞ 🏊 🧖 🎱 🌿 🐎 🧖 🏨 🍴 🛜 🦽 🌳 **P**

Golfpanorama 6 – ℰ *052 208 08 08 – www.golfpanorama.ch/golfpanorama*
55 Zim 🛏️ – ♦200/250 CHF ♦♦340/440 CHF – ½ P
Rest *Lion d'Or* – siehe Restaurantauswahl
Der Golfplatz Lipperswil auf der einen Seite, Wiesen und Felder auf der anderen
- eine Umgebung zum Abschalten! Auch drinnen ist Wohlfühlen angesagt: moderne, klare Linien in warmen, ruhigen Farben und als Beauty-Highlight die hauseigene Apfelblütenkosmetik!

🍴🍴🍴 **Lion d'Or** – Hotel Golf Panorama 🛜 🌿 **P**

Golfpanorama 6 – ℰ *052 208 08 08 – www.golfpanorama.ch*
Rest – (35 CHF) Menü 77 CHF (abends)/107 CHF – Karte 74/99 CHF
Luftig wirkt das geradlinig gehaltene Restaurant in seiner recht offenen Gestaltung, einsehbar auch die Küche - hier entstehen internationale Speisen mit Bezug
zu Region und Saison. Vor der grossen Glasfront: die Terrasse zum Golfplatz.

LOCARNO – Ticino (TI) – **553** Q12 – **15 303 ab.** – alt. 205 m – Sport 9 H6
invernali : a Cardada : 1 340/1 670 m ⛷ 1 ⚡3 – ⊠ 6600

▶ Bern 239 – Lugano 46 – Andermatt 107 – Bellinzona 24

🖪 Largo Zorzi 1 B1, 𝒞 091 791 00 91, www.ascona-locarno.com

🛬 Ascona, Sud-Est : 6,5 km, 𝒞 091 785 11 77

🛬 Gerre Losone, Losone, Nord-Ovest : 6 km per strada Centovalli, 𝒞 091 785 10 90

Manifestazioni locali :

febbraio : carnaval La Stranociada

2-6 aprile : Locarno Camelie

maggio : Brocante

10-20 luglio : Moon and Stars

6-16 agosto : Festival internazionale del film

◉ Lago Maggiore★★★B2 • Piazza Grande★A2 • Monte Cimetta★★ per seggioviaA1

◔ Circuito di Ronco ≼★★ sul lago dalla strada per Losone e Ronco • Valle
Maggia★★ • Val Verzasca★ • Centovalli★

🏨 **Belvedere** ⚗ ≼ 🚗 🖾 🏠 Ⅰ6 ⛨ 🛓 🕍 ⅗ rist, 🛜 🖴 🛋 🅿

via ai Monti della Trinità 44 – 𝒞 091 751 03 63 – www.belvedere-locarno.com
83 cam 🖵 – ♦160/340 CHF ♦♦270/410 CHF – 6 suites – ½ P   A1**z**
Rist – (38 CHF) Menu 38/55 CHF (cena) – Carta 45/92 CHF

Dimora storica dell'alto lago da cui è possibile scorgere la città dal giardino fiorito.
Camere ampie e moderne (da preferire quelle con vista lago) e diversi ristoranti
dai nomi evocativi: Fontana, Affresco, Veranda e Grotto. Il menu d'impronta tradizionale, tuttavia, non cambia.

🏨 **Millennium** senza rist 🛗 🕍 🛜

*via Dogana Nuova 2 – 𝒞 091 759 67 67 – www.millennium-hotel.ch – chiuso
novembre - marzo : domenica - lunedì*   B2**e**
11 cam 🖵 – ♦90/285 CHF ♦♦149/285 CHF

Di fronte all'imbarcadero, lasciatevi viziare in questa graziosa bomboniera - familiare e personalizzata - nella quale vivere richiami al jazz. Camere di diversa tipologia: alcune un po' piccole, ma comunque confortevoli.

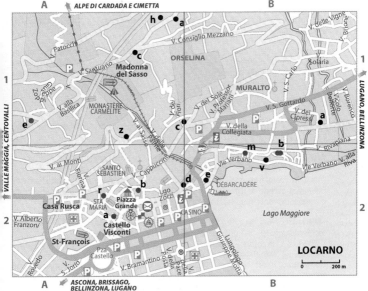

275

⌂ **Du Lac** senza rist　　　　　　　　　　　≤ 🕭 🎿 ⋧
via Ramogna 3 – ℰ 091 751 29 21 – www.du-lac-locarno.ch – chiuso metà novembre - inizio dicembre　　　　　　　　　　AB2**d**
30 cam ⌓ – ♦95/140 CHF ♦♦160/240 CHF
Proprio nel centro cittadino, hotel con camere diverse per dimensioni, dagli arredi moderni. Al primo piano, sala per la colazione da cui si accede ad una bella terrazza.

ⅩⅩ **Iachiesa**　　　　　　　　　　　　≤ 🕭 ⅙
Via del Tiglio 1 ✉ 6605 Locarno-Monti Trinità – ℰ 091 752 03 03 – www.iachiesa.ch – chiuso lunedì e martedì　　　　　　　A1**e**
Rist – *(consigliata la prenotazione la sera)* Menu 98 CHF – Carta 73/109 CHF
Sulle colline dominanti Locarno, la vista spazia sulla città e uno scorcio di lago, la cucina su piatti mediterranei, dall'Italia alla Spagna, dal pesce alla carne.

ⅩⅩ **Da Valentino**　　　　　　　　　　　🕭 🎿 ⟡
via Torretta 7 – ℰ 091 752 01 10 – www.ristorantedavalentino.ch – chiuso 1 settimana a carnevale, 2 settimane fine giugno - inizio luglio, 1 settimana inizio novembre, domenica e lunedì　　　　　　　　　A2**b**
Rist – (26 CHF) Menu 40 CHF (pranzo in settimana)/78 CHF – Carta 79/88 CHF
La bella terrazza affacciata d'amblé, ma anche la cordiale accoglienza ed il servizio attento non mancano di conquistare l'ospite: *Valentino* ai fornelli, *Sabine* in sala, e sulla tavola gustose specialità mediterranee. D'inverno, il camino riscalderà l'ambiente e i cuori.

ⅩⅩ **La Cittadella** con cam　　　　　　　🕭 🎿 rist, ⋧
⊜ *via Cittadella 18, (1° piano) – ℰ 091 751 58 85 – www.cittadella.ch – chiuso lunedì*　　　　　　　　　　　　　　A2**r**
9 cam ⌓ – ♦70/110 CHF ♦♦120/170 CHF
Rist – (25 CHF) Menu 45 CHF (pranzo in settimana)/78 CHF – Carta 77/99 CHF
Rist La Trattoria – (18 CHF) – Carta 55/76 CHF
Cucina classica e mediterranea con proposte di pesce, in un ambiente rustico-elegante con travi a vista anche nelle camere. Tipicità a prezzi più contenuti a *La Trattoria*: tante ricette italiane e l'immancabile pizza!

ⅩⅩ **Locanda Locarnese**　　　　　　　　　　　🕭
Via Bossi 1 – ℰ 091 756 87 56 – www.locandalocarnese.ch – chiuso 1 settimana inizio gennaio, giugno e domenica　　　　　　　A2**a**
Rist – (22 CHF) Menu 39 CHF (pranzo)/84 CHF (cena) – Carta 63/88 CHF
Nascosto in una viuzza, questo piacevole ristorante dai tratti moderni propone una cucina mediterranea che segue l'alternarsi delle stagioni. A caratterizzare l'ambiente il grande camino; a far sentire il cliente come ospite di una casa privata, l'amabile servizio.

a Muralto – alt. 208 m – ✉ 6600

🏨 **Ramada Hotel La Palma au Lac**　　≤ 🕭 🕭 ⅙ 🕭 🎿 ⋧ 🛁 P
viale Verbano 29 – ℰ 091 735 36 36 – www.ramada-treff.ch　　B2**v**
67 cam ⌓ – ♦145/315 CHF ♦♦225/395 CHF – 1 suite – ½ P
Rist – (25 CHF) Menu 20 CHF (pranzo)/42 CHF – Carta 41/75 CHF
Situato di fronte al lago, albergo con camere di diverso stile, alcune arredate con mobili in cuoio, funzionali altre con mobili più classici, di legno intarsiato. Dall'ampia hall si accede al ristorante in stile classico-elegante, che propone una squisita cucina d'impronta mediterranea.

⌂ **Muralto** senza rist　　　　　　　　🕭 🎿 ⋧ ⌂ P
via Sempione 10 – ℰ 091 735 30 60 – www.hotelmuralto.ch – chiuso 23 dicembre - 7 gennaio　　　　　　　　　AB1**c**
34 cam ⌓ – ♦99/149 CHF ♦♦149/215 CHF
Ristrutturato in anni recenti, l'albergo si ripropone in una squisita veste moderna, soprattutto nella luminosa hall con bar. Camere accoglienti e confortevoli - alcune ampie, altre meno - quelle rivolte a sud dispongono di balcone.

⌂ **Camelia** 🀫 ▮ & 🗚 ℀ rist, ☏ **P**

via G.G. Nessi 9 – 𝒞 091 743 00 21 – www.camelia.ch – chiuso 1° novembre
- 14 marzo   B1**a**
41 cam ⌸ – ♦100/150 CHF ♦♦200/300 CHF – ½ P
Rist – (37 CHF) Menu 40 CHF (cena) – Carta 38/73 CHF
Indirizzo simpatico e familiare dispone di camere vivacemente colorate e dal confort semplice, ma apprezzabile. La maggior parte delle camere è dotata di balcone o piccola loggia.

✗✗ **Osteria del Centenario**   🀫

viale Verbano 17 – 𝒞 091 743 82 22 – www.osteriacentenario.ch – chiuso 1
settimana febbraio - marzo, 1 settimana fine giugno e lunedì; aprile- giugno:
domenica sera e lunedì; novembre - marzo : domenica e lunedì   B2**m**
Rist – (26 CHF) Menu 39 CHF (pranzo in settimana)/87 CHF – Carta 78/103 CHF
Accogliente ristorante, dove la simpatia del servizio e l'ambiente rustico-informale
si associano ad una saporita cucina mediterranea, che segue le stagioni. Dalla piacevole terrazzina, l'incanto del lago.

✗ **Antica Osteria Il Malatesta**   🀫

via dei pescatori 8 – 𝒞 091 730 15 24 – www.anticaosteria.ch – chiuso 1°
- 20 febbraio e martedì   B2**b**
Rist – Menu 73 CHF – Carta 52/87 CHF
Tre salette arredate con mobili antichi, dipinti ed un camino: l'atmosfera è semplice e un po' retrò, la cucina squisitamente italiana con un occhio di riguardo
per le specialità di carne.

✗ **Osteria Chiara**   🀫

Vicolo dei Chiara 1 – 𝒞 091 743 32 96 – www.osteriachiara.ch – chiuso 2
settimane giugno, 3 settimane novembre, domenica e lunedì   B2**b**
Rist – (29 CHF) Menu 29 CHF (pranzo)/72 CHF (cena) – Carta 59/84 CHF
Un po' defilato in una stradina del centro storico, tradizionale grotto con un bel
camino ed una piacevole terrazza pergolata, dove gustare una verace cucina
casalinga.

ad Orselina Nord : 2 km – alt. 406 m – ⊠ 6644

🏠🏠🏠 **Villa Orselina**   ⦸ ≤ 🚗 🀫 ⊐ 🗔 ◎ 🕸 ♨ ℀ ▮ 🗚 cam, ℀ rist, 🀫

via Santuario 10 – 𝒞 091 735 73 73 – www.villaorselina.ch – chiuso   🚗
gennaio - febbraio   A1**c**
28 cam ⌸ – ♦200/490 CHF ♦♦260/640 CHF – 19 suites
Rist il Ristorante – Menu 78 CHF – Carta 74/94 CHF
Hotel completamente rinnovato e molto ben situato in una zona tranquilla, all'inizio della montagna con splendida vista sul lago: camere molto raffinate, da tutte
si gode di uno splendido panorama, e centro benessere. Al Ristorante, lo chef italiano ammalia con sapori mediterranei. Vicino alla piscina, solo a pranzo, piatti più
semplici e pesce alla griglia.

⌂ **Mirafiori**   ≤ 🚗 🀫 ⊐ 🕸 ▮ ℀ rist, **P**

via al Parco 25 – 𝒞 091 743 18 77 – www.mirafiori.ch – chiuso metà ottobre
- metà marzo   A1**h**
25 cam ⌸ – ♦120/180 CHF ♦♦200/280 CHF – ½ P
Rist – Menu 38 CHF (cena) – Carta 34/85 CHF
Incantevole giardino e bella terrazza in una struttura familiare, dalla calda ospitalità. Rilassati attorno alla piscina, lasciatevi trasportare verso mete lontane dal profumo intenso dei fiori esotici i cui colori ravvivano anche le camere, di varia tipologia: quelle superiori con aria condizionata.

⌂ **Stella**   ≤ 🚗 🀫 ⊐ ▮ 🗚 🀫 **P**

via al Parco 14 – 𝒞 091 743 66 81 – www.hotelstella.ch – chiuso novembre
🚗 *- inizio marzo*   A1**a**
39 cam ⌸ – ♦82/140 CHF ♦♦164/396 CHF – 1 suite – ½ P
Rist – (18 CHF) Menu 20/59 CHF – Carta 44/64 CHF
Situato nella parte alta di Locarno, l'hotel dispone di un bel giardino con piscina e
di 12 camere design; arredi funzionali nelle restanti stanze, la maggior parte con
balcone e vista lago. Andate fino alla panoramica terrazza e cenate cercando la
vostra "Stella": la squisita cucina tradizionale non vi deluderà!

a Minusio Est : 2 km per via San Gottardo B1 – alt. 246 m – ⊠ 6648

Esplanade ⚭ ≲ ⚬ 🏠 ⅃ 🌀 🐟 🕯 ✖ 🛎 ᬗ 🎰 cam, ⅋ 🛜 ⚙ **P**
*via delle Vigne 149 – ℰ 091 735 85 85 – www.esplanade.ch – chiuso 3 gennaio
- 1° marzo*
67 cam ⌇ – ♦160/270 CHF ♦♦270/520 CHF
Rist – Menu 65 CHF (cena) – Carta 59/81 CHF
Incantevole vista per questo hotel in stile Liberty, abbracciato da un lussureggiante parco, che oltre a moderne infrastrutture offre un grande centro wellness
e tutto per la vostra salute. Cucina mediterranea nella sala da pranzo classica e
sulla terrazza.

Alba senza rist ≲ 🚃 ⅃ 🛎 ᬗ 🎰 🛜 🚗
*via Simen 58 – ℰ 091 735 88 88 – www.albahotel.ch – chiuso 1° novembre
- 25 marzo*
35 cam ⌇ – ♦90/130 CHF ♦♦160/230 CHF
L'eleganza si veste di classicità in questa piacevole struttura rallegrata da un curato
giardino e con belle camere spaziose: preferite quelle a sud, dotate di balcone.

Remorino senza rist ⚭ ≲ 🚃 ⅃ 🛎 ⅋ 🛜 **P**
*via Verbano 29 – ℰ 091 743 10 33 – www.remorino.ch – chiuso novembre
- marzo*
24 cam ⌇ – ♦200/360 CHF ♦♦230/420 CHF
Hall signorile aperta direttamente verso la terrazza e il rigoglioso giardino con
piscina. Camere di diversa tipologia dal rustico allo stile tradizionale, passando
per il moderno: alcune di esse recentemente rinnovate, tutte con vista lago.

Giardino Lago ⚭ ≲ 🎰 🛜 **P**
*via alla Riva 2 – ℰ 091 786 95 95 – www.giardino-lago.ch – chiuso 6 gennaio
- 5 febbraio*
15 cam ⌇ – ♦150/280 CHF ♦♦250/370 CHF – 1 suite
Rist *Giardino Lago* – vedere selezione ristoranti
Incantevole posizione in riva al lago e in zona pedonale, il vecchio edificio tardo
ottocentesco è stato rinnovato con le più recenti dotazioni ed offre camere dagli
arredi moderni, nonché un roof lounge per snack veloci.

✖✖ **Giardino Lago** – Hotel Giardino Lago ≲ 🏠 ᬗ 🎰 **P**
*via alla Riva 2 – ℰ 091 786 95 95 – www.giardino-lago.ch – chiuso 6 gennaio
- 5 febbraio; fine ottobre a marzo: lunedì e martedì*
Rist – (28 CHF) Menu 75 CHF (cena) – Carta 53/108 CHF
Il nome è una promessa: in riva al lago, offre una cucina mediterranea che spazia
dalle tapas alla carne cotta in un forno speciale a 800° gradi. Non manca la pasta
e il pesce alla griglia.

Le LOCLE – Neuchâtel (NE) – **552** F6 – **10 077 h.** – alt. **925 m** – ⊠ **2400**   1 B4
▶ Bern 78 – Neuchâtel 28 – Besançon 76 – La Chaux-de-Fonds 9
🛈 Col 23, ℰ 032 889 68 92, www.neuchateltourisme.ch
🛈 Rue Daniel-Jean Richard 31, ℰ 032 931 43 30, www.ne.ch/tourism
Manifestations locales :
14-16 août : Rock Altitude
◉ Musée d'Horlogerie★
◧ Saut du Doubs★★★ • Lac des Brenets★

✖✖ **Auberge du Prévoux** avec ch ⅋ 🛜 ⇄ **P**
⚭ *Le Prévoux 10, (2,5 km par Le Col) – ℰ 032 931 23 13
– www.aubergeduprevoux.ch – fermé Noël - Nouvel An, 24 février - 2 mars,
28 juillet - 3 août, lundi soir et dimanche*
4 ch ⌇ – ♦90 CHF ♦♦140 CHF
Rest – Menu 100/125 CHF – Carte 68/99 CHF
Rest *Brasserie* – (19 CHF) – Carte 42/81 CHF
Au cœur des montagnes neuchâteloises, cette maison en lisière de forêt est bien
connue des gourmands ! On y apprécie une cuisine française mettant l'accent sur
les produits de saison. L'ambiance est conviviale et si vous décidez de prolonger
l'étape, des chambres vous attendent à l'étage.

X **De la Gare - Chez Sandro**

Rue de la Gare 4 – ℰ 032 931 40 87 – www.chez-sandro.ch – fermé 12 juillet - 11 août, dimanche et jours fériés
Rest – (18 CHF) Menu 68/105 CHF – Carte 49/117 CHF
Depuis les années 1970, ce restaurant italien fait figure d'institution locale. Au père a succédé le fils qui met tout son dynamisme au service de l'affaire familiale. Quelques bons crus devraient intéresser les amateurs... Pensez à réserver !

LODANO – Ticino (TI) – **553** Q12 – **191 ab.** – alt. 341 m – ⊠ 6678   9 G6
▶ Bern 255 – Locarno 17 – Andermatt 123 – Bellinzona 39

Ca'Serafina senza rist

– ℰ 091 756 50 60 – www.caserafina.com – chiuso 1° gennaio - 21 marzo
5 cam ⊑ – ♦140/180 CHF ♦♦170/210 CHF
Nel cuore di un pittoresco villaggio, tipica casa ticinese in sasso con un grazioso giardinetto, dove in stagione viene servita la prima colazione, e sole cinque camere: belle e spaziose. Su richiesta, la cena è servita per un minimo di sei persone.

LOÈCHE-les-BAINS – Valais – **552** K11 – voir à Leukerbad

LÖMMENSCHWIL – Sankt Gallen (SG) – **551** U4 – Höhe 543 m   5 I2
– ⊠ 9308
▶ Bern 208 – Sankt Gallen 11 – Bregenz 41 – Konstanz 27

XX **Neue Blumenau**

Romanshornerstr. 2 – ℰ 071 298 35 70 – www.neueblumenau.ch – geschl. 5. - 20. Januar und Samstagmittag, Sonntag - Montag
Rest – (42 CHF) Menü 58 CHF (mittags unter der Woche)/138 CHF – Karte 88/117 CHF
Ein schönes modernes Restaurant, eine tolle Terrasse, ein sehr gepflegter Garten und nicht zuletzt ein zuvorkommender Service... es ist eine Oase! Die Küche ist saisonal, die Qualität der Produkte erstklassig: Egli aus dem Bodensee, Rotbarbe und Dorade, aber auch Rinderschulter und Mistkrazerli - verlassen Sie sich auf das Können von "Lisi", Bernadette Lisibach!

X **Ruggisberg**

Süd-Ost: 2 km, im Weiler Ruggisberg – ℰ 071 298 54 64 – www.ruggisberg.ch – geschl. November 3 Wochen und Sonntagabend - Dienstag
Rest – (30 CHF) Menü 65/98 CHF – Karte 46/85 CHF
Drinnen ist es wunderbar heimelig, draussen im Garten schaut man über Wiesen bis zum Bodensee! Nicht mehr wegzudenken von der kleinen Karte: der Kalbshackbraten! Zu empfehlen sind aber auch Steinbuttfilet und Entrecôte vom Charolais-Rind, und erst die feinen Desserts...

LOSONE – Ticino – **553** Q12 – vedere Ascona

LOSTALLO – Grigioni (GR) – **553** T11 – **716 ab.** – alt. 426 m – ⊠ 6558   10 I6
▶ Bern 490 – Sankt Moritz 130 – Bellinzona 24 – Chur 95

X **Groven** con cam

– ℰ 091 830 16 42 – www.groven.ch – chiuso 1 settimana inizio gennaio, 1 settimana dopo Pasqua, 2 settimane fine agosto, sabato a mezzogiorno, domenica sera e lunedì
7 cam ⊑ – ♦120 CHF ♦♦130 CHF   **Rist** – Menu 75/120 CHF – Carta 58/91 CHF
Piccola locanda dove tutto punta sulla semplicità locale. Fermatevi per una pausa pranzo in terrazza, ogni giorno troverete un menu diverso, ispirato ai prodotti di stagione.

LUCENS – Vaud (VD) – **552** F8 – **2 855 h.** – alt. 493 m – ⊠ 1522   7 C5
▶ Bern 68 – Fribourg 33 – Lausanne 32 – Montreux 45
 Vuissens, Nord : 7 km par route Combremont - Estavayer-le-Lac, ℰ 024 433 33 00

XX **De la Gare** avec ch   🛏 🆔 rest, 📶 ✿ 🛁 **P**
Avenue de la Gare 13 – ℰ 021 906 12 50 – www.hoteldelagarelucens.ch – fermé
23 décembre - 7 janvier, 28 juillet - 19 août, dimanche et lundi
5 ch 🍽 – ♦130/150 CHF ♦♦170/180 CHF
Rest – *(réservation conseillée)* (22 CHF) Menu 45 CHF (déjeuner en semaine)/
150 CHF – Carte 52/115 CHF 🌿
Impossible de manquer cette haute maison ocre devant la gare de Lucens :
un établissement de tradition plein de vie, du côté du café comme de la table
gastronomique. Le rapport qualité-prix est bon, ainsi que le choix de vins. Pour
l'étape, des chambres simples et bien tenues.

LÜSCHERZ – **Bern (BE)** – **551** H6 – **526 Ew** – **Höhe 446 m** – ✉ **2576**   **2** C4
▶ Bern 38 – Neuchâtel 22 – Biel 16 – La Chaux-de-Fonds 42

XX **3 Fische**   🛏 🍴 **P**
😋 *Hauptstr. 29 – ℰ 032 338 12 21 – www.3fische.ch – geschl. Januar, Anfang*
September 1 Woche und Mittwoch - Donnerstag
Rest – (18 CHF) Menü 67/90 CHF – Karte 53/102 CHF
Zwei Generationen der Familie Girsberger leiten den gemütlichen Gasthof a. d.
16. Jh. Im Sommer Fischbuffets. Der Weinkeller birgt einige Trouvaillen. Mit Gast-
stube und Säli.

XX **Zum Goldenen Sternen**   🛏 **P**
😋 *Hauptstr. 33 – ℰ 032 338 12 23 – www.zumgoldenensternen.ch – geschl.*
Montag - Dienstag
Rest – (19 CHF) Menü 19 CHF (mittags)/89 CHF – Karte 49/72 CHF
Das Berner Gasthaus a. d. 18. Jh. bietet traditionelle Gerichte, die im Restaurant, in
der derb-rustikalen Stube oder auf der hübschen Terrasse serviert werden.

LUGANO

Pianta pagina seguente

© Jose Fuste Raga/ImageState/Age fotostock

TI – Ticino – 55 151 ab. – alt. 273 m – ⊠ 6900 – 553 R13

▷ Bern 271 – Bellinzona 28 – Como 30 – Locarno 40

🛈 Ufficio Informazioni turistiche

Riva Albertolli, Palazzo Civico C2, ℰ 058 866 66 00, www.luganoturismo.ch
Piazzale della Stazione C1, ℰ 091 923 51 29, www.lugano-tourism.ch

Aeroporto

✈ di Agno Sud-Ovest : 6 km ℰ 091 610 11 11

Compagnie aeree

Swiss International Air Lines Ltd., ℰ 0848 700 700
Alitalia, Piazza Cioccaro 11, ℰ 091 921 04 26

Manifestazioni locali

1-4 maggio : Tisana
luglio : Estival Jazz
fine agosto-inizio settembre : Blues to Bop Festival
otobre : Festa d'Autunno
18-22 novembre : Edilespo

Golf

⛳ Lugano, Magliaso, Sud-Ovest : 10 km, ℰ 091 606 15 57

◎ SCOPRIRE

Vedere : Lago★★ AB2 · Parco Civico★ B2 · Santa Maria degli Angioli★★ (Affreschi★★)C2
Dintorni : Gandria★ · Monte San Salvatore★★★ (15 min di funicolare)A2 · Monte Generoso★★★ (15 km per Riva Paradiso A3 e treno) · Monte Brè★★ (Est : 10 km o 20 min di funicolare)B1 · Morcote★★ (Sud : 8 km per Riva Paradiso A3) · Melide : Swissminiatur★(Sud : 7 km)

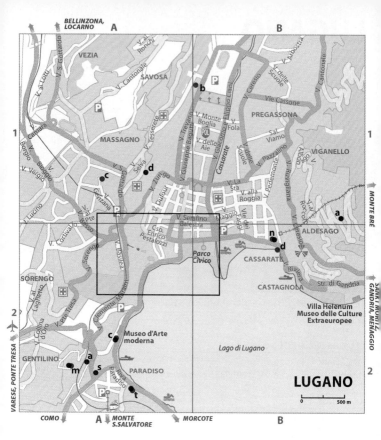

Map of Lugano with locations marked. Labels include: BELLINZONA, LOCARNO; VEZIA; V. al Lotti; V. S. Gottardo; SAVOSA; PREGASSONA; VIGANELLO; MASSAGNO; CASSARATE; MONTE BRÈ; ALDESAGO; SORENGO; GENTILINO; PARADISO; Museo d'Arte moderna; Parco Civico; CASTAGNOLA; Villa Helenum Museo delle Culture Extraeuropee; Lago di Lugano; VARESE, PONTE TRESA; COMO; MONTE S.SALVATORE; MORCOTE; SANKL/MUKILI/GANDRIA, MENAGGIO. Scale 0 – 500 m.

LUGANO

🏨🏨🏨 **Grand Hotel Villa Castagnola** ⟨icons⟩
viale Castagnola 31 ✉ *6906 Lugano-Cassarate* – ☏ *091 973 25 55* **P**
– *www.villacastagnola.com* B2**n**
78 cam ⌑ – ♦340/440 CHF ♦♦410/540 CHF – 7 suites
Rist *Arté* ✿ **Rist** *Le Relais* – vedere selezione ristoranti
Ambiente vellutato per questo hotel sito in un giardino dalla flora subtropicale:
arredi in stile garantiscono un'amenità totale nelle camere, mentre massaggi e
trattamenti estetici vi attendono nell'area wellness.

🏨🏨🏨 **Villa Principe Leopoldo** ⟨icons⟩
via Montalbano 5 – ☏ *091 985 88 55* – *www.leopoldohotel.com* A2**m**
33 cam ⌑ – ♦450/700 CHF ♦♦550/800 CHF – 4 suites
Rist *Principe Leopoldo* – vedere selezione ristoranti
In una villa del XIX secolo appartenuta al principe Leopold v. Hohenzollern, le
ampie e lussuose suite offrono una meravigliosa vista del lago e della regione,
mentre le raffinate camere sfoggiano un fascino classico intramontabile. Trattamenti cosmetici e massaggi nel *wellness center*.

🏨🏨🏨 **Splendide Royal** ⟨icons⟩
riva Antonio Caccia 7 – ☏ *091 985 77 11* – *www.splendide.ch* A2**c**
85 cam ⌑ – ♦320/525 CHF ♦♦422/680 CHF – 8 suites – ½ P
Rist *La Veranda* – vedere selezione ristoranti
Antica villa adibita ad hotel da oltre un secolo: recentemente vi si è aggiunta
un'ala nuova, ma la parte vecchia resta sempre la più elegante e raffinata.
Sublime vista sul lago.

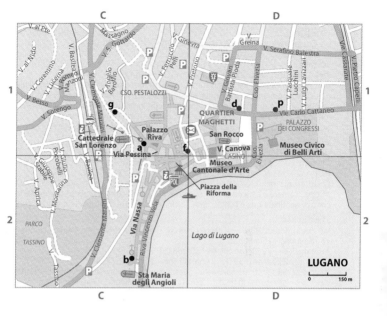

LUGANO

0   150 m

🏨🏨🏨🏨 **Grand Hotel Eden**   ⟨ 🚗 🖺 🕍 ℟₆ 🖢 Ⓚ 🛜 🕍 🚗 🅿

riva Paradiso 1 ✉ *6900 Lugano-Paradiso –* 𝄢 *091 985 92 00*
– www.edenlugano.ch – chiuso gennaio - febbraio   **A2t**
107 cam 🖵 – 🛉168/380 CHF 🛉🛉265/650 CHF – 8 suites – ½ P
Rist *Oasis* – vedere selezione ristoranti
Costruito nel 1870, il complesso si articola oggi in due edifici: piccola spa e spazi
comuni, nonché alcune camere, arredati in uno stile etnico-coloniale.

🏨🏨🏨🏨 **Residence Principe Leopoldo**   🦢 🚗 🕍 ⅃ 🕍 ℟₆ 🍽 🖢 Ⓚ 🕏 rist,
via Montalbano 5 – 𝄢 *091 985 88 55*   🛜 🕍 🅿
– www.leopoldohotel.com   **A2m**
29 cam 🖵 – 🛉500/600 CHF 🛉🛉600/700 CHF – 9 suites
Rist *Café Leopoldo* – *(chiuso ottobre - aprile)* (38 CHF) Menu 74 CHF
– Carta 68/94 CHF
Camere spaziose, arredate con gusto moderno, in una struttura che si bea della
sua fortunata posizione: immersa nel verde e non lontano da *Villa Principe Leo-*
poldo. La cucina internazionale e contemporanea del *Café* rappresenta, invece,
una simpatica alternativa al ristorante gastronomico.

🏨🏨🏨 **De la Paix**   🚗 🕍 ⅃ 🖢 🕭 Ⓚ 🕏 🛜 🕍 🚗 🅿
🐌   *via Giuseppe Cattori 18 –* 𝄢 *091 960 60 60 – www.delapaix.ch*   **A2s**
131 cam 🖵 – 🛉225/260 CHF 🛉🛉330/360 CHF – 15 suites
Rist – (19 CHF) – Carta 68/87 CHF
Sull'arteria che conduce all'autostrada, l'hotel si presta come valido punto d'ap-
poggio per l'attività congressuale. Recentemente rinnovate, le camere si caratte-
rizzano per lo stile moderno e up-to-date (alcune con balcone). I classici italiani
nel ristorante-pizzeria.

🏨🏨🏨 **Lugano Dante Center** senza rist   🖢 Ⓚ 🛜 🕍 🚗
piazza Cioccaro 5 – 𝄢 *091 910 57 00 – www.hotel-luganodante.com*
84 cam 🖵 – 🛉185/345 CHF 🛉🛉295/440 CHF – 4 suites   **C1a**
In un edificio fine '800 in pieno centro, il quinto piano è stato oggetto di un
importante rinnovo ed ora vanta camere belle ed accoglienti. Le altre stanze sfoggiano uno stile più classico, pur garantendo un ottimo confort. Deliziosa prima
colazione a buffet e free mini-bar.

Delfino
🛏️🗑️   🍴 rist, 🅰️🅲 ❄️ rist, 📶 ⚓ 🚗

via Cassarinetta 6 ✉️ *6902 Lugano-Paradiso –* ☎️ *091 985 99 99*
– www.delfinolugano.ch   A2**a**
50 cam ⬜ – ♦140/185 CHF ♦♦180/290 CHF
Rist – (18 CHF) Menu 25 CHF (pranzo)/48 CHF – Carta 50/82 CHF
Un po' decentrato, l'albergo dispone di camere moderne, piacevolmente arredate: particolarmente spaziose le superior con balcone fronte lago. Le splendidi zone comuni si aprono sulla terrazza solarium con piscina. Cucina prevalentemente moderna al ristorante, che propone anche un servizio estivo all'aperto.

International au Lac
🛏️🗑️   🅰️🅲 ❄️ rist, 📶 ⚓ 🚗

via Nassa 68 – ☎️ *091 922 75 41 – www.hotel-international.ch – chiuso novembre - marzo*   C2**b**
79 cam ⬜ – ♦130/185 CHF ♦♦195/330 CHF – 1 suite
Rist – (24 CHF) Menu 40 CHF – Carta 42/69 CHF
Costruito già nel 1906 come hotel, l'albergo dispone di una bella terrazza con piscina, camere classiche e una confortevole junior suite. Pregevoli opere d'arte sono disseminate qua e là nella casa. Cucina di carattere tradizionale-mediterraneo.

Federale
🗑️ 🍴 cam, 🅰️🅲 rist, ❄️ rist, 📶 ⚓ 🚗

via Paolo Regazzoni 8 – ☎️ *091 910 08 08 – www.hotelfederale.ch – chiuso 15 dicembre - 15 febbraio*   C1**g**
48 cam ⬜ – ♦140/180 CHF ♦♦180/260 CHF
Rist – (20 CHF) Menu 39 CHF (cena)/44 CHF – Carta 38/77 CHF
Nei pressi della stazione ferroviaria, questa struttura classica e rassicurante - gestita dal 1923 dalla stessa famiglia - offre camere di moderna eleganza: il balcone è per alcune, ma non per tutte.

XXXX   Principe Leopoldo – Hotel Villa Principe Leopoldo
≤ 🍴 🅰️🅲 ❄️ 🅿️

via Montalbano 5 – ☎️ *091 985 88 55 – www.leopoldohotel.com*   A2**m**
Rist – (48 CHF) Menu 94 CHF (cena)/140 CHF (pranzo) – Carta 100/136 CHF
Ambienti classici all'interno, ma d'estate è una corsa per mangiare su una delle più belle terrazze-giardino di Lugano. Cucina internazionale, dai mari del nord al Mediterraneo, pasta, risotti e carne compresi.

XXX   Oasis – Grand Hotel Eden
≤ 🍴 & 🅰️🅲 ❄️ 🅿️

riva Paradiso 1 ✉️ *6902 Lugano-Paradiso –* ☎️ *091 985 92 00*
– www.edenlugano.ch – chiuso gennaio - febbraio   A2**t**
Rist – (33 CHF) Menu 78 CHF (pranzo)/130 CHF (cena) – Carta 86/113 CHF
Una cucina moderna e innovativa, in una luminosa sala ristorante con una vista sul lago come poche altre: insomma, un'oasi per il palato e un paradiso per la vista!

XXX   La Veranda – Hotel Splendide Royal
≤ 🍴 🅰️🅲 ❄️ 🅿️

riva Antonio Caccia 7 – ☎️ *091 985 77 11 – www.splendide.ch*   A2**c**
Rist – (35 CHF) Menu 66 CHF (pranzo)/150 CHF (cena) – Carta 92/150 CHF
Il ristorante riprende il lussuoso stile dell'albergo che lo ospita: dalla veranda l'incanto che guarda il lago Ceresio, mentre dalla cucina piatti d'impostazione classica.

XXX   Arté – Grand Hotel Villa Castagnola
≤ 🅰️🅲 ❄️ ♻️

Piazza Emilio Bossi 7 ✉️ *6906 Lugano-Cassarate –* ☎️ *091 973 48 00*
– www.villacastagnola.com – chiuso 1° - 19 gennaio, domenica e lunedì
Rist – (40 CHF) Menu 58 CHF (pranzo)/120 CHF – Carta 97/132 CHF   B2**d**
Piatti mediterranei con influenze e prodotti francesi per un locale che anche nel nome non tradisce le aspettative: appuntamento con l'arte contemporanea in sale luminose affacciate sul lago.
➜ Capesante scottate e vongole gratinate su carpaccio di mango e verdurine marinate. Carabinero e rospo su cuscus, composta di albicocche alla citronella e spumetta d'astice. Petto di coscia di piccione brasati con praline di fegato d'oca alla quinoa rossa, galetta di mais e salsa alle ciliegie e senape.

XXX   Le Relais – Grand Hotel Villa Castagnola
≤ 🔔 🍴 🅰️🅲 ❄️ 🅿️

viale Castagnola 31 ✉️ *6906 Lugano-Cassarate –* ☎️ *091 973 25 55*
– www.villacastagnola.com   B2**n**
Rist – (40 CHF) Menu 58 CHF (pranzo in settimana)/110 CHF (cena) – Carta 91/114 CHF
Nella signorile sala da pranzo o sulla romantica terrazza, è qui che si gioca una partita equilibrata fra tradizione mediterranea e creatività: il tutto nel segno del rispetto e della fantasia.

✗ **Cyrano** 🛋 ♿ ⇄
*corso Pestalozzi 27 – ℰ 091 922 21 82 – www.bistrocyrano.ch – chiuso 24
- 29 giugno, sabato - domenica e giorni festivi* D1**d**
Rist – Menu 45 CHF – Carta 45/89 CHF
Ristorante moderno e luminoso, dove la cucina regionale e mediterranea si basa
sui prodotti stagionali. Un pizzico di creatività accompagna tutti i piatti!

✗ **Grotto Grillo** 🛋 🅰🅒 🅿
*via Ronchetto 6 – ℰ 091 970 18 18 – www.grottogrillo.ch – chiuso Natale - inizio
gennaio, metà giugno - inizio luglio, sabato a mezzogiorno e domenica*
Rist – *(coperti limitati, prenotare)* Carta 46/81 CHF B1**b**
Nella zona dello Stadio, un grotto di lunga tradizione risalente a fine '800, dove
gustare una buona cucina regionale in un ambiente di ovattata eleganza. Per gli
irriducibili del tabacco, sala fumatori al primo piano.

✗ **Bottegone del vino** 🛋 🅰🅒
via Magatti 3 – ℰ 09192227689 – chiuso domenica e giorni festivi
Rist – *(consigliata la prenotazione la sera)* (32 CHF) CD1**f**
– Carta 60/85 CHF 🍷
Trascinante atmosfera conviviale per questo tipico wine-bar che propone piatti
regionali, formaggi, salumi ed oltre 200 etichette di vini (di cui circa 150 serviti
anche al bicchiere).

✗ **Parq** 🛋
via Lucchini 1 – ℰ 091 922 84 22 – www.parq.ch – chiuso domenica
Rist – (30 CHF) Menu 30 CHF – Carta 37/73 CHF D1**p**
Il Giappone incontra l'Europa: sushi, sashimi e maki gareggiano con paste italiane,
rivisitazioni francesi e classici mediterranei in un locale moderno e di tendenza.

ad Aldesago Est : 6 km verso Brè – alt. 570 m – ✉ 6974

🏨 **Colibrì** ⬅ 🖼 🛋 🍽 📶 🛜 ♨ 🅿
*via Bassone 7, (strada d'accesso : via Aldesago 91) – ℰ 091 971 42 42
– www.hotelcolibri.ch – chiuso 3 gennaio - 28 febbraio* B1**a**
30 cam ⬚ – ♦100/190 CHF ♦♦150/260 CHF – ½ P
Rist – (30 CHF) Menu 45/52 CHF – Carta 38/110 CHF
Città e lago in un solo colpo d'occhio dalla piscina, dalle terrazze panoramiche e
dalle camere ampie e luminose di questo albergo sul monte Bré. Ottima anche
la vista che si gode dalla sala da pranzo e dalla terrazza del ristorante. Carta tradizionale.

a Davesco-Soragno Nord-Est : 4,5 km sulla via Pazzalino B1 – alt. 393 m
– ✉ 6964

✗ **Osteria Gallo d'Oro** 🛋 🅰🅒 🅿
*via Cantonale 3a, (a Soragno) – ℰ 091 941 19 43 – www.osteriagallodoro.ch
– chiuso 2 settimane fine dicembre - inizio gennaio, 2 settimane
fine giugno, domenica e lunedì*
Rist – *(consigliata la prenotazione la sera)* (32 CHF) Menu 48 CHF (in settimana)
– Carta 96/138 CHF
Un accurato *restyling* ha conferito ulteriore splendore a questo ristorante che si
propone, ora, con una veste decisamente più moderna: di tradizionale è rimasta
la cucina, profumatamente italiana o più ampiamente mediterranea. Grande
estro architettonico per la terrazza.

a Massagno Nord-Ovest : 2 km – alt. 349 m – ✉ 6900

🏨 **Villa Sassa** ⬅ 🖼 🛋 🍽 📺 🌐 📶 ♨ 🛗 ♿ rist, ✚✚ 🅰🅒 🍽 rist, 🛜 ♨ 🐾
via Tesserete 10 ✉ 6900 Lugano – ℰ 091 911 41 11 🅿
– www.villasassa.ch A1**d**
49 cam ⬚ – ♦175/250 CHF ♦♦245/336 CHF
Rist Ai Giardini di Sassa – ℰ 091 911 47 42 – (30 CHF) Menu 75 CHF
(cena)/110 CHF – Carta 63/105 CHF
La terrazza con giardino fiorito e vista lago è solo una delle attrattive di questa
bella struttura dotata di moderne camere, nonché di una valida zona wellness.
Cucina mediterranea al ristorante e menu speciale - a pranzo - presso il bar.

X **Grotto della Salute** 🌳 **P**

via dei Sindacatori 4, Strada d'accesso: via Madonna della Salute
– 𝒞 091 966 04 76 – www.grottodellasalute.com – chiuso metà dicembre - metà
gennaio, 2 settimana inizio agosto, sabato e domenica A1**c**
Rist – (consigliata la prenotazione) (24 CHF) – Carta 41/73 CHF
Caratteristico grotto, ombreggiato da platani quasi centenari: cornice ideale
per assaggiare una gustosa cucina casalinga, permeata da influenze mediterranee.
Prezzi contenuti.

LUGNORRE – Fribourg (FR) – **552** G-H7 – **1 055 h.** – **alt. 515 m** 2 C4
– ✉ 1789

▶ Bern 37 – Neuchâtel 20 – Biel 35 – Fribourg 28

XX **Auberge des Clefs** 🌳 **P**

Route de Chenaux 4, (1er étage) – 𝒞 026 673 31 06 – www.aubergedesclefs.ch
– fermé Noël une semaine, octobre 3 semaines, mercredi et jeudi
Rest – (nombre de couverts limité, réserver) Menu 69 CHF (déjeuner)/142 CHF
Rest Bistro 🐝 – voir la sélection des restaurants
Imaginez un village au-dessus des vignes et une jolie maison où règne une
ambiance familiale. Voilà pour la mise en bouche. Dans l'assiette, les produits de
saison sont à l'honneur... et le goût au rendez-vous.

X **Bistro** – Restaurant Auberge des Clefs 🌳 **P**

Route de Chenaux 4 – 𝒞 026 673 31 06 – www.aubergedesclefs.ch – fermé
Noël une semaine, octobre 3 semaines, mercredi et jeudi
Rest – (22 CHF) Menu 75/121 CHF – Carte 60/98 CHF
Assurément, le bistro des Clefs sait ouvrir les portes de la gourmandise ! En cuisine, on concocte des préparations soignées avec de beaux produits frais. Parmi
les spécialités du chef, on trouve la bouillabaisse à sa façon ou l'émincé de foie
de veau au vinaigre de framboise. Le tout à petit prix.

au Mont-Vully Est : 1 km – alt. 653 m – ✉ 1789

🏠 **Mont-Vully** 🌙 ⬅ 🌳 🛜 **P**

Route du Mont 50 – 𝒞 026 673 21 21 – www.hotel-mont-vully.ch – fermé janvier
- 12 février
9 ch 🍴 – ♦98/135 CHF ♦♦150/198 CHF
Rest – (fermé lundi et mardi) (18 CHF) – Carte 37/65 CHF
Cette ancienne ferme isolée sur le mont Vully (653 m) offre une vue splendide sur
le lac de Morat et les montagnes. Les chambres sont simples et modernes, toutes
avec balcon. Si vous souhaitez profiter du restaurant, un conseil : l'été, attablez-
vous en terrasse pour profiter du panorama !

LULLY – Fribourg – **552** F8 – **voir à Estavayer-le-Lac**

LUTERBACH – Solothurn – **551** K6 – **siehe Solothurn**

LUTHERN – Luzern (LU) – **552** M7 – **1 353 Ew** – ✉ 6156 3 E4
▶ Bern 63 – Luzern 48 – Sarnen 67 – Solothurn 50

X **Gasthaus zur Sonne** mit Zim 🌳 ⬦ **P**

Dorf – 𝒞 041 978 14 20 – www.sonne-luthern.ch – geschl. März 1 Woche, August
2 Wochen und Montag - Dienstag
4 Zim 🍴 – ♦75 CHF ♦♦130 CHF – ½ P
Rest – (22 CHF) Menü 69/85 CHF – Karte 52/89 CHF
Etwas "ab vom Schuss", aber ein echter Tipp! In dem Haus mit den grünen Fensterläden geht es richtig gastfreundlich zu, dafür sorgt Familie Achermann. Die
bürgerlich-saisonalen Speisen wie z. B. Bachforelle aus Luthern oder Wild aus
dem Napfgebiet (schönes Ausflugsziel!) schmecken und sind preislich absolut fair!

▶ Bern 100 – Lausanne 5 – Montreux 25 – Genève 68

 Le Rivage   ⟨ 🛎 📱 ⅙ 🆒 🛜 ⅍

Rue du Rivage – ℰ 021 796 72 72 – www.hotelrivagelutry.ch – fermé 2 - 9 janvier
32 ch 🖂 – 🛉160/260 CHF 🛉🛉180/320 CHF
Rest – *(fermé 1er octobre - 1er avril : dimanche soir)* (21 CHF) – Carte 52/89 CHF
Une belle et haute bâtisse ancienne sur le rivage du lac Léman : inutile de préci-
ser que la plupart des chambres offrent une vue superbe sur les flots... Leur décor
séduit également, très contemporain et chaleureux ; on s'y sent bien ! Restaurant
et bar à tapas à la belle saison.

 Le Bourg 7 sans rest   📱 🕸 🛜

Rue du Bourg 7 – ℰ 021 796 37 77 – www.lebourg7.com
11 ch 🖂 – 🛉190/220 CHF 🛉🛉190/220 CHF – 2 suites
Une demeure du 16e s. au cœur du village... Surprise : les lieux sont dignes d'une
maison d'hôtes, jouant la carte d'un art de vivre très contemporain, entre vieilles
pierres et esprit loft (certaines chambres avec kitchenettes). Belles ambiances !

XX **Auberge de Lavaux**   🛜 **P**

Route du Landar 97, (à La Conversion) ⊠ 1093 – ℰ 021 791 29 09 – fermé fin
décembre - début janvier 2 semaines, l'Ascension une semaine, octobre 3
semaines, dimanche et lundi
Rest – Menu 59 CHF (déjeuner)/175 CHF – Carte 88/120 CHF
Rest *Le Bistrot* – (19 CHF) Menu 70 CHF – Carte 76/116 CHF
La tradition est reine dans cette belle auberge : entièrement vitrée, la salle semble
sertie dans la verdure – et la terrasse est très agréable aux beaux jours. De son
côté, le bistrot constitue une alternative sympathique pour un repas plus simple.

LUZERN *LUCERNE*

Stadtpläne siehe nächste Seiten   **4** F4

© Barbara Boensch/imagebroker/Age fotostock

K – LU – **Luzern** – **78 093 Ew** – **Höhe 439 m** – ✉ **6000** – 551 O7

▶ Bern 111 – Aarau 47 – Altdorf 40 – Interlaken 68

🛈 Tourist-Information

Zentralstr. 5 B3, ☎ 041 227 17 17, www.luzern.com

Automobilclub

🅐 Klosterst. 11, ☎ 041 249 00 47

Messengelände

Messe Luzern AG, Horwerstr. 87, ✉ 6005, ☎ 041 318 37 00

Messen

31. Januar - 2. Februar: Hochzig
21.-22. März: Eigenheim-Messe Luzern
25. April- 4. Mai: Luga
2.-5. Oktober: Bauen u.Wohnen
31. Oktober-2. November: Travel Expo

Veranstaltungen

27. Februar- 4. März: Luzerner Fasnacht
5.-13. April: Lucerne Festival zu Ostern
28. Juni: Luzerner Fest
11.-13. Juli: Ruderwelt
18.-26. Juli: Blue Balls Festival

Golfplätze

🖼 Rastenmoos, Neuenkirch, Nord-West: 10 km bis Emmen-Nord, dann Richtung Basel-Sursee, beim Bahnhof Rothenburg auf die Hasenmoosstrasse, ☎ 041 467 04 26
🖼 Luzern am Dietschiberg, Nord-Ost: 4 km über Dietschibergstrasse, ☎ 041 420 97 87
🖼 Oberkirch, Nord-West: 27 km Autobahn Ausfahrt Sursee, Richtung Sursee, dann Nottwil/Oberkirch und über die Kantons-Umfahrungsstrasse, ☎ 041 925 24 50
🖼 Sempachersee, Hildisrieden, Nord-West: 18 km Autobahn Richtung Basel, Ausfahrt Sempach, ☎ 041 462 71 71

Sehenswert: Lage★★★ · Altstadt ★★· Altes Rathaus★ · Weinmarkt★ ·
Jesuitenkirche St. Franz Xaver★ (Innenraum★) · Kapellbrücke★B2 ·
Franziskanerkirche★A2 · Hofkirche★ Bourdabi Panorama★ · Uferquai★★C2 ·
Museggmauer (⩽★)A2 · Sammlung Rosengart★★(Picasso-Sammlung★★★· 125
Werke von Paul Klee★★)B3· Kultur- und Kongresszentrum★★C2

Museen: Kunstmuseum★C2 · Verkehrshaus der Schweiz★★★ (über Haldenstrasse
D1)

Ausflugziele: Pilatus★★★ (Süd-West: 15 km über Obergrundstrasse A3 und
Zahnradbahn) · Rigi★★★ (Ost: 24 km über Haldenstrasse D1 und Zahnradbahn)

🏨🏨🏨 Palace
⩽ 🏡 ⓦ 🐎 🔥 🛎 ⟵ Zim, 🄰🄲 🕸 Rest, 🛜 🛁 🚗

Haldenstr. 10 ✉ *6002 –* ☎ *041 416 16 16 – www.palace-luzern.ch* D1**v**
124 Zim – 🛏275/525 CHF 🛏🛏345/595 CHF, 🖵 40 CHF – 5 Suiten – ½ P
Rest *Jasper* – (25 CHF) Menü 85/135 CHF – Karte 63/184 CHF
Wer in dem prächtigen Grandhotel von 1906 residiert, hat wirklich allen Komfort
- in den Zimmern (klassisch oder modern), im Spa, beim Service... Es ist eben
das Flaggschiff der Luzerner Hotellerie! Gerne nutzen die Gäste das Seebad
vis-à-vis zum Schwimmen. Ansprechend zeitgemäss das Ambiente im Jasper,
toll die Seeterrasse.

🏨🏨🏨 Grand Hotel National
⩽ 🔲 🐎 🛎🄰🄲 🕸 🛜 🛁 🚗

Haldenstr. 4 ✉ *6006 –* ☎ *041 419 09 09 – www.national-luzern.ch* C1**a**
41 Zim – 🛏325/545 CHF 🛏🛏410/685 CHF, 🖵 35 CHF – ½ P
Rest *Trianon* – siehe Restaurantauswahl
Ein Traditionshotel, das 1870 von César Ritz und Auguste Escoffier gegründet
wurde. Einige der stilvollen Zimmer liegen zum See, der sich direkt vor dem
Haus befindet. Kasino nebenan.

🏨🏨🏨 Schweizerhof
⩽ 🏡 🐎 🔥 🛎 ⟵ 🄰🄲 🕸 🛜 🛁 🚗

Schweizerhofquai 3 ✉ *6002 –* ☎ *041 410 04 10 – www.schweizerhof-luzern.ch*
91 Zim – 🛏320/550 CHF 🛏🛏370/600 CHF, 🖵 35 CHF – 10 Suiten – ½ P B2**s**
Rest – (25 CHF) Menü 47 CHF (mittags)/93 CHF – Karte 50/122 CHF
Sie mögen historisches Flair? Dann bestaunen Sie die Halle und schauen Sie sich
unbedingt den imposanten Zeugheersaal an: Parkett von 1860, Stuck und Kassettendecke! Der klassische Stil der Zimmer passt perfekt zum Haus. Im Restaurant
Galerie haben Gastköche ihren Auftritt, im Pavillon Schweizer Küche.

🏨🏨 Montana
🕹 ⩽ 🛎 ⟵ 🛜 🛁 🚗 🄿

Adligenswilerstr. 22 ✉ *6002 –* ☎ *041 419 00 00 – www.hotel-montana.ch*
66 Zim – 🛏190/510 CHF 🛏🛏255/560 CHF, 🖵 25 CHF D1**d**
Rest *Scala* – siehe Restaurantauswahl
Sie parken im Palace-Parkhaus und fahren mit der Standseilbahn hinauf direkt ins
Hotel! Haben Sie eine der exklusiven "Penthouse Spa Suiten" im 6. Stock gebucht,
geniessen Sie den grandiosen Panoramablick - vom Whirlpool auf Ihrer Terrasse!

🏨🏨 The Hotel
🛎 ⟵ 🄰🄲 🕸 🛜 🛁 🚗

Sempacherstr. 14 ✉ *6002 –* ☎ *041 226 86 86 – www.the-hotel.ch* B3**e**
30 Zim – 🛏275/430 CHF 🛏🛏335/430 CHF, 🖵 30 CHF – ½ P
Rest *Bam Bou* – siehe Restaurantauswahl
Das moderne Design in diesem Hotel trägt die Handschrift von Jean Nouvel. Wer
hoch hinaus will, sollte eine der neuen Penthouse-Juniorsuiten im obersten Stock
wählen: Hier haben Sie Ihre eigene Terrasse und blicken über die Dächer der Stadt!

🏨🏨 Radisson BLU
🏡 🐎 🔥 🛎 🄰🄲 🕸 Zim, 🛜 🛁 🚗

Inseliquai 12, (Lakefront Center) ✉ *6005 –* ☎ *041 369 90 00*
– www.radissonblu.com/hotel-lucerne C3**b**
184 Zim – 🛏210/435 CHF 🛏🛏210/435 CHF, 🖵 33 CHF – 5 Suiten – ½ P
Rest – (25 CHF) Menü 75 CHF – Karte 35/86 CHF
Ideale Lage für Business: integriert in das Lakefront Center, Uni Luzern und City
Bay Komplex um die Ecke, Bahnhof sowie Kultur- und Kongresszentrum ganz in
der Nähe! Klares Design in den Zimmern ("Urban", "Resort", "Lifestyle") und im
Restaurant (mediterrane Küche). Fitness und Relaxen bei Panoramasicht.

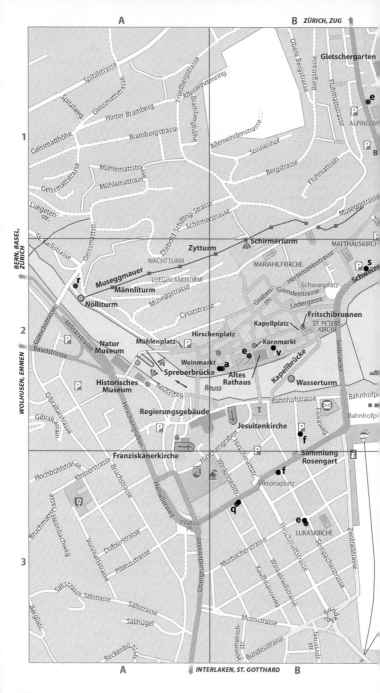

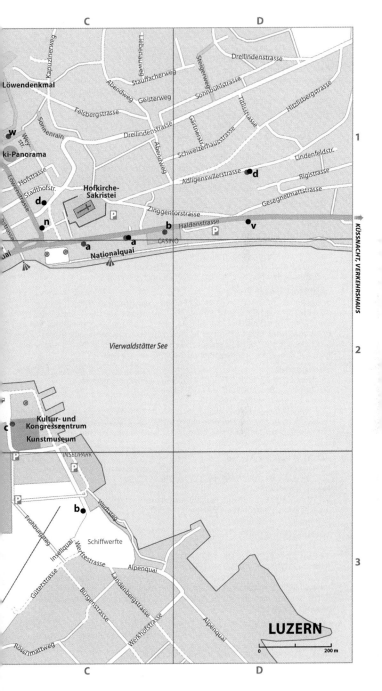

LUZERN

0   200 m

🏨 Des Balances ≤ 🖩 🛜 🎿

Weinmarkt ✉ *6004* – ☏ *041 418 28 28* – *www.balances.ch*   B2**a**
52 Zim – 🛏210/330 CHF 🛏🛏310/430 CHF, ☕ 27 CHF – 4 Suiten
Rest *Des Balances* – siehe Restaurantauswahl
Fassadenmalerei im Stil Hans Holbeins ziert das zentral gelegene Hotel a. d. 19. Jh. Die schönen eleganten Zimmer in warmen Tönen verbinden Klassisches und Modernes. Parkservice.

🏨 Astoria 🖩 ♿ 🅰 🛜 🎿 🚗

Pilatusstr. 29 ✉ *6002* – ☏ *041 226 88 88* – *www.astoria-luzern.ch*   B3**q**
252 Zim ☕ – 🛏175/460 CHF 🛏🛏230/460 CHF
Rest *Mekong* **Rest** *La Cucina* **Rest** *Thai Garden* – siehe Restaurantauswahl
Die Architekten-Zwillinge Herzog & de Meuron haben hier mit einem der Hotelgebäude einen grossen Wurf gelandet: puristische Moderne ganz in Weiss - zu bestaunen in der Halle und in den Design-Zimmern (ca. 1/3 der Zimmer)! Einen Besuch wert: Penthouse-Bar über Luzern.

🏨 Renaissance 🛜 *Fà* 🖩 🅰 🍽 Rest, 🛜
🚗
Pilatusstr. 15 ✉ *6602* – ☏ *041 226 87 87* – *www.renaissance-lucerne.com*
86 Zim – 🛏215/255 CHF 🛏🛏235/295 CHF, ☕ 30 CHF   B3**f**
Rest *Pacifico* – *(geschl. Sonntagmittag)* (20 CHF) – Karte 33/78 CHF
Aussen spricht einen die tolle historische Fassade an, innen die klassisch-eleganten und gleichzeitig modernen Zimmer in ruhigen Naturfarben. Im Pacifico passt die Atmosphäre (kräftiges warmes Rot, Deckenventilatoren, Bilder...) gut zur lateinamerikanischen Küche. Dazu hat man noch die Blue-Bar.

🏨 Ameron Hotel Flora 🛜 🖩 🅰 🍽 Rest, 🛜 🎿

Seidenhofstr. 5 ✉ *6002* – ☏ *041 227 66 66* – *www.flora-hotel.ch*   B2**f**
161 Zim ☕ – 🛏140/385 CHF 🛏🛏180/405 CHF   **Rest** – (32 CHF) – Karte 58/80 CHF
Der Trumpf des Hauses ist die zentrale Lage nahe Bahnhof und Altstadt. Für ein ungezwungenes Essen geht man in die Brasserie, für Bankette gibt es das alpine "LeChâlet". Auf keinen Fall entgehen lassen: die bedeutende Privatbesitz-Sammlung (Picasso, Klee...) im Rosengart-Museum gleich vis-à-vis!

🏨 Hofgarten 🛜 🖩 🍽 Zim, 🛜 🚗

Stadthofstr. 14 ✉ *6006* – ☏ *041 410 88 88* – *www.hofgarten.ch*   C1**d**
19 Zim ☕ – 🛏175/205 CHF 🛏🛏249/310 CHF – ½ P
Rest – (21 CHF) – Karte 50/93 CHF
Drei umgebaute Fachwerkgebäude a. d. 17. Jh. beherbergen das kleine Hotel mit wohnlichen modernen Zimmern. Im ganzen Haus findet sich Kunst. Das helle Bistro-Restaurant bietet vegetarische und internationale Gerichte aus der offenen Küche. Schöner grosser Hofgarten.

🏨 Zum Weissen Kreuz 🛜 🖩 🛜

Furrengasse 19 ✉ *6004* – ☏ *041 418 82 20* – *www.altstadthotelluzern.ch*
20 Zim ☕ – 🛏110/155 CHF 🛏🛏200/260 CHF – 1 Suite   B2**v**
Rest – Karte 46/84 CHF
In dem Altstadthaus beim Rathaus erwarten Sie technisch gut ausgestattete, unterschiedlich geschnittene Zimmer in geradlinig-modernem Stil. Pizza- und Pasta-Angebot im Restaurant.

🏨 Rebstock 🛜 🖩 🛜 🎿 🚗

Sankt Leodegarstr. 3 ✉ *6006* – ☏ *041 417 18 19* – *www.rebstock-luzern.ch*
28 Zim ☕ – 🛏175/220 CHF 🛏🛏220/310 CHF – 1 Suite – ½ P
Rest – (20 CHF) – Karte 37/100 CHF   C1**n**
Eine nette individuelle Adresse ist das sorgsam restaurierte historische Haus mit unterschiedlich eingerichteten Zimmern von modern bis alpenländisch. Regionale Küche serviert man in den Restaurants Beizli, Hofstube und Hofegge sowie im schönen Hofgarten.

🍴🍴🍴 Old Swiss House 🛜 ♨

Löwenplatz 4 ✉ *6004* – ☏ *041 410 61 71* – *www.oldswisshouse.ch* – *geschl.*
23. Februar - 20. März und Montag   C1**w**
Rest – (38 CHF) Menü 75 CHF – Karte 74/128 CHF ≋
Traditionelle Küche in einem gemütlichen Riegelhaus von 1858. Der Weinkeller beeindruckt mit 30 000 Flaschen - ab Jahrgang 1911 lückenlose Château-Mouton-Rothschild-Sammlung!

XXX **Scala** – Hotel Montana ⮜ 🛋 ᴋ 🗚 **P.**
Adligenswilerstr. 22 ⊠ 6002 – 𝒞 041 419 00 00 – www.hotel-montana.ch
Rest – (30 CHF) Menü 47 CHF (mittags)/116 CHF – Karte 69/109 CHF   D1**d**
Das sehenswerte Ambiente mit fast 100-jährigen Figurenreliefs (von der Denkmal-
pflege restauriert), verleihen den hohen Räumlichkeiten etwas Besonderes. Hier
oder auf der herrlichen Terrasse serviert man Ihnen mediterrane Spezialitäten.

XXX **Trianon** – Grand Hotel National ⮜ 🛋 🕾
Haldenstr. 4 ⊠ 6006 – 𝒞 041 419 09 09 – www.national-luzern.ch – geschl.
November - März: Sonntagabend - Montag   C1**a**
Rest – (30 CHF) Menü 85/123 CHF – Karte 75/106 CHF
Der Raum bewahrt sich seinen klassischen Grandhotel-Charakter, mit der Einrich-
tung allerdings präsentiert man dem Gast modernes Designermobiliar. Die Küche
steht für einen zeitgemässen Stil, der Keller offeriert dazu gute Weine.

XX **Red** ⮜ ᴋ
Europaplatz 1, (im Kultur- und Kongresszentrum) ⊠ 6005 – 𝒞 041 226 71 10
– www.kkl-luzern.ch – geschl. Februar 2 Wochen, Juli 3 Wochen, Samstagmittag,
Sonntagmittag, Montagabend, Dienstagabend, ausser bei Konzerten
Rest – (Tischbestellung ratsam) Menü 45 CHF (mittags unter der   C2**c**
Woche)/87 CHF – Karte 69/109 CHF
Ist das was für Sie? Toller Seeblick, geradlinig-elegantes Ambiente und ambitio-
nierte zeitgemässe Küche? Mittags lässt man sich den günstigen Lunch schme-
cken, abends macht A-la-carte-Angebot oder Menü - beliebt auch vor oder nach dem
Konzert!

XX **Olivo** ⮜ 🛋 ᴋ 🗚
Haldenstr. 6, (im Grand Casino) ⊠ 6006 – 𝒞 041 418 56 56
– www.grandcasinoluzern.ch – geschl. Samstagmittag, Sonntag und an
Feiertagen mittags   C1**b**
Rest – (27 CHF) Menü 38 CHF (mittags unter der Woche)/102 CHF
– Karte 60/96 CHF
In dem stilvollen Saal im 1. Stock verbreiten Parkett, hohe Stuckdecke und Kron-
leuchter historisches Flair. Von der Balkonterrasse blickt man zum See. Die Küche
ist mediterran. Im Sommer hat man zusätzlich das Seecafé - hier gibt es Salate,
Sandwiches, Pasta...

XX **Wiederkehr** 🛋 ♻
Zürichstr. 16 ⊠ 6004 – 𝒞 041 410 41 44 – www.restaurant-wiederkehr.ch
– geschl. 23. Februar - 10. März, 20. Juli - 4. August und Samstagmittag, Sonntag
- Montag, sowie an Feiertagen   B2**e**
Rest – (25 CHF) Menü 55 CHF (mittags)/130 CHF (abends) – Karte 69/100 CHF
Man merkt, dass Markus Wiederkehr gerne Gastgeber ist! Ursprünglich Anwalt,
empfängt er in dem etwas versteckt in einer Passage liegenden Restaurant mit-
tags Businessgäste zum Lunch, abends gibt es Menüs: OLITOR (vegetarisch), PICA-
TOR (Fisch) und LANIUS (Fleisch).

XX **Padrino** 🛋
Haldenstr. 4, (im Grand Hotel National) ⊠ 6006 – 𝒞 041 410 41 50
– www.padrino.ch – geschl. Oktober - März: Sonntag   C2**a**
Rest – (34 CHF) Menü 52 CHF (mittags) – Karte 67/97 CHF
Wie in einer klassischen Brasserie fühlt man sich in dem luftig-hohen Raum mit
schwarz-weissem Schachbrettboden und Rundbogenfenstern. Bei der italienischen
Küche können Sie getrost den Empfehlungen des Chefs folgen! Terrasse zum See!

XX **Villa Hausermatte** ⮜ 🛋 ♻ **P.**
Haldenstr. 30, über Haldenstrasse D1 – 𝒞 041 370 11 66 – geschl. 24. Februar
- 10. März und Sonntagabend - Montag
Rest – (Tischbestellung ratsam) (35 CHF) Menü 55 CHF (mittags)/85 CHF
– Karte 75/112 CHF
Auf dem herrlichen Privatgelände Hausermatte (Familie Hauser residierte früher
hier am Vierwaldstättersee) geniessen Sie heute eine international beeinflusste
Schweizer Küche auf klassischer Basis. Im eleganten Ambiente der Villa und auf
der wunderbaren Terrasse (fantastisch der Blick auf See und Berge!) umsorgen
Sie Monica Strassel und Georg Putz samt Team. Kleinere Lunchkarte.

XX **Des Balances** – Hotel Des Balances   ⫷ 🕁
Weinmarkt ✉ 6004 – ℰ 041 418 28 15 – www.balances.ch   **B2a**
Rest – (37 CHF) Menü 95/125 CHF – Karte 67/105 CHF
Im Untergeschoss (mit separatem Eingang) lockt eine Kombination aus Restaurant, Bar und Lounge. Dieser schicke Ort bietet neben einer tollen Terrasse zum Fluss eine moderne, zeitgemässe Küche und einen freundlichen Service.

XX **Thai Garden** – Hotel Astoria   AC 🛇
Pilatusstr. 29 ✉ 6002 – ℰ 041 226 88 88 – www.astoria-luzern.ch – geschl.
Samstagmittag, Sonntagmittag und an Feiertagen mittags   **B3q**
Rest – (22 CHF) Menü 95/118 CHF – Karte 70/98 CHF
Das elegante Restaurant im Hotel Astoria entführt Sie in eine andere Welt. Typisch thailändisch ist hier das Speiseangebot, ebenso das Ambiente.

X **Reussbad "las torres"**   🕁 ⇔
Brügglgasse 19 ✉ 6004 – ℰ 041 240 54 23 – www.reussbad.ch – geschl. 8.
- 14. August und Montag   **A2r**
Rest – (25 CHF) Menü 40 CHF (mittags)/86 CHF – Karte 55/98 CHF
Sie finden das Gasthaus an einem der Wehrtürme der alten Stadtmauer. In den netten Stuben und auf der Terrasse unter Kastanien werden saisonale Speisen serviert.

X **La Cucina** – Hotel Astoria   & AC 🛇
⊛ *Pilatusstr. 29 ✉ 6002 – ℰ 041 226 88 88 – www.astoria-luzern.ch – geschl.*
Samstagmittag, Sonntagmittag und an Feiertagen mittags   **B3q**
Rest – (15 CHF) Menü 18 CHF (mittags)/71 CHF – Karte 42/87 CHF
La dolce vita mit cucina italiana: durchdachte Einrichtung mit Kronleuchter, Bistro-Stühlen, schöner Holzdecke und -säulen. Aus der Showküche kommen Antipasti, Pasta, Fisch und Fleisch. Holzofen für knusprige Pizzen!

X **Mekong** – Hotel Astoria   🕁 & AC 🛇
⊛ *Pilatusstr. 29 ✉ 6002 – ℰ 041 226 88 88 – www.astoria-luzern.ch – geschl.*
Sonntag, Samstagmittag und an Feiertagen mittags   **B3q**
Rest – (18 CHF) – Karte 53/94 CHF
Der Name ist eine Hommage an den Mekong Fluss und bietet den Gästen neben klassischer asiatischer Küche auch typische vietnamesische Gerichte, wie sie dort seit Generationen auf der Strasse gekocht werden. Ambiente: fernöstlicher Style!

X **Bam Bou** – The Hotel   & AC 🛇
Sempacherstr. 14 ✉ 6002 – ℰ 041 226 86 86 – www.the-hotel.ch – geschl.
Samstagmittag und Sonntagmittag   **B3e**
Rest – (24 CHF) Menü 55 CHF (mittags unter der Woche)/111 CHF
– Karte 63/108 CHF
Rot lackierte Wände treffen auf dunklen Schieferboden und harmonieren perfekt mit dem Interior aus Leder und Holz. In diese durchdesignte Location lockt das Haus Freunde der euro-asiatischen Küche. Parkservice fürs Auto!

X **Brasserie Bodu**   🕁
Kornmarkt 5 ✉ 6004 – ℰ 041 410 01 77 – www.brasseriebodu.ch   **B2e**
Rest – (Tischbestellung erforderlich) (22 CHF) – Karte 51/94 CHF
Die französische Küche (durchgehend) und der Brasserie-Charme sind richtig beliebt, wie die zahlreichen Gäste hier im "Haus zum Raben" beweisen! Auch die fair kalkulierte Bordeaux-Auswahl kommt gut an. Terrasse zur Reuss bzw. am Kornmarkt.

Ost 4 km über Haldenstrasse D1, Richtung Küsnacht

🏠 **Hermitage**   ⫷ 🚗 🕁 🕯 ♨ ✗ 🖧 & 🛜 🅿
Seeburgstr. 72 ✉ 6006 – ℰ 041 375 81 81 – www.hermitage-luzern.ch
68 Zim – ♥220/305 CHF ♥♥280/395 CHF, ⊊ 25 CHF – 1 Suite – ½ P
Rest – (29 CHF) Menü 68/88 CHF – Karte 68/108 CHF
Ein Businesshotel, das auch für Feierlichkeiten wie Hochzeiten ideal ist. Man wohnt modern und geniesst den Blick auf den See (hier Strandbad und Bootssteg). Die Gastronomie: zeitgemässe Küche im Baccara, bürgerliche im Hermitage. Dank Komplettverglasung ist die Seeterrasse auch im Winter nutzbar!

in Kastanienbaum Süd-Ost: 4 km über Langensandstrasse B3 – Höhe 435 m
– ⊠ 6047

🏠 **Seehotel Kastanienbaum**   ⚓ ≼ 🖼 🏠 ⚒ 🎿 🏋 ❄ 🎠 **P**
St. Niklausenstr. 105 – ℰ 041 340 03 40 – www.kastanienbaum.ch – geschl.
16. Dezember - 28. Februar
42 Zim ⊡ – 🛏220/260 CHF 🛏🛏330/390 CHF – ½ P
Rest – (28 CHF) Menü 54 CHF (mittags)/72 CHF – Karte 46/89 CHF
Direkt vor dem Haus die Horwer Bucht mit eigener Badestelle und Bootssteg! Die
meisten der zeitgemässen Zimmer bieten Seeblick, ebenso die tolle Terrasse, auf
der man (wie auch in den Restaurants Chrüztrichter und Hechtstube) moderne
Küche serviert. Kostenpflichtiger Saunabereich mit Kosmetik und Massage.

in Horw Süd: 3 km über Obergrundstrasse A3 – Höhe 442 m – ⊠ 6048

🏠 **Seehotel Sternen**   ⚓ ≼ 🖼 🏠 🖼 � & Rest, ❄ 🎠 **P**
Winkelstr. 46, (in Winkel) – ℰ 041 348 24 82 – www.seehotel-sternen.ch
– geschl. Februar
25 Zim ⊡ – 🛏180/245 CHF 🛏🛏255/350 CHF
Rest – (geschl. Oktober - April: Montag) (23 CHF) Menü 40/100 CHF
– Karte 60/103 CHF
Die Lage am Seeufer, eine tolle Aussicht sowie funktionelle Zimmer mit Balkon
sprechen für dieses Hotel. Auch eine eigene Badeliegewiese steht zur Verfügung.
Im Sommer sollten Sie zum Speisen auf der grossen Seeterrasse Platz nehmen!

in Obernau Süd-West: 6 km über Obergrundstrasse A3 – Höhe 530 m – ⊠ 6012

✗✗ **Obernau - Nagelschmitte**   🏠 **P**
Obernauerstr. 89 – ℰ 041 320 43 93 – geschl. Sonntagabend
Rest – (25 CHF) Menü 21/59 CHF – Karte 49/99 CHF
Nehmen Sie Platz, wo es Ihnen besser gefällt - in der einfachen Gaststube oder im
Restaurant, der Wintergarten ist für Raucher. Das Angebot ist recht breit, dazu
eine Fisch- und Saisonkarte. Gegenüber war eine Nagelschmiede, daher der Name.

LYSS – Bern (BE) – **551** I6 – **13 929 Ew** – Höhe 444 m – ⊠ 3250   **2** D4
▶ Bern 31 – Biel 13 – Burgdorf 36 – Neuchâtel 42
🚗 Bern/Moossee, Münchenbuchsee, Süd-Ost: 17 km nach Münchenbuchsee-
Schönbühl, ℰ 031 868 50 50

🏠 **Weisses Kreuz**   🏠 🖼 & ❄ ❄ 🎠 🚗 **P**
⊃ Marktplatz 15 – ℰ 032 387 07 40 – www.kreuz-lyss.ch
32 Zim ⊡ – 🛏78/145 CHF 🛏🛏115/197 CHF – ½ P
Rest – (17 CHF) Menü 45 CHF – Karte 39/80 CHF
Um 1500 erstmals erwähnt, ist dieser schöne historische Gasthof der älteste in
Lyss. Die Zimmer im Anbau sind zeitgemäss und funktionell, im Haupthaus ein-
facher. Viel Holz und ein hübscher Kachelofen machen die Kreuzstube gemütlich.
Traditionelle Küche.

in Hardern Nord-Ost: 1,5 km Richtung Büren a.d. Aare – Höhe 496 m
– ⊠ 3250 Lyss

✗ **Freudiger's Hardern Pintli**   🏠 ✿ **P**
⊃ Hardern 23 – ℰ 032 386 73 23 – www.hardernpintli.ch – geschl. 8. Februar
- 2. März, 11. September - 5. Oktober und Dienstag - Mittwoch
Rest – (Tischbestellung ratsam) (18 CHF) – Karte 45/97 CHF ❊
Das hübsche Gasthaus mit roten Fensterläden hat neben dem gemütlich-rustikalen Restaurant auch einen angenehm hellen verglasten Pavillon zu bieten, der
ideal ist für Gesellschaften. Chef André Freudiger kocht schmackhafte Schweizer
Gerichte mit traditionellen und saisonalen Einflüssen, für den herzlichen Service
sorgt die Chefin. Stolz darf man auch auf seinen Weinkeller sein: Trouvaillen sind
hier z. B. Château Angélus sowie kalifornische Weine. Lounge im Garten.

in Suberg Süd-Ost: 3 km Richtung Bern – Höhe 470 m – ⊠ 3262

XX **Pfister´s Goldener Krug**　　　　　　　　　　　🚲 🥂 ⇔ **P**

⊗⊗　*Bernstr. 61 – 𝒞 032 389 13 30 – www.goldener-krug.ch – geschl. Ende Februar 2
Wochen, Ende Juli - Anfang August 2 Wochen und Sonntag - Montag*
Rest – (19 CHF) Menü 49/159 CHF
Rest Pfister´s Goldener Krug – (19 CHF) Menü 49/159 CHF – Karte 74/128 CHF
In dem rund 350 Jahre alten Riegelhaus mit dem gemütlich getäferten Restaurant ist Thomas Pfister der Chef und kocht klassische Gerichte - Hummer ist nach wie vor die Spezialität! Im Bistro bietet man regionale Küche.

MADISWIL – Bern (BE) – **551** L6 – **3 130 Ew** – Höhe 534 m – ⊠ 4934　　　3 E3
▶ Bern 49 – Luzern 55 – Olten 28 – Solothurn 31

XX **Bären** mit Zim　　　　　　　　　　　🚗 🚲 � ⇔ **P**
*Kirchgässli 1 – 𝒞 062 957 70 10 – www.baeren-madiswil.ch – geschl.
24. Dezember - 10. Januar und Sonntagabend - Montag*
11 Zim ⌂ – ♦110 CHF ♦♦170 CHF
Rest – (21 CHF) Menü 55/125 CHF – Karte 58/95 CHF
Der alte Berner Landgasthof ist ein hübsches Fachwerkhaus, dessen behagliche Stuben von der Chefin nett dekoriert wurden. Schön sind Terrasse und Velogarten. Übernachtungsgästen bietet man funktionale Zimmer.

MÄGENWIL – Aargau – **551** O5 – **1 994 Ew** – Höhe 416 m – ⊠ 5506　　　3 F2
▶ Bern 96 – Aarau 19 – Liestal 66 – Zürich 34

XX **Bären**　　　　　　　　　　　　　🚲 ⇔ **P**
⊛　*Hauptstr. 24 – 𝒞 062 896 11 65 – www.baeren-maegenwil.ch – geschl.
23. Dezember - 3. Januar, 14. Juli - 5. August und Montag - Dienstag*
Rest – (28 CHF) Menü 54 CHF (mittags) – Karte 58/113 CHF🌿
In dem ehemaligen Bauernhaus werden Sie von der charmanten Barbara Bühlmann samt aufmerksamem Team umsorgt, ihr Mann Bernhard kocht klassisch-traditionell, schmackhaft und preislich fair. Spezialitäten: verschiedene Güggeli-Variationen (finden sich auch in Form von Kunst an den Wänden) und Wild aus eigener Jagd, von der Wildschweinwurst bis zum Rehrücken.

MALANS – Graubünden (GR) – **553** V7 – **2 224 Ew** – Höhe 536 m　　　5 I3
– ⊠ 7208
▶ Bern 232 – Chur 18 – Triesen 25 – Triesenberg 33

XX **Weiss Kreuz** mit Zim　　　　　　　　　🚲 🥂 ⇔
*Dorfplatz 1, (1. Etage) – 𝒞 081 322 81 61 – www.weisskreuzmalans.ch – geschl.
3. - 20. Februar, 14. - 25. Juli und Montag*
4 Zim ⌂ – ♦135 CHF ♦♦240 CHF
Rest – (35 CHF) Menü 23 CHF (mittags unter der Woche)/84 CHF
– Karte 58/78 CHF
Mitten im Dorf steht das alte Gasthaus samt seiner drei schönen Stuben, deren regionalem Charme man sich nicht entziehen kann - Arvenholz, wohin man schaut, hochwertige Einrichtung und liebevolle Dekoration. Sie möchten über Nacht bleiben? Die Gästezimmer sind sehr nett und wohnlich.

MALIX – Graubünden – **553** V8 – **siehe Chur**

MALOJA – Graubünden (GR) – **553** W11 – Höhe **1 815 m**　　　11 J5
– Wintersport : 1 800/2 159 m ⚡2 ⚡ – ⊠ 7516
▶ Bern 332 – Sankt Moritz 17 – Chur 92 – Davos 83
🛈 Strada principale 11b, 𝒞 081 824 31 88, www.engadin.stmoritz.ch/maloja
◉ Belvedere-Turm (≼★)

Schweizerhaus
≼ 🛱 ⋒ 🕰 🛜 🛋 **P**

Hauptstr. 25 - ℰ 081 838 28 28 - www.schweizerhaus.info - geschl. 30. März - 13. Juni, 20. Oktober - 12. Dezember

29 Zim ⌇ – ♦145/240 CHF ♦♦210/400 CHF – 1 Suite
Rest – (30 CHF) Menü 52 CHF (abends)/75 CHF – Karte 50/105 CHF

Das Engadiner Holzhaus von 1852 ist nicht nur von aussen hübsch anzuschauen, auch die gepflegten Zimmer können sich sehen lassen - ob nun schön zeitgemäss oder rustikaler. Ein bisschen einfacher übernachtet man im Gästehaus Pöstli, hier auch Sauna und Fitnessraum. Wer's beim Essen (bürgerliche und vegetarische Gerichte) ganz besonders gemütlich mag, sitzt im historischen Engadiner Stübli. Übrigens: Auf der Terrasse grillt man auch im Winter!

Bellavista
🛱 ⇔ **P**

Capolago - ℰ 081 824 31 95 - www.bella-vista-restaurant.ch - geschl. Montag - Dienstag

Rest – (Tischbestellung ratsam) Karte 53/86 CHF

Hier dreht sich alles um die Wurst... und die wird vom Chef (seines Zeichens Metzger) persönlich hergestellt, ebenso Trockenfleisch und Salsiz. Dass die Atmosphäre hier so angenehm ist, liegt zum einen an der heimeligen kleinen Bündnerstube selbst, zum anderen sind Marianne und Heribert Klaus-Brunner einfach ausgesprochen herzliche Gastgeber! Terrasse mit See- und Bergblick.

Gute Küche zu moderatem Preis? Folgen Sie dem Bib Gourmand 🕮.

MAMMERN – Thurgau (TG) – **551** S3 – **595 Ew** – Höhe 412 m – ✉ **8265**   4 G2
▶ Bern 175 – Zürich 55 – Frauenfeld 14 – Konstanz 22

Adler mit Zim
🚗 🛱 ⇔ **P**

Hauptstr. 4 - ℰ 052 741 29 29 - www.adler-mammern.ch - geschl. 6. Januar - 4. Februar, Oktober 2 Wochen und Dienstag, September - Mai: Montag - Dienstag

6 Zim ⌇ – ♦90/95 CHF ♦♦125/140 CHF – ½ P
Rest – (20 CHF) – Karte 31/71 CHF

In dem regionstypischen Gasthof von 1854 isst man traditionell und zwar in behaglichen kleinen Stuben oder im lichten Wintergarten. Und wer nach dem Essen nicht gleich losfahren will, kann auch übernachten: Im Gästehaus gegenüber hat man ländlich-rustikale Zimmer.

Zum Schiff mit Zim
🛱 🕅 🛜 ⇔ **P**

Seestr. 3 - ℰ 052 741 24 44 - www.schiff-mammern.ch - geschl. Ende Dezember - Anfang Februar, Oktober 2 Wochen und Montag

7 Zim ⌇ – ♦130 CHF ♦♦190 CHF   **Rest** – Karte 34/104 CHF

Hier wird solide gekocht: eigene Zuchtgüggeli, frisch gefangener Bodenseefisch, Wiener Schnitzel... Tipp: Setzen Sie sich in die getäferte historische Stube mit Kachelofen! Schöne geräumige Zimmer mit Balkon/Terrasse im Gästehaus vis-à-vis. Zudem hat man ein Strandbad.

MANNENBACH – Thurgau (TG) – **551** S3 – Höhe 400 m – ✉ **8268**   5 H1
▶ Bern 186 – Sankt Gallen 49 – Frauenfeld 24 – Konstanz 11

Seehotel Schiff
🕭 ≼ 🚗 🛱 🖪 & Rest, 🕅 Zim, 🛜 🛋 **P**

Seestr. 4 - ℰ 071 663 41 41 - www.seehotel.ch

18 Zim ⌇ – ♦125/135 CHF ♦♦195/230 CHF – ½ P
Rest – (19 CHF) Menü 29 CHF (mittags unter der Woche)/52 CHF – Karte 51/93 CHF ⅋

Das ruhig abseits der Strasse am Seeufer gelegene Haus bietet neben zeitgemässen Zimmern einen schönen Blick über den Bodensee und ein eigenes Strandbad. Zum modernen Restaurant gehört eine reizvolle Terrasse direkt am See.

MANNO – Ticino (TI) – **553** R13 – **1 246 ab.** – alt. 344 m – ⊠ 6928 **10** H6
▶ Bern 240 – Lugano 7 – Bellinzona 26 – Locarno 40

X **Grotto dell'Ortiga** 🍴 ⌘
*Strada Regina 35 – ℰ 091 605 16 13 – www.ortiga.ch – chiuso 21 dicembre - 1°
febbraio, domenica e lunedì*
Rist – (19 CHF) – Carta 39/58 CHF
Circondato da prati e castagneti, un vero grotto - per un ambiente rilassante ed
informale - dove apprezzare la buona cucina regionale preparata con prodotti
biologici locali.

MARTIGNY – Valais (VS) – **552** G12 – **16 345 h.** – alt. 467 m – ⊠ 1920 **7** C6
▶ Bern 131 – Aosta 76 – Chamonix-Mont-Blanc 42 – Montreux 43
🔢 Avenue de la Gare 6, ℰ 027 720 49 49, www.martigny.com
Manifestations locales :
18-23 février : Your Challenge
fin septembre-début octobre : foire du Valais
◉ Fondation Pierre Gianadda★★ • Hôtel de Ville (Verrière★) Tour de la Bâtiaz (≤★)
◉ Pont du Gueuroz★★, Nord-Ouest : 5 km

🔢 **Vatel** 🍴 🛎 ᕕ ⌘ rest, 🛜 🔥 🅿
*Rue Marconi 19, (par avenue des Prés Beudin 20) – ℰ 027 720 13 13
– www.hotelvatel.ch*
111 ch – †99/199 CHF ††129/199 CHF, � 20 CHF
Rest – *(fermé dimanche midi)* (19 CHF) Menu 35/39 CHF – Carte 19/34 CHF
Situé dans la zone industrielle de Martigny, dans un immeuble très moderne, cet
hôtel s'est spécialisé dans les congrès, séminaires et banquets. Les chambres sont
sobres et spacieuses, et, au restaurant, on peut profiter d'une formule buffet.

X **Les Touristes** 🍴 ⌘
*Rue de l'Hôpital 2 – ℰ 027 722 95 98 – www.restaurant-valais.com – fermé
22 décembre - 6 janvier, 22 juin - 14 juillet, dimanche et lundi*
Rest – (23 CHF) Menu 51 CHF (déjeuner en semaine)/89 CHF – Carte 55/105 CHF
François et Christophe Chomel, tous deux frères, tiennent ce restaurant simple et
contemporain depuis 2006. Pâtes italiennes, ravioles, légumes de saison : la cuisine
est ensoleillée... comme la terrasse, où l'on aime s'attarder en sirotant un verre.

X **Les Trois Couronnes** 🍴 ⌘
*Place du Bourg 8 – ℰ 027 723 21 14 – www.les3couronnes.ch – fermé 24 février
- 9 mars, 4 - 17 août, dimanche et lundi*
Rest – (19 CHF) Menu 59/72 CHF – Carte 52/73 CHF
Cette belle demeure historique trône sur une place près d'une fontaine ; c'est la
plus ancienne auberge de la ville et son café est très fréquenté ! Côté restaurant
– lequel a le charme de la simplicité –, habitués du coin et touristes apprécient les
spécialités du Valais, ragoût d'escargots, rognons à l'ail, etc.

X **La vache qui vole** 🍴
Place Centrale 2b, (1er étage) – ℰ 027 722 38 33 – www.lavachequivole.ch
Rest – (25 CHF) Menu 30/80 CHF – Carte 47/93 CHF
Effectivement, elle vole... au plafond ! Mais ne soyons pas vaches, car le lieu est
original avec son bar à vins au rez-de-chaussée (pour déguster des tapas) et la
brasserie du dessus pour les pâtes, risottos, côte de veau, homard frais...

à Chemin Sud-Est : 5 km par route du col des Planches – alt. 774 m – ⊠ 1927

XX **Le Belvédère** ≤ ⌘ 🌸 🅿
*Route de Chemin 1 – ℰ 027 723 14 00 – www.lebelvedere.ch – fermé fin
décembre - début janvier 2 semaines, début juillet 2 semaines, dimanche soir,
lundi et mardi*
Rest – (24 CHF) Menu 55 CHF (déjeuner en semaine)/92 CHF – Carte 66/94 CHF
Au-dessus de Martigny, avec sa lumineuse véranda en bois clair, ce Belvédère
offre une vue imprenable sur la vallée du Rhône ! Dans l'assiette, les saveurs ne
font pas illusion : noisette de filet d'agneau aux olives, tomates séchées et
oignons rouges, ou encore salade de gambas géantes poêlées à l'ail des ours...

MASSAGNO – Ticino – **553** R13 – vedere Lugano

MEGGEN – Luzern (LU) – 551 O7 – 6 697 Ew – Höhe 472 m – ⊠ 6045   4 F3
▶ Bern 118 – Luzern 8 – Olten 60 – Schwyz 30

🏠 **Balm**   ⟨ 🚗 🛋 ⅃ Rest, 🛜 🔊 🚗 P
Balmstr. 3 – ☎ 041 377 11 35 – www.balm.ch
18 Zim ⌤ – ♦105/160 CHF ♦♦145/240 CHF – ½ P
Rest La Pistache – siehe Restaurantauswahl
Rest Bistro – (geschl. 22. Dezember - 8. Januar, 24. Februar - 12. März und
Montag - Dienstag) (27 CHF) Menü 23/65 CHF – Karte 40/86 CHF
Das kleine Hotel mit den roten Fensterläden liegt nicht weit vom See und wird
gut geführt. Eine tipptopp gepflegte Adresse mit freundlichen, zeitgemässen Zim-
mern. Mit traditioneller Küche ergänzt das ungezwungene Bistro das La Pistache.

🍴🍴 **La Pistache** – Hotel Balm   ⟨ 🛋 ⅃ P
Balmstr. 3 – ☎ 041 377 11 35 – www.balm.ch – geschl. 22. Dezember - 8. Januar,
24. Februar - 12. März und Montag - Dienstag
Rest – (42 CHF) Menü 65/105 CHF – Karte 65/103 CHF 🍷
Schon beim ersten Blick in das moderne Restaurant weiss man, warum es diesen
Namen trägt - der Ton Pistazie ist überall präsent. Auf der internationalen Karte
finden Sie Menüs, die sich auch an der Saison orientieren.

MEILEN – Zürich (ZH) – 551 Q5 – 12 705 Ew – Höhe 420 m – ⊠ 8706   4 G3
▶ Bern 141 – Zürich 16 – Luzern 48 – Sankt Gallen 90

🍴 **Wirtschaft zur Burg**   🛋 ✿ P
Auf der Burg 15, Nord: 2 km Richtung Burg – ☎ 044 923 03 71
– www.wirtschaftzurburg.ch – geschl. 1. - 26. Januar, 14. - 27. Juli und Montag
- Mittwoch
Rest – Menü 85 CHF – Karte 69/117 CHF
In diesem hübschen Weinbauernhaus von 1676 kann es einfach nur gemütlich
sein! Und tatsächlich: drei kleine Stuben, grüne Kachelöfen, Holzboden und Origi-
nal-Täfer. Die Küche ist gut, das Ehepaar Götz legt Wert darauf, alles frisch zu
machen - probieren Sie z. B. Hecht aus dem Zürichsee im Siebenkornbrotmantel.
Romantischer Garten.

🍴 **Thai Orchid**   🛋 🍽
Rosengartenstr. 2 – ☎ 044 793 29 29 – www.thai-orchid.ch – geschl. Montag,
Samstagmittag, Sonntagmittag
Rest – (Tischbestellung ratsam) (25 CHF) – Karte 52/77 CHF
Hübsch ist das helle kleine Lokal mit angenehm dezentem asiatischem Dekor.
Serviert werden exotische Spezialitäten aus Thailand. Dazu ein täglich wechseln-
des Lunchmenü vom Buffet.

in Meilen-Obermeilen Ost: 1 km, Richtung Rapperswil – Höhe 413 m
– ⊠ 8706 Meilen

🏠 **Hirschen am See**   ⟨ 🛋 🛜 P
Seestr. 856 – ☎ 044 925 05 00 – www.hirschen-meilen.ch
16 Zim ⌤ – ♦120/210 CHF ♦♦220/280 CHF
Rest – Menü 69 CHF – Karte 68/96 CHF
Rest Taverne – Karte 46/98 CHF
Unmittelbar am Zürichsee, direkt hinter einem kleinen Hafen, liegt das historische
Gasthaus mit wohnlich-gemütlichen Zimmern, die teils Seeblick bieten. Elegantes
Restaurant mit überdachter Seeterrasse. Taverne mit mediterranem Flair und
ebenso schöner Terrasse.

MEIRINGEN – Bern (BE) – 551 N9 – 4 602 Ew – Höhe 595 m   8 F4
– Wintersport : 602/2 433 m ✦5 ✦8 ✦ – ⊠ 3860
▶ Bern 86 – Andermatt 64 – Brienz 15 – Interlaken 29
�🅘 Bahnhofplatz 12, ☎ 033 972 50 50, www.haslital.ch
◉ Lage★
🖾 Aareschlucht★★, Süd-Ost: 2 km • Rosenlauital★★, Süd-West• Planplatten★★ (mit
✦) • Reichenbachfälle★, Süd: 1 km und ✦ • Rosenlaui (Gletscherschlucht★★),
Süd-West: 10 km

Victoria

Bahnhofplatz 9 – ℰ 033 972 10 40 – www.victoria-meiringen.ch – geschl.
7. - 27. April
18 Zim ⌑ – ♦130/170 CHF ♦♦170/250 CHF – ½ P
Rest *Victoria* ⊛ – siehe Restaurantauswahl
Eine sympathisch-familiäre Adresse am Bahnhof, unweit der Seilbahnstation. Es
empfängt Sie ein moderner Eingangsbereich und die Zimmer bieten mit ihrer hellen, sachlichen Einrichtung alles, was man braucht! Lassen Sie sich nachmittags
auf der netten Terrasse vor dem Haus leckeren Kuchen schmecken!

Alpbach

Kirchgasse 17 – ℰ 033 971 18 31 – www.alpbach.ch – geschl. 2. November
- 12. Dezember
33 Zim ⌑ – ♦95/140 CHF ♦♦190/240 CHF – ½ P
Rest – (21 CHF) – Karte 42/95 CHF
Jean-Claude und Theres Gerber haben in ihrem Hotel im Ortskern gepflegte Zimmer, die funktionell oder alpenländisch-wohnlich eingerichtet sind - auch Familienzimmer. Dazu ein freundlicher Saunabereich mit Massageangebot und das mit
viel hellem Naturholz gemütlich-rustikal gestaltete Restaurant.

Victoria – Hotel Victoria

Bahnhofplatz 9 – ℰ 033 972 10 40 – www.victoria-meiringen.ch – geschl.
7. - 27. April
Rest – (21 CHF) Menü 95 CHF – Karte 59/103 CHF
Hier gibt es ein etwas schlichteres Bistro (mit Sitzbänken und offenem Kamin)
und das elegantere Restaurant mit viel schickem Schwarz. Die Küche zeigt mediterrane, hier und da auch asiatische Einflüsse: "Wolfsbarschfilet mit Limonen-
polenta", "Kalbsleber an Himbeerdressing mit Spinatnudeln und Sojasprossen"...

MEISTERSCHWANDEN – Aargau (AG) – 551 O5 – 2 647 Ew   4 F3
– Höhe 505 m – ✉ 5616
▶ Bern 106 – Aarau 28 – Luzern 32 – Wohlen 10

Seerose Resort und Spa

Seerosenstr. 1, Süd: 1,5 km Richtung Aesch – ℰ 056 676 68 68 – www.seerose.ch
91 Zim ⌑ – ♦168/278 CHF ♦♦258/368 CHF – ½ P
Rest *Seerose* Rest *Samui-Thai* Rest *Cocon* – siehe Restaurantauswahl
Hier hat sich einiges getan: Das Mehr an Komfort beginnt bereits im Hallenbereich und setzt sich im modernen Anbau "Cocon" mit schicken grosszügigen
Zimmern sowie im schönen "Cocon-Thai-Spa" auf zwei Etagen fort. Geblieben
sind die ebenfalls attraktiven "Classic"- und "Elements"-Zimmer - und natürlich
die tolle Lage am Ufer des Hallwilsees samt fantastischer Aussicht!

Cocon ⚫ – Hotel Seerose Resort und Spa

Seerosenstr. 1, Süd: 1,5 km Richtung Aesch – ℰ 056 676 68 68 – www.seerose.ch
– geschl. Sonntag - Montag
Rest – (nur Abendessen) Menü 105/145 CHF
Auch gastronomisch hat das Haus Zuwachs bekommen: Im dritten Seerose-Res-
taurant (originell die Sessel im Kokon-Look!) kocht Siegfried Rossal ein "Verwöhn-
menü" und ein etwas anspruchsvolleres Menü namens "Wertvolle Küche".

Samui-Thai – Hotel Seerose Resort und Spa

Seerosenstr. 1, Süd: 1,5 km Richtung Aesch – ℰ 056 676 68 78 – www.seerose.ch
– geschl. Sonntag
Rest – (nur Abendessen) Menü 82/95 CHF – Karte 54/101 CHF
Schön authentisch sind die thailändische Küche, der freundliche Service in Tracht
und auch das Ambiente - all das verbreitet exotisches Flair. Man sitzt an tiefen
Tischen oder vor dem grossen Wasserbild und lässt sich Gerichte wie "Laab Gai"
(Hähnchensalat) oder "Massaman Nuea" (Beef Curry) schmecken.

Seerose – Hotel Seerose Resort und Spa

Seerosenstr. 1, Süd: 1,5 km Richtung Aesch – ℰ 056 676 68 68 – www.seerose.ch
Rest – (35 CHF) Menü 47 CHF (mittags unter der Woche)/108 CHF
– Karte 42/114 CHF ⊛
Rustikal und mit einem grossen gemauerten Kamin besticht das Lokal durch
Gemütlichkeit. Aus der Küche kommen regionale Speisen, besonders interessant
ist der begehbare Weinkeller.

MELCHSEE-FRUTT – Obwalden (OW) – 551 O8 – Zufahrt bis Stöckalp,   3 F4
dann mit der Gondelbahn (15 Min.) - Höhe 1 920 m – ✉ 6064

▶ Bern 122 – Sarnen 22 – Stans 32 – Luzern 42

🏨🏨🏨   **frutt LODGE & SPA**   ♨ ≤ 🏠 🖼 🎤 🀄 🎇 ᚼ 📶 🏔 🚗

Frutt 9 – 𝒞 041 669 79 79 – www.fruttlodge.ch – geschl. Mitte April - Mitte Juni,
Mitte Oktober - Mitte Dezember

58 Zim 😃 – ♦178/368 CHF ♦♦238/428 CHF – 3 Suiten
Rest *frutt Stübli* – siehe Restaurantauswahl
Rest *frutt Titschli* – (25 CHF) – Karte 41/82 CHF

Wirklich gigantisch (und autofrei) die Lage auf der Alp Melchsee-Frutt! Und das ist noch nicht alles: die Zimmer modern-alpin, der 900-qm-Spa ebenso geschmackvoll, das Restaurant Titschli (internationale und traditionelle Küche) klar strukturiert... und das absolute Highlight: die Terrasse mit Stausee- und Bergblick! Von der eigenen Tiefgarage an der Talstation Stöckalp geht's mit der Gondelbahn hier hinauf.

🍴🍴   **frutt Stübli**   ≤ & 🍴

Frutt 9 – 𝒞 041 669 79 79 – www.fruttlodge.ch – geschl. Mitte April - Mitte Juni,
Mitte Oktober - Mitte Dezember und Montag – Dienstag, im Sommer: Sonntag
- Mittwoch, ausser Hochsaison

Rest – *(nur Abendessen) (Tischbestellung ratsam)* Menü 78/115 CHF
– Karte 72/112 CHF 🌅

Wer sich für das Gourmet-Restaurant des Hauses entscheidet, darf gespannt sein auf die ambitionierte und interessante Regionalküche von Mike Zarges, z. B. in Form von "Belpuccino & gebratener Berner Bachsaibling" oder "Kräuterwiesenlamm mit Polenta". Wie wäre dazu ein Schweizer Wein? Das Ambiente: Geradlinigkeit kombiniert mit alpinem Flair.

MELIDE – Ticino (TI) – 553 R14 – 1 658 ab. - alt. 274 m – ✉ 6815   10 H7

▶ Bern 251 – Lugano 7 – Bellinzona 38 – Como 24

👁 Svizzera in miniatura ★

🏨   **Dellago**   ≤ 🏠 🖼 🍴 cam, 📶 🅿

Lungolago Motta 9 – 𝒞 091 649 70 41 – www.hotel-dellago.ch

21 cam 😃 – ♦130/440 CHF ♦♦130/440 CHF
Rist – (33 CHF) Menu 47 CHF (pranzo)/89 CHF (pranzo) – Carta 65/95 CHF

Lungo la passeggiata, godete del panorama sul Ceresio da questa piacevole struttura con camere a tema – alcune climatizzate, altre con balcone affacciato sul lago – e due belle suite di un bianco immacolato. Ristorante in stile Art Déco che offre una cucina "fusion", proposta anche sulla panoramica terrazza.

🏨   **Riviera**   ≤ 🏠 🖼 📶 🚗

Lungolago Motta 7 – 𝒞 091 640 15 00 – www.hotel-riviera.ch – chiuso fine
ottobre - metà marzo

27 cam 😃 – ♦90/160 CHF ♦♦170/250 CHF – ½ P
Rist – Menu 37 CHF (cena) – Carta 36/64 CHF

La struttura dispone di camere diverse, per dimensioni e stile, ma non per livello di confort: quelle del primo piano sfoggiano uno stile mediterraneo, mentre le altre si mantengono su una linea più classica. Splendida terrazza affacciata sul lago. Cucina tradizionale nel luminoso ristorante.

MELS – Sankt Gallen (SG) – 551 U7 – 8 481 Ew – Höhe 487 m – ✉ 8887   5 I3

▶ Bern 216 – Chur 29 – Sankt Gallen 83 – Davos 58

🍴🍴🍴   **Schlüssel - Nidbergstube** (Seppi Kalberer)   🏠 🍴 🅿
❀❀   *Oberdorfstr. 5, (1. Etage) – 𝒞 081 723 12 38 – www.schluesselmels.ch – geschl.*
9. Februar - 6. März, 20. Juli - 11. August und Sonntag - Montag

Rest – *(Tischbestellung ratsam)* Menü 98/185 CHF – Karte 80/150 CHF 🌅
Rest *Schlüsselstube* 🌅 – siehe Restaurantauswahl

Zwei Kenner ihres Fachs als erfolgreiches Duo: Marianne Blum als herzliche Gastgeberin, Seppi Kalberer als leidenschaftlicher Küchenchef und Vertreter der klassischen französischen Küche. Ein Muss zum Dessert: der warme Schokoladenkuchen nach Seppis Rezept oder der gestürzte karamellisierte Apfelkuchen!

→ Gebratene Entenleber mit Essigzwetschgen. Pochierte Weisstannental Forelle, Brickteighaube, Curry-Gemüse. Rücken vom irischem Wiesenlamm, Kartoffel-Variation.

❌ **Waldheim** ⮜ 🏠 ⇔ **P.**

Weisstannenstr. 89, West: 4 km – 📞 081 723 12 56 – www.waldheim-mels.ch
– geschl. 13. Januar - 4. Februar, 7. - 29. Juli und Montag - Dienstag
Rest – (30 CHF) Menü 85 CHF – Karte 49/90 CHF
Ein schöner Ort: über Mels gelegen, mit tollem Blick... und guter Küche! Wer bei
Luzia und Peter Kalberer einkehrt (die Familie ist hier schon seit über 35 Jahren),
sollte mal das "Gebratene Forellenfilet auf Kartoffel-Gurkengemüse mit Senfsauce"
probieren - die Forellen stammen aus dem Weisstannental. Im Herbst kommt
man wegen der Wildspezialitäten.

❌ **Schlüsselstube** – Restaurant Schlüssel 🏠 ⍟ **P.**

Oberdorfstr. 5, (1. Etage) – 📞 081 723 12 38 – www.schluesselmels.ch – geschl.
9. Februar - 6. März, 20. Juli - 11. August und Sonntag - Montag
Rest – (21 CHF) Menü 69/85 CHF – Karte 46/85 CHF ⍟
Der Rahmen ist etwas einfacher als in der Nidbergstube (was der Gemütlichkeit
keinerlei Abbruch tut!), die Küche ist schmackhaft und traditionell. Bestellen Sie
"Geschmorte Kalbsbacke mit Rotweinsauce und Kartoffel-Rosmarinpüree"
und einen Dessert-Klassiker wie "Caramelköpfli"!

MENDRISIO – **Ticino (TI)** – **553** R14 – **11 673 ab.** – **alt. 355 m** – ✉ **6850**   **10** H7

▶ Bern 260 – Lugano 20 – Bellagio 40 – Bellinzona 46

🅘 via Lavizzari 2, 📞 091 641 30 50, www.mendrisiottoturismo.ch

Manifestazioni locali :

giugno : Estival Jazz

❌❌ **Atenaeo del Vino** 🏠 ⭑ ⇔

via Pontico Virunio 1 – 📞 091 630 06 36 – www.atenaeodelvino.ch – chiuso
Natale - inizio gennaio e domenica
Rist – (28 CHF) Menu 46 CHF (pranzo in settimana) – Carta 61/93 CHF ⍟
In una zona pedonale del vecchio centro storico, ambiente informale e vivace
dove gustare piatti locali accompagnati da una selezione enologica di circa 500
etichette. Anche se nella sala troneggia un grande camino, tempo permettendo
optate per la bella terrazza.

a Salorino Nord : 13 km sulla strada per il Monte Generoso – alt. 473 m
– ✉ 6872

❌ **Grotto la Balduana** ⮜ 🏠 ⍟ ⇔ 🛏

Bellavista Monte Generoso, alt. 1 100 m – 📞 091 646 25 28 – www.baldovana.ch
– chiuso metà dicembre - metà marzo e martedì
Rist – (22 CHF) Menu 35/54 CHF – Carta 34/46 CHF
Da oltre due decenni la famiglia Moncilovic gestisce con calore e simpatia questo
rustico grotto, dove gustare specialità regionali, nonché piatti freddi (quest'ultimi
sempre a disposizione). Servizio estivo in terrazza-giardino con vista panoramica
sulla vallata.

MENZBERG – **Luzern (LU)** – **551** M7 – **600 Ew** – **Höhe 1 016 m** – ✉ **6125**   **3** E4

▶ Bern 103 – Luzern 36 – Brienz 87 – Olten 46

🏠 **Menzberg** ⌕ ⮜ 🏠 🛏 🛰 ⛰ **P.**

Dorf – 📞 041 493 18 16 – www.hotel-menzberg.ch – geschl. 24. Februar
- 14. März, 7. - 25. Juli
26 Zim ⌷ – 🛏120 CHF 🛏🛏180/195 CHF
Rest – (geschl. Sonntagabend - Montag) Menü 39 CHF (mittags unter der
Woche)/80 CHF – Karte 47/81 CHF
Sie suchen ruhige ländliche Umgebung? Der Familienbetrieb fügt sich mit seiner
regionstypischen Fassade schön in die Gegend ein und bietet dank Hanglage
einen grandiosen Blick! Herrlich natürlich die Panoramaterrasse als Alternative zu
Restaurant und Gaststube. Die Zimmer sind eher schlicht, aber gut gepflegt.

MERIDE – Ticino (TI) – **553** R14 – **314 ab.** – **alt. 582 m** – ✉ 6866   10 H7
▶ Bern 266 – Lugano 27 – Bellinzona 53 – Varese 18

X **Antico Grotto Fossati**   🏠 ⌘ **P**
cantine 1 – 𝒞 091 646 56 06 – chiuso Natale - fine gennaio, 1 settimana inizio novembre e lunedì; da novembre a marzo: domenica sera, lunedì e martedì
Rist – (25 CHF) Menu 37/47 CHF – Carta 28/57 CHF 🕸
Un'ampia selezione enologica – soprattutto di etichette italiane e locali – accompagna una cucina casalinga nella verde cornice di un caseggiato rustico, dove non manca uno scoppiettante camino. Servizio estivo sulla terrazza alberata.

MERLIGEN – Bern (BE) – **551** K9 – **770 Ew** – **Höhe 568 m** – ✉ 3658   8 E5
▶ Bern 40 – Interlaken 11 – Brienz 34 – Spiez 24

🏨 **BEATUS**   ⌘ ≤ 🚗 🕭 🏠 ⌁ 🏊 📺 ⊕ 🕸 👐 🖼 ⌘ 🛜 🏋 **P**
Seestr. 300 – 𝒞 033 252 81 81 – www.beatus.ch
71 Zim �☐ – †193/450 CHF ††366/676 CHF – 4 Suiten – ½ P
Rest *Bel Air* – siehe Restaurantauswahl
Rest *Orangerie* – (30 CHF) Menü 69 CHF (mittags) – Karte 48/86 CHF
Traumhaft schön liegt das Hotel direkt am See. Die Zimmer sind individuell, der Service ist freundlich und zuvorkommend. Auf 2000 qm bietet man einen vielfältigen Spabereich, hinzu kommt eine eigene kleine Marina. Orangerie mit Piano-Bar.

XXX **Bel Air** – Hotel BEATUS   ≤ 🏠 ⌘ **P**
Seestr. 300 – 𝒞 033 252 81 81 – www.beatus.ch
Rest – Karte 65/109 CHF
Ein Restaurant, von dem die Gäste angetan sind: prächtige Empire-Lüster, wertige Stoffe, feine Tischwäsche, klassischer Service und eine fantastische Terrasse mit Palmen und Seeblick. Saisonale Kulinarik, mediterran beeinflusst.

MERLISCHACHEN – Schwyz (SZ) – **551** O7 – **1 205 Ew** – **Höhe 436 m**   4 F3
– ✉ 6402
▶ Bern 136 – Luzern 10 – Aarau 61 – Schwyz 26

🏨 **Schloss-Hotel Swiss-Chalet**   ⌘ ≤ 🚗 🏠 📺 🕸 🖼 🄺 Rest, 🛜 🏋
Luzernerstr. 204 – 𝒞 041 854 54 54 – www.schloss-hotel.ch   **P**
68 Zim ⊡ – †119/222 CHF ††139/312 CHF
Rest – (29 CHF) Menü 60/89 CHF – Karte 46/123 CHF
Superior- und Deluxe-Zimmer sowie Art-Suiten, dazu Erlebniszimmer, einfache und günstige Chalet-Zimmer sowie Ferienwohnungen! Das schöne Ensemble aus verschiedenen Schlösschen und Chalets (eines a. d. 17. Jh. beherbergt das Restaurant) bietet für jeden das Passende. Privatstrand am See.

MEYRIN – Genève – **552** A11 – **voir à Genève**

MÉZIÈRES – Vaud (VD) – **552** G9 – **1 109 h.** – **alt. 740 m** – ✉ 1083   6 B5
▶ Bern 82 – Lausanne 17 – Fribourg 52 – Montreux 28

XX **Du Jorat**   🏠 ⇔
Grand Rue 16 – 𝒞 021 903 11 28 – www.restaurantdujorat.ch – fermé 22 décembre - 6 janvier, Pâques une semaine, juillet 3 semaines, dimanche et lundi
Rest – Menu 58/148 CHF – Carte 69/138 CHF
Rest *Brasserie* 🕾 – voir la sélection des restaurants
Sur la route principale de Mézières, cette bâtisse traditionnelle, assez coquette, donne envie de s'arrêter. Elle abrite une bonne table gastronomique, plutôt classique, parfois intrigante comme "le choc culturel vaudois", entrée phare de la maison.

X **Brasserie** – Restaurant Du Jorat   🏠
Grand Rue 16 – 𝒞 021 903 11 28 – www.restaurantdujorat.ch – fermé 22 décembre - 6 janvier, Pâques une semaine, juillet 3 semaines, dimanche et lundi
Rest – (21 CHF) – Carte 50/74 CHF
Au Jorat, il y a le restaurant mais aussi la Brasserie : elle a l'air toute simple avec son cadre sans chichis, mais on peut s'y régaler de bons petits plats du terroir (avec quelques saveurs du monde) dont on aurait tort de se priver !

MIÈGE – Valais – 552 11J – 1 295 h. – ⊠ 3972

▶ Bern 176 – Sion 23 – Fribourg 145 – Aosta 124

X **Le Relais Miégeois**

Route de Sierre 31 – ℰ 027 455 90 90 – www.relaismiegeois.ch – fermé début janvier 2 semaines, fin juillet - mi-août 3 semaines, dimanche soir, lundi soir et mardi

Rest – *(réservation indispensable)* (18 CHF) Menu 47 CHF (déjeuner en semaine)/ 61 CHF – Carte 63/97 CHF

Au centre du village, le restaurant est abrité dans une grande bâtisse qui rappellerait presque la fameuse "Maison jaune" de Van Gogh... Le jeune chef, Lionel Chabroux, propose une cuisine créative et trouve un bel équilibre entre tradition française et ingrédients exotiques. Le tout dans une ambiance animée !

MINUSIO – Ticino – 553 R12 – vedere Locarno

MÖRIGEN – Bern (BE) – 551 I6 – 886 Ew – Höhe 481 m – ⊠ 2572

2 C4

▶ Bern 46 – Neuchâtel 31 – Biel 9 – Solothurn 34

Seeblick

Hauptstr. 2 – ℰ 032 397 07 07 – www.seeblick.net – geschl. 21. September - 5. Oktober, 22. - 31. Dezember

15 Zim – †135 CHF ††180 CHF

Rest – *(geschl. Montag)* (17 CHF) Menü 58 CHF – Karte 49/81 CHF

Ein tipptopp gepflegtes kleines Hotel mit wohnlichen Gästezimmern, freundlichem Service und einem guten, frischen Frühstück. Zu Fuss sind es ca. 10 Minuten hinunter zum See. Das Restaurant bietet traditionelle Küche mit vielen Fischgerichten. Von der schönen Terrasse geniesst man den Seeblick.

MONRUZ – Neuchâtel – 552 G7 – voir à Neuchâtel

MONTANA – Valais – 552 J11 – voir à Crans-Montana

MONTEZILLON – Neuchâtel (NE) – 552 F7 – alt. 761 m

2 C4

– ⊠ 2037 Montmollin

▶ Bern 59 – Neuchâtel 8 – La Chaux-de-Fonds 20 – Yverdon-les-Bains 37

L'Aubier

Les Murailles 5 – ℰ 032 732 22 11 – www.aubier.ch

25 ch – †130/160 CHF ††170/220 CHF   **Rest** – (20 CHF) – Carte 36/74 CHF

Respirez à pleins poumons ! Cet hôtel-restaurant, avec vue sur les sommets et le lac de Neuchâtel, joue la carte de l'écologie : chambres "nature" où le bois domine, espace bien-être. À table, on savoure une vraie cuisine de saison, basée sur les produits de l'agriculture raisonnée.

MONTHEY – Valais (VS) – 552 F11 – 16 628 h. – alt. 420 m – ⊠ 1870

7 C6

▶ Bern 112 – Martigny 24 – Évian-les-Bains 38 – Gstaad 59

🛈 Place Centrale 3, ℰ 024 475 79 63, www.montheytourisme.ch

Manifestations locales :

27 février-4 mars : carnaval

20-22 juin : fête de la musique

16 août : Fârtisana-marché artisanal à l'ancienne

3-9 novembre : International Chablais Hockey Trophy

X **Café du Théâtre**

Rue du Théâtre 6, (par avenue de Crochetan) – ℰ 024 471 79 70 – www.cuisinart.ch – fermé 1er - 12 janvier, 27 février - 4 mars, 13 juillet - 11 août, 24 - 28 décembre, dimanche et lundi

Rest – (23 CHF) Menu 62/92 CHF – Carte 55/95 CHF

Avant ou après le spectacle au théâtre du Crochetan, vous viendrez peut-être vous asseoir dans la grande salle épurée de ce bistrot, où l'on ne joue pas la comédie ! Le chef propose une cuisine créative qui n'oublie pas de rendre hommage à l'Italie, son pays natal.

à Choëx Sud-Est : 4 km – alt. 615 m – ⊠ 1871

� Café Berra   ⪦ ☂ **P**
Place de l'École 1 – ☎ 024 471 05 30 – www.cafeberra.ch – fermé janvier 3
semaines, fin août 4 semaines, lundi et mardi
Rest – *(réservation conseillée)* Menu 65 CHF (déjeuner en semaine)
– Carte 66/107 CHF
Un restaurant bien sympathique, aménagé dans un chalet en bois de la fin du
19e s. L'ambiance y est très simple, décontractée, sans doute parce que l'endroit
est géré en famille... Et la simplicité se retrouve dans la cuisine proposée, généreuse et gorgée de saveurs !

Le MONT-PÈLERIN – Vaud (VD) – **552** F10 – alt. 806 m – ⊠ 1801   7 C5
▶ Bern 85 – Montreux 14 – Fribourg 54 – Lausanne 21
◉ Site★★ • ⪦★★

⌂⌂⌂⌂ Le Mirador Kempinski   ⬙ ⪦ 🚗 ☂ ⛩ 🎦 🌐 🏠 ⅃♂ ✕ ⧈ & 🄰 ch,
Chemin de l'Hôtel du Mirador 5 – ☎ 021 925 11 11   ⅍ rest, 🛜 ⅍♂ ⤇ **P**
– www.kempinski.com/mirador
54 ch – ♦295/885 CHF ♦♦295/885 CHF, ⊑ 45 CHF – 8 suites – ½ P
Rest *Le Trianon* ⛩ – voir la sélection des restaurants
Rest *Le Patio* – ☎ 021 925 18 01 *(fermé octobre - mars : mardi et mercredi)*
(36 CHF) – Carte 53/101 CHF
Un fabuleux Mirador ! L'étendue majestueuse du lac Léman à ses pieds, les montagnes au loin... l'impression d'être roi des Alpes. Ce grand hôtel est l'un des
joyaux de l'hôtellerie vaudoise. Le must : les suites ultracontemporaines avec
une terrasse privée... Deux options pour se restaurer : haute gastronomie au Trianon ; saveurs méditerranéennes au Patio, en bord de piscine.

✕✕✕ Le Trianon – Hôtel Le Mirador Kempinski   ⪦ ☂ & ⅍ ⧖ **P**
⛩ *Chemin de l'Hôtel du Mirador 5 – ☎ 021 925 11 11*
– www.kempinski.com/mirador – fermé début janvier - mi-février, dimanche et
lundi, avril - septembre : lundi et mardi
Rest – *(dîner seulement en semaine)* (56 CHF) Menu 115/165 CHF
– Carte 109/145 CHF ⅏
Restaurant gastronomique de l'hôtel Mirador, Le Trianon offre une vue superbe
sur le Léman : le soir, l'atmosphère devient magique face aux rives illuminées...
Un cadre idéal pour apprécier une cuisine gastronomique de belle tenue, qui
magnifie les produits de la région comme les saisons !
➜ Le Verger : en salade de fruits et légumes d'été, gelée de concombre, ricotta
et vinaigrette d'agrumes. L'Agneau de Jaman : canon rôti, aubergines en deux
façon, tomate confite. Vacherin : dans l'esprit d'un vacherin glacé revisité, et du
cheesecake.

✕✕ Hostellerie chez Chibrac avec ch   ⬙ ☂ ⧈ 🛜 **P**
⇜ *Chemin de la Gay 1 – ☎ 021 922 61 61 – www.chezchibrac.ch*
– fermé 21 décembre - 22 janvier, dimanche soir et lundi
9 ch ⊑ – ♦110/130 CHF ♦♦150/170 CHF
Rest – (18 CHF) Menu 72/125 CHF – Carte 56/106 CHF
Trois générations de conserve : voilà bien une affaire familiale ! À l'entrée du
bourg, cette ancienne ferme joue la carte de la tradition : au menu, une bonne
cuisine tout artisanale – déclinée à travers une formule plus simple côté pinte.
Quelques chambres très simples à l'étage, face au Léman ou à la forêt.

✕ Au Chalet   ⪦ ☂
Route de Baumaroche 29 – ☎ 021 922 27 61 – www.kempinski.com/mirador
– fermé mi-octobre - mi-novembre
Rest – (34 CHF) – Carte 38/111 CHF ⅏
Oui, voilà bien un authentique Chalet, auquel on peut accéder par funiculaire !
Sur les hauteurs, donc, avec un vrai décor montagnard et une cuisine qui res-
pecte tous les classiques suisses, fondue en tête. Parfait dans le genre.

MONTREUX – Vaud (VD) – 552 F10 – 25 199 h. – alt. 406 m – ⊠ 1820   7 C6

▶ Bern 90 – Genève 95 – Lausanne 29 – Martigny 43

ℹ Place de l'Eurovision A2, ℰ 084 886 84 84, www.montreuxriviera.com

Aigle, Sud : 12 km, ℰ 024 466 46 16

Les Coullaux, Chessel, Sud et route d'Évian : 13 km, ℰ 024 481 22 46

Manifestations locales :

4-19 juillet : Jazz festival

début décembre : festival de la comédie

◉ Site★★

Rochers de Naye★★★, par train à crémaillère• Château de Chillon★★ • Les Pléiades★★ Col de Sonloup (≤ ★)

Fairmont Le Montreux Palace   ≤ 🚗 🏊 🖼 🌐 ⋒ ℔ 🈂 🆔 🛜 🧖

Grand-Rue 100 – ℰ *021 962 12 12* – *www.montreux-palace.ch*   🚘 🅿

217 ch – ♥559/899 CHF ♥♥559/899 CHF, ⊑ 40 CHF – 19 suites   A1**k**
– ½ P

Rest *La Brasserie du Palace* – voir la sélection des restaurants

Face au lac Léman, un superbe monument Belle Époque (1906), plein d'âme et d'élégance, et tout au service de ses hôtes… Si Montreux est la "perle de la Riviera vaudoise", ce palace est sans doute l'un des fleurons de l'hôtellerie suisse, à l'unisson de la douceur légendaire du climat local !

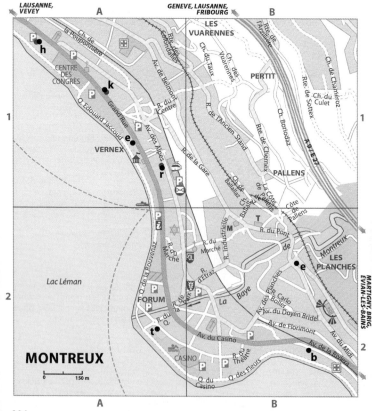

🏨🏨🏨 Royal Plaza   ⟨ 🗔 𝕘 ʃ᷆ 🛗 ⅋ 🤞 🛁 🚗

Grand-Rue 97 – ℰ 021 962 50 50 – www.royalplaza.ch   A1**h**
147 ch – ♦185/285 CHF ♦♦205/305 CHF, ⌷ 30 CHF – 7 suites
Rest *Café Bellagio* – voir la sélection des restaurants
Le type même du grand hôtel international, dans un environnement privilégié : quasiment à la verticale des rives du Léman, ce grand immeuble moderne semble tutoyer le lac. Toutes les chambres de façade jouissent d'un balcon : on ne se lasse pas du panorama... De belles prestations.

🏨🏨🏨 Grand Hôtel Suisse Majestic   ⟨ 🖹 🛗 ⅋ 🤞 🛁

Avenue des Alpes 45 – ℰ 021 966 33 33 – www.suisse-majestic.ch   A1**r**
153 ch – ♦170/440 CHF ♦♦220/540 CHF, ⌷ 26 CHF – 2 suites – ½ P
Rest *Le 45* – voir la sélection des restaurants
Des façades richement sculptées (côté ville et côté lac), un superbe hall Art déco, une atmosphère feutrée et élégante : voilà bien un grand hôtel né au 19e s. ! Pour autant, l'établissement est à la page, mêlant classicisme et esprit contemporain avec beaucoup de goût.

🏨🏨🏨 Eden Palace au Lac   ⟨ 🚗 🖴 🎇 𝕘 ʃ᷆ 🛗 ⅋ 🤞 🛁 🅿

Rue du Théâtre 11 – ℰ 021 966 08 00 – www.edenpalace.ch   A2**t**
🚗   **100 ch** – ♦159/419 CHF ♦♦209/519 CHF, ⌷ 23 CHF – ½ P
Rest *Chez Gaston* – (20 CHF) Menu 60 CHF – Carte 57/92 CHF
Sa façade de style victorien se reflète dans le lac... Ce bel établissement, aujourd'hui centenaire, abrite des chambres confortables, aux notes surannées. Contiguë, la Villa Eden, toute rose, est propice aux escapades amoureuses. Belle ambiance également Chez Gaston, autour du piano-bar et en terrasse face au Léman...

🏨🏨🏨 Golf - Hôtel René Capt   ⟨ 🚗 🖴 🎇 % rest, 🤞 🛁

Rue de Bon Port 35 – ℰ 021 966 25 25 – www.golf-hotel-montreux.ch
– fermé 22 décembre - 10 février   B2**b**
75 ch ⌷ – ♦145/160 CHF ♦♦195/230 CHF – ½ P
Rest – (30 CHF) Menu 45/89 CHF – Carte 64/80 CHF
Il est né en 1887 sur les rives du lac. Ses façades et son jardin planté de palmiers évoquent une villégiature Belle Époque, et il y a quelque chose d'intemporel dans la vue sur les sommets (la plupart des chambres avec balcon). Classique et chaleureux.

🏨🏨🏨 Eurotel Riviera   ⟨ 🎇 ʃ᷆ 🛗 ⅋ 🤞 🛁 🚗

Grand-Rue 81 – ℰ 021 966 22 22 – www.eurotelriviera.ch   A1**e**
156 ch – ♦152/450 CHF ♦♦198/650 CHF, ⌷ 24 CHF – 2 suites
Rest – (21 CHF) – Carte 43/77 CHF
Cette tour moderne domine le centre-ville et ménage, depuis les étages supérieurs, une vue exceptionnelle sur le Léman et son écrin de montagnes... Cet hôtel est le seul de Montreux dont toutes les chambres offrent une vue sur le lac !

🏨🏨 Bristol   ⟨ 🎇 🗔 𝕘 ʃ᷆ 🛗 ⅋ 🛁 🚗

Avenue de Chillon 63, (à Territet), par Avenue de la Riviera B2 – ℰ 021 962 60 60
🚗   *– www.bristol-montreux.ch*
18 ch ⌷ – ♦150/250 CHF ♦♦200/300 CHF – 3 suites – ½ P
Rest *Le Pavois* – (19 CHF) Menu 59 CHF – Carte 46/85 CHF
Faut-il rappeler que Montreux est réputé pour la qualité de son climat ? Cet établissement cumule les fonctions d'hôtel et de maison de santé, pour une convalescence ou de simples vacances (assistance médicale, espace bien-être). Les chambres sont spacieuses et fonctionnelles, le lac tout proche, et les tarifs compétitifs.

🏨 Tralala *sans rest*   🛗 🤞 🛁

Rue du Temple 2 – ℰ 021 963 49 73 – www.tralalahotel.ch   B2**e**
32 ch – ♦100/220 CHF ♦♦140/320 CHF, ⌷ 15 CHF – 3 suites
Au cœur de Montreux, une demeure ancienne transformée en hôtel branché... sans tralala ! Le leitmotiv des lieux, c'est la musique : chaque chambre est dédiée à un artiste, et l'on des donne des soirées DJ certains soirs. Original et funky.

XXX ☺ **L'Ermitage** (Etienne Krebs) avec ch   ⌇ ≼ 🚗 🏠 🛜 🄿

Rue du Lac 75, par Grand Rue A1, direction Lausanne ⊠ *1815 Clarens*
– ☏ 021 964 44 11 – www.ermitage-montreux.com – fermé 22 décembre
- 12 février; mi-septembre - mi-avril: dimanche et lundi; mi-avril - mi-juin:
dimanche soir et lundi
8 ch � – ♥200/530 CHF ♥♥300/530 CHF – 1 suite
Rest – Menu 78 CHF (déjeuner en semaine)/260 CHF – Carte 161/173 CHF
Une villa pleine de charme au bord du Léman, comme un écrin précieux pour la
belle cuisine classique d'Etienne Krebs. De la terrasse, la vue est sublime et l'on se
laisse guider par Mme Krebs et son équipe... Les chambres – avec vue ! – permettent de prolonger ce doux moment.
➜ Filet de féra du Lac aux échalotes et citrons confits, purée de pommes de
terre. Le foie gras de canard poêlé en papillotte, coulis de rhubarbe épicé. La
côte de veau du pays aux morilles, frégola aux asperges.

XX **La Brasserie du Palace** – Hôtel Fairmont Le Montreux Palace   ≼ 🏠
Grand-Rue 100 – ☏ 021 962 13 00 – www.montreux-palace.ch   🄰🄲 🄿
Rest – (26 CHF) Menu 72 CHF – Carte 54/94 CHF   A1**k**
Au sein du Fairmont Montreux Palace... Un signe d'élégance en soi – ici décliné
dans une veine contemporaine. La carte y célèbre la brasserie, dans la grande tra-
dition parisienne, et les spécialités suisses.

XX **Café Bellagio** – Hôtel Royal Plaza   ≼ 🏠 ♿ 🄰🄲
Grand-Rue 97 – ☏ 021 962 50 61 – www.royalplaza.ch   A1**h**
Rest – Menu 45 CHF (déjeuner)/85 CHF – Carte 70/91 CHF
Des produits de qualité, des recettes originales, des présentations soignées :
moment de gastronomie au bord du lac, au pied du building moderniste de l'hô-
tel Royal Plaza.

X **Le 45** – Grand Hôtel Suisse Majestic   ≼ 🏠
Avenue des Alpes 45 – ☏ 021 966 33 33 – www.suisse-majestic.com – fermé
22 décembre - 14 janvier   A1**r**
Rest – (25 CHF) Menu 65/115 CHF (dîner) – Carte 61/111 CHF
Un bel endroit que cette brasserie contemporaine, entièrement vitrée face au lac,
et prolongée par une grande terrasse. Au menu, un joli panaché propre à satisfaire tous les goûts : grillades, tartare, salades, saveurs méditerranéennes, etc.

aux Avants Nord : 8 km – alt. 970 m – ⊠ 1833

X **Auberge de la Cergniaulaz**   🏠 🄿
Route de la Cergniaule 18, par Col de Sonloup et route d'Orgevaux : 3,5 km
– ☏ 021 964 42 76 – www.lacergniaulaz.ch – fermé janvier - mars, lundi et mardi
Rest – Carte 57/97 CHF
On a l'impression de rejoindre le sommet du monde... Monter à l'Auberge de la
Cergniaulaz, c'est presque une aventure (ayez une bonne voiture !), mais l'on est
récompensé : tout l'esprit de la montagne est dans ce chalet chaleureux et cro-
quignolet, au milieu des arbres, et dans la cuisine, tout simplement bonne.

à Glion Nord-Est : 5 km – alt. 688 m – ⊠ 1823

🏨 **Victoria**   ⌇ ≼ 🅟 ⛴ 🐾 🍽 🕯 🛜 🛠 🚗 🄿
Route de Caux 16 – ☏ 021 962 82 82 – www.victoria-glion.ch
49 ch ⊆ – ♥190/240 CHF ♥♥300/450 CHF – 6 suites – ½ P
Rest Victoria – voir la sélection des restaurants
Un grand hôtel délicieusement rétro, avec ses antiquités – un vrai petit musée –,
son ambiance feutrée et ses chambres très confortables. Le parc qui domine le
lac Léman, très romantique, ajoute encore au charme indémodable des lieux...

XXX **Victoria** – Hôtel Victoria   ≼ 🅟 🏠 ⇔ 🄿
Route de Caux 16 – ☏ 021 962 82 82 – www.victoria-glion.ch
Rest – (50 CHF) Menu 70 CHF (déjeuner en semaine)/98 CHF – Carte 72/139 CHF
Un décor bourgeois, un jardin d'hiver, une grande terrasse offrant une vue
superbe sur le Léman et les Alpes... La carte fait profession de classicisme : quoi
de plus naturel dans un cadre si immuable ?

à Brent Nord-Ouest : 7 km – alt. 569 m – ⊠ 1817

XXX   **Le Pont de Brent** (Stéphane Décotterd)   🛋 🅰🅲 **P**

ۍۍ *Route de Blonay 4 – ☏ 021 964 52 30 – www.lepontdebrent.ch*
– fermé 23 décembre - 7 janvier, fin juillet - mi-août 3 semaines, dimanche et
lundi
Rest – Menu 95 CHF (déjeuner en semaine)/295 CHF – Carte 170/202 CHF🥂
À l'instar du lac Léman – éternel en apparence, très mobile en réalité –, le Pont
de Brent cultive un classicisme rare, impeccable et... nullement figé. À sa tête, Stéphane et Stéphanie Décotterd conjuguent grande tradition et jeunesse ! Quand
une vénérable institution joue la carte de la nouveauté...
➜ La vinaigrette de féra du lac Léman aux radis, raifort et crumble de pain de
seigle. La noix de ris de veau du pays, gremolata au citron vert et chips de
pomme de terre. La poire à Botzi rôtie aux fruits secs sur un pain de Gênes.

à Veytaux Sud-Est: 3 km par Avenue de la Riviera B2 – alt. 380 m – ⊠ 1820

🏠   **Masson**   🍴 🕉 ℅ rest, 🛜 **P**

Rue Bonivard 5 – ☏ 021 966 00 44 – www.hotelmasson.ch – fermé 25 octobre
- 1er avril
31 ch � – †100/200 CHF ††190/270 CHF – ½ P
Rest – *(dîner seulement)* Menu 35/47 CHF – Carte 43/60 CHF
Tissus fleuris, meubles anciens, parquet en chêne... Un charme suranné ? Un véritable morceau de passé, encore habité par le souvenir de Victor Hugo et des pre-
miers "touristes", car cet hôtel fut pionnier sur la "riviera vaudoise" (1829). Rien ne
semble avoir changé dans le beau jardin qui regarde le lac...

MONTRICHER – Vaud (VD) – 552 C9 – 840 h. – ⊠ 1147   **6** B5
◘ Bern 114 – Lausanne 32 – Genève 66 – Neuchâtel 79

XX   **Auberge aux 2 Sapins** avec ch   🛋 🍴 ♿ 🛜 ⇔ 🦽 **P**

☜ *Rue du Bourg 14 – ☏ 021 864 00 80 – www.2sapins.ch – fermé Noël et Nouvel*
  An, 13 - 30 avril, 27 juillet - 13 août, lundi et mardi
😀 **10 ch** ⊆ – †125 CHF ††180 CHF – ½ P
👅 **Rest** – (18 CHF) Menu 69/115 CHF – Carte 60/97 CHF
On fait bonne chère dans cette auberge née en 1904 au cœur du village ! Au restaurant comme au bistrot, le rapport qualité-prix est séduisant, et les bons produits
régionaux sont à l'honneur. On peut prolonger l'étape en profitant des chambres,
modernes et fonctionnelles. Par beau temps, la vue porte jusqu'au lac Léman...

MONT-VULLY – Fribourg – 552 H7 – **voir à Lugnorre**

MORAT – Fribourg – 552 H7 – **voir à Murten**

MORCOTE – Ticino (TI) – 553 R14 – 726 ab. – alt. 280 m – ⊠ 6922   **10** H7
◘ Bern 255 – Lugano 11 – Bellinzona 42 – Como 28
◉ Località★★ • Santuario di Santa Maria del Sasso (affreschi★)
◉ Strada per Lugano (≤★★)

🏨   **Swiss Diamond Hotel**   ≤ 🍴 🍽 🎬 🕉 🛝 🦽 🛗 ♿ 🅰🅲 ℅ rest, 🛜 🦽

Riva Lago Olivella, Nord-Est : 1 km ⊠ 6921 Vico-Morcote   **P**
– ☏ 091 735 00 00 – www.swissdiamondhotel.com
75 cam ⊆ – †190/400 CHF ††240/500 CHF – 6 suites
Rist *Lago* – (35 CHF) Menu 45/120 CHF – Carta 86/118 CHF
Camere lussuose in un struttura di gusto classico, che vanta una spa tra le più
moderne e poliedriche, nonché un bar con musica dal vivo, whiskey e sigari. A
pochi metri dall'acqua, colori provenzali e pasti informali al ristorante Lago, dove
gustare cucina italiana e piatti internazionali.

a Vico Nord-Est : 4 km – alt. 432 m – ✉ 6921 Vico Morcote

✗ **Vicania**

Alpe Vicania, (alt. 700 m), sulla strada per Carona : 3 km e strada privata
– ℰ 091 980 24 14 – www.ristorantevicania.ch – chiuso gennaio
- febbraio, lunedì e martedì
Rist – (35 CHF) Menu 59 CHF – Carta 61/82 CHF
In posizione isolata sui monti, con il bel tempo si mangia su tavoli disseminati nel prato: la cucina è italiana con qualche piatto tipico di montagna.

MORGES – Vaud (VD) – **552** D10 – **14 896 h.** – alt. 380 m – ✉ 1110   6 B5

▶ Bern 108 – Lausanne 14 – Genève 52 – Pontarlier 68

🛈 Rue du Château 2, ℰ 021 801 32 33, www.morges-tourisme.ch

Manifestations locales :

2-7 avril : ARVINIS - salon international du vin

avril-mi-mai : fête de la tulipe (en fonction de la floraison)

◉ Musée Alexis-Forel ★★

🔢 **Le Petit Manoir**   ◵ Ⓜ ℀ 🛜 🛴

Avenue Ignace Paderewski 8 – ℰ 021 804 12 00 – www.lepetitmanoir.ch – fermé
1er - 3 janvier, 23 février - 10 mars et 15 juillet - 4 août
25 ch ⌷ – ✦160/380 CHF ✦✦175/420 CHF
Rest *Le Petit Manoir* ✿ – voir la sélection des restaurants
Cette charmante demeure classée (1764) recèle des chambres luxueuses et confortables, et se double d'une annexe ultracontemporaine créée au cœur de son beau jardin, entre parterres à la française et arbres centenaires. De "petit", ce manoir n'a que l'adjectif...

🔢 **Mont-Blanc au Lac**   ⪕ 🛖 🛗 Ⓜ ch, 🛜 🛴

Quai du Mont-Blanc – ℰ 021 804 87 87 – www.hotel-mont-blanc.ch
45 ch ⌷ – ✦175/310 CHF ✦✦262/390 CHF – ½ P
Rest *Le Pavois* – (20 CHF) Menu 33 CHF (déjeuner)/98 CHF – Carte 57/84 CHF
Une maison de caractère (19e s.), au bord du lac Léman, avec des chambres spacieuses pour la plupart orientées vers les flots, et un jardin les pieds dans l'eau d'où l'on peut admirer... le mont Blanc ! Une bonne adresse.

🔢 **La Fleur du Lac**   ⪕ 🖳 🛖 🛗 🛜 🛴 P̄

Rue de Lausanne 70 – ℰ 021 811 58 11 – www.fleur-du-lac.ch – fermé Noël et
Nouvel An
29 ch ⌷ – ✦180/340 CHF ✦✦275/385 CHF – 1 suite
Rest – (24 CHF) Menu 58/82 CHF – Carte 73/98 CHF
Rest *Le Café des Amis* – Menu 58 CHF – Carte 59/77 CHF
Regarder le soleil se coucher sur le Léman avec les Alpes en arrière-plan, c'est possible dans cet hôtel, dont toutes les chambres disposent d'une terrasse ou d'un balcon ! Cuisine antillaise au restaurant et plats régionaux au Café, où il fait bon se retrouver... entre amis.

🏠 **La Nouvelle Couronne** sans rest   🛗 ℀ 🛜 🛴

Passage de la Couronne 2 – ℰ 021 804 81 81 – www.couronne-morges.ch
– fermé 19 décembre - 6 janvier
42 ch – ✦165/200 CHF ✦✦210/260 CHF, ⌷ 15 CHF – 1 suite
Dans le quartier piétonnier de la vieille ville, ce bâtiment classé (18e s.) a le château de Morges pour voisin. Préférez les chambres rénovées dans un style contemporain, elles sont plus spacieuses ! Un établissement bien tenu à deux pas de tout. Idéal pour un week-end découverte.

Les prix indiqués devant le symbole ✦ correspondent au prix le plus bas en basse saison puis au prix le plus élevé en haute saison, pour une chambre single. Même principe avec le symbole ✦✦, cette fois pour une chambre double.

✕✕ **Le Petit Manoir**

🕸 *Avenue Ignace Paderewski 8 – 𝒞 021 804 12 00 – www.lepetitmanoir.ch – fermé 1ᵉʳ - 3 janvier, 23 janvier - 10 mars, 15 juillet - 4 août, dimanche et lundi*
Rest – Menu 55 CHF (déjeuner)/135 CHF – Carte 89/123 CHF
Aux commandes de cette table d'apparence classique (parquet en chêne, lustres à pendeloques, etc.), un jeune chef plein d'allant signe une savoureuse cuisine, pétillante et technique à la fois ! Original, mais sans jamais dérouter… Accueil très agréable.
→ Queue de cigale der mer pochée aux épices, légumes croquants au gingembre. Carré d'agneau de Viver aux chanterelles et flan de petits pois, émulsion de carottes et zeste de citron. Nectarines en rosace et sa crème brûlée à la vanille, glace au poivre Sichuan.

MORSCHACH – Schwyz (SZ) – **551** Q7 – **1 088 Ew** – Höhe 645 m   4 G4
– ✉ 6443
▶ Bern 155 – Luzern 51 – Altdorf 15 – Brunnen 4

🏠 **Swiss Holiday Park**   ⚏ ⚑ 🏊 🍽 🎾 ⛷ 🎿 ♨ 🐕 🦌 ✕✕ 🛎 ⚐ ⛰ 🛜 🍴

😋 *Dorfstr. 10 – 𝒞 041 825 50 50 – www.swissholidaypark.ch*   🚗
120 Zim ☲ – 🛏 200 CHF 🛏🛏 300 CHF – 5 Suiten
Rest *Il Gusto* – 𝒞 041 825 50 30 – Karte 36/59 CHF
Rest *Panorama* – 𝒞 041 825 50 30 – (19 CHF) Menü 28/59 CHF – Karte 30/79 CHF
Rest *Schwiizer Stube* – 𝒞 041 825 50 31 *(geschl. Sonntag - Montag) (nur Abendessen)* Menü 45/50 CHF – Karte 33/75 CHF
Eine weitläufige Hotelanlage oberhalb des Vierwaldstättersees. Zum beachtlichen Freizeitangebot zählen u. a. Kletterwand, Bowling und Tom's Kids Club. Auch kulinarisch ist man vielfältig: Pizza und Pasta im Il Gusto, Mediterranes im Panorama und Schwiizer Stube mit Schweizer Spezialitäten.

MOUTIER – Berne (BE) – **551** I5 – **7 480 h.** – alt. 529 m – ✉ 2740   2 D3
▶ Bern 76 – Delémont 14 – Biel 33 – Solothurn 25
🛈 Avenue de la Gare 9, 𝒞 032 494 53 43, www.jurabernois.ch
Manifestations locales :

6-9 mai : SIAMS
fin septembre : fête de la vieille ville

à **Perrefitte** Ouest : 2,5 km – alt. 578 m – ✉ 2742

✕✕ **De l'Étoile** avec ch

😋 *Gros Clos 4 – 𝒞 032 493 10 17 – www.restaurant-etoile.ch – fermé lundi midi et dimanche*
6 ch ☲ – 🛏 125/155 CHF 🛏🛏 170/200 CHF
Rest – (19 CHF) Menu 40/82 CHF – Carte 39/81 CHF
Une sympathique adresse familiale et deux ambiances : une brasserie rustique pour se restaurer simplement ; un restaurant dans un pavillon lumineux (de style orangerie) proposant une cuisine de saison. Chambres modernes dont un studio avec kitchenette et cheminée.

MÜHLEDORF – Solothurn (SO) – **551** J6 – **336 Ew** – Höhe 570 m   2 D3
– ✉ 4583
▶ Bern 34 – Biel 23 – Burgdorf 21 – Olten 53

✕✕ **Kreuz** mit Zim

😋 *Hauptstr. 5 – 𝒞 032 661 10 23 – www.kreuz-muehledorf.ch – geschl. 28. Januar - 12. Februar, 29. September - 13. Oktober*
🍴 **6 Zim** ☲ – 🛏 110/140 CHF 🛏🛏 165/195 CHF   **Rest** – (18 CHF) – Karte 43/87 CHF
Der Landgasthof ist genauso gemütlich und traditionell, wie er schon von aussen wirkt! Serviert wird auch auf der hübschen Terrasse im Grünen. Als Übernachtungsgast darf man sich über das gute Preis-Leistungs-Verhältnis freuen. Übrigens: Das Freibad hinter dem Haus können Sie gratis nutzen!

MÜLLHEIM-WIGOLTINGEN – Thurgau (TG) – **551** S3 – **2 663 Ew**   4 H2
– Höhe 412 m – ✉ 8554
▶ Bern 174 – Sankt Gallen 69 – Frauenfeld 12 – Konstanz 20

XX **Wartegg** mit Zim 🛌 🤶 ♿ **P**
Müllheimerstr. 3, (beim Bahnhof) – 𝒞 052 770 08 08
– www.landgasthof-wartegg.ch – geschl. 7. - 19. Januar, 22. Juli - 6. August und
Dienstagabend - Mittwoch
4 Zim 🛏 – 🛉110/170 CHF 🛉🛉180/240 CHF
Rest – (25 CHF) Menü 49 CHF (mittags unter der Woche)/88 CHF – Karte 56/101 CHF
Ein historischer Gasthof mit schlicht-rustikaler Stube und elegantem A-la-carte-
Restaurant. Geboten wird eine saisonal beeinflusste klassische Küche aus regiona-
len Produkten.

MÜNCHENBUCHSEE – Bern (BE) – **551** J7 – **9 780 Ew** – **Höhe 557 m**   2 D4
– ✉ **3053**
▶ Bern 11 – Biel 29 – Burgdorf 22 – Neuchâtel 58

XX **Moospinte** (Sascha Berther) 🛌 ♿ 🍴 ♿ **P**
🏵 *Lyssstr. 39, Richtung Wiggiswil: 1 km – 𝒞 031 869 01 13 – www.moospinte.ch*
– geschl. 3. - 23. Februar, 22. September - 5. Oktober, 22. - 30. Dezember und
Montag - Dienstag
Rest – Menü 59 CHF (mittags unter der Woche)/160 CHF – Karte 87/126 CHF
Dem gebürtigen Schaffhausener Sascha Berther gelingt hier mit moderner, fein
abgestimmter Küche (gerne auch mit Produkten aus dem eigenen Garten) ein
gelungener Kontrast zum traditionellen Flair des stattlichen Berner Gasthauses
und der wirklich gemütlichen Stuben. Charmant auch der geschulte Service, den
man natürlich auch auf der Terrasse geniesst - übrigens eine der schönsten im
Umkreis! Wenn Sie günstiger essen möchten: In der Gaststube gibt es auch eine
kleinere, etwas einfachere Karte.
➜ Gänseleber-Terrine mit Randen, Xeres Essig und Apfel. Erbsensuppe mit Sot l'y
laisse, Minze, Haselnuss. Carabinero mit Spargel, Estragon und Zitronen-Tortellini.

X **Häberli's Schützenhaus - La Brasserie** 🛌 ♿ ♿ **P**
Oberdorfstr. 10 – 𝒞 031 868 89 88 – www.haeberlis.com
Rest – (21 CHF) – Karte 45/91 CHF 🍴
Sympathisch frankophil ist die Brasserie in dem seit 170 Jahren familiengeführten
Haus. Internationale Küche und Weinkeller mit einigen Trouvaillen. Nett die Som-
merterrasse.

MÜNCHWILEN – Thurgau (TG) – **551** S4 – **4 894 Ew** – **Höhe 518 m**   4 H2
– ✉ **9542**
▶ Bern 174 – Frauenfeld 15 – Herisau 32 – Zürich 55

🏨 **Münchwilen** garni 🛜 🖥 ♿ 🤶 🏋 🚗
Schmiedstr. 5 – 𝒞 071 969 31 31 – www.hotel-muenchwilen.ch
55 Zim 🛏 – 🛉129/170 CHF 🛉🛉175/220 CHF
Die Nähe zu Autobahn und Strassenbahn macht das Hotel für Geschäftsreisende
interessant. Diese schätzen auch die funktionale Ausstattung sowie die Bar mit
Snacks für den kleinen Hunger.

MÜRREN – Bern (BE) – **551** L10 – **427 Ew** – **Höhe 1 639 m**   8 E5
– **Wintersport : 1 650/2 970 m** 🎿2 🎿8 – ✉ 3825
▶ Bern 74 – Interlaken 17 – Grindelwald 21 – Spiez 33
Autos nicht zugelassen
◉ Lage★★
🔲 Schilthorn★★★ (≤★★★), West mit 🔭 • Sefinenfall★, Süd

mit Standseilbahn ab Lauterbrunnen erreichbar

🏨 **Eiger** 🏊 ≤ 🛌 🖥 🛜 🖥 🤶 🏋
Bahnhofplatz – 𝒞 033 856 54 54 – www.hoteleiger.com – geschl. 12. April
- 5. Juni, 28. September - 15. Dezember
40 Zim 🛏 – 🛉180/270 CHF 🛉🛉275/405 CHF – 10 Suiten – ½ P
Rest – Menü 55 CHF (abends)/91 CHF – Karte 53/101 CHF
Gegenüber dem Bahnhof gelegenes Hotel von 1886 mit grandioser Sicht auf
Eiger, Mönch und Jungfrau. Sehr behagliche Zimmer, teils mit Balkon. Suiten in
der Residence nebenan. Neben dem Speisesaal gibt's das Eiger Stübli, alpin mit
modernen Elementen.

⌂ **Bellevue** 🐾 ⩕ 🛏 🏠 🏮

*Lus 1050 – 𝒞 033 855 14 01 – www.muerren.ch/bellevue – geschl. 7. April
- 31. Mai, 19. Oktober - 13. Dezember*
17 Zim 🖵 – ♦125/235 CHF ♦♦170/300 CHF – 2 Suiten – ½ P
Rest – Karte 32/74 CHF
In dem familiär geführten Hotel mit tollem Bergblick wohnt man in ländlich eingerichteten oder etwas moderneren Zimmern. Die Seilbahn ins Skigebiet befindet
sich in der Nähe. Restaurant mit nettem Jägerstübli. Traditionelle Küche mit Wildspezialitäten.

MUNTELIER – Freiburg – **552** H7 – **siehe Murten**

MURALTO – Ticino – **553** Q12 – **vedere Locarno**

La MURAZ – Valais – **552** I11 – **voir à Sion**

MURG – Sankt Gallen (SG) – **551** T6 – **707 Ew** – **Höhe 439 m** – ✉ **8877**   5 H3
▶ Bern 194 – Sankt Gallen 106 – Chur 57 – Feldkirch 58

⌂⌂ **Lofthotel** ⩕ 🏮 ✗ 🛎 ♨ 🛜 🚿 🚗 **P**

Alte Spinnerei, (über Alte Staatsstrasse) – 𝒞 081 720 35 75 – www.lofthotel.ch
17 Zim – ♦100/160 CHF ♦♦150/240 CHF, 🖵 14 CHF – 2 Suiten – ½ P
Rest *Sagibeiz* – siehe Restaurantauswahl
Toll ist schon allein die Lage! Nicht weniger attraktiv das minimalistische Indus-
trie-Design der einstigen Spinnerei. Wenn Sie hoch hinaus möchten: Turm-Loft
auf 5 Etagen und Loft-Suite im DG! Motorradfahrer werden es lieben: In die beiden Biker-Lofts im EG fahren Sie direkt mit Ihrer Maschine!

✗ **Sagibeiz** – Lofthotel ⩕ 🏠 🚿 **P**

🍝 *Alte Spinnerei, (über Alte Staatsstrasse) – 𝒞 081 710 30 60 – www.lofthotel.ch*
Rest – (18 CHF) – Karte 39/78 CHF
Zwei Gehminuten vom Hotel - unmittelbar am See! - befindet sich die alte Säge-
rei mit diesem Lokal. Rustikaler Holzboden, offener Kamin und eine schlichte Einrichtung sorgen für besonderes Flair. Traumhafte Terrasse und Bootsanleger.

MURI – Aargau (AG) – **551** O5 – **7 142 Ew** – **Höhe 458 m** – ✉ **5630**   4 F3
▶ Bern 109 – Aarau 33 – Luzern 34 – Zürich 37

⌂ **Ochsen** 🏠 🛎 🛜 🚿 **P**

Seetalstr. 16 – 𝒞 056 664 11 83 – www.ochsen-muri.ch
15 Zim 🖵 – ♦95/105 CHF ♦♦150/170 CHF
Rest – (geschl. Juli 2 Wochen und Sonntagabend - Montag) (24 CHF)
– Karte 36/85 CHF
Ein typischer ländlicher Gasthof, der bereits seit mehreren Generationen von der
Familie geführt wird. Die Zimmer sind solide ausgestattet und recht unterschied-
lich geschnitten. Die Restaurantstuben sind bürgerlich oder gediegen gestaltet.
Mit Banketträumen.

MURI bei BERN – Bern – **551** J7 – **siehe Bern**

MURSCHETG – Graubünden – **553** T8 – **siehe Laax**

MURTEN MORAT – Freiburg (FR) – **552** H7 – **6 203 Ew** – **Höhe 448 m**   2 C4
– ✉ **3280**
▶ Bern 31 – Neuchâtel 28 – Biel 42 – Fribourg 18
🛈 Französische Kirchgasse 6, 𝒞 026 670 51 12, www.murtentourismus.ch
Lokale Veranstaltungen:
    8.-10. März: Fastnacht
    4.-12. Juli: Opernfestival
    1. August: August-Feier
◉ Lage★★ • Stadtmauer★

✕✕ **Da Pino Ristorante Frohheim** 🏠 &

Freiburgstr. 14 – ☏ 026 670 26 75 – www.dapino-frohheim.ch
– geschl. 22. Dezember - 6. Januar, 13. - 28. April, 19. Oktober - 3. November und Sonntag - Montag
Rest – *(Tischbestellung ratsam)* (18 CHF) Menü 55 CHF (mittags unter der Woche)/120 CHF – Karte 67/108 CHF 🍷

An dem gemütlichen Restaurant (schön auch die Terrasse unter Kastanien oder Pergola) werden Weinkenner ihre wahre Freude haben: Zur italienischen Küche bietet man nämlich eine bemerkenswerte Weinkarte mit Trouvaillen aus Italien!

✕✕ **Käserei** 🏠 & 🍴

Rathausgasse 34 – ☏ 026 670 11 11 – www.kaeserei-murten.ch – geschl. Ende Mai - Anfang Juni 2 Wochen, Ende Oktober - Anfang November 2 Wochen und Sonntag - Montag
Rest – (20 CHF) Menü 59 CHF (mittags unter der Woche)/115 CHF
– Karte 50/90 CHF

Moderne saisonale Küche bietet das in einer denkmalgeschützten ehemaligen Käserei untergebrachte Restaurant. Das Interieur ist geradlinig und angenehm hell gehalten. Nicht verpassen: Kalbs-Cordon-Bleu mit Mont Vully Käse gefüllt, serviert mit lauwarmem Kartoffelsalat!

in Muntelier Nord-Ost: 1 km – Höhe 438 m – ✉ 3286

🏠 **SeePark** 🖼 & Zim, 📶 🏋 🚗 🅿

Muntelierstr. 25 – ☏ 026 672 66 66 – www.hotel-seepark.ch
32 Zim 🛏 – †170/225 CHF ††220/270 CHF – 2 Suiten – ½ P
Rest – *(nur Abendessen)* (30 CHF) Menü 23/36 CHF
– Karte 39/58 CHF

Das besonders auf Businessgäste zugeschnittene Hotel ist ein moderner Bau aus Granit und Glas, der sachlich-funktionell in mediterranem Stil eingerichtete Zimmer beherbergt. Im Restaurant La Vague Bleue serviert man internationale Küche.

in Greng Süd-West: 2,5 km – Höhe 445 m – ✉ 3280 Greng

✕ **Schloss-Taverne** 🏠 🅿

De Castellaplatz 19 – ☏ 026 672 16 66 – www.schloss-taverne.ch
– geschl. März 2 Wochen, September 2 Wochen und Montag - Dienstag
Rest – (22 CHF) Menü 34/82 CHF – Karte 36/80 CHF

Auf dem Areal des ehemaligen Schlosses finden Sie dieses sympathische Bistro - geradliniger Stil, warmes Holz, dekorative moderne Bilder und eine schöne, angenehm schattige Terrasse! In der Küche legt man Wert auf gute saisonale Produkte.

MUTSCHNENGIA – Graubünden – 553 R9 – **siehe Curaglia**

MUTTENZ – Basel-Landschaft – 551 K4 – **siehe Basel**

NÄNIKON – Zürich (ZH) – 551 Q5 – Höhe 457 m – ✉ 8606   4 G2
▶ Bern 141 – Zürich 20 – Rapperswil 28 – Sankt Gallen 83

✕✕ **Zum Löwen** 🏠 🍴 🅿

Zürichstr. 47 – ☏ 044 942 33 55 – www.loewen-naenikon.ch
– geschl. Ende Dezember - Anfang Januar, Ende April - Anfang Mai, Ende Juli - Anfang August, Ende Oktober 1 Woche und Samstagmittag, Sonntag - Montag
Rest – *(Tischbestellung ratsam)* (42 CHF) Menü 68 CHF (mittags)/150 CHF
– Karte 74/106 CHF

In dem reizenden Riegelhaus bieten Stephan und Carmen Stalder ambitionierte asiatisch beeinflusste Küche, mittags in reduzierter Form. Draussen beim Koi-Bassin lauschige Plätze unter grossen Platanen.

NEBIKON – Luzern (LU) – **551** M6 – **2 426 Ew** – Höhe 487 m – ⊠ **6244**   3 E3

▶ Bern 81 – Aarau 34 – Baden 53 – Luzern 37

XX   **Adler** (Raphael Tuor)   🌿 ⇄ **P**
⁂   *Vorstatt 4 – ℰ 062 756 21 22 – www.adler-nebikon.ch – geschl. über Fastnacht 2*
        Wochen, Juli 2 Wochen, Anfang Oktober 1 Woche und Montag - Dienstag
        Rest – *(Tischbestellung ratsam)* Menü 49 CHF *(mittags unter der Woche)*/
        135 CHF – Karte 85/105 CHF 🎋
        Rest *Beizli* ⓐ – siehe Restaurantauswahl
        Für Raphael Tuor sind die meist regionalen Produkte von zentraler Bedeutung, in
        ihrer Zubereitung setzt er auf eine klassische Basis. Die schöne Weinkarte dazu ist
        reich an Riesling und Bordeaux. Gerne wird das gemütlich-historische Gasthaus
        mit charmantem Hinterhofgärtli auch zum günstigen Lunch besucht. Sie möchten
        bleiben? Man hat zwei Gästezimmer.
        → Homard à l' Américaine. Steak vom Wiggertaler Kalb und Milken Wiener Art.
        Filet vom Ennetbürger Angus-Rind mit Kaiserlingen.

X   **Beizli** – Restaurant Adler   🌿 ⇄ **P**
⊜   *Vorstatt 4 – ℰ 062 756 21 22 – www.adler-nebikon.ch*
ⓐ   *– geschl. über Fastnacht 2 Wochen, Juli 2 Wochen, Anfang Oktober*
        1 Woche und Montag - Dienstag
        Rest – (19 CHF) Menü 45/68 CHF – Karte 47/82 CHF 🎋
        Das Beizli ist etwas einfacher als das Restaurant Adler, bietet aber mit seiner
        behaglich-rustikalen Atmosphäre und einer schmackhaften Regionalküche aus
        sehr guten Produkten eine empfehlenswerte Alternative.

NEUCHÂTEL NEUENBURG Ⓒ – Neuchâtel (NE) – **552** G7 – **33 412 h.**   2 C4
– alt. 440 m – ⊠ **2000**

▶ Bern 52 – Biel 33 – Köniz 50 – La Chaux-de-Fonds 21

🛈 Hôtel des Postes B2, ℰ 032 889 68 90, www.neuchateltourisme.ch

🛅 Saint-Blaise, Sud-Est : 9 km, ℰ 032 753 55 50

Manifestations locales :
    29 mai-1 juin : Festi'Neuch
    6-9 août : festival des chorales internationales
    mi-août : Busker's Festival
    12-14 septembre : bicentenaire du canton de Neuchâtel
    26-28 septembre : fête des vendanges

📷 Site ★★ • Quai Osterwald (⬳★★) • Ville ancienne ★ B2 • Eglise Notre-Dame ★ C2
    • Musée d'Art et Histoire ★★ BC2 • Musée d'Ethnographie ★ A2

Ⓖ Croisières sur le lac (renseignements : Société de Navigation sur les lacs de
    Neuchâtel et Morat, Port de Neuchâtel, ℰ 032 729 96 00)

Plan page suivante

🏨 **Beau-Rivage**   ⬳ 🛁 🎧 🛗 📶 🦺 🚗 **P**
    Esplanade du Mont-Blanc 1 – ℰ 032 723 15 15 – www.beau-rivage-hotel.ch
    63 ch – 🛏340/450 CHF 🛏🛏410/520 CHF, ☕ 34 CHF – 3 suites – ½ P   B2**b**
    Rest *O'Terroirs* – voir la sélection des restaurants
    Le charme sûr d'un hôtel de standing, dans un bel édifice du 19ᵉ s. dressé au
    bord du lac. Les lieux conjuguent élégance, espace et grand confort. Le must :
    jouir d'un balcon pour profiter du panorama... Espace bien-être avec hammam,
    fitness et soins. Parfaite quiétude !

🏨 **Beaulac**   ⬳ 🎧 🛗 📶 🦺 🚗
    Esplanade Léopold-Robert 2 – ℰ 032 723 11 11 – www.beaulac.ch   BC2**u**
    94 ch – 🛏205/310 CHF 🛏🛏260/355 CHF, ☕ 25 CHF – 2 suites – ½ P
    Rest *Lake Side* – voir la sélection des restaurants
    Cet hôtel porte bien son nom : il domine le lac de Neuchâtel, un superbe hori-
    zon... Il est aussi proche du port, du centre-ville et de l'université : autant
    d'atouts. Et les chambres, aux lignes graphiques et épurées, sont d'une élégance
    toute contemporaine !

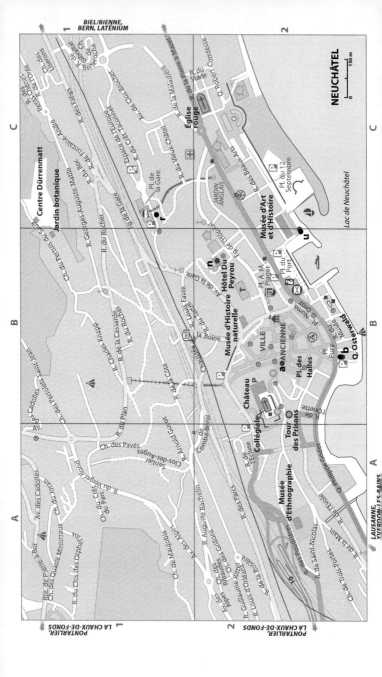

NEUCHÂTEL

0   150 m

BIEL/BIENNE,
BERN, LATÉNIUM

Centre Dürrenmatt

Jardin botanique

PONTARLIER,
LA CHAUX-DE-FONDS

PONTARLIER,
LA CHAUX-DE-FONDS

LAUSANNE,
YVERDON-LES-BAINS

Pl. de
la Gare

Église
rouge

Q. Robert Comtesse

Pl. du
Stade

Lac de Neuchâtel

Pl. du 12
Septembre

JARDIN
ANGLAIS

Musée d'Art
et d'Histoire

Hôtel Du
Peyrou

Musée d'Histoire
naturelle

Pl. A. M.
Piaget

Pl. du
Port

Pl.
Numa
Droz

VILLE
ANCIENNE

Q. Osterwald

Pl. des
Halles

Château

Collégiale

Tour
des Prisons

Musée d'Ethnographie

Alpes et Lac ⟨ 🛏 📶 ♨ ch, 📶 🦽 🅿

Place de la Gare 2 – 📞 *032 723 19 19 – www.alpesetlac.ch* C1**r**
30 ch 🛏 – 🛏128/171 CHF 🛏🛏160/222 CHF – ½ P
Rest – *(fermé 22 décembre - 6 janvier et dimanche)* (22 CHF) Menu 40 CHF
(déjeuner en semaine)/64 CHF – Carte 49/69 CHF
Une façade en pierres de taille distingue cet hôtel (1872) proche de la gare. Préférez les chambres côté lac : outre la vue, elles sont plus calmes et avec balcon... mais tout le monde peut jouir du beau toit-terrasse qui domine la ville et les flots !

Hôtel Du Peyrou 🛏 ♨ ♻ 🅿

Avenue Du Peyrou 1 – 📞 *032 725 11 83 – www.dupeyrou.ch – fermé 16 février
- 3 mars, 20 juillet - 4 août, dimanche et lundi* B2**n**
Rest – (28 CHF) Menu 50 CHF (déjeuner)/130 CHF – Carte 81/113 CHF 🍷
Ancienne résidence de Du Peyrou, ami de Rousseau, ce splendide petit palais du 18e s. a fait peau neuve, avec un décor très contemporain, à la fois chic et original, classique et... impertinent ! Une belle mise en valeur de la cuisine du chef australien Craig Penlington.

O'Terroirs – Hôtel Beau-Rivage ⟨ 🛏 🦽 🆒 ♨ 🅿

Esplanade du Mont-Blanc 1 – 📞 *032 723 15 23 – www.beau-rivage-hotel.ch*
Rest – (42 CHF) Menu 54 CHF (déjeuner en semaine)/130 CHF B2**b**
– Carte 78/120 CHF 🍷
Au sein de l'hôtel Beau-Rivage, de grandes baies vitrées pour une atmosphère lumineuse et contemporaine. Ce décor se prête à un agréable repas gastronomique : en cuisine, le chef signe une véritable ode au terroir et aux saisons. Atout charme : l'agréable terrasse face au lac.

La Maison du Prussien avec ch 🛏 🆒 rest, 📶 🦽 🅿

*Rue des Tunnels 11, (Au Gor du Vauseyon par A2, direction Pontarlier)
–* 📞 *032 730 54 54 – www.hotel-prussien.ch – fermé 21 décembre - 5 janvier,
20 juillet - 11 août, samedi midi et dimanche*
10 ch 🛏 – 🛏160/225 CHF 🛏🛏185/265 CHF – ½ P
Rest – Menu 49 CHF (déjeuner)/180 CHF – Carte 124/148 CHF 🍷
Sur les hauteurs de la ville, cet ancien moulin à eau cache une grande véranda aux airs de jardin d'hiver ! C'est là que niche le restaurant, qui jouit aussi d'une belle terrasse dans la verdure... Au menu : une cuisine inventive aux produits soigneusement choisis.

Le Banneret 🛏 🆒

Rue Fleury 1, (1er étage) – 📞 *032 725 28 61 – www.restaurantlebanneret.ch
– fermé 23 décembre - 15 janvier, Pâques une semaine, dimanche et lundi*
Rest – (19 CHF) Menu 68 CHF – Carte 65/84 CHF B2**a**
Au cœur de la vieille ville, ce restaurant – bâtisse de 1609 – emprunte le nom de la fontaine toute proche. Dans la salle ou en terrasse, on fait honneur aux saveurs de l'Italie. Buon appetito !

Lake Side – Hôtel Beaulac ⟨ 🛏 🦽 🆒 ♨

Esplanade Léopold-Robert 2 – 📞 *032 723 11 64 – www.beaulac.ch* BC2**u**
Rest – (26 CHF) – Carte 63/99 CHF
La vue sur le lac y est si agréable que l'on pourrait se croire sur le pont d'un bateau... Autre voyage, la carte qui propose aussi bien soupe miso, risotto, thon grillé aux épices, foie gras ou gambas en tempura.

à Monruz Est : 2 km par C1, direction Bern – ✉ **2008**

Palafitte 🦽 🆒 ♨ 📶 🦽 🅿

Route des Gouttes-d'Or 2 – 📞 *032 723 02 02 – www.palafitte.ch – fermé
16 - 26 décembre et 5 - 12 janvier*
40 ch – 🛏415/715 CHF 🛏🛏415/715 CHF, 🛏 35 CHF
Rest *Le Colvert* – voir la sélection des restaurants
Un ensemble hôtelier unique au bord du lac, dans un site exceptionnel. À la fois luxueux et original, il est constitué de pavillons sur pilotis abritant quarante belles chambres avec terrasse privée. Un must !

XXX   Le Colvert – Hôtel Palafitte   🛜 ♿ 🅰 🅿

*Route des Gouttes-d'Or 2 – ℰ 032 723 02 02 – www.palafitte.ch – fermé 16
- 26 décembre et 5 - 12 janvier*
Rest – (28 CHF) Menu 53 CHF (déjeuner en semaine)/130 CHF – Carte 72/109 CHF
Le restaurant du Palafitte est aussi design que l'hôtel lui-même. En salle ou sur
la terrasse, on déguste les pieds dans l'eau une cuisine gorgée de soleil et de
parfums.

à Hauterive Nord-Est : 5 km par C1, direction Bern – alt. 490 m – ✉ 2068

🏠   Les Vieux Toits sans rest   ⌕ 🛜 🅿

Rue Croix-d'Or 20 – ℰ 032 753 42 42 – www.vieux-toits.ch
10 ch ⌧ – †120/165 CHF ††148/187 CHF
Dans cette ancienne maison de vignerons (18ᵉ s.), l'effervescence des vendanges
a laissé place au va-et-vient des voyageurs ! Décor rustique et chaleureux pour
les chambres, assez confortables, dont certaines sont mansardées... sous Les
Vieux Toits.

XX   Auberge d'Hauterive   🛜 ⇄ 🅿

*Rue Croix-d'Or 9 – ℰ 032 753 17 98 – www.auberge-hauterive.ch – fermé 1ᵉʳ
- 23 janvier, 13 - 22 avril, 20 juillet - 4 août, dimanche et lundi*
Rest – (22 CHF) Menu 48 CHF (déjeuner)/95 CHF – Carte 88/107 CHF
C'est l'hiver, il fait terriblement froid... Installez-vous donc au coin du feu ! Dans la
salle de cette sympathique auberge – maison du 17ᵉ s. – trône une cheminée
monumentale. Un cadre chaleureux où il fait bon déguster les petits plats miton-
nés par le chef : produits de saison à l'honneur.

à Saint-Blaise Est : 5 km par C1, direction Bern – alt. 464 m – ✉ 2072

XXX   Au Bocca (Claude Frôté)   🛜 🅰 🅿
ಬ *Avenue Bachelin 11 – ℰ 032 753 36 80 – www.le-bocca.com – fermé
22 décembre - 7 janvier, 13 - 28 avril, 5 - 14 octobre, dimanche et lundi*
Rest – Menu 92/220 CHF – Carte 58/131 CHF❀
Décoration épurée, peintures contemporaines, belle terrasse végétalisée... Qui se
plaindrait d'un tel cadre ? Mais chez Claude Frôté, l'essentiel réside dans l'assiette,
qui honore la belle gastronomie – à l'unisson de la cave, superbe. Au Bocca
("bouche" en italien), le bon goût est partout !
→ Tartare de filet de bœuf et de crevettes à la crème de vodka piquante. Calamaretti juste saisi au fenouil et tomates pimentées. Filet de veau du pays grillé
sur des jeunes feuilles d'épinards et germes de mungo avec sa nouille à la mou-
tarde en brochette.

NEUHAUSEN am RHEINFALL – Schaffhausen – 551 Q3 – siehe
Schaffhausen

NEUHEIM – Zug (ZG) – 551 P6 – 1 969 Ew – Höhe 666 m – ✉ 6345   4 G3
▶ Bern 141 – Zürich 30 – Aarau 64 – Luzern 39

XX   Falken   🛜 ⇄ 🅿

*Hinterburgstr. 1 – ℰ 041 756 05 40 – www.dine-falken.ch – geschl. Juli -
1 Woche, August - September 1 Woche und Montag - Dienstag*
Rest – (37 CHF) Menü 52 CHF (mittags unter der Woche)/152 CHF
– Karte 74/126 CHF❀
In diesem schönen, ganz modern und geradlinig gehaltenen Restaurant werden
Sie sich bei Peter Doswalds aufwändiger und ambitionierter Küche sowie freund-
lich-kompetentem Service wohlfühlen. Die schicke Zigarrenlounge und der
begehbare Weinkeller runden das Ganze gelungen ab. Einfacherer Lunch.

X   Hinterburgmühle   🛜 🍴 ⇄ 🅿

*Edlibachstr. 61 – ℰ 041 755 21 20 – www.hinterburgmuehle.ch – geschl.
23. Januar - 10. Februar, 23. August - 10. September und Mittwoch - Donnerstag*
Rest – (23 CHF) Menü 33 CHF (mittags unter der Woche)/85 CHF
– Karte 54/106 CHF
Spezialität sind hier Zubereitungen rund um die Bio-Forellen aus eigener Zucht!
Diese lässt Ihnen Patron Hanspeter Sidler im alten Gasthaus in klarem zeitge-
mässem Ambiente servieren, dazu der passende Tropfen aus dem begehbaren
Weinschrank!

NEUNKIRCH – Schaffhausen (SH) – **551** P3 – 1 965 Ew – Höhe 431 m — 4 F2
– ⊠ 8213

▶ Bern 143 – Zürich 49 – Baden 41 – Schaffhausen 13

XX **Gemeindehaus**   ⟳
Vordergasse 26, (1. Etage) – ℰ *052 681 59 59*
– www.restaurant-gemeindehaus.ch – geschl. Mitte Juli - Mitte August und
Samstagmittag, Sonntag - Montag
Rest – (27 CHF) Menü 19 CHF (mittags)/86 CHF – Karte 52/84 CHF
Das jahrhundertealte Gemeindehaus hat seinen ursprünglichen Charakter
bewahrt. Serviert wird internationale Küche mit regionalen Einflüssen. Zudem hat
man eine Raucherlounge.

La NEUVEVILLE – Berne (BE) – **551** H6 – 3 552 h. – alt. 434 m — 2 C4
– ⊠ 2520

▶ Bern 51 – Neuchâtel 17 – Biel 16 – La Chaux-de-Fonds 37
🔢 Rue du Marché 4, ℰ 032 751 49 49, www.jurabernois.ch

Manifestations locales :

5-7 septembre : fête du vin

🏠 **J.-J. Rousseau**   ⟨ 🛋 🏠 🛗 & 🛜 🖧 **P.**
Promenade J.-J. Rousseau 1 – ℰ *032 752 36 52 – www.jjrousseau.ch*
24 ch � – ♦140/190 CHF ♦♦210/260 CHF – ½ P
Rest – *(fermé novembre - mars : dimanche soir)* (23 CHF) Menu 32 CHF (déjeuner
en semaine)/74 CHF – Carte 64/86 CHF
Un hôtel au cœur des vignes, sur la rive du lac de Bienne, face à une île qui ins-
pira Rousseau dans les Rêveries. Les chambres, lumineuses et modernes, donnent
souvent sur l'eau. La salle à manger, la véranda et les terrasses ont également vue
sur le lac ; cuisine du moment tendance "fusion".

NIEDERERNEN – Wallis – **552** N11 – **siehe Fiesch**

NIEDERGÖSGEN – Solothurn (SO) – **551** M5 – 3 739 Ew – Höhe 382 m — 3 E3
– ⊠ 5013

▶ Bern 77 – Solothurn 48 – Aarau 6 – Luzern 52

X **Brücke ❶**   🏠 🍴 ⟳ **P.**
Hauptstr. 2 – ℰ *062 849 11 25 – www.restaurant-bruecke.com – geschl. Februar*
2 Wochen, Oktober 2 Wochen und Samstagmittag, Sonntagabend - Montag
Rest – (25 CHF) Menü 89 CHF (abends)/118 CHF – Karte 59/74 CHF
Ein Haus der Kontraste! Markus Gfeller führt diese Adresse nun schon in 4. Generation, zum rustikalen Gasthaus ist ein topmodernes Restaurant hinzu gekommen.
Entsprechend diesem Stilmix kombiniert die Küche von Thomas Messerli Klassik
und Innovation. Abends reicht das Angebot vom Rindshackbraten bis zum "Bachsaibling mit Kartoffel-Vanille-Espuma und Chorizo", mittags nur einfache Tagesmenüs. Wunderschön die Terrasse an der Aare unter einer über 100-jährigen Linde!

NIEDERMUHLERN – Bern (BE) – **551** J8 – 477 Ew – Höhe 845 m — 2 D4
– ⊠ 3087

▶ Bern 15 – Fribourg 36 – Langnau im Emmental 43 – Thun 26

XX **Bachmühle**   🏠
Bachmühle 1, Nord-West: 1 km Richtung Oberscherli – ℰ *031 819 17 02*
– www.bachmuehle.ch – geschl. Montag - Dienstag
Rest – *(Mittwoch - Freitag nur Abendessen)* Menü 69/85 CHF – Karte 39/94 CHF
In einem kleinen Weiler steht die ehemalige Mühle. Das elegante Restaurant wird
freundlich geführt und bietet gute zeitgemässe Küche. Einfachere Karte in der
Burestube. Nette Terrasse.

NIEDERRÜTI – Zürich – **551** P-Q4 – **siehe Winkel**

Le NOIRMONT – Jura (JU) – **551** G5 – **1 696 h.** – alt. 969 m – ⊠ 2340   2 C3

▶ Bern 80 – Delémont 38 – Biel 37 – La Chaux-de-Fonds 20

XXX   **Georges Wenger** avec ch   ☞ 🏠 🅰🅲 rest, 🛜 🅿

🏵🏵   *Rue de la Gare 2 – 𝒞 032 957 66 33 – www.georges-wenger.ch – fermé 22 décembre - 23 janvier, lundi et mardi*
5 ch ☲ – †320/350 CHF ††340/370 CHF – ½ P
Rest – Menu 94 CHF (déjeuner en semaine)/240 CHF – Carte 145/180 CHF 🍲
Authenticité, raffinement et saveurs… Depuis plus de trente ans, Georges Wenger vit en intimité avec sa région et sait en faire partager la substance, au plus près des saisons. Le caillé de vache, la bondelle du lac de Neuchâtel ou le miel du Jura sont préparés comme des produits nobles ! L'hôtel est superbe et le petit-déjeuner excellent.
➔ Morilles fraîches farcies à la crème (printemps). Bondelle du lac de Neuchâtel aux échalotes vinaigrées, sauce ortie. Dos d'agneau du Limousin étuvé aux herbes aromatiques, aubergine hachée et légumes épicés.

NOVAZZANO – Ticino (TI) – **553** R14 – **2 389 ab.** – alt. 346 m   10 H7
– ⊠ 6883

▶ Bern 264 – Lugano 24 – Bellinzona 51 – Como 11

X   **Locanda degli Eventi**   🏠 ✿ 🅿

🍲   *via Mulini 31 – 𝒞 091 683 00 13 – www.locandadeglieventi.ch – chiuso 24 dicembre - 4 gennaio, 28 luglio - 19 agosto; sabato a mezzogiorno, domenica sera e lunedì*
Rist – (18 CHF) Menu 29 CHF (pranzo) – Carta 50/76 CHF 🍲
In una grande villa circondata dal verde con ampio dehors estivo, ambienti caldi e luminosi ospitano una cucina incentrata su ricette regionali, elaborate partendo da prodotti locali.

NOVILLE – Vaud (VD) – **552** F11 – **720 h.** – alt. 374 m – ⊠ 1845   7 C6

▶ Bern 99 – Montreux 9 – Aigle 12 – Lausanne 37

XX   **L'Etoile**   🏠 🅿

🍲   *Chemin du Battoir 1 – 𝒞 021 960 10 58 – www.etoilenoville.ch – fermé février - mars 4 semaines, juin - juillet 2 semaines, lundi et mardi, fin octobre - fin mars : dimanche soir, lundi et mardi*
Rest – (19 CHF) Menu 54/98 CHF – Carte 45/98 CHF
Une salle élégante, un joli jardin ombragé, un classicisme maîtrisé à la carte, où dominent les saveurs méditerranéennes… Une valeur sûre que cette auberge, tenue par la même famille depuis trois générations ! Choix plus simple au café.

NYON – Vaud (VD) – **552** B10 – **19 101 h.** – alt. 406 m – ⊠ 1260   6 A6

▶ Bern 138 – Genève 28 – Lausanne 44 – Lons-le-Saunier 91

🛈 Avenue Viollier 8 A1, 𝒞 022 365 66 00, www.nyon-tourisme.ch

🏌 Domaine Impérial, Gland, Est: 4 km, 𝒞 022 999 06 00

Manifestations locales :

19-26 avril : festival visions du réel

5-9 juin : festival Caribana

23-28 juillet : Paléo-festival international de rock et folk

7-17 août : FAR-festival des arts vivants

◉ Promenade des vieilles murailles ★ A2

◉ Château de Prangins ★ B2

🏨   **Beau-Rivage**   ⩽ 📶 🅰🅲 rest, 🅰🅲 🛜 🧖 🛥 🅿

🍲   *Rue de Rive 49 – 𝒞 022 365 41 41 – www.beaurivagehotel.ch*   B2**x**
45 ch ☲ – †300/500 CHF ††350/500 CHF – 5 suites – ½ P
Rest *La Véranda* – *(fermé 15 décembre - 7 janvier, 2 - 16 août, samedi et dimanche)* (19 CHF) Menu 25 CHF (déjeuner en semaine)/90 CHF – Carte 50/93 CHF
Goethe aurait séjourné dans cet hôtel, érigé en 1481, au bord du Léman… A-t-il jugé les chambres avec balcon – et vue sur les flots – les plus romantiques ? Le restaurant La Véranda jouit également d'un panorama superbe sur le lac ; on y prend le petit-déjeuner.

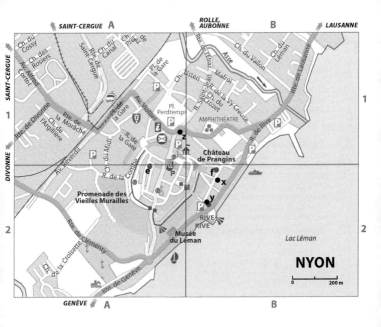

NYON

GENÈVE — A — B

🏠 **Real** ≼ 🏢 & 🅰🅲 �

Place de Savoie 1 – ℰ 022 365 85 85 – www.hotelrealnyon.ch – fermé mi-décembre - mi-janvier **B2y**

28 ch ☁ – †220/280 CHF ††280/360 CHF – 2 suites – ½ P

Rest *Grand Café* – voir la sélection des restaurants

Le nom de cet hôtel est un hommage au club de football madrilène qui s'entraîne chaque année à Nyon ! Les chambres, spacieuses et fonctionnelles, laissent l'embarras du choix : vue sur le lac, le château ou le mont Blanc. Accès aisé depuis l'aéroport ou la gare.

🏠 **Ambassador** sans rest 🚗 🏢 ℅ � 🚵

Rue Saint-Jean 26 – ℰ 022 994 48 48 – www.hotel-ambassador-nyon.ch – fermé 23 décembre - 2 janvier **A1z**

18 ch ☁ – †180/220 CHF ††200/280 CHF

L'histoire ne dit pas si un ambassadeur a poussé la porte de cette bâtisse rose aux volets blancs ! Si tel est le cas, il aura sans doute préféré les chambres, plus calmes, côté lac ou château (12ᵉ s.). L'été, on prend le soleil sur la terrasse ou dans le jardin.

✕✕ **Grand Café** – Hôtel Real ≼ 🏠 &
☺ *Place de Savoie 1 – ℰ 022 365 85 95 – www.hotelrealnyon.ch – fermé Noël - 5 janvier* **B2y**

Rest – (19 CHF) Menu 36 CHF (déjeuner)/65 CHF – Carte 60/86 CHF

Au menu de ce Grand Café, une cuisine qui honore les terroirs de la Botte italienne, accompagnée d'une bonne sélection de vins de la péninsule. Le tout dans un cadre élégant et chaleureux : un joli moment en perspective.

✕✕ **Café du Marché** 🏠 ✿

Rue du Marché 3 – ℰ 022 362 49 79 – www.lecafedumarche.ch – fermé juillet - août 3 semaines, fin décembre - début janvier 2 semaines, dimanche et lundi

Rest – (22 CHF) Menu 45 CHF (déjeuner en semaine)/110 CHF **A1_2e** – Carte 60/90 CHF

La gourmandise parle toutes les langues... À l'image de ce restaurant qui propose des spécialités italiennes, françaises ou encore anglaises ! Une carte sans frontières, à découvrir dans un cadre façon bistrot d'antan.

⚬ **Le Maître Jaques**   🍴 ⇔

Ruelle des Moulins 2 – ℰ 022 361 28 34 – www.maitrejaques.com
– fermé 13 - 21 octobre   **B2f**
Rest – (21 CHF) Menu 60 CHF (dîner) – Carte 63/89 CHF
Est-ce la jolie rue piétonne, l'avenante maison blanche aux volets bleus ou les
chaleureuses salles ? Quoi qu'il en soit, ce restaurant donne envie de s'attabler !
Dans l'assiette, les plats sont soignés, les produits très frais. Preuve que la recette
est la bonne : les gourmands viennent en nombre.

à Prangins par route de Lausanne B1 : 2 km – alt. 417 m – ⌧ 1197

🏠🏠 **La Barcarolle**   ➲ ≺ 🖼 ⏰ 🍴 🗐 ╜ ♿ 🎬 🛜 🕍 P
🍝   *Route de Promenthoux 8 – ℰ 022 365 78 78 – www.labarcarolle.ch*
36 ch ⌧ – †270/350 CHF ††330/450 CHF – 3 suites – ½ P
Rest – (20 CHF) Menu 45/115 CHF – Carte 67/93 CHF
Entre Genève et Lausanne, cet établissement domine le lac du haut de son jardin
tranquille qui descend jusqu'à la rive. Classique et confortable, il offre aussi l'agrément d'un salon avec cheminée, d'un bar avec terrasse (vue sur le lac), d'un restaurant... sans oublier le ponton d'amarrage pour votre yacht !

🏠 **Relais de L'Aérodrome**   🍴 🍽 ch, 🛜 🕍 P
🍝   *Route de l'Aérodrome – ℰ 022 365 75 45 – www.relais-aerodrome.ch – fermé*
21 décembre - 12 janvier
14 ch ⌧ – †120/160 CHF ††140/170 CHF
Rest – *(fermé samedi midi et dimanche soir, octobre - mars : samedi midi et*
dimanche) (19 CHF) Menu 29 CHF (déjeuner en semaine) – Carte 62/102 CHF
Dans cet hôtel, près de la piste de l'aérodrome, vous vous envolerez pour le pays
des rêves ! Les chambres y sont contemporaines, lumineuses et confortables. Une
adresse parfaite pour les pilotes... et les passagers.

OBERÄGERI – Zug (ZG) – **551** Q6 – **5 592 Ew** – **Höhe 737 m** – ⌧ 6315   **4 G3**
▶ Bern 151 – Luzern 46 – Rapperswil 27 – Schwyz 17

⚬⚬ **Hirschen** mit Zim   🍴 🛜 ⇔ P
Morgartenstr. 1 – ℰ 041 750 16 19 – www.hirschen-oberaegeri.ch – geschl.
13. Juli - 4. August und Sonntag - Montag
2 Zim ⌧ – †130 CHF ††170 CHF
Rest – (22 CHF) Menü 34 CHF (mittags unter der Woche)/120 CHF – Karte 54/104 CHF
Der bereits in der 4. Generation familiengeführte Gasthof bietet neben der Kirche beherbergt ein helles modernes Restaurant mit ambitionierter zeitgemässer Küche. Terrasse im 1. Stock mit Seesicht. Zum Übernachten stehen zwei neuzeitlich eingerichtete Gästezimmer bereit.

OBERBIPP – Bern (BE) – **551** K5 – **1 590 Ew** – **Höhe 490 m** – ⌧ 4538   **3 E3**
▶ Bern 44 – Basel 56 – Langenthal 13 – Solothurn 15

🏠 **Eintracht**   🍴 🛜 P
🍝   *Oltenstr. 1 – ℰ 032 636 12 76 – www.hoteleintracht.ch – geschl. 18. Juli*
- 4. August, 19. Dezember - 5. Januar
9 Zim ⌧ – †105 CHF ††155 CHF – ½ P
Rest – *(geschl. Samstag - Sonntag)* (20 CHF) – Karte 32/93 CHF
Zeitgemäss und funktional wohnt man in diesem gepflegten kleinen Hotel, einem
langjährigen Familienbetrieb an der Kantonsstrasse. Im Restaurant bietet man traditionelle Küche. "La Différence" für besondere Anlässe.

OBERENTFELDEN – Aargau (AG) – **551** M5 – **7 588 Ew** – **Höhe 415 m**   **3 E3**
– ⌧ 5036
▶ Bern 79 – Aarau 6 – Baden 31 – Basel 64

🏠🏠 **Aarau West**   🛁 🏃 🛜 🕍 ⛱ P
Muhenstr. 58, (beim Golfplatz) – ℰ 062 737 01 01 – www.aarau-west.ch
– geschl. Ende Dezember - Anfang Januar
70 Zim ⌧ – †125/170 CHF ††190/250 CHF   **Rest** – (21 CHF) – Karte 31/86 CHF
Die verkehrsgünstige Lage unweit der Autobahnausfahrt und des Golfplatzes
sowie hell und funktional eingerichtete Zimmer machen dieses Businesshotel
interessant. Im Golfclub nebenan bietet man indische Küche.

OBERGESTELN – Wallis (VS) – **552** O10 – **693 Ew** – Höhe 1 353 m   8 F5
– ⊠ **3988**

▶ Bern 132 – Andermatt 41 – Brig 38 – Interlaken 77

🛢 Source du Rhône, ℰ 027 973 44 00

🌄 Nufenenpass★★, Süd-Ost: 15 km

🏠 Hubertus   ⤵ ≼ 🕍 🔲 🐎 ❄ 🖾 👍 🍽 Rest, 📶 🎿 🚗 **P**
Schlüsselacker 35 – ℰ 027 973 28 28 – www.hotel-hubertus.ch – geschl. 23. März
- 5. Juni, 19. Oktober - 27. November
23 Zim ⌐ – 🛇115/180 CHF 🛇🛇210/290 CHF – 5 Suiten – ½ P
Rest – (21 CHF) Menü 66/110 CHF – Karte 61/96 CHF
Das Hotel liegt schön ruhig ausserhalb des Dorfes, hat Anschluss an insgesamt
120 km Langlaufloipe und - darauf ist man besonders stolz - verfügt als einziges
Haus in der Region Goms über ein Hallenbad! Im Restaurant u. a. einige Trouvaillen aus dem Bordelais.

OBERHOFEN – Bern – **551** K9 – **siehe Thun**

OBERNAU – Luzern – **551** O7 – **siehe Luzern**

OBERRIET – Sankt Gallen (SG) – **551** V5 – **8 351 Ew** – Höhe 421 m   5 I2
– ⊠ **9463**

▶ Bern 248 – Sankt Gallen 46 – Bregenz 33 – Feldkirch 12

❌❌ Haus zur Eintracht mit Zim   🕍 👍 Rest, 📶 🔄 🎿 **P**
Buckstr. 11 – ℰ 071 763 66 66 – www.hauszureintracht.ch – geschl. 24. Februar
- 3. März, 29. September - 19. Oktober und Mittwoch
2 Zim ⌐ – 🛇125 CHF 🛇🛇175 CHF
Rest – Menü 18 CHF (mittags unter der Woche)/108 CHF – Karte 54/105 CHF 🍽
Wirklich schön, wie man in dem Haus von 1614 (es steht unter Heimatschutz!)
den liebenswerten traditionellen Charakter erhalten hat. Ganz reizend ist z. B.
das historische Buckstübli mit seinem alten Holz und dem tollen Kachelofen.
In den beiden Gästezimmern hat man schön Altes mit Neuem gemischt! Im Garten die hübsche Terrasse.

OBERSAXEN-MEIERHOF – Graubünden (GR) – **553** S9 – **825 Ew**   10 H4
– Höhe 1 302 m – Wintersport : 1 201/2 310 m 🎿15 🎿 – ⊠ **7134**

▶ Bern 241 – Chur 54 – Andermatt 58

🏠 Central und Haus Meierhof   ≼ 🖾 📶 🎿 **P**
Meierhof 10 – ℰ 081 933 13 23 – www.central-obersaxen.ch – geschl. 7. April
- 25. Mai, 3. November - 15. Dezember
33 Zim ⌐ – 🛇88/89 CHF 🛇🛇158/160 CHF – 2 Suiten – ½ P
Rest Central – siehe Restaurantauswahl
Die beiden Häuser stehen neben der Dorfkirche. Behaglich sind die Zimmer alle,
ob Sie nun im Meierhof in einem der einfacheren Zimmer mit gemütlicher Arvenholztäferung wohnen oder sich eine der beiden besonders hübschen Juniorsuiten
in alpenländisch-modernem Stil gönnen.

❌ Central – Hotel Central und Haus Meierhof   ≼ 🕍 ❄ **P**
🚗 *Meierhof 10 – ℰ 081 933 13 23 – www.central-obersaxen.ch – geschl. 7. April*
- 25. Mai, 3. November - 15. Dezember
Rest – (19 CHF) Menü 32/78 CHF – Karte 42/97 CHF
Pizokel, Cordon bleu oder vielleicht "Carpaccio vom Thunfisch mit Kalbstatar"?
Wer gerne traditionell isst, kommt hier ebenso auf seine Kosten wie Liebhaber
der mediterranen Küche. Beim Ambiente kann man ebenfalls wählen: hell und
freundlich der Wintergarten (die Fensterfont lässt sich komplett öffnen), bürgerlich-rustikal die Bündnerstube, modern die Vinothek - Letztere hat sich vor allem
auf Italien und Spanien spezialisiert.

▷ Bern 225 – Sankt Gallen 75 – Bad Ragaz 17 – Buchs 14

XX **Mühle**   🕏 **P.**

*Grossbünt 2 – ℰ 081 783 19 04 – www.restaurantmuehle.ch – geschl. Mitte
- Ende Juli und Dienstag - Mittwoch*
Rest – Menü 60 CHF – Karte 55/85 CHF

Hätten Sie diese schöne Adresse so abgeschieden in dem kleinen Dorf erwartet?
Hier sitzt man im liebenswert dekorierten Mühlenstübli, im modernen Wintergarten oder in der urchigen Gaststube (beliebt bei Wanderern und Radlern) - die
Karte ist überall gleich: Capuns, Rinderfilet, Fisch... Ihren Wein wählen Sie am besten aus der begehrbaren Weinkarte!

▷ Bern 168 – Zürich 48 – Frauenfeld 14 – Konstanz 40

XX **Zum Hirschen**   🕏 ✿ **P.**

🕏 *Steigstr. 4 – ℰ 052 745 11 24 – www.hirschenstammheim.ch – geschl. Ende
Februar - Mitte März 3 Wochen, Juli - August 2 Wochen, Ende Dezember 1
(😊) Woche und Montag - Dienstag, ausser an Feiertagen*
Rest – (20 CHF) Menü 47 CHF (mittags unter der Woche) – Karte 37/86 CHF

Hier ist die Historie des Hauses auf einmal ganz nah: stilvolle alte Täferungen,
Türen und Böden - die Kachelöfen wahre Prachtstücke! Der Chef kann kochen;
probieren Sie Klassiker wie Kalbsbratwurst oder das Zürcher Kalbsgeschnetzelte.
Mittags kleine Karte. Übernachtungszimmer so schlicht wie charmant.

▷ Bern 129 – Andermatt 38 – Brig 42 – Interlaken 74
🚆 Oberwald - Realp, Information, ℰ 027 927 76 66
🛈 Furkastr. 28, ℰ 027 973 32 32
📷 Gletsch★★, Nord: 6 km • Grimselpass★★ (≤★★), Nord: 11,5 km • Rhonegletscher
(Eisgrotte★), Nord: 13 km

🏠 **Ahorni**   ❧ 🛏 ✼ Rest, 🕏 **P.**

Hinterdorfstr. 3 – ℰ 027 973 20 10 – www.ahorni.ch – geschl. 31. März - 15. Mai
17 Zim 🛏 – †80/135 CHF ††160/200 CHF – ½ P
Rest – *(geschl. Mitte Mai - Mitte Juni und im November: Montag - Dienstag)*
(29 CHF) Menü 47 CHF – Karte 41/69 CHF

Ruhig und etwas versteckt liegt das Haus am Waldrand - ideal für Langläufer. Auch
ins Restaurant kehren die Gäste immer wieder gerne ein. Man serviert italienische,
aber auch internationale Speisen und verfügt über eine schöne Enoteca. Oberwald
ist gut erreichbar: von Luzern aus 1 Stunde mit dem Furka-Autoverladezug.

▷ Bern 108 – Montreux 21 – Évian-les-Bains 42 – Gstaad 52

X **Hôtel de Ville** avec ch   🕏 🛏 ✼ ch, 🕏 🕏

🕏 *Place de l'Hôtel-de-Ville – ℰ 024 499 19 22 – fermé fin décembre 2 semaines,
début juillet 2 semaines, mardi et mercredi*
7 ch 🛏 – †70/80 CHF ††110/130 CHF
Rest – (18 CHF) Menu 45/70 CHF – Carte 52/75 CHF

Au centre du bourg, près du clocher, cette maison de pays cultive la tradition en
toute simplicité, sous l'égide de sa patronne qui œuvre elle-même aux fourneaux.
À noter : le jardin abrite une agréable terrasse. Quelques chambres pour l'étape.

OLTEN – Solothurn (SO) – **551** M5 – **17 076 Ew** – Höhe 396 m – ⊠ **4600** 3 E3

▶ Bern 69 – Aarau 15 – Basel 54 – Luzern 55

🚹 Frohburgstr. 1, 𝒞 062 213 16 16, www.oltentourismus.ch

🔟 Weid Hauenstein, Hauenstein, Nord: 7 km Richtung Basel, 𝒞 062 293 44 53

🔞 Heidental, Stüsslingen, Nord-Ost: 11 km über Winznau-Lostorf-Stüsslingen,
𝒞 062 285 80 90

Lokale Veranstaltungen:

7.-18. Mai: Kabarett-Tage

🏠 **Arte** 🍴 🛗 ♿ ⌘ Zim, 🛜 🧖 🚗 🅿
😊 Riggenbachstr. 10 – 𝒞 062 286 68 00 – www.pure-olten.ch
79 Zim – 🛏140/280 CHF 🛏🛏220/460 CHF, ⬛ 18 CHF
Rest – (20 CHF) – Karte 41/70 CHF
Dieses moderne Hotel liegt wirklich ideal, nämlich nahe dem Bahnhof und mitten im Zentrum. Neben unterschiedlich geschnittenen und technisch gut ausgestatteten Zimmern hat man 12 Tagungsräume und das topmoderne Restaurant "pure" mit mediterraner Küche. Gefällt Ihnen die Kunst überall im Haus? Man kann sie auch käuflich erwerben!

🏠 **Amaris** garni 🛗 🛜 🧖 🅿
Tannwaldstr. 34, (Zufahrt über Martin-Disteli-Strasse) – 𝒞 062 287 56 56
– www.hotelamaris.ch
60 Zim ⬛ – 🛏120/150 CHF 🛏🛏160/180 CHF – 10 Suiten
Das Stadthotel beim Bahnhof ist wirklich tipptopp gepflegt, die Zimmer sind unterschiedlich geschnitten, wohnlich-zeitgemäss und technisch sehr gut ausgestattet - wenn's mal besonders chic sein darf, fragen Sie nach der Spa-Suite! Im modernen Frühstücksrestaurant gibt es später unkomplizierte Snackgerichte.

🍴🍴 **Schlosserei - Genussfabrik** ⓝ 🍴
Schützenmattweg 14 – 𝒞 062 212 74 74 – www.schlosserei-genussfabrik.ch
– geschl. Samstagmittag, Sonntag – Montag
Rest – (29 CHF) Menü 25/39 CHF – Karte 57/115 CHF
Die einstige Schlosserei nennt sich heute auch "Genussfabrik" und das trifft es nicht schlecht, denn hier trifft zeitgemässer Industrie-Chic auf anspruchsvolle Gastronomie. Die Speisekarte ist in Spanisch und Deutsch geschrieben und der mediterrane Küchenstil von Pascal Schwarz verwundert nicht, denn Patron Nicolás Castillo stammt aus Malaga. Probieren Sie z. B. "gebratenen Zander mit Chorizo, Erbsen und Sherry" - oder lieber Sushi im auffälligen Barbereich? Idyllische Terrasse zur Aare.

🍴🍴 **Salmen** 🍴 🆎
Ringstr. 39 – 𝒞 062 212 22 11 – www.salmen-olten.ch – geschl. Februar 1 Woche,
Juli - August 3 Wochen und Sonntag - Montag
Rest – (Tischbestellung ratsam) (28 CHF) Menü 23 CHF (mittags unter der Woche)/99 CHF – Karte 58/88 CHF
Das ist ein wirklich nettes Haus mit Charme und Atmosphäre, das Isabelle und Daniel Bitterli mit Engagement betreiben. Vorne hübscher Bistrobereich, hinten klassisches Stukk-Säli. Der Chef bietet frische Küche von "Belgischen Moules" bis zum "Entrecôte vom Biohof mit Sauce Béarnaise".

in Trimbach Nord: 1 km – Höhe 435 m – ⊠ **4632**

🍴🍴🍴 **Traube** (Arno Sgier) 🍴 🆎 ⌘ 🅿
☆ Baslerstr. 211 – 𝒞 062 293 30 50 – www.traubetrimbach.ch – geschl. Ende
Januar - Anfang Februar 1 Woche, Ende Juli - Anfang August 2 Wochen, Anfang
Oktober 10 Tage und Sonntag - Montag
Rest – Menü 68 CHF (mittags)/145 CHF – Karte 82/131 CHF 🏵
Arno Sgier steht hier nun schon seit über 20 Jahren für leichte, geschmackvolle und sehr produktbezogene Küche. In seinem modernen, recht puristischen Restaurant (ansprechend auch die angenehm dezente Kunst an den Wänden) umsorgt Sie der aufmerksame Service nicht zuletzt mit einer exquisiten Auswahl von rund 1000 Weinen. Hübsch die kleine Terrasse.
➜ Warme Entenleber mit Feigenravioli und Kumquatssauce. Geschmortes Pata Negra Kopfbäggli auf Kohlräblispaghetti und schwarzem Trüffel. Kanadisches Bisonfilet mit Szechuan Pfeffer und Kartoffeln im Speckmantel.

ONEX – Genève – **552** A11 – **voir à Genève**

OPFIKON – Zürich – siehe Zürich

ORSELINA – Ticino – 553 Q12 – vedere Locarno

ORSIÈRES – Valais (VS) – 552 H13 – 3 072 h. – alt. 902 m – ⊠ 1937   7 D7
▶ Bern 151 – Martigny 20 – Aosta 57 – Montreux 63
🖪 Route de la Gare 34, ℰ 027 775 23 81, www.verbier-st-bernard.ch

✗ **Les Alpes**   🛜
*Place centrale – ℰ 027 783 11 01 – www.lesalpes.ch – fermé 17 décembre
- 4 janvier, 23 juin - 17 juillet, mardi et mercredi*
Rest – (22 CHF) Menu 70/145 CHF – Carte 61/105 CHF
En entrant, à vous de choisir : à gauche, une salle conviviale d'esprit brasserie ; à
droite, un espace plus raffiné, plus intime... Pour tous, ce sera la même cuisine :
celle de Samuel Destaing, le chef, qui s'appuie sur d'excellents produits suisses
et y injecte un zeste de France, son pays natal. Un succulent alliage !

ORVIN – Berne (BE) – 551 I6 – 1 189 h. – alt. 668 m – ⊠ 2534   2 C3
▶ Bern 51 – Delémont 49 – Biel 8 – La Chaux-de-Fonds 45

aux Prés-d'Orvin Nord-Ouest : 4 km – alt. 1 033 m – ⊠ 2534

✗ **Le Grillon**   🛜 🅿 ⊟
🙂 – ℰ 032 322 00 62 – *fermé juillet - août, dimanche soir, lundi et mardi*
Rest – (24 CHF) Menu 48/98 CHF – Carte 46/98 CHF 🏵
Chalet de montagne face aux pistes, à la décoration moderne ; terrasse agréable
aux beaux jours. Cuisine authentique (fleurs, plantes et champignons d'altitude)
et bon rapport qualité-prix.

OSTERFINGEN – Schaffhausen (SH) – 551 P3 – 359 Ew – Höhe 440 m   4 F2
– ⊠ 8218
▶ Bern 164 – Zürich 47 – Baden 41 – Schaffhausen 20

✗ **Bad Osterfingen**   🛜 🎽 ♻ 🅿 ⊟
*Zollstr. 75, Süd: 1 km – ℰ 052 681 21 21 – www.badosterfingen.ch – geschl.
19. Januar - 21. Februar, 14. - 31. Juli und Montag - Dienstag*
Rest – Karte 39/83 CHF
Hier passt einfach alles zusammen: ein historisches Weingut von 1472, das Fami-
lie Meyer nun schon seit dem 19. Jh. betreibt, liebenswerte, heimelige Stuben
und draussen ein lauschiges Plätzchen unter alten Kastanien! Die gute traditionelle
Küche (Spezialität ist Wild) macht das stimmige Bild komplett.

OTTENBACH – Zürich (ZH) – 551 P5 – 2 459 Ew – Höhe 421 m   4 F3
– ⊠ 8913
▶ Bern 115 – Zürich 22 – Aarau 38 – Luzern 38

✗✗ **Reussbrücke**   🛜 ♿ 🅿
🙂 *Muristr. 32 – ℰ 044 760 11 61 – www.reussbruecke.ch*
Rest – (18 CHF) Menü 16 CHF (mittags unter der Woche)/35 CHF
– Karte 40/71 CHF 🏵
Ob Sie nun den Pavillon/Wintergarten (etwas eleganter) oder das schlicht-rusti-
kale Bistro bevorzugen, das Angebot ist überall gleich. Spezialität: Cordon bleu
nach verschiedenen Kantonen!

OUCHY – Vaud – 552 E10 – voir à Lausanne

PAYERNE – Vaud (VD) – 552 G8 – 8 996 h. – alt. 452 m – ⊠ 1530   7 C4
▶ Bern 53 – Neuchâtel 50 – Biel 62 – Fribourg 23
🖪 Place du Marché 10, ℰ 026 660 61 61, www.estavayer-payerne.ch
🖪 Payerne, ℰ 026 662 42 20
Manifestations locales :
    7-10 mars février : Brandons (fête populaire)
    19-21 juin : Red Pigs Festival
◉ Site★ • Église abbatiale★★

à Vers-chez-Perrin Sud : 2,5 km par route Fribourg/Romont – alt. 530 m
– ⊠ 1551

XX   **Auberge de Vers-chez-Perrin** avec ch   ⌂ 🛜 ⇔ **P**
Au Village 6 – ℰ 026 660 58 46 – www.auberge-verschezperrin.ch – fermé
22 décembre - 6 janvier, 31 juillet - 11 août, samedi midi, dimanche soir et lundi soir
8 ch ⌂ – 🛏120 CHF 🛏🛏165 CHF – ½ P
Rest – (25 CHF) Menu 60/120 CHF – Carte 58/110 CHF
Avec sa façade colorée et son haut toit, cette auberge a l'air bonhomme ! Il y
règne une atmosphère chaleureuse, autour de bonnes assiettes qui respirent la
tradition. Les chambres sont utiles pour l'étape, à mi-route entre Lausanne et
Bern via l'A 1.

PENEY Dessus et Dessous – Genève – **552** A11 – **voir à Satigny**

PENSIER – Fribourg (FR) – **552** H8 – alt. 551 m – ⊠ **1783**   **2** C4
▶ Bern 34 – Fribourg 10 – Neuchâtel 38 – Lausanne 78

X   **Carpe Diem**   ⌂ **P** ⤢
🎔   *Route de Fribourg 54 – ℰ 026 322 10 26 – www.rist-carpediem.ch – fermé Noël*
- 5 janvier, 5 - 8 mars, 23 juillet - 16 août, 22 octobre - 1ᵉʳ novembre, dimanche,
lundi et mardi
Rest – (dîner seulement) Menu 75/90 CHF – Carte 42/82 CHF
Dans ce moulin du 15ᵉ s., vous ne trouverez pas de meunier, mais un fou de cuisine, qui met les spécialités italiennes sur le devant de la scène et fait tout lui-
même : charcuterie, antipasti... Avec en outre un décor chaleureux et buco-
lique, on dit : "Carpe Diem !"

PERREFITTE – Berne – **551** I5 – **voir à Moutier**

PFÄFFIKON – Schwyz (SZ) – **551** R6 – **7 200** Ew – Höhe 412 m   **4** G3
– ⊠ **8808**
▶ Bern 159 – Zürich 36 – Rapperswil 6 – Schwyz 30
🏌 Nuolen, Wangen, Ost: 14 km Richtung Lachen-Nuolen, ℰ 055 450 57 60

🏨🏨🏨   **Seedamm Plaza**   ⌂ ⋔ 🛠 🛎 🛗 ⅍ ⅍ 🛜 🏋 🚗 **P**
🎔   *Seedammstr. 3 – ℰ 055 417 17 17 – www.seedamm-plaza.ch*
140 Zim – 🛏168/248 CHF 🛏🛏246/286 CHF, ⌂ 27 CHF – 2 Suiten
Rest *Pur*   **Rest** *Nippon Sun* – siehe Restaurantauswahl
Rest *Punto* – (20 CHF) Menü 25 CHF (mittags) – Karte 32/80 CHF
Am Zürichsee gelegenes Businesshotel mit Kasino, grossem Tagungsbereich und
modern-funktionellen Gästezimmern (zum Innenhof hin ruhiger). Neben Pur und
Nippon Sun bietet man das Punto mit italienischem Angebot.

XX   **Pur** – Hotel Seedamm Plaza   ≤ 🛗 🖭 ⅍ **P**
Seedammstr. 3 – ℰ 055 417 17 17 – www.seedamm-plaza.ch – geschl. 30. Juni
- 23. Juli und Samstagmittag, Dienstag - Mittwoch
Rest – (34 CHF) Menü 49 CHF (mittags)/127 CHF – Karte 59/133 CHF ⅍
Das Lokal lebt von dem Kontrast, der sich aus schönen Materialien, ausgesuchten
Dekorationen und modernem, aber nicht kühlem Design ergibt. Ausserdem:
sehenswerte Showküche, grosser Weinschrank und toller Seeblick.

X   **Nippon Sun** – Hotel Seedamm Plaza   🛗 🖭 ⅍ **P**
Seedammstr. 3 – ℰ 055 417 17 03 – www.seedamm-plaza.ch – geschl.
Samstagmittag, Sonntag - Montag
Rest – (24 CHF) Menü 25 CHF (mittags)/97 CHF – Karte 20/78 CHF
Das Ambiente ist elegant japanisch und die Gäste lieben zum einen die traditio-
nellen Gerichte wie Sushi und Teppanyaki, aber zum anderen auch die Möglich-
keit, alles zu einem individuellen "all in one menu" zusammenzustellen.

PIODINA – Ticino – **553** Q13 – **vedere Brissago**

PLAN-les-OUATES – Genève – **552** B12 – **voir à Genève**

PLANS-MAYENS – Valais – **552** I-J11 – **voir à Crans-Montana**

PLAUN da LEJ – Graubünden – **553** W11 – **siehe Sils Maria**

PLEUJOUSE – Jura (JU) – **551** I4 – 90 h. – alt. 585 m – ⊠ 2953   2 C3
▶ Bern 98 – Delémont 21 – Basel 46 – Biel 55

XX **Château de Pleujouse**   ⌂ ✿ **P**
Le Château 18 – ℰ 032 462 10 80 – www.juragourmand.ch/le-chateau
– fermé 23 décembre - 9 janvier, 25 mars - 3 avril, 7 - 16 octobre, lundi et mardi
Rest – Menu 40/89 CHF – Carte 73/88 CHF
Perché sur un éperon rocheux, ce château fort du 10ᵉ s. domine les environs... Aux
fourneaux, le chef régale avec des produits bio et régionaux. Aux beaux jours, on
s'installe à l'ombre de la tour de guet, pour mieux festoyer comme jadis !

PONTE BROLLA – Ticino – **553** Q12 – **vedere Tegna**

PONTRESINA – Graubünden (GR) – **553** X10 – **2 008 Ew**   11 J5
– Höhe 1 774 m – Wintersport : 1 805/2 262 m ⚡2 ⚡ – ⊠ 7504
▶ Bern 334 – Sankt Moritz 9 – Chur 94 – Davos 66
🅹 Via Maistra 133, ℰ 081 838 83 00, www.pontresina.ch
🅶 Engadin Golf Samedan, Nord: 6 km, ℰ 081 851 04 66
🅶 Engadin Golf Zuoz-Madulain, Zuoz, Nord: 18 km, ℰ 081 851 35 80
Lokale Veranstaltungen:
1. März: Chalandamarz

◉ Lage★★
🅶 Belvedere di Chünetta★★★, Süd-Ost: 5 km • Diavolezza★★★, Süd-Ost: 10 km
und ⚡ • Muottas Muragl★★, Nord: 3 km und Standseilbahn

🏨 **Grand Hotel Kronenhof**   ⟨ 🚗 ⌂ 🖥 ◉ ⋔ 🛁 ⛵ 🏋 ❀ 🛜 🏊 ⚓
Via Maistra 130 – ℰ 081 830 30 30 – www.kronenhof.com – geschl.   **P**
Anfang April - Mitte Juni, Mitte Oktober - Anfang Dezember
103 Zim ⌸ – ♦320/560 CHF ♦♦460/1845 CHF – 9 Suiten – ½ P
Rest *Kronenstübli* – siehe Restaurantauswahl
Rest *Pavillon* – (nur Mittagessen) Karte 63/98 CHF
Fast vergessene Zeiten sind wieder gegenwärtig, in Form eines echten Bijous a. d.
19. Jh.: herrlich die Halle mit ihrer kunstvoll bemalten Stuckdecke, und dann das
prächtige Grand Restaurant (für Hausgäste)... wahrlich sehenswert! Ganz und gar
nicht historisch: der tolle moderne Spa auf 2000 qm.

🏨 **Walther**   ⟨ 🚗 🗝 ⌂ ⋔ ❀ 🖥 🛜 🏊 **P**
Via Maistra 215 – ℰ 081 839 36 36 – www.hotelwalther.ch – geschl. 21. April
- 13. Juni, 12. Oktober - 18. Dezember
68 Zim ⌸ – ♦160/340 CHF ♦♦320/500 CHF – 2 Suiten – ½ P
Rest *La Stüva* – siehe Restaurantauswahl
Der klassische Stil des schönen Gebäudes (1907 als Hotel eröffnet) setzt sich in
der stuckverzierten Halle mit Kamin und in den Zimmern fort. Hübsch: die Arven-
holz-Juniorsuite. Familie Walther leitet das Haus übrigens schon seit über 50 Jahren, und das mit einem sicheren Gespür für das Wohl ihrer Gäste... kleine
Annehmlichkeiten hier und da sind selbstverständlich.

🏨 **Saratz**   ⟨ 🚗 🗝 ⌂ 🏊 🖥 🛁 ❀ 🖥 🏋 ❀ 🛜 🏊 ⚓ **P**
Via da la Stazion 2 – ℰ 081 839 40 40 – www.saratz.ch – geschl. 30. März - 6. Juni
93 Zim ⌸ – ♦224/428 CHF ♦♦280/535 CHF – 2 Suiten – ½ P
Rest *Belle Epoque* – siehe Restaurantauswahl
Rest *Pitschna Scena* – (26 CHF) – Karte 35/78 CHF
Rest *La Cuort* – (geschl. April - September : Mittwoch - Donnerstag) (nur
Abendessen) (Tischbestellung ratsam) Karte 75/81 CHF
Das schmucke historische Chesa Nouva und der neuere Anbau Ela Tuff bieten
zeitgemässe Zimmer - im Stammhaus hat man das Jugendstilflair bewahrt. Don-
nerstags Live-Musik in der Pitschna Scena. La Cuort: kleines Gewölbe mit Fondue
und Raclette.

🏨 **Allegra** garni   🖥 ❀ 🛜 **P**
Via Maistra 171 – ℰ 081 838 99 00 – www.allegrahotel.ch – geschl. Mitte April
- Anfang Juni, Mitte Oktober - Anfang Dezember
52 Zim ⌸ – ♦140/245 CHF ♦♦200/345 CHF
Hotel mit luftiger Atriumhalle und geradlinigen Feng-Shui-Zimmern, in der obers-
ten Etage mit besonders schöner Sicht. Im Preis inbegriffen ist das Erlebnisbad
Bellavita, das man bequem über einen Verbindungsgang erreicht.

Müller　　　　　　　　　　　　　　　　　🏔 🛎 🤖 P

Via Maistra 202 – 𝒞 081 839 30 00 – www.hotel-mueller.ch – geschl. 6. April
- 6. Juni, 19. Oktober - 5. Dezember
15 Zim 🛏 – 🛉130/180 CHF 🛉🛉220/300 CHF – 8 Suiten – ½ P
Rest *Stüva - EssZimmer* – siehe Restaurantauswahl
Das helle klare Interieur des traditionsreichen Hauses ist ein geschmackvoller Mix
aus alpenländisch und stylish-modern - alte Holztüren und -balken im Cà Rossa a.
d. 18. Jh. In der Wintergarten-Lounge staunen Whisky-Freunde über 130 Sorten!

Albris　　　　　　　　　　　　　　⩽ 🚗 🏔 🛎 🤖 P

Via Maistra 228 – 𝒞 081 838 80 40 – www.albris.ch – geschl. 7. April - 5. Juni,
20. Oktober - 4. Dezember
36 Zim 🛏 – 🛉135/215 CHF 🛉🛉210/420 CHF – ½ P
Rest *Kochendörfer* – siehe Restaurantauswahl
Bei Claudio und Stephanie Kochendörfer werden in 4. Generation Service und
Aufmerksamkeit gross geschrieben. Und das fängt schon am Morgen an bei frischen Backwaren aus der eigenen Bäckerei, nachmittags lockt dann das Café mit
leckeren Kuchen! Und wie möchten Sie wohnen? In charmanten Arvenholz-Zim-
mern oder in einem der drei Lärchenholz-Dachzimmer? Ebenso schön zum Entspannen: der tolle kleine Saunabereich samt lichtem Ruheraum mit Bergblick.

Steinbock　　　　　　　　　　　　　　🚗 🖼 🏔 🤖 P

Via Maistra 219 – 𝒞 081 839 36 26 – www.hotelsteinbock.ch – geschl.
26. Oktober - 28. November
32 Zim 🛏 – 🛉100/210 CHF 🛉🛉220/440 CHF – ½ P
Rest *Colanistübli* – siehe Restaurantauswahl
Das Engadiner Haus a. d. 17. Jh. ist eine nette Ferienadresse mit gemütlichen Zimmern. Gäste können den Freizeitbereich des benachbarten Hotel Walther kostenfrei mitbenutzen. Fondue & Käsespezialitäten gibt es im "Gondolezza", einer aus-
rangierten Gondelkabine!

Chesa Mulin　garni　　　　　　　　　🚗 🏔 🛎 🎿 🤖 P

Via da Mulin – 𝒞 081 838 82 00 – www.chesa-mulin.ch – geschl. 20. April
- 1. Juni, 2. November - 14. Dezember
30 Zim – 🛉115/180 CHF 🛉🛉200/240 CHF
Ein Familienbetrieb mit freundlichen Zimmern, die alle mit einem dekorativen
grossen Bild einem Engadiner Märchen gewidmet sind. Schöner Ausblick von
der Liegeterrasse.

Belle Epoque – Hotel Saratz　　　　　　　⩽ 💿 🎿 P

Via da la Stazion 2 – 𝒞 081 839 40 40 – www.saratz.ch – geschl. April - Mitte
Dezember
Rest – *(nur Abendessen)* Menü 92/135 CHF – Karte 85/114 CHF
Hinter bunten bleiverglasten historischen Fenstern (schön der Blick auf das
Rosegtal und dessen Gletscher) präsentiert sich das Restaurant mit festlichem
Ambiente, das den passenden Rahmen für die ambitionierte internationale
Küche steckt.

La Stüva – Hotel Walther　　　　　　　　　　　🖼 P

Via Maistra 215 – 𝒞 081 839 36 36 – www.hotelwalther.ch – geschl. 21. April
- 13. Juni, 12. Oktober - 18. Dezember und Montag - Dienstag, im Sommer:
Montag - Mittwoch
Rest – *(nur Abendessen)* Menü 69/125 CHF – Karte 72/118 CHF
Wer sitzt nicht gerne in diesem schönen Ambiente aus angenehm hellen Tönen
und 200 Jahre altem Fichtenholz und lässt sich an gut eingedeckten Tischen klassische Gerichte servieren?

Kronenstübli – Grand Hotel Kronenhof

Via Maistra 130 – 𝒞 081 830 30 30 – www.kronenhof.com – geschl. Anfang April
- Mitte Juni, Mitte Oktober - Anfang Dezember und Sonntag - Montag, ausser
Hochsaison
Rest – *(nur Abendessen) (Tischbestellung ratsam)* Menü 89 CHF
– Karte 66/161 CHF
Eine wunderschöne Arvenholztäferung und dazu feine Tischkultur, das macht das
Restaurant elegant und gemütlich zugleich - genau der richtige Rahmen für die
klassische Küche. Auch Raucher haben es hier stilvoll: Für sie hat man die ehema-
lige Stube der Eigentümer zum Salon gemacht.

ᛪᛪ **Stüva - EssZimmer** – Hotel Müller
*Via Maistra 202 – ✆ 081 839 30 00 – www.hotel-mueller.ch – geschl. 6. April
- 6. Juni, 19. Oktober - 5. Dezember*
Rest – (25 CHF) Menü 55 CHF (abends)/79 CHF – Karte 58/109 CHF
Die rustikal-elegante Stüva und das moderne EssZimmer bieten italienische Küche
mit Südtiroler und Schweizer Spezialitäten. Abends zudem klassische Tranchierge-
richte in der Stüva.

ᛪᛪ **Kochendörfer** – Hotel Albris 🏠
*Via Maistra 228 – ✆ 081 838 80 40 – www.albris.ch – geschl. 7. April - 5. Juni,
20. Oktober - 4. Dezember*
Rest – (38 CHF) Menü 52/65 CHF – Karte 39/103 CHF
Wie überall im Haus der Kochendörfers sind die Mitarbeiter auch im Restaurant
sehr freundlich und zuvorkommend. Da lässt man sich gerne in geradlinigem,
warmem Ambiente mit klassischer und regionaler Küche umsorgen.

ᛪ **Colanistübli** – Hotel Steinbock 🏠 **P**
*Via Maistra 219 – ✆ 081 839 36 26 – www.hotelsteinbock.ch – geschl.
26. Oktober - 28. November*
Rest – (25 CHF) Menü 48/61 CHF – Karte 47/90 CHF
Benannt nach dem Jägersmann Gian Marchet Colani (er soll 16 Gämse an einem
Tag erlegt haben), serviert man in den heimeligen getäferten Stuben Engadiner
und Bündner Spezialitäten.

Süd-Ost Richtung Berninapass

🏠 **Gasthaus Berninahaus**
*Bernina Suot, 7,5 km Richtung Berninapass ✉ 7504 – ✆ 081 842 62 00
– www.berninahaus.ch – geschl. Mitte November - Mitte Dezember*
24 Zim ☄ – ✝99/155 CHF ✝✝178/258 CHF – ½ P
Rest – (geschl. Mai: Montag - Dienstag) (21 CHF) Menü 35 CHF (abends)/75 CHF
– Karte 35/86 CHF
Sie suchen Ruhe und tolle Bergkulisse? Das Engadiner Haus a. d. 16. Jh. liegt fast
einsam am Berninapass in 2000 m Höhe. Wirklich schön das viele Holz überall im
Haus - da steckt sowohl in den Zimmern (reizend u. a. die historischen Arvenholz-
Zimmer) als auch in den drei gemütlichen Gaststuben jede Menge Bündner
Charme! Die Küche ist ebenso regional.

🏠 **Morteratsch** ☄ ≤ 🚗 🏠 ❄ Zim, 🛜 **P**
*Morteratsch 4 , 5 km Richtung Berninapass ✉ 7504 – ✆ 081 842 63 13
– www.morteratsch.ch – geschl. November, Mai*
32 Zim ☄ – ✝105/135 CHF ✝✝150/235 CHF – ½ P
Rest – (23 CHF) – Karte 27/81 CHF
Die herrliche Ruhe am Talende unterhalb des namengebenden Gletschers
geniesst man auch in den Gästezimmern, denn TV gibt es hier nicht! Während
es mittags vor allem Skifahrer und Ausflügler (Bergbahn hält am Haus) zur bürgerlichen Küche auf die sonnige Terrasse zieht, gibt es am Abend in einer gemütlichen Arvenstube klassische Gerichte, die am Tisch zubereitet werden.

PORRENTRUY – Jura (JU) – **551** H4 – **6 698 h.** – alt. 423 m – ✉ **2900** 2 C3
▶ Bern 102 – Delémont 28 – Basel 56 – Belfort 37
ℹ Grand'Rue 5, ✆ 032 420 47 72, www.juratourisme.ch
🔟 La Largue, Mooslargue (France), Nord-Est : 21 km, ✆ (0033) 389 07 67 67

🏠 **Bellevue** 🏠 🛜 ♨ **P**
🔜 *Route de Belfort 46 – ✆ 032 466 55 44 – www.bellevue-porrentruy.ch – fermé 1ᵉʳ
- 8 janvier*
10 ch ☄ – ✝110 CHF ✝✝170 CHF – ½ P
Rest – Menu 48/98 CHF – Carte 60/88 CHF
Rest *Brasserie* – (20 CHF) – Carte 51/80 CHF
À la sortie de la ville, un bâtiment moderne sans grand charme en apparence,
mais on y découvre des chambres assez confortables, aux prix mesurés. Une fringale ? Profitez du restaurant et de sa carte brasserie.

POSCHIAVO – Grigioni (GR) – **553** Y11 – **3 602 ab. – alt. 1 014 m** – ⊠ **7742**   11 K5
▶ Bern 366 – Sankt Moritz 40 – Chur 126 – Davos 99
🅸 Stazione, 𝒞 081 844 05 71, www.valposchiavo.ch
◉ Lago★
◐ Alp Grüm★★★, Nord : 18 km e treno

🏠 **Suisse**   🚗 📶 🛜 🅿

*Via da Mez 151 – 𝒞 081 844 07 88 – www.suisse-poschiavo.ch
– chiuso 3 novembre - 13 dicembre*
25 cam ⊒ – ♥87/153 CHF ♥♥136/278 CHF
Rist – (22 CHF) Menu 35/95 CHF – Carta 42/106 CHF
Nel centro della ridente località, cordiale accoglienza in una struttura che dispone di camere di diversa tipologia, curate nella loro semplicità.

PRAGG-JENAZ – Graubünden (GR) – **553** W8 – **Höhe 719 m** – ⊠ **7231**   5 J4
▶ Bern 241 – Chur 31 – Bad Ragaz 22 – Davos 30

🍴🍴 **Sommerfeld** mit Zim   🚗 🐾 🛜 ♿ 🅿

🌐 *Furnerstr. 2, (beim Bahnhof) – 𝒞 081 332 13 12 – www.sommerfeld.ch
– geschl. Mitte April - Anfang Mai, Oktober 3 Wochen und Dienstag - Mittwoch*
19 Zim ⊒ – ♥85/102 CHF ♥♥140/174 CHF – ½ P
Rest – (18 CHF) Menü 62/138 CHF – Karte 46/96 CHF 🌿
Bruno Bertoli bietet in den gemütlichen Stuben eine weitgehend traditionelle Küche, die er mit Elementen aus der Molekularküche mixt, und dafür verwendet er viele Bio-produkte. Alles wird selbstgemacht, auch die schöne Pralinenauswahl zum Kaffee - unbedingt probieren! Wenn Sie länger bleiben möchten, fragen Sie doch auch mal nach der Familien-Abenteuerwoche oder nach Rafting- und Klettertouren!

PRANGINS – Vaud – **552** C10 – **voir à Nyon**

PRATTELN – Basel-Landschaft (BL) – **551** L4 – **15 190 Ew – Höhe 290 m**   3 E2
– ⊠ **4133**
▶ Bern 90 – Liestal 8 – Basel 12 – Solothurn 61

🏨 **Courtyard by Marriott**   🚗 🧖 📶 ♿ ⛲ 🆖 🛜 🕌 🐾 🅿

Hardstr. 55 – 𝒞 061 827 13 40 – www.courtyardbasel.com
173 Zim – ♥159/229 CHF ♥♥159/229 CHF, ⊒ 29 CHF – 2 Suiten
Rest – (28 CHF) – Karte 43/73 CHF
Eine moderne Businessadresse mit guter Autobahnanbindung, Airport-Shuttle und direktem Zugang zum Freizeitbad "aquabasilea". Auch "Long Stay"-Zimmer mit Kitchenette. Internationales Angebot im Restaurant.

🍴 **Höfli**   🚗 ♿

🌐 *Schauenburgerstr. 1 – 𝒞 061 821 32 40 – www.hoefli-pratteln.ch – geschl. Ende
Februar 1 Woche, Juli - August 2 Wochen und Sonntag - Montag*
Rest – (20 CHF) Menü 38/76 CHF – Karte 52/76 CHF
In dem netten Gasthaus erwartet Roberto Meier Sie in heimeliger Atmosphäre. Die Küche ist eher bürgerlich-traditionell ausgerichtet und mittags bietet man nur eine kleine Auswahl. Bestimmt zieht es Sie im Sommer auch auf die Terrasse!

Les PRÉS-D'ORVIN – Berne – **551** H6 – **voir à Orvin**

Le PRESE – Grigioni (GR) – **553** Y12 – **alt. 965 m** – ⊠ **7746**   11 K5
▶ Bern 371 – Sankt Moritz 45 – Chur 131 – Davos 103

🏠 **La Romantica**   🚤 🚗 🐾 📶 ♿ rist, 🍴 rist, 🛜 🕌 🅿

– 𝒞 081 844 03 83 – www.laromantica.ch – chiuso fine ottobre - Pasqua
25 cam ⊒ – ♥69/87 CHF ♥♥138/184 CHF – ½ P
Rist *La Romantica* – (28 CHF) – Carta 43/72 CHF
Cordiale gestione familiare in un hotel che si contraddistingue per le sue curate camere e un nuovo centro congressi. Specialità ittiche lacustri e piatti più internazionali vi attendono, invece, nel grazioso ristorante.

La PUNT-CHAMUES-CH. – Graubünden (GR) – **553** X10 – **748 Ew**   11 J5
– **Höhe 1 697 m** – ⊠ **7522**
▶ Bern 318 – Sankt Moritz 14 – Chur 77 – Davos 53
🅸 Via Cumünela 43, 𝒞 081 854 24 77, www.engadin.stmoritz/lapunt

Gasthaus Krone

Via Cumü_nela 2 – ℰ 081 854 12 69 – www.krone-la-punt.ch – geschl. Mitte April - Anfang Juni, November - Mitte Dezember
17 Zim □ – 🛏160/170 CHF 🛏🛏230/240 CHF
Rest *Gasthaus Krone* – siehe Restaurantauswahl
In dem Haus direkt am Inn stimmen Gastfreundschaft und Service, nicht zuletzt dank der persönlichen Führung von Sonja und Andreas Martin. Dazu schönes Ambiente mit klaren Formen, heimischem Holz und Kunst - besonders chic die grossen Zimmer mit ihrem geradlinigen Design.

XXX **Bumanns Chesa Pirani**

☺☺ *Via Chantunela 15 – ℰ 081 854 25 15 – www.chesapirani.ch – geschl. 31. März - 5. Juni, 5. Oktober - 9. Dezember und Sonntag - Montag, ausser Hochsaison*
Rest – *(nur Abendessen) (Tischbestellung ratsam)* Menü 158/218 CHF – Karte 124/179 CHF 🌿
Sie sind Gastgeber mit Leib und Seele... Ingrid und Daniel Bumann-Jossen sind mit einer Leidenschaft und Freude bei der Sache, wie man sie gerne öfter hätte! Herzlicher könnte die Atmosphäre in den Engadiner Arvenholzstuben kaum sein und auch die bewährte klassische Küche (Dauerbrenner ist das Safran-Menü!) ist zu Recht fest in der Spitzengastronomie etabliert. Der tolle Service beschränkt sich übrigens nicht nur auf das Restaurant selbst: Der Chef befreit auch schon mal persönlich Ihr Auto vom Schnee!
➜ Menu mit Safran aus Mund im Wallis. Zweierlei vom Puschlaver Kastanienschweinchen, Kopfsalat, Schwarzbrot und Wachtelrührei. Doppeltes Kotelette vom Engadiner Limousin-Kalb, Bohnen und Safran-Jus mit Bohnenkraut.

X **Gasthaus Krone** – Hotel Gasthaus Krone

Via Cumünela 2 – ℰ 081 854 12 69 – www.krone-la-punt.ch – geschl. Mitte April - Anfang Juni, November - Mitte Dezember
Rest – (28 CHF) Menü 60/98 CHF – Karte 59/109 CHF 🌿
Hübsch sind die vier Arvenstuben alle, von traditionell mit Kachelofen bis geradlinig-modern. Und was passt besser zu so viel regionaler Gemütlichkeit als schmackhafte Schweizer Spezialitäten wie hausgemachte Capuns sowie Fisch oder Fleisch aus dem Arvenholzrauch?

RAPPERSWIL-JONA – **Sankt Gallen (SG)** – **551** R6 – **26 273 Ew**   4 G3
– **Höhe 409 m** – ✉ **8640**
▶ Bern 161 – Zürich 39 – Sankt Gallen 73 – Schwyz 34
🛈 Fischmarktplatz 1, ℰ 055 220 57 57, www.vvrj.ch
🏌 Nuolen, Wangen, Süd-Ost: 18 km Richtung Pfäffikon-Lachen-Nuolen, ℰ 055 450 57 60

Lokale Veranstaltungen:

21. Februar-5. März: Fasnacht

1.-2. Juni: Ironmann 70.3

27.-29. Juni: Blues'n Jazz

🏨 **Schwanen**   ← 🖼 🎫 🅰🅲 Rest, 🌿 🛜 🛁 🚗

Seequai 1 – ℰ 055 220 85 00 – www.schwanen.ch
24 Zim – 🛏185 CHF 🛏🛏215/320 CHF, □ 20 CHF – 1 Suite
Rest *Le Jardin* – siehe Restaurantauswahl
Rest *Schwanen Bar* – (35 CHF) Menü 55/85 CHF – Karte 59/108 CHF
Rest *Boulevard Café* – (35 CHF) Menü 25/49 CHF
Herrlich liegt das jahrhundertealte Gebäude in einer Häuserzeile an der Seepromenade. Die Zimmer sind modern, funktionell und hochwertig, teilweise mit Seeblick. Guter, freundlicher Service. In der Schwanen Bar serviert man Grilladen - am Abend mit Live-Pianomusik. Alternativ hat man noch das Boulevard Café. Geniessen Sie den Blick von einer der Terrassen!

🏨 **Speer**

🚗 *Untere Bahnhofstr. 5 – ℰ 055 220 89 00 – www.hotel-speer.ch*
55 Zim □ – 🛏158/195 CHF 🛏🛏195/240 CHF – 1 Suite
Rest *Sayori* – (20 CHF) – Karte 54/105 CHF
Die Zimmer in dem Hotel gegenüber dem Bahnhof sind freundlich und geradlinig-modern. Beliebt bei den Einheimischen ist das Restaurant Sayori mit seinem Angebot aus China, Thailand und Japan, der integrierten Sushi-Bar sowie der Mojo-Bar, die jeden Abend geöffnet hat.

Hirschen garni

Fischmarktplatz 7 – 𝒞 055 220 61 80 – www.hirschen-rapperswil.ch
– geschl. Ende Dezember - Anfang Januar
12 Zim ⊑ – ♦145/170 CHF ♦♦205/235 CHF
Sehr schöne Zimmer (individuell mit hübschen gemusterten Stoffen ausstaffiert)
stehen dem kleinen Hotel, einem Haus von 1511, zur Verfügung. Günstig ist
auch die zentrale Lage nur wenige Schritte vom Zürichsee entfernt.

Villa Aurum mit Zim

Alte Jonastr. 23 – 𝒞 055 220 72 82 – www.villaaurum.ch – geschl. 13. - 21. März,
17. Juli - 8. August und Samstagmittag, Sonntag - Montag
3 Zim ⊑ – ♦180 CHF ♦♦250/280 CHF
Rest – (Tischbestellung ratsam) (30 CHF) Menü 47 CHF (mittags)/105 CHF
– Karte 57/103 CHF
Mit seinem eleganten Villen-Flair ist das hier schon ein schönes individuelles
Haus, und bedient wird man sehr aufmerksam. Sie möchten ein Menü? Es gibt
eine Fisch-, eine Fleisch- und eine vegetarische Variante. Im Sommer sitzt man
draussen unter der grossen Kastanie besonders angenehm. Übrigens: Die drei Gästezimmer im OG sind genauso geschmackvoll wie das Restaurant!

Le Jardin – Hotel Schwanen

Seequai 1 – 𝒞 055 220 85 00 – www.schwanen.ch – geschl. 6. - 31. Januar
Rest – (45 CHF) Menü 55 CHF (mittags)/130 CHF – Karte 82/119 CHF
Hier geben elegante Möbel und opulente Kronleuchter den Ton an. Ein Erlebnis
der Extraklasse ist der fantastische Seeblick! Dazu klassische französische Küche.

Rathaus

Hauptplatz 1, (1. Etage) – 𝒞 055 210 11 14 – www.rrrj.ch
Rest – (21 CHF) Menü 34 CHF (mittags unter der Woche)/110 CHF – Karte 54/90 CHF
Im feinen Ratsstübli in der 1. Etage speist man saisonal. Neben Bodensee-Zander
und Zürichsee-Forelle gibt es auch Klassiker wie Züricher Geschnetzeltes. Wer es
lieber etwas einfacher mag, kann in der Wirtschaft im EG auch nur einen Salat
oder ein Sandwich bestellen oder den Apéro trinken.

Weinhalde mit Zim

Rebhalde 9, (Krempraten) – 𝒞 055 210 66 33 – www.weinhalde.ch – geschl. Ende
Januar - Anfang Februar 2 Wochen
16 Zim ⊑ – ♦95/150 CHF ♦♦220/250 CHF – ½ P
Rest – (17 CHF) Menü 78/90 CHF – Karte 86/150 CHF
Das im Jahre 1656 erstmals erwähnte Haus liegt etwas abseits der Innenstadt. Auf
der Speisekarte finden sich klassisch-französische Gerichte und Schweizer Klassiker. Auch zum Übernachten empfehlenswert: Die Zimmer sind freundlich und
gepflegt - hier kommt Ihnen die ruhige Lage zugute!

Thai Orchid

Engelplatz 4 – 𝒞 055 210 91 91 – www.thaiorchid.ch – geschl. 23. Dezember
- 6. Januar, 20. Juli - 10. August und Samstagmittag, Sonntagmittag, Montag
Rest – (Tischbestellung ratsam) (20 CHF) – Karte 45/95 CHF
Das Restaurant in der Fussgängerzone ist immer gut besucht - und das liegt an
der authentischen Thai-Küche! Ein kulinarisches Erlebnis der exotischen Art sind
z. B. Som Tam oder Curry-Spezialitäten wie Gäng Massaman und Pat Pong Gari!

RAVAISCH – Graubünden – **553** AA8 – **siehe Samnaun**

RECKINGEN – Wallis (VS) – **552** N10 – **476 Ew** – **Höhe 1 315 m**   8 F5
– ✉ 3998

▶ Bern 141 – Andermatt 50 – Brig 30 – Interlaken 85

Joopi

Bahnhofstrasse 7 – 𝒞 027 974 15 50 – www.joopi.ch – geschl. 20. April - 6. Juni,
21. Oktober - 7. Dezember
20 Zim ⊑ – ♦72/80 CHF ♦♦125/150 CHF – ½ P
Rest – (geschl. Mittwoch) Karte 28/68 CHF
Wer zum Langlauf (oder auch zum Wandern) nach Reckingen kommt, wohnt
gerne in dem regionstypischen Holzhaus nahe der alten Dorfkirche - gepflegt
und preislich fair! Der Chef ist stolz auf seine Spezialität "Cholerä" (in Blätterteig
gebackenes Gemüse/Fleisch)!

In Reckingen-Gluringen

Ⅹ **Tenne** Ⓝ mit Zim 　　　　　　　　　　　🛝 🛜 P

Furkastr. 2 – ℰ 027 973 18 92 – www.tenne.ch – geschl. 28. Oktober
- 4. Dezember, 1. Juni - 9. Juli und April - November: Dienstag
14 Zim ⌂ – ♠95/120 CHF ♠♠160/210 CHF – ½ P
Rest – (25 CHF) Menü 45/100 CHF – Karte 43/88 CHF
Das sympathische Restaurant ist ein langjähriger Familienbetrieb, auch die beiden
Söhne sind mit im Haus (der eine am Herd, der andere im Service). Geboten werden zeitgemässe Gerichte, aber auch "Grossmutters Küche". Und wer über Nacht
bleiben möchte, findet hier nette moderne Gästezimmer.

REGENSDORF – Zürich (ZH) – **551** P4 – **16 849 Ew** – Höhe 443 m 　　　　4 F2
– ✉ 8105

▶ Bern 121 – Zürich 19 – Baden 22 – Luzern 61

🏠🏠 **Mövenpick** 　　　　　　🛝 🛎 ᴋ Rest, 🅰 🛝 🛜 🛝 🚗

Im Zentrum 2, Zufahrt über Watterstr. 44 – ℰ 044 871 51 11
– www.moevenpick-regensdorf.com
150 Zim – ♠189/367 CHF ♠♠189/367 CHF, ⌂ 23 CHF
Rest – (20 CHF) – Karte 36/98 CHF
Rest Ciao – (geschl. Samstagmittag, Sonntag) (20 CHF) – Karte 36/98 CHF
Ideales Businesshotel: top Seminarbereich (19 Räume), einzigartig der "Meet &
Relax Room" mit Showküche. Die besten Zimmer sind die Deluxe im 6. Stock.
Zugang zum benachbarten Fitness- und Wellnesspark. Traditionell isst man im
Hotelrestaurant, italienisch im Ciao.

🏠🏠 **Hirschen** 　　　　　　🛝 🛎 ᴋ 🛝 🛜 🛝 🚗 P

Watterstr. 9 – ℰ 044 843 22 22 – www.hirschen-regensdorf.ch – geschl.
26. Dezember - 2. Januar
30 Zim ⌂ – ♠130/178 CHF ♠♠180/236 CHF
Rest – (geschl. Samstagmittag) Menü 25 CHF (mittags unter der Woche)/33 CHF
– Karte 40/88 CHF
Hier begann alles 1383 als Taverne - den Gasthof hat man im Stil dem Original
nachgebaut. Zimmer teilweise mit Parkettboden, trendig-moderne Lounge/Bar,
gemütliches Restaurant. Im Winter Raclette- und Fondue-Abende im schönen
Gewölbe des Hirschenkellers.

REHETOBEL – Appenzell Ausserrhoden (AR) – **551** V5 – **1 728 Ew** 　　　5 I2
– Höhe 958 m – ✉ 9038

▶ Bern 218 – Sankt Gallen 13 – Appenzell 27 – Bregenz 28

ⅩⅩⅩ **Gasthaus Zum Gupf** (Walter Klose) mit Zim 　　🖎 ᐸ 🚗 🛝 ⟳ P

🌼 Gupf 21, (auf dem Bergrücken), Nord-Ost: 2 km – ℰ 071 877 11 10
– www.gupf.ch – geschl. 13. Januar - 26. Februar, 28. Juli - 12. August
und Montag - Dienstag
6 Zim ⌂ – ♠180/260 CHF ♠♠260 CHF – 2 Suiten
Rest – (Tischbestellung ratsam) (39 CHF) Menü 109/129 CHF
– Karte 68/138 CHF 🍴
Schon die Anfahrt auf 1083 m versetzen in Entzücken: ringsum idyllische
Wiesenlandschaft und mittendrin dieser Bilderbuch-Gasthof neben dem eigenen
Bauernhof! Die heimelige Einrichtung ist genauso charmant und liebenswert wie
der Service durch die Chefin, die die feine klassisch-regionale Küche ihres Mannes
Walter Klose serviert (bemerkenswert, welch ein Genuss eine "einfache" Leberknö-
delsuppe sein kann!). Unter Ihnen lagert übrigens einer der besten Weinbestände
Europas mit spektakulären 2800 Positionen, einschliesslich der grössten Weinfla-
sche der Welt (480 l)! Da reservieren Sie doch am besten gleich eines der gemütlichen Gästezimmer!
→ Spanferkel mit Kartoffelstock und Bohnen. Suppe von Karotte, Chili und Ingwer mit Jakobsmuscheln. Rinderfilet und gebackener Ochsenschwanz mit Pfeffer-
sauce.

ᗰ **Gasthaus zur Post** Ⓝ   **P**
Dorf 6, (1. Stock) – ℰ 071 877 14 42 – www.gourmetatelier.ch – geschl. 7. Juli
- 7. August und Sonntagabend - Dienstag, November - März: Sonntag - Dienstag
Rest *– (Mittwoch - Samstag nur Abendessen)* Menü 69/99 CHF
In der historischen Poststation serviert Ihnen Gastgeber Paul Zünd in zwei heimeligen Stuben mit Wohnzimmercharakter das Menü "seiner" Moni (Küchenchefin Monika Zünd-Keller), das Sie mit 3 bis 6 Gängen wählen können. Darunter findet sich z. B. das "Petersilienwurzelsüppchen mit Rindstatar" oder (für zwei Personen) auch das "Entrecôte Double".

REICHENAU-TAMINS – Graubünden – 553 U8 – siehe Tamins

REICHENBACH – Bern (BE) – 551 K9 – 3 449 Ew – Höhe 706 m   8 E5
– ⌧ 3713
▶ Bern 47 – Interlaken 26 – Gstaad 58 – Kandersteg 19

ᗰ **Bären** mit Zim   🛖 ✿ **P**
🐾 *Dorfplatz – ℰ 033 676 12 51 – www.baeren-reichenbach.ch – geschl. Juni - Juli 3*
Wochen, November 2 Wochen und Sonntagabend - Dienstag
3 Zim ⌷ – ♦90 CHF ♦♦190 CHF
Rest – (22 CHF) Menü 63/108 CHF – Karte 35/103 CHF
Chef Christian Künzi-Mürner kocht schmackhafte traditionelle Gerichte wie geschnetzelte Kalbsleber, aber auch Internationales wie Jakobsmuscheln! Die historisch getäferten Stuben in dem Berner Haus a. d. 16. Jh. sind wirklich liebenswert und heimelig - schauen Sie mal nach oben, die elektrischen Leitungen sind schon sehenswert! Nette Chalets zum Übernachten.

RHEINFELDEN – Aargau (AG) – 551 L4 – 12 034 Ew – Höhe 285 m   3 E2
– Kurort – ⌧ 4310
▶ Bern 93 – Basel 21 – Aarau 37 – Baden 46
🄸 Marktgasse 16, ℰ 061 835 52 00, www.tourismus-rheinfelden.ch
🄾 Rheinfelden, ℰ 061 833 94 07

🏛 **Park-Hotel am Rhein**   ⊗ ≼ ℗ 🛖 🛗 ♿ 🛜 🔱 **P**
Roberstenstr. 31 – ℰ 061 836 66 33 – www.parkresort.ch
48 Zim ⌷ – ♦185/285 CHF ♦♦335/375 CHF – 7 Suiten – ½ P
Rest *Bellerive* – siehe Restaurantauswahl
Rest *Park-Café* – Menü 28 CHF (mittags) – Karte 36/71 CHF
Das Hotel bietet angenehm hell in zeitgemässem Stil eingerichtete Zimmer sowie direkten und für Hausgäste kostenfreien Zugang zur "Wellness-Welt sole uno". Privatklinik im Haus.

🏛 **Schützen**   🛖 🛖 🛗 ﹪ Zim, 🕻 🔱 **P**
Bahnhofstr. 19 – ℰ 061 836 25 25 – www.hotelschuetzen.ch
26 Zim ⌷ – ♦122/193 CHF ♦♦152/240 CHF – ½ P
Rest – (24 CHF) Menü 25 CHF (mittags unter der Woche)/38 CHF
– Karte 45/103 CHF
Modern und funktional sind die Zimmer in dem hübschen klassischen Gebäude am Rhein. Auch ein öffentlicher Kulturkeller und eine Klinik befinden sich im Haus. Freundliches Ambiente im Restaurant mit Blick in den Garten.

ᗰᗰ **Bellerive** – Park-Hotel am Rhein   ≼ ℗ 🛖 ♿ **P**
Roberstenstr. 31 – ℰ 061 836 66 33 – www.parkresort.ch
Rest – (28 CHF) Menü 42 CHF (mittags unter der Woche)/79 CHF
– Karte 46/90 CHF
Klare Linien beherrschen das Styling-Konzept des Lokals. Geniessen Sie den Blick durch die grosse Fensterfront oder von der Terrasse... direkt davor fliesst der Rhein! Klassische französische Küche mit vielen Fischspezialitäten.

RIED-BRIG – Wallis – 552 M11 – siehe Brig

RIEDERALP – Wallis (VS) – **552** M11 – Höhe 1 930 m   8 F6
– Wintersport : 1 925/2 869 m ⛷3 ⛷14 – ⊠ 3987
▶ Bern 113 – Brig 8 – Andermatt 90 – Sion 73
Autos nicht zugelassen
🛈 Bahnhofstr. 7, ℰ 027 928 60 50, www.riederalp.ch
🏨 Riederalp, ℰ 027 927 29 32
◉ Lage★
🖸 Aletschgletscher★★★, Nord-Ost mit Sessellift • Moosfluh★★, Nord-Ost mit⛷

mit Luftseilbahn ab Mörel erreichbar

🏨🏨 **Walliser Spycher**   ⚲ ⪜ 🛋 ⌂ 📶 📶
Aletschpromenade 106 – ℰ 027 927 22 23 – www.walliser-spycher.ch – geschl.
13. April - 7. Juni, 19. Oktober - 13. Dezember
18 Zim ⊡ – †105/165 CHF ††180/300 CHF – 1 Suite – ½ P
Rest – (24 CHF) – Karte 35/100 CHF
Die Lage ist ein Traum! Seit 1963 leitet das Ehepaar Berchtold - inzwischen
zusammen mit Sohn Marc - das kleine Hotel unterhalb der Gondelbahn. Massives
Nussbaumholz verbreitet in den Zimmern Wärme, nach Süden hin blickt man
auf Rhonetal und Matterhorn.

🏠 **Edelweiss**   ⪜ ⌂ 🛋 ⚖ Zim, 📶
Liftweg 1 – ℰ 027 927 37 37 – www.edelweiss-riederalp.ch – geschl. 6. April
- 5. Juli, 10. Oktober - 14. Dezember
6 Zim ⊡ – †100/160 CHF ††200/300 CHF – 4 Suiten – ½ P
Rest Da Vinci – (geschl. Juli - Oktober: Montag) (25 CHF) Menü 28 CHF (mittags)/
75 CHF – Karte 58/77 CHF
In dem Chalet neben dem Kinderskilift erwarten die Gäste behagliche Zimmer
und Familienappartemente im regionstypischen Stil, teilweise mit Südbalkon. Zeitgemässe Küche im freundlich gestalteten Da Vinci. Daneben hat man eine sonnige Terrasse.

RIEDHOLZ – Solothurn – **551** K5 – **siehe Solothurn**

RIED-MUOTATHAL – Schwyz (SZ) – **551** Q7 – Höhe 567 m – ⊠ 6436   4 G4
▶ Bern 159 – Luzern 56 – Altdorf 30 – Einsiedeln 35

✕✕ **Adler**   ⇔ 🄿
Kappelmatt 1 – ℰ 041 830 11 37 – www.adler-muotathal.ch – geschl.
20. Dezember - 1. Januar, 14. Juli - 15. August und Sonntag - Montag
Rest – (25 CHF) Menü 67/79 CHF – Karte 45/86 CHF
Frische Forellen, im Herbst Wild, im Frühjahr Gitzi... aber auch doppeltes Kalbskotelett oder Kalbsleber sowie Alpkäseravioli sind aus dem traditionsreichen
Landgasthof mit seinen drei gemütlichen holzgetäferten Stuben nicht wegzudenken. Das freundliche Betreiberpaar ist in dem Haus a. d. 17. Jh. (Gasthaus seit über
150 Jahren) die 2. Generation der Familie Jann.

RIEHEN – Basel-Stadt – **551** K3 – **siehe Basel**

RIEMENSTALDEN – Schwyz (SZ) – **553** Q7 – 88 Ew – Höhe 1 030 m   4 G4
– ⊠ 6452
▶ Bern 162 – Luzern 51 – Altdorf 16 – Schwyz 16

✕ **Kaiserstock** mit Zim   ⚲ ⪜ ⌂ ⇔ 🄿 ⊟
Dörfli 2 – ℰ 041 820 10 32 – www.kaiserstock.ch – geschl. Januar 3 Wochen,
März 1 Woche, Juli 1 Woche und Montag - Dienstag
3 Zim ⊡ – †62 CHF ††124 CHF
Rest – (Tischbestellung ratsam) (25 CHF) – Karte 36/81 CHF
Urbanen Lifestyle finden Sie hier natürlich nicht, dafür aber idyllische Abgelegen-
heit und die schmackhaften traditionellen Gerichte von Robert Gisler, von denen
die hausgemachten Ravioli oder die glasierte Kalbshaxe fast schon Pflichtpro-
gramm sind! Schön anzuschauen: Im Sommer ist der Landgasthof von einer Blu-
menpracht umrahmt!

RIFFELALP – Wallis – **552** K13 – **siehe Zermatt**

RIGI KALTBAD – Luzern (LU) – **551** P7 – **Höhe 1 438 m** – ⊠ **6356**   4 G3
▶ Bern 147 – Luzern 29 – Zug 36 – Schwyz 38
Autos nicht zugelassen
🛈 Haus Margherita, ℰ 041 227 18 20, www.wvrt.ch
⑥ Rigi-Kulm ★★★

mit Zahnradbahn ab Vitznau oder mit Luftseilbahn ab Weggis erreichbar

🏠 **Rigi Kaltbad** Ⓝ   ⋙ ≼ 🚗 🏔 📱 ✿ Rest, 🛜 🛁
Zentrum 4 ⊠ 6356 – ℰ 041 399 81 81 – www.hotelrigikaltbad.ch
52 Zim 🖵 – ♦175/300 CHF ♦♦290/420 CHF – ½ P
Rest *SunSet* – (nur Abendessen) Menü 59/89 CHF – Karte 55/91 CHF
Rest *Panorama* – (nur Mittagessen) (20 CHF) Menü 38 CHF – Karte 38/68 CHF
Schon die Anfahrt - ob per Luftseilbahn oder Zahnradbahn - ist idyllisch! Angekommen in 1450 m Höhe, erwartet Sie ein recht schlichter Bau mit puristisch-modernen Zimmern (für Familien erweiterbar). Weiteres Highlight ist der preislich inkludierte Zugang zum Mineralbad & Spa designed by Mario Botta. Restaurantgäste bekommen mittags im Panorama traditionelle Gerichte und Tagessteller, abends serviert man im SunSet ein zusätzliches Wahlmenü.

La RIPPE – Vaud (VD) – **552** B10 – **1 032 h.** – **alt. 530 m** – ⊠ **1278**   6 A6
▶ Bern 143 – Genève 22 – Lausanne 47 – Lons-le-Saunier 89

XX **Auberge de l'Etoile** avec ch   🏔 🛜 ✿ 🅿
Rue des 4 Fontaines 4 – ℰ 022 367 12 02 – www.aubergelarippe.ch – fermé
Pâques une semaine, fin juillet - début août 2 semaines, dimanche et lundi
4 ch – ♦100 CHF ♦♦120 CHF, 🖵 20 CHF
Rest – (17 CHF) Menu 65 CHF – Carte 60/87 CHF
Dans cette ancienne auberge communale (18ᵉ s.), pleine de charme et de lumière, on apprécie une savoureuse cuisine classique, déclinée au café à travers une assiette du jour et une petite carte (lapin aux pruneaux, poulet au curry…). Tenue sans reproche dans les chambres.

RISCH – Zug (ZG) – **551** P6 – **9 586 Ew** – **Höhe 417 m** – ⊠ **6343**   4 F3
▶ Bern 126 – Luzern 22 – Zug 14 – Zürich 47

🏠 **Waldheim**   ≼ 🚗 🏔 📱 🛜 🛁 🅿
Rischerstr. 27 – ℰ 041 799 70 70 – www.waldheim.ch – geschl. 21. Dezember
- 24. Januar, 5. - 14. Oktober
33 Zim 🖵 – ♦120/190 CHF ♦♦220/290 CHF – ½ P
Rest *Waldheim* – siehe Restaurantauswahl
Rest *Bistro* – Karte 39/84 CHF 🍴
Der erweiterte historische Gasthof liegt sehr schön oberhalb des Zugersees, wo man ein Strandbad mit Liegewiese hat. Die Zimmer sind unterschiedlich, vom kleinen "Meda" im lauschigen Chalet bis hin zum grossen "Rigi" im Neubau - viele mit Seeblick. Gemütliches Bistro mit Täferung und Kachelofen.

XX **Waldheim** – Hotel Waldheim   ≼ 🅿
Rischerstr. 27 – ℰ 041 799 70 70 – www.waldheim.ch – geschl. 21. Dezember
- 24. Januar, 5. - 14. Oktober
Rest – (44 CHF) Menü 83 CHF/119 CHF – Karte 69/99 CHF 🍴
Besonders nett sitzen Sie in dem eleganten Restaurant (mit kapitonierten Sofabänken in royalblauem Samt) an den runden Erkertischen. Von hier aus geniessen Sie eine freie Sicht auf den See und natürlich die klassische Küche mit regionalen und internationalen Einflüssen.

RISCHLI – Luzern – **551** M8 – siehe Sörenberg

RONCO – Ticino – **553** Q12 – vedere Gerra Gambarogno

RONCO SOPRA ASCONA – Ticino (TI) – **553** Q12 – **664 ab.**   9 G6
– **alt. 355 m** – ⊠ **6622**
▶ Bern 246 – Locarno 9 – Bellinzona 29 – Lugano 52
◉ Posizione pittoresca ★★
⑥ Circuito di Ronco ≼ ★★ sul lago Maggiore dalla strada di Losone

Ronco   ⬅ 🚗 🛋 ⤢ 🍴 cam, 📶 🚙

piazza della Madonna 1 – ℰ 091 791 52 65 – www.hotel-ronco.ch – chiuso metà novembre - metà marzo

20 cam 🛏 – 🛏80/230 CHF 🛏🛏150/280 CHF

Rist – (38 CHF) Menu 60 CHF – Carta 60/95 CHF

Moderna lobby con bar e bella terrazza panoramica con piscina da cui approfittare della splendida vista. Camere uniformi, funzionali: quasi tutte con balconcino. Il ristorante in stile moderno-mediterraneo propone gustose ricette tradizionali.

🍴🍴 **Della Posta** con cam   🛏 ⬅ 🚗 🍴 cam, 📶

via Antonio Ciseri 9 – ℰ 091 791 84 70 – www.ristorantedellaposta.ch – chiuso 2 settimane fine novembre, inizio gennaio - metà febbraio; in inverno : domenica sera, lunedì e martedì

4 cam 🛏 – 🛏150/200 CHF 🛏🛏180/280 CHF

Rist – *(consigliata la prenotazione)* (36 CHF) Menu 64 CHF (cena)/85 CHF – Carta 65/89 CHF

Fra le antiche *Strecc* di questa caratteristica località ticinese, ristorante familiare che propone una saporita cucina mediterranea ed una carta più ristretta a pranzo. Nella moderna sala o sulla panoramica terrazza? A voi la scelta!

a Porto Ronco Sud-Est : 1,5 km – alt. 205 m – ✉ 6613

 La Rocca   ⬅ 🚗 🖼 📶 🆒 🍴 📶 🅿

via Ronco 61, Sud : 1 km – ℰ 091 785 11 44 – www.la-rocca.ch – chiuso fine ottobre - fine marzo

19 cam 🛏 – 🛏230/370 CHF 🛏🛏330/490 CHF – ½ P

Rist *La Rocca* – vedere selezione ristoranti

Spiaggia privata ed una posizione così bella che con la vista vi sembrerà di toccar le isole di Brissago. Camere moderne e confortevoli, sebbene non tutte molto ampie: richiedete quelle con il balcone che si affaccia sul lago.

🍴🍴 **La Rocca** – Hotel La Rocca   ⬅ 🚗 🍴 🅿

via Ronco 61, Sud : 1 km – ℰ 091 785 11 44 – www.la-rocca.ch – chiuso fine ottobre - fine marzo e lunedì - martedì a mezzogiorno

Rist – (37 CHF) Menu 45 CHF (cena)/68 CHF (cena) – Carta 56/88 CHF

Cucina classico/tradizionale e splendido panorama dalla terrazza-giardino di questo piacevole ristorante, leggermente sopraelevato in collina. Il centro di Ascona è a soli 5 minuti d'auto.

RORSCHACH – Sankt Gallen (SG) – **551** V4 – **8 840 Ew** – **Höhe 399 m** 5 I2 – ✉ 9400

▶ Bern 218 – Sankt Gallen 14 – Bregenz 27 – Konstanz 37

🛈 Hauptstr. 56, Hafenbahnhof, ℰ 071 841 70 34, www.rorschach.ch

Lokale Veranstaltungen:

   21.-31. März: A-Cappella-Festival

   18. August-8. September: Sandskulpturen Festival

🍴 **Englers am See**   ⬅ 🆒

Hauptstr. 56 – ℰ 071 841 08 08 – www.englers-amsee.ch – geschl. Montag - Dienstag

Rest – Menü 20 CHF (mittags)/96 CHF – Karte 49/92 CHF

Das Haus liegt zwar direkt an den Gleisen, aber im 1. OG, so haben Sie beim Speisen dank der grossen Fensterfront einen tollen Blick auf den Bodensee! Die Karte ist reich an Fisch: Zander, Lachsforelle, Felchen... Crevetten und Hummer ebenso, und auch Fleisch. Preiswerter der etwas einfacheren Mittagstisch.

in Rorschacherberg Süd: 3 km Richtung Lindau und Spital – Höhe 470 m – ✉ 9404

 Rebstock   ⬅ 🚗 🍴 🖼 ♿ 📶 🛁 🚙 🅿

Thalerstr. 57 – ℰ 071 855 24 55 – www.rebstock.ch

58 Zim 🛏 – 🛏130/160 CHF 🛏🛏180/220 CHF – ½ P

Rest – (30 CHF) – Karte 50/81 CHF

Der engagiert geführte Familienbetrieb liegt oberhalb des Ortes, von den meisten der wohnlichen Gästezimmer blickt man auf den Bodensee. Im Restaurant - hier geniesst man auch die tolle Aussicht - gibt es eine bürgerliche Karte.

⌂ Schloss Wartegg
von Blarer-Weg 1 – ℰ 071 858 62 62 – www.wartegg.ch – geschl. 27. Januar - 14. Februar
25 Zim ⌸ – †123/168 CHF ††199/298 CHF – ½ P
Rest – (24 CHF) – Karte 35/89 CHF
Hektik gibt's hier nicht, das "Bio-Schloss" am Bodensee strahlt eine angenehme Ruhe aus, nicht zuletzt weil es Fernseher & Co. im Haus nicht gibt! Ihnen wird hier trotz aller moderner Geradlinigkeit so manches schöne Detail von einst begegnen, darunter auch das historische Bad (1928) mit Sauna! Herrlich der Park auf 9 ha. Im Restaurant nur Bioprodukte.

ROSSINIÈRE – Vaud (VD) – 552 G10 – 505 h. – alt. 922 m – ⌧ 1658   7 C5
▶ Bern 82 – Montreux 52 – Bulle 24 – Gstaad 20

ⵣ Les Jardins de la Tour
Rue de la Placette 16 – ℰ 026 924 54 73 – www.lesjardinsdelatour.ch – fermé 21 - 29 avril, 14 - 29 octobre et mardi
Rest – (réservation indispensable) Menu 45 CHF (déjeuner en semaine)/110 CHF
En ces Jardins, le chef cultive arômes et parfums... Sûre de ses classiques et soignée, sa cuisine séduit, et le repas est d'autant plus agréable que le décor se révèle d'une charmante simplicité : bois doré, fleurs, vieux objets...

ROTHENBURG – Luzern – 551 O6 – siehe Luzern

ROTHRIST – Aargau (AG) – 551 M5 – 8 010 Ew – Höhe 407 m – ⌧ 4852   3 E3
▶ Bern 65 – Aarau 22 – Liestal 33 – Solothurn 36

ⵣⵣ Rössli 🅝
Bernstr. 53 – ℰ 062 794 15 15 – www.roessli-rothrist.ch – geschl. Juli - August 3 Wochen und Samstag - Sonntag sowie an Feiertagen
Rest – (14 CHF) Menü 34/89 CHF – Karte 52/98 CHF
Rest Gaststube – (14 CHF) – Karte 32/58 CHF
Dass das Gasthaus von 1770 seinen traditionellen Charme bewahrt hat, sieht man auch im Inneren: schöne Holztäferung, Parkettboden und gute Tischkultur machen es im Restaurant gemütlich-elegant, dazu gutbürgerliche Küche. Etwas rustikaler ist die Gaststube - da kommt man gerne ungezwungen zusammen.

ROUGEMONT – Vaud (VD) – 552 H10 – 918 h. – alt. 992 m – Sports   7 D5
d'hiver : 992/2 151 m ⵣ6 ⵣ10 ⵣ – ⌧ 1659
▶ Bern 88 – Montreux 57 – Bulle 35 – Gstaad 9
🅸 Route de la Croisette 16, ℰ 026 925 11 66, www.chateau-doex.ch
Manifestations locales :
16-20 mai : festival de musique "La Folia"

⌂ Hôtel de Commune
Rue des Allamans 7 – ℰ 026 925 11 00 – fermé avril 3 semaines et octobre 3 semaines
11 ch ⌸ – †95/120 CHF ††150/180 CHF – ½ P
Rest – (fermé janvier - mi-mars : mercredi midi, mai - juillet et septembre - midécembre : mercredi soir et jeudi soir) (20 CHF) – Carte 41/80 CHF
Connu depuis 1833 au centre du petit village de Rougemont, ce joli chalet a su préserver son cachet montagnard et rustique. Les chambres, simples et bien tenues, comme le café-restaurant, distillent une attachante atmosphère rurale...

ROVIO – Ticino (TI) – 553 R-S14 – 728 ab. – alt. 500 m – ⌧ 6821   10 H7
▶ Bern 292 – Lugano 15 – Bellinzona 42 – Milano 71

⌂ Park Hotel Rovio
via Ronchi 8 – ℰ 091 649 73 72 – www.parkhotelrovio.ch – chiuso inizio novembre - fine marzo
40 cam ⌸ – †85/115 CHF ††160/260 CHF
Rist – (25 CHF) Menu 30/60 CHF – Carta 36/65 CHF
Alle pendici del monte Generoso, l'hotel dispone di camere in gran parte ristrutturate, confortevoli spazi comuni e di una spettacolare terrazza-giardino con vista sul lago. Rinnovato negli interni, il ristorante offre una cucina classica.

RÜMLANG – Zürich (ZH) – 551 P4 – 6 935 Ew – Höhe 430 m – ⊠ 8153   4 G2
▶ Bern 128 – Zürich 15 – Schaffhausen 54 – Zug 48

🏨 **Park Inn by Radisson Zurich Airport**   📶 🛗 ♿ 🛜 🏋 🍽 🅿
Flughofstr. 75 – 𝒞 044 828 86 86 – www.parkinn.de/airporthotel-zurich
210 Zim – ♦195/450 CHF ♦♦195/450 CHF, ⌷ 25 CHF
Rest – (23 CHF) – Karte 30/87 CHF
Es erwartet Sie ein modernes Businesshotel in sehr guter Lage zum Airport (dort-
hin gibt es übrigens auch einen Shuttle-Service). Sie wohnen in frisch renovierten
Zimmern und können das Restaurant mit Bar von 6 Uhr bis 1 Uhr nachts besuchen.

🏠 **Holiday Inn Express**   🍽 🛗 ♿ 🔠 🛜 🏋 🍽 🅿
Hofwisenstr. 30 – 𝒞 044 809 34 00 – www.hiezurich.ch
163 Zim ⌷ – ♦136/299 CHF ♦♦136/299 CHF
Rest – *(nur Abendessen)* Karte 31/54 CHF
Die günstige Lage nahe dem Airport sowie die gut ausgestatteten Gästezimmer
in geradlinig-modernem Design machen dieses Hotel aus. In der Halle befindet
sich eine Bar. Das Restaurant bietet eine einfache Karte und Snacks.

RÜSCHLIKON – Zürich (ZH) – 551 P5 – 5 392 Ew – Höhe 433 m   4 G3
– ⊠ 8803
▶ Bern 133 – Zürich 8 – Wädenswil 20 – Zug 29

🏨 **Belvoir** ❶   🌊 ≤ 🏠 🏋 🍽 ♿ 🔠 🛜 🏋 🍽
Säumerstr. 37 – 𝒞 044 723 83 83 – www.belvoirhotel.com
59 Zim – ♦240/330 CHF ♦♦240/330 CHF, ⌷ 28 CHF – 1 Suite
Rest *Belvoir* – siehe Restaurantauswahl
Hier ist die Lage Trumpf! Da darf man sich in den Zimmern nicht nur auf topmoderne Ausstattung freuen (hochwertig-geradlinige Einrichtung, Sichtbetonwände,
sehr gute Technik, komfortable Bäder), sondern vor allem auf eine tolle Sicht auf
den Zürichsee! Darüber hinaus lässt man es sich auf 400 qm bei Kosmetik, Massage & Co. gut gehen. Schön aktuell sind auch die diversen Tagungsräume.

🍴 **Belvoir** ❶ – Hotel Belvoir   ≤ 🍽 ♿ 🔠
Säumerstr. 37 – 𝒞 044 723 83 83 – www.belvoirhotel.ch
Rest – (20 CHF) Menü 23 CHF (mittags) – Karte 59/91 CHF
Erwähnt werden sollten hier zum einen der klare moderne Stil, zum anderen der
traumhafte Blick (ein besonderes Highlight natürlich von der Terrasse!) und zum
Dritten das integrierte Grill-Restaurant, in dem am Abend variable Cuts auf dem
Holzkohlegrill kommen! Ansonsten gibt es zeitgemässe Gerichte und auch Klassi-
ker wie Chateaubriand. Mittags ist die Karte kleiner.

SAANEN – Bern – 551 H10 – siehe Gstaad

SAANENMÖSER – Bern – 551 I10 – siehe Gstaad

SAAS ALMAGELL – Wallis (VS) – 552 L13 – 381 Ew – Höhe 1 672 m   8 F6
– Wintersport : 1 673/2 400 m ❄7 ✶ – ⊠ 3905
▶ Bern 111 – Brig 37 – Sierre 55 – Sion 71

🏨 **Pirmin Zurbriggen**   🍽 🔳 🌐 🏠 🏋 🍽 ♿ 🚹 🛜
– 𝒞 027 957 23 01 – www.zurbriggen.ch/saasalmagell – geschl. 15. April
- 15. Juni
12 Zim ⌷ – ♦120/180 CHF ♦♦240/260 CHF – 16 Suiten – ½ P
Rest – *(nur Abendessen)* Menü 45 CHF
Bekanntestes Mitglied der Familie Zurbriggen ist wohl Ski-Olympiasieger Pirmin
(gelegentlich im Haus)! Moderner Stil, heimisches Holz - und immer wieder
Design-Elemente von Heinz Julen. Verglaster Fitnesstower mit Bergblick. Spass
und Betreuung für Kids von 4 - 17 Jahre. HP inklusive.

SAAS FEE – Wallis (VS) – 552 L12 – 1 759 Ew – Höhe 1 798 m   8 E6
– Wintersport : 1 800/3 600 m ❄6 ❄11 Metro Alpin 1 ✶ – ⊠ 3906
▶ Bern 111 – Brig 36 – Sierre 55 – Sion 71
Autos nicht zugelassen
🅸 Obere Dorfstr. 2 B2, 𝒞 027 958 18 58, www.saas-fee.ch
📷 Höhenlage★★★ • Allalin★★★ • Längfluh★★★ • Egginerjoch★★ • Hannig★
🅖 Plattjen★★, mit ❄

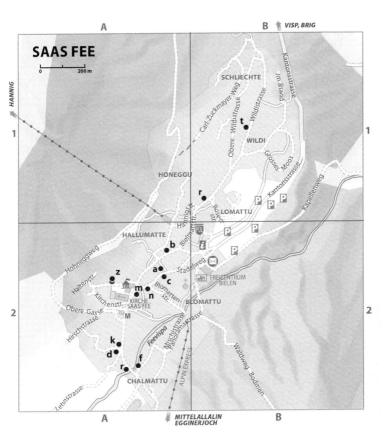

SAAS FEE

A scale: 0 — 200 m

VISP, BRIG

HANNIG

SCHLIECHTE

WILDI **t**

HONEGGU

r LOMATTU

HALLUMATTE

b

a **c**

z

m **n**

KIRCHE SAAS FEE

M

BLOMATTU

FREIZENTHUM BIELEN

k

d

r **f**

CHALMATTU

MITTELALLALIN EGGINERJOCH

🏠🏠🏠 **Ferienart Resort & SPA** ⟨ 🔲 🌐 🛁 🛋 🕍 🛗 🚗 𝒲 Rest, 🛜 🛗

Dorfweg 1 – ☎ 027 958 19 00 – www.ferienart.ch – geschl. 21. April - 12. Juni
60 Zim ⊇ – 🛉190/430 CHF 🛉🛉270/620 CHF – 11 Suiten – ½ P   A2**a**
Rest – (26 CHF) Menü 19 CHF (mittags)/108 CHF – Karte 34/89 CHF
Auch bei schlechtem Wetter kommt hier keine Langeweile auf: von Beauty über
Fitness (u. a. Indoor-Kletterwand) bis Nightlife, nicht zu vergessen das Kinderpro-
gramm! Besonders schön wohnt man in den Alpensuiten. Die kulinarischen
Genüsse verteilen sich auf drei Restaurants: das klassische Cäsar Ritz, das italie-
nische Del Ponte und das Wellnessrestaurant Papalagi. HP inklusive.

🏠🏠🏠 **Schweizerhof** 🌊 ⟨ 🔲 🌐 🕍 🛁 🛋 🛜 🛗

Haltenstr. 10 – ☎ 027 958 75 75 – www.schweizerhof-saasfee.ch – geschl.
23. April - Mitte Juni, November 3 Wochen   A2**z**
46 Zim ⊇ – 🛉175/300 CHF 🛉🛉300/534 CHF – ½ P
Rest *Lieblingsrestaurant* – siehe Restaurantauswahl
Ruhige Lage, "the wave" auf 1000 qm (nach Feng Shui konzipierter Spa) sowie
wohnliche Zimmer - die meisten klassisch, aber auch moderne (Wellness-) Suiten
und Juniorsuiten.

  Preiswert und komfortabel übernachten? Folgen Sie dem Bib Hotel 🏨.

Beau-Site ⟨ 🛋 🖼 🕮 🍽 🏊 🛜

Obere Dorfstr. 30 – ☎ 027 958 15 60 – www.saasfee.sunstar.ch – geschl. Mitte April - Mitte Juni, Mitte Oktober - Mitte Dezember A2**b**
31 Zim ☲ – ♦119/187 CHF ♦♦238/374 CHF – 4 Suiten – ½ P
Rest *La Ferme* – (17 CHF) Menü 54/84 CHF – Karte 58/88 CHF
Rest *Fee Chäller* – *(nur Abendessen) (Tischbestellung ratsam)* Karte 55/72 CHF
Es ist wohl der schöne Mix aus Möbelstücken, dem das Traditionshaus seinen romantischen Touch verleiht! Der Chef - ein Gastgeber der alten Schule - hat ein Faible für Bergkräuter - probieren Sie seine Tees! Gemütlich-rustikal: La Ferme und Fee Chäller mit Grill- und Käsegerichten.

Allalin ⟨ 🛋 🖼 🕮 🍴 🍽 Rest, 🛜 🛁

Lomattenstr. 7 – ☎ 027 958 10 00 – www.allalin.ch – geschl. Mai 3 Wochen
30 Zim ☲ – ♦114/226 CHF ♦♦228/418 CHF – ½ P B1**r**
Rest *Walliserkanne* – *(nur Abendessen)* Karte 44/83 CHF
Die Zurbriggens sind hier bereits in der 4. Generation Ihre Gastgeber. Die meisten Zimmer sind hübsch in klaren modernen Linien gehalten. In der Halle eine kleine Bibliothek. Hingucker in der Walliserkanne: handgeschnitzte Saaser Möbel und alte Holzbalken.

Du Glacier ⟨ 🛋 🖼 🕮 🍴 🛒 🛜

Blomattenstr. 2 – ☎ 027 958 16 00 – www.duglacier.ch – geschl. 26. April - 20. Juni A2**n**
30 Zim ☲ – ♦95/229 CHF ♦♦167/491 CHF – 11 Suiten – ½ P
Rest *Feeloch* – *(geschl. Mai - Juni und im Sommer: Sonntag - Montag) (nur Abendessen)* Karte 45/66 CHF
Das Hotel in dem stattlichen Gebäude im Zentrum wurde 1901 eröffnet. Ein kleines Highlight: die schöne Dom-Suite, in der auch Familien auf zwei Etagen genügend Platz finden! In der Grillstube gibt es Fisch und Fleisch vom Grill. Fumoir mit Humidor.

Metropol ⟨ 🛋 🖼 🕮 🍴 🍽 🛁

– ☎ 027 958 58 58 – www.metropol-saas-fee.ch – geschl. 26. April - 20. Juni, 13. Oktober - 20. November A2**c**
51 Zim ☲ – ♦136/213 CHF ♦♦224/496 CHF – ½ P
Rest – *(nur Abendessen)* Karte 41/69 CHF
Sie wohnen im Herzen des Wintersportortes! Hier spielt Feng Shui eine grosse Rolle, entsprechend hat man den Saunabereich und viele moderne Zimmer gestaltet. Bei Live-Pianomusik geht es in der Lobby klassisch-gediegen zu.

The Dom ⓝ 🕮 🍴 🛜

Dorfplatz 2 – ☎ 027 958 77 00 – www.thedom.ch – geschl. 26. April - 13. Juni
28 Zim ☲ – ♦120/490 CHF ♦♦200/490 CHF – ½ P A2**m**
Rest – (20 CHF) – Karte 51/96 CHF
1881 als erstes Hotel in Saas Fee gegründet, präsentiert sich diese historische Adresse im Zentrum gegenüber der Kirche nun - rund 130 Jahre später - als gelungene Mischung aus Moderne und Tradition. Stein und warmes Holz verleihen der schicken geradlinigen Einrichtung alpinen Charme, die Technik topaktuell. Das attraktive Design setzt sich im Restaurant fort - hier serviert man regionale Küche.

Saaserhof ⟨ 🛋 🕮 🍴 🍴 🍽 Zim, 🛜 🛁

Leenstr. 1 – ☎ 027 958 98 98 – www.saaserhof.ch – geschl. Mai - Juni
45 Zim ☲ – ♦140/340 CHF ♦♦240/630 CHF – 3 Suiten – ½ P A2**d**
Rest – *(nur Abendessen)* Menü 50 CHF – Karte 51/89 CHF
Aussicht auf die Berge und einen neuzeitlichen Saunabereich bietet dieses Haus. Die Zimmer sind hell und modern eingerichtet oder etwas älter und rustikal. Mit viel Holz hat man das Restaurant regionstypisch gestaltet.

Mistral ⟨ 🕮 🍽 Rest, 🛜

Gletscherstr.1 – ☎ 027 958 92 10 – www.hotel-mistral.ch – geschl. Ende April - Mitte Juni A2**f**
12 Zim ☲ – ♦130/160 CHF ♦♦220/320 CHF – ½ P
Rest – (25 CHF) Menü 39/65 CHF – Karte 37/89 CHF
Ideale Lage am Dorfende, nicht weit von den Liften: Mit den Skiern fährt man praktisch bis vor die Tür! Das kleine Hotel ist tipptopp gepflegt, Zimmer teilweise mit Whirlwanne, W-Lan gratis. Während der Saison Après-Ski-Bar vor dem Haus.

ⓘ **Feehof** garni   ⬚ ⚘ 📶

Dorfstr. 28 – ℰ 027 958 97 00 – www.feehof.ch – geschl. Mai   A2**k**
7 Zim 🖵 – ♦95/135 CHF ♦♦190/250 CHF
Neuzeitliche und funktionelle Gästezimmer mit Balkon in einem familiären kleinen Hotel nahe dem Dorfplatz. Auch Familienzimmer sind vorhanden.

ⓘ **Etoile**   ⚘ ≤ 🖾 🏠 🕽 ⬚ ⚘ Rest, 📶

Wildistr. 21 – ℰ 027 958 15 50 – www.hotel-etoile.ch – geschl. 26. April - 21. Juni,
4. Oktober - 20. Dezember   B1**t**
22 Zim 🖵 – ♦90/125 CHF ♦♦180/250 CHF – ½ P
Rest – *(nur Mittagessen für Hausgäste)* Karte 24/51 CHF
Engagiert leitet der Chef das recht ruhig am Ortsrand gelegene Haus. Er bietet
seinen Gästen einiges: So organisiert er Wanderungen, Weinproben und täglich
wechselnde kulinarische Themenabende!

ⓘ **Bristol**   ≤ 🖾 🏠 🕽 📶
∞
Dorfstr. 60 – ℰ 027 958 12 12 – www.hotel-bristol-saas-fee.ch – geschl. 28. April
- 22. Juni, 1. November - 3. Dezember   A2**r**
20 Zim 🖵 – ♦85/133 CHF ♦♦170/266 CHF – ½ P
Rest – (20 CHF) – Karte 35/60 CHF
Das Haus der Bumanns (3. Generation) ist beliebt bei Familien: Gleich nebenan
liegen Lifte und Kinderskischule (auf Anfrage mit Kinderbetreuung)! Die meisten
Zimmer verfügen über Balkone mit Sicht auf die Berge.

XXX **Waldhotel Fletschhorn** (Markus Neff) mit Zim   ⚘ ≤ 🖾 🏠 🕽 ⛄
☺
(über Wanderweg Richtung Sengg B1, 30 min.) – ℰ 027 957 21 31   📶
– www.fletschhorn.ch – geschl. 23. April - 12. Juni, 20. Oktober - 12. Dezember
13 Zim 🖵 – ♦240/420 CHF ♦♦350/580 CHF – ½ P
Rest – Menü 90 CHF (mittags)/210 CHF – Karte 112/183 CHF🍴
Wenn Maren Müller im Service mit Herzlichkeit und Engagement besticht, Charlie
Neumüller sein Wissen um Walliser Weine zum Besten gibt (die meisten der 1200
Positionen stammen von hier) und Markus Neff als Dritter im Bunde mit seiner
modernen Küche glänzt, heisst es geniessen auf der ganzen Linie! Da unternimmt
man gerne einen Fussmarsch zu diesem wahrhaft idyllischen Fleckchen Erde! Sie
können aber auch den Elektro-Shuttlebus nehmen.
➔ Trüffel "Wellington" in Marsanne blanche pochiert und in Blätterteig gebacken. Freilandpoularde unter der Salzkruste, leichte Mousseline mit Thymian.
Gebratene Rotbarbe auf Munder Safran und Muscheln.

XX **Lieblingsrestaurant** – Hotel Schweizerhof   ≤ 🏠

Haltenstr. 10 – ℰ 027 958 75 75 – www.schweizerhof-saasfee.ch – geschl.
23. April - Mitte Juni, November 3 Wochen   A2**z**
Rest – *(nur Abendessen, Dienstag - Mittwoch nur Menü)* Menü 115/210 CHF
– Karte 93/115 CHF🍴
Das junge und engagierte Team des "Lieblingsrestaurants" bietet seinen Gästen
eine mediterran beeinflusste Küche, begleitet von einer schönen Weinauswahl
(rund 450 Positionen), die Ihnen Medy Hischier - Gastgeber und Weinkenner
- präsentiert.

auf dem Spielboden mit Gondelbahn erreichbar A2 - Höhe 2 450m - ✉ 3906
Saas Fee

X **Spielboden**   ≤ 🏠
☺
– ℰ 027 957 22 12 – www.spielboden.ch – geschl. Ende April - Mitte Juni, Ende
Oktober - Mitte Dezember
Rest – *(nur Mittagessen bis 15:30 Uhr) (Tischbestellung erforderlich)*
Menü 65/85 CHF – Karte 57/126 CHF
Sie können nur erahnen, welch grandioser Ausblick sich Ihnen hier oben in
2450 m Höhe bietet! Sie erreichen das Chalet per Bergbahn oder über die Skipis-
te! Die Atmosphäre drinnen ist gemütlich, jung, frisch! Die Küche ist modern,
auch Wiener Schnitzel gehört zum Angebot.

SACHSELN – Obwalden (OW) – 551 N8 – 4 896 Ew – Höhe 472 m – ⊠ 6072   4 F4
▶ Bern 101 – Sarnen 4 – Luzern 23 – Emmen 28

XX   **Gasthaus Engel** mit Zim   ⬚ 🛜 ♻ **P**
     Brünigstr. 100 – ℰ 041 660 36 46 – www.engel-sachseln.ch – geschl. Mitte
     Februar 3 Wochen, Mitte September 1 Woche und Dienstag - Mittwoch
     10 Zim ⬚ – ♦65/80 CHF ♦♦130 CHF – ½ P
     Rest – (19 CHF) Menü 20 CHF (mittags)/95 CHF – Karte 38/85 CHF
     Mitten in dem kleinen Ort begrüßt Sie das Ehepaar Wey-Felder in einem gestan-
     denen Gasthof von 1756: Die Patronne kümmert sich freundlich um die Gäste, ihr
     Mann bietet ambitionierte Regionalküche - seine lange Zeit im Tessin merkt man
     den Gerichten an! Da dürfen weder "Loto Risotto" noch hausgemachte Gnocchi
     fehlen, und auch die gratinierten Kutteln lohnen sich!

SÄRISWIL – Bern (BE) – 551 I7 – Höhe 640 m – ⊠ 3049   2 D4
▶ Bern 15 – Biel 31 – Fribourg 40 – Neuchâtel 53

XX   **Zum Rössli**   ⬔ ⬚ ✼ ♻ **P**
     Staatsstr. 125 – ℰ 031 829 33 73 – www.roessli-saeriswil.ch – geschl. 5.
     - 19. Februar, 2. - 22. Juli; Ende Juli - August: Sonntag - Montag und September
     - Juni: Montag - Dienstag
     Rest – (23 CHF) Menü 38 CHF (mittags unter der Woche)/72 CHF
     – Karte 32/94 CHF
     Ein seit Generationen familiär geleitetes Gasthaus a. d. 19. Jh. In dem gemütlichen
     Restaurant mit Wintergarten bietet man traditionelle und regionale Küche. Für
     Feiern: "La Ferme" nebenan.

SAILLON – Valais (VS) – 552 H12 – 2 236 h. – alt. 522 m – Stat. thermale   7 D6
– ⊠ 1913
▶ Bern 141 – Martigny 13 – Montreux 53 – Sion 20
◉ Ancien donjon : point de vue★

🏠🏠   **Bains de Saillon**   ⬗ ⬔ 🐎 ⬚ ⛲ 🏊 🍴 🌀 🛁 ⛱ ♿ 🛜 ⛳ **P**
     Route du centre Thermal 16 – ℰ 027 602 11 11 – www.bainsdesaillon.ch
     70 ch ⬚ – ♦160/225 CHF ♦♦240/300 CHF – ½ P
     Rest – (19 CHF) Menu 53 CHF – Carte 44/66 CHF
     Ce confortable hôtel est rattaché à un complexe comprenant appartements et
     commerces, ainsi qu'à un centre thermal indépendant. En hiver, se baigner sous
     la neige dans l'une des piscines extérieures chauffées est une expérience...
     remarquable !

SAINT-AUBIN – Neuchâtel (NE) – 552 G7 – 2 419 h. – ⊠ 2024   1 B4
▶ Bern 69 – Neuchâtel 19 – Fribourg 65 – Lausanne 57

X   **La Maison du Village**   ⬚
     Rue de la Fontanette 41 – ℰ 032 835 32 72 – www.maisonduvillage.ch – fermé
     début janvier 2 semaines, lundi et mardi
     Rest – (19 CHF) Menu 59/81 CHF – Carte 57/86 CHF
     Voilà une adresse où les francophiles se sentiront comme à la maison. Inspirée
     par l'Hexagone, la cuisine de Marc Strebel – authentique Suisse – se révèle fort
     bien ficelée, goûteuse et généreuse, mariant de beaux produits et des saveurs
     parfois originales... On se régale !

SAINT-BLAISE – Neuchâtel – 552 G7 – voir à Neuchâtel

SAINT-GALL – Sankt Gallen – 551 U5 – voir à Sankt Gallen

SAINT-GEORGE – Vaud – **552** C10 – **951 h.** – ⊠ 1188

6 A5

▶ Bern 132 – Lausanne 37 – Genève 43 – Fribourg 112

XX **Au Cavalier** avec ch

ⓖ *Grand rue 5 – ☏ 022 368 12 85 – www.aucavalier.ch – fermé début janvier une semaine, début mars 2 semaines, début septembre 2 semaines, dimanche soir, mardi midi et lundi*
6 ch ⌑ – ♦73/83 CHF ♦♦126/136 CHF
Rest – (18 CHF) Menu 70 CHF – Carte 61/87 CHF
Que les gentlemen se rassurent, il n'est pas cavalier de manger dans ce restaurant ! On y déguste une délicieuse cuisine gastronomique : magret de canard rôti aux asperges et oranges, tartelette d'escargots de Vallorbe au beurre d'ail et persil... Une bonne adresse.

SAINT-LÉGIER – Vaud – **552** F10 – **voir à Vevey**

SAINT-LÉONARD – Valais – **552** I11 – **voir à Sion**

SAINT-LUC – Valais (VS) – **552** J12 – **2 611 h.** – alt. 1 650 m – Sports d'hiver : 1 650/3 000 m ⚡1 ⚡12 – ⊠ 3961

8 E6

▶ Bern 191 – Sion 37 – Brig 54 – Martigny 65

ℹ Route principale, ☏ 027 475 14 12, www.saint-luc.ch
◎ ≼★★

🏨 **Bella Tola**
Rue Principale – ☏ 027 475 14 44 – www.bellatola.ch – fermé 21 avril - 14 juin et 19 octobre - 20 décembre
30 ch ⌑ – ♦149/180 CHF ♦♦240/450 CHF – ½ P
Rest *Chez Ida-Le Tzambron* – voir la sélection des restaurants
Féru d'histoire, le propriétaire de cet hôtel, créé il y a 150 ans, a tout fait pour préserver son authentique cachet. Meubles anciens, fresques, souvenirs d'hier, etc. : nous sommes transportés au 19e s. et... dans son ambiance si romantique !

XX **Chez Ida-Le Tzambron** – Hôtel Bella Tola
Rue Principale – ☏ 027 475 14 44 – www.bellatola.ch – fermé 21 avril - 14 juin, 19 octobre - 20 décembre
Rest – (22 CHF) Menu 49/88 CHF – Carte 59/87 CHF
Deux options pour se restaurer au sein de l'hôtel Bella Tola, au charme 19e s. très marqué. Chez Ida évoque un jardin d'hiver, et l'on y déguste une cuisine créative aux accents végétariens, diététiques et bien-être. Au Tzambron, au contraire, nous voilà dans une auberge de montagne (pierres, cheminée)... où les spécialités fromagères sont reines !

SAINT-MAURICE – Valais (VS) – **553** X10 – **4 263 h.** – alt. 422 m – ⊠ 1890

7 C6

▶ Bern 116 – Martigny 16 – Montreux 28 – Sion 42

ℹ Avenue des Terreaux 1, ☏ 024 485 40 40, www.saint-maurice.ch
◎ Site★ • Trésor★★ de l'abbaye • Clocher★ de l'Église abbatiale

X **De la Gare**
ⓖ *Place de la Gare – ☏ 024 485 13 60 – www.lafarge.ch – fermé Noël - 6 janvier, 29 juillet - 18 août, dimanche et lundi*
Rest – (réservation conseillée) (20 CHF) Menu 35/65 CHF – Carte 45/92 CHF
Face à la gare, ce joli bâtiment de 1906 abrite un café-restaurant où les amateurs de produits du terroir se sentiront chez eux : on se régale de jambon et de saucisses à rôtir, cuisinés sous l'œil vigilant de Patricia Lafarge, la propriétaire. À moins qu'on ne préfère, le soir, déguster une fondue au fromage du Valais...

SAINT-SAPHORIN – Vaud – **552** F10 – **voir à Vevey**

SAINT-SULPICE – Vaud (VD) – **552** D10 – **3 274 h.** – alt. **397 m** – ⊠ **1025**   **6** B5
▶ Bern 107 – Lausanne 7 – Genève 63 – Fribourg 87

⌂⌂⌂ Starling   ⌂ 🖼 🛋 🛗 📶 🏊 🚗
Route cantonale 31 – ☎ 021 694 85 85 – www.shlausanne.com
151 ch – ♦150/275 CHF ♦♦150/275 CHF, ⌷ 25 CHF – 3 suites – ½ P
Rest – *(fermé 21 décembre - 5 janvier)* (25 CHF) – Carte 47/98 CHF
Design, coloré, lumineux, branché avec son restaurant et son lounge-bar... Le chic
contemporain caractérise ce bâtiment aux lignes épurées, séduisant pour une
étape comme pour un voyage d'affaires. Il fait face à l'architecture très avant-gar-
diste du Learning Center (centre culturel) de l'école polytechnique de Lausanne.

SALGESCH SALQUENEN – Wallis (VS) – **552** J11 – **1 356 Ew**   **8** E6
– Höhe **576 m** – ⊠ **3970**
▶ Bern 176 – Sion 23 – Fribourg 145 – Lausanne 117

⌂ Arkanum   ⌂ 🖼 🛋 🍴 Rest, 📶 🅿
*Unterdorfstr. 1 – ☎ 027 451 21 00 – www.hotelarkanum.ch – geschl. 1. Januar
- 10. Februar*
27 Zim ⌷ – ♦98/150 CHF ♦♦170/240 CHF – ½ P
Rest *Bacchus* – *(geschl. Sonntagabend - Montag) (Dienstag - Samstag nur
Abendessen)* (25 CHF) Menü 46 CHF – Karte 51/81 CHF
Thomas und Sibylle Reinhardt (beides Hotelfachleute und Koch/Köchin) haben in
ihrem Hotel in zentraler Lage immer wieder das Thema Wein miteinfliessen lassen, so z. B. in einigen Erlebniszimmern wie "Fasszimmer" oder "Rebenhaus" und
auch in den Restaurantnamen "Bacchus" oder Bistro-Beizli "Höllenwein". Zu Grill-
oder Fischgerichten gibt's natürlich Salgescher Wein.

SALORINO – Ticino – **553** R-S14 – **vedere Mendrisio**

SALUMS – Graubünden – **553** T8 – **siehe Laax**

SAMEDAN – Graubünden (GR) – **553** X10 – **3 019 Ew** – Höhe **1 709 m**   **11** J5
– Wintersport : **1 750/2 453 m** 🚡1 🎿 – ⊠ **7503**
▶ Bern 333 – Sankt Moritz 8 – Chur 93 – Davos 61
🇮 Plazzet 3, ☎ 081 851 00 60, www.engadin.stmoritz.ch/samedan
🏌 Engadin Golf Samedan, ☎ 081 851 04 66
Lokale Veranstaltungen:
    17.-19. Januar: Out of the Blue's Festival
◉ Lage★

⌂⌂ Quadratscha   ⇐ 🚗 🖼 🕍 🖼 🍴 Rest, 📶 🚗 🅿
*Via Quadratscha 2 – ☎ 081 851 15 15 – www.quadratscha.ch – geschl. 31. März
- 20. Juni, 19. Oktober - 19. Dezember*
25 Zim ⌷ – ♦150/200 CHF ♦♦240/370 CHF – ½ P
Rest – *(nur Abendessen)* Menü 55 CHF – Karte 50/99 CHF
In dem Urlaubshotel geniessen Sie vom Südbalkon Ihres Zimmer die Aussicht
und entspannen in der Sauna, im recht grossen Schwimmbad oder bei einer
Massage (auf Bestellung). Internationale Küche in eleganten, hell getäferten Restaurantstuben.

⌂ Donatz   🖼 📶 🚗
Plazzet 15 – ☎ 081 852 46 66 – www.hoteldonatz.ch – geschl. 21. April - 6. Juni
25 Zim ⌷ – ♦140 CHF ♦♦210/240 CHF – ½ P
Rest *La Padella* – siehe Restaurantauswahl
Familienbetrieb im verkehrsberuhigten Ortskern. Die Superior-Zimmer sind ganz
modern gehalten. Viel Holz macht den Frühstücksraum charmant. Öffentliches
"Mineralbad" 150 m entfernt.

ⅩⅩ La Padella – Hotel Donatz
*Plazzet 15 – ☎ 081 852 46 66 – www.hoteldonatz.ch – geschl. 21. April - 6. Juni
und Montag - Dienstagmittag; im November und April: Montag - Dienstag*
Rest – Karte 50/131 CHF🌿
Im rustikalen, aber stilvoll und elegant hergerichteten Restaurant werden gerne
Speisen bestellt, die man am Tisch flambiert (Spezialität des Hauses), wie z. B.
Rindsfilet "Woranoff".

auf Muottas Muragl Süd: 3 km Richtung Pontresina, ab Muragl über Standseilbahn (10 min.) erreichbar - Höhe 2 456m – ⌧ 7503

🏨 **Muottas Muragl** ♨ ⪕ 🚗 🏡 🎅 🦽 🤶 🛁

Punt Murage – ☏ 081 842 82 32 – www.muottasmuragl.ch – geschl. 31. März - 6. Juni, 26. Oktober - 12. Dezember
15 Zim ⌸ – ♦186 CHF ♦♦282/370 CHF – 1 Suite
Rest *Panorama* – (22 CHF) Menü 52 CHF (mittags)/98 CHF – Karte 74/108 CHF
Ein Paradies für Schlittler und Schneeschuh-Wanderer in 2456 m Höhe. Das Berghotel von 1907 ist heute modern-alpin - nicht zu vergessen der gigantische Blick über das Engadin! Im Restaurant speist man mittags etwas rustikaler. Selbstbedienungsrestaurant "Scatla". Panoramaterrasse.

SAMNAUN – Graubünden (GR) – 553 AA8 – 785 Ew – Höhe 1 846 m   11 K3
– Wintersport : 1 840/2 864 m ⪕5 ⪝30 ⪝ – ⌧ 7563
▶ Bern 393 – Scuol 38 – Chur 142 – Landeck 52
ℹ Dorfstr. 4, ☏ 081 868 58 58, www.samnaun.ch

🏨 **Chasa Montana** ⪕ 🚗 🏡 🖥 🕏 🛖 🛁 🎅 🤶 🛁 🚗 🅿

Dorfstr. 30 ⌧ 7563 – ☏ 081 861 90 00 – www.hotelchasamontana.ch – geschl. Mai
45 Zim ⌸ – ♦132/330 CHF ♦♦198/520 CHF – 10 Suiten – ½ P
Rest *La Miranda Gourmet Stübli* – siehe Restaurantauswahl
Rest *La Pasta* – (20 CHF) – Karte 28/80 CHF
Rest *La Grotta* – (geschl. Ende April - Ende November) (nur Abendessen)
Karte 54/98 CHF
Man bleibt nicht stehen in diesem Ferienhotel, und so dürfen sich die Gäste auf einen attraktiven modernen Spa-Bereich freuen! Unverändert angenehm sind der gute Service und die wohnlichen Zimmer (meist mit Bergblick!) - die Suiten haben sogar teilweise eine Whirlwanne. Italienische Küche im La Pasta. Urig: La Grotta mit regionalen Käsegerichten, Fondue und Fleisch vom heissen Stein.

🏨 **Post** ⌧ ⪕ 🎅 🛖 🛁 🎅 🛁 🚗 🅿

Dorfstr. 9 – ☏ 081 861 92 00 – www.wellnesshotelpost.ch – geschl. 2. - 5. Mai, 24. - 27. Oktober
52 Zim ⌸ – ♦73/140 CHF ♦♦105/210 CHF – ½ P
Rest – (18 CHF) – Karte 32/70 CHF
In dem familiengeführten Hotel lässt es sich nicht nur gut wohnen: Relaxen Sie z. B. beim Saunieren im schönen "Stella Aqua" oder trainieren Sie im gut ausgestatteten Fitnessraum im Haus Samnaunia! Wer ein bisschen was Besonderes möchte, bucht die hübsche Turm-Juniorsuite. Und gastronomisch? Regionale und internationale Küche im Restaurant (mittags mit Terrasse), dazu die Bar "Why now". Übrigens: Dank der Lage mitten im Ort können Sie direkt vor der Tür zollfrei shoppen!

🏨 **Waldpark** garni ♨ ⪕ 🛖 🎅 🛁 🚗 🅿

Votlasstr. 46 – ☏ 081 860 22 55 – www.waldpark.ch – geschl. Anfang Mai - Ende November
18 Zim ⌸ – ♦92/288 CHF ♦♦122/380 CHF – 2 Suiten
Ein Familienbetrieb in ruhiger Aussichtslage, dessen freundlich-alpenländischer Stil sich von der schönen Lobby über die Zimmer (meist mit Balkon) bis zum Frühstücksraum zieht. Wem der kleine Saunabereich hier im Haus nicht reicht, kann auch den Spa im Chasa Montana nutzen!

🏨 **Des Alpes** ⪕ 🛖 🎅 🛆 🚗 🅿

Dorfstr. 39 – ☏ 081 868 52 73 – www.hotel-desalpes-samnaun.ch – geschl. Mai - Juni, Mitte Oktober - November
17 Zim ⌸ – ♦68/210 CHF ♦♦126/380 CHF – ½ P
Rest *Des Alpes* – siehe Restaurantauswahl
Im Laufe von über 40 Jahren hat Familie Heis ihr kleines Hotel stetig erweitert und verbessert. Fast alle Zimmer haben einen Balkon, teilweise sind sie besonders modern (schön der Mix aus klaren Linien und warmem Holz!). Toll zum Relaxen: die Wasserbetten im Ruheraum und der Heupool in charmant-rustikalem Ambiente. Man hat übrigens einen hauseigenen Shop, in dem Sie ermässigt einkaufen können!

XX **La Miranda Gourmet Stübli** – Hotel Chasa Montana   **P**

Dorfstr. 30 ✉ *7563 –* ☎ *081 861 90 00 – www.hotelchasamontana.ch – geschl. Mitte April - Mitte Juni, Mitte Oktober - Mitte Dezember und Sonntag - Montag*

Rest *– (nur Abendessen) (Tischbestellung ratsam)* Menü 59/119 CHF – Karte 100/122 CHF 🕸

Ansprechend ist hier schon die modern-elegante Einrichtung samt ihrer markanten Akzente in kräftigem Rot, ebenso die zeitgemässe Küche von Johannes Partoll - nicht zu vergessen die gute Auswahl an Schweizer, französischen und österreichischen Weinen, einschliesslich fachkundiger Beratung.

X **Des Alpes** – Hotel Des Alpes   ← 🕸 **P**

☜ *Dorfstr. 39 –* ☎ *081 868 52 73 – www.hotel-desalpes-samnaun.ch – geschl. Mai - Juni, Mitte Oktober - November und Juli - Mitte Oktober: Montag*

Rest *– (18 CHF)* Menü 28/52 CHF – Karte 31/79 CHF

Als Küchenchef hat der elterlichen Betrieb mit Patrick Heis mit Gerichten wie "Geschnetzeltes mit Rösti" natürlich auch ein Stückchen seiner Bündner Heimat auf der Karte etabliert. Im Sommer sollten Sie auf der sonnigen Terrasse speisen!

in Samnaun-Ravaisch Nord-Ost: 1,5 km – Höhe 1 800 m – ✉ 7563 Samnaun

🏨 **Homann**   ← 🕸 📶 🛜 **P**

Ravaischstr. 12 – ☎ *081 861 91 91 – www.hotel-homann.ch – geschl. Anfang Mai - Mitte Juni, Ende Oktober - Ende November*

30 Zim 🖂 – ♥84/163 CHF ♥♥124/330 CHF – ½ P

Rest *Homann's Restaurant* 🕸🕸 – siehe Restaurantauswahl

Das Gourmetrestaurant der Familie Homann dürfte Ihnen bekannt sein, aber haben Sie bei den engagierten Gastgebern auch schon mal gewohnt? Sie haben nämlich ein schönes Ferienhotel mit regionalem Charme. Gönnen Sie sich doch das "Homann's Delxue" mit Whirlwanne! Gut entspannen lässt es sich aber auch im ansprechenden Sauna- und Ruhebereich. Und für Aktive: Die Gondelbahn ins Skigebiet liegt unterhalb des Hauses.

🏠 **Astoria**   ← 🕸 🕸 🛜 🛜 **P**

☜ *Talstr. 66 –* ☎ *081 861 82 42 – www.astoria-samnaun.ch – geschl. Anfang Mai - Mitte Juni und Mitte Oktober - Ende November*

10 Zim 🖂 – ♥82/155 CHF ♥♥106/280 CHF – 1 Suite – ½ P

Rest *– (20 CHF)* – Karte 29/52 CHF

In dem kleinen Schwesterhotel des "Homann" ist man ebenfalls sehr gut aufgehoben: Helles Naturholz macht die Zimmer behaglich, alle mit Balkon. Sie hätten es gerne ein bisschen grösser? Das hübsche Appartement mit Kachelofen misst 42 qm. Eine Alternative zur Homann'schen Gourmetküche ist die gemütlich-rustikale Dorfstube. Und einkaufen kann man hier im Haus auch noch: Man hat einen Duty-free-Shop.

🏠 **Smart-Hotel** garni   ← 📶 ♿ 🕸 📞 **P**

Talstr. 70 – ☎ *081 860 25 25 – www.smart-hotel.ch – geschl. 2. Mai - 10. Juli, 14. Oktober - 28. November*

31 Zim 🖂 – ♥87/125 CHF ♥♥134/210 CHF

Eine trendige Adresse, durch und durch geradlinig-modern und funktional. Service-Leistungen wie Frühstücksbuffet und Zimmerreinigung sind zubuchbar, "Smart"-Reinigung gratis.

XX **Homann's Restaurant** – Hotel Homann   ← **P**

🕸🕸 *Ravaischstr. 12 –* ☎ *081 861 91 91 – www.hotel-homann.ch – geschl. 15. April - 10. Juli, 5. Oktober - 15. Dezember und Montag - Dienstag*

Rest *– (nur Abendessen) (Tischbestellung erforderlich)* Menü 161/210 CHF 🕸

Sie brauchen bei der Reservierung nur zwischen Überraschungsmenü und Fischmenü zu wählen, was dann folgt, ist reiner Genuss: jeder Gang eine durchdachte Komposition phantasievoll und technisch perfekt zubereiteter, bestens abgestimmter Elemente... man spürt förmlich die Hingabe der Homann-Brüder Horst und Daniel! Wer würde vermuten, dass es bei derart gehobener Kulinarik im Restaurant so schön unprätentiös zugeht? Das ist der Verdienst des zurückhaltenden, aber dennoch sehr aufmerksamen und angenehm persönlichen Service - und der ist auch in Weinfragen überaus kompetent!

➜ Steinbutt mit Trüffelschaum, gedämpfter Kopfsalat, Balsamico-Espuma und 60 Minuten Eigelb. Dreierlei vom Rind mit Petersilienwurzel und Vanillekarotte. Ananas trifft Karamell.

SANKT GALLEN
SAINT-GALL

Stadtpläne siehe nächste Seiten

© Pietro Scozzari/Age fotostock

🅚 – SG – Sankt Gallen – 73 505 Ew – Höhe 668 m – ✉ 9000 – 551 U5

▶ Bern 209 – Bregenz 36 – Konstanz 40 – Winterthur 59

🔢 Tourist-Information

Bahnhofplatz 1a A2, ✆(071) 227 37 37, www.st.gallen-bodensee.ch
Gallusstr. 11 A2, ✆(071) 227 37 37

Automobilclub

🅰Sonnenstr. 6 B1, ✆ 071 244 63 24

Messegelände

Olma Messen, Splügenstr. 12, ✉ 9008, ✆ 071 242 01 01

Messen

7.-9. Februar: Ferienmesse u. OCA
20.-23. Februar: Tier&Technik
21.-23. März: Immo Messe Schweiz
9.-13. April: OFFA
10.-11. Mai: Animalia
Mitte-Ende Oktober: OLMA

Veranstaltungen

27. Februar-5. März: Altstätter Strassenfasnacht
Ende November-24. Dezember: Weihnachtsmarkt

Golfplätze

🔢 Niederbüren, West: 24 km, ✆071 422 18 56
🔢 Waldkirch, Nord-West: 20 km über Ausgang Gossau, Richtung Bischofszell,
✆071 434 67 67

◎ SEHENSWÜRDIGKEITEN

Sehenswert: Lage★★ · Altstadt★★ · Stiftsbibliothek★★★ · Kathedrale★★ (Kuppel★★ · Chorraum★★★)B2

Museen: Textilmuseum★A2 · Historisches Museum und Völkerkundemuseum★★ · Kunstmuseum★B1

Ausflugsziele: Dreilinden★ · Tierpark Peter und Paul ≪★(Nord: 3 km)

🏨 Einstein
☒ ♨ 𝕃₅ 🛗 ⅃ 🛜 🏊 🚁

Berneggstr. 2 – 𝒞 071 227 55 55 – www.einstein.ch A2**a**
109 Zim ⊑ – †180/420 CHF ††270/460 CHF – 4 Suiten – ½ P
Rest *E. Restaurant* – siehe Restaurantauswahl

Es muss ja nicht gleich eine Suite sein, auf guten Komfort brauchen Sie in den zeitgemäss-eleganten Superior- oder Comfort-Zimmern dennoch nicht zu verzichten. Zum Wellness- und Fitnesspark nebenan (nur für Hotelgäste und Mitglieder!) haben Sie direkten Zugang. Für den schnellen Mittagstisch: "Caf E. Bistro".

🏨 Radisson BLU
🚗 ♨ 𝕃₅ 🛗 ⅃ 𝕄 🛜 🏊 🚁

Sankt Jakob Str. 55 – 𝒞 071 242 12 12 – www.radissonblu.com/hotel-stgallen
120 Zim – †185/265 CHF ††185/265 CHF, ⊑ 27 CHF – 3 Suiten B1**a**
– ½ P

Rest *olivé* – 𝒞 071 242 12 30 – (25 CHF) Menü 65 CHF/119 CHF – Karte 41/94 CHF

Sie sind geschäftlich in St. Gallen? Hier haben Sie ein hochwertiges und funktionelles Hotel, in dem Sie alles finden, was Sie brauchen. Auch eine trendige Bar und sogar ein Spielkasino sind im Haus. Das Restaurant olivé hat zwei Klassiker immer auf der Karte: Tatar und Chateaubriand - am Tisch zubereitet bzw. tranchiert!

🏨 Metropol
🚗 🛗 🛜 🏊
🚁

Bahnhofplatz 3 – 𝒞 071 228 32 32 – www.hotel-metropol.ch A2**t**
32 Zim ⊑ – †155/220 CHF ††250/290 CHF – ½ P
Rest *O'Premier* – (geschl. Ende Juli - Anfang August 2 Wochen und Sonntag) (18 CHF) Menü 24 CHF (mittags unter der Woche) – Karte 41/86 CHF

Das Haus direkt am Bahnhof wird von Chefin Karin Bloch top geführt, an ihrer Seite ein wirklich professionelles Team! Zahlreiche kleine Details überall machen das Haus zu etwas Besonderem. Das Restaurant O'Premier bietet moderne Küche - für 35 CHF gibt's ein gutes Hotelgast-Menü.

🏨 Sorell Hotel City Weissenstein garni
🛗 ⅏ 🛜 🅿

Davidstr. 22 – 𝒞 071 228 06 28 – www.cityweissenstein.ch – geschl.
21. Dezember - 5. Januar, 18. - 21. April A2**n**
33 Zim ⊑ – †150/290 CHF ††185/350 CHF

Das Hotel liegt günstig nahe der Altstadt, wird mit Engagement geleitet und die Zimmer und Appartements sind tipptopp gepflegt! Tipp: Im Sommer können Sie zum Frühstücken auf der Terrasse sitzen.

🏨 Dom
🚗 🛗 ⅃ ⅏ Rest. 🛜 🏊

Webergasse 22 – 𝒞 071 227 71 71 – www.hoteldom.ch – geschl. 24. Dezember
- 6. Januar A2**d**
43 Zim ⊑ – †155/175 CHF ††225 CHF
Rest – (geschl. 1. - 6. Januar, 18. Juli - 4. August) (nur Mittagessen) (nur Buffet) Menü 19 CHF

In dem modern-funktionalen Hotel in der Altstadt schlafen Sie in top aktuell ausgestatteten und puristisch designten Zimmern in Weiss-Grün, Weiss-Lila, Weiss-Rot... Wenn es nicht so viel kosten darf: Man hat auch zehn einfache Budgetzimmer.

🍴 Vreni Giger's Jägerhof
🚗

Brühlbleichestr. 11 – 𝒞 071 245 50 22 – www.jaegerhof.ch – geschl.
24. Dezember - 7. Januar, 17. - 21. April, 9. Juli - 10. August und Samstagmittag,
Sonntag sowie an Feiertagen B1**e**
Rest – (45 CHF) Menü 65 CHF (mittags)/185 CHF ⅏

Hier fühlt man sich als Gast so richtig gut umsorgt! Man wählt zwischen den Menüs "vegetarisch", "traditionell" und "Neptun lässt grüssen" - Sie können daraus auch à la carte bestellen. Begleitet wird das Essen von einer phänomenalen Weinauswahl mit über 1000 Positionen, trefflich die Beratung.

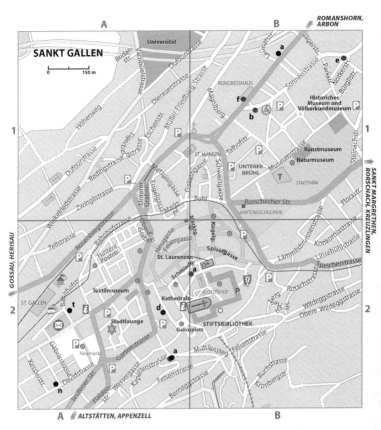

SANKT GALLEN

0 _____ 150 m

ROMANSHORN, ARBON

GOSSAU, HERISAU

SANKT MARGRETHEN, RORSCHACH, KREUZLINGEN

ALTSTÄTTEN, APPENZELL

Universität · Bodan-Str. · Dufourstrasse · KONGRESSHAUS · Höhenweg · Dufourstrasse · Müller-Friedberg-Strasse · Mänzhofgasse · Historisches Museum und Völkerkundemuseum · Kunstmuseum · Naturmuseum · Redingstrasse · Winkelfeldstrasse · Zwinglistrasse · Rosenbergstrasse · Teltistrasse · Bahnhofstrasse · Hintere Poststr. · Neugasse · Feuergasse · Spisergasse · St. Laurenzen · Schmiedg. · Textilmuseum · Kathedrale · STIFTSBIBLIOTHEK · Stadtlounge · Gallusplatz · Neumarkt · Gartenstrasse · Wassergasse · Mühlensteg · Felsenstrasse · Davidstr. · Kesselstr. · Felsenstrasse · Bernegstrasse · Kronbergstr. · Buchstrasse · Obere Wildeggstrasse · Wildeggstrasse · Speicherstrasse · Linsebühlstrasse · Konkordiastrasse · Lämmlisbrunnenstrasse · STADTPARK · UNTERER BRÜHL · Talhofstr. · Museumstrasse · Steinachstr. · Sonnenstrasse · Burgstr. · Rotachstr.

🍴🍴   **E. Restaurant** – Hotel Einstein   🔊 ⇄

*Berneggstr. 2 – ☏ 071 227 55 55 – www.einstein.ch – geschl. Mitte Juli - Mitte
August und Samstagmittag, Sonntagmittag*   **A2a**

Rest - (29 CHF) Menü 43 CHF (mittags unter der Woche)/110 CHF – Karte 72/98 CHF
"E" wie "Einstein". Sie geniessen nicht nur eine feine regionale und internationale
Küche, sondern auch einen schönen Blick über die Stadt! Zu empfehlen ist z. B.
das "Duo vom Kalb mit Kartoffelmousseline und Rotweinsellerie" - und vorweg
"Steinpilzsuppe mit Tessiner Rohschinken"?

🍴🍴   **Netts Schützengarten**   🍴 🔊 ⁊ ⇄ **P**

😊   *Sankt Jakob Str. 35 ⊠ 9004 – ☏ 071 242 66 77 – www.netts.ch – geschl.
Sonntag sowie an Feiertagen*   **B1f**

Rest - (Tischbestellung ratsam) (23 CHF) Menü 56 CHF (mittags unter der
Woche)/102 CHF – Karte 52/107 CHF
Vorne sitzt man eher rustikal (hier trinkt man zum Essen gerne ein Bier vom Fass
- Brauerei direkt im Haus!), der hintere Bereich ist eleganter. Es gibt Schweizer
Klassiker wie Züricher Geschnetzeltes und auch Internationales wie "Thunfisch im
Sesammantel auf Wasabikartoffelpüree". Biergarten unter Kastanien.

🍴🍴   **Candela**   🍴 ⁊ ⇄

🥜   *Sonnenstr. 5 – ☏ 071 246 46 46 – www.restaurantcandela.ch – geschl.
Samstagmittag und Sonntag*   **B1b**

😊   **Rest** - (20 CHF) Menü 88/108 CHF – Karte 48/98 CHF

Rest *ENGLERS Steakhouse* – siehe Restaurantauswahl
Lust auf internationale Küche? Vielleicht "Tuna im Wasabi-Erdnussmantel"? Oder
lieber ein Klassiker wie "Kalbsleberli mit frischen Kräutern, Zwiebeln und Rösti"?
Besonders gemütlich hat man es im getäferten Chlausstübli.

XX **ENGLERS Steakhouse** – Restaurant Candela   🍴 🍸
Sonnenstr. 5 – ℰ 071 246 46 46 – www.englers.ch – geschl. Montag - Mittwoch
Rest – *(nur Abendessen)* Menü 75/89 CHF – Karte 56/100 CHF   **B1b**
Im Gebäude neben dem "Candela" sind vor allem Fleisch-Fans gut aufgehoben,
denn in der Showküche des Steakhouse kommen Angus Beef, Ribeye-Steak &
Co. auf den Grill - Vegetarier werden aber auch fündig!

X **Zur alten Post**   🍴 ♻
*Gallusstr. 4, (1. Etage) – ℰ 071 222 66 01 – www.apost.ch – geschl. Ende Juli
- Anfang August 3 Wochen und Sonntag - Montag sowie an Feiertagen*
Rest – (25 CHF) Menü 55/84 CHF – Karte 42/83 CHF 🏵   **AB2a**
In dem Riegelhaus in bester Altstadtlage speist man in schön ungezwungener
Atmosphäre bei auffallend freundlichem Service Schweizer Küche (z. B. "Kanin-
chenragout Tessiner Art"), aber auch die ein oder andere österreichische Speziali-
tät (Tipp: Marillenknödel - das Warten lohnt sich!). Weinkarte mit Raritäten.

in Wittenbach Nord-Ost: 3 km über Sankt-Jakob-Strasse B1

XX **Segreto**   🍴 🆔 ♻ 🅿
🏵 *Abacus Platz 1 ✉ 9301 – ℰ 071 290 11 11 – www.segreto.ch – geschl. Ende Juli
- Anfang August und Samstagmittag, Sonntag - Montag*
Rest – Menü 54 CHF (mittags)/140 CHF (abends) – Karte 82/113 CHF 🏵
Martin Benninger kocht angenehm unkompliziert und ganz ohne Chichi, was der
Kreativität und der Finesse seiner Speisen keinerlei Abbruch tut! Das mediterrane
Konzept der Küche macht sich gut zum frisch gestalteten Ambiente mit seinen
warmen Farben - vor allem Terrasse und Wintergarten sind ein echtes Highlight.
Ebenso ins Schwärmen kommt man angesichts der fantastischen Weinauswahl
(auf dem iPad), die preislich erstaunlich fair ist! Sie möchten das Geschehen in
der Küche hautnah miterleben? Dann reservieren Sie den "Captain's Table"!
→ Crème Brûlée von der Entenleber mit Pistazien, Parmesan und Mortadella-
Brioche. Pochierte Bodenseefelchen mit weissem Spargel und Raps. Hausgemachte Teigtaschen mit Kalbfleischfüllung und Liebstöckel.

SANKT MORITZ – Graubünden (GR) – **553** X10 – **5 206** Ew   **11** J5
– Höhe 1 775 m – Wintersport : 1 772/3 057 m 🎿 5 🎿18 🎿 – Kurort – ✉ 7500
▶ Bern 327 – Chur 88 – Davos 67 – Scuol 63
🛈 Via Maistra 12 A1, ℰ 081 837 33 33, www.engadin.stmoritz.ch/stmoritz
🏌 Engadin Golf Samedan, Nord-Ost: 5 km, ℰ 081 851 04 66
🏌 Engadin Golf Zuoz-Madulain, Zuoz, Nord-Ost: 18 km, ℰ 081 851 35 80
Lokale Veranstaltungen:
   27.-31. Januar: Gourmet Festival
   30. Januar-2. Februar: Polo World Cup
   9./16./23. Februar: White Turf
   1. März: Chalandamarz
◉ Lage★★ • Engadiner Museum★★ • Segantini Museum★A1
◎ Piz Corvatsch★★★ • Piz Nair★★

🏨🏨 **Badrutt's Palace**   ← 🚗 🏊 🌳 💆 🧖 🏋 🍽 🎱 🛗 ⚓ 🔌 🆔 Rest, 🍸 Rest,
Via Serlas 27 – ℰ 081 837 10 00 – www.badruttspalace.com   🛜 🛁 🚗 🅿
– geschl. 31. März - 27. Juni, 15. September - Anfang Dezember   **B1a**
120 Zim 🛗 – †225/1125 CHF ††370/2335 CHF – 37 Suiten – ½ P
Rest Nobu – siehe Restaurantauswahl
Rest Le Restaurant – ℰ 081 837 28 21 *(geschl. 31. März - 26. Juni, 15. September
- November) (nur Abendessen)* Menü 130/160 CHF – Karte 123/189 CHF 🏵
Rest Le Relais – ℰ 081 837 28 23 *(nur Mittagessen)* Menü 80 CHF
– Karte 90/194 CHF
Für die Gäste ist sie das "Wohnzimmer von St. Moritz", die klassisch-stilvolle
Lobby dieses Luxushotels von 1896. Mit wertvoller "Douglas"-Holzdecke und fast
schon musealem Charakter ist "Le Grand Hall" das Herz des Traditionshauses. Als
Kontrast: der moderne Spa - beeindruckend der Weg dorthin durch die Steingrot-
te! Während man mittags im Le Relais isst, bietet am Abend Le Restaurant einen
festlich-eleganten Rahmen für die französische Küche. Danach können Sie im
Winter im berühmten King's Club die Nacht zum Tag machen.

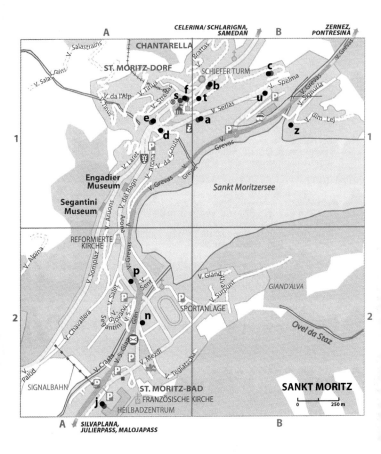

A   **B**

CHANTARELLA

ST. MORITZ-DORF

SCHIEFER TURM

SANKT MORITZ

Sankt Moritzsee

Engadier Museum

Segantini Museum

REFORMIERTE KIRCHE

SPORTANLAGE

GIAND'ALVA

Ovel da Staz

SIGNALBAHN

ST. MORITZ-BAD
FRANZÖSISCHE KIRCHE
HEILBADZENTRUM

0   250 m

🏨🏨 **Suvretta House**   🛎 ≼ 🚿 🐾 🗓 🌐 🦢 ⅃⚙ ✂ 🚌 🕴 🔠 Rest, ✂ Rest,

Via Chasellas 1, Süd-West: 2 km über Via Somplaz A2   📶 🕍 🛋 🅿

– 📞 081 836 36 36 – www.suvrettahouse.ch – geschl. Mitte April - Ende
Juni, Mitte September - Anfang Dezember

171 Zim ⬛ – ♦300/580 CHF ♦♦600/1160 CHF – 10 Suiten – ½ P

Rest *Grand Restaurant* – *(nur Abendessen)* Menü 95/105 CHF
– Karte 79/115 CHF

Rest *Suvretta Stube* – Karte 74/105 CHF

Bei aller Kultiviertheit und klassischer Eleganz kommt in dem Grandhotel von
1912 auch eine gewisse familiäre Atmosphäre auf: Fast wie zu Hause fühlt man
sich z. B. in der geschmackvollen Halle bei der gemütlichen Tea-Time! Stilvoll
speisen heisst es im Grand Restaurant unter der 100 Jahre alten Original-Holz-
decke, Regionales in der behaglichen Stube mit Terrasse und für Kinder der separate "Teddy Club". Wunderbar die einsame Waldrandlage vor grandioser Bergkulisse, der Service stets präsent und auffallend freundlich. Im Winter werden die
Tennisplätze zur Eislaufbahn.

Wie entscheidet man sich zwischen zwei gleichwertigen Adressen?
In jeder Kategorie sind die Häuser nochmals geordnet, die besten
Adressen stehen an erster Stelle.

Carlton ⬅ 🔲 ⬮ ⬮ *l&* ⬮ Rest, ⚭ ⬮ Rest, 🛜 ⚒ ⬮ **P**
Via Johannes Badrutt 11 – ℰ 081 836 70 00 – www.carlton-stmoritz.ch – geschl.
April - Mitte Dezember B1**c**
39 Zim ⬮ – ♦750/2550 CHF ♦♦800/2600 CHF – 22 Suiten – ½ P
Rest *Da Vittorio* ⬮ – siehe Restaurantauswahl
Rest *Romanoff* – *(nur Abendessen)* Menü 150 CHF – Karte 110/160 CHF
Was Innenarchitekt Carlo Rampazzi in den Juniorsuiten und Suiten des 1913
erbauten Hauses geschaffen hat, ist wirklich vom Feinsten: hochwertigste Materia-
lien in edlem Design, dazu Blick auf See und Berge. Seine traditionelle Seite zeigt
das Haus in der grosszügigen Lobby: alte Holztäfelung, Stuckdecke, historischer
offener Kamin. Ebenso gediegen das Romanoff mit toller Aussicht, die auf der
Terrasse noch getoppt wird - ein wahrer Hotspot!

Kulm ⬅ ⬮ ⬮ ⬮ 🔲 ⬮ ⬮ *l&* ⚒ 🔲 ⬮ ⚭ ⬮ Zim, 🛜 ⚒ ⬮ **P**
Via Veglia 18 – ℰ 081 836 80 00 – www.kulm.com – geschl. Anfang April - Ende
Juni, Anfang September - Mitte Dezember B1**b**
133 Zim ⬮ – ♦250/730 CHF ♦♦455/1540 CHF – 40 Suiten – ½ P
Rest *the K* – siehe Restaurantauswahl
Rest *The Pizzeria* – Menü 50 CHF (mittags)/90 CHF – Karte 43/101 CHF
Rest *Sunny Bar / Restaurant Nito* – *(geschl. April - Mitte Dezember)*
Menü 50 CHF (mittags)/135 CHF – Karte 41/105 CHF
Überall im Haus spürt man die 150-jährige Tradition, schon die Fassade des impo-
santen Hotels kündet von der langen Geschichte. Gelungen integriert in das klas-
sische Bild: der geschmackvoll-moderne Spa, in dem heimisches Material wie
Arvenholz und Stein Bezug auf die Region nimmt - top die Aussicht! The Pizzeria
mit italienischem Angebot, japanische Küche in der Sunny Bar.

Kempinski Grand Hotel des Bains ⬅ ⬮ ⬮ 🔲 ⬮ ⬮ *l&* ⚒ ⬮
⚭ ⚒ Zim, 🛜 ⚒ ⬮ **P**
Via Mezdi 27 – ℰ 081 838 38 38
– www.kempinski-stmoritz.com – geschl. 31. März - 20. Juni, 15. September
- 5. Dezember A2**j**
168 Zim ⬮ – ♦290/800 CHF ♦♦410/1310 CHF – 16 Suiten – ½ P
Rest *Cà d'Oro* ⬮ **Rest *Enoteca*** – siehe Restaurantauswahl
Rest *Les Saisons* – ℰ 081 838 30 77 *(nur Abendessen)* Menü 75/110 CHF
– Karte 74/106 CHF ⬮
Rest *Sra Bua* – *(geschl. 31. März - 5. Dezember und Sonntag) (nur Abendessen)*
Menü 129/169 CHF – Karte 105/153 CHF
In dem wunderschönen Grandhotel von 1864 gehen Moderne und Klassik eine
harmonische Verbindung ein - da sind auch die dekorativen alten Fotografien
ein passendes Detail. Wer hoch hinaus möchte, bucht am besten eine Tower
Suite über 3 Etagen... nicht alltäglich! Und auch der Spa auf 2800 qm sucht sei-
nesgleichen - manch einer kommt allein wegen des eigenen Quellwassers! Internationale Küche im Les Saisons, Asiatisches einschliesslich Sushi im Sra Bua.

Monopol ⬮ *l&* ⬮ ⚒ 🛜 ⬮
Via Maistra 17 – ℰ 081 837 04 04 – www.monopol.ch – geschl. 6. April - 13. Juni,
21. September - 5. Dezember A1**f**
70 Zim ⬮ – ♦240/450 CHF ♦♦380/680 CHF – 3 Suiten – ½ P
Rest *Mono* – siehe Restaurantauswahl
Sie interessieren sich für Kunst? Dann können Sie in diesem Hotel allerlei schöne
Werke bestaunen, wenn Sie gerade mal nicht vom Whirlpool aus durch die raum-
hohe Fensterfront die tolle Sicht auf See und Berge geniessen! Nicht weniger reizvoll ist der Ausblick von der Dachterrasse!

Schweizerhof ⬅ ⬮ ⚒ ⬮ ⚭ ⚒ 🛜 ⚒ ⬮ **P**
Via dal Bagn 54 – ℰ 081 837 07 07 – www.schweizerhofstmoritz.ch
82 Zim ⬮ – ♦136/340 CHF ♦♦160/370 CHF – ½ P A1**d**
Rest *Acla* – ℰ 081 837 07 01 – (21 CHF) Menü 65 CHF – Karte 64/93 CHF
Hier sollten Sie ein Zimmer mit See- und Bergblick buchen, und am besten eines
mit Balkon! Eine schöne Aussicht hat man aber auch vom Saunabereich mit Dachterrasse in der obersten Etage. Und fürs leibliche Wohl ist im Acla und auf der
sonnigen Terrasse gesorgt: Spezialitäten sind Wiener Schnitzel und Tafelspitz.
Lust auf Nachtleben? In der Piano Bar und im Stübli gibt's Live-Musik.

Steffani 🛋🖼🏔🛎♿🛜🧖🚗🅿

Sonnenplatz 6 – ☎ 081 836 96 96 – www.steffani.ch A1**e**
56 Zim ☑ – 🛏205/600 CHF 🛏🛏310/600 CHF – 5 Suiten – ½ P
Rest Le Mandarin – siehe Restaurantauswahl
Rest Le Lapin Bleu – (28 CHF) Menü 40/70 CHF – Karte 43/108 CHF
Hier lässt es sich gut Urlaub machen: Wohnlich-alpenländisch ist es in dem gewachsenen Hotel, das bereits in 3. Generation familiengeführt ist. Wer Wert legt auf Aussicht, nimmt am besten ein Zimmer zum Tal. Schön auch das Le Lapin Bleu mit seiner warmen Holztäferung - mit Terrasse.

La Margna 🍴🏔🛎♿🍽 Rest,🛜🧖🅿

Via Serlas 5 – ☎ 081 836 66 00 – www.lamargna.ch – geschl. 30. März - 31. Mai,
28. September - 14. Dezember B1**u**
58 Zim ☑ – 🛏190/390 CHF 🛏🛏340/650 CHF – ½ P
Rest – (28 CHF) Menü 34 CHF/75 CHF – Karte 45/93 CHF
Rest Stüvetta – (25 CHF) Menü 34/45 CHF – Karte 44/82 CHF
In dem Hotel von 1907 mischen sich historische Details mit regionalem Stil. Die Halle versprüht mit Kreuzgewölbe und Original-Leuchtern traditionellen Charme, dazu gesellen sich wohnliche Zimmer in Arvenholz (zur Berg- oder Talseite gelegen) - fragen Sie nach den Zimmern mit neuem Bad! Im Speisesaal frühstückt man unter einer sehenswerten Stuckdecke, in der Stüvetta ist es rustikaler (im Winter mit Kaminfeuer und Pianomusik).

Waldhaus am See 🍴🏔🛎🛜🚗🅿

Via Dim Lej 6 – ☎ 081 836 60 00 – www.waldhaus-am-see.ch B1**z**
48 Zim ☑ – 🛏170/245 CHF 🛏🛏320/460 CHF – 2 Suiten – ½ P
Rest – Menü 30/160 CHF – Karte 41/106 CHF 🍽
Trumpf ist hier ganz klar der wunderbare Seeblick! Sehen lassen können sich aber auch die wohnlichen Zimmer mit ihrem Arvenholz, denn vier grosse Wohnungen wie gemacht sind für Familien. Schön auch die Bar, über die sich vor allem Whisky-Liebhaber freuen werden: Hier gibt es nämlich über 1000 verschiedene Sorten!

Languard garni 🍴🛎🛜🅿

Via Veglia 14 – ☎ 081 833 31 37 – www.languard-stmoritz.ch – geschl. 13. April
- 6. Juni, 19. Oktober - 28. November B1**t**
22 Zim ☑ – 🛏100/219 CHF 🛏🛏195/391 CHF
In der ehemaligen Villa ist seit Mitte des letzten Jahrhunderts dieses familiär und mit Herzblut geleitete Hotel untergebracht. Die Zimmer sind hell und geräumig, ein Grossteil bietet tollen Seeblick, ebenso die Frühstücksveranda.

the Piz 🏔🛎🛜🅿

Via dal Bagn 6 – ☎ 081 832 11 11 – www.piz-stmoritz.ch A2**p**
🚗
29 Zim ☑ – 🛏110/140 CHF 🛏🛏190/260 CHF – ½ P
Rest – (15 CHF) Menü 19 CHF (mittags)/30 CHF – Karte 34/86 CHF
Das Hotel liegt zentral im Ortsteil St. Moritz-Bad und bietet ein gutes Preis-Leistungs-Verhältnis. Man hat geräumige Gästezimmer mit Holzfussboden sowie eine beliebte Bar. Im Haus befindet sich auch eine Pizzeria.

Corvatsch 🛋🛎♿🍽 Rest,🛜🚗🅿

Via Tegiatscha 1 – ☎ 081 837 57 57 – www.hotel-corvatsch.ch – geschl. 13. April
- 24. Mai, 19. Oktober - 29. November A2**n**
29 Zim ☑ – 🛏170/270 CHF 🛏🛏300/420 CHF – ½ P
Rest – (28 CHF) – Karte 47/80 CHF
Eine gepflegte familiäre Adresse nicht weit vom St. Moritzer See, deren Gästezimmer alle behaglich im Engadiner Stil eingerichtet sind. Spezialität im Restaurant sind regionale Speisen und Grillgerichte. Terrasse auf dem Gehsteig.

🏵🏵🏵🏵 Cà d'Oro – Kempinski Grand Hotel des Bains 🍽🅿

🌸
Via Mezdi 27 – ☎ 081 838 30 81 – www.kempinski-stmoritz.com – geschl.
31. März - 5. Dezember und Montag - Dienstag A2**j**
Rest – *(nur Abendessen) (Tischbestellung ratsam)* Menü 170/260 CHF – Karte 140/198 CHF 🍽
Ein klassischer hoher Speisesaal, ganz und gar exquisit in Einrichtung und Tischkultur... so stellt man sich das Gourmetrestaurant eines Grandhotels vor. Der eingespielte junge italienische Service steht dem in nichts nach und macht den Rahmen für die feine mediterrane Küche von Matthias Schmidberger perfekt: Sie ist detailverliebt, überaus präzise und mit einem untrüglichen Gespür für Kombinationen zubereitet.
→ Fegato Grasso e Gambero Rosso. Astice Marino e Maiala Pata Negra. Filetto di Manzo.

XXX **Da Vittorio ⓝ** – Hotel Carlton ⟨AC⟩ **P.**

⟨⟩ *Via Johannes Badrutt 11 – ℰ 081 836 70 00 – www.carlton-stmoritz.ch – geschl.*
April - Mitte Dezember und Sonntag - Montag B1**c**
Rest – Menü 250 CHF – Karte 170/290 CHF ⊞
Die Brüder Enrico und Roberto Cerea aus dem 3-Sterne-Restaurant in Brusaporto
erobern nun auch die Sankt Moritzer Gastronomie. In der Wintersaison kochen sie
hier mit einem Teil ihrer bewährten Crew klassisch-italienische Speisen mit besten
Produkten als Garant für volles Aroma und Geschmack.
→ Risotto mit Langusten-Ragout und Foie Gras. Thunfisch serviert mit seiner
Sauce, Paprika und gegrilltem Lauch. "Finta mozzarella" - Mascarpone-Mousse,
knusprige Himbeeren und Joghurt-Eiscrème.

XXX **the K** – Hotel Kulm ⟨P.⟩

Via Veglia 18 – ℰ 081 836 80 00 – www.kulm.com – geschl. April - Mitte
Dezember B1**b**
Rest – (nur Abendessen) Menü 98/155 CHF – Karte 83/132 CHF
Im Restaurant des weithin bekannten Hotel Kulm mischen sich Gewölbedecke
und halbhohe Holztäferung mit modernen Akzenten und geschmackvoller Tischkultur zu einer stilvollen Atmosphäre. Zur internationalen Küche gibt es eine
schöne Weinauswahl.

XX **Enoteca** – Kempinski Grand Hotel des Bains ⟨⟩ **P.**

Via Mezdi 27 – ℰ 081 838 38 38 – www.kempinski-stmoritz.com – geschl.
31. März - 20. Juni, 15. September - 5. Dezember und Dienstag - Mittwoch
Rest – (nur Abendessen) (62 CHF) Menü 119/149 CHF A2**j**
– Karte 127/166 CHF
Über Ihnen eine bemerkenswerte Stuckdecke, unter Ihnen schöner Parkettboden,
dazwischen dekorative Weinregale, die dem eleganten Rahmen Gemütlichkeit
verleihen. Die italienische Küche gibt es als interessantes "Dreierlei"-Konzept:
Jeder Gang besteht aus drei kleinen Gerichten.

XX **Mono** – Hotel Monopol

Via Maistra 17 – ℰ 081 837 04 04 – www.monopol.ch – geschl. 6. April - 13. Juni,
21. September - 5. Dezember A1**s**
Rest – (nur Abendessen) (Tischbestellung ratsam) Menü 65 CHF
– Karte 66/152 CHF ⊞
Direkt von der Fussgängerzone zu zeitgemässer italienischer Küche! Dafür bietet
das Restaurant zwei hell gestaltete, elegante Räume mit dekorativen Bildern an
den Wänden - in einem von beiden verbreitet eine schöne Holzdecke Behaglichkeit.

X **Chasellas** ⟨⟩ ⟨⟩ ⟨⟩ **P.**

Via Suvretta 22, Süd-West: 2,5 km über Via Somplaz A2 – ℰ 081 833 38 54
– www.chasellas.ch – geschl. Mitte April - Ende Juni, Mitte Oktober - Anfang
Dezember
Rest – (28 CHF) Menü 118 CHF (abends) – Karte 74/132 CHF
Das Konzept kommt an: Das zum "Suvretta House" gehörende Restaurant mit
dem hübschen rustikalen Ambiente zieht mittags mit seinen einfachen Gerichten
Skifahrer an (das Haus liegt nämlich direkt an der Skipiste), am Abend speist man
dagegen gehobener - da kocht Küchenchef Robert Jagisch dann z. B. Klassiker
wie Stroganoff oder Zürcher Geschnetzeltes.

X **el paradiso - La Ventana** ⟨⟩ ⟨⟩ ⟨⟩

Nord-West: mit Signalbahn und Fussweg (30 min.) oder Sesselbahn Suvretta /
Chasellas und Fussweg (10 min.) – ℰ 081 833 40 02 – www.el-paradiso.ch
– geschl. 6. April - 20. Juni, 19. Oktober - 12. Dezember und ausser Saison:
Dienstag
Rest – (nur Mittagessen) (Tischbestellung erforderlich) (48 CHF)
– Karte 76/173 CHF ⊞
Allein die Sicht ist die Sesselbahnfahrt und den kleinen Fussmarsch hinauf in
2181 m Höhe wert, aber auch die Spezialitäten des quirligen Restaurants (im Win-
ter Mindestumsatz von 75 CHF). Auf der Karte: Welsfilet, Kalbskotelett und Fon-
due genauso wie Trüffel und Kaviar. Bodenständiger: "El Establo".

✗ **Le Mandarin** – Hotel Steffani   ⌖ 🐾 **P**
Sonnenplatz 6 – ℰ 081 836 96 96 – www.steffani.ch
– geschl. Mitte April - Ende Juni, Mitte September - Ende November
und Juni - September: Montag   A1**e**
Rest *– (nur Abendessen)* Menü 63/98 CHF – Karte 46/90 CHF
Wenn Sie nach einem anstrengenden Tag in den Bergen Gelüste auf chinesische
Küche haben, dann sind Sie im Le Mandarin mitten im Ort genau richtig. Gekocht
wird nach kantonesischen Rezepten.

✗ **Nobu** – Hotel Badrutt's Palace   ⌖ **AC** 🐾 **P**
Via Serlas 27 – ℰ 081 837 28 23 – www.badruttspalace.com
– geschl. 31. März - November   B1**a**
Rest *– (nur Abendessen)* Menü 185/345 CHF – Karte 68/320 CHF
In den Wintermonaten, wenn sich der internationale Jetset am Ort einfindet, öffnet das Nobu (benannt nach Nobuyuki Matsuhisa) seine Pforten. Ein Szene-Treff
am Abend mit japanisch-internationaler Küche.

auf der Corviglia mit Standseilbahn erreichbar – Höhe 2 488 m
– ✉ **7500 Sankt Moritz**

✗✗ **Mathis Food Affairs - La Marmite**   ⇐ 🏠
– ℰ 081 833 63 55 – www.mathisfood.ch – geschl. 6. April - 30. November
Rest – (45 CHF) – Karte 95/192 CHF 🏠
Rest *Brasserie* – (28 CHF) – Karte 47/87 CHF
In der Bergstation auf 2486 m Höhe trifft man sich auf klassisch-internatio-
nale Küche aus top Produkten - einschliesslich Kaviar und Trüffel. Man beachte
auch die Auswahl an Grossflaschen auf der Weinkarte! Wer doch lieber bei Rösti
oder Linseneintopf bleibt, isst in der offen angeschlossenen Brasserie etwas ein-
facher. Nebenan im Loungerestaurant "De Fät Moonk" können Sie sich auch eine
Zigarre genehmigen.

in Champfèr Süd-West: 3 km – Höhe 1 820 m – ✉ **7512**

🏨 **Giardino Mountain**   🍽 🏠 📺 ⊕ 🏋 ⊠ 🖐 ⌖ Zim, ♨ 🐾 Rest, 🛜 🛁
Via Maistra 3 – ℰ 081 836 63 00 – www.giardino-mountain.ch   🚗 **P**
– geschl. Anfang April - Mitte Juni, Anfang Oktober - Anfang Dezember
64 Zim � – ♦250/810 CHF ♦♦325/920 CHF – 14 Suiten – ½ P
Rest *Ecco on snow* ✿✿ – siehe Restaurantauswahl
Rest *Guardalej* – *(geschl. im Sommer: Mittwoch) (nur Abendessen)* (42 CHF)
Menü 52 CHF – Karte 68/92 CHF
Rest *Stüva* – *(geschl. im Sommer: Montag - Dienstag) (Tischbestellung ratsam)*
(42 CHF) Menü 56 CHF – Karte 72/102 CHF
Sicher kein Grandhotel, dafür ein angenehm ungezwungenes Ferienhotel, das
jung, stylish und gleichermassen wertig daherkommt - oder wie würden Sie das
trendige und dennoch wohnlich-warme Design nennen? Die holzgetäferte Stüva
ist da schon ein bisschen rustikaler, aber ebenso gemütlich und liebenswert!
Abends ist das Guardalej eine moderne Restaurant-Alternative, dazu die Bar mit
DJ oder Gitarrenmusik.

✗✗✗ **Ecco on snow** – Hotel Giardino Mountain   🐾 **P**
✿✿ *Via Maistra 3 – ℰ 081 836 63 00 – www.giardino-mountain.ch – geschl. Ende*
März - Mitte Dezember und Montag - Dienstag
Rest *– (nur Abendessen) (Tischbestellung ratsam)* Menü 142/208 CHF 🏠
Was macht Rolf Fliegauf während der Winterpause seiner sommerlichen Wirkungsstätte, dem "Ristorante Ecco" in Ascona? Er reist samt Küchenbrigade in dieses kleine, fast schon intime Restaurant und bereichert die St. Moritzer Gastronomie um so manche moderne Kreation. Doch ein Besuch hier wäre nicht das, was
er ist, ohne den ausgesprochen freundlichen, zuvorkommenden und gleichzeitig
angenehm zurückhaltenden Damenservice!
→ Schweinebauch, Bretonische Auster, Malz. Bündner Black Angus Rind, Topi-
nambur, Trüffel. "Cheesecake", Mandarine, Wacholder.

357

XXX **Talvo By Dalsass** 🛏 ⭕ **P**

🕸 *Via Gunels 15 – 𝒞 081 833 44 55 – www.talvo.ch – geschl. April - Mitte Juni, Oktober - November und Montag - Dienstagmittag; Mitte Juni - September: Montag - Dienstag; in der Hochsaison kein Ruhetag*
Rest – *(Tischbestellung ratsam)* (45 CHF) Menü 98 CHF (mittags)/220 CHF – Karte 136/211 CHF 🍷

Von modernem Schnickschnack hält Martin Dalsass nicht viel, stattdessen sind Geschmack, Kraft und Aroma der klassisch-mediterranen Speisen umso deutlicher - das fängt schon bei der hausgemachten Salami des Chefs an, die es zum Apero gibt! Und diese feine Küche hat einen besonders schönen Rahmen verdient: das behagliche warme Holz eines alten Bauernhauses von 1658.
➜ Trofie-Pasta, Bretonischer Hummer, Broccoli. Irisches Rindsfilet, Markbein, 30 jähriger Balsamicoessig. Eiskaffee "Talvo".

Am Stazersee

X **Lej da Staz** mit Zim 🐎 ≼ 🚗 🛏 🛜 ⭕

Via Dim Lej St. Moritz – 𝒞 081 833 60 50 – www.lejdastaz.ch – geschl. Mitte April - Mitte Juni, Mitte Oktober - Anfang Dezember
10 Zim 🛏 – †85/155 CHF ††170/310 CHF – ½ P
Rest – (25 CHF) Menü 78 CHF (abends) – Karte 76/100 CHF

Sie erreichen dieses verwunschene Fleckchen am Stazersee von St. Moritz-Dorf aus in ca. 35 Min. zu Fuss oder per Pferdekutsche, oder fragen Sie nach dem Haustaxi (für 5 CHF ab Hotel Waldhaus). Man kocht mit mediterranen Einflüssen, die Mittagskarte ist auf Wanderer ausgelegt. Auch in den Gästezimmern spürt man den rustikalen Charme des alten Holzhauses.

SANKT NIKLAUSEN – **Obwalden (OW)** – **551** O8 – **Höhe 839 m**   **4** F4
– ✉ **6066**
▶ Bern 110 – Luzern 24 – Altdorf 50 – Engelberg 34

X **Alpenblick** ≼ 🛏 🍴 **P**

😊 *Melchtalerstr. 40 – 𝒞 041 660 15 91 – www.restaurantalpenblick.ch – geschl. Juli - Anfang August 5 Wochen und Montag - Dienstag*
Rest – *(Tischbestellung ratsam)* (24 CHF) Menü 70/99 CHF – Karte 43/91 CHF

Das einsam gelegene Restaurant mit einfachem Gaststubenbereich und kleiner gediegener Stube bietet schmackhafte traditionelle Küche und Spezialitätenwochen. Die herrliche Sicht geniesst man am besten von der Terrasse.

SANKT PELAGIBERG – **Thurgau (TG)** – **551** U4 – **Höhe 570 m**   **5** H2
– ✉ **9225**
▶ Bern 202 – Sankt Gallen 14 – Bregenz 45 – Frauenfeld 43

XX **Sankt Pelagius** ≼ 🛏 🏧 **P**

Sankt Pelagibergstr. 17 – 𝒞 071 433 14 34 – www.pelagius.ch – geschl. Anfang Januar 3 Wochen, Ende Juli - Anfang August und Sonntagabend - Dienstag
Rest – *(Tischbestellung erforderlich)* (32 CHF) Menü 60 CHF (mittags)/135 CHF – Karte 56/118 CHF 🍷

Ruedi und Dragica Brander stecken viel Herzblut in ihr Restaurant und das merkt man auch: Das hochwertige Interieur ist nicht alltäglich und in der Küche setzt man auf Gemüse und Kräuter aus dem eigenen Garten! Schöne Terrasse und nettes kleines Raucherhüsli.

SAN PIETRO di STABIO – **Ticino** – **553** R14 – **vedere Stabio**

SANTA MARIA VAL MÜSTAIR – **Graubünden (GR)** – **553** AA10   **11** K4
– **1 552 Ew** – **Höhe 1 388 m** – ✉ **7536**
▶ Bern 337 – Scuol 63 – Chur 125 – Davos 69

🏠 **Crusch Alba** 🚗 🛗 🍴 🛜 **P**

Via Maistra 21 – 𝒞 081 858 51 06 – www.hotel-cruschalba.ch
13 Zim 🛏 – †85/170 CHF ††160/190 CHF   **Rest** – Karte 33/53 CHF

Der älteste Gasthof im Val Müstair ist originalgetreu restauriert. Viel Holz schafft hier Wohnlichkeit. Sehenswert: historische Aufenthaltsräume sowie die urige Küche von einst. In den behaglichen Gaststuben bietet man regionale Spezialitäten und auch Pizza.

in Valchava West: 1 km – Höhe 1 414 m – ⌧ 7535

🏨 **Central** 🦢 ⬅ 🚗 🛋 🐾 🛇 Zim, 🛜 📶 **P**
Bauorcha – 𝒞 081 858 51 61 – www.centralvalchava.ch – geschl. 7. - 24. April
18 Zim 🍽 – †115/120 CHF ††180/210 CHF – 2 Suiten – ½ P
Rest – (25 CHF) – Karte 43/70 CHF
Das frühere Engadiner Bauernhaus mit der auffallend bemalten Fassade ist ein Familienbetrieb mit recht modernen Zimmern im regionalen Stil. Heubäder und Massage. Das Restaurant mit heimeliger Stube bietet traditionelle und regionale Gerichte sowie Klassiker und leichte Küche. Im UG befindet sich eine Pizzeria.

SAN VITTORE – Grigioni (GR) – **553** S12 – 724 ab. – ⌧ 6534 San Vittore **10** H6
▶ Bern 258 – Chur 107 – Bellinzona 10 – Altdorf 113

🍴 **La Brasera** 🏠
via Cantonale – 𝒞 091 827 47 77 – www.ristorantelabrasera.ch
Rist – (35 CHF) Menu 40 CHF (pranzo in settimana)/110 CHF – Carta 67/124 CHF
In una piccola locanda nel centro della località, lo chef rende omaggio ai piatti tipici della regione; nella bella stagione il servizio si sposta all'aperto sotto i rampicanti di vite.

SARNEN 🄺 – Obwalden (OW) – **551** N8 – 9 969 Ew – Höhe 473 m – ⌧ 6060 **4** F4
▶ Bern 106 – Luzern 20 – Altdorf 44 – Brienz 34
🄸 Hofstr. 2, 𝒞 041 666 50 40, www.obwalden-tourismus.ch

🏨 **Krone** 🏠 🐾 🛗 🅰 🛜 📶 **P**
Brünigstr. 130 – 𝒞 041 666 09 09 – www.krone-sarnen.ch
59 Zim 🍽 – †165/281 CHF ††268/401 CHF – ½ P
Rest – (21 CHF) – Karte 43/69 CHF
Das Hotel im Ortszentrum beherbergt eine helle, freundliche Halle sowie recht individuelle Gästezimmer in geradlinigem neuzeitlichem Stil. Im Restaurant hat man gelungen modernes und traditionell-rustikales Ambiente kombiniert. Nett ist auch die Lounge.

in Wilen Süd-West: 3 km – Höhe 506 m – ⌧ 6062

🏨 **Seehotel Wilerbad** 🦢 ⬅ 🚗 🐾 🛀 🛗 🛇 Rest, 🛜 📶 **P**
Wilerbadstr. 6 – 𝒞 041 662 70 70 – www.wilerbad.ch
61 Zim 🍽 – †155/395 CHF ††280/420 CHF – ½ P
Rest – (25 CHF) Menü 36 CHF (mittags unter der Woche)/64 CHF
– Karte 48/86 CHF
Rest *Taptim Thai* – Karte 48/75 CHF
Ein funktionelles Tagungshotel in ruhiger Lage oberhalb des Sarnersees mit eigenem Strandbad. Gönnen Sie sich doch eine der Spa-Juniorsuiten oder ein Spa-Superiorzimmer und relaxen Sie im 1300 qm grossen Spa! Eine Terrasse mit See- und Bergblick ergänzt die Restaurants. Taptim Thai mit thailändischer Küche.

SATIGNY – Genève (GE) – **552** A11 – 3 764 h. – alt. 485 m – ⌧ 1242 **6** A6
▶ Bern 163 – Genève 11 – Bellegarde-sur-Valserine 33 – Divonne-les-Bains 23

à Peney-Dessus Sud : 3 km par route de Dardagny et voie privée – ⌧ 1242 Satigny

🍴🍴🍴🍴 **Domaine de Châteauvieux** (Philippe Chevrier) avec ch 🦢 ⬅ 🚗
🕸🕸 *Chemin de Châteauvieux 16 – 𝒞 022 753 15 11* 🏠 🄰🄲 ch, 🛜 ♿ **P**
– www.chateauvieux.ch – fermé Noël - Nouvel An 2 semaines, Pâques une semaine, fin juillet - début août 2 semaines, dimanche et lundi
13 ch – †240/350 CHF ††275/385 CHF – ½ P
Rest – *(réservation conseillée)* Menu 96 CHF (déjeuner en semaine)/290 CHF
– Carte 210/226 CHF 🍷
Hors des sentiers battus, au-dessus de la campagne genevoise et des vignes, cette grande maison de tradition, pleine d'âme et de cachet, cultive l'excellence ! Technicien autant qu'artiste, Philippe Chevrier emprunte des chemins originaux qui exhaussent... les saveurs les plus naturelles : on renoue ici avec l'essentiel. Et pour la nuit, les chambres sont délicieuses.
➔ Le bar de ligne cuit en croûte de sel. Le carré d'agneau du Limousin en cocotte lutée au foin. Les jambonnettes de grenouilles poêlées.

à Peney-Dessous Sud : 3 km – ⊠ 1242 Satigny

X **Le Café de Peney** 🛜 **P**
Route d'Aire-la-Ville 130 – ℰ 022 753 17 55 – www.cafedepeney.ch – fermé 23 décembre - 5 janvier
Rest – *(réservation conseillée)* (27 CHF) Menu 65/115 CHF – Carte 72/107 CHF
Un décor digne d'une carte postale ancienne : des persiennes vertes, de vieux objets, une terrasse sous la glycine... et, tout aussi intactes, les saveurs de beaux produits cuisinés avec finesse. Ce Café fait souvent salle comble !

SCHAFFHAUSEN Ⓚ – Schaffhausen (SH) – 551 Q3 – 35 121 Ew   4 G1
– Höhe 403 m – ⊠ 8200

▶ Bern 172 – Zürich 52 – Winterthur 29 – Villingen 56

🛈 Herrenacker 15 A2, ℰ 052 632 40 20, www.schaffhauserland.ch

🔟 Rheinblick, Lottstetten-Nack (Deutschland), Süd-West: 19 km,
ℰ (0049) 77 45 92 960

🔟 Obere Alp, Stühlingen (Deutschland), Nord-West: 20 km, ℰ (0049) 77 03 92 030

Lokale Veranstaltungen:
28. Mai-1. Juni: Internationales Bachfest

◉ Lage★ • Altstadt★ • Vordergasse★. Museum zu Allerheiligen★★ M¹ • Hallen für neue Kunst★ B2

Ⓖ Rheinfall★★

🏨 **Bahnhof** garni   🛗🛜🧖🚗 **P**
Bahnhofstr. 46 – ℰ 052 630 35 35 – www.hotelbahnhof.ch – geschl. 19. Dezember - 5. Januar   **A1e**
45 Zim ⊇ – ♦170/230 CHF ♦♦240/320 CHF – 3 Suiten
Seit über 100 Jahren werden in dem Haus direkt gegenüber dem Bahnhof schon Gäste beherbergt und nun, nach abgeschlossener Renovierung, ist es noch schöner angesichts der wohnlichen und modernen Zimmer. Auch für Tagungen eine geeignete Adresse.

🏨 **Kronenhof** ❶   🛜🏠🖥️🛗 Rest, 🍽🛜🧖
🔗 *Kirchhofplatz 7 – ℰ 052 635 75 75 – www.kronenhof.ch – geschl. 23. Dezember - 3 Januar*   **B2k**
41 Zim ⊇ – ♦150/200 CHF ♦♦175/220 CHF – 3 Suiten – ½ P
Rest *Kronenstube* – (18 CHF) – Karte 39/77 CHF
Rest *OX Steakhouse* – *(geschl. Sonntag - Montag) (nur Abendessen)* (32 CHF) – Karte 41/75 CHF
In dem traditionellen Haus in der Altstadt weht nach der Übernahme durch Familie Pirnstill-Marchesi ein frischer Wind: Neben modernisierten Zimmern hat man den attraktiven kleinen "City Wellness"-Bereich. Und gastronomisch? Da gibt es mittags im gesamten Restaurant regionale Küche, am Abend wird ein Teil davon zum OX Steakhouse.

🏨 **Promenade**   🛜🖥️📞🧖🚗 **P**
Fäsenstaubstr. 43 – ℰ 052 630 77 77 – www.promenade-schaffhausen.ch – geschl. 22. Dezember - 10. Januar   **A2b**
39 Zim ⊇ – ♦140/175 CHF ♦♦215/265 CHF – ½ P
Rest – (25 CHF) Menü 26/49 CHF – Karte 31/79 CHF
Etwas ausserhalb der Stadt und dennoch nur wenige Gehminuten vom Zentrum steht die schmucke alte Villa, die schon seit rund 30 Jahren als Hotel geführt wird. Die Zimmer sind funktionell und technisch recht gut ausgestattet, das Restaurant ist bürgerlich.

🏨 **Die Fischerzunft**   ⇐🍽🛜
Rheinquai 8 – ℰ 052 632 05 05 – www.fischerzunft.ch   **B2a**
10 Zim – ♦210/260 CHF ♦♦295/360 CHF, ⊇ 25 CHF
Rest *Die Fischerzunft* ❀ **Rest** *Vinopium* ◉ – siehe Restaurantauswahl
Nicht nur die hervorragende Fischerzunft-Küche ist ein Grund für einen Besuch hier: Übernachten Sie doch mal in einem der wirklich geschmackvollen und wohnlichen Zimmer! Von einigen schaut man zum Rhein. Nicht verpassen sollte man das ausgezeichnete Frühstück!

Die einzigartige Sammlung italienischer Meisterweine.

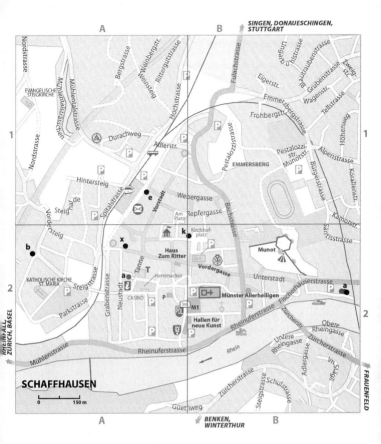

SINGEN, DONAUESCHINGEN, STUTTGART

SCHAFFHAUSEN

0 — 150 m

BENKEN, WINTERTHUR

FRAUENFELD

RHEINFALL, ZÜRICH, BASEL

🏠 **Rüden** garni   🛎 🍴 🛜 🚗

Oberstadt 20 – ☎ 052 632 36 36 – www.rueden.ch – geschl. 20. Dezember - 3. Januar

A2**x**

30 Zim ☂ – ♦100/190 CHF ♦♦150/250 CHF

Man investiert hier immer wieder und hält das Hotel gut in Schuss, so hat man das schöne historische Zunfthaus ansprechend modern eingerichtet (chic ist z. B. der Lounge- und Frühstücksbereich geworden!), bewahrt aber bewusst sehenswerte Details wie die alte Treppe unter hohen Decken oder Holzbalken und Mauerwerk in den Zimmern.

✕✕✕ **Die Fischerzunft** (André Jaeger) – Hotel Die Fischerzunft   ⇇ 🛜

❀ *Rheinquai 8 – ☎ 052 632 05 05 – www.fischerzunft.ch – geschl. 26. Januar - 19. Februar und Montag - Dienstag*

B2**a**

Rest – (29 CHF) Menü 125/285 CHF – Karte 129/185 CHF ❀

Seit 1975 ist der Gross- und Altmeister der Fusion aus asiatischer und französischmediterraner Küche nun in seiner Fischerzunft aktiv und ist seinem ganz persönlichen Stil stets treu geblieben. André Jaeger lebt seine Küche und wird dabei trefflich von seiner Frau Jana Zwesper unterstützt - immer wieder ein Erlebnis, zu dem auch noch der tolle Rheinblick kommt.

➜ Bento Box. Steinbutt in der Salzkruste. Ganze Ente am Tisch tranchiert und in zwei Gängen serviert.

361

☆☆ **Wirtschaft zum Frieden**   🎁 🏵

*Herrenacker 11 – ℰ 052 625 47 67 – www.wirtschaft-frieden.ch – geschl. Ende
Dezember - Anfang Januar 2 Wochen, über Ostern 1 Woche, Anfang Oktober 2
Wochen und Sonntag - Montag*   A2**a**
Rest – (25 CHF) – Karte 58/104 CHF
Während seiner bis ins 15. Jh. zurückreichenden Geschichte hatte das Gasthaus
aufgrund eines Nachbarschaftsstreits auch mal den Namen "Wirtschaft zum
Streit". Heute ist davon rein gar nichts mehr zu spüren - wie auch bei der ambi-
tionierten klassischen Küche von Fabrice Bischoff. Machen Sie es wie die vielen
Stammgäste und bestellen Sie mal Bäggli und Milken vom Kalb!

☆ **Sommerlust** ⓝ   🎁 ⅄ 🏵 ✿ **P**

*Rheinhaldenstr. 8, über Rheinuferstrasse B2 – ℰ 052 630 00 60
– www.sommerlust.ch*
Rest – (30 CHF) Menü 39 CHF (mittags unter der Woche) – Karte 53/95 CHF
Unter der Leitung von Manuela und Dominik Lehnen serviert man Ihnen in der
hübschen Villa am Rhein frische internationale Küche. Fast so schön wie im Freien
sitzt man im luftig-lichten Wintergarten, den man im Sommer zum reizvollen Garten hin öffnet - hier lässt es sich auch gut feiern.

☆ **Vinopium** – Hotel Die Fischerzunft   ← 🎁
😊 *Rheinquai 8 – ℰ 052 632 05 05 – www.vinopium.ch – geschl. 26. Januar
- 19. Februar und Montag - Dienstag*   B2**a**
Rest – (29 CHF) – Karte 52/76 CHF 🍴
Das Zweitrestaurant von André Jaeger ist mit seinem Bistro-Lounge-Charakter
schön unkompliziert und sehr beliebt. Auch hier finden sich Gerichte mit asiatischer Finesse, z. B. "Orkney-Lachs in Thaivinaigrette", im Kontrast dazu aber
auch "Kalbshackbraten in Schmorsauce"!

in Herblingen Nord-Ost: 3 km über Tulachstrasse B1 – Höhe 404 m
– ✉ 8207 Schaffhausen

🏠 **Hohberg**   🎁 �(🛏 🏵 🕻 🦮 **P**

😊 *Schweizersbildstr. 20 – ℰ 052 643 42 50 – www.hotel-hohberg.ch*
34 Zim 🖃 – ♦115/175 CHF ♦♦160/200 CHF – 1 Suite
Rest – (18 CHF) Menü 39 CHF (mittags unter der Woche) – Karte 39/98 CHF
Die Lage im Gewerbegebiet ist verkehrsgünstig (das Zentrum von Schaffhausen
ist gut erreichbar), dennoch hat man den Wald direkt vor der Tür. Neben zeitgemässen Zimmern, die schön hell eingerichtet sind, gehört zu dem Familienbetrieb
auch ein Restaurant mit traditioneller Küche und eine Pizzeria mit Holzofen. Und
noch etwas für Pferdefreunde: Es gibt hier auch eine Reithalle.

in Neuhausen am Rheinfall Süd-West: 2 km über Mühlenstrasse A2, Richtung
Rheinfall – Höhe 397 m – ✉ 8212

☆☆ **Schlössli Wörth**   ← 🎁 🄺 ✿ **P**

*Rheinfallquai, (Am Rheinfall) – ℰ 052 672 24 21 – www.schloessliwoerth.ch
– geschl. 22. Januar - 9. Februar; September - März: Mittwoch*
Rest – (Tischbestellung ratsam)(39 CHF) Menü 49 CHF (mittags)/97 CHF – Karte 47/82 CHF
Viel spektakulärer kann ein Restaurant nicht liegen, denn die ehemalige Zollstation
findet sich direkt gegenüber dem grössten Wasserfall Europas! An diesem einzig-
artigen Ort empfängt Sie Daniel Ciapponi als überaus engagierter Gastgeber, der
Ihnen die international-regionalen Speisen seines Küchenteams serviert.

S-CHANF – Graubünden (GR) – **553** Y10 – **747** Ew – Höhe 1 667 m – ✉ 7525   **11** J4
▶ Bern 318 – Chur 104 – Triesen 110 – Triesenberg 114

🏠 **Villa Flor** ⓝ garni   🎁 🏵 🛜 **P**

Somvih 19 – ℰ 081 851 22 30 – www.villaflor.ch
7 Zim 🖃 – ♦220/410 CHF ♦♦220/410 CHF
Die Gäste mögen die persönliche Gästebetreuung durch die Chefin ebenso wie
das attraktive Interieur der 1904 erbauten Villa. Vom Flur über den Salon und die
Bibliothek bis in die Gästezimmer mischt sich auf überaus stilvolle Art und Weise
Historisches (Jugendstildekor, Holztäferung, Kachelofen...) mit dezenten modernen Details und wechselnder Kunst. Unter all dem schönen Alten setzen die schicken geradlinig-zeitgemässen und meist offenen Bäder sehenswerte Akzente.

▶ Bern 55 – Langnau im Emmental 26 – Luzern 59 – Thun 29

in Kemmeriboden-Bad Süd-Ost: 8 km – Höhe 979 m – ⊠ 6197 Schangnau

🏨 **Kemmeriboden-Bad**   ⚓ ≼ 🚑 ⛺ 🏠 🕻 💺 🛜 🗲 **P**
Kemmeriboden – ℰ 034 493 77 77 – www.kemmeriboden.ch – geschl. Dezember
3 Wochen, April 1 Woche
27 Zim ⬛ – ♦109/215 CHF ♦♦218/266 CHF – 3 Suiten – ½ P
Rest – *(geschl. Sonntagabend, November - April : Sonntagabend - Montag)*
(24 CHF) Menü 18 CHF (mittags)/75 CHF – Karte 39/80 CHF
Wunderschön und herrlich ruhig liegt der historische Gasthof mit der schmucken
Holzfassade am Ende des Tales. Die Zimmer sind recht unterschiedlich, im Winter
kann man auch im Iglu übernachten. Gemütlich-rustikales Restaurant und grosse
Terrasse mit Baumbestand.

▶ Bern 26 – Biel 20 – Burgdorf 31 – Neuchâtel 49

XX **Sonne** (Kurt Mösching)   ⛺ ⟲ **P**
🕾 *Scheunenberg 70 – ℰ 032 389 15 45 – www.sonne-scheunenberg.ch – geschl.*
🕸 *Anfang Januar 1 Woche, Ende Februar 1 Woche, Anfang August 2 Wochen und*
Montag - Dienstag
Rest – *(Tischbestellung ratsam)* (20 CHF) Menü 69 CHF (mittags)/155 CHF
– Karte 129/145 CHF🍴
Rest *Bistro*🍴 – siehe Restaurantauswahl
Das schöne stilvolle Ambiente hat man in dem ehemaligen Bauernhaus gleich in
mehreren Stüblis - nicht weniger charmant ist die lauschige Terrasse! Und auch
Chefin Iris Mösching, gebürtige Dänin, sorgt im Restaurant für angenehme Atmo-
sphäre, während ihr Mann Kurt kocht: eine sehr gute Kombination von Regiona-
lem, Klassischem und Modernem!
➜ Scampi auf Gemüsestreifen mit Glasnudeln, Mangochutney und Jai Pur Curry
Sauce. Schweizer Rehrücken auf Cima di Rappa, Eierschwämmchen, Portweinjus
und Krapfen. Pilz-Agnolotti mit grünem Gemüse & frischen Pilzen.

X **Bistro** – Restaurant Sonne   ⛺ **P**
🕾 *Scheunenberg 70 – ℰ 032 389 15 45 – www.sonne-scheunenberg.ch – geschl.*
🍴 *Anfang Januar 1 Woche, Ende Februar 1 Woche, Anfang August 2 Wochen und*
Montag - Dienstag
Rest – (20 CHF) – Karte 59/86 CHF🍴
"Kalbsragout an Weissweinsauce mit Quarkspätzli", "Limonenravioli mit Seeländer
Gemüse und Bergkäse"... So oder so ähnlich macht die gemütlich-rustikale Gast-
stube des Restaurants Sonne seinen Gästen Appetit!

▶ Bern 158 – Schwyz 24 – Zug 31 – Zürich 33

🏨 **Ramada**   ⛺ 🕻 💺 Zim, 🛜 🗲 🚗 **P**
Chaltenbodenstr. 16 – ℰ 044 788 99 99 – www.fuegosteakhouse.ch
82 Zim ⬛ – ♦155/210 CHF ♦♦170/240 CHF
Rest – (21 CHF) Menü 80/90 CHF (abends) – Karte 34/132 CHF
Praktisch ist die Lage im Industriegebiet, chic das klare, moderne Design in erdi-
gen Tönen. Mit im Haus: "Sihlpark Wellness" auf 1500 qm mit Sauna- und Fitness-
bereich. Im Restaurant Fuego liegt der Schwerpunkt auf Grillgerichten aus der
Showküche.

SCHLATTINGEN – Thurgau (TG) – **551** R3 – **Höhe 427 m** – ✉ **8255**   4 G2

▶ Bern 170 – Zürich 51 – Frauenfeld 20 – Schaffhausen 14

✕ **Frieden "Ban Thai"**   🖼 **P**
Hauptstr. 10 – ✆ 052 657 33 52 – www.ban-thai.ch – geschl. Ende Juli - Anfang August, Ende Dezember - Anfang Januar und Sonntag
Rest – *(nur Abendessen)* Karte 41/64 CHF
In einem alten Gasthof in der Ortsmitte befindet sich das freundliche Restaurant mit familiärer Atmosphäre und authentisch zubereiteter thailändischer Küche.

SCHÖFTLAND – Aargau (AG) – **551** M5 – **3 808 Ew** – ✉ **5040**   3 E3

▶ Bern 81 – Aarau 12 – Liestal 49 – Luzern 40

✕✕ **Schlossgarten-Gourmet**   🖼 ❖ **P**
Dorfstr. 3 – ✆ 062 721 52 57 – www.schlossgarten-schoeftland.ch – geschl. Sonntagabend - Montag
Rest – (36 CHF) Menü 59 CHF (mittags unter der Woche)/155 CHF ❀
Rest A la Carte – (23 CHF) – Karte 49/96 CHF
Schön sitzt man hinter einer breiten Fensterfront in modern-elegantem Ambiente. Geboten wird eine zeitgemässe internationale Küche. Im A la Carte ist das Speisenangebot regional ausgerichtet.

SCHÖNBÜHL – Bern (BE) – **551** J7 – **Höhe 526 m** – ✉ **3322**   2 D4

▶ Bern 18 – Biel 36 – Burgdorf 15 – Neuchâtel 64

✕✕ **Schönbühl** mit Zim   Zim, ❖ **P**
Alte Bernstr. 11 – ✆ 031 859 69 69 – www.gasthof-schoenbuehl.ch – geschl. über Weihnachten und Mittwoch
11 Zim – ♦119/140 CHF ♦♦195/210 CHF – ½ P
Rest – *(Tischbestellung ratsam)* (25 CHF) Menü 28 CHF (mittags unter der Woche)/75 CHF – Karte 40/64 CHF ❀
Traditionell speist man in den charmanten Stuben dieses seit Generationen von Familie Gerber-Fuhrer geleiteten Gasthofs von 1846. Schöne Bordeaux-Auswahl. Terrasse unter Platanen. Für Übernachtungsgäste stehen zeitgemässe Zimmer bereit.

SCHÖNENWERD – Solothurn (SO) – **551** M5 – **4 798 Ew** – **Höhe 379 m**   3 E3
– ✉ **5012**

▶ Bern 77 – Aarau 5 – Baden 31 – Basel 59

◎ Schuhmuseum★★

🏨 **Storchen**   🖼 Rest, ❖ Zim, **P**
Oltnerstr. 16 – ✆ 062 858 47 47 – www.hotelstorchen.ch – geschl. 20. Dezember - 10. Januar
49 Zim – ♦132/166 CHF ♦♦185/235 CHF – 1 Suite – ½ P
Rest A la Carte – *(geschl. Sonntag)* (22 CHF) Menü 75/82 CHF – Karte 42/99 CHF
Rest Giardino – (22 CHF) – Karte 46/94 CHF
Ein funktionelles Geschäftshotel in der Ortsmitte mit guten Tagungsmöglichkeiten. Die modernsten Zimmer sind die in der 3. Etage! Das Restaurant A la Carte wird durch das legere Bistro Giardino ergänzt - die Terrasse ist für beide Bereiche.

SCHÖNRIED – Bern – **551** I10 – siehe Gstaad

SCHWARZSEE – Fribourg (FR) – **552** I9 – **alt. 1 050 m** – ✉ **1716**   7 D5

▶ Bern 54 – Fribourg 27 – Lausanne 107 – Sion 158

🏨 **Hostellerie am Schwarzsee**
Seestr. 10 – ✆ 026 412 74 74 – www.hostellerieamschwarzsee.ch
40 ch – ♦110/140 CHF ♦♦175/240 CHF – 10 suites – ½ P
Rest – Menu 49 CHF – Carte 41/90 CHF
À 1 040 m d'altitude, ce grand chalet borde le lac Noir et offre une vue imprenable sur les Préalpes. Les chambres, avec balcon, sont habillées de pin et de couleurs acidulées. La grande terrasse tout comme l'espace détente (sauna, piscine, etc.) regardent les montagnes. Nature et air pur...

SCHWENDE – Appenzell Innerrhoden – **551** U5 – siehe Appenzell

▶ Bern 150 – Luzern 47 – Altdorf 19 – Einsiedeln 27

🔹 Bahnhofstr. 4 A2, ☎ 041 810 19 91, www.info-schwyz.ch

◉ Lage★ • Kanzel★ der Pfarrkirche Sankt MartinB1_2

🔘 Rigi-Scheidegg★★, Nord-West: 12 km über BahnhofstrasseA1 und 🚠 • Strasse zum Ibergeregg-Pass★, Ost: 11 km über RickenbachstrasseB1 • Höllochgrotte★, Süd-Ost: 16 km über GrundstrasseB2

🏨	**Wysses Rössli**	🛎️ 🖧 ♿ ⌀ 🛜 🖥 🚗

Am Hauptplatz 3
– ☎ *041 811 19 22 – www.wrsz.ch*
– *geschl. 26. Dezember - 4. Januar*   B2**c**
27 Zim 🛏️ – †120/190 CHF ††200/270 CHF – ½ P
Rest – (25 CHF) Menü 45 CHF (mittags unter der Woche)/120 CHF
– Karte 43/86 CHF
Mitten im Ort steht das Stadthaus mit der klassischen Fassade, in dem zeitlos eingerichtete Gästezimmer und einige Biedermeierzimmer bereitstehen. In gemütlichen Stuben bietet man internationale und regionale Gerichte. Hübsch ist die historische Täferstube.

✗	**Schwyzer-Stubli**	🖧 ✿

Riedstr. 3 – ☎ 041 811 10 66
– *www.schwyzer-stubli.ch*
– *geschl. Januar 1 Woche, Juli - August 3 Wochen, Ende Dezember 1 Woche und Samstagmittag, Sonntag - Montag*   B1**a**
Rest – (24 CHF) Menü 56 CHF (mittags)/95 CHF – Karte 42/92 CHF
Ein behagliches Gasthaus mit sehenswerter Täferung. Neben einer elegantmodernen Raucherlounge verfügt man auch über eine ruhig gelegene berankte Terrasse.

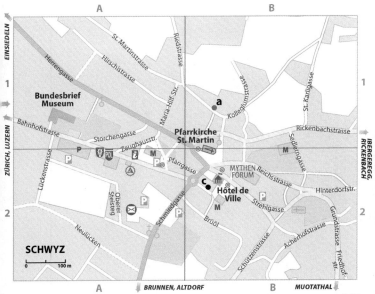

Nord-West 5,5 km über Herrengasse A1, Richtung Einsiedeln – ⊠ 6422 Steinen

※※ **Adelboden** (Franz Wiget) ⩽ 🕭 **P**
🏵 🏵 *Schlagstrasse – ☎ 041 832 12 42 – www.wiget-adelboden.ch – geschl. 22. Dezember - 3. Januar, 16. Februar - 14. März, 14. Juli - 8. August und Sonntag - Montag*
Rest – *(Tischbestellung ratsam)* Menü 85/185 CHF – Karte 124/157 CHF ❀
Sie suchen nach grosser klassischer Küche? Dann kommen Sie am Haus von Ruth und Franz Wiget nicht vorbei! Der Patron ist Koch mit Leib und Seele und bringt nur Erstklassiges auf den Teller - viel Geschmack und ehrliches Handwerk. Seine Frau leitet ein charmantes Damenteam, das in den gemütlich getäferten Stuben ebenso aufmerksam ist wie auf der traumhaften Terrasse.
➜ Bretonischer Steinbutt mit Artischocken, Oliven, Zitronen und Kalbskopf. Rücken vom jungen Ybriger Berglamm mit Gewürzjus, Navets und unserem "Gummelistunggi". Conference Birne „Helene" mit Vanilleglace, Nuss-Croquant und heisser Schokolade.

SCUOL SCHULS – **Graubünden (GR)** – 553 Z9 – **2 353 Ew**   11 K4
– **Höhe** 1 244 m – **Wintersport : 1 250/2 783 m** 🚡2 🚠5 🎿 – **Kurort** – ⊠ 7550
▶ Bern 317 – Chur 106 – Davos 49 – Landeck 59
🚊 Staziun Scuol-Tarasp B1, ☎ 081 861 88 00, www.engadin.com
🚡 Vulpera, ☎ 081 864 96 88
Lokale Veranstaltungen:
1. März: Chalandamarz
◉ Lage★

🏠 **Belvédère** ⩽ 🚗 🕭 🏊 ℱ♨ 🖢 ⇟ Zim, ✚ ⅏ Rest, 🛜 🚴 🚖
Stradun 330 – ☎ 081 861 06 06 – www.belvedere-scuol.ch   B1**z**
69 Zim ⊑ – ♦150/360 CHF ♦♦300/720 CHF – 12 Suiten – ½ P
Rest – Menü 40 CHF (mittags)/117 CHF – Karte 62/94 CHF
Schon der interessante Architektur-Mix spricht einen an: ein traditionsreiches Haus von 1876, daneben der moderne Südflügel Ala Nova sowie der Neubau Chasa Nova (hier schicke Suiten). Zum Engadin Bad Scuol (erreichbar durch die Passarelle) haben Sie freien Zutritt, Anwendungen und Sauna gibt es aber auch direkt im Hotel. Sie essen gerne draussen? Eine der beiden Terrassen liegt schön nach hinten, mit Bergblick. Familien nutzen gerne die Paket-Angebote im Haus.

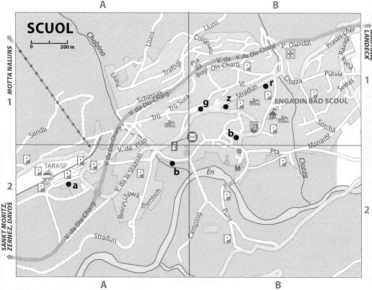

🏠🏠 Guarda Val   ⟨ 🚗 🏠 🕯 ⚒ 🚗 **P**

Vi 383 – 𝒞 081 861 09 09 – www.guardaval-scuol.ch – geschl. 21. April - 28. Mai
36 Zim 🖃 – **♦**155/250 CHF **♦♦**230/420 CHF – ½ P   B1**g**
Rest *Guarda Val* – siehe Restaurantauswahl
Für alle, die Trubel lieber meiden: Gruppen werden Ihnen keine begegnen, Kinder auch nur hier und da. Dafür ein wirklich schönes Ambiente aus warmem Holz und klaren Linien, aus Tradition und Moderne. Versäumen Sie es nicht, von der wunderbaren Terrasse der Cheminée-Bar den Blick schweifen zu lassen! Praktisch: durch den Verbindungsgang zu den Partnerhotels Belvédère und Belvair sowie zum Engadin Bad Scuol.

🏠🏠 Altana   ⟨ 🚗 🏠 📱 ⚒ 🤶 🚗 **P**
⊜

Via Staziun 496 – 𝒞 081 861 11 11 – www.altana.ch – geschl. 23. März - 30. Mai,
19. Oktober - 20. Dezember   A2**a**
24 Zim 🖃 – **♦**120/154 CHF **♦♦**180/328 CHF – ½ P
Rest – (18 CHF) – Karte 46/80 CHF
Nur einen Steinwurf von der Seilbahn entfernt wohnt man bei engagierten Gastgebern. In den Zimmern massive Erlenholzmöbel, die mit Öl und Wachs natürlich behandelt sind; die nach Süden mit Balkon. Von der Sonnenterrasse des Restaurants schaut man auf Tal und Berge.

🏠 Engiadina   🌿 🍽 Rest. 🤶 🚗 **P**

Rablüzza 152 – 𝒞 081 864 14 21 – www.hotel-engiadina.ch – geschl. 21. April
- 30. Mai, 2. November - 18. Dezember   B1**b**
14 Zim 🖃 – **♦**135/180 CHF **♦♦**184/314 CHF – 2 Suiten – ½ P
Rest – *(geschl. Sonntag - Montag)* (36 CHF) Menü 41 CHF (abends)/54 CHF
– Karte 37/86 CHF
In den alten Engadiner Haus in einer beschaulichen Seitenstrasse betreut Familie Barbüda-Giston wohltuend persönlich ihre Gäste. Kleines Highlight: die Dachgeschoss-Suite mit offenem Holzgiebel im Chasa Ladina. Auch in den Restaurantstuben sorgt reichlich Holz für heimelige Atmosphäre. Regionale Küche.

🏠 Belvair   ⟨ 🏠 📱 ⚒ 🍽 Rest. 🚗

Stradun 169 – 𝒞 081 861 25 00 – www.belvair.ch – geschl. 24. März - 6. Juni
33 Zim 🖃 – **♦**170 CHF **♦♦**240 CHF – ½ P   B1**r**
Rest – (22 CHF) Menü 34/69 CHF – Karte 36/74 CHF
Rest *Nam Thai* – 𝒞 081 864 81 43 *(geschl. Dienstag) (im Sommer nur*
Abendessen) Karte 55/78 CHF
Das Ferienhotel befindet sich neben dem Engadin Bad Scuol, zu dem die Hausgäste einen direkten und kostenfreien Zugang haben. Helle, freundliche Südzimmer mit Balkon. Restaurant mit regionalem und internationalem Angebot. Nam Thai in der angeschlossenen Therme.

🏠 Filli ❶   ⟨ 🚗 🏠 🤶 **P**
⊜

Chantröven 107 – 𝒞 081 864 99 27 – www.filli-scuol.ch – geschl. Anfang April
- Mitte Mai, Ende Oktober - Mitte Dezember   A2**b**
21 Zim 🖃 – **♦**110/190 CHF **♦♦**200/340 CHF – ½ P
Rest – (19 CHF) – Karte 46/87 CHF
Hier schläft man in soliden und gepflegten Zimmern (im Engadiner Stil oder auch moderner) und lässt sich in zeitgemäss-geradlinigem Ambiente bürgerliche Schweizer Küche servieren - und wer beim Essen gerne eine schöne Aussicht hat, nimmt am besten auf der Terrasse Platz.

✕✕ Guarda Val – Hotel Guarda Val   ⟨ **P**

Vi 383 – 𝒞 081 861 09 09 – www.guardaval-scuol.ch – geschl. 21. April - 28. Mai
und ausser Saison: Sonntag - Montag   B1**g**
Rest – *(nur Abendessen) (Tischbestellung erforderlich)* Menü 69/99 CHF
Das auf verschiedenen Ebenen angelegte Restaurant besticht durch eine moderne Interpretation alpenländischen Stils. Und die Küche? Die bietet ein Auswahlmenü mit regionalen und internationalen Gerichten - frisch und gut.

Die rote Kennzeichnung weist auf besonders angenehme Häuser hin 🏠 ✕✕.

in Vulpera Süd-West: 3 km über Via da Dis-Charg A2 – Höhe 1 268 m – ⊠ 7552

🔛 **Villa Post** 🦢 ≼ 🕅 ⌂ 🏢 & Zim, 🎢 Zim, 🛜 🔊 **P**
– 𝒞 081 864 11 12 – www.villa-post.ch – geschl. Mitte April - Mitte Mai und Ende
Oktober - Mitte Dezember
25 Zim ⌓ – ♦100/270 CHF ♦♦200/400 CHF – ½ P
Rest *Palatin* – (nur Abendessen) Menü 50 CHF – Karte 42/72 CHF
Ein mit schönen antiken Einzelstücken dekoriertes Hotel am Kurpark. Rustikale
Zimmer, teils gemütlich mit Dachschräge oder auch mit Blick auf die Wildfutter-
krippe. Im Palatin, einer geschmackvollen Arvenstube, bietet man eine kleine
regionale und internationale Karte - hier sitzen übrigens auch die Hotelgäste
beim täglich wechselnden HP-Menü. Panoramaterrasse.

in Tarasp Süd-West: 6 km über Via da Dis-Charg A2 – Höhe 1 414 m
– Wintersport : 1 400/1 700 m ⚡2 ⚡ – ⊠ 7553

◉ Schloss Tarasp ★

🔛 **Schlosshotel Chastè** 🦢 ≼ 🚃 🕅 🛜 🚗 **P**
Sparsels – 𝒞 081 861 30 60 – www.schlosshoteltarasp.ch – geschl. Ende
März - Ende Mai, Mitte Oktober - Mitte Dezember
16 Zim ⌓ – ♦170/180 CHF ♦♦290/360 CHF – 2 Suiten – ½ P
Rest *Restaurant Chastè* – siehe Restaurantauswahl
An vielen kleinen Annehmlichkeiten und dem persönlichen Bemühen um den
Gast spürt man das Traditionbewusstsein der Familie - 21 Generationen sind es
bereits! Mit all dem heimeligen Arvenholz strotzt das Haus nur so vor Behaglich-
keit und spiegelt den Charme des idyllischen kleinen Bergdorfs wider.

🍴🍴 **Restaurant Chastè** – Schlosshotel Chastè ≼ ⌂ 🎢 **P**
Sparsels – 𝒞 081 861 30 60 – www.schlosshoteltarasp.ch – geschl. Ende
März - Ende Mai, Mitte Oktober - Mitte Dezember und Montag - Dienstag
Rest – (40 CHF) Menü 105/140 CHF – Karte 69/112 CHF ∰
Schönes warmes Holz an Decke, Wänden und Boden... gemütlicher kann man es
beim Essen kaum haben! Dazu noch gepflegte Tischkultur und aufmerksamer Ser-
vice im Dirndl sowie die klassische Küche von Rudolf Pazeller - das ergibt ein
stimmiges Bild!

SEDRUN – Graubünden (GR) – **553** Q9 – **1 693 Ew** – Höhe 1 441 m   **9** G5
– Wintersport : 1 450/2 215 m ⚡9 ⚡ – ⊠ 7188
▣ Bern 169 – Andermatt 23 – Altdorf 57 – Bellinzona 105
▣ Sedrun - Andermatt, Information 𝒞 027 927 77 40
❶ Via Alpsu 62, 𝒞 081 920 40 30, www.disentis-sedrun.ch
▣ Richtung Andermatt: 6 km, 𝒞 081 949 23 24

🏠 **La Cruna** 🕅 🏢 🛜 🔊 **P**
Via Alpsu 65 – 𝒞 081 920 40 40 – www.hotelcruna.ch – geschl. 30. März - 9. Mai,
26. Oktober - 7. Dezember
24 Zim ⌓ – ♦90/125 CHF ♦♦140/230 CHF – 3 Suiten – ½ P
Rest *Tavetscher-Gaststube* – siehe Restaurantauswahl
In dem traditionsreichen Gasthaus sorgt Familie Russi dafür, dass man freundlich
betreut wird und behaglich wohnt. Wer es besonders komfortabel mag, bucht die
Suite "Raffael" oder eine der beiden schicken modern-alpenländischen Juniorsui-
ten "Cavradi" oder "Badus" im Dachgeschoss. Sind Ihnen übrigens die bemalten
Gamsgeweihe aufgefallen? Hier hat die Chefin ihre kreative Ader gezeigt!

🏠 **Soliva** ≼ ⌂ 🕅 🏢 🎢 🛜 **P** 🚭
Via Alpsu 83 – 𝒞 081 949 11 14 – www.hotelsoliva.ch – geschl. 1. - 16. Juni, 1.
- 16. Dezember
18 Zim ⌓ – ♦80/90 CHF ♦♦160/180 CHF – ½ P
Rest – (geschl. ausser Saison Montag) (15 CHF) Menü 26 CHF (abends)
– Karte 29/64 CHF
Besonders Familien fühlen sich in dem schönen Bündnerhaus mitten im Dorf wohl
- ideal sind da die vier Maisonetten! Die persönliche Atmosphäre kommt gut an,
ebenso die gepflegte regionstypische Einrichtung, die auch in der rustikalen Gaststube für Behaglichkeit sorgt - für Raucher hat man hier auch einen Bereich.

ХХ **Tavetscher-Gaststube** – Hotel La Cruna 🛖 🕸 ⇔
*Via Alpsu 65 – ☎ 081 920 40 40 – www.hotelcruna.ch – geschl. 30. März - 9. Mai,
26. Oktober - 7. Dezember; Mai - Juni sowie September - Oktober: Montag*
Rest – (21 CHF) – Karte 39/90 CHF
So richtig gemütlich ist es in den Stuben hier, ganz besonders in der ursprünglich
aus dem Jahre 1796 stammenden original Bündnerstube! Es gibt traditionell-
regionale Küche mit internationalem Einfluss - ein beliebter Klassiker des Hauses
ist das "Cordon bleu vom Schwein mit Coppa, Brie und Oregano". Man beachte
die tolle Grappa-Auswahl!

SEEBACH – Zürich – **551** P4 – siehe Zürich

SEEDORF – Bern (BE) – **551** I7 – **2 971 Ew** – Höhe 565 m – ⊠ 3267   2 D4
▶ Bern 18 – Biel 21 – Fribourg 48 – Neuchâtel 39

in Baggwil Süd-Ost: 0,5 km – Höhe 605 m – ⊠ 3267 Seedorf

Х **Curtovino** 🛖 🕸 **P**
🍝 *Bernstr. 104 – ☎ 032 392 55 32 – www.curtovino.ch – geschl. Samstagmittag,
Sonntag - Montag*
Rest – (18 CHF) Menü 73/99 CHF – Karte 57/87 CHF 🍴
Hier bietet man internationale Küche sowie einen Weinkeller mit Bordelais-Trou-
vaillen und Weinwochen. Dekorativ sind die farbenfrohen Bilder des Chefs.
Texas-Lounge mit Grill.

SEMENTINA – Ticino (TI) – **553** S12 – **3 111 ab.** – alt. 225 m – ⊠ 6514   10 H6
▶ Bern 221 – Locarno 17 – Bellinzona 3 – Lugano 29

🏠 **Fattoria L'Amorosa** 🦐 ⪕ 🛖 **AK** cam, 🤶 **P**
*via Moyar 11, Sud-Ovest : 2,5 km direzione Gudo – ☎ 091 840 29 50
– www.amorosa.ch*
10 cam ⊊ – †80/160 CHF ††125/280 CHF
Rist – *(chiuso novembre - febbraio : domenica sera e lunedì)* Menu 46 CHF
Al confine tra Sementina e Gudo, tra dolci colline terrazzate a vigneti, suite ed
ampie camere per famiglie in due strutture attigue: ambienti di gusto rustico-medi-
terraneo. Sala degustazione-osteria dove assaporare una schietta cucina locale.

SEMPACH – Luzern (LU) – **551** N6 – **4 094 Ew** – Höhe 515 m – ⊠ 6204   4 F3
▶ Bern 98 – Luzern 19 – Aarau 51 – Zug 40

ХХ **Gasthof Adler** mit Zim 🛖 🕸 Zim, 🤶 ⇔
😊 *Stadtstr. 22 – ☎ 041 460 13 23 – www.adler-sempach.ch – geschl. 22. Februar
- 10. März, 27. September - 13. Oktober und Sonntag - Montag*
3 Zim ⊊ – †100/110 CHF ††150/160 CHF
Rest – (22 CHF) Menü 58 CHF (mittags)/95 CHF – Karte 47/98 CHF
Gemütlich und richtig lecker essen kann man bei Familie Künzli in der Altstadt! Es
sind sympathische und geschulte Gastgeber, die Ihnen hier regional-saisonale
Küche bieten - versuchen Sie im Winter ein Hirschpfeffer! Man hat sogar zwei Terrassen: zur Stadt oder besonders schön nach hinten zum See!

SEMPACH STATION – Luzern (LU) – **551** N6 – Höhe 514 m – ⊠ 6203   4 F3
▶ Bern 101 – Luzern 16 – Olten 43 – Sursee 11
◉ Aussicht★ bei der Dorfkirche in Kirchbühl

ХХ **Sempacherhof - Säli** mit Zim 🛖 🕸 🤶 ⇔ **P**
*Bahnhofstr. 13 – ☎ 041 469 70 10 – www.sempacherhof.ch – geschl. Ende Juli
- Anfang August 2 Wochen und Samstagmittag, Sonntag*
5 Zim ⊊ – †110 CHF ††172 CHF
Rest – (22 CHF) Menü 49 CHF (mittags)/96 CHF – Karte 40/92 CHF
Rest Rosso – Menü 19 CHF (mittags)/45 CHF – Karte 41/65 CHF
Ein wirklich tipptopp gepflegter Betrieb, den das Gastgeberpaar hier führt. Das
Ambiente gediegen-elegant, die Küche zeitgemäss-saisonal und die Auswahl an
österreichischen Weissweinen, italienischen Rotweinen sowie Bordeaux ist sehr
ansprechend! Man bietet auch regelmässig interessante Weinverkostungen. Traditionelle und mediterrane Gerichte im Rosso.

SENT – Graubünden (GR) – 553 AA8 – 896 Ew – Höhe 1 440 m — 11 K4
– ✉ 7554

▶ Bern 322 – Chur 109 – Bregenz 171 – Triesenberg 119

🏠 **Pensiun Aldier ⓝ** — 🛜 ✗ 🛜 **P**
Plaz 154 – ☏ 081 860 30 00 – www.aldier.ch – geschl. November - Mitte Dezember
16 Zim ⌑ – ♦178/228 CHF ♦♦312/360 CHF – ½ P
Rest *– (geschl. Ende April - Mitte Juni: Sonntagabend - Montag)* (22 CHF)
– Karte 47/83 CHF
Sollte Carlos Gross seine bemerkenswerte Kunstsammlung anderen vorenthalten? Ein klares "Nein" - und so entstand die Idee eines eigenen Hotels mit integriertem Museum! Und nicht nur im Gewölbekeller, sondern im ganzen Haus finden die Gemälde und Skulpturen der Gebrüder Alberto und Diego Giacometti sowie die Fotografien von Ernst Scheidegger gebührende Beachtung. Aber auch die hochwertige Einrichtung in Zimmern, Restaurant, Lounge und Bar zieht Blicke auf sich: klare moderne Formen kombiniert mit warmem Holz.

Le SENTIER – Vaud – 552 B9 – **voir à Joux (Vallée de)**

SEON – Aargau (AG) – 551 N5 – 4 750 Ew – Höhe 446 m – ✉ 5703 — 3 F3
▶ Bern 90 – Aarau 14 – Baden 22 – Luzern 41

✗✗ **Bänziger** — 🛜 ✗ **P**
Seetalstr. 43 – ☏ 062 775 11 39 – www.restaurant-baenziger.ch – geschl. 4. - 10. Januar, Mai 2 Wochen, September 2 Wochen und Montag - Dienstag
Rest *– (nur Abendessen)* Menü 95 CHF – Karte 58/104 CHF
Hier steht der Chef des Hauses am Herd und bereitet aus guten Produkten eine frische regionale Küche. Die Chefin leitet aufmerksam und sympathisch den Service.

SERTIG DÖRFLI – Graubünden – 553 X9 – **siehe Davos**

SESEGLIO – Ticino – 553 S14 – **vedere Chiasso**

SIERRE – Valais (VS) – 552 J11 – 15 752 h. – alt. 534 m – ✉ 3960 — 7 D6
▶ Bern 171 – Sion 18 – Brig 38
🛈 Place de la Gare 10, ☏ 027 455 85 35, www.sierretourisme.ch
🏌 Sierre, Granges, ☏ 027 458 49 58
🏌 Leuk, Susten, Est : 12 km, ☏ 027 473 61 61
Manifestations locales :
16-22 juin : festival Sismics
31 juillet : Feu au Lac
5-6 septembre : Vinea
◉ Intérieur★ de l'Hôtel de Ville

🏨 **Terminus** — 🛎 ⅙ 🅰 🛜 🚗 **P**
Rue du Bourg 1 – ☏ 027 455 13 51 – www.hotel-terminus.ch – fermé fin décembre - début janvier 2 semaines et juillet 3 semaines
19 ch ⌑ – ♦145/185 CHF ♦♦220/245 CHF
Rest *Didier de Courten* ❀❀ **Rest** *L'Atelier Gourmand* – voir la sélection des restaurants
Terminus, tout le monde descend ! À deux pas de la gare, cet hôtel chargé d'histoire (il est né en 1870) offre l'occasion d'une étape confortable... et délicieuse si l'on profite des restaurants. Surprise derrière la belle façade jaune : les lieux ont été entièrement décorés dans un style minimaliste et élégant.

🏠 **De la Poste** — 🛜 🛎 🛜 🚗
Rue du Bourg 22 – ☏ 027 456 57 60 – www.hotel-sierre.ch
15 ch ⌑ – ♦143 CHF ♦♦235/295 CHF – ½ P
Rest *– (fermé mi-juillet - mi-août, dimanche et mercredi)* (21 CHF)
– Carte 39/49 CHF
Impossible de rater cette maison du 18e s. avec sa façade jaune ! En son temps, elle accueillit Goethe et Rilke... Aujourd'hui, les chambres sont fraiches et modernes, leur style épuré s'inspirant des arbres de la région. Insolite, le restaurant Le Trèfle a réellement la forme d'un trèfle !

XXX **Didier de Courten** – Hôtel Terminus   𝄫 AC P
🕸 🕸 *Rue du Bourg 1 – ☏ 027 455 13 51 – www.hotel-terminus.ch – fermé fin
décembre - début janvier 2 semaines, juillet 3 semaines, dimanche et lundi*
Rest – Menu 120 CHF (déjeuner en semaine)/245 CHF – Carte 160/183 CHF 🏵
La sobriété du décor met d'autant mieux en valeur l'assiette et c'est tant mieux :
Didier de Courten est l'un des chefs les plus inventifs de sa génération, signant
des assiettes d'une grande complexité mais toujours limpides par l'harmonie de
leurs saveurs et leur précision technique. Le beau mariage de l'originalité et de
l'excellence !
➜ Les noix de St. Jacques rôties sur un confit de pied de cochon. Une aiguillette
de St. Pierre rôtie aux artichauts Camus et aux haricots de mer, crème légère de
sardines et d'anguilles fumées. Le cœur de filet de veau rôti aux mendiants.

X **L'Atelier Gourmand** – Hôtel Terminus   🖼 𝄫 AC P
*Rue du Bourg 1 – ☏ 027 455 13 51 – www.hotel-terminus.ch – fermé fin
décembre - début janvier 2 semaines, juillet 3 semaines, dimanche et lundi*
Rest – (29 CHF) Menu 58 CHF (déjeuner)/89 CHF – Carte 86/109 CHF
La deuxième adresse de Didier de Courten se présente comme une brasserie contemporaine et conviviale. Elle permet de découvrir à moindre coût le travail inventif du
chef : la carte propose non seulement des spécialités montagnardes, mais aussi des
créations originales... Le tout accompagné de vins exclusivement suisses.

SIGIGEN – Luzern (LU) – **551** N7 – **Höhe 760 m** – ✉ 6019   **4** F3
▶ Bern 105 – Luzern 21 – Olten 48 – Wolhusen 11

XX **Pony - Pavillon**   🖼 P
🕸 *– ☏ 041 495 33 30 – www.pony-sigigen.ch – geschl. Februar - März 2 Wochen,
August 2 Wochen und Montag - Dienstag*
Rest – (29 CHF) Menü 38 CHF (mittags)/115 CHF – Karte 54/114 CHF 🏵
Rest *Gaststube* – (19 CHF) Menü 22/38 CHF – Karte 37/83 CHF 🏵
Schon über 35 Jahre pflegt Familie Felber die gediegene Atmosphäre in ihrem
Pavillon. Hier lässt man sich saisonale Speisen servieren, einfacher isst man in
der ländlichen Beiz.

SIGRISWIL – Bern (BE) – **551** K9 – **4 665 Ew** – **Höhe 800 m** – ✉ 3655   **8** E5
▶ Bern 41 – Interlaken 19 – Brienz 39 – Spiez 25
ℹ Feldenstr. 1, ☏ 033 251 12 35, www.sigriswil.ch

🏨 **Solbadhotel**   ⧑ ≤ 🛏 🏠 🖳 🌐 ⚙ 🛠 🏊 📶 𝄫 🛎 Rest, 📶 🛎 🚗 P
*Sigriswilstr. 117 – ☏ 033 252 25 25 – www.solbadhotel.ch – geschl. 6.
- 18. Januar*
66 Zim 🖵 – ♦145/170 CHF ♦♦220/300 CHF – 4 Suiten – ½ P
Rest – (25 CHF) – Karte 43/85 CHF
Die Gastgeber Luzia und Herbert Wicki sowie das gesamte Personal sind auffallend freundlich. Aber nicht nur das, auch die tolle Panoramalage, das wohnlich-
moderne Ambiente und der Spa machen das Haus zu einer schönen Urlaubsadresse! Zimmer meist mit Seeblick - diesen geniesst man auch von der Terrasse!

SIHLBRUGG – Zug (ZG) – **551** P6 – **Höhe 538 m** – ✉ 6340   **4** G3
▶ Bern 140 – Zürich 27 – Einsiedeln 31 – Rapperswil 28

in **Hirzel** – Höhe 720 m – ✉ 8816

XX **Krone - Tredecim** mit Zim   🖼 📶 ⇔ P
*Sihlbrugg 4 – ☏ 044 729 83 33 – www.krone-sihlbrugg.ch – geschl.
Sonntagmittag, Montag - Dienstag*
10 Zim – ♦160/240 CHF ♦♦180/390 CHF, 🖵 25 CHF
Rest – Menü 89 CHF (mittags)/185 CHF – Karte 115/138 CHF
Rest *Gast- und Poststube* – (geschl. Montag - Dienstag) (35 CHF) Menü 59 CHF
(mittags)/78 CHF – Karte 69/120 CHF
Der lateinische Name "Tredecim" - zu Deutsch "13" - hat hier Bedeutung: Seit 13
Generationen leitet Familie Huber den Landgasthof um 1796, die Gäste wählen
aus 13 zeitgemässen Gerichten. Als Alternative gibt es in der Gast- und Poststube die traditionellen Klassiker der "Krone". Nach dem Essen in einer der drei
heimelig getäferten Stuben können Sie gerne bleiben und in schönen, aufwändig
und individuell gestalteten Zimmern schlafen.

▶ Bern 325 – Sankt Moritz 11 – Chur 86 – Sondrio 89

🛈 Via da Marias 93, ☎ 081 838 50 50, www.engadin.stmoritz.ch/sils

Lokale Veranstaltungen:

1. März: Chalandamarz

🏨🏨🏨 **Waldhaus**   ⌗ ⌗ ⌗ ⌗ ⌗ ☒ ⌗ ⌗ ⌗ ⌗ ⌗ Rest, 🛜 ⌗ ⌗ **P**
Via da Fex 3 – ☎ 081 838 51 00 – www.waldhaus-sils.ch – geschl. 22. April
- 5. Juni, 19. Oktober - 17. Dezember
132 Zim ⌗ – 🛏178/748 CHF 🛏🛏356/939 CHF – 8 Suiten – ½ P
Rest – *(nur Abendessen)* (29 CHF) Menü 75 CHF – Karte 59/101 CHF ⌗
Rest *Arvenstube* – (29 CHF) – Karte 58/101 CHF
Stattliches klassisches Grandhotel in malerischer Waldlage, dessen 100-jährige
Geschichte im eigenen Museum Beachtung findet. Die Zimmer könnten unter-
schiedlicher kaum sein - einige mit Originalmobiliar von 1908. In der netten klei-
nen Arvenstube isst man besonders gemütlich an stilvoll eingedeckten Tischen.
Die Küche ist klassisch, hat aber auch regionale Einflüsse.

🏨🏨 **Post**   ⌗ ⌗ ⌗ ⌗ ⌗ Rest, 📞 ⌗
Via Runchet 4 – ☎ 081 838 44 44 – www.hotelpostsils.ch – geschl. 7. April
- 13. Juni, 13. Oktober - 12. Dezember
38 Zim ⌗ – 🛏135/270 CHF 🛏🛏215/540 CHF – 4 Suiten – ½ P
Rest *Stüva da la Posta* – Menü 25 CHF (mittags)/78 CHF – Karte 54/82 CHF
Freundlich leitet Familie Nett das Hotel im Zentrum, dessen Zimmer regionstypisch eingerichtet sind, im neueren Bereich mit frischen Farbakzenten. Sauna
in mediterranem Stil. In der Stüva da la Posta erwarten Sie moderne Gerichte
und auch Engadiner Spezialitäten.

🏨🏨 **Edelweiss**   ⌗ ⌗ ⌗ ⌗ ⌗ ⌗ ⌗ **P**
⌗ *Via da Marias 63 – ☎ 081 838 42 42 – www.hotel-edelweiss.ch – geschl. 30. März*
- 15. Juni, 12. Oktober - 18. Dezember
65 Zim ⌗ – 🛏145/330 CHF 🛏🛏255/645 CHF – 3 Suiten – ½ P
Rest – (19 CHF) Menü 72/120 CHF – Karte 60/100 CHF
Im Zentrum steht das traditionsreiche Hotel mit seiner klassisch-eleganten Lobby,
in der man abends am Kamin einem Pianisten lauschen kann. Geräumige Juniorsuite Marmoré. Halbpension bietet man im Jugendstilsaal, A-la-Carte-Gäste speisen im gemütlichen Arvenholzstübli.

🏨 **Privata**   ⌗ 🛜 ⌗
Via da Marias 83 – ☎ 081 832 62 00 – www.hotelprivata.ch – geschl. 7. April
- 13. Juni, 20. Oktober - 5. Dezember
25 Zim ⌗ – 🛏145/185 CHF 🛏🛏230/350 CHF – 1 Suite – ½ P
Rest – *(nur Abendessen)* Menü 52 CHF
Das Haus ist tipptopp gepflegt und wird sehr gut geführt - schon seit über 40
Jahren hat die Familie diese gemütliche Ferienadresse. Für Wohnlichkeit in den
Zimmern sorgt Arvenholz, die Eckzimmer sind etwas geräumiger. Im Restaurant
kann man abends auch als Nicht-Hausgast ein Menü bestellen und beim Essen
in den schönen kleinen Garten schauen. Lust auf eine Kutschfahrt? Los geht's
gleich gegenüber dem Hotel.

🏨 **Maria**   ⌗ ⌗ ⌗ Rest, ⌗ **P**
⌗ *Via da Marias 19 – ☎ 081 832 61 00 – www.hotel-maria.ch – geschl. 25. April*
- 8. Juni, 2. November - 8. Dezember
40 Zim ⌗ – 🛏145/166 CHF 🛏🛏270/316 CHF – ½ P
Rest *Stüva Marmoré* – (16 CHF) – Karte 30/82 CHF
So mögen es auch die zahlreichen Stammgäste: Das Haus wird seit vielen Jahren familiär geführt, ist gut gepflegt und die Zimmer sind mit frischen Farben
und hellem Holz freundlich eingerichtet. Und machen Sie es sich ruhig auch mal
mit einer Zeitung in der Lobby bequem. Gemütlich wird es auch in der liebenswerten Arvenstube Stüva Marmoré mit ihrem sehenswerten uralten Ofen. Mittags
kleine Karte.

XX **Alpenrose**
*Via da Marias 133 – 𝒞 081 833 80 08 – geschl. Mitte April - Juni, Mitte Oktober
- Mitte Dezember*
Rest – Karte 47/88 CHF
Das Restaurant ist gut besucht... und das liegt zum einen am gemütlichen
Ambiente in den hellen getäferten Stuben, zum anderen an der frischen regiona-
len Küche, die hier auf den (abends etwas aufwändiger eingedeckten) Tisch
kommt.

in Sils Baselgia Nord-West: 1 km – Höhe 1 802 m – ⊠ 7515

 Margna
*Via da Baselgia 27 – 𝒞 081 838 47 47 – www.margna.ch – geschl. 6. April
- 13. Juni, 19. Oktober - 12. Dezember*
55 Zim � – †200/290 CHF ††350/520 CHF – 8 Suiten – ½ P
Rest *Enoteca Murütsch* – siehe Restaurantauswahl
Rest *Grill* – (30 CHF) Menü 75/105 CHF – Karte 50/126 CHF
Rest *Stüva* – (30 CHF) – Karte 48/128 CHF
An Charme und Atmosphäre mangelt es dem Hotel a. d. 19. Jh. wahrlich nicht:
auffallend freundlich der Service, geschmackvolle Einrichtung, wohin man
schaut... von der stilvoll-historischen Lobby über die individuellen Zimmer (war-
mes Holz und hübsche Stoffe verbreiten pure Wohnlichkeit) bis zum Massage-,
Sauna- und Ruhebereich auf drei Etagen (klar-modern das Design). Dekorativ die
Bilder einer Privatsammlung. Neben der Enoteca hat man das Restaurant Grill und
die behagliche Stüva von 1817.

Chesa Randolina
*Via da Baselgia 40 – 𝒞 081 838 54 54 – www.randolina.ch – geschl. 7. April
- 6. Juni, 25. Oktober - 20. Dezember*
38 Zim ⊠ – †115/250 CHF ††260/310 CHF – 7 Suiten – ½ P
Rest – Karte 46/110 CHF
Die richtige Adresse für geruhsame Ferien am See in einem Familienbetrieb mit
Engadiner Charme. Appartements und Sauna hat man im Nachbarhaus Crastella.
Langläufer wird's freuen: Die Loipe führt direkt am Haus vorbei. Und was gibt
es nach einem aktiven Tag Schöneres als ein gemütliches Essen? Serviert wird
regionale Küche mit Fondues, aber auch mediterran beeinflusste Gerichte, dazu
Weine zu fairen Preisen.

X **Enoteca Murütsch** – Hotel Margna
*Via da Baselgia 27 – 𝒞 081 838 47 47 – www.margna.ch – geschl. 6. April
- 13. Juni, 19. Oktober - 12. Dezember und im Winter: Montag, im Sommer:
Sonntag - Montag*
Rest – *(nur Abendessen)* Karte 50/104 CHF
An Heimeligkeit ist die ehemalige Kutscherstube kaum zu übertreffen: viel Holz,
ein offener Kamin und mittig das Antipasti-Buffet und die schöne Aufschnitt-
maschine. Und auf der Karte: Piccata, Osso Bucco, Panna Cotta... - einige Nudelgerichte werden direkt am Tisch zubereitet.

in Sils Fextal Süd: 2 km, über Wanderweg (30 Min.) oder mit Hotelbus erreichbar
– Höhe 1 920 m – ⊠ 7514 Sils Maria

 Chesa Pool
*Via da Platta 5 ⊠ 7514
– 𝒞 081 838 59 00 – www.pensiun-chesapool.ch
– geschl. 22. April - 12. Juni, 12. Oktober - 14. Dezember*
21 Zim ⊠ – †130/165 CHF ††250/330 CHF – ½ P
Rest – (20 CHF) Menü 65 CHF (abends) – Karte 45/73 CHF
Herrliche Ruhe und Abgeschiedenheit. Kein Fernseher lenkt von der Idylle des
Fextales ab. Besonderen Charme versprühen das historische Arvenzimmer oder
die uralte kleine Bibliothek in dem Bauernhaus von 1585. Mittags A-la-carte-Res-
taurant mit Tagesempfehlung. HP inklusive.

in Fex-Crasta Süd: 2 km, über Wanderweg (40 Min.) oder mit Hotelbus erreichbar – Höhe 1 960 m – ⊠ 7514 Sils Maria

🏠 Sonne

⌖ ⌖ ⌖ ⌖ ⌖ ⌖ ⌖

Via da Fex 37 – ☏ 081 826 53 73 – www.hotel-sonne-fex.ch – geschl. Mitte April - Mitte Juni, Mitte Oktober - Mitte Dezember

13 Zim ⌖ – †150/155 CHF ††280/300 CHF – 1 Suite – ½ P
Rest – Karte 40/82 CHF

Nur zu Fuss oder mit dem Pferdeschlitten kommt man in das traumhafte ruhige Fextal - Hotelgäste werden abgeholt! Und als wäre die reizende alpenländische Atmosphäre nicht schon charmant genug, wird man hier auch noch ausgesprochen persönlich von Familie Witschi betreut! Die typische Schweizer Gemütlichkeit spürt man natürlich auch in den Stuben bei bürgerlicher Küche.

in Plaun da Lej Süd-West: 5 km – Höhe 1 802 m – ⊠ 7517

🍴🍴 Murtaröl

⌖ ⌖ ⌖ **P**

Via dal Malögia 14, (an der Strasse nach Maloja) – ☏ 081 826 53 50 – www.plaundalej.ch

Rest – *(Tischbestellung ratsam)* Karte 53/159 CHF

Fischrestaurant, Fischhandel, eigene Räucherei... hier am Silsersee gibt es ein tolles und topfrisches Angebot an Süss- und Meerwasserfisch sowie Meeresfrüchten. Tipp: Gehen Sie durch die Küche und schauen Sie sich die Hummer, Langusten, Austern und Fische in den Aquarien an! Im Nebenhaus gibt es noch eine nette kleine Fondue-Stube sowie einfache Gästezimmer.

SILVAPLANA – **Graubünden (GR)** – **553** W11 – **1 006 Ew**   **11** J5
– **Höhe 1 816 m** – **Wintersport : 1 870/3 303 m** ⌖ 2 ⌖ 11 ⌖ – ⊠ 7513

▶ Bern 321 – Sankt Moritz 7 – Chur 82 – Sondrio 85
🛈 Via dal Farrer 2, ☏ 081 838 60 00, www.engadin.stmoritz.ch/silvaplana
◎ Piz Corvatsch★★★, Ost: 2 km und ⌖ • Silvaplaner und Silser See★★, Süd

🏨 Art & Genuss Hotel Albana

⌖ ⌖ ⌖ ⌖ ⌖ **P**

Via vers Mulins 5 – ☏ 081 838 78 78 – www.hotelalbana.ch – geschl. 21. April - 27. Juni, 21. Oktober - 29. November

35 Zim ⌖ – †140/195 CHF ††210/290 CHF – ½ P
Rest *Spunta Engiadina* – siehe Restaurantauswahl
Rest *Thailando* – Karte 43/102 CHF

Hotel im Zentrum neben der Kirche. Die Zimmer bieten teilweise tolle Sicht auf See und Berge, darunter Juniorsuiten mit Kamin sowie Maisonetten, die für Familien ideal sind. Im Thailando kommen Freunde der Thai-Küche auf ihre Kosten.

🍴🍴 Spunta Engiadina – Art & Genuss Hotel Albana

P

Via vers Mulins 5 – ☏ 081 838 78 78 – www.hotelalbana.ch – geschl. 21. April - 27. Juni, 21. Oktober - 29. November

Rest – (45 CHF) Menü 39 CHF/65 CHF – Karte 52/101 CHF

Hier sitzt man wirklich nett in einer gemütlich getäferten Stube und lässt sich regionale Küche servieren - und die kommt z. B. als Bündner Gerstensuppe oder Kalbsgeschnetzeltes mit Rösti auf den Teller. Und wie wär's mit Apfelstrudel als Nachtisch?

in Surlej Süd: 1 km – Höhe 1 877 m – ⊠ 7513 Silvaplana

🏨 Nira Alpina

⌖ ⌖ ⌖ ⌖ ⌖ ⌖ Rest. ⌖ ⌖ ⌖

Via dal Corvatsch 76 – ☏ 081 838 69 69 – www.niraalpina.com – geschl. 21. April - Mitte Juni, Mitte Oktober - Ende November

70 Zim ⌖ – †230/555 CHF ††265/610 CHF – ½ P
Rest *Stars* – siehe Restaurantauswahl
Rest *Stalla Veglia* – (geschl. 21. April - 29. November) (nur Abendessen) Karte 49/95 CHF

Top die Lage direkt an der Talstation Corvatsch (Skifahrer wird's freuen), hübsch die modern-alpinen Zimmer (geniessen Sie vom Südbalkon den Blick auf Silvaplana und See!), schön der Saunabereich mit Sicht auf die Piste... hier lässt es sich zeitgemäss-leger wohnen. Neben dem regionalen Stalla Veglia gibt es noch ein Bistro mit Terrasse am Tellerlift.

🏠 Bellavista 🕭 ⋜ 🚗 🛋 🕅 🕎 🚘 🅿

Via da l'Alp 6 – ☎ 081 838 60 50 – www.bellavista.ch – geschl. Ende April
- Anfang Juni und Ende Oktober - Ende November
34 Zim 🛏 – ✝110/230 CHF ✝✝240/400 CHF – ½ P
Rest – (16 CHF) – Karte 45/132 CHF
Ein Ferienhotel, das auch für Gesellschaften ideal ist: Von der Feier in der heime-
ligen Jagdhütte im Garten bis zum Seminar im modern-alpinen Grotto. Versuchen
Sie auch die Produkte aus der Fleischtrocknerei. In mehrere Stuben unterteiltes
Restaurant mit Wild aus eigener Jagd.

✕✕ Stars ⋜ 🚗 🕭 🕎

Via dal Corvatsch 76 – ☎ 081 838 69 69 – www.niraalpina.ch – geschl. 21. April
- Mitte Juni, Mitte Oktober - Ende November
Rest – (nur Abendessen) Menü 65 CHF – Karte 57/102 CHF
Es ist überaus reizvoll, bei zeitgemäss-internationalen Gerichten den Blick über
das Tal schweifen zu lassen! Die Vorspeisen werden als kleine Portionen serviert,
so kann man dies und das probieren. Dazu sorgen moderne Einrichtung und
freundlicher Service, Live-Musik und Einblicke in die offene Küche für die passende Atmosphäre.

SINS – Aargau (AG) – **551** O6 – **4 128 Ew** – **Höhe 406 m** – ✉ **5643**   4 F3
▶ Bern 125 – Luzern 22 – Zürich 44 – Aarau 42

🏠 arcade garni 🕎 🕭 🕎 🛜 🛌 🚘 🅿

Luzernerstr. 31 – ☎ 041 789 78 78 – www.hotel-arcade.ch
63 Zim – ✝155/215 CHF ✝✝199/275 CHF, 🛏 15 CHF
In dem modernen Businesshotel schläft man in funktionellen Zimmern mit Parkettboden, grossem Schreibtisch und sehr guter Technik, im Preis inbegriffen ist
die Tiefgarage. Die nette Weinbar bietet abends Snacks und kleine Gerichte
- wer mehr möchte, kann gegenüber im Löwen essen!

SION SITTEN Ⓒ – Wallis (VS) – **552** I12 – **30 717 h.** – alt. 491 m   7 D6
– ✉ **1950**
▶ Bern 156 – Brig 55 – Aosta 103 – Lausanne 95
🅸 Place de la Planta 2 A1, ☎ 027 327 77 27, www.siontourisme.ch
🅱 Sion, ☎ 027 203 79 00
Manifestations locales :
  début mai : finale cantonale des combats de reines à Aproz
  6-7 juillet : festival d'art de rue
  début août : Guiness Irish Festival
  8-21 août : festival international de musique
  19 septembre : fête du goût
◎ Site★★ • Basilique N.-D.-de-Valère★B1 • Cathédrale N.-D.-du-Glarier★ • Hôtel de
Ville★ • Grande salle★ de la maison SupersaxoA1
Ⓖ Route du Sanetsch★ , par Avenue de France A2

Plan page suivante

🏠 Rhône 🚗 🕎 🛜 🛌 🚘

Rue du Scex 10 – ☎ 027 322 82 91 – www.durhonesion.ch   B2**a**
44 ch 🛏 – ✝140/160 CHF ✝✝160/190 CHF – ½ P
Rest – (18 CHF) Menu 35 CHF (déjeuner en semaine) – Carte 34/85 CHF
Situé près de l'agréable centre historique, cet hôtel plutôt calme constitue un
pied-à-terre idéal avant de partir en excursion. Côté rue, les chambres offrent
une jolie vue sur la forteresse de Valère, qui surplombe la ville.

🏠 Ibis 🚗 🕎 🛜 🛌 🅿

Avenue Grand-Champsec 21, (Sud-Est : par rue de la Dixence B2)
– ☎ 027 205 71 00 – www.ibishotel.com/0960
71 ch – ✝108/128 CHF ✝✝108/128 CHF, 🛏 15 CHF
Rest – (fermé samedi midi et dimanche midi) (18 CHF) – Carte 41/66 CHF
Toutes identiques, les chambres offrent le confort habituel de la chaîne Ibis, le
tout aux portes de Sion. Parfait pour la clientèle de passage.

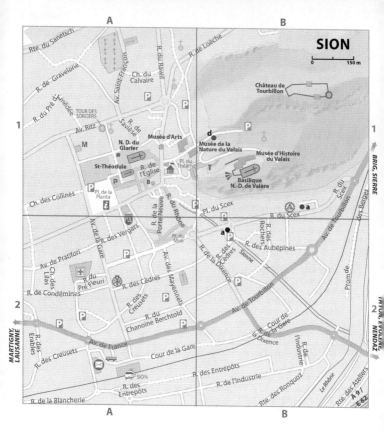

Damien Germanier 　 ⅙ AC ⅗ **P**

Rue du Scex 33 – ℰ 027 322 99 88 – www.damiengermanier.ch – fermé 2
- 20 janvier, 28 juillet - 18 août, dimanche et lundi　　　　　　B1**a**
Rest – (38 CHF) Menu 65 CHF (déjeuner en semaine)/180 CHF – Carte 132/192 CHF
Déménager d'Ardon à Sion s'est révélé payant pour Damien Germanier – et pas seulement parce que son restaurant est dorénavant facile à trouver ! Espace, grand confort, sobre élégance : ce nouvel écrin met d'autant mieux en valeur la fine cuisine du chef, entre produits de qualité et arômes puissants... À (re-)découvrir !

L'Enclos de Valère　　　　　　　　　　　　　　　　　　　⅗

Rue des Châteaux 18 – ℰ 027 323 32 30 – www.enclosdevalere.ch – fermé
20 décembre - 4 février, dimanche et lundi, mai - septembre : dimanche soir et lundi
Rest – (21 CHF) Menu 52 CHF (déjeuner)/105 CHF – Carte 61/84 CHF　　B1**d**
Cette maison traditionnelle, blottie à l'ombre du château, offre l'une des plus plaisantes terrasses du Sion médiéval. Et Valère n'est pas le nom du chef, originaire de Nancy, mais de la basilique ! Attention, le parking de la Cible est un peu loin.

La Sitterie

Route du Rawil 41, (par A1) – ℰ 027 203 22 12 – www.lasitterie.ch
– fermé 22 décembre - 19 janvier, 25 - 29 mai, 18 août - 3 septembre, dimanche et lundi
Rest – (réservation conseillée) (25 CHF) Menu 69/89 CHF – Carte 64/102 CHF
Le chef a fait le choix de limiter les prix et de jouer la carte de la simplicité, avec des petites tables carrées dans une seule salle. Pari gagné : les clients affluent... attirés par la qualité de la cuisine. Une cuisine créative, à l'accent du Sud, avec de fréquentes touches d'épices et d'herbes aromatiques !

à Uvrier Est : 5 km par Avenue de Tourbillon B1 – alt. 498 m – ✉ 1958

🏠🏠🏠 **Des Vignes** ≼ 🚗 🛁 ▢ 🕯 ❦ 🛎 ᵹ ❦ rest, 📶 🔌 🅿

📶 *Rue du Pont 9 –* ℰ *027 203 16 71 –* www.hoteldesvignes.ch *– fermé 24 décembre*
- 13 janvier
39 ch ☲ – ❙165/270 CHF ❙❙225/365 CHF – 4 suites – ½ P
Rest *Au Cep de Vigne –* (fermé 24 décembre - 13 janvier, juillet 2 semaines,
samedi midi, dimanche soir et lundi) (20 CHF) Menu 38 CHF (déjeuner en
semaine)/65 CHF – Carte 62/100 CHF
À flanc de montagne, entre village et vignoble, cet hôtel ravira les amoureux d'espace et de beaux volumes. Les chambres sont décorées sobrement, dans un style
contemporain. Côté restaurant, l'Italie est à l'honneur, avec pâtes, risottos, etc.

à Saint-Léonard Est : 6 km par Avenue de Tourbillon B1 – alt. 505 m – ✉ 1958

✗ **Buffet de la Gare** 🛁 🅿

🏵 *Avenue de la Gare 35 –* ℰ *027 203 43 43 –* www.buffetdelagare-st-leonard.ch
– fermé mi-janvier 2 semaines, mi-juillet - début août 3 semaines, lundi et mardi
Rest – (22 CHF) Menu 65/99 CHF – Carte 68/98 CHF
Cette sympathique maison, reconnaissable à sa façade orangée et ses volets
verts, est née en 1901 pour accueillir les voyageurs. Au fil des années, sa cuisine,
toujours gourmande, n'a pas raté le train de la modernité : cabillaud skrei clouté
au chorizo, langoustines rôties au thym, cuisse de lapin au citron confit...

à Vex Sud-Est : 6,5 km par rue de la Dixence B2 – ✉ 1981

✗✗ **L'Argilly** ❶ ≼ 🛁 ᵹ ❦ 🅿

Route du Val d'Hérens – ℰ *027 207 27 17 –* www.argilly.ch *– fermé fin avril*
- début mai 2 semaines, septembre 2 semaines, dimanche soir, lundi et mardi
Rest – (28 CHF) Menu 45 CHF (déjeuner en semaine)/102 CHF – Carte 66/99 CHF
En montant sur les hauteurs de Sion, peu avant d'arriver à la bourgade de Vex,
une halte est tout indiquée dans le restaurant du jeune chef français Sébastien
Donati. Assis dans la véranda, on plonge son regard dans la vallée du Rhône,
avant de découvrir le bœuf du val d'Hérens, spécialité du lieu...

à La Muraz Nord-Ouest : 2 km par route de Savièse A1 – alt. 657 m
– ✉ 1950 Sion

✗✗ **Relais du Mont d'Orge** ≼ 🛁 🅿

📶 *Route de la Muraz –* ℰ *027 395 33 46 –* www.ricou.ch *– fermé 17 février - 4 mars,*
18 août - 2 septembre, dimanche soir et lundi
Rest – (19 CHF) Menu 50/138 CHF – Carte 96/118 CHF 🍴
Le peintre suisse Albert Chavaz habitait autrefois cette maison pleine de charme,
située sur les hauteurs de la ville, avec une belle vue sur les montagnes. Mais on
oublie vite le paysage en dégustant les plats du chef, gourmands et réalisés avec
de très bons produits !

SITTEN – Wallis – 552 I12 – siehe Sion

SÖRENBERG – Luzern (LU) – 551 M8 – Höhe 1 166 m   8 F4
– Wintersport : 1 166 m/2 350 m ❄ 1 ❄14 ❄ – ✉ 6174
▶ Bern 69 – Luzern 50 – Brienz 45 – Stans 47

in Rischli Nord-West: 2 km – ✉ 6174 Sörenberg

🏠🏠 **Rischli** ≼ 🛁 🕯 🛎 ᵹ 📶 🔌 🅿

📶 *Rischlistr. 88 –* ℰ *041 484 12 40 –* www.hotel-rischli.ch *– geschl. April 2 Wochen,*
November 2 Wochen
25 Zim ☲ – ❙123/148 CHF ❙❙206/256 CHF – ½ P
Rest – (18 CHF) – Karte 29/82 CHF
Ein familiengeführtes Hotel direkt an der Skipiste. Die Zimmer sind überwiegend
modern eingerichtet, im Freizeitbereich in der 3. Etage bietet man auch Kosmetik
und Massage. Bürgerliche Küche im neuzeitlichen Restaurant oder in der rustikalen Gaststube.

SOLEURE – Solothurn – 551 J6 – voir à Solothurn

SOLOTHURN SOLEURE **K** – Solothurn (SO) – 551 J6 – 16 301 Ew
– Höhe 432 m – ⊠ 4500

2 D3

▶ Bern 44 – Basel 69 – Biel 26 – Luzern 84

ℹ Hauptgasse 69 B1, ✆ 032 626 46 46, www.solothurn-city.ch

⛳ Wylihof, Luterbach, ✆ 032 682 28 28

⛳ Limpachtal, Aetingen, Süd-West: 15 km Richtung Bätterkinden, ✆ 032 661 17 43

Lokale Veranstaltungen:

23.-30. Januar: Filmtage

30. Mai- 1. Juni: Literaturtage

◉ Lage★• Altstadt★ • Sankt Ursenkathedrale★ • Schiff★ der Jesuitenkirche.
Kunstmuseum★B1

◎ Weissenstein★★★, Nord-West: 10 km über Bielstrasse A1

🏠 **Ramada** ⟨ 🛏 🛐 ♨ 📶 ㊐ ⓐ 🔊 🚣 🛜 P

Schänzlistr. 5 – ✆ 032 655 46 00 – www.ramada.ch B2**r**

90 Zim – ♥160/290 CHF ♥♥160/290 CHF, ⊑ 25 CHF – 10 Suiten – ½ P

Rest – (19 CHF) Menü 35/55 CHF – Karte 49/92 CHF

Ein klarer Stil in Architektur und Einrichtung bestimmt das auf Businessgäste
zugeschnittene Hotel mit modernen, technisch gut ausgestatteten Zimmern
- wer mehr Platz braucht, bucht eine der Suiten! Vom Freizeitbereich im OG blickt
man auf Stadt und Fluss. Das Restaurant nennt sich Schänzli und bietet internationale Küche.

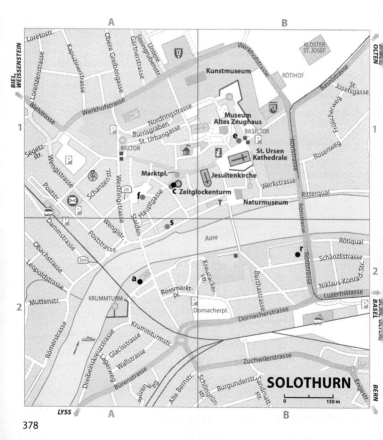

⌂ Roter Turm   🚲 🛎 📶 ♨

Hauptgasse 42 – ☎ 032 622 96 21 – www.roterturm.ch   A1**c**
36 Zim ⌷ – ♦110/165 CHF ♦♦180/240 CHF – ½ P
Rest *La Tourelle* – siehe Restaurantauswahl
Rest *Turmstube* – (19 CHF) – Karte 40/67 CHF
Am "Zytglocke-Turm" im Herzen von Solothurn liegt das aus vier historischen
Häusern bestehende familiengeführte Hotel mit recht individuellen, aber immer
zeitgemässen Zimmern. Suchen Sie etwas Spezielles? Dann fragen Sie nach den
Themenzimmern wie "Marilyn Monroe", "Casanova"... Schön auch die diversen
Antiquitäten! In der Turmstube serviert man traditionelle Küche.

⌂ Hotel an der Aare   ← 🚲 📶 ♨

*Oberer Winkel 2 – ☎ 032 626 24 00 – www.hotelaare.ch – geschl. Ende Dezember
- Anfang Januar*   A2**a**
16 Zim ⌷ – ♦130/168 CHF ♦♦170/242 CHF – ½ P
Rest – *(geschl. im Sommer: Montag, im Winter: Sonntag)* (22 CHF)
– Karte 44/80 CHF
Das ehemalige Schwesternhaus des Alten Spitals verbindet puristisch-trendiges
Design mit historischer Bausubstanz. Alle Zimmer zur Aare hin. Variable
Tagungs-/Veranstaltungsräume. Erdfarben dominieren im Restaurant mit schöner
Terrasse zum Fluss.

✗✗ Zum Alten Stephan - Zaugg's Zunftstube   ✾

*Friedhofplatz 10, (1. Etage) – ☎ 032 622 11 09 – www.alterstephan.ch
– geschl. Weihnachten - Anfang Januar, Anfang April 1 Woche, Anfang August
10 Tage, Ende Oktober 2 Wochen und Sonntag - Montag*   A1**f**
Rest – *(nur Abendessen) (Tischbestellung erforderlich)* Menü 98/190 CHF ✾
Rest *Stadtbeiz* ⊛ – siehe Restaurantauswahl
Es ist eine feine, sehr produktbezogene Küche ohne Chichi, die die Gäste in die
nette Gourmetstube zieht, ins "Reich von Andy Zaugg". Er bietet abends ein grosses Menü, das den Jahreszeiten entsprechend 4-mal im Jahr wechselt. Im Service
unterstützen ihn seine Frau Roberta und ein engagiertes kleines Team. Schöne
Weinauswahl mit rund 450 Positionen.
→ Scampo 6/9 (Südafrika) sautiert auf Stangensellerie und Rhabarber (Frühling).
Rindsfiletsteak gebraten Black Angus Irland "Rossini" auf Mascarponerisotto. Erd-
beer-Pistache-Feuilette (Frühling).

✗✗ La Tourelle - Hotel Roter Turm   🏠

*Hauptgasse 42 – ☎ 032 622 96 21 – www.roterturm.ch – geschl. Samstagmittag,
im Winter: Samstagmittag, Sonntagabend*   A1**c**
Rest – (37 CHF) Menü 37 CHF (mittags)/93 CHF – Karte 71/85 CHF
Keine Frage, hier oben in der 5. Etage sind bei der wunderschönen Aussicht die
wenigen Terrassenplätze im Sommer besonders begehrt! Aber auch drinnen im
eleganten Restaurant geniesst man den Blick über die Stadt, und dazu gibt es
ambitionierte klassische Küche, die auch mal über die Region hinaus schaut.

✗ SALZHAUS   🚲 ⴕ ♻

*Landhausquai 15a – ☎ 032 622 01 01 – www.restaurant-salzhaus.ch – geschl.
27. Februar - 5. März*   A2**s**
Rest – *(Tischbestellung ratsam)* Menü 30 CHF (mittags)/73 CHF – Karte 53/80 CHF
Dieser trendige Restaurant-Hotspot ist ein attraktiver Mix aus urbaner Coolness
und historischem Rahmen (interessant das freiliegende alte Mauerwerk)! Es gibt
internationale Küche mit regionalem Einfluss: mittags als Lunchbox, abends
etwas anspruchsvoller, z. B. als "konfierte Kalbsschulter / Pommes Nouvelles /
Frühlingsgemüse".

✗ Baseltor mit Zim   🏠 📶

*Hauptgasse 79 – ☎ 032 622 34 22 – www.baseltor.ch – geschl. Sonntagmittag
und an Feiertagen*   B1**e**
15 Zim ⌷ – ♦125/150 CHF ♦♦190/230 CHF   **Rest** – (23 CHF) – Karte 44/77 CHF
Ein Stück Stadtgeschichte ist dieses Haus direkt neben dem Baseltor, in dem
sich übrigens auch Gästezimmer befinden. Diese wie auch die Zimmer im
Haupthaus sind wirklich chic: klares modernes Design in historischem Rahmen.
Die mediterran inspirierte Küche gibt es sowohl in der Gaststube im Parterre
als auch in der 1. Etage.

X **Stadtbeiz** – Restaurant Zum Alten Stephan 🍴 ✗

🅰 *Friedhofplatz 10 – ℰ 032 622 11 09 – www.alterstephan.ch*
– geschl. Weihnachten - Anfang Januar, Anfang April 1 Woche, Anfang August
10 Tage, Ende Oktober 2 Wochen und Sonntag - Montag **A1f**
Rest – (21 CHF) Menü 56 CHF – Karte 52/93 CHF ⛷
Die im EG unter der Zunftstube gelegene Stadtbeiz ist nicht nur räumlich die
Basis des "Alten Stephan", hier hat der Erfolg des Hauses auch seinen Ursprung!
Andy Zaugg und Stefan Bader kochen in diesem Restaurant ebenso geschmack-
voll und frisch, aber eben auch fürs kleinere Budget. Klassiker sind da z. B.
"Kalbs-Cordon-Bleu gefüllt mit Gorgonzola" oder die deftige "Schweinsbratwurst
mit Zwiebeljus". Im Sommer sitzt man natürlich am liebsten auf der Terrasse!

in Riedholz Nord-Ost: 3 km über Baselstrasse B1 – Höhe 474 m – ✉ 4533

XXX **Attisholz - le feu** (Jörg Slaschek) 🍴 ⇔ **P**

🅭 *Attisholzstr. 3, Süd: 1 km – ℰ 032 623 06 06 – www.attisholz.ch – geschl. Mitte*
Februar 10 Tage, Ende Juli 2 Wochen und Sonntagabend - Dienstag
Rest – *(Tischbestellung ratsam)* Menü 98/175 CHF – Karte 114/151 CHF ⛷
Rest *Gaststube* 🅐 – siehe Restaurantauswahl
Der gebürtige Bayer Jörg Slaschek hat sein wunderschönes, über 300 Jahre altes
Gasthaus zu einer der ersten Adressen der Region gemacht, und das liegt an der
feinen, mit kreativen Ideen durchzogenen klassischen Küche aus hervorragenden
Produkten. Das Restaurant selbst ist aber auch ausgesprochen geschmackvoll mit
seinen warmen Tönen, dem hellem Holz und grauem Steinkamin. Freundlich und
geschult sorgt das Serviceteam für einen reibungslosen Ablauf. Sehr gute Weinauswahl mit Schwerpunkt Europa.
➜ Tatar vom Gelbflossenthunfisch mit badischem Spargel und Trüffel. In 7 Pfef-
fern gebratenes Bisonfilet. Allerlei vom Rhabarber mit Erdbeeren und Schokolade.

X **Gaststube** – Restaurant Attisholz 🍴 ✗ ⇔ **P**

🅰 *Attisholzstr. 3, Süd: 1 km – ℰ 032 623 06 06 – www.attisholz.ch – geschl. Mitte*
Februar 10 Tage, Ende Juli 2 Wochen und Montag - Dienstag
Rest – (28 CHF) Menü 69/75 CHF – Karte 51/94 CHF ⛷
Unter dem 300 Jahre alten Kreuzgewölbe sitzt es sich gemütlich in rustikaler
Atmosphäre und auch hier zeichnen Jörg Slaschek und sein Team für die
schmackhaften Gerichte verantwortlich: "geschmorte Lammschulter mit Bramata-
Polenta", "Böhmischer Rahmsauerbraten mit Baumnuss-Kaiserschmarrn"...

in Luterbach Nord-Ost: 4 km über Baselstrasse B1 und Attisholz – Höhe 433 m – ✉ 4542

🏨 **Park Forum Wylihof** ⚓ 🛎 🍴 ✗ Zim, 🛜 ♨ **P**

Wylihof 43, (beim Golfplatz) – ℰ 032 681 34 34 – www.parkforum.ch – geschl.
13. Juli - 3. August, 7. - 31. Dezember
18 Zim 🖵 – †190 CHF ††245 CHF – 3 Suiten – ½ P
Rest – *(geschl. Samstag - Sonntag)* (29 CHF) Menü 19/37 CHF – Karte 34/57 CHF
Das hübsche Ensemble aus Villa, Blumensteinhaus und Golfplatz gibt dem Seminarhotel schon einen ganz eigenen und speziellen Charme. Die Zimmer sind wohnlich,
hell und freundlich, teils richtig gross und als Luxusappartement ausgelegt. Im Restaurant gibt es zuerst ein frisches Frühstück, später dann internationale Küche.

SONCEBOZ – Berne (BE) – 551 H6 – 1 800 h. – alt. 653 m – ✉ 2605   2 C3
▶ Bern 55 – Delémont 36 – Biel 12 – La Chaux-de-Fonds 31

XX **Du Cerf** (Jean-Marc Soldati) avec ch 🍴 ㅌ 🅰 rest, ✗ rest, 🛜 ⇔ **P**

🅭 *Rue du Collège 4 – ℰ 032 488 33 22 – www.cerf-sonceboz.ch – fermé 23 décembre*
- 8 janvier, 9 juillet - 13 août, dimanche soir, lundi, mardi et mercredi
10 ch 🖵 – †105/110 CHF ††170/180 CHF – ½ P
Rest *Brasserie* 🅐 – voir la sélection des restaurants
Rest – *(dîner seulement du jeudi au samedi)* (réservation indispensable)
Menu 150/180 CHF ⛷
Le classicisme est de mise dans cet élégant relais de poste de 1707, où l'on cuisine dans les règles de l'art : la qualité des produits, le soin d'exécution, l'appa-
rente simplicité des recettes, tout contribue à l'harmonie et à l'intensité des
saveurs. On peut prolonger l'expérience côté hôtel, entièrement rénové en 2012.
➜ Vapeur d'omble du lac Léman aux petites brunoises. Court-bouillon de homard aux
tomates confites et basilic. Ballottine de pintadeau de Bresse aux morilles fraîches.

Ⓧ **Brasserie** – Restaurant Du Cerf   🛋 & 🎵 **P.**
Rue du Collège 4 – ℰ 032 488 33 22 – www.cerf-sonceboz.ch
– *fermé 23 décembre - 8 janvier, 9 juillet - 13 août, mardi soir et mercredi*
Rest – *(réservation indispensable)* (20 CHF) Menu 79 CHF
– Carte 37/76 CHF
Un lieu sympathique, au cœur de la vie du village, sous l'égide du restaurant gastronomique Le Cerf. À la carte, priorité aux plats (bien) mijotés et au terroir !

SORAL – Genève (GE) – **552** A12 – 731 h. – alt. 455 m – ✉ 1286   6 A6
▶ Bern 169 – Genève 14 – Lausanne 75 – Annecy 37

Ⓧ **Café Fontaine** Ⓝ   🛋
– ℰ 022 756 14 21
Rest – (18 CHF) Menu 64/76 CHF – Carte 52/79 CHF
Risotto à la truffe et sot-l'y-laisse, Saint-Jacques panées aux pépins de courge et cappuccino de potimarron, etc. Une jolie cuisine d'inspiration française dans ce village frontalier, signée par un jeune chef passionné, qui sait aussi sélectionner de bons vins de propriétaires, en particulier suisses.

SPEICHER – Appenzell Ausserrhoden (AR) – **551** U6 – 4 133 Ew   5 I2
– Höhe 924 m – ✉ 9042
▶ Bern 213 – Sankt Gallen 8 – Altstätten 17 – Bregenz 41

🏠 **Appenzellerhof**   🛜 🖫 **P.**
Hauptstr. 6 – ℰ 071 343 71 10 – www.appenzellerhof.ch
19 Zim ☐ – ♦140/170 CHF ♦♦210 CHF – ½ P
Rest – *(geschl. Sonntag - Montag) (nur Abendessen)* (30 CHF) Menü 48/95 CHF
– Karte 49/87 CHF
In dem erweiterten hübschen Fachwerkhaus im Ortskern bieten die freundlichen Gastgeber wohnliche, zeitlos eingerichtete Zimmer. In der 1. Etage befindet sich die ländlich-gediegene Stube mit Täferung und Kachelofen. Gekocht wird mit Bioprodukten.

SPIEZ – Bern (BE) – **551** K9 – 12 417 Ew – Höhe 628 m – ✉ 3700   8 E5
▶ Bern 41 – Interlaken 18 – Bulle 102 – Kandersteg 28
🅸 Bahnhof, Postfach 357, ℰ 033 655 90 00, www.spiez.ch
◉ Lage ★ • Schloss ★(❊ ★★ vom Turm)
🅖 Fahrt auf den Niesen ★★★, Süd: 7 km und Standseilbahn • Stockhorn ★★★, West: 12 km und ⛷

🏨 **Eden**   ⇐ 🖫 🛁 Ⓧ 🖩 & 🛜 🚗 **P.**
Seestr. 58 – ℰ 033 655 99 00 – www.eden-spiez.ch
43 Zim ☐ – ♦215/345 CHF ♦♦310/500 CHF – ½ P
Rest *Belle Époque* – siehe Restaurantauswahl
Schon bei der Tiefgarage mit Seeblick erkennt man die Wertigkeit dieses geschmackvollen Hauses! Nur einige der Pluspunkte: Alle Zimmer - von klassisch bis zeitgemäss - verfügen über elektrisch verstellbare Betten, das Frühstück ist appetitvoll und frisch, im schönen Garten gibt es eine eigene Gärtnerei...

🏨 **Belvédère**   ⊗ ⇐ 🖩 🖭 ⅃ 🛁 🖩 🛜 🖫 🚗 **P.**
Schachenstr. 39 – ℰ 033 655 66 66 – www.belvedere-spiez.ch
– *geschl. Februar 2 Wochen*
36 Zim ☐ – ♦195/290 CHF ♦♦295/480 CHF – ½ P
Rest *Belvédère* – siehe Restaurantauswahl
Die traumhafte Parklage mit Panoramablick auf den Thunersee und - nach umfassender Renovierung - natürlich auch die komfortablen Zimmer sowie das eigene Strandbad machen das Haus zu einer idealen Ferienadresse! Nicht zu vergessen die vielfältigen Wellnessmöglichkeiten.

XXX **Belvédère** – Hotel Belvédère   ≤ 🕸 🚗 ⅙ 🌣 ⇄ **P**
Schachenstr. 39 – ✆ 033 655 66 66 – www.belvedere-spiez.ch – geschl. Februar 2 Wochen
Rest – Menü 58/125 CHF – Karte 47/102 CHF ₰
Im eleganten Restaurant (Stilmöbel, schöne Kronleuchter...) erwarten Sie klassische französische Kulinarik, eine sehr gepflegte Atmosphäre und nicht zuletzt eine traumhafte Aussicht auf den Thunersee - begleitet wird das Ganze von einer ausgezeichneten Weinauswahl!

XXX **Belle Époque** – Hotel Eden   ≤ ⅙ 🌣 **P**
Seestr. 58 – ✆ 033 655 99 00 – www.eden-spiez.ch
Rest – Menü 58 CHF (abends) – Karte 57/92 CHF ₰
Wer beim Namen "Belle Epoque" an stilvoll-elegantes Ambiente denkt, liegt ganz richtig: über Ihnen tolle Kronleuchter, unter Ihnen schöner Parkettboden... Die Küche ist klassisch, dazu Menüs mit typischen Gerichten verschiedener Regionen.

SPORZ – Graubünden – **553** V9 – **siehe Lenzerheide**

SPREITENBACH – Aargau (AG) – **551** O4 – **10 782 Ew** – **Höhe 424 m**   4 F2
– ✉ **8957**
▶ Bern 110 – Aarau 33 – Baden 10 – Dietikon 4

🏠 **Arte**   🚗 🕸 📶 ⅙ 🤖 🚗
Wigartestr. 10 – ✆ 056 418 42 42 – www.artespreitenbach.ch
72 Zim ⌑ – ♦100/210 CHF ♦♦155/270 CHF – ½ P
Rest – (21 CHF) – Karte 35/72 CHF
Das gepflegte Hotel ist ideal für Tagungen und Businessgäste. Man bietet zeitgemäss-funktionale Zimmer und Seminarräume. Zudem hat man eine nette Sauna und eine Bowlingbahn. Helles, neuzeitliches Restaurant mit internationaler Küche.

STABIO – Ticino (TI) – **553** R14 – **4 371 ab.** – **alt. 347 m** – ✉ **6855**   10 H7
▶ Bern 300 – Lugano 23 – Bellinzona 50 – Milano 66

a San Pietro di Stabio Nord-Ovest : 1 km – ✉ **6854**

XX **Montalbano**   🚗 **P**
via Montalbano 34c – ✆ 091 647 12 06 – www.montalbano.ch – chiuso 2 settimane gennaio, 2 settimane luglio, sabato a mezzogiorno, domenica sera e lunedì
Rist – *(consigliata la prenotazione)* (35 CHF) Menu 58 CHF (pranzo in settimana)/ 93 CHF – Carta 64/108 CHF
Sito sull'omonimo colle, caratteristico ristorante d'impronta familiare con quadri moderni, sculture ed una piacevole terrazza. Cucina mediterranea e a mezzogiorno menu ridotto.

STÄFA – Zürich (ZH) – **551** Q6 – **13 886 Ew** – **Höhe 414 m** – ✉ **8712**   4 G3
▶ Bern 158 – Zürich 26 – Einsiedeln 28 – Luzern 73

X **Zur Alten Krone** ⓝ   🚗 🌣
🐾 *Goethestr. 12 – ✆ 0449 926 40 10 – www.altekrone.ch – geschl. 1. - 13. Januar und Samstagmittag, Sonntagabend - Montag*
Rest – (20 CHF) Menü 18 CHF (mittags)/72 CHF – Karte 46/117 CHF
Mit Patron Mario Eberharter ist frischer Wind in das historische Gasthaus gekommen: Das schöne Kreuzgewölbe ist natürlich geblieben, doch alles ist freundlicher geworden. Da lässt man sich gerne traditionelle Gerichte wie "Eglifilets mit Dijon-Senf-Sabayon" oder "Cordon Bleu vom Alpschwein" servieren - schmeckt auch auf der netten Terrasse hinter dem Haus!

STALDEN – Bern – **551** K8 – **siehe Konolfingen**

STANS 🄺 – Nidwalden (NW) – **551** O7 – **8 064 Ew** – **Höhe 451 m**   4 F4
– ✉ **6370**
▶ Bern 125 – Luzern 15 – Altdorf 30 – Engelberg 20
🚩 Bahnhofplatz 4, ✆ 041 610 88 33, www.lakeluzern.ch
◉ Glockenturm★ der Kirche
🌄 Stanserhorn★★, Süd mit Standseilbahn und 🚠

⌂ **Engel** 🛬 📶 ♿ 🛜 📶 🚗 **P**

Dorfplatz 1 – ℰ 041 619 10 10 – www.engelstans.ch
20 Zim – ♦100/125 CHF ♦♦150/180 CHF – ½ P
Rest – *(geschl. Dienstag)* (21 CHF) – Karte 40/82 CHF
Am Dorfplatz steht das historische Gasthaus, in dem Familie Keller ein frisches, freundliches und zeitgemässes Ambiente bietet, das sich schön mit der Tradition vereint. Aus der Küche kommen am Abend z. B. Buntbarsch auf Fenchelsalat oder Cordon Bleu. Alternativ gibt es eine kleinere Karte (z. B. Sandwiches, Kalbs-Brat-wurst…), auch schon mittags.

✗ **Wirtschaft zur Rosenburg** 🛬

Alter Postplatz 3, (im Höfli) – ℰ 041 610 24 61 – www.rosenburg-stans.ch
– geschl. Ende Februar 1 Woche, Mitte Juli - Anfang August und Montag
- Dienstag
Rest – (22 CHF) – Karte 35/88 CHF
Aus dem 12. Jh. stammt das hübsche historische Gebäude mit Wehrturm. In drei gemütlichen Stuben serviert man seinen Gästen internationale Küche mit regionalem Bezug.

STECKBORN – Thurgau (TG) – **551** S3 – **3 608 Ew** – **Höhe 404 m** 4 H2
– ✉ **8266**
▶ Bern 185 – Sankt Gallen 55 – Frauenfeld 18 – Konstanz 16
ℹ Seestr. 99, ℰ 052 761 10 55, www.steckborntourismus.ch

⌂⌂ **Feldbach** 🛥 ≤ 🚗 🛬 📶 ♿ Rest, 🛜 📶 **P**

Seestr. 164a, (Am Yachthafen) – ℰ 052 762 21 21 – www.hotel-feldbach.ch
– geschl. 15. Dezember - 6. Januar
36 Zim ➰ – ♦160/190 CHF ♦♦230/260 CHF – ½ P
Rest – *(geschl. 15. Dezember - Ende Februar)* (22 CHF) Menü 26 CHF (mittags) – Karte 40/79 CHF
Hier überzeugen die ruhige Lage am Bootshafen mit Blick auf den Bodensee und neuzeitliche Zimmer mit Rattanmobiliar. Auch als Tagungsadresse geeignet. Schön sitzt man im Restaurant in einem gegenüberliegenden Kloster a. d. 13. Jh. Hübsche Seeterrasse.

⌂ **Frohsinn** ≤ 🛬 🛜 **P**

Seestr. 62 – ℰ 052 761 11 61 – www.frohsinn-steckborn.ch – geschl. Ende Januar
- Mitte Februar
10 Zim ➰ – ♦90/125 CHF ♦♦135/170 CHF
Rest – *(geschl. November 1 Woche und Mittwoch, September - April: Mittwoch - Donnerstag)* Karte 39/71 CHF
Das kleine Hotel in dem netten Riegelhaus am See hat einen familiären Charakter. Die Gäste erwarten praktisch ausgestattete Zimmer und ein eigener Bootssteg. Reizvoll ist die zum See hin gelegene Laubenterrasse des Restaurants. Regionale Fischspezialitäten.

STEFFISBURG – Bern – **551** K8 – siehe Thun

STEIN am RHEIN – Schaffhausen (SH) – **551** R3 – **3 172 Ew** 4 G2
– **Höhe 413 m** – ✉ **8260**
▶ Bern 177 – Zürich 58 – Baden 77 – Frauenfeld 16
◎ Lage★★ • Altstadt★★ (Museum★ im ehemaligen Benediktinerkloster Sankt Georgen)
◎ Burg Hohenklingen★ (≤★), Nord: 2,5 km

⌂⌂⌂ **Chlosterhof** ≤ 🛬 🔲 🏊 📶 🛜 📶 🚗

Oehningerstr. 2 – ℰ 052 742 42 42 – www.chlosterhof.ch
43 Zim ➰ – ♦139/230 CHF ♦♦199/300 CHF – 24 Suiten – ½ P
Rest Le Bateau – siehe Restaurantauswahl
Rest Il Giardino – (26 CHF) – Karte 38/76 CHF
Attraktiv die Halle mit gemütlichem Kamin, schön die Bar, wohnlich-gediegen die Zimmer, chic die stilvoll-modernen Suiten in Weiss… und das komfortable Haus hat noch mehr zu bieten: nämlich seine Lage direkt am Ufer, am Übergang vom Bodensee in den Rhein! Für Restaurantgäste gibt es mit dem "Il Giardino" eine italienische Alternative zum "Le Bateau":

Rheinfels ⇐ 🏠 📶 🛜 🛴

*Rhygasse 8 – ℰ 052 741 21 44 – www.rheinfels.ch – geschl. Mitte Dezember
- Mitte März*
16 Zim 🛏 – ♦139/145 CHF ♦♦198/220 CHF – 1 Suite – ½ P
Rest – *(geschl. September - Juni: Mittwoch)* Karte 42/86 CHF
Aus dem mittelalterlichen Wasserzoll- und Lagerhaus in der Altstadt ist ein kleines
Hotel unter familiärer Leitung entstanden, dessen gediegene Zimmer teils zum
Rhein liegen. Rustikale Restauranträume und Rheinterrasse.

 Adler 🏠 🛜 📻 Rest, 🛜

*Rathausplatz 2 – ℰ 052 742 61 61 – www.adlersteinamrhein.ch – geschl. Ende
Januar - Mitte Februar, Anfang November 3 Wochen*
22 Zim 🛏 – ♦135/150 CHF ♦♦185 CHF – 1 Suite – ½ P
Rest – (30 CHF) – Karte 51/97 CHF
Schön fügt sich das Haus mit sehenswerter Fassadenmalerei von Alois Carigiet in
das historische Stadtbild ein. Zeitgemässe Zimmer, teilweise im Gästehaus auf der
anderen Rheinseite.

XXX **Le Bateau** – Hotel Chlosterhof ⇐ 🏠

Oehningerstr. 2 – ℰ 052 742 42 42 – www.chlosterhof.ch
Rest – (31 CHF) – Karte 76/111 CHF
Das Gourmetrestaurant des Chlosterhofs kommt modern und stylish daher mit
seinen violetten Farbakzenten - nur die Terrasse zum Rhein ist da im Sommer
doch noch ein bisschen verlockender! Die ambitionierte Küche von Antonino
Messina können Sie aber natürlich hier wie dort kennenlernen!

STEINEN – Schwyz – **551** P7 – **siehe Schwyz**

SUBERG – Bern – **551** I6 – **siehe Lyss**

SUGIEZ – Fribourg (FR) – **552** H7 – **1 991 h.** – **alt. 434 m** – ⊠ 1786 2 C4
▶ Bern 32 – Neuchâtel 21 – Biel 36 – Fribourg 25

XX **De l'Ours** avec ch
😊
(😊) *Route de l'Ancien Pont 5 – ℰ 026 673 93 93 – www.hotel-ours.ch
– fermé 16 décembre - 7 janvier, 3 - 11 mars, 13 octobre - 4 novembre, lundi et
mardi*
8 ch 🛏 – ♦135 CHF ♦♦220/245 CHF
Rest – *(réservation conseillée)* (19 CHF) Menu 31 CHF (déjeuner en semaine)/
91 CHF – Carte 46/88 CHF ❀
Ravissante maison bernoise (1678) entre canal, lac et vignobles. Ici, la cuisine de
saison fleure bon le Sud. À noter : l'excellent choix de vins, notamment de
Vully... à savourer dans une salle contemporaine, une autre rétro ou sur la terrasse. Une bonne adresse pour les gourmands et le portefeuille !

SUHR – Aargau (AG) – **551** N4 – **9 627 Ew** – **Höhe 397 m** – ⊠ 5034 3 F3
▶ Bern 82 – Aarau 4 – Baden 24 – Basel 68

🏠 **Bären** 🏠 🛜 🛴 🅿

*Bernstr.-West 56 – ℰ 062 855 25 25 – www.baeren-suhr.ch – geschl. Anfang
Januar 1 Woche*
31 Zim 🛏 – ♦128/148 CHF ♦♦195 CHF – ½ P
Rest *Bärenstübli* – *(geschl. Samstagmittag, Sonntag)* (28 CHF) Menü 74/120 CHF
– Karte 66/102 CHF
Rest *Suhrenstübli* – *(geschl. Samstagmittag - Sonntag)* (23 CHF)
– Karte 37/76 CHF
Neben zeitgemässen Zimmern (darunter zwei Juniorsuiten mit Whirlwanne!) hat
man hier Tagungsmöglichkeiten ebenso wie einen modernen Barbereich und
zwei Restaurants: das elegante Bärenstübli und das rustikalere Suhrenstübli mit
einfacherer Karte. Mittags kommen die Geschäftsleute zum Tagesmenü.

Kreuz

Obere Dorfstr. 1 – ℰ 062 855 90 20 – www.kreuz-suhr.ch
17 Zim ⌸ – ♦130/160 CHF ♦♦195/215 CHF – ½ P
Rest *– (geschl. 27. Januar - 9. Februar, 21. Juli - 10. August und Montag, Samstagmittag)* (18 CHF) – Karte 38/82 CHF
Ein schöner und rundum solider Gasthof von den gepflegten, behaglichen Zimmern bis zum bürgerlich-regionalen Angebot im Restaurant! Sie möchten es ein bisschen komfortabler? Die Juniorsuiten haben eine Whirlwanne!

SUMISWALD – **Bern (BE)** – **551** L7 – **5 034 Ew** – **Höhe 700 m** – ✉ **3454**   **3** E4
▶ Bern 44 – Burgdorf 16 – Luzern 63 – Olten 58

 Bären

Marktgasse 1 – ℰ 034 431 10 22 – www.baeren-sumiswald.ch – geschl. Ende Januar - Anfang Februar 2 Wochen, Ende Juli - Anfang August 3 Wochen
18 Zim ⌸ – ♦100 CHF ♦♦170 CHF – ½ P
Rest *– (geschl. Montag - Dienstag)* (20 CHF) Menü 15/20 CHF – Karte 37/65 CHF
Aus dem 15. Jh. stammt das schmucke denkmalgeschützte Haus. Familie Hiltbrunner bietet wohnliche Zimmer (vier davon mit schönem altem Holz), freundlichen Service und ein gutes, frisches Frühstück. Bürgerlich-regionale Küche in gemütlichen Stuben. Ideal für Veranstaltungen: der sehenswerte Jugendstilsaal.

SURLEJ – **Graubünden** – **553** X11 – **siehe Silvaplana**

SURSEE – **Luzern (LU)** – **551** N6 – **8 998 Ew** – **Höhe 504 m** – ✉ **6210**   **3** F3
▶ Bern 90 – Luzern 23 – Aarau 26 – Baden 48
🔝 Oberkirch, Süd: 2 km, ℰ 041 925 24 50
◎ Rathaus★

 Bellevue am See

Bellevueweg 7 – ℰ 041 925 81 10 – www.bellevue-sursee.ch – geschl. 13. Januar - 2. Februar
19 Zim ⌸ – ♦135/170 CHF ♦♦260 CHF – ½ P
Rest *– (geschl. Sonntagabend - Montag)* (22 CHF) Menü 22 CHF (mittags unter der Woche)/75 CHF – Karte 34/88 CHF
Schön seenah (200 m) kann man bei Familie Friedrich wohnen, und zwar in einer schmucken Villa! Ein paar der individuellen Zimmer haben einen eigenen Balkon. Im kleinen Wintergartenrestaurant gibt es saisonal-bürgerliche Küche und dazu eine gute Weinauswahl.

XX **amrein'S** 🛋 🍽

Centralstr. 9 – ℰ 041 922 08 00 – www.amreins.ch – geschl. Fasnacht 1 Woche, Anfang August 2 Wochen und Sonntag - Montag sowie an Feiertagen
Rest – (30 CHF) Menü 67/89 CHF – Karte 61/88 CHF
Traditionell & kreativ - so nennen Romy und Beat Amrein-Egli selbst ihren Stil und das trifft es ziemlich gut! Der Patron verarbeitet viele Produkte aus der Region, die Chefin betreut in puristischem Ambiente auf quirlig-charmante Art die Gäste und hilft auch bei der Weinauswahl.

SUSTEN-LEUK – **Wallis (VS)** – **552** K11 – **Höhe 627 m** – ✉ **3952**   **8** E6
▶ Bern 183 – Brig 29 – Leukerbad 14
🔝 Leuk, ℰ 027 473 61 61

 Relais Bayard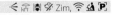

Kantonsstr. 151, Ost: 1 km Richtung Brig – ℰ 027 474 96 96
– www.relaisbayard.ch
30 Zim ⌸ – ♦100/220 CHF ♦♦170/260 CHF – ½ P
Rest – (18 CHF) Menü 30/50 CHF – Karte 30/83 CHF
Der Landgasthof liegt an der Strasse nach Brig und am Golfplatz. Man bietet funktionell eingerichtete Zimmer sowie Duplex-Zimmer, die für Familien geeignet sind. Gediegen-rustikales Restaurant und Pizzeria.

SUTZ-LATTRIGEN – Bern (BE) – **551** I6 – **1 352 Ew** – Höhe 450 m – ✉ 2572   **2** C3

▶ Bern 44 – Biel 7 – Neuchâtel 36 – Solothurn 33

XX **Anker**   ⌂ ✿ **P**

Hauptstr. 4 – ☎ 032 397 11 64 – www.anker-sutz.ch – geschl. 24. Februar
- 9. März, 22. September - 12. Oktober und Montag - Dienstag
Rest – (17 CHF) Menü 55/78 CHF – Karte 42/73 CHF
Eine sympathische Adresse ist der Berner Gasthof, der herzlich von Familie Müller-
Rommel geleitet wird. Traditionelle Speisen in urgemütlichen Räumen. Ter-
rasse unter Platanen.

TÄGERWILEN – Thurgau – **551** T3 – **siehe Kreuzlingen**

TARASP – Graubünden – **553** Z9 – **siehe Scuol**

TAVERNE – Ticino (TI) – **553** R13 – **2 934 ab.** – alt. 364 m – ✉ 6807   **10** H6

▶ Bern 235 – Lugano 10 – Bellinzona 21 – Locarno 31

XXX **Motto del Gallo** con cam   ⌂ 🛜 ✿ **P**

via Bicentenario 16 – ☎ 091 945 28 71 – www.mottodelgallo.ch – chiuso 3
- 29 gennaio e domenica - lunedì a mezzogiorno
4 cam ⊑ – †120 CHF ††240 CHF
Rist – (consigliata la prenotazione) (39 CHF) Menu 42 CHF (pranzo)/105 CHF
(cena) – Carta 81/108 CHF
Ristorante elegante e decisamente particolare: un gruppo di piccole case del XV
secolo, riccamente arredate con mobili antichi e opere d'arte. Il menu presente
una serie di piatti dai sapori regionali e mediterranei; molto bella la terrazza
esterna.

TEGNA – Ticino (TI) – **553** Q12 – **749 ab.** – alt. 258 m – ✉ 6652   **9** G6

▶ Bern 244 – Locarno 6 – Andermatt 112 – Bellinzona 28

a Ponte Brolla – ✉ 6652

XX **Da Enzo**   ⌂ **P**

– ☎ 091 796 14 75 – www.ristorantedaenzo.ch – chiuso gennaio
- febbraio e mercoledì - giovedì a mezzogiorno
Rist – (40 CHF) Menu 65/95 CHF – Carta 85/108 CHF ☕
Casa ticinese in sasso e bella terrazza-giardino: ai tipici tavoli in granito - coperti
in parte da volte, in parte da alberi - piatti squisitamente mediterranei. Fornita
enoteca in cantina e due romantiche camere in un antico grotto.

X **Centovalli** con cam   ⌂ 🍴 🛜 **P**

via Vecchia Stazione 5 – ☎ 091 796 14 44 – www.centovalli.com – chiuso
24 dicembre - febbraio, lunedì e martedì
10 cam ⊑ – †130/170 CHF ††150/210 CHF
Rist – (consigliata la prenotazione) (27 CHF) – Carta 50/69 CHF
Nelle sale rustico-moderne di questo tipico grotto ticinese o sulla bella terrazza
riparata da un pergolato, servizio informale e stuzzicanti proposte regionali. La
specialità? Il risotto!

X **T3e Terre** con cam   ⌂ 🛜 ✿ **P**

via Vecchia Stazione 2 – ☎ 091 743 22 22 – www.3terre.ch – chiuso 2
settimane inizio novembre, 2 settimane a Carnevale, martedì e mercoledì; metà
luglio - metà agosto : martedì e mercoledì a mezzogiorno
5 cam ⊑ – †180/210 CHF ††180/210 CHF
Rist – (22 CHF) Menu 63 CHF (cena)/98 CHF – Carta 60/95 CHF
In una cornice idilliaca, vicino al fiume Maggia, la vista offerta dal giardino d'inverno o dalla soleggiata terrazza di questo locale non lascia indifferenti, mentre
un nuovo chef ai fornelli continua la tradizione di una cucina regionale e dai
sapori mediterranei.

TGANTIENI – Graubünden – **553** V9 – **siehe Lenzerheide**

THALWIL – Zürich (ZH) – **551** P5 – **17 286 Ew** – Höhe 435 m – ⊠ 8800   4 G3

▶ Bern 134 – Zürich 12 – Luzern 47 – Schwyz 55

🏨 **Sedartis**   ⊀ ⌂ 🏠 🕭 🛜 ⅏ ⇔
Bahnhofstr. 16 – 𝒞 043 388 33 00 – www.sedartis.ch
40 Zim ⊆ – †165/250 CHF ††175/300 CHF
Rest – (25 CHF) Menü 45 CHF (unter der Woche)/110 CHF – Karte 40/102 CHF
Überall frisches modernes Design. Indoor-Golf, Relax-Center für Kosmetik und
Massage sowie ein variabler Tagungsbereich (auch Seminarhaus gegenüber).
Einige Zimmer und die Terrasse bieten Seeblick. Zum Restaurant gehört ein Bistro.

THAYNGEN – Schaffhausen (SH) – **551** Q2 – **4 998 Ew** – Höhe 440 m   4 G1
– ⊠ **8240**

▶ Bern 180 – Zürich 61 – Baden 80 – Schaffhausen 10

in Hüttenleben Nord-West: 1,5 km

🍴🍴 **Hüttenleben** mit Zim   ⌂ 🅟 Zim, 🛜 🅟
Drachenbrunnenweg 5 – 𝒞 052 645 00 10 – www.huettenleben.ch – geschl.
21. Juli - 9. August, 29. September - 8. Oktober
4 Zim ⊆ – †96 CHF ††167 CHF
Rest – (geschl. Mittwochabend - Donnerstag) Karte 55/88 CHF
Der Landgasthof bietet internationale Küche mit italienischen und regionalen Einflüssen. Vom lichten Wintergarten blickt man in den Garten, nett ist auch die rustikale Pasteria.

THÖRIGEN – Bern (BE) – **551** L6 – **1 034 Ew** – Höhe 488 m – ⊠ 3367   3 E3

▶ Bern 41 – Aarau 54 – Basel 69 – Luzern 83

🍴🍴 **Löwen** (Nik Gygax)   ⌂ ⇔ 🅟
❀ *Langenthalstr. 1 – 𝒞 062 961 21 07 – www.nikgygax.ch – geschl. Juli - August 2*
Wochen und Sonntag - Montag
Rest – (Tischbestellung ratsam) Menü 65/220 CHF – Karte 90/155 CHF
Rest *Nik's Wystube* – siehe Restaurantauswahl
Nik Gygax kocht nach wie vor klassisch, und das mit ausgesuchten Produkten
und vor allem mit viel Geschmack! Im Sommer ist es auch vor dem schmucken
alten Fachwerkhaus unter schattenspendenden Kastanien richtig schön. Weinken-
ner freuen sich über einige wahre Schätze!
→ Variation de foie d'oie. Belles medaillons de homard bleu. Côte de veau "Qua-
livo" aux sous-bois.

🍴 **Nik's Wystube** – Restaurant Löwen   ⌂ 🅟
⌘ *Langenthalstr. 1 – 𝒞 062 961 21 07 – www.nikgygax.ch – geschl. Juli - August 2*
Wochen und Sonntag - Montag
Rest – (20 CHF) – Karte 53/115 CHF
Der Patron kann auch traditionell: Viele Gäste schätzen diese günstigere Alterna-
tive zum Gourmetrestaurant, um in ungezwungener und legerer Atmosphäre ihr
Cordon Bleu zu essen!

THÔNEX – Genève – **552** B11 – **voir à Genève**

THUN – Bern (BE) – **551** K8 – **42 764 Ew** – Höhe 560 m – ⊠ 3600   8 E4

▶ Bern 32 – Interlaken 29 – Gstaad 61 – Langnau im Emmental 32

🄸 Seestr. 2, Bahnhof A1, 𝒞 033 225 90 00, www.thun.ch

🖿 Thunersee, Ost: 2 km Richtung Allmendingen, 𝒞 033 334 70 70

🖿 Aaretal, Kiesen, Nord: 12 km Richtung Bern, 𝒞 031 782 00 00

◉ Lage★★ • Jakobshübeli★★ • Schloss Schadau★(⊀★★)B2 • Altstadt (Obere
Hauptgasse★ • Rathausplatz★ • Schloss★)A1

Stadtplan auf der nächsten Seite

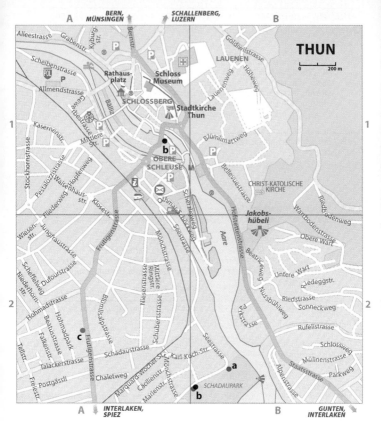

THUN

0 — 200 m

⌂⌂⌂ Seepark ⟨ 🛥 ⌂ 🛎 & 🌿 🛜 🏋 🚗 🅿

Seestr. 47 – ☎ 033 226 12 12 – www.seepark.ch – geschl. 15. Dezember – 8. Januar

B2**b**

89 Zim ⌷ – ♦200/260 CHF ♦♦270/390 CHF – 2 Suiten – ½ P

Rest *dasRestaurant* – siehe Restaurantauswahl

In dieses Tagungshotel wurde einiges investiert: So kann man seinen Gästen neben der schönen Lage direkt am See auch eine wertige und zeitgemässe Einrichtung bieten - und der tolle Blick ist ebenso gratis wie Minibar und Fahrradverleih! Im Bistro "theTimeless" gibt es internationale Küche von Sandwiches über Club Burger bis Tatar.

⌂⌂ Freienhof 🛏 🛜 🛎 🌿 🛜 🏋 🚗

Freienhofgasse 3 – ☎ 033 227 50 50 – www.freienhof.ch

A1**b**

65 Zim ⌷ – ♦155/225 CHF ♦♦255/275 CHF – 1 Suite – ½ P

Rest – (19 CHF) Menü 24/53 CHF – Karte 39/94 CHF

Auf der Aarehalbinsel, nicht weit vom Stadtzentrum entfernt, befindet sich dieses Hotel mit gepflegtem Garten. Die Zimmer sind sehr modern und funktionell. Restaurant mit Terrasse an der Aare.

XX Arts Schloss Schadau ⟨ 🕊 🛜 🌿 ✿

Seestr. 45 – ☎ 033 222 25 00 – www.schloss-schadau.ch – geschl. Februar und Montag; November - April: Montag - Dienstag

B2**a**

Rest – Menü 49 CHF (mittags)/107 CHF – Karte 71/95 CHF

Ein zauberhaftes jahrhundertealtes Anwesen in einem Park am Thuner See - wie gemacht für Hochzeiten! Freundlich serviert man in herrschaftlichen Räumen frische Küche mit vielen regionalen Produkten. Toller Bergblick.

XX **dasRestaurant** – Hotel Seepark ⪡ 🍽 ⓺ 🏊 **P**
Seestr. 47 – ℰ 033 226 12 12 – www.seepark.ch – geschl. 15. Dezember
- 8. Januar und Sonntag - Montag B2**b**
Rest – *(nur Abendessen)* Menü 59/95 CHF
Das moderne und doch klassische Ambiente und die Aussicht auf den See sind
hier gleichermassen attraktiv. Stellen Sie sich Ihr Menü aus den zeitgemässen
Gerichten einfach selbst zusammen - dazu gibt es eine gute Weinauswahl.

X **Burehuus** 🍽 ⓺ 🏊 ⇆ **P**
Ꚉ *Frutigenstr. 44 – ℰ 033 224 08 08 – www.burehuus.ch – geschl. Montagabend*
Rest – (18 CHF) Menü 22 CHF (mittags unter der Woche)/46 CHF A2**c**
– Karte 45/108 CHF
Das hübsch restaurierte 200 Jahre alte Bauernhaus beherbergt ein freundlich
gestaltetes Restaurant mit regionaler Küche. Grosse Terrasse hinterm Haus.

in Steffisburg Nord-West: 2 km – Höhe 563 m – ✉ 3612

XX **Panorama - Cayenne** ⪡ 🍽 ⓺ **P**
Hartlisbergstr. 39, (auf dem Hartlisberg) – ℰ 033 437 43 44
– www.panorama-hartlisberg.ch – geschl. über Weihnachten und
Montag - Dienstag
Rest – *(nur Abendessen)* Menü 85/104 CHF – Karte 79/108 CHF 🍷
Rest *Bistro*ⓐ – siehe Restaurantauswahl
Chef Rolf Fuchs legt viel Wert auf gute Produkte und eine exakte und aufwän-
dige Präsentation seiner zeitgemässen Speisen. Probieren Sie die Spezialität des
Hauses: "Brie de Meaux gefüllt mit Trüffel". Schön die Pralinenschatulle! Die Pano-
ramalage geniesst man natürlich am besten auf der Terrasse!

X **Bistro** – Restaurant Panorama ⪡ 🍽 ⓺ **P**
Ꚉ *Hartlisbergstr. 39, (auf dem Hartlisberg) – ℰ 033 437 43 44*
– www.panorama-hartlisberg.ch – geschl. über Weihnachten und Montag - Dienstag
ⓐ **Rest** – (19 CHF) Menü 51 CHF – Karte 53/99 CHF 🍷
Dieses Restaurant ist etwas einfacher und auch günstiger, richtig gut essen kann
man aber dennoch, und zwar traditionelle Gerichte wie "Kalbscordonbleu mit
Taleggio und Rohschinken".

in Hilterfingen Süd-Ost: 3 km – Höhe 563 m – ✉ 3652

🏠 **Schönbühl** 🐾 ⪡ 📶 ⓺ 🛜 **P**
Dorfstr. 47 – ℰ 033 243 23 83 – www.schoenbuehl.ch – geschl. Januar
19 Zim 🛏 – ♦130/170 CHF ♦♦205/275 CHF – ½ P
Rest *Schönbühl*ⓐ – siehe Restaurantauswahl
Stefan Joos und Tamara Giger heissen die engagierten Gastgeber in diesem tipp-
topp gepflegten Hotel. Hier wohnt man in schöner Lage oberhalb des Thuner
Sees, und zwar in zeitlos eingerichteten Zimmern.

XX **Schönbühl** – Hotel Schönbühl ⪡ 🍽 ⓺ ⇆ **P**
Ꚉ *Dorfstr. 47 – ℰ 033 243 23 83 – www.schoenbuehl.ch – geschl. Januar*
Rest – *(geschl. Montag; Oktober - April: Sonntag - Montag)* (18 CHF)
ⓐ Menü 48 CHF (mittags)/143 CHF – Karte 60/95 CHF
Nicht nur gut übernachten lässt es hier, auch zum Essen ist das Haus eine schöne
Adresse - und das liegt zum einen an der tollen Aussicht auf den See (da sitzt
man natürlich auch gerne auf der Terrasse!), zum anderen an den saisonal-regio-
nalen Gerichten wie "Variation von Lachs und Bärlauch" oder "Heilbutt mit Spar-
gel und Emmentaler-Whiskeyschaum".

in Oberhofen Süd-Ost: 3 km – Höhe 563 m – ✉ 3653

🏠 **Parkhotel** 🐾 ⪡ 🚗 🍽 📶 🏊 Zim, 🛜 � **P**
Friedbühlweg 36 – ℰ 033 244 91 91 – www.parkhoteloberhofen.ch – geschl.
Januar 1 Woche, Februar 1 Woche
36 Zim 🛏 – ♦120/160 CHF ♦♦240/355 CHF – ½ P
Rest – *(geschl. November - April: Sonntag - Montag)* (22 CHF) Menü 39 CHF
(mittags unter der Woche)/95 CHF – Karte 59/95 CHF
Aus dem Jahre 1913 stammt dieses Hotel, das dank seiner erhöhten Lage eine
traumhafte Sicht bietet. Hübsche Lobby und wohnliche Zimmer - die komfortable-
ren mit Seeblick. Zeitgemäss speist man im neuzeitlich-gediegenen Restaurant.

THUNSTETTEN – Bern (BE) – **551** L6 – 3 074 Ew – Höhe 435 m   3 E3
– ⊠ 4922

▶ Bern 43 – Basel 62 – Luzern 76 – Biel 45

In Thunstetten-Forst West: 1,5 km Richtung Herzogenbuchsee – ⊠ 4922

XX   **Forst**   ⟨ 🏠 ⅃ ⟳ **P**
*Forst 101 – 𝒞 062 963 21 11 – www.restaurantforst.ch – geschl. 25. September
- 5. Oktober und Dienstagabend - Mittwoch*
Rest – (30 CHF) – Karte 46/90 CHF
In dem historischen Gasthof mit hellem klassischem Ambiente bieten die sympathischen Gastgeber internationale Küche. Terrasse mit Blick zur Jurakette, daneben der kleine Rosengarten.

THUSIS – Graubünden (GR) – **553** U9 – 2 866 Ew – Höhe 697 m – ⊠ 7430   10 I4

▶ Bern 266 – Chur 26 – Bellinzona 93 – Davos 47

🄲 Bahnhof, 𝒞 081 650 90 30, www.viamala.ch

🄶 Zillis Holzdecke★★ der Kirche, Süd: 8 km • Via Mala★★, Süd: 4 km

🏠   **Weiss Kreuz**   🏠 🏠 🄸 Ⅼ Rest. 🛜 🄼 **P**
⊕⊕   *Neudorfstr. 50 – 𝒞 081 650 08 50 – www.weisskreuz.ch*
41 Zim ⊑ – †105/130 CHF ††160/220 CHF – ½ P
Rest – (18 CHF) Menü 48 CHF – Karte 33/76 CHF
Hinter der schmucken roten Fassade können Sie zeitgemäss wohnen (immer wieder werden Zimmer renoviert) und auch zum Essen bietet man schöne Räume: hell und elegant der Speisesaal, sehr gemütlich die Bündner Stube. Auf der Speisekarte machen z. B. Sauerbraten vom Rind oder Capuns Appetit. Und wenn mal etwas Besonderes ansteht: Gesellschaften geniessen im Dachwintergarten eine tolle Aussicht!

THYON-Les COLLONS – Valais (VS) – **552** I12 – alt. 2 187 m – **Sports**   7 D6
d'hiver : 1 800/3 300 m ⛷ 16 ⛷47 ⋇ – ⊠ 1988

▶ Bern 179 – Sion 24 – Brig 74 – Martigny 53

🄲 Rue des Collons 5, 𝒞 027 281 27 27, www.thyon.ch

Manifestations locales :

4-9 août : Montagn'Art

aux Collons – alt. 1 802 m – ⊠ 1988

🏠   **La Cambuse**   🦐 ⟨ 🏠 🛜 🄼 **P**
⊕⊕   *Chemin de la bourgeoisie 11 – 𝒞 027 281 18 83 – www.lacambuse.ch
– fermé 27 avril - 21 juin et 26 octobre - 13 décembre*
10 ch ⊑ – †90/150 CHF ††160/190 CHF – 1 suite – ½ P
Rest – (fermé 21 juin - 26 octobre : mercredi) (20 CHF) Menu 30 CHF (déjeuner en semaine)/75 CHF – Carte 43/90 CHF
Ce chalet familial domine le val d'Hérens, à 1 900 m d'altitude : une vue et une situation magnifiques, juste au pied des pistes. Les chambres sont très fraîches, habillées de bois blond. Après le ski, c'est cuisine traditionnelle... et fondues !

La TOUR-de-PEILZ – Vaud – **552** F10 – **voir à Vevey**

TRIMBACH – Solothurn – **551** M5 – **siehe Olten**

TRIMMIS – Graubünden – **553** V8 – 3 047 Ew – Höhe 628 m – ⊠ 7203   5 I4

▶ Bern 238 – Chur 7 – Triesenberg 35 – Vaduz 34

X   **Sonne** ⓝ   🏠 ⟳ **P**
*Chegelplatz 2 – 𝒞 081 353 59 61 – www.sonne-trimmis.ch – geschl. Ende Juli
- August 3 Wochen, November 1 Woche und Montag - Dienstag, Samstagmittag*
Rest – Karte 43/120 CHF
Sie haben Lust auf frische und ehrliche bürgerlich-regionale Küche? Vielleicht "Rindsschmorbraten an Rotweinsauce"? Treuen Stammgästen des charmant-rustikalen Restaurants, aber auch "Neulingen" verleiht man den "Sonnentaler" - damit bekommt man beim nächsten Besuch etwas umsonst! Man hat übrigens auch ein paar Tische im Freien.

TRIN – Graubünden (GR) – 553 U8 – 1 222 Ew – Höhe 875 m – ✉ 7014   5 I4
▶ Bern 257 – Chur 15 – Glarus 85 – Triesenberg 54

XX   **Casa Alva** ⓝ mit Zim   🖪 🛜 🕍
     Via Visut 31, (1. Etage) – ℰ 081 630 42 45 – www.casaalva.ch – geschl. 19. Juni
     - 17. Juli, 6. - 20. November und Dienstag - Mittwoch
     6 Zim ☑ – 🛉150 CHF 🛉🛉210 CHF
     Rest – *(nur Abendessen) (Tischbestellung ratsam)* Menü 64/108 CHF
     Nach 15 Jahren Mallorca zog es Lucia Monn und Corsin Pally zurück in ihre Hei-
     mat. Warum sie sich für ihr Restaurant das ehemalige Pfarrhaus ausgesucht
     haben? Hier passen ihre zeitgemässen Menüs (benannt nach Bündner Bergen)
     schön zum Rahmen: ein angenehmer Mix aus zurückhaltend modernem Stil und
     alter Bausubstanz, ein ansprechendes Nebeneinander von klaren Formen und rus-
     tikalen Holzbalken...

TRUN – Graubünden (GR) – 553 S9 – 1 156 Ew – Höhe 852 m – ✉ 7166   10 H4
▶ Bern 190 – Andermatt 44 – Altdorf 78 – Bellinzona 96

XX   **Casa Tödi** mit Zim   🖅 🍴 Rest. 🛜 ⇄ 🚗 🅿
😌   *Via Principala 78, (1. Etage) – ℰ 081 943 11 21 – www.casa-toedi.ch – geschl.*
     30. März - 16. April, 26. Oktober - 20. November und ausser Saison: Dienstag
     - Mittwoch
     18 Zim ☑ – 🛉75/88 CHF 🛉🛉140/160 CHF – ½ P
     Rest – *(abends Tischbestellung ratsam)* (28 CHF) Menü 114/125 CHF
     – Karte 39/90 CHF
     Lust auf klassisches Boeuf Bourguignon? Und als Dessert Birnen-Mandel-Clafoutis
     mit Mascarpone-Sorbet? Die gute Küche von Manuel Reichenbach ist noch nicht
     alles, was der Familienbetrieb (seit 1925) zu bieten hat, denn in dem stattlichen
     Patrizierhaus ist es dank historischer Holztäferung, schönem Specksteinofen und
     umlaufender Holzbank richtig gemütlich. Übrigens: Unterm Dach trocknen im Win-
     ter Salsiz von Schwein und Kartoffel, hergestellt nach Grossmutters Rezept... lecker!

TSCHUGG – Bern (BE) – 552 H7 – 448 Ew – Höhe 470 m – ✉ 3233   2 C4
▶ Bern 36 – Neuchâtel 14 – Biel 29 – La Chaux-de-Fonds 34

XX   **Rebstock**   🛖 🍴 🅿
😋   *Unterdorf 60 – ℰ 032 338 11 61 – www.rebstock-tschugg.ch – geschl. Montag*
     - Dienstagmittag
     Rest – (18 CHF) Menü 59/99 CHF – Karte 37/93 CHF🌿
     Schon mehr als 20 Jahre leitet Familie Kilian das schöne Restaurant in dem ehema-
     ligen Weingut und bietet schmackhafte zeitgemässe Küche aus regionalen Produk-
     ten, aber auch thailändische Spezialitäten ("take away" möglich). Kunstausstellung.

TWANN – Bern (BE) – 551 H6 – 1 118 Ew – Höhe 434 m – ✉ 2513   2 C4
▶ Bern 50 – Neuchâtel 23 – Biel 10 – La Chaux-de-Fonds 43

🏠   **Bären**   🖅 🛖 🖪 🍴 Zim. 🕍 🅿
     Moos 36 – ℰ 032 315 20 12 – www.baeren-twann.ch – geschl. November 2
     Wochen und Januar - April sowie Oktober - Dezember: Montag - Dienstag
     13 Zim ☑ – 🛉95/138 CHF 🛉🛉155/229 CHF – ½ P
     Rest – (26 CHF) Menü 47/56 CHF – Karte 37/79 CHF
     Zwischen Weinbergen und Bielersee, unweit der Bahnlinie, liegt das mit funktio-
     nellen Gästezimmern ausgestattete Hotel. Einige Zimmer verfügen über einen
     kleinen Balkon zum See. Restaurant und Terrasse bieten Seeblick. Traditionelle
     Küche mit viel Fisch.

🏠   **Fontana**   ⪡ 🖅 🛖 🛜 🕍 🅿
     Moos 10 – ℰ 032 315 03 03 – www.hotelfontana.ch – geschl. 16. Dezember
     - 27. Januar
     20 Zim ☑ – 🛉129/149 CHF 🛉🛉199/259 CHF – ½ P
     Rest – *(geschl. Montag, Oktober - März: Sonntagabend)* Menü 58/133 CHF
     – Karte 52/96 CHF
     In dem Hotel nahe der Bahnlinie stehen freundliche Zimmer mit Balkon und See-
     blick bereit. Ruhiger sind die Zimmer nach hinten zum Weinberg. Chic: das
     Designzimmer "Le Boudoir". Zum Fischrestaurant gehört eine grosse Terrasse mit
     Sicht auf den See.

XX **Zur Ilge** ⌂ P

Kleintwann 8 – ℰ 032 315 11 36 – www.restaurantilge.ch – geschl. Juni 2 Wochen und Montag - Dienstag, November - März: Sonntagabend
Rest – (22 CHF) Menü 29 CHF (mittags unter der Woche)/99 CHF – Karte 46/95 CHF
Maja und Paul Thiébaud bieten hier traditionelle und asiatische Küche, serviert in modernem oder gemütlich-rustikalem Ambiente. Historischer Apéro-Keller, Terrasse zum See.

UEBERSTORF – Freiburg (FR) – **552** I8 – **2 382 Ew** – ✉ 3182 2 D4
▶ Bern 20 – Fribourg 19 – Neuchâtel 46 – Solothurn 58

⌂ **Schloss Ueberstorf** ⊗ ⬚ ⌂ ℅ Zim, 🛜 ⚒ P

Schlossstr. 14 – ℰ 031 741 47 17 – www.schlossueberstorf.ch
15 Zim � – †150 CHF ††240 CHF – ½ P
Rest – (32 CHF) Menü 32/85 CHF – Karte 52/84 CHF
Die Gebete sind nur noch eine entfernte Erinnerung in diesem alten Kloster a. d. 16. Jh.! Von nun an dient das Anwesen der Beherbergung sowie Seminaren. Geblieben ist die Sachlichkeit des Ortes, die sich in einer schlichten und raffinierten Dekoration widerspiegelt: helle Töne, Parkett, hier und da antike Möbelstücke… Eine Insel des Friedens.

UETIKON am SEE – Zürich (ZH) – **551** Q5 – **5 845 Ew** – **Höhe 414 m** 4 G3
– ✉ 8707
▶ Bern 143 – Zürich 18 – Rapperswil 15

XX **Wirtschaft zum Wiesengrund** (Hans-Peter Hussong) ⌂ P

⌘⌘ *Kleindorfstr. 61 ✉ 8707 – ℰ 044 920 63 60 – www.wiesengrund.ch – geschl. Februar 2 Wochen, August 3 Wochen und Sonntag - Montag*
Rest – *(Tischbestellung ratsam)* Menü 64 CHF (mittags)/250 CHF – Karte 120/167 CHF
Ines und Hans-Peter Hussong werden nicht müde, ihren Gästen Gastronomie auf höchstem Niveau zu bieten... und das seit über 20 Jahren! Die klassische Küche des Patrons basiert auf herausragenden Produkten, Kontrasten und kräftigen Aromen und dazu passend empfiehlt die Chefin die Weine. Sie speisen gerne im Freien? Das über 200 Jahre alte Gasthaus hat auch eine Terrasse zum hübsch bepflanzten Garten!
➜ Schmorbratenravioli, Salbei-Nussbutter. Bouillon, Seezunge, Langustine, Sauce Rouille. Ganze Challans-Ente mit Zitrone gefüllt.

UETLIBERG – Zürich – **551** P5 – **siehe Zürich**

UNTERÄGERI – Zug (ZG) – **551** Q6 – **8 121 Ew** – **Höhe 725 m** – ✉ 6314 4 G3
▶ Bern 148 – Luzern 45 – Einsiedeln 31 – Rapperswil 29

🏨 **Seminarhotel am Ägerisee** ⋖ ⌂ ⅏ ▮ & Rest, 🖩 Rest, ℅ 🛜 ⚒

Seestr. 10 – ℰ 041 754 61 61 – www.seminarhotelaegerisee.ch ⌘ P
69 Zim ⊑ – †185/240 CHF ††185/240 CHF – ½ P
Rest – (28 CHF) Menü 45/75 CHF – Karte 37/91 CHF
Eine komfortable und zeitgemässe Adresse ist dieses auf Tagungen ausgelegte Hotel, zu dessen Annehmlichkeiten die Lage am See zählt. Internationale Küche im modernen Restaurant mit Seeblick. Angrenzend die puristisch gestaltete Lounge mit Kamin.

UNTERBÄCH – Wallis (VS) – **552** L11 – **398 Ew** – **Höhe 1 228 m** 8 E6
– **Wintersport : 1 220/2 500 m** ⚡5 – ✉ 3944
▶ Bern 90 – Brig 22 – Sierre 28 – Sion 44

🏨 **Alpenhof** ⊗ ⋖ ⌂ 🖪 ⅏ ▮ ℅ 🛜 ⚒ ⌘ P

Dorfstr. 33 – ℰ 027 935 88 44 – www.myalpenhof.ch – geschl. April, November
35 Zim ⊑ – †95/145 CHF ††140/220 CHF – 2 Suiten – ½ P
Rest – *(geschl. Montagmittag)* Menü 23 CHF (mittags unter der Woche)/69 CHF – Karte 40/84 CHF
In dem Hotel im Zentrum des kleinen Ortes wählt man zwischen älteren, klassisch eingerichteten Zimmern im Haupthaus und modernen, helleren im Annex; fast alle mit Balkon! Neben dem Restaurant in geradlinigem Stil hat man im Keller noch den "Spycher" mit Grill- und Käsegerichten.

UNTERENGSTRINGEN – Zürich (ZH) – **551** P4 – **3 359 Ew** – ⊠ **8103**   4 F2

▶ Bern 120 – Zürich 11 – Aarau 42 – Zug 38

XX **Witschi's Restaurant**   🏡 ✿

Zürcherstr. 55 – ℰ 044 750 44 60 – www.witschirestaurant.ch
– geschl. Weihnachten - 15. Januar und Sonntag - Montag; Dezember: Sonntag
Rest *– (Tischbestellung ratsam)* (38 CHF) Menü 55 CHF (mittags unter der
Woche)/180 CHF – Karte 96/152 CHF
Heinz Witschi bevorzugt die klassische Küche, und er versteht sein Handwerk.
Draussen die hübsch begrünte Terrasse. Ideal für Gesellschaften: die Privatsphäre
des eleganten Gourmetclubs.

UNTERIBERG – Schwyz (SZ) – **551** R7 – **2 324 Ew** – ⊠ **8842 Unteriberg**   4 G3

▶ Bern 177 – Schwyz 21 – Glarus 63 – Zug 51

X **Landgasthof Rösslipost** mit Zim   🏡 �📶 🤝 ✿
🍴
Schmalzgrubenstr. 2 – ℰ 055 414 60 30 – www.roesslipost.ch – geschl. 27. April
- 6. Mai, 10. - 18. August, Sonntag - Montag und an Feiertagen
12 Zim ⌂ – ♦95/110 CHF ♦♦150/180 CHF – ½ P
Rest – (17 CHF) Menü 65/98 CHF – Karte 48/91 CHF
Die Chefin (bereits die 5. Generation der Familie Fässler) steht selbst in der Küche
und kocht saisonal. Serviert wird in Kathrins Restaurant oder in der einfachen Gaststube - nicht zu vergessen die Terrasse hinter dem Haus! Schlichte Gästezimmer.

UNTERSEEN – Bern (BE) – **551** I9 – **5 505 Ew** – Höhe 573 m – ⊠ **3800**   8 E5

▶ Bern 57 – Thun 30 – Köniz 67 – Ostermundigen 59

🏠 **Beausite** ⓝ   ← 🚗 🏡 �📶 🍽 🤝 🛴 **P**

Seestr. 16, (Stadtplan Interlaken) – ℰ 033 826 75 75 – www.beausite.ch – geschl.
26. Oktober - 15. Dezember   AY**f**
50 Zim ⌂ – ♦98/230 CHF ♦♦145/290 CHF – ½ P
Rest *– (nur Abendessen)* Menü 39 CHF – Karte 34/91 CHF
Zwar nicht direkt am See, aber nur einen Katzensprung von Interlaken entfernt
leiten Max und Imi Ritter dieses Traditionshaus. Die Zimmer sind schön hell,
frisch und wohnlich, das Restaurant ist gemütlich und hat eine Terrasse mit Bergblick und es gibt auch noch einen hübschen Garten mit Kräuterbeeten und Klein-
tiergehege.

X **benacus**   🏡 AC
🍴
Kirchgasse 15 – ℰ 033 821 20 20 – www.benacus.ch – geschl. Samstagmittag,
Sonntag - Montag
Rest – (19 CHF) Menü 30 CHF (mittags)/85 CHF – Karte 41/111 CHF ⋇
In dem modernen Restaurant erwarten Sie zeitgemässe Küche und eine grosse
internationale Weinauswahl, mittags ist die Karte recht klein. Besuchen Sie auch
Lounge und Bar und bei schönem Wetter natürlich die nette Terrasse am Kirch-
platz.

UNTERSIGGENTHAL – Aargau (AG) – **551** O4 – **6 855 Ew**   4 F2
– Höhe 379 m – ⊠ **5417**

▶ Bern 109 – Aarau 32 – Baden 6 – Schaffhausen 55

XXX **Chämihütte**   ← 🏡 ✿ **P**

Rooststr. 15, Nord: 1 km Richtung Koblenz – ℰ 056 298 10 35
– www.chaemihuette.ch – geschl. Februar 1 Woche, Juli 10 Tage, Oktober 1
Woche und Sonntagabend - Montag
Rest – (35 CHF) Menü 38 CHF (mittags) – Karte 50/102 CHF
Nett liegt das klassisch-elegante Restaurant im Grünen. Sehr schön sind das
Kaminzimmer und der Garten. Neben traditioneller Küche bietet man auch eine
gute Auswahl an Zigarren.

URNÄSCH – Appenzell Ausserrhoden (AR) – **551** U5 – **2 270 Ew**   5 H3
– Höhe 826 m – ⊠ **9107**

▶ Bern 209 – Sankt Gallen 20 – Altstätten 26 – Herisau 10

XX **Urnäscher Kreuz**

Unterdorfstr. 16 – ☏ 071 364 10 20 – www.urnaescher-kreuz.ch
– geschl. Sonntagabend - Montag; November - Mitte April: Sonntag - Montag
Rest *– (Tischbestellung ratsam)* (20 CHF) – Karte 43/84 CHF
"Kalbsgeschnetzeltes mit Pilzrahmsauce, getrockneten Tomaten, Sommergemüse
und Butterrösti" - schmackhafte regionale Speisen wie diese gibt es unter der Leitung von Christian Oertle und Philippe Michel in dem typischen Appenzeller Haus.
Holztäferung und niedrige Decken machen es drinnen schön gemütlich, dennoch
sollten Sie im Sommer unbedingt auf der Terrasse an der Urnäsch essen!

URSENBACH – Bern (BE) – 551 L6 – 901 Ew – Höhe 588 m – ✉ 4937   3 E3
▶ Bern 43 – Burgdorf 20 – Langnau im Emmental 29 – Luzern 57

XX **Hirsernbad**

Hirsern 102, Süd: 1 km Richtung Oeschenbach – ☏ 062 965 32 56
– www.hirsernbad.ch – geschl. Februar 2 Wochen und Dienstag - Mittwoch
Rest – (19 CHF) Menü 79/110 CHF – Karte 43/97 CHF
Familie Duss leitet seit über 30 Jahren diesen gemütlichen Gasthof mit durchgehend warmer Küche, die traditionell ausgerichtet ist. Für Apéros: Weinkeller
und Spycher von 1647.

USTER – Zürich (ZH) – 551 Q5 – 32 577 Ew – Höhe 464 m – ✉ 8610   4 G3
▶ Bern 145 – Zürich 24 – Rapperswil 24 – Winterthur 27
Hittnau-Zürich, Hittnau, Ost: 10 km, ☏ 044 950 24 42

Ochsen

Zentralstr. 23 – ☏ 043 399 18 18 – www.ochsen-uster.ch – geschl. 22. Dezember
- 5. Januar
36 Zim – †125/199 CHF ††165/259 CHF – ½ P
Rest – *(geschl. 22. Dezember - 5. Januar, 20. Juli - 10. August und Montag)*
(19 CHF) – Karte 37/95 CHF
Seit 1964 sorgt Familie Badertscher hier für gepflegte Gastlichkeit. Am schönsten
sind die modernen Superior-Zimmer, am einfachsten die Basic-Zimmer. Neben
der Gaststube hat man noch die schlichte Taverne, eine Art Café-Bar.

UTZENSTORF – Bern (BE) – 551 K6 – 4 106 Ew – Höhe 474 m – ✉ 3427   2 D3
▶ Bern 26 – Biel 35 – Burgdorf 12 – Olten 47
Schloss Landshut ★

XX **Bären**

Hauptstr. 18 – ☏ 032 665 44 22 – www.baeren-utzenstorf.ch – geschl. 20. Januar
- 9. Februar und Montag - Dienstag
Rest – (24 CHF) Menü 68/110 CHF – Karte 56/107 CHF
Das gestandene Gasthaus von 1261 bietet nicht nur ländliche, nett dekorierte
kleine Stuben, sondern auch eine schmackhafte regionale Küche mit internationalen Einflüssen, die von Vater und Sohn Thommen (13. und 14. Generation!) zubereitet wird. Sehr zu empfehlen: das Monatsmenü. Im Sommer lockt die Terrasse
unter Platanen. Stilvolle Veranstaltungsräume im OG.

UVRIER – Valais – 552 I11 – **voir à Sion**

VACALLO – Ticino (TI) – 553 S14 – 3 054 ab. – alt. 375 m – ✉ 6833   10 H7
▶ Bern 269 – Lugano 29 – Bellinzona 55 – Como 9

 Conca Bella

via Concabella 2 – ☏ 091 697 50 40 – www.concabella.ch – chiuso 2 settimane
fine dicembre - inizio gennaio, 3 settimane ad inizio agosto
17 cam – †125/155 CHF ††160/230 CHF – ½ P
Rist Conca Bella – vedere selezione ristoranti
Albergo moderno ispirato alla funzionalità più che all'estetica, tutte le camere
sono confortevoli, ma quelle più recenti hanno un tocco di eleganza in più (oltre
che di sovrapprezzo).

XX **Conca Bella** – Hotel Conca Bella   占 AC ⇔
ⓒ *via Concabella 2 – ℰ 091 697 50 40 – www.concabella.ch – chiuso 2 settimane
fine dicembre - inizio gennaio, 3 settimane ad inizio agosto,domenica e lunedì*
Rist – *(consigliata la prenotazione)* Menu 52 CHF (pranzo)/135 CHF
– Carta 91/110 CHF ⅋
Sala classica ed essenziale, tutta l'attenzione si concentra sui piatti: un viaggio
gourmet tra specialità sia di terra sia di mare, in prevalenza mediterranee ed italiane. Bella cantina, fornita e visitabile.
➜ Tortelli di Parmigiano liquido e culatello, con balsamico invecchiato nelle
nostre botti. Baccalà mantecato, pesto di crescione selvatico, succo di crostacei e
gamberi al ginepro. Costoletta di vitello doppia al burro d'alpeggio (2 persone).

VALBELLA – Graubünden – **553** V9 – **siehe Lenzerheide**

VALCHAVA – Graubünden – **553** AA10 – **siehe Santa Maria i.M.**

VALS – Graubünden (GR) – **553** T10 – **1 019 Ew** – **Höhe 1 248 m**   **10** H5
– **Kurort** – ⊠ **7132**
▶ Bern 229 – Chur 52 – Andermatt 83 – Davos 109
🛈 Poststr. 45, ℰ 081 920 70 70, www.vals.ch

🏨 **Rovanada**   ⅋ ⪉ 🚗 ☂ 🖥 ⌂ ⅃ฬ 🛗 🅿
ⓒ *– ℰ 081 935 13 03 – www.rovanada.ch – geschl. April - Mai*
42 Zim ⊊ – ✦95/115 CHF ✦✦130/250 CHF – ½ P
Rest – (20 CHF) Menü 69 CHF – Karte 40/85 CHF
Ein sehr gut geführtes Ferienhotel in dem Ort mit dem bekannten Valser Wasser.
Zimmer meist mit Balkon und schöner Aussicht, einige topmodern mit alpinem
Touch. Massageangebot. Italienische Küche im La Cucina, Grillgerichte im Diavolo,
Bündner Stuben mit Regionalem.

🏠 **Steinbock** ⓝ   ⅋ ⪉ 🚗 ☂ 占 ฬ 🧖 🚗 🅿
ⓒ *Valé 199c – ℰ 081 935 13 13 – www.hotel-steinbock.ch – geschl. April - Mai*
15 Zim ⊊ – ✦110/130 CHF ✦✦200/240 CHF – ½ P
Rest – (16 CHF) Menü 34/42 CHF – Karte 27/61 CHF
Gastgeberin Marionna Casutt hat mit Ihrem kleinen Hotel voll ins Schwarze
getroffen: Die Lage direkt an der Bergbahnstation könnte für Skifahrer und Wanderer nicht günstiger sein und auch das Haus selbst kann sich wirklich sehen lassen: ein würfelförmiger Bau, der sowohl aussen als auch innen moderne Geradlinigkeit mit heimischen Naturmaterialien wie Holz und Granit verbindet.

VANDOEUVRES – Genève – **552** B11 – **voir à Genève**

VERBIER – Valais (VS) – **552** H12 – **2 163 h.** – **alt. 1 406 m** – **Sports** **7** D6
d'hiver : 1 500/3 330 m 🚡16 ⬙47 ⬙ – ⊠ **1936**
▶ Bern 159 – Martigny 28 – Lausanne 98 – Sion 55
🛈 Place Centrale 2 B2, ℰ 027 775 38 88, www.verbier.ch
🚠 Verbier, ℰ 027 771 53 14
Manifestations locales :
    28 avril-3 mai : patrouille des glaciers
    18 juillet-3 août : Verbier festival (concerts classiques)
    15-24 août : Jumping international
◉ Site★★★ • Mont Gelé★★, par🚡 • Mont Fort★★★, par B2

Plan page suivante

🏨 **Le Chalet d'Adrien**   ⅋ ⪉ 🖥 ⓦ ⌂ ⅃ฬ 🛗 🛜 🅿
*Chemin des Creux – ℰ 027 771 62 00 – www.chalet-adrien.com
– fermé 4 mai - 28 juin et 21 septembre - 29 novembre*   A1**c**
20 ch – ✦456/990 CHF ✦✦456/990 CHF, ⊊ 48 CHF – 9 suites – ½ P
Rest *La Table d'Adrien* ⓒ **Rest** *Le Grenier* – voir la sélection des restaurants
On se sent vraiment bien dans ce grand chalet au-dessus de Verbier. Les chambres et les suites sont décorées avec goût et ont pris des noms de fleurs des
montagnes. Une vue splendide, du charme à revendre : une adresse au sommet !

395

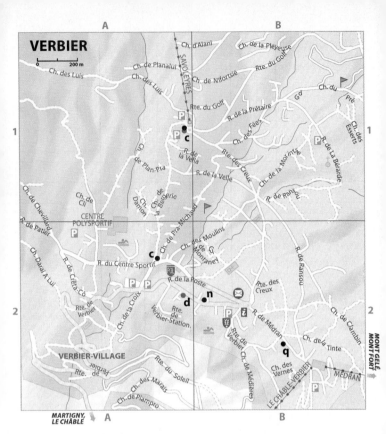

Cordée des Alpes [N]   🛁 📺 📶 📶 🏋 🛗 ⅙ ch, 🍴 rest, 🤶 📶 🚗

Route du Centre Sportif 24 – 𝒞 027 775 45 45 – www.hotelcordee.com
30 ch ⚏ – 🛏270/860 CHF 🛏🛏510/990 CHF – 2 suites   A2**c**
Rest – *(dîner seulement)* Carte 69/94 CHF
Loin du design et de la modernité, on se plonge volontiers dans la beauté artisanale de cette maison. Ici, le luxe est niché dans les détails, petites touches de bois rustique et carrelages peints à la main... Qui font que l'on se sent chez soi.

Nevaï   📶 🖾 ⅙ 🍴 🤶 📶 🚗 P

Route de Verbier 55 – 𝒞 027 775 40 00 – www.hotelnevai.com
– fermé 28 avril - 3 juillet, 1er septembre - 4 décembre   B2**n**
33 ch ⚏ – 🛏170/425 CHF 🛏🛏260/660 CHF – 2 suites – ½ P
Rest – *(dîner seulement)* Menu 75/90 CHF – Carte 64/89 CHF
Nevaï signifie "neige" dans le dialecte local. La décoration de cet hôtel, contemporaine, détonne avec le style montagnard en vigueur dans la région. On appréciera le confort des chambres et le restaurant où l'on sert grillades et cuisine du monde.

Le Chalet de Flore sans rest   🛥 ≼ 📶 🤶 📶 🚗 P

Rue de Médran 20 – 𝒞 027 775 33 44 – www.chalet-flore.ch – fermé 30 avril - 1er juillet, 10 septembre - 1er décembre   B2**q**
20 ch – 🛏230/650 CHF 🛏🛏230/650 CHF, ⚏ 35 CHF
Posté sur les hauteurs de la station, à côté des télécabines du domaine des 4-Vallées, l'hôtel propose un salon de thé et des chambres à la fois montagnardes et raffinées, même cosy ! Un refuge charmant après une journée au grand air...

XX **La Grange** 🎘 🕸 **P**

😊 *Rue de Verbier – ℰ 027 771 64 31 – www.lagrange.ch – fermé mai et juin*
Rest – *(fermé mercredi soir et dimanche en automne)* (20 CHF)   A2**d**
Menu 28 CHF (déjeuner en semaine)/130 CHF – Carte 59/112 CHF 🕸
Rest *Brasserie* – (20 CHF) Menu 68/130 CHF – Carte 57/112 CHF
Un cadre rustique et montagnard, des objets anciens glanés ici et là, le décor est
planté. Au restaurant, plats du terroir, gibier et poissons frais s'accompagnent
d'une belle carte des vins (France, Italie, Valais). Grillades au feu de bois, raclettes
et fondues à la Brasserie.

XX **La Table d'Adrien** – Hôtel Le Chalet d'Adrien   🎘 **P**

🌸 *Chemin des Creux – ℰ 027 771 62 00 – www.chalet-adrien.com – fermé 28 avril*
- 17 juillet et 12 septembre - 10 décembre   A1**c**
Rest – *(dîner seulement)* Menu 120 CHF (végétarien)/215 CHF
– Carte 125/145 CHF 🕸
Un hôtel de luxe avec restaurant gastronomique et, bien sûr, une ambiance élégante. Le chef, dont les racines italiennes sont aisément discernables, prépare une
cuisine magistrale et exquise. Les conseils professionnels du sommelier et le service attentionné donnent la touche finale à une parfaite soirée.
➜ La truite & le mascarpone, œuf mollet, mortadelle rôtie, taleggio, truffe noire
d'Alba. Turbot gratiné aux olives, crème d'oignons tige parfumée au safran, artichauts braisés au vin blanc. Cochon de lait en trois façons, crème de lentilles noires, salsifis, cappuccino de pommes de terre à la truffe.

X **Le Cristal**   ⪡ 🎘

Accessible par télécabine Rue de Médran B2 – ℰ 027 771 42 44
– www.lesruinettes.ch – fermé mai - novembre
Rest – *(déjeuner seulement)* (27 CHF) Menu 39 CHF (déjeuner)/89 CHF
– Carte 52/99 CHF
Sa grande terrasse panoramique se mérite ! Il faut dire qu'à 2 200 m, la vue est à
couper le souffle. Les skieurs sont nombreux à interrompre leur descente pour
s'attabler ici et déguster cette cuisine à la fois italienne et française, raffinée et
précise, qui fait fi de l'altitude... Une performance !

X **Le Grenier** – Hôtel Le Chalet d'Adrien   🎘 **P**

Chemin des Creux – ℰ 027 771 62 00 – www.chalet-adrien.com
– fermé 4 mai - 28 juin et 21 septembre - 29 novembre   A1**c**
Rest – Menu 60 CHF – Carte 79/106 CHF 🕸
Ce "restaurant d'alpage" a les deux pieds dans la tradition locale, et assume son
côté rustique et convivial : de belles boiseries, un bon feu de bois et une superbe
vue sur les sommets enneigés en hiver... Les spécialités ? Bœuf et volaille grillés
sur brasero, raclette, steack tartare et fromages suisses.

VERDASIO – Ticino – **553** P12 – **vedere Centovalli**

VERS-chez-les-BLANC – Vaud – **552** E9 – **voir à Lausanne**

VERS-chez-PERRIN – Vaud – **552** G8 – **voir à Payerne**

VERSOIX – Genève (GE) – **552** B11 – ✉ **1290**   **6** A6
▶ Bern 148 – Genève 10 – Lausanne 53 – Annecy 55

XX **Du Lac**   ⪡ 🎘 🕭 ♿ **P**

😊 *Quai de Versoix 1 – ℰ 022 779 31 00 – www.restaurant-du-lac-versoix.ch – fermé*
dimanche et lundi
Rest – *(réservation conseillée)* (21 CHF) – Carte 60/86 CHF
Un décor graphique, des assiettes fusion : un restaurant résolument contemporain, où se mêlent avec goût poisson du Léman, produits méditerranéens et
recettes d'Asie. Le lac ? Il est à deux pas, juste de l'autre côté de la route.

VEVEY – Vaud (VD) – **552** F10 – **18 364 h.** – alt. **386 m** – ⊠ **1800**

▶ Bern 85 – Montreux 7 – Lausanne 25 – Yverdon-les-Bains 60

🛈 Grande Place 29 A2, ℰ 084 886 84 84, www.montreuxriviera.com

🏌 Lavaux, Puidoux, Nord-Ouest : 13 km par route de la Corniche-Chexbres-Lac de Bret, ℰ 021 946 14 14

Manifestations locales :

fin juillet : Léman Tradition

22-24 août : festival des artistes de rue

6-28 septembre : festival images

◉ Site★ • Église Saint-Martin (⟨≼★)B2. Musée suisse de l'Appareil photographique★

🄶 Le Mont-Pèlerin ★★ par route de Châtel-Saint-Denis

🏨 **Trois Couronnes**   ≼ 🚐 ▣ ⑩ ⑰ ℄ 🖵 & 🄰 🛜 🎣 🅿

Rue d'Italie 49 – ℰ *021 923 32 00* – *www.hoteltroiscouronnes.ch*   B2**s**

55 ch – ♦450/700 CHF ♦♦450/700 CHF, ⌷ 40 CHF – 16 suites – ½ P

Rest *Le Restaurant* ۞ – voir la sélection des restaurants

Le charme indéfectible d'une institution née en 1842 sur les rives du lac Léman : un tête-à-tête somptueux et exclusif... Architectures néoclassiques, colonnades, stucs, mais aussi des chambres à la pointe du confort contemporain, un luxueux wellness, etc. Ce palace mérite bien ses couronnes !

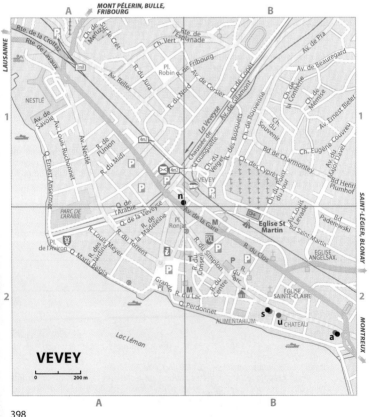

🏨🏨 Grand Hôtel du Lac ≤ 🚗 🏊 ⑂ ⅙ 📶 👶 📠 🎏 📶 🅟

Rue d'Italie 1 – ☎ 021 925 06 06 – www.grandhoteldulac.ch B2**a**
49 ch – 🛏300/530 CHF 🛏🛏300/530 CHF, ⚏ 39 CHF – 1 suite – ½ P
Rest *Les Saisons* ✿ **Rest** *La Véranda* – voir la sélection des restaurants
Ce palace de grand standing est né en 1868. Ses façades, salons et salle de bal
conservent un faste intact ! Les chambres sont raffinées ; les plus luxueuses donnent sur le lac. Un lieu privilégié, plein d'âme et d'élégance, au-delà des modes...

🏨 Astra 🎏 🕉 ⅙ 📶 👶 📠 🎏 📶 🚗

Place de la Gare 4 – ☎ 021 925 04 04 – www.astra-hotel.ch AB1**n**
100 ch ⚏ – 🛏179/360 CHF 🛏🛏189/430 CHF – ½ P
Rest – (22 CHF) Menu 35/65 CHF – Carte 39/72 CHF
Ce bâtiment moderne jouxte la gare et est parfaitement adapté à la clientèle d'affaires. Nombreuses prestations : chambres fonctionnelles, salles de conférence, fitness, sauna et jacuzzi panoramique au 5ᵉ étage ! Sans oublier plusieurs bars et
restaurants.

🏠 Le Léman *sans rest* 📶 👶 📠 🎏 📶 🅟

*Route de Blonay 20, par B2, direction Blonay : 0,5 km – ☎ 021 944 33 22
– www.lelemanhotel.ch – fermé 22 décembre - 6 janvier*
21 ch ⚏ – 🛏155/195 CHF 🛏🛏186/276 CHF
Un brin excentré, cet hôtel a l'avantage d'être à seulement 2 km de l'autoroute. Et
cette situation n'empêche pas certaines chambres – toutes modernes et confortables – d'avoir vue sur le lac ! Idéal pour un séjour d'affaires ou une étape.

🍴🍴🍴 Les Saisons – Grand Hôtel du Lac ≤ 🎏 👶 📠 🍴 🅟

✿ *Rue d'Italie 1 – ☎ 021 925 06 06 – www.grandhoteldulac.ch – fermé juin
- mi-septembre, dimanche, lundi, mardi et mercredi* B2**a**
Rest – (dîner seulement) Menu 115/169 CHF – Carte 134/164 CHF
Le restaurant gastronomique – et très chic – du Grand Hôtel du Lac. Au piano, le
chef, Thomas Neeser, signe avec virtuosité une partition délicate, sans compromis
quant à la qualité des produits. Le décor revisite de manière originale le style
Louis XVI !
→ Veau suisse - Morilles | truffe du Périgord | chèvre frais | ail des ours. Féra -
Caviar | cresson | avocat | radis rose. Langoustine - Carotte | courge | épices
d'orient | mangue.

🍴🍴🍴 Denis Martin 🍴 ⇔

✿ *Rue du Château 2 – ☎ 021 921 12 10 – www.denismartin.ch
– fermé 15 décembre - 12 janvier, 22 juillet - 6 août, dimanche et lundi*
Rest – (dîner seulement) Menu 360 CHF 🍴 B2**u**
Des poudres, des gelées, des fumées... Chef ou alchimiste ? Denis Martin
est avant tout un expérimentateur, pour qui la cuisine est surprise et jeu ! Décom-
poser et recomposer, démultiplier, réduire à l'essence, à l'échelle "moléculaire" : le
repas est une véritable expérience qui attise la curiosité.
→ Chrysalide de tête de moine et croquant au Dézaley. Rosée du matin et sous-
bois. Sii de Savièse et langoustine.

🍴🍴🍴 Le Restaurant – Hôtel Trois Couronnes ≤ 🎏 🍴 🅟

✿ *Rue d'Italie 49 – ☎ 021 923 32 00 – www.hoteltroiscouronnes.ch* B2**s**
Rest – Menu 75/115 CHF – Carte 68/108 CHF
Classique, élégant et feutré... la quintessence du Restaurant, où le soleil ne se
montre pas que dans le ciel, mais aussi dans l'assiette, grâce à la cuisine méridio-
nale du chef. Un beau moment, avec, en terrasse, vue sur le lac Léman – à défaut
de Méditerranée.
→ Homard mariné au citron de Menton, cœur de laitue et amandes croquantes.
Rouget de roche à la plancha et courgette fleurs aux épices douces et coriandre.
Duo de melon et pastèque aux senteurs du Sud, fraicheur basilic.

🍴🍴 La Véranda – Grand Hôtel du Lac ≤ 🍴 🅟

Rue d'Italie 1 – ☎ 021 925 06 06 – www.grandhoteldulac.ch B2**a**
Rest – (39 CHF) Menu 59 CHF (déjeuner en semaine)/99 CHF – Carte 83/121 CHF
On se croirait plutôt dans un luxueux jardin d'hiver que dans une véranda tant le
décor est agréable. En tout cas, la cuisine est fraîche et raffinée, et la vue sur le
lac, imprenable... À noter : le menu déjeuner consiste en un choix de trois mets
à la carte. Une jolie adresse.

à Chardonne Nord : 5 km par A1, direction Fribourg – alt. 592 m – ⊠ 1803

XX   **Le Montagne** (David Tarnowski)   ⩽ 🕸 **P**

🕸   *Rue du Village 21 – 𝒞 021 921 29 30 – www.le-montagne.com – fermé fin décembre - début janvier 2 semaines, fin juillet - mi-août 3 semaines, dimanche et lundi*
Rest – (40 CHF) Menu 72 CHF (déjeuner en semaine)/198 CHF
– Carte 128/177 CHF
Dans son petit village dominant le lac, l'endroit a comme des airs de chalet face aux belles montagnes du Valais. Une véritable source d'inspiration pour le chef, David Tarnowski, qui innove sans cesse, tirant ainsi le meilleur des produits régionaux !
→ Le homard breton juste rafraîchi, fine gelée de concombre, son jus corsé au basilic. La truffe noire du Périgord, le saucisson vaudois cuisinés en risotto all'onda, jus gouteux. Le chocolat noir en "cubique", fine glace à l'amande amère.

à La Tour-de-Peilz Sud-Est : 2 km par B2, direction Montreux – alt. 390 m – ⊠ 1814

🏠   **Hostellerie Bon Rivage**   ⩽ 🚗 🕸 🛎 & 🛜 🐴 **P**
Route de St-Maurice 18 – 𝒞 021 977 07 07 – www.bon-rivage.ch
56 ch 🛏 – ✝145/225 CHF ✝✝185/255 CHF
Rest *L'Olivier* – *(fermé 22 décembre - 20 janvier, septembre - 14 juin : dimanche et lundi)* (44 CHF) Menu 58/68 CHF – Carte 78/95 CHF
Entre Vevey et Montreux, cet hôtel fondé au 19ᵉ s offre un accès direct au lac Léman, idéal pour une petite baignade. Quelques chambres disposent d'un balcon tourné vers les flots... On peut profiter du restaurant, dont la carte, méditerranéenne, valorise les fruits et légumes du potager.

à Corsier Nord : 3 km – alt. 424 m – ⊠ 1804 Corsier-Sur-Vevey

X   **Le Châtelard**   🕸

⊜   *Sentier des Crosets 1 – 𝒞 021 921 19 58 – www.cafeduchatelard.ch – fermé Noël - 5 janvier, 26 juillet - 17 août, samedi et dimanche*
Rest – (19 CHF) – Carte 42/72 CHF 🕸
Dans une ruelle pentue, cette maison en pierre apparaît très pittoresque. Elle évoque un estaminet, couleur locale au déjeuner avec de nombreux habitués, mais elle cache une deuxième salle plus confortable et une jolie terrasse... Au menu : une séduisante cuisine du marché et un beau choix de vins suisses.

à Saint-Saphorin Ouest : 4 km par Route de Lavaux A1 – ⊠ 1071

XX   **Auberge de l'Onde**   🕸 ♢
Centre du Village – 𝒞 021 925 49 00 – www.aubergedelonde.ch
– fermé 22 décembre - 14 janvier, Pâques une semaine, lundi et mardi
Rest – Menu 52/150 CHF – Carte 57/95 CHF
Une jolie bâtisse de 1730, au cœur de ce village viticole... La façade invite à entrer, et l'on découvre un vrai lieu de vie, riche en promesses : l'établissement compte non seulement un restaurant traditionnel, mais aussi une pinte et une rôtisserie où les viandes grillées sont à l'honneur !

à Saint-Légier Est : 5 km – alt. 553 m – ⊠ 1806

XX   **Auberge de la Veveyse** (Jean-Sébastian Ribette)   🕸 **P**

🕸   *Route de Châtel-St-Denis 212, par Blonay : 4,5 km – 𝒞 021 943 67 60*
– www.auberge-de-la-veveyse.ch – fermé Noël - mi-janvier 3 semaines, fin août - début septembre 2 semaines, dimanche - mardi midi
Rest – Menu 78 CHF (déjeuner en semaine)/180 CHF
Rest *Brasserie* – voir la sélection des restaurants
Pas de carte dans cette auberge à la fois sympathique et élégante, mais des menus-surprise où chacun adapte le nombre de plats à ses envies. Le but de cette cuisine pleine de finesse ? Mettre les sens en éveil et souligner la fraîcheur des produits...
→ Duo de céleris et pommes en cage de foie gras. Poêlée de langoustines sur lit de salsifis façon risotto. Filet de bœuf de nos monts et parmentier de carottes au romarin.

✗ **Brasserie** – Restaurant Auberge de la Veveyse 🏠 **P**
Route de Châtel-St-Denis 212, par Blonay : 4,5 km – 𝒞 021 943 67 60
– www.auberge-de-la-veveyse.ch – fermé Noël - mi-janvier 3 semaines, fin août
- début septembre 2 semaines, dimanche - mardi midi
Rest – (20 CHF) Menu 56 CHF – Carte 68/98 CHF
Une autre manière d'apprécier la gastronomie au sein de l'Auberge de la Veveyse.
Ici, on joue le registre bistrotier avec des plats comme les tartines en folie, la
salade gigantesque ou la pièce de veau aux morilles. Canaille !

VEX – Valais – 552 I12 – **voir à Sion**

VEYRIER – Genève – 552 B12 – **voir à Genève**

VEYSONNAZ – Valais (VS) – 552 I12 – 565 h. – alt. 1 240 m – **Sports**   7 D6
d'hiver : 1 400/3 300 m ❄️16 ✦47 – ✉️ 1993
▶ Bern 162 – Sion 13 – Martigny 36 – Montreux 74

🏨 **Chalet Royal**   ♨️ ≤ 🏠 📶 ⬡ & rest, 🍴 rest, 🛜 ⚙ 🐾 **P**
Route du Magrappé, (à la station) – 𝒞 027 208 56 44 – www.chaletroyal.com
– fermé 30 avril - 31 mai et 31 octobre - 14 décembre
56 ch 🖸 – ✝135/150 CHF ✝✝220/250 CHF – ½ P
Rest – Menu 45 CHF – Carte 34/94 CHF
Les meilleures chambres de ce chalet contemporain proche de la télécabine
offrent une vue magnifique sur le Rhône et les montagnes. Au restaurant, on
est également aux premières loges pour admirer le paysage ! Bon niveau de
confort.

VEYTAUX – Vaud – 552 F-G10 – **voir à Montreux**

VICO MORCOTE – Ticino – 553 R14 – **siehe Morcote**

VIÈGE – Wallis – 552 L11 – **voir à Visp**

VILLAREPOS – Fribourg (FR) – 552 H7 – 565 h. – alt. 498 m – ✉️ 1583   2 C4
▶ Bern 39 – Neuchâtel 33 – Estavayer-le-Lac 23 – Fribourg 15

✗✗ **Auberge de la Croix Blanche** (Arno Abächerli) avec ch   ♨️ 🏠
Route de Donatyre 22 – 𝒞 026 675 30 75   🍴 ch, 🛜 ⇄ **P**
– www.croixblanche.ch – fermé Noël - 10 janvier, après Pâques 2 semaines,
octobre 2 semaines, mardi et mercredi
8 ch 🖸 – ✝165 CHF ✝✝265 CHF
Rest Bistro 🏠 – voir la sélection des restaurants
Rest – Menu 78/118 CHF – Carte 103/123 CHF 🏠
Une de ces adresses que l'on quitte à regret… Parfaitement tenue, avec nombre
d'attentions à l'égard de la clientèle, et surtout une délicieuse cuisine, fine et soignée, sans sophistication inutile ! Pour sûr, l'envie est grande de prolonger l'expérience en profitant de l'une des chambres, très chaleureuses.
➜ Foie gras de canard sauté, pomme caramelisée et purée de céleri. Poisson du
lac de Morat et de mer selon arrivage. Selle d'agneau Bio de Villarepos rôtie au
four avec pommes de terre et légumes.

✗ **Bistro** – Restaurant Auberge de la Croix Blanche   🏠 ⇄ **P**
Route de Donatyre 22 – 𝒞 026 675 30 75 – www.croixblanche.ch – fermé Noël
- 10 janvier, après Pâques 2 semaines, octobre 2 semaines, mardi et mercredi
Rest – (21 CHF) Menu 65 CHF (déjeuner en semaine) – Carte 40/79 CHF 🏠
Des banquettes et des tables en bois, des plats à l'ardoise : l'Auberge de la Croix
Blanche fait aussi Bistro ! On s'y arrête volontiers pour prendre l'apéro, manger un
plat du jour ou se prélasser sur la jolie terrasse… en toute gourmandise.

VILLARS-sur-OLLON – Vaud (VD) – **552** G11 – 1 208 h. – alt. 1 253 m   7 C6
– Sports d'hiver : 1 200/2 120 m ❄ 3 ⬥25 ☒ – ⊠ 1884

▶ Bern 118 – Montreux 31 – Lausanne 56 – Martigny 33

🈯 Rue Centrale 140, ℰ 024 495 32 32, www.villars.ch

🔟 Villars, Nord-Est : 8 km par route du Col de la Croix, ℰ 024 495 42 14

Manifestations locales :
    mi-juin : salon de la randonnée
    mi-juillet : Jumping
    fin juillet : salon Alpes Home - Terroir

◰ Les Chaux★, Sud-Est : 8 km • Refuge de Solalex★, Sud-Est : 9 km

🏘   **Chalet Royalp**   🕭 🚗 🔲 🕭 🕭 🏖 🎇 🛜 🔏 🏡 🅿

Domaine de Rochegrise 252 – ℰ 024 495 90 90 – www.royalp.ch – fermé
novembre et avril - mai 3 semaines
63 ch ☒ – ♦380/600 CHF ♦♦380/600 CHF
Rest *La Rochegrise* – Menu 95 CHF – Carte 58/97 CHF
Pour des vacances exclusives et raffinées, cet ensemble de chalets contemporains
est tout indiqué : ambiance montagnarde chaleureuse, chic et feutrée – dans les
chambres, très spacieuses, comme dans les salons –, spa, table gastronomique et
carnotzet, etc. Quand Alpes rime avec RoyAlp...

🏠   **Du Golf**   ⬉ 🚗 🎇 🕭 🏖 🎇 🔏 ⬥ ch, 🎇 rest, 🛜 🏡 🅿

Rue Centrale 152 – ℰ 024 496 38 38 – www.hoteldugolf.ch
69 ch ☒ – ♦155/285 CHF ♦♦220/400 CHF – ½ P
Rest – *(fermé 15 avril - 31 mai et 15 octobre - 15 décembre)* (25 CHF)
Menu 40 CHF (déjeuner)/64 CHF – Carte 43/90 CHF
Tout ce l'on attend d'un bon hôtel à la montagne : vue sur les sommets, chambres spacieuses et confortables où le bois domine (côté village ou côté vallée) ;
espace bien-être ; restaurant et carnotzet (fondues et raclettes)... Avec en prime
une gestion familiale, soucieuse de satisfaire les clients.

🏠   **Alpe Fleurie**   ⬉ 🎇 🔏 🛜 🏡 🅿
🕭

Rue Centrale 148 – ℰ 024 496 30 70 – www.alpe-fleurie.com – fermé mai
17 ch – ♦125/185 CHF ♦♦190/215 CHF, ☒ 16 CHF – 5 suites – ½ P
Rest *Alpe Fleurie* – *(fermé mardi et mercredi)* (19 CHF) – Carte 46/75 CHF
Au cœur de la station, ce grand chalet est tenu par la même famille depuis 1946.
Voilà bien une adresse de tradition qui distille un esprit à elle... Chaque chambre
est différente, toutes d'esprit montagnard, certaines charmantes, d'autres plus
simples et aux prix doux. Autre atout : le restaurant traditionnel.

VIRA GAMBAROGNO – Ticino (TI) – **553** R12 – 662 ab. – alt. 204 m   10 H6
– ⊠ 6574

▶ Bern 231 – Locarno 13 – Bellinzona 18 – Lugano 36

🈯 via Cantonale, ℰ 091 795 18 66, www.gambarognoturismo.ch

🏠   **Bellavista**   🕭 ⬉ 🚗 🕭 🎇 🔲 🔏 🆎 rist, 🎇 rist, 🛜 🏡 🅿

strada d'Indeman 18, Sud : 1 km – ℰ 091 795 11 15 – www.hotelbellavista.ch
– chiuso 3 novembre - 15 marzo
63 cam ☒ – ♦128/147 CHF ♦♦234/282 CHF
Rist – (35 CHF) Menu 45 CHF (cena) – Carta 57/79 CHF
Piccoli edifici sparsi in un lussureggiante parco dominante il lago e, accanto alla
costruzione principale, la piacevole terrazza-giardino con piscina. Costanti lavori
di rinnovo rendono questa struttura sempre attuale e consigliabile. Proprio una
"Bellavista"... anche dalla sala da pranzo!

🍴   **Rodolfo**   🔏 🎇 ✪

via Cantonale – ℰ 091 795 15 82 – www.ristoranterodolfo.ch – chiuso gennaio
- fine giugno: domenica sera
Rist – (35 CHF) Menu 52 CHF (pranzo)/89 CHF (cena) – Carta 56/91 CHF
All'interno di una casa patrizia del '700, con il camino crepitante che crea la giusta
atmosfera, quattro salette rustiche vi accolgono per proporvi le specialità del territorio. Nella bella stagione, optate per la deliziosa terrazza.

VISP VIÈGE – **Wallis (VS)** – **552** L11 – 7 191 Ew – Höhe 651 m – ⊠ 3930   8 E6

▶ Bern 85 – Brig 10 – Saas Fee 27 – Sierre 29

🈯 Balfrinstr. 3, ℰ 027 946 18 18, www.vispinfo.ch

🏠 **Visperhof** ⓝ garni   🔊 🛜 🚗
Bahnhofstr. 2 – ℰ 027 948 38 00 – www.visperhof.ch
53 Zim ⊑ – ♦115/145 CHF ♦♦200/230 CHF
Zentral die Lage gegenüber dem Bahnhof, funktional und gepflegt die Zimmer,
einige besonders modern in geradlinigem Stil (ansprechend die Farbakzente)
- ebenso die Coffee-Lounge "tiziano's" (hier gibt es auch Snacks) sowie der Frühstücksraum in der 6. Etage.

🍴 **Staldbach**   🏡 ♿ 🌿 ✢ **P**
🐾 *Talstr. 9 – ℰ 027 948 40 30 – www.staldbach.ch – geschl. Anfang Januar 2
Wochen*
Rest – (20 CHF) Menü 62/106 CHF – Karte 49/97 CHF
Auf dem Weg nach Saas Fee oder Zermatt kann man hier (am Fusse des höchs-
ten Rebberges Europas) gut einkehren: internationale und regionale Küche, dazu
Walliser Weine. Mit grossem Kinderspielplatz und Kleintierzoo!

VITZNAU – Luzern (LU) – 551 P7 – 1 272 Ew – Höhe 435 m – ⊠ 6354   4 G4
▶ Bern 145 – Luzern 41 – Stans 52 – Schwyz 18
🎫 Bahnhofstr. 1 , ℰ 041 227 18 10, www.wvrt.ch
◎ Rigi-Kulm★★★ mit Zahnradbahn

🏨🏨🏨 **Park Hotel Vitznau** ⓝ   ← 🚢 ⛴ ⅃ ☺ 🏊 ⅃♨ 🔊 ♿ 🅰🅲 🌿 🛜 🕸 🚗 **P**
Seestr. 18 – ℰ 041 399 60 60 – www.parkhotel-vitznau.ch
15 Zim ⊑ – ♦700/1800 CHF ♦♦700/1800 CHF – 32 Suiten – ½ P
Rest *focus* ✿✿ **Rest** *PRISMA* – siehe Restaurantauswahl
Von dem ehrwürdigen Parkhotel a. d. J. 1903 steht heute nur noch die Fassade.
Nach 3-jährigem Umbau ist daraus ein Luxus-Hideaway wie aus dem Bilderbuch
entstanden. Hier geniesst man die Grosszügigkeit des gesamten Hauses, den topmodernen exklusiven Spa, die überaus hochwertigen und individuellen Juniorsuiten, Suiten und Residenzen... oder auch einfach nur die traumhafte Lage direkt
am See! Da passt der beispielhafte aufmerksame und zahlreich besetzte Service
perfekt ins niveauvolle Bild, ebenso Bootsanleger und Hubschrauberlandeplatz!

🏨🏨 **Vitznauerhof**   ← 🚢 ☺ 🏊 ⅃♨ 🔊 ♿ 🌿 🛜 🚗 **P**
Seestr. 80 – ℰ 041 399 77 77 – www.vitznauerhof.ch – geschl. November - März
49 Zim ⊑ – ♦290/400 CHF ♦♦350/450 CHF – 4 Suiten – ½ P
Rest *Sens* **Rest** *Inspiration* – siehe Restaurantauswahl
So schön das Haus a. d. J. 1901 schon von aussen ist, so geschmackvoll und wer-
tig sind die Zimmer! Für Entspannung sorgen neben Wellness auch das eigene
Strandbad und natürlich der Bergblick, Seminare und Feiern werden dank passen-
der Räumlichkeiten ebenso ein Erfolg.

🍴🍴🍴🍴 **focus** ⓝ – Park Hotel Vitznau   ← 🏡 🅰🅲 🌿 **P**
✿✿ *Seestr. 18 – ℰ 041 399 60 60 – www.parkhotel-vitznau.ch – geschl. Montag
- Dienstag*
Rest – (Mittwoch - Samstag nur Abendessen, Sonntag nur Mittagessen) (Tisch-
bestellung ratsam) Menü 140/215 CHF❀
Topmodernes schlicht-luxuriöses Design, eine grandiose Aussicht und eine der
schönsten Terrassen am See... aber all das wird noch übertroffen vom allabend-
lichen 9-Gänge-Menü von Nenad Mlinarevic, einem der Shootingstars unter den
Schweizer Köchen! Lassen Sie sich also in ganz spezieller Atmosphäre auf seine
spannende, intensive und ausdrucksstarke Küche ein, begleitet von einer der
umfassendsten Weinkarten Europas.
→ Königsmakrele, Gurke, Dill, Radieschen. Maibock, Apfel, Sellerie, Verjus. Aprikose, Grüne Mandeln, Buttermilchstreusel.

🍴🍴 **PRISMA** ⓝ – Park Hotel Vitznau   ← 🏡 🅰🅲 🌿 **P**
Seestr. 18 – ℰ 041 399 60 60 – www.parkhotel-vitznau.ch
Rest – (38 CHF) Menü 75/115 CHF – Karte 64/116 CHF❀
Mittags ist der architektonisch attraktive Glaskubus eher ein cooles Bistro mit einfachem Angebot, abends wird es unter Christian Nickels Leitung zum Fine-Dining-
Restaurant mit interessant abgewandelten Klassikern und einem Menü, das sich
alle zwei Monate einem anderen Thema widmet. Noch mehr Genuss bietet die
unfassbar gut sortierte Weinkarte, nicht zu vergessen die traumhafte Sicht von
der Terrasse!

XX **Sens** – Hotel Vitznauerhof ⪡ 🛋 🕭 **P**
Seestr. 80 – ☎ 041 399 77 77 – www.vitznauerhof.ch – geschl. November - März
und Montag - Dienstag
Rest – Menü 120/175 CHF – Karte 77/105 CHF
Als ehemaliges Bootshaus liegt das recht puristische Restaurant direkt am Vierwaldstättersee - eine grosse Fensterfront ist da natürlich ein Muss. Noch näher
am Wasser sind nur die tolle Terrasse und die Lounge! Kreative Küche.

XX **Inspiration** – Hotel Vitznauerhof ⪡ 🕭 **P**
Seestr. 80 – ☎ 041 399 77 77 – www.vitznauerhof.ch – geschl. November - März
Rest – Karte 69/90 CHF
Die ehrwürdigen Räume der alten Villa mit Stuck und hohen Decken verbinden
sich wunderbar mit dem designorientierten Interieur (geradlinige schwarze Leder-
stühle, moderne Bilder, schicke Hängelampen). Die Küche: international-saisonal.

VOGELSANG – Luzern – **551** N6 – siehe Eich

VOUVRY – Valais (VS) – **552** F11 – **3 706 h.** – alt. 381 m – ✉ 1896   7 C6
▶ Bern 103 – Montreux 13 – Aigle 11 – Évian-les-Bains 26

XXX **Auberge de Vouvry** (Martial Braendle) avec ch 🛋 🛜 🕭 🛏 **P**
£3 Avenue du Valais 2 – ☎ 024 481 12 21 – www.aubergedevouvry.ch – fermé 1er
- 14 janvier, 16 juin - 1er juillet, 22 septembre - 4 octobre, dimanche soir et lundi
12 ch 🖵 – †80/95 CHF ††120/150 CHF – 3 suites – ½ P
Rest Le Bistrot – voir la sélection des restaurants
Rest – Menu 70/186 CHF – Carte 91/185 CHF 🏵
Dans le village, ce relais de poste ne passe pas inaperçu avec son imposante
façade blanche. Sa table cultive le classicisme avec art : produits nobles, vins pres-
tigieux et réalisations dans les règles honorent la gastronomie française. Comment se lasser de tels plaisirs ? Sans oublier le carnotzet, très animé, et les chambres, parfaites pour une étape !
→ Œuf poule en mouvement aux asperges vertes et râpé de truffes du Var. Dos
de féra du Léman aux poireaux, réduction de Gamay. Carré d'agneau farci de
ratatouille au jus de curry doux, légumes du potager.

X **Le Bistrot** – Restaurant Auberge de Vouvry 🛋 **P**
🕾 Avenue du Valais 2 – ☎ 024 481 12 21 – www.aubergedevouvry.ch – fermé 1er
- 14 janvier, 16 juin - 1er juillet, 22 septembre - 4 octobre, dimanche soir et lundi
Rest – (18 CHF) Menu 56/67 CHF – Carte 45/88 CHF
Après le restaurant gastronomique, le bistrot ! Au sein de la belle Auberge de
Vouvry, une autre option pour faire un repas de terrines, salades, poisson du
Léman, entrecôte, rognons, etc.

VUFFLENS-le-CHÂTEAU – Vaud (VD) – **552** D10 – **789 h.** – alt. 471 m   6 B5
– ✉ 1134
▶ Bern 111 – Lausanne 17 – Morges 2
🔟 La Côte, Golf Parc Signal de Bougy, Bougy-Villars, Sud-Ouest : 12 km par Aubonne
et route du Signal de Bougy, ☎ 021 821 59 50

XXX **L'Ermitage** (Bernard et Guy Ravet) avec ch 🛋 🚲 🕭 🛜 🕭 ⌀ rest, 🛜 🛏
£3 Route du Village 26 – ☎ 021 804 68 68 – www.ravet.ch – fermé **P**
22 décembre - 10 janvier, 1er - 22 août, dimanche et lundi
9 ch 🖵 – †250/350 CHF ††250/350 CHF
Rest – Menu 125/260 CHF – Carte 185/335 CHF 🏵
Dans cette jolie demeure, la cuisine est une affaire de famille ! Le pain fait maison
et les légumes du potager donnent toute leur saveur à de belles recettes classiques. Une impression de fraîcheur à prolonger l'été au jardin, face à l'étang. Et
pour une étape de charme, profitez des chambres.
→ Garganelli de tourteau et homard breton, asperges vertes de Vuillerens, cré-
meux coraillé. Le jarret de veau cuit longuement en cocotte, charlottes bien cré-
meuses, champignons à l'ail doux, ciboulette. Craquelin pêche/verveine, gelée de
nectarine, glace chocolat Guanaja épicé.

VULPERA – Graubünden – **553** Z9 – siehe Scuol

WÄDENSWIL – Zürich (ZH) – **551** Q6 – 20 870 Ew – Höhe 408 m   4 G3
– ⊠ **8820**

▶ Bern 149 – Zürich 24 – Aarau 71 – Baden 48

🏠 **Engel**   ⬅ 🎐 & Rest. 🛜 🛄 **P**.
Engelstr. 2, (1. Etage) – 𝒞 044 780 00 11 – www.engel-waedenswil.ch
10 Zim ⌿ – ♦125/140 CHF ♦♦180/200 CHF
Rest – (30 CHF) Menü 40/90 CHF – Karte 38/95 CHF
Das traditionsreiche Gasthaus liegt in direkter Bahnhofsnähe, nur durch die Bahnlinie vom See getrennt. Die Zimmer sind recht geräumig, gemütlich ist die neuzeitliche Lounge. Schlicht-modernes Restaurant mit grossen Fenstern zum See.

✗✗ **Eder's Eichmühle**   🎐 ⇔ **P**.
Eichmühle 2, Süd: 3 km Richtung Einsiedeln – 𝒞 044 780 34 44
*– www.eichmuehle.ch – geschl. Ende Februar - Anfang März 2 Wochen,
Ende September - Anfang Oktober 2 Wochen und Montag - Dienstag*
Rest – (42 CHF) Menü 65 CHF (mittags)/145 CHF – Karte 94/152 CHF 🏵
Ein kleines Idyll ist das einstige Bauernhaus. Die sympathischen Gastgeber sind
Doris und Jürgen Eder samt Sohn und Tochter. Nicht ganz leicht fällt die Wahl
zwischen heimeliger Stube, modernem Glaspavillon und dem Garten mit altem
Baumbestand und allerlei Kunst!

WALCHWIL – Zug (ZG) – **551** P6 – 3 587 Ew – Höhe 449 m – ⊠ **6318**   4 G3
▶ Bern 144 – Luzern 40 – Aarau 67 – Einsiedeln 34

✗✗✗ **Sternen** (René Weder)   ⬅ 🎐 **P**.
🕸 *Dorfstr. 1* – 𝒞 041 759 04 44 – www.sternen-walchwil.ch – geschl. Anfang März 2
Wochen, Ende September - Anfang Oktober 2 Wochen und Montag - Dienstag
Rest – (mittag Tischbestellung erforderlich) (54 CHF) Menü 82 CHF (vegetarisch)/
188 CHF – Karte 113/156 CHF 🏵
In dem wunderschönen Landgasthof von 1834 bringt René Weder eine schmack-
hafte klassische Küche aus sehr guten Produkten auf den Tisch. Rundum getäferte
Stuben mit eleganter Tischkultur sowie freundlicher Service machen das Bild
komplett! Ausgezeichnete Weinauswahl.
➜ Wildentenbrust vom Zugersee aus der Winterjagd, Portojus. Filet von Süsswasser-
fischen. Am Knochen gereiftes Schweizer Rindsfilet, karamellisierte Schalottenjus.

WALD – Zürich (ZH) – **551** S5 – 9 223 Ew – Höhe 962 m – ⊠ **8636**   4 H3
▶ Bern 162 – Zürich 36 – Sankt Gallen 60 – Herisau 47

🏠 **Bleichibeiz**   🎐 📧 & Rest. 🛜 🛄 **P**.
🐝 *Jonastr. 11* – 𝒞 055 256 70 20 – www.bleiche.ch   **Rest** – (19 CHF) – Karte 46/68 CHF
15 Zim ⌿ – ♦100/130 CHF ♦♦170/190 CHF
Klares Design in der ehemaligen Spinnerei von 1850. In einigen Zimmern mittig
ein Milchglas-Kubus (hier das Bad), aus dem es rot, blau, grün oder gelb leuchtet!
Im Haus auch ein nettes legeres Bistro. Angeschlossen: "BleicheFit" und "Bleiche-
Bad" gegen Gebühr.

WALLISELLEN – Zürich – **551** Q4 – **siehe Zürich**

WANGEN bei DÜBENDORF – Zürich (ZH) – **551** Q5 – 7 582 Ew   4 G2
– Höhe 445 m – ⊠ **8602**
▶ Bern 134 – Zürich 14 – Frauenfeld 36 – Schaffhausen 42

✗✗ **Sternen - Badstube** (Matthias Brunner) mit Zim   🎐 🛜 ⇔ **P**.
🕸 *Sennhüttestr. 1* – 𝒞 044 833 44 66 – www.sternenwangen.ch – geschl. 1.
- 9. Januar, 13. - 28. Juli und Sonntag - Montag
6 Zim – ♦120/140 CHF ♦♦170/190 CHF, ⌿ 15 CHF
Rest *Gaststube* – siehe Restaurantauswahl
Rest – (36 CHF) Menü 52 CHF (mittags)/129 CHF – Karte 75/105 CHF
Die Mischung macht's: Im Falle der Badstube ist es die Kombination von puris-
tisch-modernem Stil und dem Original-Tonnengewölbe a. d. 16. Jh. Von Patron
Matthias Brunner kommt eine feine, unkomplizierte und auf gute Produkte bezo-
gene klassische Küche. Und sollten Sie gerne mal mehr als ein Glas Wein trinken,
erwarten Sie gepflegte Gästezimmer.
➜ Raviolirolle, Gemüse, Scampo. Milchlammrücken, Fenchelpollen, Bärlauch-
Gnocchetti, Karottenflan. Rhabarber, Holunder-Panna Cotta, Baumkuchen.

✗ **Gaststube** – Restaurant Sternen 🕮 **P**

😊 *Sennhüttestr. 1 – ☎ 044 833 44 66 – www.sternenwangen.ch – geschl. 1.*
- 9. Januar, 13. - 28. Juli und Sonntag - Montag
Rest – (20 CHF) Menü 24/33 CHF – Karte 40/73 CHF
Wer den typischen Charakter des historischen Gasthofs mit all seinem gemütlichen rustikalen Holz spüren möchte, isst in der Gaststube - die Küche hier ist
natürlich traditionell.

WATTWIL – **Sankt Gallen (SG)** – **551** S5 – **8 108 Ew** – **Höhe 614 m** – ⊠ **9630**   5 H3
▶ Bern 186 – Sankt Gallen 37 – Bad Ragaz 68 – Rapperswil 27

✗✗ **Krone** 🕮 ✿ **P**

😊 *Ebnaterstr. 136 – ☎ 071 988 13 44 – www.kronewattwil.ch – geschl. Montag*
- Dienstag
Rest – (16 CHF) Menü 39 CHF (mittags)/89 CHF – Karte 44/108 CHF
Am Mittag ist es hier etwas legerer, abends hat man hochwertig eingedeckt, um
den Gästen Gerichte wie Cordon bleu, kross gebratenen Loup de Mer, Kalbsleberli
oder auch Jakobsmuscheln zu servieren.

WEESEN – **Sankt Gallen (SG)** – **551** T6 – **1 559 Ew** – **Höhe 424 m** – ⊠ **8872**   5 H3
▶ Bern 186 – Sankt Gallen 82 – Bad Ragaz 43 – Glarus 15

🏨 **Parkhotel Schwert** ⪡ 🕮 🖳 ♿ 🤝 ⛵

Hauptstr. 23 – ☎ 055 616 14 74 – www.parkhotelschwert.ch
35 Zim ⚏ – †129/155 CHF ††190 CHF – ½ P
Rest *Brasserie Du Lac* – (geschl. 14. Januar - 13. Februar) Menü 60 CHF
(abends) – Karte 24/71 CHF
Das Gasthaus stammt von 1523 und ist damit eines der ältesten der Schweiz! Die
Gäste geniessen die Lage am See, den man von vielen Zimmern aus sieht! Die
Brasserie (hier gibt es klassisch-traditionelle Küche) kann man zur Terrasse und
somit zum See hin komplett öffnen.

✗✗ **Fischerstube** ✍

Marktgasse 9, (1. Etage) – ☎ 055 616 16 08 – www.fischerstubeweesen.ch
Rest – (geschl. Mittwoch) (Tischbestellung ratsam) (30 CHF) Menü 38 CHF (mittags)/85 CHF – Karte 65/106 CHF
Viele Gäste aus Zürich kommen in dieses schöne Restaurant, um ganzen Steinbutt, Loup de Mer im Salzmantel oder Egli mit Zitronensauce zu essen. Hier
kommt fast ausschliesslich Fisch auf den Tisch, aus Süss- und Salzwasser! Wer es
lieber etwas legerer hat, bestellt im modernen Bistro Kleinigkeiten wie Fischknus-
perli mit Sauce Tartare oder Pasta mit Meeresfrüchten.

WEGGIS – **Luzern (LU)** – **551** P7 – **4 191 Ew** – **Höhe 435 m** – ⊠ **6353**   4 F4
▶ Bern 140 – Luzern 21 – Schwyz 30 – Zug 28
🛈 Seestr. 5, ☎ 041 227 18 00, www.wvrt.ch
Lokale Veranstaltungen:
19.-22. Juni: Heirassa Festival

🔲 Rigi-Kulm★★★ mit ⚐ und ab Rigi-Kaltbad mit Zahnradbahn

🏨 **Park Weggis** ⪡ 🖨 🕭 ⚊ ⊛ 🐾 🖳 🎰 🤝 ⛲ 🛶 **P**

Hertensteinstr. 34 – ☎ 041 392 05 05 – www.phw.ch
52 Zim – †350/413 CHF ††550/650 CHF, ⚏ 34 CHF – 6 Suiten
Rest *Annex* ✿ **Rest** *Sparks* – siehe Restaurantauswahl
Wer hierherkommt, weiss, dass Lage, Service und Wertigkeit stimmen! Für besonders exklusives Wohnen buchen Sie eine Suite sowie Private Spa in einem Cot-
tage (nur hier Sauna). Die Liegewiese grenzt direkt an den See, wo man im Sommer einen Drink an der Beach Bar nimmt! Hinzu kommt ein eigener Bootssteg.

🏨 **Beau Rivage** ⪡ 🖨 🕭 🤝 ⛲ 🛶 **P**

Gotthardstr. 6 – ☎ 041 392 79 00 – www.beaurivage-weggis.ch – geschl. Januar
- März
39 Zim ⚏ – †135/187 CHF ††228/460 CHF – ½ P
Rest *Beau Rivage* – siehe Restaurantauswahl
Das familiengeführte Hotel mit grandiosem Seeblick ist eine gediegene Adresse,
die auffallend gepflegt ist. Die Zimmer sind klassisch oder modern. Garten mit
Pool, direkter Zugang zum See.

🏨 **Post Hotel** 🈲 🖼 🏠 ℏ𝕒 🛗 Rest. 🛜 🛁 🚗 **P**

Seestr. 8 – ☎ 041 392 25 25 – www.poho.ch
45 Zim – 🛏165/285 CHF 🛏🛏210/340 CHF, ⌷ 25 CHF – ½ P
Rest – (17 CHF) Menü 75/89 CHF (abends) – Karte 66/97 CHF
Jung, trendig, urban - so das Design, die grosse Bar mit DJ, die Asian Dining Lounge...! Mit dem Wine Cellar und dem rustikalen Weggiser Stübli als Restaurant-Alternativen ist für jeden etwas dabei! Der See liegt gleich vor dem Haus, entsprechend gut besucht ist auch die Lake Side Terrace am Schiffssteg!

🏨 **Central** ⪕ 🚗 🈲 🛗 🛜

Seestr. 25 – ☎ 041 392 09 09 – www.central-am-see.ch – geschl. 30. Oktober - 1. Februar
32 Zim ⌷ – 🛏130/150 CHF 🛏🛏180/265 CHF – ½ P
Rest – (26 CHF) – Karte 47/82 CHF
Das gut geführte Hotel direkt an der Promenade verfügt über modern gestaltete Zimmer mit schönem Blick auf den See sowie ein Strandbad und einen Bootssteg. Restaurant mit Rigi Stübli in traditionellem Stil, Wintergarten und herrlicher Seeterrasse.

🏨 **Rössli** 🛗 🈁 🏠 ℏ𝕒 🛗 🛜 **P**

Seestr. 52 – ☎ 041 392 27 27 – www.wellness-roessli.ch
62 Zim ⌷ – 🛏120/200 CHF 🛏🛏190/330 CHF
Rest *flavour* – siehe Restaurantauswahl
Die Vorteile liegen auf der Hand: Man wohnt in Seenähe und kommt in den Genuss zahlreicher Beauty-Anwendungen ("La Mira"-Spa)! Wer es komfortabler mag, sollte eines der moderneren Superior-Zimmer buchen, teilweise hat man hier Seeblick!

🏠 **Seehotel Gotthard** 🚗 🈁 🛗 🛜 🚗 **P**

Gotthardstr. 11 – ☎ 041 390 21 14 – www.gotthard-weggis.ch – geschl. Mitte Oktober - Mitte Dezember
16 Zim ⌷ – 🛏80/160 CHF 🛏🛏140/265 CHF – ½ P
Rest – *(geschl. Dienstag, im Winter: Montag - Dienstag)* (21 CHF)
– Karte 42/86 CHF
Wohnlich und freundlich sind die Zimmer in dem seit vielen Jahren familiär geleiteten kleinen Haus. Gäste können das Garten-Schwimmbad des Hotels Beau Rivage mitbenutzen. Zum Restaurant mit Pizza- und Pasta-Angebot gehört eine Seeterrasse mit toller Sicht.

ХХХ **Annex** – Hotel Park Weggis ⪕ 🈁 🛗 AC 🥂 **P**

Hertensteinstr. 34 – ☎ 041 392 05 05 – www.phw.ch – geschl. Februar 2 Wochen und Dienstag; November - März ; Montag - Dienstag
Rest – *(Montag - Samstag nur Abendessen)* Menü 125/200 CHF 🥢
Von edlem Geschirr speisen, einen guten Tropfen im Glas (Weinkarte mit rund 2600 Positionen!) und immer den See im Blick! Im Sommer tauscht man die schönen Fensterplätze natürlich gerne gegen die herrliche Terrasse ein. Die Küche von Renee Rischmeyer gibt es als saisonales Menü oder als Annex-Menü.
→ Carpaccio vom Wagyu-Filet mit Mais, Senf und Ziegenfrischkäse. Konfiertes Steinbuttfilet an Banane, Kamille und Macadamia-Nuss. Geeiste Valrhona Schokolade mit Kaffee und Passionsfrucht.

ХХХ **Beau Rivage** – Hotel Beau Rivage ⪕ 🈁 **P**

Gotthardstr. 6 – ☎ 041 392 79 00 – www.beaurivage-weggis.ch – geschl. Januar - März
Rest – (35 CHF) – Karte 60/86 CHF
Ein Restaurant mit klassischem Mobiliar und stilvoll eingedeckten Tischen, auf denen das Licht kleiner Lämpchen oder Kerzen für Atmosphäre sorgen. Die Küche steht unter französischem Einfluss, gute Weinkarte.

ХХ **flavour** – Hotel Rössli 🈁 🛗 **P**

Seestr. 52 – ☎ 041 392 27 27 – www.wellness-roessli.ch – geschl. Dienstagmittag, Donnerstagmittag
Rest – (22 CHF) Menü 53/79 CHF – Karte 50/73 CHF
Bereits im 16. Jh. wurden in diesem Lokal, dem ältesten am Ort, die ersten Gäste bewirtet! Heute geht es hier neuzeitlicher zu, die Gastlichkeit ist aber geblieben! Die Küche ist regional und saisonal geprägt.

XX **Sparks** – Hotel Park Weggis ← 🕸 ⚄ 🅰 🌀 **P**
Hertensteinstr. 34 – ℰ 041 392 05 05 – www.phw.ch
Rest – (42 CHF) Menü 68/109 CHF – Karte 70/99 CHF🕸
Gut durchdachtes stylisches Ambiente, in dem ein riesiger Empire-Korblüster funkelnder Mittelpunkt ist. Sie geniessen neben einem tollen Seeblick moderne Kulinarik und Interessantes aus dem Weinkeller.

in Hertenstein Süd-West: 3 km – Höhe 435 m – ✉ 6353

🏠🏠 **Campus Hotel** Ⓝ ← 🛏 🕉 🕸 🍸 ♨ 📶 🛁 **P**
Hertensteinstr. 156 – ℰ 041 399 71 71 – www.campus-hotel-hertenstein.ch
59 Zim – ♦90/159 CHF ♦♦160/270 CHF, ☲ 25 CHF
Rest – (geschl. November - März: Montag - Dienstag) Menü 82 CHF
– Karte 45/108 CHF
Hier wohnt man nicht nur ausgesprochen modern, sondern auch noch in top Lage: Von den geradlinig-chic und hochwertig eingerichteten Zimmern hat man einen uneingeschränkten Blick auf die Berge und den See unmittelbar vor dem Haus. Letzterer ist für die Hotelgäste auch direkt zugänglich und die Schiffstation Hertenstein liegt gleich nebenan. Sie kommen zum Tagen? Die 12 Räume sind technisch auf dem neuesten Stand.

WEINFELDEN – Thurgau (TG) – 551 T4 – 10 490 Ew – Höhe 429 m   5 H2
– ✉ 8570
▶ Bern 182 – Sankt Gallen 40 – Arbon 26 – Frauenfeld 19

🏠 **Gasthof Eisenbahn** 🕸 🌀 Rest, 📶 **P**
Bahnhofstr. 2 – ℰ 071 622 10 60 – www.gasthof-eisenbahn.ch – (Erweiterung um 12 Zimmern bis Februar 2014 im historischen Bierdepot) geschl. 25. Januar - 3. Februar, 12. Juli - 4. August
7 Zim ☲ – ♦90/110 CHF ♦♦170/195 CHF – ½ P
Rest – (geschl. Sonntag) (24 CHF) – Karte 40/73 CHF
Das Riegelhaus in Bahnhofsnähe ist ein kleiner Familienbetrieb mit hellen neuzeitlichen Gästezimmern, der im Sommer auch gerne von Radtouristen besucht wird. Freundlich-ländlich gestaltetes Restaurant mit saisonaler Küche.

XX **Wirtschaft zum Löwen** 🕸 🌀 ⇌
Rathausstr. 8 – ℰ 071 622 54 22 – www.zum-loewen.ch – geschl. Ende Juli - Mitte August und Mittwoch - Donnerstag
Rest – (25 CHF) Menü 59/89 CHF – Karte 55/95 CHF
Aus dem 16. Jh. stammt das Haus mit der hübschen Fachwerkfassade. Man speist in der rustikalen Gaststube, in der gediegen-eleganten Ratsherrenstube oder auf der Gartenterrasse.

X **Gambrinus** 🕸
Marktstr. 2 – ℰ 071 622 11 40 – www.gambrinus-weinfelden.ch – geschl. Februar 1 Woche, Juli 2 Wochen, Oktober 2 Wochen und Sonntag - Montag
Rest – (38 CHF) Menü 85 CHF (abends)/105 CHF – Karte 58/119 CHF
Gemütlich und familiär ist die Atmosphäre in den rustikalen Stuben. Zur authentischen italienischen Küche gehört auch Pasta, die man vor den Augen der Gäste frisch zubereitet.

X **Pulcinella** 🕸 ⇌
😊 *Wilerstr. 8 – ℰ 071 622 12 66 – www.pulcinella.ch – geschl. Anfang Januar 1 Woche, März 1 Woche, Mitte Juli - Anfang August 3 Wochen und Sonntag - Montag*
Rest – (26 CHF) Menü 25/46 CHF – Karte 36/83 CHF
Schon äusserlich ist das gepflegte Gasthaus einladend und drinnen erst... denn hier erwartet Sie herzliche "gastronomia italiana"! Seit rund 20 Jahren bekocht der gebürtige Neapolitaner Enzo Peluso nun schon seine Gäste und das kleine Restaurant erfreut sich grosser Beliebtheit - kein Wunder bei geschmackvollen Gerichten wie "Pappardelle an Nusssauce" oder "Kaninchen mediterran".

WEININGEN – Zürich (ZH) – 551 P4 – **4 262 Ew** – Höhe 413 m – ⊠ 8104   4 F2
▶ Bern 117 – Zürich 21 – Aarau 39 – Luzern 56

XX **Winzerhaus**   ≤ 🛱 ✿ **P**
Haslernstr. 28, Nord: 1 km – ℰ 044 750 40 66 – www.winzerhaus.ch – geschl.
24. Dezember - 8. Januar und Dienstag
Rest – Karte 52/106 CHF
Klassische Speisen und Wild aus eigener Jagd hoch über dem Limmattal. Im Sommer kocht man zusätzlich thailändisch, und auf der tollen Panoramaterrasse unter Weinreben wird gegrillt.

WEISSBAD – Appenzell Innerrhoden – 551 U5 – **siehe Appenzell**

WEISSFLUHGIPFEL – Graubünden – 553 W8 – **siehe Davos**

WENGEN – Bern (BE) – 551 L9 – **1 100 Ew** – Höhe 1 275 m   8 E5
– **Wintersport : 1 274/2 500 m** 🚡 5 🎿 17 – ⊠ 3823
▶ Bern 71 – Interlaken 16 – Grindelwald 16 – Luzern 82
Autos nicht zugelassen
🖼 Dorfstrasse, ℰ 033 856 85 85, www.wengen.ch
Lokale Veranstaltungen:
    17.-19. Januar: Lauberhornrennen
◉ Lage ★★★
🄶 Jungfraujoch ★★★, mit Bahn • Trümmelbachfälle ★★★ • Kleine Scheidegg ★★, Süd-Ost: mit Bahn

mit Zahnradbahn ab Lauterbrunnen erreichbar

🏨 **Beausite Park**   ⌂ ≤ 🚗 🛱 🔲 🌸 ⅃ 🖹 ॐ Zim,
– ℰ 033 856 51 61 – www.parkwengen.ch – geschl. Mitte April - Ende Mai, Ende September - Mitte Dezember
36 Zim ⊑ – †195/308 CHF ††350/546 CHF – 4 Suiten
Rest – Menü 65 CHF (abends) – Karte 47/102 CHF
Eine wohnlich-komfortable Urlaubsadresse in traumhafter Lage am Waldrand. Per Ski gelangt man vom Hotel direkt zur Seilbahn. Vitalbereich in modernem Stil mit Beauty und Massage. Klassisch ist das Ambiente im Restaurant.

🏨 **Regina**   ⌂ ≤ 🚗 🌸 ⅃ 🖹 ॐ Zim, 🛜 🛁
– ℰ 033 856 58 58 – www.hotelregina.ch – geschl. April - Mai, Oktober - Mitte Dezember
79 Zim ⊑ – †170/340 CHF ††170/340 CHF – 4 Suiten – ½ P
Rest *Chez Meyer's* – siehe Restaurantauswahl
Rest *Jack's Brasserie* – (25 CHF) Menü 56 CHF – Karte 54/98 CHF
Ein engagiert geführter Familienbetrieb mit klassischem Rahmen in schöner Panoramalage. Luxuriös und sehr hochwertig sind die vier Suiten. Im UG: Boutique mit Feinkost, Wein und Dekoartikeln. Internationales Angebot in Jack's Brasserie.

🏨 **Caprice**   ≤ 🛱 🌸 🖹 ॐ 🛜
∞ – ℰ 033 856 06 06 – www.caprice-wengen.ch – geschl. 6. April - 30. Mai, 5. Oktober - 12. Dezember
20 Zim ⊑ – †210/320 CHF ††280/435 CHF – 2 Suiten – ½ P
Rest – (18 CHF) Menü 27 CHF (mittags)/70 CHF – Karte 60/88 CHF
Das hübsche kleine Chalet mit Sicht auf das Jungfrau-Massiv wird mit Engagement geleitet. Guter, sympathischer Service und sehr schöne, gemütliche Zimmer mit alpenländischem Flair sorgen für Behagen. Moderne französische Küche im neuzeitlich-eleganten Restaurant. Panoramaterrasse.

🏨 **Schönegg**   ⌂ ≤ 🖹 🛜
– ℰ 033 855 34 22 – www.hotel-schoenegg.ch – geschl. 30. April - 6. Juni, 5. Oktober - 18. Dezember
19 Zim ⊑ – †120/210 CHF ††240/420 CHF – 1 Suite – ½ P
Rest *Schönegg* – siehe Restaurantauswahl
Aufmerksame Gastgeber, schöne Zimmer und tolle Umgebung. Warmes Holz macht die Zimmer alpenländisch-wohnlich, dazu der Blick auf das Jungfrau-Massiv! Wer gerne ein bisschen mehr Platz hat, bucht die modern-alpine Jungfrau Suite!

🏨 **Wengener Hof**　　🔊 ⪡ 🛏 🏠 🚠 🍴 Rest, 🛜
– ☎ 033 856 69 69 – www.wengenerhof.ch – geschl. 6. April - 26. Mai,
30. September - 20. Dezember
42 Zim ⌂ – ♦95/230 CHF ♦♦190/450 CHF – ½ P
Rest – *(nur Abendessen für Hausgäste)* Menü 35 CHF
Das Ferienhotel mit klassischem Rahmen liegt etwas abseits des Dorfkerns und überzeugt durch ruhige Lage und Blick auf Berge und Tal. Im Panoramagarten stehen Liegen bereit.

🏨 **Alpenrose**　　🔊 ⪡ 🛏 🍴 Rest, 🛜
– ☎ 033 855 32 16 – www.alpenrose.ch – geschl. 7. April - 17. Mai, 29. September
- 19. Dezember
40 Zim ⌂ – ♦124/228 CHF ♦♦248/448 CHF – ½ P
Rest – *(nur Abendessen für Hausgäste)*
Unterhalb des Dorfzentrums steht das älteste Hotel Wengens. Die Zimmer sind behaglich-rustikal, komfortabler ist die Superior-Kategorie. Kostenloser Shuttleservice vom Bahnhof.

XXX **Chez Meyer's** – Hotel Regina　　⪡ 🏠
– ☎ 033 856 58 58 – www.hotelregina.ch – geschl. April - Mai, Oktober - Mitte
Dezember und Montag - Mittwoch
Rest – *(nur Abendessen)* (120 CHF) Menü 85/180 CHF – Karte 131/148 CHF
Freundlich und umsichtig kümmert man sich in dem eleganten kleinen Restaurant bei Live-Pianomusik und Bergblick um die Gäste. Die gute Küche ist französisch ausgelegt.

XX **Schönegg** – Hotel Schönegg　　⪡ 🏠 🍴
🍽 – ☎ 033 855 34 22 – www.hotel-schoenegg.ch – geschl. 30. April - 6. Juni,
5. Oktober - 18. Dezember
Rest – *(Tischbestellung ratsam)* (20 CHF) – Karte 60/106 CHF
So richtig gemütlich sitzt man hier umgeben von rustikalem Altholz und charmanter Deko, durch die Fensterfront blickt man auf Eiger, Mönch und Jungfrau. Auf den Teller kommen Produkte aus der Region, darunter auch heimische Pilze und Kräuter. Und wie wär's mit einem Kaffee oder einem Glas Wein im behaglichen Barstübli?

XX **Bären** mit Zim　　🔊 ⪡ 🏠 🍴 🛜
🍽 – ☎ 033 855 14 19 – www.baeren-wengen.ch – geschl. 6. April - 29. Mai,
12. Oktober - 12. Dezember; im Sommer: Samstagmittag, Sonntag
17 Zim ⌂ – ♦130/180 CHF ♦♦180/400 CHF
Rest – (18 CHF) Menü 48/69 CHF – Karte 46/80 CHF
Der Familienbetrieb im unteren Dorfteil ist ein neuzeitlich-ländliches Restaurant mit internationalen Aktionswochen. Schön sitzt man im Sommer auf der Panoramaterrasse. Gepflegt übernachten können Sie hier übrigens auch.

in Wengernalp mit Zug ab Interlaken, Lauterbrunnen oder Wengen erreichbar
– Höhe 1 874 m – ✉ 3823 Wengen

🏨 **Jungfrau**　　🔊 ⪡ 🏠 🚠 🍴 🍽
– ☎ 033 855 16 22 – www.wengernalp.ch – geschl. Anfang April - Mitte
Dezember
24 Zim ⌂ – ♦310/370 CHF ♦♦420/580 CHF – ½ P
Rest – *(geschl. Anfang April - Juni, Mitte September - Mitte Dezember) (abends nur für Hausgäste)* (32 CHF) – Karte 50/85 CHF
Ein Logenplatz vor einzigartiger Bergkulisse! Der Familienbetrieb in 3. Generation ist ein exklusives Domizil mit internationalem Service. Den klassisch-traditionellen Charme des Hauses hat man mit viel Liebe zum Detail erhalten. Urig ist das A-la-carte-Restaurant. Am Abend eine im Preis inkludierte hochwertige Halbpension für Hausgäste.

WETTINGEN – Aargau (AG) – **551** O4 – **19 986 Ew** – **Höhe 388 m**　　4 F2
– ✉ 5430

▶ Bern 106 – Aarau 28 – Baden 3 – Schaffhausen 70
ℹ Seminarstr. 54, ☎ 056 426 22 11, www.wettingen.ch
⛳ Lägern, Otelfingen, Ost: 5 km, ☎ 044 846 68 00

XX **Sternen - Stella Maris** 🏠 ⇔ **P**
Klosterstr. 9 – ℰ 056 427 14 61 – www.sternen-kloster-wettingen.ch – geschl. 23.
- 30. Dezember und Samstagmittag
Rest – (22 CHF) Menü 47 CHF (mittags)/125 CHF – Karte 66/109 CHF 🍴
Rest *Klostertaverne* – (22 CHF) Menü 76/112 CHF – Karte 59/88 CHF
Direkt neben dem Kloster befindet sich das ehemalige Weiberhaus a. d. 13. Jh.
- das wohl älteste Gasthaus der Schweiz. Kunst ziert das elegante Stella Maris,
die Küche ist international. Etwas rustikaler ist das Ambiente in der netten Klostertaverne.

WETZIKON – Zürich (ZH) – **551** R5 – **22 669 Ew** – Höhe 532 m – ⊠ 8620   4 G3
▶ Bern 150 – Zürich 29 – Rapperswil 15 – Schwyz 51

XXX **Il Casale** 🏠 ৬ **P**
❀ *Leutholdstr. 5 – ℰ 043 477 57 37 – www.il-casale.ch – geschl. 27. Juli*
- 12. August und Sonntag - Montag, Samstagmittag
Rest – (31 CHF) Menü 70 CHF (mittags)/160 CHF – Karte 91/116 CHF 🍴
Rest *Bistro* 🙂 – siehe Restaurantauswahl
Lassen Sie sich von Antonino Alampi in die Feinheiten der zeitgemäss-mediter-
ranen Küche einführen! In dem angenehm schnörkellosen und komfortablen
Restaurant (untergebracht in einem ehemaligen Pferdestall) überzeugt zudem
der freundliche Service! Nett: die Raucherlounge und im Sommer natürlich die
Terrasse!
➜ Pulpo alla Fiamma mit Kartoffel und Peperoni-Espuma. Hausgemachte Ravioli
von Büffelricotta und Trüffel. Rindsfilet aus dem Zürcher Oberland mit Polenta
Bigné und Krautstielgemüse.

XX **Impuls** Ⓝ 🏠
Bahnhofstr. 137 – ℰ 044 931 22 22 – www.impuls-wetzikon.ch – geschl. Sonntag
- Montag
Rest – (25 CHF) Menü 48 CHF (mittags)/140 CHF – Karte 49/81 CHF 🍴
Schön modern ist es hier: Im EG einer überaus attraktiven Altersresidenz bietet
Giordano Bertolina in dem lichten zeitgemässen Restaurant mit Cheminée und
grosser Fensterfront italienische Küche. Nehmen Sie für Gerichte wie "Fagottini
gefüllt mit Kabeljau auf cremigem Kichererbsenpüree" sowie exzellente Weine
doch mal an der langen Tafel Platz!

X **Bistro** – Restaurant Il Casale 🏠 ৬ **P**
😊 *Leutholdstr. 5 – ℰ 043 477 57 37 – www.il-casale.ch – geschl. 27. Juli*
- 12. August und Sonntag - Montag, Samstagmittag
Rest – (31 CHF) Menü 70 CHF – Karte 53/69 CHF
Das Bistro - unter einem Dach mit dem Restaurant Il Casale - gefällt mit seinem
geradlinigen Interieur. Geboten werden preisgünstige traditionelle Gerichte wie
z. B. "Perlhuhnbrust an Gremolatakruste, dazu Feigen-Couscous".

WIDEN – Aargau (AG) – **551** O5 – **3 536 Ew** – Höhe 548 m – ⊠ 8967   4 F3
▶ Bern 110 – Aarau 33 – Baden 23 – Dietikon 8

Ausserhalb Nord-Ost: 1,5 km auf dem Hasenberg

🏨 **Ryokan Hasenberg** 🦢 ≤ 🏠 🎋 📞 🄰 🍴 Zim, 🏠 🅐 **P**
Hasenbergstr. 74 – ℰ 056 648 40 00 – www.hotel-hasenberg.ch – geschl. 1.
- 3. Januar, 25. Februar - 1. März, 4. - 9. August, 23. - 26. Dezember
2 Zim – ♦180/200 CHF ♦♦200/220 CHF, ⌷ 20 CHF – 5 Suiten
Rest *Usagiyama* ❀ – siehe Restaurantauswahl
Rest *Hasenberg* – (geschl. Montag - Dienstag) Menü 80/140 CHF
– Karte 47/201 CHF
Rest *Sushi Nouveau* – (geschl. Montag - Dienstag) (nur Abendessen)
Menü 40/60 CHF
Das kleine Boutique-Hotel zeigt echte japanische Lebensart - von den aparten
und wohnlich abgestimmten Gästezimmern über das Restaurant Hasenberg mit
seiner fernöstlichen Alltagsküche (geschmackvolle und frische Speisen, aber auch
etwas einfachere Gerichte als im Usagiyama) bis hin zu Sushi aus Meisterhand im
Sushi Nouveau!

XX **Usagiyama** – Hotel Ryokan Hasenberg ⟨ 🅺 🕸 ⇔ **P**
🕸 *Hasenbergstr. 74 – 𝒞 056 648 40 00 – www.hotel-hasenberg.ch – geschl. 1. - 3. Januar,
25. Februar - 1. März, 4. - 9. August, 23. - 26. Dezember und Montag - Dienstag*
Rest – *(Tischbestellung erforderlich)* Menü 159/305 CHF
Authentischer könnte japanische Küche kaum sein: Die Kaiseki-Menüs werden
geradezu zelebriert... Die Tradition kommt aber nicht nur kulinarisch zum Aus-
druck, das Umfeld macht den fernöstlichen Genuss komplett: Sie sitzen im typischen Tatami im EG oder in Separées im OG, versiert und freundlich der weibli-
che Service im Kimono!
→ Kaiseki-Menü: Kurama und Daigo

WIDNAU – Sankt Gallen (SG) – **551** W5 – **8 847 Ew** – Höhe 406 m   5 I2
– ✉ **9443**
▶ Bern 239 – Sankt Gallen 36 – Altstätten 9 – Bregenz 23

🏠 **Forum** garni 🗄🎵🛜🍽 **P**
*Bahnhofstr. 24 – 𝒞 071 722 88 66 – www.forum-hotel.ch – geschl. 20. Dezember
- 6. Januar*
37 Zim ⌷ – 🛏100/129 CHF 🛏🛏140/160 CHF
Sie sind auf der Autobahn unterwegs und suchen spontan eine Übernachtungsadresse? Das Hotel in einer Einkaufspassage ist ideal: Es ist von der A13 aus
schnell erreicht, die Zimmer sind zwar eher schlicht, aber recht geräumig und
funktional!

WIGOLTINGEN – Thurgau (TG) – **551** S3 – **2 185 Ew** – Höhe 435 m   5 H2
– ✉ **8556**
▶ Bern 177 – Sankt Gallen 50 – Frauenfeld 15 – Konstanz 18

XX **Taverne zum Schäfli** (Wolfgang Kuchler) mit Zim 🍽 **P**
🕸 *Oberdorfstr. 8 – 𝒞 052 763 11 72 – www.schaefli-wigoltingen.ch – geschl. 1.
- 22. Januar, Ende Juli - Mitte August und Sonntag - Montag*
3 Zim ⌷ – 🛏180 CHF 🛏🛏260 CHF
Rest – *(Tischbestellung ratsam)* (39 CHF) Menü 75 CHF (mittags)/240 CHF🍷
Wenn die "jungen Wilden" der Gastronomie von Wolfgang Kuchler eines lernen
können, dann vor allem, dass exzellente Küche nicht kompliziert sein muss! Und
der Thurgauer Altmeister hat nichts verlernt... In den 300 Jahre alten Stuben des
liebenswerten Riegelhauses gibt es zu seinen ausgesprochen geschmackvollen
Speisen eine ausgezeichnete Weinauswahl inklusive einiger Raritäten! Nach aus-
giebigem Rotweingenuss können Sie sich gleich hier in einem der netten schlichten Zimmer in ein bequemes Bett fallen lassen.
→ Gänseleber auf Kumquats. Steinbutt und Zander im Nudelteig, Krustentier-
Sud. Brioche-Limonengraspudding mit Sauerrahmeis.

WIL – Sankt Gallen (SG) – **551** S4 – **18 169 Ew** – Höhe 571 m – ✉ 9500   5 H2
▶ Bern 178 – Sankt Gallen 32 – Glarus 65 – Konstanz 31
🛈 Bahnhofplatz 6, 𝒞 071 913 53 00, www.wiltourismus.ch
👁 ⟨★ vom Vorplatz der Stadtkirche

🏨 **Schwanen** 🗄🅺🛜🏋🍽 **P**
Obere Bahnhofstr. 21 – 𝒞 071 913 05 10 – www.hotel-schwanen.ch
24 Zim ⌷ – 🛏118/155 CHF 🛏🛏168/210 CHF
Rest *Swan 21* – siehe Restaurantauswahl
Buchen Sie in diesem Hotel in der Innenstadt am besten ein Superior- oder ein
Bel-Etage-Zimmer. Die Standardzimmer sind tipptopp gepflegt (wie das gesamte
Haus!), aber doch eher einfach und rustikal.

XX **Hof zu Wil** 🍽 🕸 ⇔
🕸 *Marktgasse 88 – 𝒞 071 913 87 00 – www.hofzuwil.ch – geschl. 21. Juli
- 3. August*
Rest – (25 CHF) Menü 42 CHF (vegetarisch)/49 CHF – Karte 35/94 CHF🍷
Hier fühlt man sich wohl: tolles modern-historisches Ambiente (sorgfältigst von
der Stiftung Hof zu Wil saniert!), das sehr freundliche Team um Heidi und Edgar
Bürgler und nicht zu vergessen die gute Küche mit regionalen und internationalen Gerichten wie "Weinschaumsuppe mit Trauben und Mandeln" oder "Wolfsbarsch und mediterranes Gemüse mit Marronipolenta".

XX **Rössli** mit Zim 　　　　　　　　　　　　　　🖼 🛜 ⇄ **P**
Toggenburgerstr. 59, (1. Etage) – 𝒞 071 913 97 50 – www.roessli-wil.ch – geschl.
Sonntag - Montag
6 Zim 🛏 – 👤110 CHF 👥160 CHF
Rest – (24 CHF) Menü 98 CHF – Karte 40/96 CHF
Traditionelle Küche mit internationalen Einflüssen gibt es in dem Gasthaus von
1840. Oben der helle, gemütliche Gastraum, im EG die rustikale Stube. Hier isst
man bürgerlich oder ebenfalls von der Restaurantkarte. Wer über Nacht bleibt,
schläft in recht schlichten, funktionell eingerichteten Zimmern.

X **Swan 21** – Hotel Schwanen 　　　　　　　　　　　　 🅰🅲 **P**
Obere Bahnhofstr. 21 – 𝒞 071 913 05 10 – www.hotel-schwanen.ch – geschl.
25. Dezember - 1. Januar
Rest – (21 CHF) Menü 58/78 CHF – Karte 40/83 CHF
In dem zeitgemässen Restaurant mit heller verglaster Veranda bekommen die
Gäste eine internationale Karte gereicht, die sowohl Klassiker wie Züricher
Geschnetzeltes und Seezunge bietet als auch Currys.

WILDEGG – Aargau (AG) – **551** N4 – **3 407 Ew** – **Höhe 354 m** – ✉ **5103**　　3 F2
▶ Bern 90 – Aarau 11 – Baden 20 – Luzern 58
◉ Schloss ★

🏠 **Aarehof** 　　　　　　　　　　　　　　🖼 🖾 ♿ 🛜 🏋 **P**
Bahnhofstr. 5 – 𝒞 062 887 84 84 – www.aarehof.ch
61 Zim 🛏 – 👤110/160 CHF 👥195 CHF
Rest – (geschl. Samstagmittag, Sonntag) (24 CHF) – Karte 47/70 CHF
Das gegenüber dem Bahnhof gelegene Hotel bietet seinen Gästen unterschiedlich eingerichtete Zimmer, die zeitgemäss und funktional ausgestattet sind. Farbenfroh präsentiert sich das moderne Hauptrestaurant mit trendiger Bar.

WILDERSWIL – Bern – **551** L9 – **siehe Interlaken**

WILDHAUS – Sankt Gallen (SG) – **551** U6 – **2 604 Ew** – **Höhe 1 098 m**　　5 I3
– Wintersport : 1 050/2 262 m ✔3 ⛷16 ⛷ – ✉ **9658**
▶ Bern 214 – Sankt Gallen 70 – Altstätten 35 – Bad Ragaz 40
ℹ Lisighaus, 𝒞 071 999 99 11, www.toggenburg.ch

🏠 **Stump's Alpenrose** 　　　　　　🏊 ≼ 🚗 🖼 🏋 🕭 🛜 🏋 **P**
Seebach, (beim Schwendisee), Süd: 2,5 km – 𝒞 071 998 52 52
– www.stumps-alpenrose.ch
47 Zim 🛏 – 👤173 CHF 👥310 CHF – 3 Suiten – ½ P
Rest – (29 CHF) Menü 45/65 CHF – Karte 31/80 CHF
Bei Familie Stump (bereits die 4. Generation) wohnen Sie in wunderschöner ruhiger Lage, eingebettet in die Natur. Skifahrer wird's freuen: Im Winter führt die
Piste direkt am Haus vorbei. Nach dem Sport (oder auch einfach so) bringen Massage und Kosmetik Entspannung. Hotelgäste geniessen zum Frühstück Produkte
aus der Region und auf Wunsch die Halbpension!

WILEN – Obwalden – **551** N8 – **siehe Sarnen**

WINKEL – Zürich (ZH) – **551** Q4 – **3 909 Ew** – **Höhe 450 m** – ✉ **8185**　　4 G2
▶ Bern 135 – Zürich 19 – Schaffhausen 31 – Zug 56

in Niederrüti Süd: 1 km – Höhe 443 m – ✉ 8185

XX **Wiesental** 　　　　　　　　　　　　　　🖼 ♿ ⇄ **P**
Zürichstr. 25 – 𝒞 044 860 15 00 – www.restaurant-wiesental.ch – geschl. 22.
- 29. Dezember und Samstagmittag, Sonntag
Rest – (23 CHF) Menü 55 CHF (mittags) – Karte 32/74 CHF
Wie möchten Sie speisen? Heimelig-rustikal in der Gaststube oder lieber etwas ele-
ganter im Restaurant? Hier wie dort bietet man italienische und Schweizer Küche.

WINTERTHUR – Zürich (ZH) – **551** Q4 – **103 075 Ew** – Höhe 439 m – ⊠ 8400   4 G2

▶ Bern 146 – Zürich 28 – Baden 46 – Konstanz 45

🔢 Im Hauptbahnhof A2, ✆ 052 267 67 00, www.winterthur-tourismus.ch

📷 Winterberg, Süd: 12 km, ✆ 052 345 11 81

🏌 Schloss Goldenberg, Dorf, Nord-West: 13 km Richtung Flaach, ✆ 052 305 23 33

Lokale Veranstaltungen:

   7.-10. März: Fasnacht

   27.-29. Juni: Albanifest

⊙ Sammlung Oskar Reinhart "Am Römerholz"★★★, Nord: über HaldenstrasseB1.
Fotomuseum★★ B1_2• Villa Flora★, Süd: über TösstalstrasseB2

🏨 Park Hotel   🈂 🛗 ⅁ 🅰 🛜 🐕 🚗 🅿
Stadthausstr. 4 – ✆ 052 265 02 65 – www.phwin.ch   B2**r**
72 Zim ⌷ – †160/255 CHF ††235/300 CHF – 1 Suite
Rest Bloom – ✆ 052 265 03 65 – (20 CHF) – Karte 33/74 CHF
Das Hotel ist ganz auf den Businessgast zugeschnitten und liegt nahe der Fussgängerzone. In einigen Zimmern hat man einen eigenen Balkon, W-Lan und Minibar sind gratis. Geradlinig-eleganter Stil im Restaurant, dazu die Terrasse zum Park.

🏨 Banana City   🈂 🛗 ⅁ 🅰 Rest, 🐾 Zim, 🛜 🐕 🚗
Schaffhauserstr. 8 – ✆ 052 268 16 16 – www.bananacity.ch   A1**b**
96 Zim ⌷ – †170/220 CHF ††250/270 CHF – 5 Suiten – ½ P
Rest – (22 CHF) – Karte 54/87 CHF
Die Leute hier nennen das lange gebogene Gebäude "Banane" - daher der Name.
Die Minibar ist kostenlos, die geräumigen Residenzzimmer haben eine Klimaanla-
ge. Im Restaurant gibt es klassische Küche, Brunch am ersten Sonntag im Monat.

🏨 Krone   🈂 🛗 ⅁ Rest, 🛜 🐕 🚗
Marktgasse 49 – ✆ 052 208 18 18 – www.kronewinterthur.ch
– geschl. Weihnachten - Anfang Januar   B2**k**
40 Zim ⌷ – †155/240 CHF ††190/270 CHF – ½ P
Rest Pearl 🏵 – siehe Restaurantauswahl
Rest La Couronne – (geschl. Sonntag) Karte 44/81 CHF
Ein denkmalgeschütztes Haus mitten in der Altstadt, hinter dessen historischer
Fassade wohnlich-moderne Zimmer mit Parkett auf die Gäste warten. La Cou-
ronne ist ein lebhaftes Bistro.

🏨 Wartmann   🈂 🛗 ⅁ 🅰 Zim, 🛜
Rudolfstr. 15 – ✆ 052 260 07 07 – www.wartmann.ch – geschl. 1. - 13. Januar,
18. - 21. April   A2**s**
72 Zim ⌷ – †129/185 CHF ††189/229 CHF – ½ P
Rest Argentina – ✆ 052 203 53 53 – (18 CHF) – Karte 45/82 CHF
In dem Hotel gegenüber dem Bahnhof stehen freundlich gestaltete Gästezimmer
mit neuzeitlicher und funktioneller Ausstattung zur Verfügung. Das Angebot im
Restaurant ist argentinisch (der Name lässt es bereits vermuten), dazu gehören
auch Steaks vom Grill.

🍴🍴 Pearl – Hotel Krone   🈂 ⅁
🏵 Marktgasse 49 – ✆ 052 208 18 18 – www.kronewinterthur.ch – geschl.
Weihnachten - Anfang Januar, Mitte Juli - Mitte August und Samstagmittag,
Sonntag - Montag   B2**k**
Rest – Menü 118/183 CHF – Karte 100/122 CHF
Wie moderne und kreative Küche aussieht? Im Falle von Denis Ast ist es eine har-
monische Kombination zahlreicher kleiner Bestandteile, in denen sich der volle
Geschmack und die ganze Kraft ausgesuchter Produkte wiederfindet. Passend
dazu das stilvoll-zeitgemässe Ambiente.
→ Hummer, Buttermilch, Melone, Basilikum. Spanferkel, Mirabelle, Pulpo, Bohne.
Birne, Schokolade, Karamell, Mandel.

🍴🍴 Strauss - Ambiance   🈂 ⅁ 🐾 🍸
Stadthausstr. 8 – ✆ 052 212 29 70 – www.strauss-winterthur.ch – geschl.
Sonntag und an Feiertagen   B2**s**
Rest – (35 CHF) – Karte 54/107 CHF
Im Ambiance neben dem Freilichttheater mitten in Winterthur geht es freundlich
und lebendig zu. Die Küche ist traditionell-klassisch. Trendige Bar Vineria und
beliebte Terrasse. Im Thai Break kocht - ganz authentisch - eine Thailänderin!

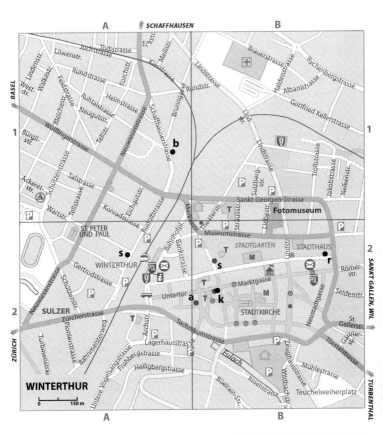

🍴 **Concordia** 🛜 ⇔ 🅿

Feldstr. 2, über Feldstrasse **A** – ✆ *052 213 38 32 – www.restaurant-concordia.ch*
– geschl. 1. - 5. Januar, 21. Juli - 7. August und Samstagmittag, Sonntag
- Montag
Rest – (19 CHF) Menü 85/115 CHF – Karte 40/130 CHF

Sie könnten sich hier etwas an Ihren letzten Italienurlaub erinnert fühlen, denn
sowohl die Einrichtung als auch die Küche sind mediterran! Schöne Terrasse und
zusätzliche Lounge.

🍴 **Trübli** 🛜

Bosshardengässchen 2 – ✆ 052 212 55 36 – www.truebli-winterthur.ch – geschl.
22. April - 7. Mai, 29. Juli - 6. August und Sonntag - Montag sowie an Feiertagen
Rest – (22 CHF) Menü 58 CHF (mittags)/108 CHF – Karte 57/94 CHF   **B2a**

Eine sympathische familiäre Adresse in der Fussgängerzone am Altstadtrand. Das
kleine Restaurant mit traditioneller Küche steht für behagliche Atmosphäre und
freundlichen Service.

in Wülflingen Nord-West: 2,5 km über Wülflingerstrasse A1

– ✉ **8408 Winterthur**

🍴🍴 **Schloss Wülflingen** 🛜 ♿ 🍸 ⇔ 🅿

Wülflingerstr. 214 – ✆ 052 222 18 67 – www.schloss-wuelflingen.ch
Rest – (25 CHF) Menü 100 CHF – Karte 52/91 CHF

Die gemütlichen Stuben des schmucken Hauses a. d. 17. Jh. wurden stilgerecht
und mit Liebe zum Detail restauriert - sehenswerte Details wie Täferungen, Malereien und Öfen geben jedem Raum seine individuelle Note.

415

XX **Taggenberg** Ⓝ   ⇐ ☆ **P**
Taggenbergstr. 79, Nord-West: 1,5 km, über Strassenverkehrsamt
– ℰ 052 222 05 22 – www.restaurant-taggenberg.ch – geschl. Februar 1 Woche,
Juli - August 2 Wochen, Oktober 1 Woche und Samstagmittag, Sonntag
- Montag
Rest – (34 CHF) Menü 89 CHF – Karte 66/108 CHF ፨
Nach zwei Jahren Zürich ist Margriet Schnaibel in ihr Taggenberg zurückgekehrt
und ihren ganz eigenen Charme hat sie auch wieder mitgebracht. Mit von der
Partie ist Küchenchef Jens Nather, der geschmackvoll und gleichermassen
unkompliziert kocht, wie z. B. "zartes Kalbssiedfleisch mit kräftiger Bouillon und
Markknochen".

WÖLFLINSWIL – Aargau (AG) – 551 M4 – 979 Ew – Höhe 440 m   3 E2
– ⊠ 5063
▶ Bern 119 – Aarau 11 – Zürich 55 – Basel 47

X **Landgasthof Ochsen** mit Zim   ☆ ⅏ Zim, ✿ **P**
Dorfplatz 56 – ℰ 062 877 11 06 – www.ochsen-woelflinswil.ch – geschl. Mitte
Februar 10 Tage, Anfang Oktober 2 Wochen und Dienstag - Mittwoch
9 Zim � – †80/100 CHF ††150 CHF
Rest – (23 CHF) Menü 79/115 CHF – Karte 52/96 CHF
Der Familienbetrieb befindet sich in einem Landgasthof a. d. 13. Jh. und bietet in
elegant-rustikaler Umgebung eine solide traditionelle Küche. Für Übernachtungs-
gäste hat man nette gepflegte Zimmer.

WOHLEN bei BERN – Bern (BE) – 551 I7 – 8 897 Ew – Höhe 549 m   2 D4
– ⊠ 3033
▶ Bern 10 – Biel 49 – Burgdorf 33 – Solothurn 48

XX **Kreuz**   ☆ ₺ ✿ **P**
  ⊜   *Hauptstr. 7 – ℰ 031 829 11 00 – www.kreuzwohlen.ch – geschl. Februar 1*
Woche, Juli 3 Wochen, über Weihnachten 1 Woche und Montag - Dienstag
Rest – (19 CHF) – Karte 26/78 CHF
Seit 1618 wird der nette Gasthof an der Hauptstrasse als Familienbetrieb
geführt. Chef Peter Tschannen (bereits die 12. Generation) kocht regional-traditio-
nell. Kinderspielplatz.

WOLFGANG – Graubünden – 553 X8 – siehe Davos

WORB – Bern (BE) – 551 J7 – 11 266 Ew – Höhe 585 m – ⊠ 3076   2 D4
▶ Bern 11 – Burgdorf 20 – Langnau im Emmental 20 – Thun 28

🏠 **Zum Löwen**   ☆ ☎ ஐ **P**
  ⊜   *Enggisteinstr. 3 – ℰ 031 839 23 03 – www.loewen-worb.ch*
13 Zim � – †125 CHF ††195 CHF
Rest – *(geschl. Ende Juli - Anfang August 3 Wochen und Samstag - Sonntag)*
(18 CHF) Menü 65/89 CHF – Karte 43/90 CHF
Diese gepflegte Adresse ist ein typischer Berner Landgasthof aus dem 14. Jh., in
dem funktionell und rustikal eingerichtete Zimmer und ein Restaurant mit traditioneller Karte bereitstehen. Interessant ist das Korkenziehermuseum im Gewölbekeller.

WORBEN – Bern (BE) – 552 I6 – 2 283 Ew – Höhe 442 m – ⊠ 3252   2 D3
▶ Bern 35 – Aarberg 8 – Biel 9 – Murten 28

🏨 **Worbenbad**   ☆ ◨ ஐ ₤₅ 🏢 ☎ ஐ ⊜ **P**
  ⊜   *Hauptstr. 77 – ℰ 032 384 67 67 – www.worbenbad.com – geschl. 14. - 27. Juli*
32 Zim – †99/149 CHF ††155/189 CHF, ⊷ 23 CHF – ½ P
Rest *Le Grill* – *(geschl. Sonntagabend)* Menü 55 CHF – Karte 47/82 CHF
Rest *Sardi's* – *(geschl. Sonntagabend)* (19 CHF) – Karte 32/86 CHF
Das Hotel bietet funktionell eingerichtete Gästezimmer und vier romantische The-
menzimmer. Der Freizeitbereich mit grossem Hallenbad wird auch öffentlich
genutzt. Internationale Küche im Restaurant Le Grill. Sardi's im Bistrostil.

WÜLFLINGEN – Zürich – 551 Q4 – siehe Winterthur

WÜRENLOS – Aargau (AG) – **551** O4 – 5 764 Ew – Höhe 420 m – ⊠ 5436   4 F2
▶ Bern 110 – Aarau 31 – Baden 8 – Luzern 59

XX   **Rössli**   ⚘ ✿ P
Landstr. 77 – ℰ 056 424 13 60 – www.roessli-wuerenlos.ch – geschl. Mai 2 Wochen, Oktober 2 Wochen und Samstagmittag, Sonntag - Montag
Rest – Karte 59/109 CHF
Peter und Lucia Meier leiten zusammen mit Tochter Stephanie diesen schönen historischen Gasthof, somit ist hier bereits die 6. Generation im Haus. Für den kleinen Hunger ist die Gaststube ein idealer Ort, im Restaurant gibt es klassisch-traditionelle Küche.

YVERDON-les-BAINS – Vaud (VD) – **552** E8 – 27 961 h. – alt. 435 m   6 B5
– Stat. thermale – ⊠ 1400
▶ Bern 76 – Neuchâtel 40 – La Chaux-de-Fonds 57 – Lausanne 40
🛈 Avenue de la Gare 2, ℰ 024 423 61 01, www.yverdonlesbainsregion.ch
🏌 Vuissens, Sud-Est : 17 km par route de Moudon, ℰ 024 433 33 00

Manifestations locales :
   début juillet-mi-août : Fest'Yv'Etés

🎲 Château de Grandson★★, Nord : 4 km

🏨🏨   **La Prairie Philippe Guignard**   🚗 🖙 🏠 ❄️ 🖺 ⅃ & rest, 🤏 🏄 P
Avenue des Bains 9 – ℰ 024 423 31 31 – www.laprairiehotel.ch
😊 **36 ch** ⊑ – ♦189 CHF ♦♦289 CHF – 1 suite – ½ P
Rest *Français* – *(fermé mi-juin - mi-septembre, dimanche et lundi) (dîner seulement)* Menu 89/109 CHF
Rest *Brasserie - Les 4 Saisons* – *(fermé dimanche soir)* (20 CHF)
Menu 62/105 CHF – Carte 63/95 CHF
Cette imposante demeure entourée de verdure est idéale pour un séjour dans la station thermale. On apprécie ses chambres, cossues et spacieuses, et son espace bien-être. À l'heure des repas, vous aurez le choix entre la brasserie et le restaurant gastronomique.

🏨   **Du Théâtre** sans rest   🚗 🖺 & ❄️ 🤏 🏄 P
Avenue Haldimand 5 – ℰ 024 424 60 00 – www.hotelyverdon.ch
31 ch ⊑ – ♦140/180 CHF ♦♦200/260 CHF
Tendez l'oreille, c'est tout juste si ne parviennent pas les répliques des acteurs sur scène ! Près du théâtre, cette demeure patricienne abrite des chambres confortables, dont certaines avec terrasse. Préférez celles, plus spacieuses et calmes, dans la dépendance sur le jardin. L'été, on prend le petit-déjeuner en terrasse.

à Cheseaux-Noréaz Est : 2 km – ⊠ 1400 Cheseaux

X   **Table de Mary**   ⪕ 🖙 & P
Route du Gymnase 2, Ouest : 3 km – ℰ 024 436 31 10 – www.latabledemary.ch
😊 *– fermé Noël 2 semaines, Pâques 2 semaines, début août 2 semaines, lundi et mardi*
Rest – (19 CHF) Menu 60 CHF (déjeuner en semaine)/95 CHF – Carte 76/101 CHF
On aime s'asseoir à la Table de Mary ! Dans la salle, donnant sur le lac de Neuchâtel, on apprécie une agréable cuisine du marché, goûteuse et soignée. À noter, le beau choix de poissons frais sélectionnés par le chef originaire de Quimper, en Bretagne. Très bon rapport qualité-prix.

YVORNE – Vaud (VD) – **552** G11 – 1 011 h. – alt. 395 m – ⊠ 1853   7 C6
▶ Bern 105 – Montreux 14 – Aigle 2 – Lausanne 43

XXX   **La Roseraie**   🖙 P
Nord : 2 km par route cantonale – ℰ 024 466 25 89 – www.roseraie.ch – fermé Noël - début janvier, fin juillet - mi-août, dimanche et lundi
Rest – Menu 78 CHF (déjeuner en semaine)/190 CHF – Carte 108/140 CHF 🍷
Rest *La Pinte* – Menu 59 CHF – Carte 58/102 CHF
Un décor classique (boiseries et pierres), une terrasse verdoyante – bien agréable aux beaux jours – et un accueil charmant, pour une carte elle aussi classique... Cette Roseraie dégage un vrai parfum de tradition ! Petits plats à prix doux au bistrot La Pinte.

ZÄZIWIL – Bern – **551** K7 – **siehe Grosshöchstetten**

ZERMATT – Wallis (VS) – 552 K13 – 5 746 Ew – Höhe 1 610 m   8 E7
– Wintersport : 1 620/3 883 m 🚠21 🚡34 – ✉ 3920

▶ Bern 115 – Brig 40 – Sierre 59 – Sion 75

Autos nicht zugelassen

🛈 Bahnhofplatz 5 A1, 𝒞 027 966 81 00, www.zermatt.ch

🚠 Matterhorn, Täsch, Nord: Zug 13 Minuten, dann Richtung Randa: 2 km,
𝒞 027 967 70 00

Lokale Veranstaltungen:

8.-12. April: Unplugged

Ende August-Mitte September: Zermatt Festival

👁 Lage ★★

🔲 Gornergrat ★★★, Süd-Ost: mit Zahnradbahn B2 • Stockhorn ★★★, mit 🚡 vom
GornergratB2 • Klein Matterhorn ★★★, Süd-West: mit 🚡A2
 • Theodulgletscher ★★, Süd: mit 🚡 • Unter Rothorn ★★, Ost: mit StandseilbahnB1
 • Schwarzsee ★, Süd-West: mit 🚡A2

mit dem Zug ab Täsch erreichbar

🏨 **Mont Cervin Palace**   ⇐ 🚗 🚁 ⌱ 🔲 🌐 🏊 ♨ 🛗 🧖 ⅋ Rest, 🛜 🏋
Bahnhofstr. 31 – 𝒞 027 966 88 88 – www.montcervinpalace.ch – geschl. Mitte
April - Mitte Juni, Ende September - Ende November   A1**b**
82 Zim ⊑ – 🛏360/790 CHF 🛏🛏445/1310 CHF – 68 Suiten – ½ P
Rest *Capri* ❀
Rest *Grill Le Cervin* – siehe Restaurantauswahl
Rest – Karte 58/122 CHF
Seit 1852 hat Luxus hier mitten in Zermatt einen Namen: Mont Cervin Palace!
Familie Kunz wahrt die Tradition und verbindet sie geschickt mit Modernem.
Rund 250 Mitarbeiter garantieren top Service. Besonderheit: Shuttle von und zur
eigenen Parkgarage in Täsch! Gediegener Speisesaal.

🏨 **Grand Hotel Zermatterhof**   ⇐ 🚁 🔲 🌐 ♨ 🛗 🧖 ⅋ Rest, 🛜 🏋
Bahnhofstr. 55 – 𝒞 027 966 66 00 – www.zermatterhof.ch – geschl. 20. April
- 14. Juni, 14. September - 28. November   A1**w**
66 Zim ⊑ – 🛏230/670 CHF 🛏🛏430/910 CHF – 12 Suiten – ½ P
Rest *Prato Borni* – siehe Restaurantauswahl
Rest *Lusi* – (31 CHF) – Karte 61/100 CHF
Der Inbegriff eines Grandhotels! Man geht mit der Zeit und hält dennoch die
Tradition (seit 1879) lebendig! Unter den schönen und individuellen Zimmern
stechen die Chalet-Suiten besonders hervor. Modern und saisonal speist man im
hellen und freundlichen "Lusi" (im Zermatter Dialekt einst kleine Laternen für
Bergsteiger).

🏠 **The Omnia**   🛎 ⇐ 🔲 ♨ 🛗 🧖 ⅋ 🛜
Auf dem Fels – 𝒞 027 966 71 71 – www.the-omnia.com
– geschl. Mitte April - Mitte Juni   A1**d**
18 Zim ⊑ – 🛏300/700 CHF 🛏🛏350/750 CHF – 12 Suiten
Rest *The Omnia* – siehe Restaurantauswahl
Im wahrsten Sinne herausragend! Hoch auf dem Fels hat der New Yorker Architekt Ali Tayar die Mountain Lodge modern interpretiert: klare Linien und natürli-
che Farben, dazu Stein und warmes heimisches Holz! Ein eigener Aufzug führt
von der Fussgängerzone hinauf.

🏠 **Alpenhof**   🛎 ⇐ 🔲 🌐 ♨ 🛗 🧖 ⅋ 🛜
Matterstr. 43 – 𝒞 027 966 55 55 – www.alpenhofhotel.ch – geschl. 28. April
- 13. Juni, 21. September - 28. November   B1**m**
54 Zim ⊑ – 🛏199/641 CHF 🛏🛏398/686 CHF – 8 Suiten – ½ P
Rest *Alpenhof - Le Gourmet* – siehe Restaurantauswahl
Annelise und Hans Peter Julen haben nicht ohne Grund zahlreiche Stammgäste!
Sie stecken viel Herzblut in ihr komfortables Chalet, das beweisen der Service
und das elegante Interieur in den individuellen Zimmern und der schönen Cigar
Lounge. Wohliges Relaxen beim Blockhausflair der "Stillen Alm".

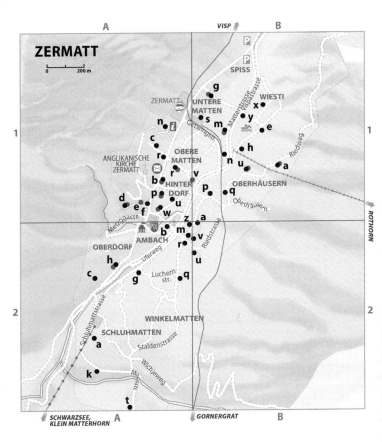

ZERMATT

0 — 200 m

VISP

SPISS

WIESTI

UNTERE
MATTEN

ZERMATT

OBERE
MATTEN

ANGLIKANISCHE
KIRCHE
ZERMATT

OBERHÄUSERN

HINTER
DORF

Oberhäusern

ROTHORN

OBERDORF

AMBACH

Metzggasse

Uferweg

Luchern
str.

WINKELMATTEN

SCHLUHMATTEN

Staldenstrasse

Wichjeweg

SCHWARZSEE,
KLEIN MATTERHORN

GORNERGRAT

🏨 **Parkhotel Beau-Site**   🍴 ⊰ 🛏 ⊡ 🕙 🖴 ⭙ ℅ Rest, 📶

Brunnmattgasse 9 – ☏ 027 966 68 68 – www.parkhotel-beausite.ch
– geschl. 29. April - 29. Mai, 12. Oktober - 30. November   **B1p**
75 Zim ☲ – ♦195/221 CHF ♦♦282/458 CHF – 10 Suiten – ½ P
Rest *– (nur Abendessen) (Tischbestellung ratsam)* Menü 55/80 CHF
– Karte 52/67 CHF

Trotz allen Fortschritts hat das Hotel von 1907 doch etwas Klassisch-Traditionelles
- das spürt man, sobald man die Lobby betritt! Grosszügiger und etwas moderner
wohnt man im neuen Chalet. Nachmittags gute Kuchenauswahl, beliebt auch die
Grillabende im Sommer (dienstags und freitags).

🏨 **Monte Rosa**   🖴 ℅ Rest, 📶

Bahnhofstr. 80 – ☏ 027 966 03 33 – www.monterosazermatt.ch
– geschl. Mitte April - Mitte Juni, Mitte September - Mitte Dezember
26 Zim ☲ – ♦260/530 CHF ♦♦340/670 CHF – 15 Suiten – ½ P   **A1f**
Rest *– (geschl. im Sommer: Sonntag) (nur Abendessen)*
Karte 60/107 CHF

Das historische Hotel mit den roten Fensterläden bietet gemütlich-gediegene
Räume wie Leselobby und Bar sowie wertig und technisch sehr gut ausgestat-
tete Zimmer. Besonders schicke Suiten im 6. Stock. Stilvoll-klassisches
Restaurant.

Mirabeau ⊗ ⪡ 🚗 📺 ⓦ 🏠 📱 🐾 📶

*Untere Mattstr. 12 – ℰ 027 966 26 60 – www.hotel-mirabeau.ch
– geschl. 27. April - 6. Juni, 21. September - 18. Oktober* **B1g**
60 Zim ⌷ – **†**173/297 CHF **††**306/719 CHF – 2 Suiten – ½ P
Rest *Le Corbeau d'Or* – siehe Restaurantauswahl
Rest *zermatta* – (45 CHF) Menü 57/75 CHF – Karte 62/130 CHF
Schöne moderne Zimmer! Im Annex betonen heimische Naturmaterialien die
alpine Eleganz. Stein und Holz aus der Region schaffen auch im "Alpinen Refugium" ein angenehmes Ambiente, ebenso im geradlinig gestalteten "zermatta"
- hier isst man etwas legerer als im Gourmet-Restaurant, z. B. das Wahlmenü.

La Ginabelle ⊗ ⪡ 🍴 📺 ⓦ 🏠 📱 🐾 📶

*Vispastr. 52 – ℰ 027 966 50 00 – www.la.ginabelle.ch – geschl. 27. April - 29. Mai,
26. Oktober - 29. November* **B1y**
42 Zim ⌷ – **†**122/290 CHF **††**244/580 CHF – 2 Suiten – ½ P
Rest – (nur Abendessen) Menü 38/128 CHF – Karte 45/91 CHF
Ein frischer Kontrast zum klassisch-alpenländischen Stil des Hauses: die neuen
Zimmer im Stammhaus! Hier hat man den hellen warmen Holzton mit klaren,
modernen Formen kombiniert. Diverse Spa-Angebote von "Schön durchs Jahr"
bis "Family & Fun". Zeitgemässe Küche im eleganten Restaurant.

Alex ⪡ 🚗 🏠 📺 🏠 ᴵ⅝ ⚒ 🐾 Rest. 📶 🛁

*Bodmenstr. 12 – ℰ 027 966 70 70 – www.hotelalexzermatt.com – geschl.
23. April - 5. Juni, 12. Oktober - 28. November* **A1n**
69 Zim ⌷ – **†**175/305 CHF **††**270/510 CHF – 15 Suiten – ½ P
Rest – (38 CHF) Menü 32 CHF (mittags)/68 CHF – Karte 71/103 CHF
Die Zimmer sind fast schon Unikate! Steckenpferd der Seniorchefin sind Dekorationen: aufwändige Holzschnitzereien, individuelle Sessel und Stoffe mit unterschiedlichsten Mustern und Farben - alles hier ist geschmackvoll und auch ein bisschen
speziell. Man spürt das Engagement der Gastgeber! Imposanter Weinkeller.

Schönegg ⊗ ⪡ 🏠 📱 ᴵ⅝ ⚒ 📶

*Riedweg 35 – ℰ 027 966 34 34 – www.schonegg.ch – geschl. 21. April - 8. Juni,
20. September - 6. Dezember* **B1u**
46 Zim ⌷ – **†**175/340 CHF **††**290/630 CHF – 2 Suiten – ½ P
Rest *Gourmetstübli* – siehe Restaurantauswahl
Ein Aufzug bringt Sie von der Talstation durch den Berg hindurch direkt zur
Hotelrezeption! Zimmer teils mit tollem Blick aufs Matterhorn - fragen Sie nach
den Zimmern im "Petit Chalet", sehr chic hier der modern-alpine Stil!

CERVO ⊗ ⪡ 🚗 🏠 ᴵ⅝ ⚒ 📶

*Riedweg 156 – ℰ 027 968 12 12 – www.cervo.ch – geschl. 22. April - Mitte Juni,
November 3 Wochen* **B1a**
28 Zim ⌷ – **†**280/580 CHF **††**280/580 CHF – 7 Suiten
Rest *CERVO* – siehe Restaurantauswahl
"Alpiner Lifestyle" trifft es auf den Punkt! Hochwertig umgesetzt in einem alten
Jagdhaus und diversen Chalets (für Gruppen oder Familien auch komplett buchbar). Top: die exponierte Lage mit grandioser Aussicht, gegenüber der Berg-Lift
zur Sunnegga-Bahn. Lounge-Bar für den Après-Ski schlechthin!

Julen ⪡ 🏠 📺 🏠 ᴵ⅝ 📱 📶

Riedstr. 2 – ℰ 027 966 76 00 – www.julen.ch **A2r**
27 Zim ⌷ – **†**125/270 CHF **††**270/620 CHF – 5 Suiten – ½ P
Rest – (32 CHF) – Karte 49/95 CHF
Rest *Schäferstübli* – (nur Abendessen) (32 CHF) – Karte 50/95 CHF
Charme und Atmosphäre verbreiten Familie Julen und ihr Team in dem schmucken Chalet. Die Zimmer: sehr heimelig und mit frischen Farbakzenten hübsch
gestaltet. Beliebt ist der günstige Tagesteller, den man mittags im Restaurant bietet, im Schäferstübli sind Grill- und Käsegerichte die Spezialität.

Coeur des Alpes garni ⊗ ⪡ 📺 🏠 ᴵ⅝ 📱 ⚒ 📶

*Oberdorfstr. 134 – ℰ 027 966 40 80 – www.coeurdesalpes.ch – geschl. 26. April
- 6. Juni, 19. Oktober - 14. November* **A2c**
16 Zim ⌷ – **†**170/250 CHF **††**220/320 CHF – 6 Suiten
Mit dem eigenen Aufzug von der Fussgängerzone ins Hotel! Etwas ganz Besonderes
sind die exklusiven Lofts (benannt nach den Kindern der überaus liebenswerten und
zuvorkommenden Gastgeber). Speziell: Glasboden in der Lobby, darunter der Pool!

🏠🏠 **Matthiol**   ♨ 🛬 🏠 📱 🛜

Moosstr. 40 – 𝒞 027 968 17 17 – www.matthiol.com – geschl. Mitte April - Ende Juni, Mitte Oktober - Mitte Dezember   **A2t**
17 Zim ☞ – ♦130/530 CHF ♦♦230/630 CHF – 6 Suiten
Rest – *(geschl. im Sommer: Montag) (nur Abendessen) (Tischbestellung ratsam)* Karte 62/92 CHF
Hier wird man zweifelsohne hohen Ansprüchen gerecht, denn das Haus ist äusserst wertig und nicht von der Stange! Nur eines von vielen Details: Von der schicken freistehenden Badewanne Ihrer Juniorsuite oder Suite blicken Sie auf das Matterhorn!

🏠🏠 **Matterhorn Focus** garni   ≤ 🛬 🖼 🏠 📱 ᴋ 🛜 🈂

Winkelmattenweg 32 – 𝒞 027 966 24 24 – www.matterhorn-focus.ch – geschl. Ende April - Mitte Juni, Mitte Oktober - Mitte November   **A2a**
25 Zim ☞ – ♦200/390 CHF ♦♦200/390 CHF – 5 Suiten
Glas, Stahl und Holz - das ist das Markenzeichen des Designers Heinz Julen. Fast alle Zimmer mit Balkon und Sicht auf Zermatt oder Matterhorn. Ein Aufzug bringt Sie direkt zum Matterhorn-Express!

🏠🏠 **Firefly** garni   🖼 🏠 ᴋ 📱 ⚡ 🛜

Schluhmattstr. 55 – 𝒞 027 967 76 76 – www.firefly-zermatt.com – geschl. Ende April - Ende Juni   **A2g**
3 Zim ☞ – ♦310/1250 CHF ♦♦310/3495 CHF – 13 Suiten
Das Haus bietet mit die grössten Suiten im Ort (eine sogar mit 154 qm!) - hier wird das Frühstück à la carte auf dem Zimmer serviert. Nicht weniger exklusiv: der top ausgestattete Fitnessraum und die spektakuläre Kletterwand!

🏠🏠 **Schlosshotel** ❶ garni   🖼 🏠 ᴋ 📱 ⚡ 🛜

Bahnhofplatz 18 – 𝒞 027 966 44 00 – www.alex-schlosshotel.ch – geschl. 6. Oktober - 22. November   **B1s**
43 Zim ☞ – ♦170/290 CHF ♦♦280/440 CHF – 6 Suiten
Eine Augenweide ist hier schon die Lounge: auffallend schöner heller Stein, dazu ruhige, warme Töne und ansprechende bequeme Sitzgruppen. Wohnlichkeit pur auch in den modern-eleganten Zimmern mit ihren gedeckten Farben und geschmackvollen Stoffen. Oder ziehen Sie eine "Junior Suite Rustikal" vor? Oder vielleicht eine stylish-alpine Suite?

🏠🏠 **Eden** garni   🛬 🖼 🏠 ᴋ 📱

Riedstr. 5 – 𝒞 027 967 26 55 – www.hotel-eden.ch – geschl. 27. April - 12. Juni, 28. September - 27. November   **AB2v**
30 Zim ☞ – ♦135/210 CHF ♦♦205/405 CHF
Neuzeitlich ausgestattete Zimmer, ein gepflegter Freizeitbereich mit Zugang zum Garten und ein Open-End-Frühstücksbuffet sprechen für das im Chaletstil gebaute Hotel.

🏠🏠 **Backstage** ❶   🛜

Hofmattstr.4 – 𝒞 027 966 69 70 – www.backstagehotel.ch – geschl. 27. März - 6. Juni   **A1r**
20 Zim ☞ – ♦160/820 CHF ♦♦190/850 CHF
Rest *After Seven* ✿ – siehe Restaurantauswahl
Das ist Heinz Julens neuester Streich in Sachen Design: ein stylish-exklusiver Look aus Stahl, Holz, Glas und edlen Stoffen, der in den sechs "Cube-Lofts" seinen Höhepunkt findet. Diese Zimmer sind regelrechte Kunstwerke: extra hohe Räume, mittig ein gläserner Würfel über zwei Etagen (oben Bett, unten Bad) mit speziellem Lichtkonzept! Kino im Haus.

🏠🏠 **Post**   ≤ 🏠 📱 ⚡ Zim, 🛜

Bahnhofstr. 41 – 𝒞 027 967 19 31 – www.hotelpost.ch   **A1p**
28 Zim ☞ – ♦159/470 CHF ♦♦199/570 CHF – 1 Suite – ½ P
Rest *Portofino* – siehe Restaurantauswahl
Rest *Broken Tex Mex Grill* – *(geschl. Mai - November) (nur Abendessen)* Karte 50/83 CHF
Rest *Spaghetti & Pizza Factory* – *(nur Abendessen)* Karte 53/87 CHF
Mitten im Zentrum steht dieses Lifestyle- und Boutique-Hotel mit gelungenem geradlinig-modernem Design, dazu Kunstausstellungen und Erlebnisgastronomie mit Bars, Clubs, Live-Musik und Disco.

Europe
    🌿 ⪕ 🛋 🚗 🕸 🖬 🏊 Rest, 🛜

Riedstr. 18 – ☏ 027 966 27 00 – www.europe-zermatt.ch – geschl. Mai
39 Zim ⊇ – 🛏150/330 CHF 🛏🛏300/650 CHF – ½ P   **B2u**
Rest – *(nur Abendessen)* Menü 32/62 CHF
Walliser Schwarznasenschafe sind die Leidenschaft von Chef (und Schäfer!) Ruedi Julen: Bilder und Felle als Dekor, aus der Küche Fleisch und Wurst (die für Hausgäste inkludierte HP können auch externe Gäste bestellen). Die Zimmer: etwas älter oder modern-alpin - Letzteres trifft auch den schicken Style des Saunabereichs!

Albatros garni
    🌿 ⪕ 🕸 🛜

Steinmattstr. 93 – ☏ 027 966 80 60 – www.hotel-albatros.ch – geschl. Mitte April - Ende Juni   **A2q**
18 Zim ⊇ – 🛏100/260 CHF 🛏🛏180/380 CHF – 2 Suiten
Das Haus befindet sich in ruhiger Lage und verfügt über wohnliche Zimmer, in denen hübsche Stoffe ein stimmiges Ambiente schaffen. Whirlwanne mit Panoramablick in der Juniorsuite!

Matterhorn Lodge Ⓝ garni
    🌿 🐾 🕸 🖬 🏊 🛜

Englischer Viertel 11 – ☏ 027 966 46 00 – www.matterhornlodge.ch – geschl. Mai - Juni, Mitte Oktober - Mitte November   **A1u**
12 Zim ⊇ – 🛏260/420 CHF 🛏🛏260/420 CHF – 2 Suiten
Ruhige Lage und geschmackvoller modern-alpiner Stil... das macht dieses familiär geleitete kleine Hotel aus. Überall verbreiten Holz und schöne Farben und Stoffe wohltuende Wärme, die Zimmer geräumig und hochwertig ausgestattet. Passend zur Philosophie des Hauses dominieren im attraktiven Spa "Muttgletscher" heimisches Holz und Naturstein.

Chesa Valese garni
    🕸 🖬 🏊 🛜

Steinmattstr. 30 – ☏ 027 966 80 80 – www.chesa-valese.ch   **A2z**
23 Zim ⊇ – 🛏110/165 CHF 🛏🛏200/310 CHF
Eine gemütliche familiäre Adresse mit allerlei schönem Dekor, regionstypisch eingerichteten Gästezimmern und freundlichen Mitarbeitern.

Simi garni
    🌿 🕸 🖬

Brantschenhaus 20 – ☏ 027 966 45 00 – www.hotelsimi.ch – geschl. 7. Oktober - 2. Dezember   **A1c**
40 Zim ⊇ – 🛏137/197 CHF 🛏🛏230/384 CHF – 2 Suiten
Nadja und Arno Liebenstein-Biner sind engagierte Gastgeber... und Hundebesitzer, daher heissen sie auch Ihren Vierbeiner willkommen! Gemütlicher Treffpunkt ist die moderne Kamin-Lounge-Bar.

Allalin garni
    ⪕ 🛋 🕸 🛜

Kirchstr. 40 – ☏ 027 966 82 66 – www.hotel-allalin.ch – geschl. 28. April - 6. Juni, 6. Oktober - 28. November   **A2b**
30 Zim ⊇ – 🛏120/215 CHF 🛏🛏200/400 CHF
Ein wirklich nettes und mit Herz geführtes Haus, in dem viel Holz, schöne Schnitzereien, Landhauszimmer mit rustikalem Touch (teils mit Balkon zum Matterhorn) und ein moderner Alpin-Spa mit 4 verschiedenen Saunen zum Wohlbefinden beitragen.

Mountain Paradise garni
    🌿 🛋 🕸 🖬 🏊 🛜

Schluhmattstr. 130 – ☏ 027 966 80 40 – www.mountainparadise.ch – geschl. Mai - Mitte Juni   **A2k**
18 Zim ⊇ – 🛏135/200 CHF 🛏🛏170/280 CHF
Behagliches, warmes Holz, wohin man schaut! Im Winter kann man mit den Skiern praktisch bis vor die Tür fahren. Einige Zimmer mit Matterhornblick, ein Mehrbettzimmer (bis 8 Pers.).

Pollux
    🚗 🕸 🖬 🛜 🧖

Bahnhofstr. 28 – ☏ 027 966 40 00 – www.hotelpollux.ch   **A1r**
35 Zim ⊇ – 🛏137/236 CHF 🛏🛏240/394 CHF – ½ P
Rest – (24 CHF) – Karte 51/96 CHF
Die Gästezimmer dieses zentral gelegenen Hotels vereinen auf gelungene Weise modernes Design und rustikale Elemente. Hauseigene Diskothek. Von der Terrasse des Restaurants beobachten Sie das lebendige Treiben im Ort.

🏠 **Bellerive** garni   🏠 🖥 🕸 🛜

Riedstr. 3 – ℰ 027 966 74 74 – www.bellerive-zermatt.ch – geschl. 28. April
- 13. Juni, 6. Oktober - 21. November   A2**m**
26 Zim 🖙 – 🛏120/190 CHF 🛏🛏200/360 CHF
Das Hotel bietet schöne modern-alpine Zimmer sowie einige in ländlicherem Stil.
Frühstücksraum und Lobby sind geradlinig und freundlich gestaltet. Halbpension
auf Wunsch.

🏠 **Phoenix** garni   🕸 ≤ 🖥 🛜

Untere Wiestistr. 11 – ℰ 027 968 18 19 – www.hotelphoenix.ch – geschl. Mai,
Oktober - November   B1**x**
27 Zim 🖙 – 🛏129/219 CHF 🛏🛏149/280 CHF
Altholz und Bruchstein stehen für Tradition, klare und bewusst schlichte Formen
für Moderne. Fortschrittlich und ökologisch wertvoll: Man heizt mittels Erdwärme!

🏠 **Holiday**   🕸 ≤ 🖥 🛜

Gryfelblatte 4 – ℰ 027 966 04 00 – www.hotelholiday.ch – geschl. 21. April
- 23. Mai, 6. Oktober - 19. Dezember   B1**e**
36 Zim 🖙 – 🛏110/220 CHF 🛏🛏170/350 CHF – ½ P
Rest – (geschl. im Sommer und Sonntag - Montag) (nur Abendessen)
(Tischbestellung ratsam) Menü 56/140 CHF – Karte 64/113 CHF
Hier lässt es sich gut wohnen: Von Ihrem Balkon geniessen Sie den Blick auf
die Berge, für Familien hält man Mehrbettzimmer bereit und die Mitarbeiter
im Haus sind stets freundlich und hilfsbereit! Das Speisenangebot ist international
und regional.

🏠 **Aristella** ⓝ   🕸 🖥 🕸 Zim, 🛜

Steinmattweg 7 – ℰ 027 967 20 41 – www.aristella-zermatt.ch – geschl. 22. April
- 6. Juni, 5. Oktober - 28. November   B2**a**
28 Zim 🖙 – 🛏120/300 CHF 🛏🛏200/430 CHF – ½ P
Rest – (nur Abendessen) Karte 43/106 CHF
Klare moderne Formen, freundliche Farben und viel helles, warmes Holz... so das
Ambiente hier. In den Zimmern dekorative Bilder zum Thema Schweiz: je nach
Etage "Gebirge", "Tal", "See" oder "Stadt". Der Mix aus Geradlinigkeit und ange-
nehmen Naturmaterialien findet sich auch in der Lounge und im Saunabereich.
Im gemütlich-rustikalen Restaurant gibt es u. a. Grilladen.

🏠 **Bella Vista** garni   🕸 ≤ 🚗 🕸 🖥 🕸 🛜

Riedweg 15 – ℰ 027 966 28 10 – www.bellavista-zermatt.ch – geschl. 27. April
- 13. Juni, 19. Oktober - 6. Dezember   B1**q**
19 Zim 🖙 – 🛏115/165 CHF 🛏🛏175/310 CHF – 2 Suiten
Wer's persönlich mag, ist bei Familie Götzenberger-Perren bestens aufgehoben:
der Chalet-Charme, die Herzlichkeit der Gastgeber und sehr liebenswürdige Extras
wie hausgemachte Marmelade und selbst gebackene Brötchen (Chef ist Konditor-
meister) oder auch Fondue- und Raclette-Abende!

🏠 **Alpenblick**   🕸 ≤ 🚗 🕪 🖥 🕸 🛜

Oberdorfstr. 106 – ℰ 027 966 26 00 – www.alpenblick-zermatt.ch – geschl.
1. Oktober - 21. Dezember   A2**h**
32 Zim 🖙 – 🛏105/185 CHF 🛏🛏195/400 CHF – ½ P
Rest Alpenblick – siehe Restaurantauswahl
Seit über 80 Jahren ist das Hotel in Familienhand. Die Zimmer sind nett und gut
in Schuss - besonders wohnlich die Superior-Zimmer und die Juniorsuite. Ideal
für Wanderfreunde: Zur Matterhorn-Paradise-Bergbahn sind es nur wenige Gehminuten.

🏠 **Welschen** garni   🕸 ≤ 🚗 🕸 🛜

Wiestistr. 44 – ℰ 027 967 54 22 – www.reconline.ch/welschen – geschl. Mai, Ende
September - Anfang Dezember   B1**h**
14 Zim 🖙 – 🛏90/140 CHF 🛏🛏170/240 CHF
Ein sehr nettes Haus unter familiärer Leitung, das ruhig nicht weit von der Talstation des Sunnegga-Express entfernt liegt. Warmes Holz sorgt hier für Gemütlichkeit.

⌂ Cheminée ⇐ ⊟ ⌂ 📶

Matterstr. 31 – ☏ 027 966 29 44 – www.hotelcheminee.ch – geschl. 25. April - 18. Juni, 2. Oktober - 1. Dezember **B1n**

16 Zim ⊡ – †85/130 CHF ††160/260 CHF – ½ P **Rest** – Karte 30/68 CHF

Das kleine Hotel liegt gegenüber der Sunnegga-Station, neben dem Haus plätschert die durch den Ort fliessende Mattervispa! Die meisten Zimmer mit eigenem Balkon. Bürgerlich-rustikales Restaurant mit Wintergarten.

✗✗✗ Capri – Hotel Mont Cervin Palace ⇐ ⌾ ℀

Hofmattstr. 12 – ☏ 027 966 87 00 – www.montcervinpalace.ch – geschl. Mitte April - Mitte Dezember und Montag **A1b**

Rest – *(nur Abendessen)* Menü 125/190 CHF – Karte 96/131 CHF

Wer es im Sommer nicht nach Capri schafft, kann die hervorragende italienische Küche von Andrea Migliaccio und dem Team des "Capri Palace" im Winter hier in Zermatt geniessen! Passend dazu das elegante Ambiente und der top Service, nicht zu vergessen der Panoramablick - das Restaurant befindet sich im 4. Stock!

→ Blauer Hummer mit Spinat-Safran-Mayonnaise und Gemüse- Tempura. Linsen und Calamari mit Spaghetti. Risotto mit roten Riesengarnelen, Brokkoli und schwarzem Trüffel.

✗✗✗ The Omnia – Hotel The Omnia ⇐ ⌂ ℀

Auf dem Fels – ☏ 027 966 71 71 – www.the-omnia.com – geschl. Mitte April - Mitte Juni

Rest – *(nur Abendessen)* Menü 108 CHF – Karte 70/118 CHF **A1d**

Das edle und äusserst moderne Design des Hotels setzt sich im Restaurant fort. Dazu bietet die interessante Speisekarte eine ebenso zeitgemässe Küche aus frischen Produkten.

✗✗✗ Prato Borni – Grand Hotel Zermatterhof ⇐ ℀

Bahnhofstr. 55 – ☏ 027 966 66 00 – www.zermatterhof.ch – geschl. 20. April - Mitte Juli, Mitte August - 28. November **A1w**

Rest – *(nur Abendessen)* (51 CHF) Menü 85 CHF – Karte 84/145 CHF

Intarsienvertäfelungen, opulente Maria-Theresia-Lüster und nobles Mobiliar zeugen von der Grandezza dieses Luxushotels. Dem Rahmen entsprechend wird Wert auf gepflegte Abendkleidung gelegt. Auf der Karte Klassiker wie Homard Thermidor und Crêpes Suzette.

✗✗ Le Corbeau d'Or – Hotel Mirabeau

Untere Mattenstr. 12 – ☏ 027 966 26 60 – www.hotel-mirabeau.ch – geschl. 21. April - 13. Dezember und Sonntag - Montag **B1g**

Rest – *(nur Abendessen)* (Tischbestellung ratsam) Menü 95/145 CHF – Karte 77/147 CHF

In dem kleinen Gourmet-Restaurant sorgen Beige- und Brauntöne und eine schöne Altholztäferung für eine elegante Note. Die niveauvolle Küche ist klassisch, hat aber auch zeitgemässe Einflüsse.

✗✗ Heimberg ⌂

Bahnhofstr. 84 – ☏ 027 967 84 84 – www.heimberg-zermatt.ch – geschl. Mai - Anfang Dezember und Samstagmittag, Sonntagmittag

Rest – *(Tischbestellung ratsam)* Menü 98/203 CHF 🍸 **A1e**

Küchenchef Christian Geisler ist jung und engagiert, seine Küche kreativ - und die gibt es in Form eines Menüs, bei dem Sie selbst wählen, wie viele Gänge Sie möchten. Zum kulinarischen Genuss kommt der optische, denn das Interieur trägt die Handschrift von Heinz Julen: unten klar und puristisch (hier der Barbereich und die verglaste Küche), oben das "Alpine Dining"-Restaurant: überall schönes rustikales altes Holz, dazwischen stylish-moderne Akzente.

→ Forelle / Schweinekinn / Schnittlauch / Apfelkren. Kalb / Morchel / Kartoffel / Bärlauch. Rhabarber / Alpenmilch / Nuss.

✗✗ After Seven ⓝ – Hotel Backstage ℀

Hofmattstrasse 4 – ☏ 027 966 69 70 – www.backstagehotel.ch – geschl. Anfang April - Mitte Dezember und Sonntag **A1r**

Rest – *(nur Abendessen)* (Tischbestellung ratsam) Menü 127/177 CHF

Ivo Adam (im Winter bringt er sein Team von Ascona mit hierher) verwendet topfrische, hochwertige Produkte, kombiniert mit Gefühl verschiedene Aromen, spielt mit Kontrasten und Temperaturen... alles ist durchdacht. Jung und ungezwungen wie die Atmosphäre ist auch das souveräne Serviceteam.

→ Lachs mit Kürbis und Curryschaum. Milchkalbsfilet mit Pastinakenpüree. Variation vom Apfel.

XX **Grill Le Cervin** – Mont Cervin Palace ⪡⪡ & 🍸

*Bahnhofstr. 31 – 🕾 027 966 88 88 – www.montcervinpalace.ch – geschl. Mitte
April - Mitte Juni, Ende September - Ende November* A1**b**
Rest – *(nur Abendessen)* (38 CHF) Menü 46 CHF (mittags) – Karte 70/120 CHF
Das Interieur aus hellem Holz und folkloristischen Stoffen fügt sich harmonisch in
die Walliser Bergwelt ein. Kulinarisch werden Sie u. a. mit Grilladen verwöhnt,
die man vor Ihren Augen auf dem offenen Feuer zubereitet.

XX **Alpenhof - Le Gourmet** – Hotel Alpenhof 🍸

*Matterstr. 43 – 🕾 027 966 55 55 – www.alpenhofhotel.com – geschl. Mai
- November und Dienstag - Mittwoch* B1**m**
Rest – *(nur Abendessen) (Tischbestellung ratsam)* Menü 82/125 CHF – Karte 52/104 CHF
Warmes Holz und markante rote Polsterstühle wurden in dem kleinen Restaurant
zu einem gemütlichen alpenländisch-modernen Interieur kombiniert.

XX **Le Mazot** 🍸

*Hofmattstr. 23 – 🕾 027 966 06 06 – www.lemazotzermatt.ch – geschl. Ende April
- Ende Juni, Mitte Oktober - Ende November und Montag* AB1**v**
Rest – *(nur Abendessen) (Tischbestellung ratsam)* Karte 60/100 CHF
Mündlich empfiehlt man seinen Gästen hier saisonale Küche und Grillgerichte wie
die bekannten Lammspezialitäten, die am Holzkohlegrill mitten im Restaurant
zubereitet werden.

XX **Gourmetstübli** – Hotel Schönegg ⪡⪡ & 🍸

*Riedweg 35 – 🕾 027 966 34 34 – www.schonegg.ch – geschl. 21. April - 8. Juni,
20. September - 6. Dezember* B1**u**
Rest – (28 CHF) Menü 65 CHF (abends) – Karte 94/119 CHF
Eine Bauernstube wie aus dem Bilderbuch: Holztäferung mit aufwändigen Bema-
lungen und Stuckverzierungen sowie schöne Tischwäsche sorgen für eine heimelige Atmosphäre.

XX **Portofino** – Hotel Post

*Bahnhofstr. 41 – 🕾 027 967 19 31 – www.hotelpost.ch – geschl. Mai - November
und Montag* A1**p**
Rest – *(nur Abendessen) (Tischbestellung ratsam)* Menü 88/198 CHF – Karte 88/121 CHF
Dem Lokal wurde ein trendiges Gewand aus alpenländischem Chic verpasst. An
stilvoll hergerichteten Tischen offeriert man Ihnen moderne Kulinarik, die sich
von Mediterranem beeinflussen lässt.

X **CERVO** – Hotel CERVO ⪡ 🍴 &

*Riedweg 156 – 🕾 027 968 12 12 – www.cervo.ch – geschl. 22. April - Mitte Juni,
November 3 Wochen* B1**a**
Rest – *(Tischbestellung ratsam)* Karte 55/141 CHF
Eintreten, abschalten und sich wohlfühlen. Das ist im Jagdhaus garantiert - moder-
nes Design inszeniert alpenländische Materialien auf urig-charmante Art. Tolle
Terrasse (wärmende Wolldecken liegen aus) mit freiem Blick aufs Matterhorn.

X **Alpenblick** – Hotel Alpenblick ⪡ 🍴

🕾 *Oberdorfstr. 106 – 🕾 027 966 26 00 – www.alpenblick-zermatt.ch – geschl. 1. Mai
- 18. Juni, 26. September - 21. Dezember* A2**h**
Rest – (18 CHF) – Karte 41/81 CHF
Lassen Sie sich in gepflegt-rustikalem Ambiente traditionelle Gerichte und Walliser Spezialitäten servieren. Bei schönem Wetter sitzt man am besten auf der Gartenterrasse!

auf der Riffelalp mit Zahnradbahn Gornergrat und Riffelalpbähnli (Sommer)
(20 min.) erreichbar – Höhe 2 210 m – ✉ 3920 Zermatt

🏨🏨 **Riffelalp Resort** 🛎 ⪡ 🕙 ⚒ 🔲 🕏 ♨ 🍽 💻 🍸 Zim, 🛰 🏋

*– 🕾 027 966 05 55 – www.riffelalp.com – geschl. 21. April - 20. Juni,
22. September - Mitte Dezember*
65 Zim ⚌ – ♦245/590 CHF ♦♦430/1070 CHF – 5 Suiten – ½ P
Rest *Alexandre* – *(nur Abendessen)* Karte 55/109 CHF
Schlichtweg ein Traum für Skifahrer und Wanderer! Exponiert thront das Hotel
inmitten zig Viertausender! Vom wohltemperierten Aussenpool blickt man aufs
Matterhorn vis-à-vis! In der Saison veranstaltet man Konzerte (Zelt). Im Walliser
Keller munden Schweizer Spezialitäten, im Del Bosco italienische; die stilvoll-
gehobene Alternative ist das Alexandre.

auf dem Gornergrat mit Zahnradbahn Gornergrat (40 min.) erreichbar
– Höhe 3 089 m – ⊠ 3920 Zermatt

⌂ **Kulmhotel Gornergrat** 🌊 ⪕ 🛏 🞉 🕱 ⌾

– 𝒞 027 966 64 00 – www.mygornergrat.ch – geschl. 27. April - 9. Mai,
26. Oktober - 5. Dezember
22 Zim ☲ – ♦155/215 CHF ♦♦280/380 CHF – ½ P
Rest – (geschl. 27. April - 8. Juni, 26. Oktober - 13. Dezember) (nur Mittagessen)
(20 CHF) – Karte 32/87 CHF
Die einzigartige Lage (das Hotel ist das höchstgelegene der Schweiz!) lockt seit
über 100 Jahren Gäste hierher. Die Zimmer sind charmant mit Arvenholz eingerichtet, grandios der Blick auf Matterhorn oder Monte Rosa. Besonderheit: die
Sternwarte.

in Furi mit Gondelbahn erreichbar – Höhe 1 861 m – ⊠ 3920 Zermatt

⌂ **Silvana** 🌊 ⪕ 🚗 🞉 🖪 🞉 🞉

– Furri 265 – 𝒞 027 966 28 00 – www.hotelsilvana.ch – geschl. Mai - Juni, Oktober
- November
21 Zim ☲ – ♦110/195 CHF ♦♦200/390 CHF – ½ P
Rest *Gitz-Gädi* – (Tischbestellung ratsam) (20 CHF) – Karte 62/99 CHF
Von der Zwischenstation der Gondelbahn sind es nur wenige Schritte zu diesem
Haus in herrlich ruhiger Lage. Gemütlich hat man Zimmer, Lounge und Bar
gestaltet. Viel Holz, Stein und allerlei Zierrat versprühen im Gitz-Gädi urig-traditio-
nellen Charme. HP inklusive.

in Zum See mit Gondelbahn bis Furi und Spazierweg (15 min.) oder über
Schwarzseepromenade A2 (40 min.) erreichbar – ⊠ 3920 Zermatt

✗ **Zum See** 🞉 🕱

– 𝒞 027 967 20 45 – www.zumsee.ch – geschl. Mitte April - Mitte Juni, Anfang
Oktober - Anfang Dezember
Rest – (nur Mittagessen) (Tischbestellung erforderlich) Karte 52/90 CHF
Familie Mennig führt das heimelige Chalet in dem Bergweiler seit 25 Jahren.
International-saisonale sowie Walliser Küche, dazu gute Weine, vor allem aus Ita-
lien. Sonnige Terrasse.

in Findeln mit Sunnegga Express und Spazierweg (25 min.) oder über
Spazierweg von Zermatt (50 min.) erreichbar – Höhe 2 036 m – ⊠ 3920 Zermatt

✗ **Findlerhof** ⪕ 🞉 🕱

– 𝒞 027 967 25 88 – www.findlerhof.ch – geschl. 25. April - 13. Juni, 12. Oktober
- 28. November
Rest – (nur Mittagessen) (Tischbestellung ratsam) (25 CHF) – Karte 39/83 CHF
Der gigantische Blick aufs Matterhorn macht das urige Restaurant in 2051 m
Höhe so beliebt - vor allem natürlich bei Skifahrern (für Fussgänger ist der Weg
hierher mitunter etwas beschwerlich)! Italienische und Schweizer Gerichte und
ebensolche Weine.

✗ **Chez Vrony** Ⓝ ⪕ 🞉

Findeln – 𝒞 027 967 25 52 – www.chezvrony.ch – geschl. 25. April - 15. Juni,
15. Oktober - 26. November
Rest – (nur Mittagessen) (Tischbestellung ratsam) (38 CHF) Menü 30 CHF (mittags)/48 CHF – Karte 44/88 CHF
Ein echter Hotspot, und zwar ein ausgesprochen charmanter! Viel Holz und liebenswerte Dekorationen verbreiten Wärme und Gemütlichkeit. Und dann ist da
noch die Aussicht... Die ist einmalig schön hier in 2100 m Höhe und von der Terrasse am besten zu bewundern! Dazu gibt es traditionelle und mediterrane Küche
- oder kommen Sie vielleicht schon zum Frühstück?

ZINAL – Valais (VS) – **552** J12 – alt. 1 671 m – Sports   8 E6
d'hiver : 1 670/2 896 m ⅏1 ⅏6 ⅍ – ⊠ 3961
▶ Bern 195 – Sion 42 – Brig 60 – Sierre 27
🛈 Au Village, 𝒞 027 475 13 70, www.zinal.ch
Manifestations locales :
18-19 janvier : Mauler Cup

⌂ **Europe**　　　　　　　≤ ⧉ ⧖ ⊞ AC rest, ⧉ ⚿ P

Rue des Cinq 4000 – ☎ 027 475 44 04 – www.europezinal.ch
– fermé 26 avril - 6 juin et 5 octobre - 15 décembre
34 ch ⥿ – ♦102/149 CHF ♦♦174/258 CHF – ½ P
Rest – (18 CHF) Menu 30 CHF – Carte 25/79 CHF
Cet imposant chalet moderne trône sur la place principale, à deux pas de la télé-cabine : pratique pour s'adonner au ski. Au restaurant, le choix se fait entre des plats suisses et internationaux (dont des pizzas). Un bon hôtel de montagne.

ZOFINGEN – Aargau (AG) – **551** M5 – 10 897 Ew – Höhe 432 m　　3 E3
– ✉ **4800**

▶ Bern 70 – Aarau 19 – Luzern 46 – Olten 12
🆔 Kirchplatz 26, Stadtbüro, ☎ 062 745 71 72, www.zofingen.ch
Lokale Veranstaltungen:
　20.-22. Juni: Bio Marché

🏠 **Zofingen**　　　　　　　⧉ ⊞ ⧉ ⚿

Kirchplatz 30 – ☎ 062 745 03 00 – www.hotel-zofingen.ch
39 Zim ⥿ – ♦100/200 CHF ♦♦180/340 CHF – ½ P
Rest – (32 CHF) – Karte 55/82 CHF
Das Hotel mitten in Zofingen ist auch für Tagungs- und Businessgäste eine ideale Adresse. Die Zimmer sind tipptopp gepflegt und zeitgemäss eingerichtet. In der eleganten Thutstube und im netten einfacheren Restaurant Bögli serviert man internationale Küche.

XX **Federal**　　　　　　　⧉ ⚘

Vordere Hauptgasse 57 – ☎ 062 751 88 10 – www.federal-zofingen.ch
– geschl. 24. - 30. Dezember, 14. Juli - 5. August
Rest – (38 CHF) Menü 48 CHF (mittags)/98 CHF – Karte 76/123 CHF
Ein hübsches kleines Restaurant in der Fussgängerzone mit gemütlich-gediege-ner Atmosphäre und der gehobenen euro-asiatischen Küche des Chefs.

XX **Schmiedstube**　　　　　　　⧉ ⚘

Schmiedgasse 4 – ☎ 062 751 10 58 – www.schmiedstube.ch – geschl.
Samstagabend - Sonntag
Rest – (24 CHF) Menü 31 CHF (mittags)/85 CHF – Karte 42/92 CHF
Im 1. Stock eines Altstadthauses a. d. 15. Jh. befindet sich die gediegene, mit Sichtbalken und Holzdecke dekorierte Stube. Die Küche ist klassisch. Einfacheres Ambiente im EG.

ZOLLIKON – Zürich – **551** Q5 – siehe Zürich

ZÜRICH

© John Frumm/Hemis.fr

Ⓚ – ZH – Zürich – **376 990 Ew** – **Höhe 409 m** – ✉ **8000** – 551 P5

▸ Bern 125 – Aarau 47 – Baden 24 – Chur 122

🅸 Tourist-Information

im Hauptbahnhof E1, ℰ 044 215 40 00, www.zuerich.com

Automobilclub

Ⓐ Forchstr. 95 D2, ℰ 044 387 75 00

Flughafen

🛪 Unique, ℰ 043 816 22 11

Fluggesellschaften

Swiss International Air Lines Ltd., ℰ 0848 700 700
Air France, Europastr. 31, 8152 Glattbrugg, ℰ 044 439 18 18
Alitalia, Neugutstr. 66, 8600 Dübendorf, ℰ 044 824 45 50
Austrian Airlines, Gutenbergstr. 10, ℰ 044 286 80 88
British Airways, Löwenstr. 29, ℰ 0848 845 845
Lufthansa, Gutenbergstr. 10, ℰ 044 286 73 00

Messegelände

Messezentrum Zürich, Wallisellenstrasse 49 B1, ✉ 8050, ℰ 058 206 50 50

Messen und Veranstaltungen

19.-21. Januar: ORNARIS
30. Januar-2. Februar: FESPO
1.-2. März: Beauty Forum Swiss
12.-16. März: Giardina
12.-17. August: Leichtathletik Europameisterschafen
26. September-5. Oktober: ZÜSPA

Golfplätze

- Dolder, ✆ 044 261 50 45
- Unterengstringen, Nord-West: 18 km über Ausfahrt Weiningen, Richtung Geroldswil, Fahrweid und Überlandstrasse, ✆ 044 748 57 40
- Winterberg, Nord: 20 km Richtung Effretikon-Lindau, ✆ 052 345 11 81
- Zumikon, Süd-Ost: 9 km, ✆ 043 288 10 88
- Hittnau, Ost: 33 km, ✆ 044 950 24 42
- Breitenloo, Oberwil bei Nürensdorf, Nord: 22 km, ✆ 044 836 40 80

◎ SEHENSWÜRDIGKEITEN

Sehenswert: Lage★★★ · Mythenquai (≼★)C2 · Kunsthaus★★★F2_3 · Sammlung E. G. Bührle★★B2 · Fraumünster (Kreuzgang★ Fenster★) · Lindenhof★ · Schipfe★ · Bahnhofstrasse★E2 · Zoo Zürich★★B1

Museen: Schweizerisches Landesmuseum★★ Museum für Gestaltung★E1 · Museum Rietberg★★C2

Ausflugsziele: Uetliberg und Felsenberg★★(❄★★mit Bahn)A2 · Albisstrasse★ (über A2) · Ehem. Zisterzienserabtei Kappel★ (Glasmalereien★), Süd-West: 22 km über A2 · Eglisau (Hanglage★), Nord: 27 km über B1

Liste alphabétique des hôtels
Alphabetische liste der Hotels
Elenco alfabetico degli alberghi
Index of hotels

Liste alphabétique des hôtels
Alphabetische liste der Hotels
Elenco alfabetico degli alberghi
Index of hotels

432

Restaurants ouverts le dimanche

Restaurants sonntags geöffnet
Ristoranti aperti domenica
Restaurants open on Sunday

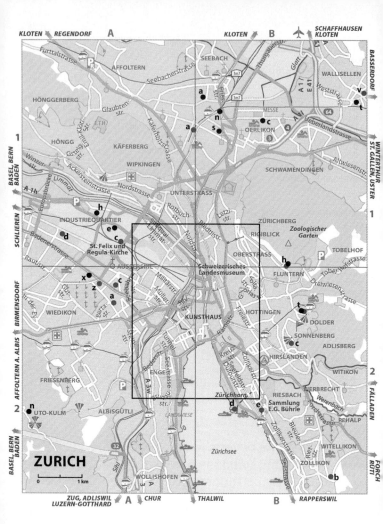

Rechtes Ufer der Limmat (Universität, Kunsthaus)

The Dolder Grand 🐾 ≤ 🚗 🖼 🌐 🏵 🛁 ✂️ 🍴 🛗 ♿ 🔲 🛜 🏋️ 🚗

Kurhausstr. 65 ✉ *8032*
– ☎ *044 456 60 00*
– *www.thedoldergrand.com*   B2**t**

162 Zim – ♦540/970 CHF ♦♦700/1440 CHF, ☕ 46 CHF – 11 Suiten
Rest *The Restaurant* 🌼🌼 **Rest** *Garden Restaurant* – siehe Restaurantauswahl
In dem Grandhotel von 1899 ist alles exklusiv... erst recht seit dem grossen
Umbau und der Wiedereröffnung 2008! Die Eleganz und der Luxus des Hotels
gipfeln in der Maestro-Suite mit 400 qm hoch über Zürich - hier haben Sie sogar
Ihren eigenen Flügel! Auch der Spa lässt auf seinen 4000 edlen Quadratmetern
kaum Wünsche offen, und dann der Traumblick...

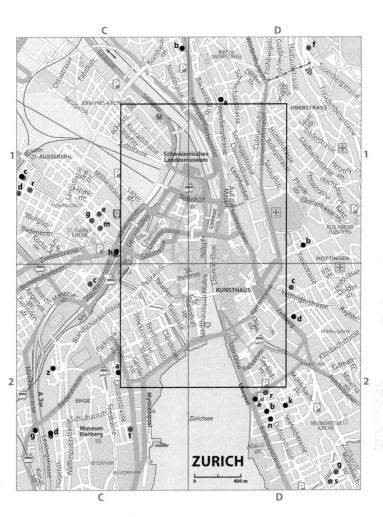

Marriott ⬠ 🕸 🛁 🖥 🛗 Rest, 🏧 💱 📶 🏋 🚗

Neumühlequai 42 ⊠ *8006* – ☏ *044 360 70 70* – *www.zurichmarriott.com*

255 Zim – 🛇440/540 CHF 🛇🛇440/540 CHF, 🍽 39 CHF – 9 Suiten   E1**c**

Rest *White Elephant* – siehe Restaurantauswahl

Rest *eCHo* – ☏ *044 360 70 00 (nur Abendessen)* Menü 69 CHF
– Karte 59/104 CHF

Das erste (und somit denkmalgeschützte) Hochhaus Zürichs ist ein sehr komfortables Domizil mit luxuriösem Touch, gediegenen Zimmern mit toller Aussicht und allem, was man in einem internationalen Hotel erwartet. Das "eCHo" bietet am Abend Schweizer Küche auf eigene Art, zudem gibt es in der "Bar & Lounge 42" amerikanische Snacks.

Die rote Kennzeichnung weist auf besonders angenehme Häuser hin 🏚 ✗✗✗.

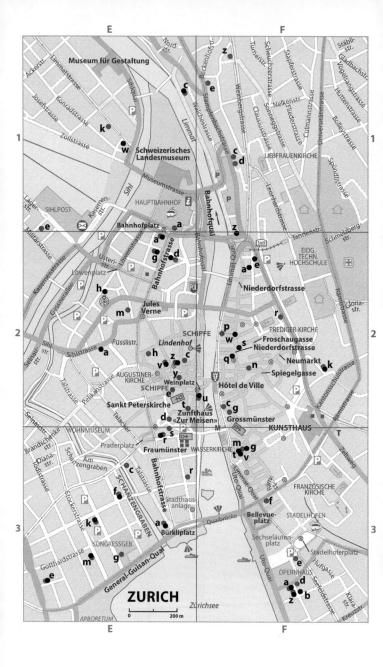

ZURICH

Zürichsee

0 ___ 200 m

Zürichberg

Orellistr. 21 ✉ *8044 -* ☎ *044 268 35 35 - www.zuerichberg.ch*   B1_2**h**
66 Zim � – ♦240/590 CHF ♦♦320/590 CHF
Rest Zürichberg – siehe Restaurantauswahl
Die Lage kann man für Züricher Verhältnisse durchaus als spektakulär bezeichnen, denn der Blick von dem ehemaligen Kurhaus von 1900 ist phänomenal! Aber auch die moderne Halle, eine schicke Bar mit Stil und nicht zuletzt die gut ausgestatteten Designerzimmer in Alt- und Neubau entschädigen für den Weg hier hinauf!

Central Plaza

Central 1 ✉ *8001 -* ☎ *044 256 56 56 - www.central.ch*   F1**z**
93 Zim – ♦200/395 CHF ♦♦220/405 CHF, ⊒ 27 CHF – 8 Suiten
Rest King's Cave – ☎ *044 256 55 55 (geschl. Samstagmittag, Sonntagmittag)*
Karte 56/91 CHF
Gegenüber dem Bahnhof, direkt am Limmatufer gelegenes Hotel von 1883 mit klassischer Fassade und grosszügiger Halle. Die Zimmer sind meist nicht sehr geräumig, aber komfortabel und modern - fragen Sie nach den ganz neuen! Grillrestaurant King's Cave im Kellergewölbe - früher teilweise Tresor der UBS.

Steigenberger Bellerive au Lac ⓝ

Utoquai 47 ✉ *8008 -* ☎ *044 254 40 00*
– www.zuerich.steigenberger.ch   D2**a**
50 Zim – ♦275/490 CHF ♦♦325/540 CHF, ⊒ 37 CHF – 1 Suite
Rest – (42 CHF) Menü 30/43 CHF – Karte 70/119 CHF
Das Hotel wurde in den letzten Jahren intensiv renoviert und aufgefrischt, so freut man sich nicht nur über den See direkt vor der Tür, sondern auch über wohnlich-elegante Art-déco-Zimmer mit moderner Technik und geschmackvollen Bädern, allen voran die Grand Suite mit wunderschöner Dachterrasse! Im Restaurant serviert man Schweizer Küche mit internationalen Einflüssen.

Ambassador à l'Opéra

Falkenstr. 6 ✉ *8008 -* ☎ *044 258 98 98 - www.ambassadorhotel.ch*
45 Zim – ♦275/520 CHF ♦♦395/650 CHF, ⊒ 28 CHF   F3**a**
Rest Opera – siehe Restaurantauswahl
Das ehemalige Patrizierhaus hat sich zu einem schmucken Boutique-Hotel mit eigenem Stil gemausert. Die Zimmer sind sehr unterschiedlich geschnitten, überaus wohnlich und richtig schön - und sie haben angenehme Details wie erstklassige Betten, Nespresso-Maschine und moderne Technik.

Europe

Dufourstr. 4 ✉ *8008 -* ☎ *043 456 86 86 - www.hoteleurope-zuerich.ch*
37 Zim – ♦230/350 CHF ♦♦350/450 CHF, ⊒ 25 CHF – 2 Suiten   F3**z**
Rest Quaglinos – siehe Restaurantauswahl
Hier haben Sie sich ein stilvolles kleines Hotel ausgesucht - zwischen 1898 und 1900 erbaut, direkt bei der Oper gelegen, klassisch-elegant und wohnlich mit wertigen Stoffen und Tapeten, hier und da der Charme der 50er Jahre... und technisch "up to date"! Zimmerservice ohne Aufpreis.

Wellenberg garni

Niederdorfstr. 10, (am Hirschenplatz) ✉ *8001 -* ☎ *043 888 44 44*
– www.hotel-wellenberg.ch   F2**s**
42 Zim ⊒ – ♦195/280 CHF ♦♦230/410 CHF – 3 Suiten
Nicht nur die perfekte Lage im Herzen der Altstadt zieht Gäste an, auch die komfortable Einrichtung ist einen Aufenthalt wert: Die Zimmer sind individuell, wohnlich, meist angenehm geräumig, teilweise mit stylishen Details. Und am Morgen: gutes Frühstücksbuffet in frischem modernem Ambiente. Fitnesspark wenige Gehminuten entfernt, Beauty-Center gleich gegenüber.

Florhof

Florhofgasse 4 ✉ *8001 -* ☎ *044 250 26 26 - www.florhof.ch*   F2**k**
35 Zim ⊒ – ♦265/310 CHF ♦♦395 CHF
Rest Florhof – siehe Restaurantauswahl
Wenige Gehminuten sind es von dem schmucken Patrizierhaus a. d. J. 1576 zur Fussgängerzone. In den Zimmern Landhausmöbel und liebenswerte Details wie schöne Stoffe und Tapeten. Nachmittagstee in der Lounge. Zwei hübsche Terrassen im Florhof-Garten: eine zum Relaxen, die andere gehört zum Restaurant.

🏨 **Opera** garni 🖻 🗚 🛜
Dufourstr. 5 ⊠ 8008 – ✆ *044 258 99 99 – www.operahotel.ch* F3**b**
58 Zim – ♦235/430 CHF ♦♦330/600 CHF, ➸ 26 CHF
Der Schwesterbetrieb des Ambassador vis-à-vis ist ebenfalls eine wohnlich-gemütliche Adresse und die etwas günstigere Alternative. Sie schlafen in geschmackvollen Zimmern, bedienen sich morgens am regional geprägten Frühstücksbuffet und verweilen bei einem Tee in der eleganten Lobby (hier gibt es eine Teestation).

🏨 **Seefeld** garni 🖻 🖻 🛜 🚗
Seefeldstr. 63 ⊠ 8008 – ✆ *044 387 41 41 – www.hotelseefeld.ch* D2**k**
64 Zim ➸ – ♦190/270 CHF ♦♦240/350 CHF
Businesshotel im trendigen Seefeldquartier nahe dem Zürichsee, klares Design überall. Man bietet hier sehr unterschiedlich geschnittene Zimmer bis hin zum Deluxe-Zimmer unterm Dach mit Whirlwanne und Dachbalkon. Unter der Woche kleine Speisen in der Bar.

🏨 **Krone Unterstrass** 🖻 🕭 Zim, 🗚 Zim, 🛜 🕍 🅿
Schaffhauserstr. 1 ⊠ 8006 – ✆ *044 360 56 56 – www.hotel-krone.ch*
77 Zim – ♦154/260 CHF ♦♦216/390 CHF, ➸ 19 CHF C1**b**
Rest – (23 CHF) Menü 50 CHF (mittags)/100 CHF – Karte 57/81 CHF
In dem Hotel etwas oberhalb des Zentrums wohnt man im Stammhaus mit recht individuellen Zimmern oder im Townhouse - hier die modernsten Zimmer (mit kleiner Küche). Und gastronomisch? Zur Wahl stehen das einfache Tagesrestaurant oder klassische Küche in gediegenerem Rahmen mit Cheminée und Bar. Praktisch: Sie parken günstig in der nahen öffentlichen Garage.

🏨 **Claridge** ⓝ 🕭 🖻 🗚 Zim, 🛜 🅿
Steinwiesstr. 8 ⊠ 8032 – ✆ *044 267 87 87 – www.claridge.ch – geschl.*
21. Dezember - 5. Januar D2**d**
31 Zim ➸ – ♦250/330 CHF ♦♦310/450 CHF – ½ P
Rest Orsons Gourmet – *(geschl. Sonntag)* (25 CHF) Menü 35 CHF (mittags)/54 CHF – Karte 63/82 CHF
Rest Orsons Küche.de – *(geschl. Sonntag) (nur Abendessen)* Karte 37/56 CHF
Ganz bewusst bewahrt man in dem Haus von 1835 den klassisch-traditionellen Stil - schön machen sich da die zahlreichen Antiquitäten in den recht geräumigen und sehr individuellen Zimmern. Wer abends zum Essen kommt, entscheidet sich zwischen "Orsons Gourmet" mit gegrilltem Hochlandrind als Spezialität und "Orsons Küche.de" mit deutschen Gerichten. Am Mittag bieten beide einfachere Tagesteller. Parken direkt am Haus möglich.

🏠 **Helmhaus** garni 🖻 🗚 🧺 🛜
Schifflände 30 ⊠ 8001 – ✆ *044 266 95 95 – www.helmhaus.ch* F3**v**
24 Zim ➸ – ♦270/390 CHF ♦♦310/470 CHF
Die Vorteile dieses kleinen Hotels? Es liegt in der Altstadt, der See ist nicht weit, die Zimmer sind wertig und komfortabel und zum Frühstück gibt's freundliche Atmosphäre und ein frisches Buffet. Wenn Sie es besonders chic mögen, wählen Sie ein Design-Zimmer!

🏠 **Altstadt** garni 🖻 🛜
Kirchgasse 4 ⊠ 8001 – ✆ *044 250 53 53 – www.hotel-altstadt.ch* F3**t**
25 Zim ➸ – ♦210/320 CHF ♦♦280/365 CHF
Mit einem Gespür für Formen und Farben hat man dem Haus in der Altstadt ein stilvoll-modernes Gesicht gegeben, und das mit ganz besonderer (literarischer) Note: In den Zimmern sind handgeschriebene Texte bekannter Dichter vom Künstler H. C. Jenssen als Bilder dargestellt, dazu Bücher der jeweiligen Autoren!

🏠 **Franziskaner** garni 🖻 🛜
Niederdorfstr. 1 ⊠ 8001 – ✆ *044 250 53 00 – www.hotel-franziskaner.ch*
23 Zim ➸ – ♦210/365 CHF ♦♦250/365 CHF F2**q**
Ein Haus um 1357 mitten in der Altstadt. Am liebsten würde man sich hier alle Zimmer anschauen: "Rosmarin", "Curry", "Erde"... - individueller geht es kaum. "Mars" und "Jupiter" mit Dachterrasse!

Lady's First garni 🔸🏠👤♿🛜

Mainaustr. 24 ✉ 8008 – ☎ 044 380 80 10 – www.ladysfirst.ch – geschl.
20. Dezember - 6. Januar　　　　　　　　　　　　　　　　D2**n**
28 Zim ⬜ – ♦200/350 CHF ♦♦260/450 CHF
Ein individuelles, von Frauen konzipiertes Haus. Altbau-Charme trifft auf modernes Design in sehr unterschiedlich geschnittenen Zimmern. Exklusiv für Damen:
Saunabereich mit Dachterrasse und Massageangebot. Als Hotelgäste sind auch
Herren willkommen!

Rütli garni 🔸♿🅰🛜

Zähringerstr. 43 ✉ 8001 – ☎ 044 254 58 00 – www.rutli.ch　　　　F2**a**
58 Zim ⬜ – ♦155/240 CHF ♦♦240/420 CHF
Hotel nahe dem Bahnhof mit klar-moderner Einrichtung von der Halle über die
Zimmer bis in den Frühstücksraum. Mal was anderes: die von Graffitikünstlern
gestalteten "Cityrooms".

Du Théâtre garni 🔸♿🍴🛜

Seilergraben 69 ✉ 8001 – ☎ 044 267 26 70 – www.hotel-du-theatre.ch
50 Zim – ♦165/280 CHF ♦♦200/340 CHF, ⬜ 20 CHF　　　　F2**e**
Heute ersetzen Hauskino und Hörspiele das einstige Theater. In den DG-Zimmern
ist es dank Klimaanlage auch im Sommer angenehm kühl. Sie möchten etwas
mehr Platz? Dann fragen Sie nach den beiden Mini-Suiten! Frühstück und internationale Gerichte gibt es in der "La Suite Lounge" mit Dachterrasse. Praktisch für
Zugreisende: Zum Hauptbahnhof sind es nur wenige Gehminuten.

Plattenhof 🔸🏠♿🛜🔸

Plattenstr. 26 ✉ 8032 – ☎ 044 251 19 10 – www.plattenhof.ch　　D1**b**
37 Zim ⬜ – ♦195/375 CHF ♦♦265/405 CHF
Rest *Sento* – ☎ 044 251 16 15 *(geschl. Weihnachten - Anfang Januar und
Samstag - Sonntag sowie an Feiertagen)* (25 CHF) Menü 35 CHF – Karte 46/72 CHF
In dem kleinen, aber feinen Design-Hotel nahe dem Uni-Spital kann man sich
wohlfühlen, und das liegt nicht zuletzt an den ansprechend puristisch gehaltenen
Zimmern mit individueller Note. Der klare Stil findet sich auch im netten Bar-
bereich und im Restaurant Sento - Letzteres mit "cucina della mamma".

Rex garni 🔸🅰🛜🅿

Weinbergstr. 92 ✉ 8006 – ☎ 044 360 25 25 – www.hotelrex.ch　　　D1**a**
41 Zim ⬜ – ♦110/200 CHF ♦♦150/290 CHF
Praktisch ist die Lage am Rande der Innenstadt, und wer mit dem Auto kommt,
darf sich über die eigenen Parkplätze freuen. Drinnen überzeugen dann neuzeitlich und funktionell eingerichtete Zimmer (teilweise klimatisiert) und am Morgen
die gepflegte Auswahl am Frühstücksbuffet.

Seegarten 🔸🏠🍴Zim,🛜

Seegartenstr. 14 ✉ 8008 – ☎ 044 388 37 37 – www.hotel-seegarten.ch
28 Zim ⬜ – ♦195/295 CHF ♦♦295/365 CHF　　　　　　　　D2**b**
Rest *Latino* – ☎ 044 388 37 77 *(geschl. Samstagmittag, Sonntagmittag)*
(26 CHF) – Karte 39/94 CHF
Sie haben gerne ein bisschen mediterranes Flair? In dem sympathischen Hotel im
attraktiven Seefeldquartier werden Sie sich dann nicht nur in den individuellen
Zimmern mit Holzböden und hellen, warmen Tönen wohlfühlen, sondern auch im
Latino bei italienischer Küche. Die interessante Sammlung Schweizer Plakate hier
im Haus ist übrigens ein Hobby des Chefs. Zimmerservice gibt es ohne Aufpreis.

Rössli garni 🔸🍴🛜

Rössligasse 7 ✉ 8001 – ☎ 044 256 70 50 – www.hotelroessli.ch　　F3**g**
26 Zim ⬜ – ♦160/260 CHF ♦♦215/330 CHF – 1 Suite
Das Hotel wird vom Direktoren-Ehepaar Hugi angenehm persönlich geführt und
es ist ein Haus mit Atmosphäre! Das liegt zum einen am Altbauflair, zum anderen
an den wohnlichen und etwas individuellen Zimmern. Sie träumen von einer
Dachterrasse? Die haben Sie in der 100 qm grossen Appartement-Suite! Und wer
Lust auf Tapas hat, geht in die Bar gleich hier im Haus.

Hirschen garni 🛏 ⚄ 📶
Niederdorfstr. 13 ✉ *8001 –* ☎ *043 268 33 33 – www.hirschen-zuerich.ch*
27 Zim ⚄ – 🛏155/190 CHF 🛏🛏200/245 CHF   F2**w**
Im 15. Jh. als Hospiz erbaut, heute ein beliebtes Hotel im Herzen der Altstadt. Es
wird persönlich geleitet und hat nette schlichte Zimmer sowie eine tolle Dachterrasse. Aber nicht nur das: Da gibt es noch die Weinschenke mit ausgewählten
Weinen und kalten Platten. Und gerne kommt man auch zum Heiraten hierher
- kein Wunder, der historische Gewölbekeller ist schon ein besonderer Rahmen!

🍴🍴🍴🍴 The Restaurant – Hotel The Dolder Grand   ⫷ 🏠 ⅋ 🆎
😄 😄 *Kurhausstr. 65* ✉ *8032 –* ☎ *044 456 60 00 – www.thedoldergrand.com – geschl.*
17. - 27. Februar, 21. Juli - 10. August und Samstagmittag, Sonntag - Montag
Rest *– (Tischbestellung ratsam)* Menü 98 CHF (mittags)/298 CHF   B2**t**
– Karte 152/209 CHF 🍴
Im altehrwürdigen Teil des Grandhotels wird so einiges fürs Auge geboten: drinnen der tolle Kontrast von alter Kassettendecke und modern-elegantem Stil,
draussen die weite Sicht von der traumhaften Terrasse und auf dem Teller die
ausgezeichnete Küche von Heiko Nieder - die ragt aber nicht nur optisch heraus,
sondern sorgt auch durch ihre variablen Konsistenzen, Temperaturen und Aromen für Spannung! Der Weinschrank (ebenso ein Hingucker) birgt eine erstklassige Auswahl, auch im offenen Bereich.
➜ Hummer mit Erdbeeren, Randen, Estragon und Senf. Spargel mit Ei, Brunnenkresse und Kaviar. Reh mit Gartenkräutern, Sonnenblumenkernen und Angostura.

🍴🍴🍴 Rigiblick - Spice mit Zim ⚄   ⊘ ⫷ 🏠 🛏 ⅋ Rest. ⚄ 📶 🚗
😄 *Germaniastr. 99* ✉ *8044 –* ☎ *043 255 15 70 – www.restaurantrigiblick.ch*
– geschl. 24. Dezember - 5. Januar und Sonntag - Montag   D1**f**
7 Zim – 🛏350/900 CHF 🛏🛏350/900 CHF
Rest *Bistro Quadrino* 😄 – siehe Restaurantauswahl
Rest *– (Tischbestellung ratsam)* Menü 66 CHF (mittags)/215 CHF 🍴
Kreativ, aber nicht abgehoben, filigran und eine wahre Freude fürs Auge... so das
bis zu neun Gänge umfassende Abendmenü des jungen Berliners Dennis Puchert
- wer es etwas günstiger möchte, kommt zum Lunch. Tipp: die Terrasse mit
traumhaftem Stadtblick! Auch wenn viele Gäste wegen der ausgezeichneten
Küche kommen, die exklusiven, modern designten Appartements sind es wert,
hier auch mal zu übernachten!
➜ Lachs, Rettich, Dill. Rind, Wassermelone, Zitronenmelisse. Rhabarber, Haselnuss, Quark.

🍴🍴🍴 Sonnenberg   ⫷ 🏠 ⅋ 🆎 ⇄ 🅿
Hitzigweg 15 ✉ *8032 –* ☎ *044 266 97 97 – www.sonnenberg-zh.ch*
Rest *– (Tischbestellung ratsam)* (38 CHF) Menü 58 CHF (mittags   B2**c**
unter der Woche) – Karte 61/119 CHF 🍴
Wer möchte nicht beim Essen den tollen Blick auf Zürich und den See geniessen?
In dem Restaurant im FIFA-Areal kommt zur wunderbaren Lage noch modern-ele-
gante Atmosphäre und zahlreiche Klassiker à la Jacky Donatz. Probieren Sie sein
Kalbskotelett oder das Siedfleisch - begleitet werden sie von einer hervorragen-
den Weinauswahl.

🍴🍴 mesa   🏠 ⅋ 🆎 ⚄
😄 *Weinbergstr. 75* ✉ *8006 –* ☎ *043 321 75 75 – www.mesa-restaurant.ch – geschl.*
22. Dezember - 14. Januar, 14. Juli - 5. August und Samstagmittag, Sonntag
- Montag   F1**z**
Rest *– (Tischbestellung ratsam)* (40 CHF) Menü 120 CHF (vegetarisch)/198 CHF
Dass es sich hier um ein kulinarisch anspruchsvolles Fleckchen Erde handelt (mit
"mesa", dem spanischen Wort für "Tisch", treffend benannt), ist der Verdienst von
Antonio Colaianni und einem der besten Serviceteams der Stadt! Der feinen, aro-
matischen Küche fehlt weder die klassische Basis noch der Bezug zur Moderne.
Und auch wenn das Hauptaugenmerk auf dem Teller liegt, so sollte das
geschmackvolle puristische Interieur dennoch Erwähnung finden!
➜ Steinbutt, Vongole, Calamaretti, Algen, Fenchel. Rind - Medaillon und Tataki,
Kartoffelschaum, mediterranes Gemüse. Schokolade, Aprikose, Mandel, Crumble.

XX **Conti**

Dufourstr. 1 ⊠ 8008 – 𝒞 044 251 06 66 – www.bindella.ch – geschl. Mitte Juli
- Mitte August 4 Wochen **F3d**
Rest – (54 CHF) – Karte 64/111 CHF
Ein schönes altes Stadthaus in unmittelbarer Nähe der Oper mit klassischem Interieur, stilvoller hoher Stuckdecke und Bilderausstellung... dazu passt die ambitionierte italienische Küche fernab von Pizza und Standard-Pastagerichten!

XX **Haus zum Rüden**

Limmatquai 42, (1. Etage) ⊠ 8001 – 𝒞 044 261 95 66 – www.hauszumrueden.ch
– geschl. Samstag - Sonntag **F2c**
Rest – Menü 62/139 CHF – Karte 74/128 CHF
Das Zunfthaus an der Münsterbrücke stammt von 1348 - aus dieser Zeit ist auch die einmalige 11 m breite Holzflachtonnendecke erhalten, die den Gotischen Saal eindrucksvoll überspannt! Klassische Speisen aus frischen Produkten heissen hier z. B. "gebratener Zander auf Castelluccio-Linsen". Ein kleines Angebot gibt es auch in der modernen Rüden-Bar mit Terrasse.

XX **Bianchi**

Limmatquai 82 ⊠ 8001 – 𝒞 044 262 98 44 – www.ristorante-bianchi.ch
Rest – *(Tischbestellung ratsam)* (35 CHF) – Karte 44/86 CHF **F2p**
Ein Eldorado für Fisch- und Meeresfrüchte-Liebhaber! Das helle, moderne Restaurant direkt an der Limmat ist gut frequentiert, und das hat seinen Grund: Hier werden sehr gute Produkte im mediterranen Stil zubereitet und von einem geschulten Team serviert! Im Winter Austern-Bar zum Apero.

XX **Florhof** – Hotel Florhof

Florhofgasse 4 ⊠ 8001 – 𝒞 044 250 26 26 – www.florhof.ch – geschl. 1.
- 7. Januar, 21. April - 6. Mai, und Samstagmittag, Sonntag - Montag sowie an
Feiertagen **F2k**
Rest – (35 CHF) Menü 62 CHF (mittags)/122 CHF – Karte 71/118 CHF ⚜
Schon beim Betreten dieses hübschen intimen Restaurants mit seinem romantischen Garten kommt bestimmt bei manchem Gast der Gedanke, die eigenen vier Wände so einzurichten. Dazu ambitionierte klassische Küche.

XX **Kronenhalle**

Rämistr. 4 ⊠ 8001 – 𝒞 044 262 99 00 – www.kronenhalle.com **F3f**
Rest – *(Tischbestellung ratsam)* (50 CHF) – Karte 62/122 CHF
Eine Zürcher Institution ist das seit 1862 als Restaurant geführte Haus am Bellevueplatz. Hier gibt es eine über Jahrzehnte gewachsene Kunstsammlung zu bewundern, die sich perfekt in den klassischen Rahmen einfügt. Ebenso traditionell ist auch die Küche, "Grosses Pièces" sind die Spezialität.

XX **Lake Side**

Bellerivestr. 170 ⊠ 8008 – 𝒞 044 385 86 00 – www.lake-side.ch **B2b**
Rest – (38 CHF) Menü 45 CHF (mittags unter der Woche)/95 CHF
– Karte 60/107 CHF
Sehr schön liegt das moderne Restaurant im Seepark Zürichhorn. Gekocht wird international mit asiatischen Einflüssen - so ist z. B. auch für Sushi-Freunde etwas dabei. Vor allem auf der grossen Terrasse ist der See zum Greifen nah!

XX **Brasserie Schiller**

Goethestr. 10 ⊠ 8001 – 𝒞 044 222 20 30 – www.brasserie-schiller.ch
Rest – (35 CHF) Menü 69 CHF (abends) – Karte 50/107 CHF **F3e**
Das schöne historische Gebäude war früher Sitz der Neuen Zürcher Zeitung, heute herrscht hier modern-elegante Brasserie-Atmosphäre, aus der offenen Küche kommen traditionelle und klassische Gerichte. Bis 23 Uhr gibt es ein Opern-Menü, sonntags Brunch.

Sie möchten spontan verreisen? Besuchen Sie die Internetseiten der Hotels, um von deren Sonderkonditionen zu profitieren.

Casa Ferlin
☒☒ **Casa Ferlin** 🅰🅲 ※
Stampfenbachstr. 38 ☒ 8006 – ℰ 044 362 35 09 – www.casaferlin.ch – geschl.
Mitte Juli - Mitte August und Samstag - Sonntag F1**c**
Rest – *(Tischbestellung ratsam)* (35 CHF) Menü 57 CHF (mittags)/138 CHF
– Karte 79/130 CHF
Seit 1907 hat Familie Ferlin dieses Restaurant, inzwischen in 4. Generation. Sehr
zu Freude der Gäste ist der traditionelle Charakter samt rustikalem Touch erhalten
geblieben - den mag man hier nämlich genauso wie die frische klassisch-italie-
nische Küche!

☒☒ **Opera** – Hotel Ambassador à l'Opéra 🅰🅲
Falkenstr. 6 ☒ 8008 – ℰ 044 258 98 98 – www.operarestaurant.ch
Rest – (28 CHF) Menü 68 CHF (abends)/82 CHF F3**a**
– Karte 51/104 CHF
In dem modern-eleganten Restaurant wandert der Blick unweigerlich über Decke
und Wände... Grund dafür sind die raumerfüllenden Opernmotive! Ebenso
Ansprechendes gibt es auf dem Teller zu sehen: klassische Küche mit Schwer-
punkt Fisch, aber auch Rehrücken, Kalbsbäggli & Co.

☒☒ **Gandria** 🏠 ※
Rudolfstr. 6 ☒ 8008 – ℰ 044 422 72 42 – www.restaurant-gandria.ch
– geschl. 24. Dezember - 5. Januar, 26. Mai - 15. Juni und Samstagmittag,
Sonntag, Januar - Oktober : Samstag - Sonntag D2**g**
Rest – Karte 55/104 CHF
Gernot und Regula Draxler bieten in ihrem behaglichen Restaurant, nahe dem
Zürichsee und in einem ruhigen Wohngebiet gelegen, mediterrane Speisen. Die
Atmosphäre ist familiär, was dem Ganzen einen gewissen Charme gibt! Mittags
ist das Haus gut besucht, da sollten Sie reservieren!

☒☒ **Stapferstube da Rizzo** Ⓝ 🏠 ※ 🅿
☺ *Culmannstr. 45 ☒ 8006 – ℰ 044 350 11 00 – www.stapferstube.ch – geschl.*
Samstagmittag, Sonntag F1**s**
Rest – Karte 61/132 CHF
In der stadtbekannten Stapferstube gibt seit einiger Zeit der Süditaliener Giovanni
Rizzo den Ton an. Da hat die Küche natürlich eine starke italienische Prägung, das
schmeckt man z. B. beim leckeren "gebratenen Tintenfisch mit Knoblauch, Kräu-
tern und Peperoncini"! Und das in rustikal-gemütlicher Atmosphäre oder im Som-
mer draussen. Praktisch: die eigenen Parkplätze.

☒☒ **Zürichberg** – Hotel Zürichberg ≤ 🏠 ♿
Orellistr. 21 ☒ 8044 – ℰ 044 268 35 65 – www.zuerichberg.ch B1_2**h**
Rest – (23 CHF) Menü 48 CHF (mittags)
– Karte 52/89 CHF
In exponierter Lage erwartet Sie ein interessantes Lokal, in dem klares Design vor-
herrschend ist. Sie sind unmittelbar dabei, wenn die Herdkünstler in der bestens
einsehbaren Showküche ihrer Arbeit nachgehen. Sonntags gibt's Brunch!

☒☒ **Garden Restaurant** – Hotel The Dolder Grand ≤ 🏠 ♿ 🅰🅲
Kurhausstr. 65 ☒ 8032 – ℰ 044 456 60 00
– www.thedoldergrand.com B2**t**
Rest – (46 CHF) Menü 60/120 CHF – Karte 82/130 CHF
Modernes Design, exklusiver Service und ein international-mediterraner Küchenstil sind neben der fantastischen Aussichtsterrasse gewichtige Argumente, um
hier mit allen Sinnen zu geniessen. Sonntags Brunch!

In den Ortsblöcken finden Sie geografische Angaben wie Bundesland,
Michelin-Karte, Einwohnerzahl und Höhe des Ortes sowie Entfernungen
zu grösseren Städten. Zudem wird auf Informationsstellen, Messen, Golfplätze
und Sehenswürdigkeiten hingewiesen.

XX **Zunfthaus zur Zimmerleuten** N   🛏 AC 🍸 ⇔

Limmatquai 40, (1. Etage) ✉ *8001 –* 𝒞 *044 250 53 63*
– www.zunfthaus-zimmerleuten.ch   **F2g**
Rest – (39 CHF) Menü 85 CHF (abends) – Karte 71/117 CHF
Rest *Küferstube* – (24 CHF) – Karte 43/80 CHF
Seit über 550 Jahren gehört dieses Zürcher Baudenkmal an der Limmat der Zunft der Zimmerleute. Nach aufwändiger Sanierung geniesst man heute im 1. Stock ambitionierte traditionelle Küche in stilvollem Rahmen - eine Etage höher der sehenswerte Zunftsaal für Anlässe aller Art. Einfacher geht es in der netten Küferstube bei bürgerlichen Gerichten zu.

X **Oepfelchammer**   🛏 🍸

Rindermarkt 12, (1. Etage) ✉ *8001 –* 𝒞 *044 251 23 36 – www.oepfelchammer.ch*
– geschl. 23. Dezember - 4. Januar, 18. - 21. April, 14. Juli - 11. August und
Sonntag - Montag sowie an Feiertagen   **F2n**
Rest – (26 CHF) Menü 69 CHF (abends)/125 CHF – Karte 61/81 CHF
Sie hat wirklich Atmosphäre, die älteste erhaltene Weinstube der Stadt! Schon der Dichter Gottfried Keller war in dem Altstadthaus a. d. 14. Jh. zu Gast, und auch heute ist der urige Charme gefragt. Passend dazu kommt Traditionelles auf den Tisch.

X **Didi's Frieden**   🛏

Stampfenbachstr. 32 ✉ *8006 –* 𝒞 *044 253 18 10 – www.didisfrieden.ch*
– geschl. Weihnachten - 3. Januar, 7. - 20. Oktober und Samstagmittag, Sonntag
Rest – *(Tischbestellung ratsam)* (31 CHF) Menü 88 CHF/108 CHF (abends)   **F1d**
– Karte 58/98 CHF
Didi Bruna hat hier ein nettes, lebendiges und stets gut frequentiertes Restaurant (originell die Weinglas-Lüster!), in dem man am Abend schmackhafte und frische zeitgemässe Speisen wie "Filet und Bäggli vom Rind" bekommt, mittags gibt es nur Tagesmenüs. Und die Weinauswahl dazu? Gut und bezahlbar.

X **Stefs Freieck** N   🛏 🍸 ⇔

Wildbachstr. 42 ✉ *8008 –* 𝒞 *044 380 40 11 – www.stefs.ch – geschl. 1.*
- 14. Januar, August 2 Wochen und Sonntag - Montag   **D2s**
Rest – *(nur Abendessen, Mai - Juni: auch Mittagessen) (Tischbestellung ratsam)*
(28 CHF) Menü 85/95 CHF – Karte 64/91 CHF
Im trendigen Seefeldquartier werden Sie in diesem kleinen Biedermeier-Häuschen von Meinrad Schlatter empfangen, der Sie in quirliger Atmosphäre charmant mit der guten Küche seines Parnters Stefan Wieser bewirtet - und das sind internationale Gerichte mit regionalem Touch, so z. B. "Terrine vom Luzerner Bierschwein-Schinken".

X **Monte Primero - Wolfbach**   🛏

Wolfbachstr. 35 ✉ *8032 –* 𝒞 *043 433 00 88 – www.monteprimero.ch – geschl.*
Weihnachten - Neujahr und Sonntag - Montag, Samstagmittag sowie an
Feiertagen   **D2c**
Rest – (30 CHF) – Karte 62/113 CHF
Wenn auch die Holztäferung im Restaurant eher alpenländisch wirkt, die schmackhafte Küche ist mediterran-spanisch, mit spezieller Tapas-Karte. Charmant die Chefin im Service. Nette Plätze gibt's auch draussen auf der kleinen Terrasse zum Steinwiesenplatz.

X **Drei Stuben** N   🛏 🍸 ⇔
☺

Beckenhofstr. 5 ✉ *8006 –* 𝒞 *044 350 33 00 – www.dreistuben-zuerich.ch*
– geschl. 23. Dezember - 3. Januar und Samstagmittag, Sonntag   **F1e**
Rest – (25 CHF) Menü 23 CHF (mittags unter der Woche)/105 CHF
– Karte 57/107 CHF
Boden, Decke, Wände... überall rustikales Holz, das wohltuende Heimeligkeit verbreitet - ganz wie man es sich in einer Quartierbeiz mit 300-jähriger Gasthaustradition wünscht! Dazu passt auch der Garten mit altem Baumbestand. Gekocht wird bei Marco Però und seinem Team ambitioniert: traditionell und zeitgemäss-international die Speisen.

✗ **Ban Song Thai**   AK

😵 *Kirchgasse 6 ✉ 8001 – 𝒞 044 252 33 31 – www.bansongthai.ch – 23. Dezember - 3. Januar, 20. Juli - 12. August und Samstagmittag, Sonntag sowie an Feiertagen*   F3**m**

Rest – *(Tischbestellung ratsam)* (20 CHF) Menü 34 CHF (mittags)/63 CHF – Karte 43/71 CHF

Das Restaurant nahe Kunsthaus und Grossmünster bietet eine authentische thailändische Küche aus frischen Produkten - mittags als Buffet, am Abend in Form einer anspruchsvolleren Karte.

✗ **White Elephant** – Hotel Marriott   ≤ & AK ⅗

Neumühlequai 42 ✉ 8001 – 𝒞 044 360 73 22 – www.whiteelephant.ch – geschl. Samstagmittag, Sonntagmittag   E1**c**

Rest – (29 CHF) Menü 55 CHF (abends) – Karte 58/82 CHF

Ein Tipp für Liebhaber authentischer Thai-Küche. Was hier aus frischen Produkten zubereitet wird, kann schonmal ein typisch scharfes Erlebnis sein! Probieren sollte man auf jeden Fall die Currys.

✗ **Bistro Quadrino** – Restaurant Rigiblick   ≤ 🛋 & ⅗

😊 *Germaniastr. 99 ✉ 8044 – 𝒞 043 255 15 70 – www.restaurantrigiblick.ch – geschl. 24. Dezember - 5. Januar und Montag*   D1**f**

Rest – (21 CHF) Menü 65/75 CHF – Karte 58/83 CHF

Im "Rigiblick" gibt es nicht nur exquisite Gourmetküche und edle Appartements: Auch diese legere Variante hat ihre Freunde, und die mögen z. B. "geschmorte Kalbsbäggli mit Kartoffelstock" oder einfach einen Flammkuchen. Im Sommer sitzt man natürlich draussen und schaut auf die Stadt.

✗ **Quaglinos** – Hotel Europe

Dufourstr. 4 ✉ 8008 – 𝒞 043 456 86 86 – www.hoteleurope-zuerich.ch

Rest – Karte 58/105 CHF   F3**z**

Lebendig, authentisch! Ein Bistro, dessen typisches Interieur sofort Savoir-vivre vermittelt. Serviert werden natürlich klassische französische Spezialitäten wie z. B. "Foie gras de canard" oder "Entrecôte Café de Paris", aber auch selten gewordene Gerichte wie das "Kalbsvoressen".

✗ **Bistro** Ⓝ   🛋

Dufourstr. 35 ✉ 8008 – 𝒞 044 261 06 00 – geschl. Juli und Samstagmittag, Sonntag   D2**r**

Rest – (25 CHF) – Karte 38/76 CHF

Im Seefeldquartier ist das Bistro als angenehm ungezwungene Adresse bekannt, in der man zu fairen Preisen bürgerlich-traditionell isst. Da dürfen Cordon bleu und Zürcher Geschnetzeltes auf der Karte nicht fehlen!

✗ **Rechberg** Ⓝ   🛋 ⅗

Chorgasse 20 ✉ 8001 – 𝒞 044 251 17 60 – www.rechberg.ch – geschl. Sonntag

Rest – (24 CHF) Menü 20 CHF (mittags unter der Woche)   F2**r** – Karte 46/102 CHF

Von aussen ist das Restaurant der Familie Yánez-Criado recht unscheinbar, innen modern in klaren Linien gehalten - genauso unkompliziert wie die schlichte, schmackhafte mediterran-spanische Küche der Chefin, die z. B. als "Tintenfisch alla plancha" auf den Tisch kommt.

Linkes Ufer der Limmat (Hauptbahnhof, Geschäftszentrum)

🏨🏨🏨 **Baur au Lac**   🚗 ♨ 🛎 & AK 🛜 🛀 🏠

Talstr. 1 ✉ 8001 – 𝒞 044 220 50 20 – www.bauraulac.ch   E3**a**

102 Zim – †540 CHF ††870 CHF, ⌣ 46 CHF – 18 Suiten

Rest *Pavillon* ❀ **Rest** *Rive Gauche* – siehe Restaurantauswahl

Seit 1844 werden hier Gäste empfangen und noch heute präsentiert sich das Haus als prächtiges Grandhotel alter Schule. Exklusiv die Zimmer (klassischer Stil, dazu topaktuelle Technik), hervorragend der Service (von der kostenfreien Minibar bis zum IT-Butler) und eine Betreiberfamilie, deren Engagement in jeden Winkel zu sehen und zu spüren ist! Schöner Garten.

Park Hyatt
Beethoven Str. 21 ⊠ *8002* – ☎ *043 883 12 34* – *www.zurich.park.hyatt.ch*
138 Zim – 🛏490/1050 CHF 🛏🛏640/1200 CHF, 🍴 47 CHF – 4 Suiten   E3**k**
Rest *Parkhuus* – siehe Restaurantauswahl
Typisch für ein Park Hyatt: modern, hochwertig, wohnlich... Der Service ist sehr gut und die grossen, luxuriösen Zimmer sind ebenfalls selbstverständlich, aussergewöhnlich ist dagegen der bemerkenswert zeitgemässe Ballsaal! Echte Klassiker sind inzwischen die Onyx-Bar sowie das Herzstück des Hotels, die Halle - hier nimmt man das Frühstück ein.

Widder
Rennweg 7 ⊠ *8001* – ☎ *044 224 25 26* – *www.widderhotel.ch*
42 Zim – 🛏570/620 CHF 🛏🛏750/1000 CHF, 🍴 48 CHF – 7 Suiten   E2**v**
Rest *Widder Restaurant* – siehe Restaurantauswahl
Was die Schweizer Architektin Tilla Theus aus dem historischen Häuserensemble in der Altstadt gemacht hat, kann sich wirklich sehen lassen: ein Paradebeispiel für ein Boutique-Hotel, so stilvoll, luxuriös und individuell sind die Zimmer, Altes gemischt mit Design-Elementen, topmoderne Technik, nicht zu vergessen der exzellente Service! Gemütlich: bei Flammkuchen in der Wirtschaft zur Schtund sitzen.

Savoy Baur en Ville
Poststr. 12, (am Paradeplatz) ⊠ *8001* – ☎ *044 215 25 25*
– *www.savoy-zuerich.ch*   E3**r**
95 Zim 🍴 – 🛏400/690 CHF 🛏🛏690/820 CHF – 9 Suiten
Rest *Baur* **Rest** *Orsini* – siehe Restaurantauswahl
Ein Haus mit Stil und Klasse, und das seit 1838! Mit echtem Service im klassischen Sinne und einem Interieur aus exklusiven Massanfertigungen wird man der langen Hoteltradition gerecht. Untermalt wird das gediegene Flair durch die abendliche Live-Piano-Musik in der Bar.

Renaissance Tower Hotel
Turbinenstr. 20 ⊠ *8005* – ☎ *044 630 33 40*
– *www.renaissancezurichtower.com*   A1**e**
287 Zim – 🛏285/465 CHF 🛏🛏285/465 CHF, 🍴 27 CHF – 13 Suiten
Rest *Equinox* – ☎ *044 630 30 30 (geschl. Samstagmittag, Sonntag)* (27 CHF)
Menü 47 CHF (mittags unter der Woche) – Karte 53/93 CHF
Schon die Rezeption mit ihrem edlen reduzierten Design in schickem Hell-Dunkel-Kontrast trifft den urbanen Lifestyle, der in dem eindrucksvollen Tower allgegenwärtig ist - ob in den Zimmern, in Restaurant und Lobbybar oder - "on top" - in der Executive Club Lounge und im Health Club mit 24-h-Fitness - toll der Blick von hier oben!

Storchen
Weinplatz 2, Zufahrt über Storchengasse 16 ⊠ *8001* – ☎ *044 227 27 27*
– *www.storchen.ch*   F2**u**
66 Zim 🍴 – 🛏430/560 CHF 🛏🛏600/760 CHF – 1 Suite
Rest *Rôtisserie* – siehe Restaurantauswahl
Direkt an der Limmat steht eines der ältesten Hotels der Stadt. Geschmackvolle Stoffe von Jouy in eleganten Zimmern, Storchen-Suite mit Dachterrasse und Seeblick. Herrlich: die Balkonterrasse des Restaurants sowie die des Cafés "Barchetta" am Weinplatz. Sonntags Brunch.

Schweizerhof
Bahnhofplatz 7 ⊠ *8021* – ☎ *044 218 88 88* – *www.hotelschweizerhof.com*
96 Zim – 🛏360/510 CHF 🛏🛏560/790 CHF – 11 Suiten   E2**a**
Rest *La Soupière* – siehe Restaurantauswahl
Das traditionelle Hotel a. d. 19. Jh. glänzt nicht nur mit seiner eindrucksvollen Fassade, auch der Wohlfühlfaktor in den eleganten Zimmern stimmt, und auf sehr guten, aufmerksamen Service braucht man ebensowenig zu verzichten! Zudem lässt die Nähe zur exklusiven Bahnhofstrasse die Herzen der Shopping-Fans höher schlagen. Eine Kleinigkeit essen kann man im Café Gourmet.

B2 Boutique Hotel+Spa garni 🛗 🖾 🛜 🚗
Brandschenkenstr. 152 ⊠ *8002 –* ✆ *044 567 67 67*
– www.b2boutiquehotels.com C2**z**
59 Zim 🖵 **–** ♦320 CHF ♦♦370 CHF – 1 Suite
Architekturliebhaber aufgepasst! Dieses denkmalgeschützte Anwesen von 1866
hat Zürcher Braugeschichte geschrieben, nun ist es ein topmodernes Designhotel
und nicht ganz alltäglich. Alles ist stylish-urban, ohne kühl zu sein, und wo sonst
findet man eine 33 000 Bücher umfassende Bibliothek mit Lüstern aus Hürlimann-
Bierflaschen und "Spanischbrödlis" als Snack? Mit im Haus, aber kostenpflichtig:
Thermalbad mit Rooftop-Pool!

 Alden Luxury Suite Hotel 🛗 ㋔ 🖾 🛜 🅿
Splügenstr. 2 ⊠ *8002 –* ✆ *044 289 99 99 – www.alden.ch* E3**e**
22 Suiten – ♦600/1800 CHF ♦♦600/1800 CHF, 🖵 30 CHF
Rest *Alden* – siehe Restaurantauswahl
Das schmucke Haus von 1895 strahlt eine diskrete Exklusivität aus, was zum einen
am aufmerksamen, aber unaufdringlichen Service liegt, zum anderen an der
edlen Einrichtung, die moderne Geradlinigkeit mit einer gewissen Klassik verbindet. Vielleicht noch eine Dachterrasse als i-Tüpfelchen? Die finden Sie in den beiden Loft-Suiten!

 Glockenhof ㋕ 🛗 ㋔ 🖾 ⁂ Zim, 🛜 ㋡
Sihlstr. 31 ⊠ *8022 –* ✆ *044 225 91 91 – www.glockenhof.ch* E2**a**
89 Zim 🖵 **–** ♦330/390 CHF ♦♦440/520 CHF – 2 Suiten – ½ P
Rest – (26 CHF) Menü 52 CHF – Karte 41/103 CHF
Die Zimmer des geschichtsträchtigen Hauses im Zentrum sind wertig und teils
mit heimischen Materialien eingerichtet; ruhiger zum idyllischen Innenhof - hier
die schöne berankte Terrasse, auf der man auch zum Essen sitzen kann. Alternativ
bieten sich das legere "Glogge Egge" mit Tagesgerichten oder das moderne "Con-
rad" mit klassisch-französischer Küche an.

 Four Points by Sheraton ㋕ 🛗 ㋔ 🖾 🛜 ㋡ 🚗
Kalandergasse 1, (Sihlcity) ⊠ *8045 –* ✆ *044 554 00 00*
– www.fourpointssihlcity.com C2**g**
128 Zim – ♦299/449 CHF ♦♦299/449 CHF, 🖵 30 CHF – 4 Suiten
Rest *Rampe Süd* – (geschl. 15. - 29. Juli und Samstagmittag, Sonntag sowie an
Feiertagen) (32 CHF) – Karte 50/107 CHF
Sie wohnen in der Sihlcity, dem "Urban Entertainment Center" mit besten Shop-
ping-Möglichkeiten. In den Zimmern klarer Stil und sehr gute Technik. Gegen
Gebühr können Sie den Asia Spa im obersten Stock nutzen. Internationales im
trendigen Restaurant.

 Ascot 🛗 🖾 Zim, ⁂ Rest, 🛜 ㋡ 🚗
Tessinerplatz 9 ⊠ *8002 –* ✆ *044 208 14 14 – www.ascot.ch* C2**a**
74 Zim – ♦195/550 CHF ♦♦250/640 CHF
Rest – (geschl. Samstag - Sonntag) Menü 68 CHF (mittags) – Karte 52/143 CHF
Modern in Stil und Technik sind die Zimmer in dem Hotel im Geschäftszentrum.
Alle mit Tee-/Kaffeemaschine, teilweise mit Balkon. Das Restaurant kommt mit
Lederpolstern, Mahagoniholz und Karoteppich "very british" daher. Das Essen:
Steak und Seafood, eine Spezialität ist klassisch gebratenes Roastbeef vom Trol-
ley. Alternativ Sushi und Teppanyaki im "Fujiya of Japan". In der Bar abends Live-
Piano-Musik.

 Engimatt ⁂ 🛗 🛜 ㋡ 🚗
Engimattstr. 14 ⊠ *8002 –* ✆ *044 284 16 16 – www.engimatt.ch* C2**d**
71 Zim 🖵 **–** ♦295/400 CHF ♦♦330/490 CHF – ½ P
Rest *Orangerie* – siehe Restaurantauswahl
Man spürt, dass Familie Huber das Hotel im recht ruhigen Quartier Enge mit
Engagement und Stil führt. Die geschmackvoll-gediegene Atmosphäre fängt
gleich in der angenehm lichten Lobby an und begleitet Sie in die geradlinig-
modernen oder klassischeren Zimmer - alle haben eine individuelle Note und teilweise einen Balkon.

Sheraton Neues Schloss Zürich 🕪 ᚼ 🎟 🛜 ᚼᚼ

Stockerstr. 17 ⊠ *8002 –* ℰ *044 286 94 00 – www.sheraton.com/neuesschloss*
59 Zim – 🛏259/619 CHF 🛏🛏259/619 CHF, ➘ 39 CHF – 1 Suite   E3**m**
Rest *Le Jardin Suisse* – siehe Restaurantauswahl
Das kleine Boutique-Hotel liegt ideal: Der Zürichsee, die exklusive Bahnhofstrasse und natürlich Banken aller Couleur sind zum Greifen nah. Und in den Zimmern lässt es sich dank modern-komfortabler Ausstattung und wohnlich-warmer Farbtöne trefflich entspannen.

Glärnischhof 🕪 🕪 🎟 🍽 🛜 ᚼᚼ P

Claridenstr. 30 ⊠ *8022 –* ℰ *044 286 22 22 – www.hotelglaernischhof.ch*
62 Zim ➘ **–** 🛏375/450 CHF 🛏🛏400/515 CHF – ½ P   E3**f**
Rest *Le Poisson* – siehe Restaurantauswahl
Rest *Glärnischhof* – (25 CHF) Menü 30 CHF – Karte 48/78 CHF
Das Businesshotel im Bankenquartier wird gut geführt, der Service ist aufmerksam und in den Zimmern übernachtet man zeitgemäss und funktionell - dazu gehören auch W-Lan gratis, Kaffeemaschine und teilweise iPod-Station.

St. Gotthard 🕪 🕪 🕪 🎟 🍽 Rest, 🛜 ᚼᚼ

Bahnhofstr. 87 ⊠ *8021 –* ℰ *044 227 77 00 – www.hotelstgotthard.ch*
129 Zim – 🛏275/382 CHF 🛏🛏300/480 CHF, ➘ 34 CHF – 9 Suiten   E2**g**
Rest *Hummer- & Austernbar* – siehe Restaurantauswahl
Rest *Lobbybar-Bistro* – ℰ *044 211 76 25* – (25 CHF) – Karte 52/96 CHF
Das traditionsreiche Haus von 1889 hat seinen klassischen Rahmen bewahrt, dennoch hat man hier sehr moderne Zimmer - "Oriental" und "Design" heissen die beiden wohnlichen Einrichtungsstile und die Kategorien reichen vom kleineren Einzelzimmer bis hin zur 85-qm-Suite. Direkt vor der Tür liegt die Bahnhofstrasse mit besten Einkaufsmöglichkeiten, und einen guten Kaffee zwischendurch gibt's in der Manzoni Bar hier im Haus.

Greulich 🕪 ᚼ 🛜 ᚼᚼ P

Herman-Greulich-Str. 56 ⊠ *8004 –* ℰ *043 243 42 43 – www.greulich.ch – geschl.*
22. Dezember - 5. Januar   C1**c**
23 Zim – 🛏230/310 CHF 🛏🛏270/310 CHF, ➘ 19 CHF – 5 Suiten
Rest *Greulich* – siehe Restaurantauswahl
Sie mögen es puristisch-chic und aufs Wesentliche reduziert? Die Zimmer hier haben nicht nur ihr attraktives helles Design zu bieten, sondern sind teilweise auch sehr grosszügig geschnitten. Der Tag beginnt mit einem frischen Bio-Frühstück, später gibt es Kaffee und Kuchen im eigenen Café.

25Hours Zürich West ⓝ 🕪 🕪 🕪 ᚼ Zim, 🎟 Zim, 🛜 ᚼᚼ 🚗

Pfingstweidstr. 102 ⊠ *8005 –* ℰ *044 577 25 25 – www.25hours-hotels.com*
126 Zim – 🛏180/270 CHF 🛏🛏180/270 CHF, ➘ 25 CHF   A1**h**
Rest *NENI* – ℰ *044 577 22 22* – Karte 40/66 CHF
Das moderne Businesshotel im dynamischsten Entwicklungsgebiet der Stadt ist eine Hommage des Designers Alfredo Häberli an "Züri". Die Zimmer gibt's als "Platin", "Gold" und "Silber" - farbenfroh, geschwungen und sehr urban! Im NENI gibt es feinste puristischer Atmosphäre israelisch-orientalische Küche nach Haya Molcho.

Mercure Hotel Stoller 🕪 🕪 🛜 ᚼᚼ 🚗

Badenerstr. 357 ⊠ *8003 –* ℰ *044 405 47 47 – www.mercure.com*   A2**x**
80 Zim – 🛏105/310 CHF 🛏🛏105/310 CHF, ➘ 27 CHF
Rest *Ratatouille* – (20 CHF) Menü 45/95 CHF – Karte 30/80 CHF
Das Traditionshaus wurde einmal komplett erneuert - zu verdanken ist das dem Engagement und der Weitsicht von Werner Stoller, der für seine Gäste nun schön moderne Zimmer mit ganz aktueller Technik hat. Praktisch: Mit der nahen Tram kommt man schnell ins Zentrum und zum Hauptbahnhof.

Kindli 🕪 🍽 🛜

Pfalzgasse 1 ⊠ *8001 –* ℰ *043 888 76 76 – www.kindli.ch*
21 Zim ➘ **–** 🛏260/360 CHF 🛏🛏380/440 CHF   E2**z**
Rest *Kindli* – siehe Restaurantauswahl
Ob vor über 500 Jahren oder heute, das "Kindli" war schon immer ein bisschen vornehmer - im Spätmittelalter für Pilger und nun als charmantes Boutique-Hotel, dessen wohnlich-individuelle Zimmer Businessgäste und Stadtbesucher gleichermassen ansprechen. Sie möchten länger bleiben? Dann buchen Sie eines der sechs hochwertigen Appartements.

⌂ **Townhouse** garni　　　　　　　　　　　　　　　🛗 📶
Schützengasse 7, (5. Etage) ✉ *8001 –* ☏ *044 200 95 95 – www.townhouse.ch*
25 Zim – ♦195/365 CHF ♦♦225/395 CHF, 🍽 13 CHF　　　　　　　E2**d**
Es ist ein exklusives Haus ist die Lage könnte kaum besser sein... nur wenige
Schritte und Sie sind in der berühmten Bahnhofstrasse! Möbel und Tapeten sind
etwas für Liebhaber des englischen Stils. Wer nicht auf dem Zimmer frühstücken
möchte, geht dazu in die Bar D-Vino gleich gegenüber.

⌂ **Helvetia**　　　　　　　　　　　　　　　🛗 🚫 📶
Stauffacherquai 1 ✉ *8004 –* ☏ *044 297 99 99 – www.hotel-helvetia.ch*
16 Zim – ♦220/280 CHF ♦♦250/350 CHF, 🍽 10 CHF　　　　　　　C1**h**
Rest *Helvetia* – siehe Restaurantauswahl
Gastgeber Daniel Zelger ist locker und sympathisch und so ist auch das kleine
Boutique-Hotel direkt an der Sihl - man fühlt sich einfach wohl! Die Zimmer sind
charmant in ihrem Mix aus Jugendstilelementen und modernem Look.

⌂ **City**　　　　　　　　　　　　　　　🛗 🅰🅲 📶 🏋
Löwenstr. 34 ✉ *8001 –* ☏ *044 217 17 17 – www.hotelcity.ch*
61 Zim 🍽 – ♦160/270 CHF ♦♦260/350 CHF　　　　　　　　　E2**h**
Rest – *(geschl. Weihnachten - Anfang Januar, Juli - August und Samstag
- Sonntag sowie an Feiertagen)*
Nach dem kompletten Umbau wohnt man hier nicht nur sehr zentral in unmittel-
barer Nähe der Fussgängerzone, sondern auch schön modern. Ganz dem Zeitgeist
entspricht natürlich auch das Ambiente des Restaurants.

XXX **Pavillon** – Hotel Baur au Lac　　　　　　　　　　　🚹 🅰🅲 🚫
❀ *Talstr. 1* ✉ *8001 –* ☏ *044 220 50 20 – www.aupavillon.ch – geschl.
Samstagmittag, Sonntag*　　　　　　　　　　　　　　　E3**a**
Rest – (62 CHF) Menü 76 CHF (mittags unter der Woche)/160 CHF
– Karte 107/206 CHF🍷
"Geschmorte Wildhasenschulter und gebeiztes Filet in Royalsauce mit Topinam-
burpüree"... so oder so ähnlich liest sich die klassische Speisekarte. Und dazu ein
Wein vom eigenen Weingut? Das elegante Design ist das Werk von Stararchitekt
Pierre-Yves Rochon. Besonders schön ist die fast komplett verglaste, luftig-hohe
Rotonde mit Parkblick!
➜ Roh marinierter weisser Thunfisch nach Nizza Art. Gebratenes Filet vom wilden
Wolfsbarsch garniert mit Kapern und Venusmuscheln, weisse Buttersauce. Pista-
ziensoufflé, Bitterschokoladenfüllung.

XXX **La Soupière** – Hotel Schweizerhof　　　　　　　　　🚹 🅰🅲 🚫
Bahnhofplatz 7 ✉ *8021 –* ☏ *044 218 88 40 – www.hotelschweizerhof.com
– geschl. Samstagmittag, Sonntag, Juli - August: Samstag - Sonntag*
Rest – Karte 86/120 CHF　　　　　　　　　　　　　　E2**a**
Fein kommt das Restaurant im 1. Stock des Hauses mit seiner ausgesuchten stilvollen Einrichtung daher. Und die Speisekarte? Sie bietet Klassisches, zeitgemäss
interpretiert und mit internationalen Einflüssen.

XXX **Baur** – Hotel Savoy Baur en Ville　　　　　　　　　🚹 🅰🅲
Poststr. 12, (am Paradeplatz) ✉ *8001 –* ☏ *044 215 25 25
– www.savoy-zuerich.ch*　　　　　　　　　　　　　　E3**r**
Rest – *(geschl. Samstag und Sonntag)* (49 CHF) – Karte 83/116 CHF
Ausgefallene brasilianische Bergkristalllüster als edles Detail ergeben zusammen
mit der luxuriösen Ausstattung und der feinen Tischkultur ein stilvoll-elegantes
Bild, in das sich die klassisch-französische Küche trefflich einfügt.

XXX **Alden** – Alden Luxury Suite Hotel　　　　　　　📶 🚹 🅰🅲 🅿
Splügenstr. 2 ✉ *8002 –* ☏ *044 289 99 99 – www.alden.ch*　　E3**e**
Rest – (35 CHF) Menü 90 CHF (abends) – Karte 68/111 CHF
Klare Formen bestimmen hier das Interieur - einer der Räume hat eine tolle Stuck-
decke, die sich schön in das moderne Bild einfügt. Aus der zeitgemäss-mediterra-
nen Küche von Alexander Lassak kommt Ambitioniertes wie "Kürbisravioli mit
Kaninchenrücken und Waldpilzen".

XXX **Hummer- & Austernbar** – Hotel St. Gotthard ⚟ 🗶
Bahnhofstr. 87 ⊠ 8021 – ℰ 044 211 76 21 – www.hummerbar.ch
– geschl. 13. Juli - 11. August und Sonntagmittag E2**g**
Rest – (50 CHF) Menü 145 CHF – Karte 91/205 CHF
Eine wahre Institution in der Stadt. 1935 eröffnet, bezeugen das elegante Interieur und die Autogrammkarten vieler Prominenter den Kultstatus dieses Restaurants. Serviert werden natürlich hauptsächlich Meeresfrüchte, und das inzwischen durchgehend auch am Nachmittag!

XX **CLOUDS** ⟨ 🕭 ⚟ ⇔
☺ *Maagplatz 5, (im Prime Tower, 35. Etage) ⊠ 8005*
– ℰ 044 404 30 00 – www.clouds.ch
– geschl. 20. Juli - 10. August und Samstagmittag, Sonntag A1**c**
Rest – (Tischbestellung erforderlich) Menü 64 CHF (mittags)/155 CHF
– Karte 83/118 CHF
In der 35. Etage des Prime Towers, und zwar in 126 m Höhe, geniesst man nicht nur einen "prime view", sondern auch eine "prime cuisine", und die kommt von David Martínez Salvany und ist fein, mediterran und aus exzellenten Produkten. Das lebendige modern-elegante Restaurant ist gut besucht, vergessen Sie also nicht, im Voraus zu reservieren! Im Bistro und in der Lounge geht es kulinarisch schlichter zu.
→ Mediterrane CLOUDS Fischsuppe. Gebratene Entenleber mit konfiertem Stockfisch. Gebratenes Wolfsbarschfilet auf Meeresgrund und Bomba-Reis mit Meeresfrüchten.

XX **Sein** (Martin Surbeck) 🕭 ⚟ 🗶 ⇔
☺ *Schützengasse 5 ⊠ 8001 – ℰ 044 221 10 65 – www.zuerichsein.ch – geschl.*
24. Dezember - 5. Januar, 12. - 28. April, 19. Juli - 10. August und Samstag
- Sonntag, Mitte November - Dezember: Samstagmittag, Sonntag E2**d**
Rest – (49 CHF) Menü 85 CHF (mittags)/180 CHF
– Karte 94/130 CHF
Vom Shopping in der berühmten Bahnhofstrasse zur kreativen Küche von Martin Surbeck (er leitet das Restaurant gemeinsam mit Partnerin Patricia Lackner) und Ken Nakano. Das Menü gibt es auch als "Vegi"-Variante. Wer es lieber etwas kleiner mag, nimmt die leckeren "Seinigkeiten" in der Tapas Bar.
→ Störcarpaccio auf Kartoffelstock mit Kaviar und Sauerrahmsauce. Geschüttelte Tomatenconsommé mit Basilikumschaum. Geschmorte Kalbsbaggen mit gestossenem Kaffee und Eisbergsalat.

XX **Lindenhofkeller** 🕭 🗶
Pfalzgasse 4 ⊠ 8001 – ℰ 044 211 70 71 – www.lindenhofkeller.ch – geschl. Ende
Juli - August 3 Wochen, Weihnachten 1 Woche und Samstag - Sonntag sowie an
Feiertagen E2**c**
Rest – (40 CHF) Menü 65 CHF (mittags unter der Woche)/135 CHF
– Karte 65/125 CHF 🕸
Eingestimmt vom beschaulichen Altstadtflair lässt man in dem eleganten Gewölberestaurant mit Wein-Lounge gerne die wohnlich-romantische Atmosphäre auf sich wirken, während man von René K. Hofer ambitioniert bekocht wird, klassisch und mit modernen Einflüssen.

XX **Widder Restaurant** – Hotel Widder 🕭 🗶
Rennweg 7 ⊠ 8001 – ℰ 044 224 24 12 – www.widderhotel.ch – geschl. Mitte Juli
- Mitte August und Sonntag - Montag E2**v**
Rest – (Juli - August: nur Abendessen) Menü 110/165 CHF 🕸
"Zurück zu den Wurzeln", so das Motto des gebürtigen Schweizers Dietmar Sawyere, der nach vielen Jahren in England, Neuseeland, Asien und Australien nun hier in Zürich Speisen wie "Hummer Salat mit Verjus, Entenleber, Erbsen, Minze, Basilikum" zum Besten gibt. Und das Ambiente? Da wäre zum einen die zurückhaltend elegante Widderstube, zum anderen das etwas modernere Turmstübli (hier darf geraucht werden!) - beide wirklich geschmackvoll. Zum Essen werden alle Weine aus Flaschen unter 100 CHF glasweise serviert. Und danach per Maserati-Gourmet-Shuttle-Service zurück nach Hause!

XX **Intermezzo**   ⅋ AC

Beethovenstr. 2, (im Kongresshaus) ✉ *8002* – ☎ *044 206 36 42*
– www.kongresshaus.ch – geschl. 14. Juli - 10. August und Samstag - Sonntag
sowie an Feiertagen   E3**g**
Rest – (55 CHF) – Karte 78/103 CHF

Schön hell und zeitgemäss-elegant ist es hier, und wer am Fenster sitzt, geniesst zudem den Blick auf den See. Und als wären das Ambiente und die ambitionierte klassische Küche von Urs Keller und seinem Team nicht schon genug, versüsst Ihnen der Service den Aufenthalt noch mit Aufmerksamkeit und natürlichem Charme.

XX **Accademia del Gusto**   AC

Rotwandstr. 48 ✉ *8004* – ☎ *044 241 62 43* – *www.accademiadelgusto.ch*
– geschl. Samstagmittag, Sonntag, Mai - August: Samstag - Sonntag
Rest – *(Tischbestellung ratsam)* (35 CHF) – Karte 61/138 CHF   C1**g**

Was lockt die Gäste immer wieder hierher? Ist es der italienische Charme von Mariana Piscopo oder die gute Küche ihres Mannes Stefano? Es ist beides, denn in sympathischer Atmosphäre machen hausgemachte Pasta, offen gegrillte Fleischspezialitäten und Gerichte wie "geschmorte Kalbsbacken in Barolosauce" noch mehr Freude. Die wenigen Aussenplätze sind im Sommer schnell besetzt.

XX **Metropol**   🍴 ⅋ AC ⇔

Fraumünsterstr. 12 ✉ *8001* – ☎ *044 200 59 00* – *www.metropol-restaurant.ch*
– geschl. Sonntag   E3**r**
Rest – (35 CHF) Menü 85 CHF (abends)/115 CHF – Karte 74/140 CHF

Mitten im Bankenviertel steht das neu-barocke Gebäude mit dem stylish-puristischen Design von Iria Degen. Dazu passt die internationale Küche mit japanischen Einflüssen von zahlreichen Sushi- und Sashimi-Varianten bis hin zum Wagyu-Beef. Mittags gibt es auch ein günstiges Zusatzangebot. Lebendiger Barbereich.

XX **Tao's**   🍴 ⅋ ⇔

Augustinergasse 3 ✉ *8001* – ☎ *044 448 11 22* – *www.taos-lounge.ch – geschl.*
Sonntag   E2**e**
Rest – (34 CHF) – Karte 63/107 CHF

Ein Hauch Exotik mitten in Zürich! Oben hat man es elegant, im EG etwas legerer. Raucher sitzen in Tao's Lounge Bar und können auch hier von der euro-asiatischen Karte mit diversen Grillgerichten wählen. Und im Sommer sitzt es sich auf der Terrasse sehr nett.

XX **20/20 by Mövenpick** Ⓝ   ⇔

Nüschelerstr. 1, (1. Etage) ✉ *8001* – ☎ *044 211 45 70* – *www.moevenpick.com*
– geschl. Samstagmittag, Sonntag - Montag   E2**m**
Rest – *(Tischbestellung ratsam)* Menü 46 CHF (mittags unter der Woche)/
115 CHF – Karte 75/113 CHF

Im EG liegt die moderne Weinbar, im 1. Stock das neue Flaggschiff der Mövenpick-Gastronomie. Schon ein Hingucker ist die heimatgeschützte und komplett mit Arvenholz getäferte Stube, nicht minder erwähnenswert aber auch die Küche der gebürtigen Oldenburgerin Kerstin Rischmeyer. In ihrem zeitgemässen Mix aus Mediterranem und Klassischem findet sich z. B. "Black-Angus-Filet mit Pertersilienwurzelgnocchi, Pilzen und Lardo". Interessant auch die Weinauswahl zu fairen Konditionen.

XX **Kaiser's Reblaube**   🍴 ⅋ ⇔

Glockengasse 7 ✉ *8001* – ☎ *044 221 21 20* – *www.kaisers-reblaube.ch*
– geschl. Ende Juli - Mitte August und Samstagmittag, Sonntag, März - Oktober:
Samstagmittag, Sonntag, Montag   E2**y**
Rest – *(Tischbestellung ratsam)* (39 CHF) Menü 58 CHF (mittags)/120 CHF
– Karte 72/102 CHF

Harmonisch fügt sich das 1260 erbaute Haus in die enge kleine Altstadtgasse ein, und drinnen im Goethe-Stübli im 1. Stock und auch in der Weinstube im Parterre ist es so gemütlich, wie man es beim Anblick der historischen Fassade vermutet. Probieren Sie z. B. "Perlhuhnbrust mit Kürbissaft lackiert" oder "Rindsfilet am Stück im Ofen gebraten".

✗✗ **Rive Gauche** – Hotel Baur au Lac 🛜 AC ✗

Talstr. 1 ✉ *8001* – ☎ *044 220 50 20* – *www.agauche.ch* – *geschl. Mitte Juli*
- Mitte August E3**a**
Rest – (52 CHF) Menü 79 CHF (mittags)/130 CHF – Karte 65/131 CHF
Hotspot inmitten der City. Tolles kosmopolitsches Interieur lockt ein trendiges
junges und junggebliebenes Publikum zu Speis und Trank (Grilladen), zum
Sehen und Gesehenwerden.

✗✗ **Veltlinerkeller**

Schlüsselgasse 8 ✉ *8001* – ☎ *044 225 40 40* – *www.veltlinerkeller.ch*
– *geschl. Mitte Juli - Mitte August und Samstag - Sonntag, November*
- Dezember: Samstagmittag, Sonntag E2**t**
Rest – (Tischbestellung ratsam) (40 CHF) – Karte 71/124 CHF
Ausgesprochen gemütlich und charmant ist das Restaurant im jahrhundertealten
ehemaligen "Haus zum Schlüssel" mitten in der Altstadt. Umgeben von warmem
Holztäfer isst man Traditionelles mit klassisch-französischer Note.

✗✗ **Au Premier** � AC ✗ ✧

Bahnhofplatz 15, (1. Etage) ✉ *8001* – ☎ *044 217 15 55* – *www.au-premier.ch*
– *geschl. Samstag - Sonntag sowie an Feiertagen* E1**a**
Rest – (39 CHF) Menü 59 CHF (mittags unter der Woche)/69 CHF
– Karte 65/97 CHF
In schönen hohen Räumen des stattlichen Bahnhofsgebäudes ist das modern-
puristische Restaurant mit Lounge und guten Veranstaltungsmöglichkeiten unter-
gebracht. Internationale Küche - im Juli und im August bietet man ausschliesslich
Schwedenbuffet.

✗✗ **Il Giglio** 🛜

Weberstr. 14 ✉ *8004* – ☎ *044 242 85 97* – *www.ilgiglio.ch* – *geschl.*
Weihnachten - Anfang Januar, Juli - August 3 Wochen und Samstagmittag,
Sonntag sowie an Feiertagen, Juni - August: Samstag - Sonntag C2**c**
Rest – (36 CHF) Menü 55 CHF (mittags)/87 CHF – Karte 50/101 CHF
Der aus Kalabrien stammende Vito Giglio kocht nun schon über 20 Jahre in dem
kleinen Restaurant nicht weit von der Börse. Und was könnte zu seiner frischen
klassisch italienischen Küche besser passen als entsprechende Weine und ange-
nehm freundlich-familiäre Atmosphäre?

✗✗ **Da Angela** 🛜 ⅙ **P**

Hohlstr. 449 ✉ *8048* – ☎ *044 492 29 31* – *www.daangela.ch* – *geschl. 14.*
- 27. Juli und Sonntag - Montag A1**d**
Rest – (Tischbestellung ratsam) (39 CHF) – Karte 61/103 CHF
Ein traditionelles Restaurant mit italienischem Flair und ebensolcher Küche, in der
hausgemachte Pasta nicht fehlen darf. Freundlich leitet die Chefin den Service.
Schattige Terrasse.

✗✗ **Orsini** – Hotel Savoy Baur en Ville ⅙ AC

Poststr. 12, (am Paradeplatz) ✉ *8001* – ☎ *044 215 25 25*
– *www.savoy-zuerich.ch* E3**r**
Rest – (Tischbestellung ratsam) (56 CHF) Menü 72 CHF (mittags)
– Karte 88/128 CHF
Der elegante Rahmen und die klassisch-italienische Küche haben sich seit über 30
Jahren bewährt. Besonders: Die üppigen Mohnblumen auf dem Teppichmuster
wiederholen sich in filigranerer Ausführung auf den Ölbildern an der Wand.

✗✗ **Parkhuus** – Hotel Park Hyatt 🛜 ⅙ AC ✗

Beethoven Str. 21 ✉ *8002* – ☎ *043 883 10 75* – *www.zurich.park.hyatt.ch*
– *geschl. Samstagmittag, Sonntag* E3**k**
Rest – (59 CHF) Menü 59 CHF (mittags)/175 CHF – Karte 81/345 CHF
Ebenso modern und international wie das Hotel stellt sich auch das Restaurant
dar. Hier begeistern eine grosse Showküche, in der zeitgemässe Kreationen entstehen, sowie die sehenswerte verglaste Weinbibliothek, welche Sie über eine
Wendeltreppe erreichen.

XX **Le Poisson** – Hotel Glärnischhof
Claridenstr. 30 ⊠ 8022 – ℰ 044 286 22 22 – www.lepoisson.ch – geschl.
27. Dezember - 6. Januar und Samstag - Sonntag sowie an Feiertagen
Rest – Menü 80/120 CHF – Karte 79/119 CHF **E3f**
Hier dreht sich alles ums Meeresgetier - vom Wolfsbarsch über Bouillabaisse bis
zur Jakobsmuschel. In gediegener Atmosphäre darf man sich auf Klassiker des
Hauses freuen, sollte aber ruhig auch mal die neuen Gerichte des Küchenteams
probieren!

XX **Orangerie** – Hotel Engimatt
Engimattstr. 14 ⊠ 8002 – ℰ 044 284 16 16 – www.engimatt.ch **C2d**
Rest – (24 CHF) Menü 45 CHF (abends) – Karte 41/89 CHF
Ob Winter oder Sommer, hier haben Sie immer das Gefühl, unter dem Himmels-
zelt zu sitzen. Denn das Restaurant (mit traditioneller Küche) besteht aus einem
luftigen, schlicht-eleganten Wintergarten und einer schön angelegten Terrasse.

XX **Rôtisserie** – Hotel Storchen
Weinplatz 2, Zufahrt über Storchengasse 16 ⊠ 8001 – ℰ 044 227 21 13
– www.storchen.ch **F2u**
Rest – (52 CHF) Menü 85 CHF (abends) – Karte 72/114 CHF
Wenn Sie in dem gediegenen Restaurant Platz nehmen, sollten Sie zum einen
Ihren Blick auf die herrlich bemalte Decke richten, zum anderen hinaus (wenn
Sie nicht sowieso schon auf der Terrasse sitzen) auf die Limmat und das Gross-
münster. Gekocht wird klassisch-traditionell.

XX **Caduff's Wine Loft**
Kanzleistr. 126 ⊠ 8004 – ℰ 044 240 22 55 – www.wineloft.ch – geschl.
22. Dezember - 5. Januar, Samstagmittag und Sonntag **C1d**
Rest – (Tischbestellung ratsam) (30 CHF) Menü 52/120 CHF – Karte 38/122 CHF
Schon der Name deutet auf so manch interessantes Detail hin: Zum einen handelt
es sich hier um eine ehemalige Maschinenfabrik, in der der gebürtige Bündner
Beat Caduff gute Küche bietet (so z. B. sein "Kapaun in Morchelsauce"), zum ande-
ren wird der begehbare Weinkeller zum Erlebnis, wenn Sie sich aus über 2000
Positionen Ihr passendes Fläschchen selbst aussuchen! Und auch an Liebhaber
von Rohmilchkäse ist mit über 50 exzellenten Sorten gedacht.

XX **Zentraleck** ⓝ
Zentralstr. 161 ⊠ 8003 – ℰ 044 461 08 00 – www.zentraleck.ch – geschl.
26. Dezember - 9. Januar, über Ostern, 17. Juli - 11. August und Samstagmittag,
Sonntag - Montag **A2z**
Rest – (24 CHF) – Karte 50/101 CHF
Das helle und frische Ambiente in dem kleinen Quartierrestaurant kommt gut an,
doch nicht nur das: Gerne lässt man sich hier vom freundlich-kompetenten Service mit ambitionierter italienischer Küche aus guten Produkten umsorgen! Da
wären z. B. "Hummer-Tagliolini mit Broccoli und Safran-Luft". Appetit?

XX **Convivio** ⓝ
Rotwandstr. 62 ⊠ 8004 – ℰ 043 322 00 53 – www.convivio.ch – geschl. über
Ostern 1 Woche, August und Samstagmittag, Sonntag **C1e**
Rest – (34 CHF) Menü 26 CHF (mittags)/89 CHF – Karte 46/96 CHF
Die warme Holztäferung bringt traditionellen Charme, die geradlinige Einrichtung
eine moderne Note... In diesem schönen Ambiente kommt eine frische und
schmackhafte italienische Küche auf den Tisch, und auf Vorbestellung auch
Gerichte aus der spanischen Heimat des Patrons, nämlich Spanferkel, Tapas & Co.

XX **L'altro** ⓝ
Sternenstr. 11 ⊠ 8000 – ℰ 044 201 43 98 – www.l-altro.ch – geschl. Samstag
- Sonntag **C2t**
Rest – (42 CHF) – Karte 51/108 CHF
Selbstgemachte Pasta, gegrillte Seezunge, Kalbskotelett... nicht nur das 100-jäh-
rige Stadthaus selbst ist einladend mit seiner gemütlichen Täferung und
dem schönen Parkettboden, durchaus lohnenswert ist es auch, die frische klas-
sisch- italienische Küche zu probieren!

X **Münsterhof** (Tobias Buholzer)
Münsterhof 6, (1. Etage) ⊠ *8001*
– ℰ 044 262 33 00 – www.muensterhof.com
– geschl. 1. - 8. Januar, Juli - August und Samstagmittag, Sonntag - Montag
Rest *– (Tischbestellung ratsam)* Menü 85/175 CHF   E3**s**
Rest *Münsterhof-Weinstube* – siehe Restaurantauswahl
In dem historischen Haus a. d. 11. Jh. setzt man auf ein Doppel-Konzept: Neben der Weinstube unten hat man im 1. Stock das Gourmetrestaurant, in dem schon das Interieur mit original Wandmalerei und alter Holzdecke ein kleines Highlight ist, erst recht aber Tobias Buholzers feine modern-französische Küche, die obendrein auch noch charmant und gleichermassen kompetent serviert wird! Hier reserviert man besser!
→ "noix gras-Terrine", Rhabarber, Ingwer und Randen-Brioche. Eglifilet 48°C mit Bärlauch-Sabayon und Gnocchi von kleinem Gemüse. Milchlamm 58°C mit Morcheln, Artischocke und Krokette von jungem Knoblauch.

X **Helvetia** – Hotel Helvetia
Stauffacherquai 1, (1. Etage) ⊠ *8004 – ℰ 044 297 99 99*
– www.hotel-helvetia.ch   C1**h**
Rest – (29 CHF) – Karte 59/116 CHF
So schön gemütlich wie in der beliebten lebendigen Bar ist es auch eine Etage höher. Auch hier im Restaurant verbreiten Holzboden und Täferung angenehme Wärme. Da passt der freundlich-unkomplizierte Service gut ins Bild, der Ihnen z. B. Flusskrebs-Cocktail oder Filet vom Pata-Negra-Schwein an den Tisch bringt - von Francoise Wicki schmackhaft und frisch zubereitet.

X **Heugümper**
Waaggasse 4 ⊠ *8001 – ℰ 044 211 16 60 – www.restauranttheuguemper.ch*
– geschl. Weihnachten - Anfang Januar, 14. Juli - 11. August   E2**d**
Rest – (36 CHF) Menü 98 CHF (abends) – Karte 59/102 CHF
In dem ehrwürdigen Stadthaus im Herzen von Zürich kocht man international mit asiatischem Einschlag - kleine Lunchkarte. Schickes modernes Bistro im Parterre, elegantes Restaurant im 1. Stock.

X **AURA** Ⓝ
Bleicherweg 5 ⊠ *8001 – ℰ 044 448 11 44 – www.aura-zurich.ch – geschl.*
Sonntag   E3**c**
Rest – (34 CHF) – Karte 63/122 CHF
Was sich hinter "AURA" verbirgt? Ein stylish-urbanes Restaurant, eine Event-Location der Extraklasse, eine Lounge oder ein Club? Von allem etwas, doch in erster Linie ist es eine trendige Adresse für Liebhaber moderner Crossover-Küche mit einem Faible für Grillgerichte - schauen Sie den Köchen auf die Finger! Zu finden am Paradeplatz in der alten Börse.

X **Bü's**
Kuttelgasse 15 ⊠ *8001 – ℰ 044 211 94 11 – www.bus.ch – geschl. 21. April*
- 4. Mai, 6. - 19. Oktober und Samstagabend - Sonntag   E2**h**
Rest – (Tischbestellung ratsam) (36 CHF) – Karte 59/120 CHF 🍃
Aus einer ehemaligen Metzgerei entstand dieses gemütliche Restaurant mit hübschem Garten. Hier gibt es zeitgemässe Küche mit mediterranen und traditionellen Einflüssen. Und werfen Sie auch einen Blick auf die Weinkarte - eine schöne Auswahl in allen Preislagen!

X **Camino**
Freischützgasse 4 ⊠ *8004 – ℰ 044 240 21 21 – www.restaurant-camino.ch*
– geschl. 23. - 29. Dezember und Sonntag   E1**e**
Rest – (29 CHF) Menü 95 CHF – Karte 66/103 CHF
Die Lage ist vielleicht nicht ganz so attraktiv, doch dafür ist das hier ein gemütliches Restaurant (Holz, Terrakottaboden, umlaufende Sitzbank...), das von Mutter und Tochter mit Engagement geführt wird. Richtig nett sitzt man bei international und regional beeinflusster klassischer Küche. Eine Spezialität ist übrigens Holzen Fleisch!

X **Kindli** – Hotel Kindli   ⌂

Pfalzgasse 1 ⌧ 8001 – ℰ 043 888 76 78 – www.kindli.ch – geschl.
Sonntag sowie an Feiertagen   E2**z**
Rest – *(Tischbestellung ratsam)* (34 CHF) – Karte 64/96 CHF
Den Charme des geschichtsträchtigen Hotels spürt man auch im beliebten und
stets gut besuchten gleichnamigen Restaurant. Dass man sich hier wohlfühlt,
liegt zum einen an der gemütlichen alten Holztäferung, zum anderen an der
lebendigen Atmosphäre, und die gute klassische Küche kommt noch dazu!

X **Jdaburg**   ⌂

Gertrudstr. 44 ⌧ 8003 – ℰ 044 451 18 42 – www.jdaburg.ch – geschl.
Weihnachten - Anfang Januar, Juli 3 Wochen und Samstagmittag,
Sonntag - Montag   A2**a**
Rest – (25 CHF) – Karte 64/89 CHF
Das kleine Restaurant mit zeitgemässer internationaler Küche ist hell und freund-
lich, die nette Terrasse liegt zur ruhigen Strasse hin. Am Mittag wählt man von
der kleinen Lunchkarte.

X **Sala of Tokyo**   ⌂ AC ✧

Limmatstr. 29 ⌧ 8005 – ℰ 044 271 52 90 – www.sala-of-tokyo.ch – geschl.
Samstagmittag, Sonntag - Montag   E1**k**
Rest – (35 CHF) Menü 72/165 CHF – Karte 54/101 CHF
Wer bei japanischer Küche an Sushi und Sashimi denkt, liegt hier schon auch rich-
tig, doch Familie Ruch-Fukuoka beweist seit 1981 in Zürich, dass es da noch viel
mehr zu entdecken gibt. Probieren Sie also ruhig mal das Kaiseki-Menü oder auch
Klassiker wie Shabu-Shabu und natürlich das Wagyu vom Holzkohlegrill!

X **Le Jardin Suisse** – Hotel Sheraton Neues Schloss Zürich   ⌂ AC ✧

Stockerstr. 17 ⌧ 8002 – ℰ 044 286 94 00 – www.sheraton.com/neuesschloss
– geschl. Samstag - Sonntag   E3**m**
Rest – Menü 42 CHF (mittags) – Karte 34/86 CHF
Ein Hauch von Bistrostil durchzieht das Lokal mit seiner auffälligen Wand aus
Bruchstein. Man serviert Ihnen traditionelle Schweizer Spezialitäten - im Sommer
auch gerne auf der umlaufenden Terrasse.

X **Sankt Meinrad** ❶   ⌂ ✧

Stauffacherstr. 163 ⌧ 8004 – ℰ 043 534 82 77 – www.equi-table.ch – geschl.
Ende Dezember - Mitte Januar 3 Wochen, Mitte Juli - Anfang August 3 Wochen
und Samstagmittag, Sonntag - Montag   C1**r**
Rest – *(Tischbestellung ratsam)* (29 CHF) Menü 80 CHF (abends)/130 CHF
– Karte 80/103 CHF
So wie die Mutter-AG ausschliesslich mit Fairtrade- und Bioprodukten handelt,
verwendet auch das Küchenteam um Fabian Fuchs nur ausgewählte Zutaten für
gute moderne Speisen wie z. B. "Kabeljau - Nordost Pazifik, Spinat, Mais, Randen,
Cassisbeeren". Eine richtig runde Sache wird das Ganze durch den freundlichen
Service und die unkomplizierte Atmosphäre.

X **Greulich** – Hotel Greulich   ⌂ ⅋ P

Herman-Greulich-Str. 56 ⌧ 8004 – ℰ 043 243 42 43 – www.greulich.ch – geschl.
22. Dezember - 2. Januar und Samstagmittag, Sonntagabend   C1**c**
Rest – *(Tischbestellung ratsam)* (24 CHF) Menü 62 CHF (abends)
– Karte 59/92 CHF
Stimmig hat man den modernen Style des gleichnamigen Hotels auch im Restaurant umgesetzt, ebenso in der Cigar Lounge. Im Sommer sollten Sie auf der sehr
schönen Terrasse im Innenhof speisen!

X **Münsterhof-Weinstube** – Restaurant Münsterhof   AC

Münsterhof 6 ⌧ 8001 – ℰ 044 262 33 00 – www.muensterhof.com – geschl. 1.
- 8. Januar und Samstagmittag, Sonntag - Montag   E3**s**
Rest – Menü 79 CHF – Karte 53/97 CHF
Ob in der Weinstube oder im Gourmetrestaurant in der 1. Etage, es wird immer
Qualität geboten, wenn auch hier unten im Parterre in deutlich einfacherer
Form. Lassen Sie sich die hausgemachten Ravioli schmecken! Oder lieber den def-
tigen Hackbraten in Portweinjus?

✗ **Meta's Kutscherhalle** ⓝ
Müllerstr. 31 – ℰ 044 241 53 15 – www.metas-kutscherhalle.ch
– geschl. 21. Dezember - 5. Januar, 21. Juli - 10. August und Feiertage
Rest – *(Tischbestellung ratsam)* (26 CHF) Menü 78 CHF (abends)   C1**m**
– Karte 51/91 CHF
Die bekannte TV-Köchin Meta Hiltebrand hat sich ihren Traum vom eigenen kleinen Restaurant verwirklicht. Sie kocht "frei von der Leber weg": schlicht, kreativ,
schmackhaft und mit mediterranem Touch – und das sieht dann z. B. so aus:
"süssgeflämmter Rohlachs mit Melonen-Rosinen-Chutney und zweierlei Sesam".
Das Lokal ist klein, eng, lebendig, mit freiem Blick in die Küche... Gäste und Personal sind hier gleichermassen gut gelaunt! Einfaches Mittagsmenü.

✗ **Café Boy** ⓝ
Kochstr. 2 ⊠ 8000 – ℰ 044 240 40 24 – www.cafeboy.ch – geschl. Ende
Dezember 1 Woche und Samstag - Sonntag   A2**c**
Rest – (25 CHF) Menü 66/120 CHF (abends) – Karte 47/83 CHF
Wo einst linke Politikgeschichte geschrieben wurde, serviert Gastgeber Stefan Iseli
nun in lebendiger und recht puristischer Bistro-Atmosphäre die frische traditionelle Küche seines Partners Jann M. Hoffmann. Wein ist seine Leidenschaft, das
merkt man, wenn er die umfangreiche Auswahl präsentiert. Mittags ist die Speisekarte einfacher.

in Zürich-Oerlikon Nord – ⊠ 8050

🏨 **Swissôtel**
Schulstr. 44, (am Marktplatz) – ℰ 044 317 31 11
– www.swissotel.com/zurich   B1**n**
336 Zim – †320/420 CHF ††320/420 CHF, ⊑ 35 CHF – 11 Suiten
Rest *le muh* – ℰ 044 317 33 91 – (30 CHF) – Karte 45/93 CHF
Das Hochhaus liegt im Zentrum am Marktplatz - vom Hallenbad in der 32. Etage
überblickt man die ganze Stadt! Zum Übernachten stehen Zimmer in vier Einrich-
tungsstilen bereit, zum Tagen 19 Räume im "Convention Center" und zum Speisen das "le muh" mit internationaler und regionaler Küche (hier werden übrigens
viele Bioprodukte verwendet!)

🏨 **Courtyard by Marriott**
Max-Bill-Platz 19 – ℰ 044 564 03 40 – www.courtyardzurich.com   B1**a**
152 Zim – †139/289 CHF ††139/289 CHF, ⊑ 29 CHF
Rest – (28 CHF) Menü 32 CHF – Karte 43/73 CHF
Eine Businessadresse zwischen Zentrum und Flughafen. Das Ambiente in den
Zimmern ist modern und doch klassisch, besondere Extras wie z. B. Minibar gra-
tis in den Superior-Zimmern im 6. Stock. Trendiges Restaurant mit internationa-
lem Angebot.

🏨 **Holiday Inn Messe**
Wallisellenstr. 48 – ℰ 044 316 11 00
– www.holidayinn.com/zurichmesse   B1**c**
164 Zim – †169/290 CHF ††169/290 CHF, ⊑ 28 CHF
Rest – (21 CHF) – Karte 33/68 CHF
Interessant ist hier vor allem die Lage direkt gegenüber dem Messezentrum. Zimmer mit gutem Platzangebot, sachlich-funktional in der Ausstattung. In der Brasserie "Bits & Bites" bekommt man Schweizer Küche und Internationales serviert.

🏨 **Sternen Oerlikon**
Schaffhauserstr. 335 – ℰ 043 300 65 65 – www.sternenoerlikon.ch   B1**s**
56 Zim – †150/205 CHF ††180/265 CHF, ⊑ 18 CHF
Rest – (geschl. 21. Dezember - 5. Januar, Mitte Juli - Mitte August und Samstag
- Sonntag sowie Feiertage) (29 CHF) – Karte 51/91 CHF
Der traditionsreiche Sternen hat sich zu einem topmodernen Hotel gemausert: in
den Zimmern geradlinig-wohnlicher Stil, warme Farben sowie Wifi und Mineral-
wasser kostenfrei. Gastronomisch gibt es hier die Brasserie "Ö" mit französisch
beeinflusster Küche.

※ **Giesserei** 🖼️ 🏠 AC 🔌 **P**

Birchstr. 108 – ℰ 043 205 10 10 – www.diegiesserei.ch – geschl. Weihnachten
- Anfang Januar 2 Wochen, Juli - August 2 Wochen und Samstagmittag,
Sonntagabend; Juli - August: Samstag - Sonntag AB1**a**
Rest – (28 CHF) – Karte 39/86 CHF
Das Ambiente hier ist schon recht speziell: die herbe Industriearchitektur der
einstigen Fabrikhalle und Relikte wie ein alter Schmiedeofen im Cheminée-
Raum... ebenfalls interessant ist die gegenüberliegende Werkstatt, dazu die
nette Terrasse. Die Küche ist international, sonntags Brunch (ganzjährig ausser
Juli - August).

in Glattbrugg Nord: 8 km über B1, Richtung Kloten – ✉ 8152

🏠🏠🏠 **Hilton Zurich Airport** 🏊 ℉ 🛎️ 🗗 AC 🤖 ⩗ 🦽 **P**

Hohenbühlstr. 10 – ℰ 044 828 50 50 – www.zurich.hilton.com
321 Zim – 🛏185/405 CHF 🛏🛏185/405 CHF, ☲ 39 CHF – 2 Suiten – ½ P
Rest Market Place – ℰ 044 828 56 64 – (30 CHF) Menü 65 CHF
– Karte 58/89 CHF
Modern, funktionell und technisch up to date sind die Zimmer in diesem Hotel in
Airportnähe, sehr grosszügig die Relaxation-Rooms. Variabler Tagungsbereich.
Market Place ist ein zur Halle hin offenes Restaurant mit Showküche.

🏠🏠🏠 **Mövenpick** 🏊 ℉ 🛎️ 🦽 AC 🍴 Rest, ⩗ 🦽 **P**

🍺 *Walter Mittelholzerstr. 8 – ℰ 044 808 88 88*
– www.moevenpick-hotels.com/zuerich-airport
323 Zim – 🛏245/385 CHF 🛏🛏245/385 CHF, ☲ 33 CHF – 10 Suiten
Rest – (20 CHF) – Karte 48/88 CHF
Rest Le Chalet – ℰ 044 808 85 55 *(geschl. Samstagmittag)* Menü 75 CHF
– Karte 59/104 CHF
Rest Dim Sum – ℰ 044 808 84 44 *(geschl. Samstagmittag, Sonntag)*
Menü 59/75 CHF – Karte 42/81 CHF
Seit Anfang der 70er Jahre gibt es dieses Haus nun schon, ansehen tut man ihm
sein Alter allerdings nicht: Die Zimmer sind frisch, modern und wohnlich! Und
auch mit der gastronomischen Vielfalt ist man den Ansprüchen von heute
gewachsen - vom Hotelrestaurant mit grossem Buffetbereich über gehoben-tradi-
tionelle Schweizer Küche im Le Chalet bis hin zu guten chinesischen Gerichten im
Dim Sum.

in Kloten Nord: 12 km über B1 – ✉ 8302

※※ **Rias** 🏊

🍺 *Gerbegasse 6 – ℰ 044 814 26 52 – www.rias.ch – geschl. 23. Dezember*
- 12. Januar, 29. März - 30. Mai, 21. Juli - 1. August und Samstag - Sonntag
🎏 *sowie an Feiertagen*
Rest – (20 CHF) Menü 19 CHF (mittags)/95 CHF – Karte 58/92 CHF
Was Sie hier in einer Seitenstrasse von Kloten erwartet, ist nicht nur ein ansprechendes zeitgemässes Ambiente, sondern auch eine gute, schmackhafte Küche,
die Hansruedi Nef z. B. als "geschmortes Kalbsbäggli", als "butterzarten Brasato"
oder auch als "Glühweinbirne mit Champagnersabayon" auf den Teller bringt.
Und dazu empfiehlt der freundliche Service schöne offene Weine.

in Wallisellen Nord-Ost: 10 km – ✉ 8304

🏠 **Belair** 🖼️ 🛎️ ⩗ 🦽 **P**

Alte Winterthurerstr. 16 – ℰ 044 839 55 55 – www.belair-hotel.ch B1**t**
47 Zim ☲ – 🛏220/280 CHF 🛏🛏240/320 CHF – ½ P
Rest La Cantinella – (26 CHF) Menü 58/120 CHF – Karte 49/102 CHF
Das Hotel liegt günstig: nur fünf Autominuten zu Flughafen und Messe, wenige
Gehminuten zum Bahnhof Wallisleben. Mehr Platz und eine Klimaanlage bieten
die Businesszimmer. Frisches Design und italienische Küche im Restaurant La
Cantinella.

☆☆ **Zum Doktorhaus**
Alte Winterthurerstr. 31 – 𝒞 *044 830 58 22 – www.doktorhaus.ch* **B1v**
Rest – (32 CHF) Menü 53 CHF (mittags unter der Woche)/105 CHF
– Karte 61/96 CHF
Steht Ihnen der Sinn nach mediterran-klassischer Küche in gemütlichen Restaurantstuben oder ziehen Sie es vor, in der trendigen Bar-Lounge einfach einen Salat oder ein Sandwich zu essen oder einen Kaffee zu trinken? In diesem Gasthaus von 1732 ist beides möglich - und im Sommer gibt es zusätzlich Grillgerichte im Freien.

in Zollikon Süd-Ost: 4 km über Utoquai F3 – ✉ 8702

☆☆ **Wirtschaft zur Höhe**
Höhestr. 73 – 𝒞 *044 391 59 59 – www.wirtschaftzurhoehe.ch – geschl. Montag*
Rest – (44 CHF) Menü 58 CHF (mittags)/135 CHF – Karte 61/136 CHF **B2b**
Auch nach gut 25 Jahren darf sich Familie Scherrer über zufriedene Gäste freuen, denn nach wie vor wird in dem Traditionshaus ambitioniert, klassisch und mit guten Produkten gekocht. Lassen Sie sich im gemütlichen Restaurant oder im Sommer auf der schönen Terrasse z. B. "grillierte Jakobsmuscheln und Speck auf Erbsenpüree" schmecken, und als Dessert die erstklassige hausgebackene "Tarte Tatin"!

am Flughafen Nord: 12 km über B1, Richtung Kloten

🏨🏨 **Radisson BLU Zurich Airport** ≼ 🏠 🖪 🖥 🕭 🐖 🛜 🖐
(direkter Zugang zu den Terminals) ✉ 8058 – 𝒞 *044 800 40 40*
– www.radissonblu.com/hotel-zurichairport
323 Zim – ♦350/750 CHF ♦♦350/750 CHF, ⬓ 38 CHF – 7 Suiten
Rest *angels' wine tower grill* – *(geschl. Mitte Juli - Mitte August und Sonntag)*
(nur Abendessen) Karte 67/142 CHF
Rest *filini* – (32 CHF) Menü 39 CHF (mittags) – Karte 39/100 CHF
Näher am Flughafen kann man nicht wohnen, und dann auch noch schön modern in den Zimmervarianten "At Home" "Chic" und "Fresh". In der ohnehin schon imposanten Atriumhalle ragt der 16 m hohe Wine Tower empor - von hier kommen die zahlreichen Weine, die Sie im Restaurant angels' zu den Grill-Klassikern geniessen, während Sie die abendliche Artistik-Show der "Wine Angels" bestaunen! Italienisches im filini.

auf dem Uetliberg ab Zürich Hauptbahnhof mit der SZU-Bahn (25 min.)
und Fussweg (10 min.) erreichbar – Höhe 871 m – ✉ 8143 Uetliberg

🏠 **Uto Kulm** ⌇ ≼ 🏠 🏠 🖥 🕭 Rest, 🛜 🖐
– 𝒞 *044 457 66 66 – www.utokulm.ch* **A2n**
55 Zim ⬓ – ♦120/210 CHF ♦♦180/420 CHF – ½ P
Rest – (25 CHF) Menü 69 CHF (abends)/89 CHF – Karte 58/99 CHF ⅋
Hier in 871 m Höhe liegt Ihnen Zürich zu Füssen und um Sie herum ein ungeahntes Bergpanorama! Und auch die modernen "Lifestyle-Zimmer" sowie die geräumigen "Romantik-Suiten" laden zu Bergferien nur 20 Minuten von der Wirtschaftsmetropole ein. Für Familien sind die Maisonetten perfekt. Das Restaurant wird im Sommer zur grossen Terrasse! Man beachte die bemerkenswerte Mouton-Rothschild-Sammlung!

ZUG Ⓚ – **Zug** (ZG) – **551** P6 – **26 901 Ew** – **Höhe 425 m** – ✉ **6300** **4 G3**
▶ Bern 139 – Luzern 34 – Zürich 31 – Aarau 58
🔋 Bahnhofplatz, Reisezentrum B1, 𝒞 041 723 68 00, www.zug-tourismus.ch
🏌 Schönenberg, Nord-Ost: 14 km, 𝒞 044 788 90 40
🚇 Ennetsee / Holzhäusern, Rotkreuz, 𝒞 041 799 70 10
◎ Zuger See★★ • Die Quais (≼★) • Altstadt★
◨ Zugerberg★, Süd-Ost: 7 km • Ehemalige Zisterzienserabtei Kappel★, Nord: 8 km

Stadtplan auf der nächsten Seite

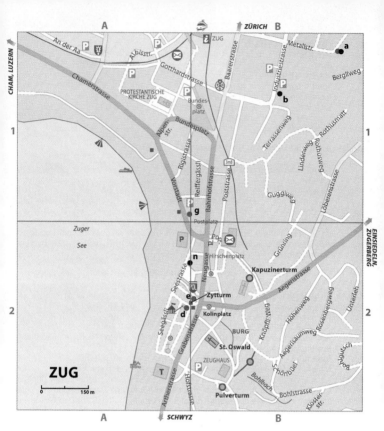

City Garden

City Garden 🛗 🗚 🗑 🛜 🅿️
Metallstr. 20, über Y – ℰ 041 727 44 44 – www.citygarden.ch B1**a**
79 Zim ☕ – ♥390 CHF ♥♥440 CHF – 3 Suiten
Rest *CU Restaurant* – siehe Restaurantauswahl
Schon von aussen ist das Hotel mit der verspiegelten Fassade ein echter Eyecatcher, innen dann modernes und überaus urbanes Design, komfortable Zimmer und nette kleine Details - alles schön schlicht gehalten! Die Lage: ruhig und dennoch zentral.

Parkhotel Zug

Parkhotel Zug 🛜 🗒 🕸 🖴 🛗 🗚 🗑 Rest, 🛜 🐾 🚗
Industriestr. 14 – ℰ 041 727 48 48 – www.parkhotel.ch B1**b**
106 Zim ☕ – ♥350/370 CHF ♥♥400/420 CHF – 6 Suiten
Rest – *(geschl. Samstag)* (29 CHF) – Karte 54/98 CHF
Das komfortable und insgesamt eher klassisch gehaltene Businesshotel empfängt seine Gäste mit einer modernen Lobby und dem Livingroom. Die Zimmer sind zeitgemäss und technisch gut ausgestattet, die Lage ist angenehm zentral (Bahnhof wenige Gehminuten entfernt). Restaurant mit speziellem Lichtkonzept.

Löwen

Löwen garni 🍽️ 🛗 🖴 🗚 🛜
Landsgemeindeplatz 1 – ℰ 041 725 22 22 – www.loewen-zug.ch – geschl.
20. Dezember - 8. Januar AB2**n**
47 Zim ☕ – ♥220/290 CHF ♥♥265/305 CHF
Im Herzen der Altstadt und direkt am See liegt der Löwen a. d. 16. Jh., der schon seit über 200 Jahren als Hotel geführt wird. Zeitgemässe und sehr gepflegte Zimmer (ein Grossteil mit Seeblick), dazu ein gutes Frühstück, das man sich im 1. OG schmecken lässt.

🏠 **Guggital** 🕭 ⪦ 🏠 🛏 ⛵ Zim, 🛜 📶 **P**
Zugerbergstr. 46, über B2 – ☏ *041 728 74 17 – www.hotel-guggital.ch – geschl.*
22. Dezember - 6. Januar
32 Zim ⌁ – ♦125/190 CHF ♦♦195/240 CHF – ½ P
Rest – (27 CHF) Menü 85 CHF (abends)/125 CHF – Karte 55/101 CHF
In recht ruhiger Panoramalage oberhalb der Stadt wohnt man in zeitgemässen und funktionellen Zimmern, die fast alle eine tolle Aussicht auf den See bieten. Im Stammhaus hat man auch einfachere Zimmer. Ganz besonders schön ist der Blick von der wunderbaren Terrasse unter Kastanien!

🏠 **Zugertor** 🏠 🛏 🆒 Zim, ⛵ Rest, 🛜 🚗
Baarerstr. 97, über Baarerstrasse B1 – ☏ *041 729 38 38 – www.zugertor.ch*
– geschl. 21. Dezember - 5. Januar
36 Zim ⌁ – ♦178/198 CHF ♦♦215/240 CHF – ½ P
Rest *Zeno's Spezialitäten Restaurant* – ☏ 041 720 09 19 *(geschl. Ende Juli - Anfang August und Samstag)* (25 CHF) Menü 69/89 CHF – Karte 37/92 CHF
Am Rande des Zentrums finden Sie dieses praktische familiengeführte Hotel mit zeitlosen und funktionalen Zimmern (fragen Sie nach den ruhigeren im Neubau!) und traditionellem Restaurant.

🍴🍴🍴 **Rathauskeller - Zunftstube** 🏠
Ober-Altstadt 1, (1. Etage) – ☏ *041 711 00 58 – www.rathauskeller.ch – geschl.*
24. Dezember - 6. Januar, 13. - 28. April und Sonntag - Montag A2**d**
Rest – *(Tischbestellung ratsam)* Menü 128 CHF – Karte 100/143 CHF ⛾
Rest *Bistro* 🏠 – siehe Restaurantauswahl
Historisches Flair, sehr komfortable Einrichtung, luxuriöse Tischkultur... all das spricht ebenso für die Zunftstube wie Stefan Meier selbst, denn der Patron alter Schule serviert hier gute klassische Gerichte aus hervorragenden Produkten!

🍴🍴 **Zum Kaiser Franz im Rössl** 🏠
Vorstadt 8 – ☏ *041 710 96 36 – www.kaiser-franz.ch – geschl. Samstagmittag,*
Sonntag AB1**g**
Rest – *(Tischbestellung ratsam)* (24 CHF) Menü 29 CHF (mittags)/40 CHF
– Karte 61/110 CHF
Ein wirklich sympathisches und modern-elegantes Restaurant, das vom charismatischen Patron, dem Steirer Felix Franz, mit Engagement geleitet wird - auch die Küche kann die Herkunft des Chefs nicht leugnen! Vor dem Haus die Terrasse zum See.

🍴🍴 **Aklin** 🏠
Kolinplatz 10 – ☏ *041 711 18 66 – www.restaurantaklin.ch – geschl. Juli und*
Samstagmittag, Sonntag sowie Feiertage B2**e**
Rest – (25 CHF) Menü 25 CHF (mittags unter der Woche)/133 CHF
Das historische Stadthaus neben dem Zytturm trägt seit 1787 den heutigen Namen. In gemütlichen und mit Geschmack dekorierten Stuben sorgt der elsässische Chef Oliver Rossdeutsch für klassische Küche. Beliebt: diverse günstige Mittagsmenüs!

🍴 **CU Restaurant** – Hotel City Garden 🆒 **P**
Metallstr. 20, über Y – ☏ *041 727 44 54 – www.cu-restaurant.ch – geschl.*
Sonntagabend B1**a**
Rest – (29 CHF) Menü 56/82 CHF – Karte 58/84 CHF
Young, stylish, trendy & cool... Das sind Schlagwörter, die das fast komplett in Schwarz gestaltete Restaurant charakterisieren. Aufgetischt wird internationale Küche, die ab 17 Uhr um Tapas erweitert wird!

🍴 **Bistro** – Restaurant Rathauskeller 🏠
🏠 *Ober-Altstadt 1 –* ☏ *041 711 00 58 – www.rathauskeller.ch – geschl.*
24. Dezember - 6. Januar, 13. - 28. April und Sonntag - Montag A2**d**
Rest – (27 CHF) – Karte 56/123 CHF
Dem Gastgeber wurde sein Beruf praktisch in die Wiege gelegt: Aufgewachsen auf einem Bauernhof mit Gaststube, danach Lehr- und Wanderjahre in grossen Häusern, beglückt er seine Gäste heute mit einem gemischten Angebot vom ungarischen Rindsgulasch über Cordon bleu bis hin zum Ragout vom Maine-Lobster!

ZUMIKON – Zürich (ZH) – **551** Q5 – **5 148 Ew** – **Höhe 659 m** – ⊠ **8126**   4 G3

▶ Bern 135 – Zürich 10 – Rapperswil 24 – Winterthur 35

※※   **Triangel**   ⌂ ⌾ ⇦ **P.**
Ebmatingerstr. 3 – ℰ 044 918 04 54 – www.triangel.ch – geschl. Weihnachten
- Anfang Januar und Samstagmittag, Sonntag sowie an Feiertagen
Rest – *(25 CHF)* Menü 48 CHF *(mittags unter der Woche)*/89 CHF
– Karte 44/98 CHF
Ein freundliches, mit Bildern und Skulpturen verschiedener Künstler dekoriertes
Restaurant, in dem auf zeitgemässe Art mediterrane Speisen zubereitet werden.
Unterteilte Terrasse.

ZUOZ – Graubünden (GR) – **553** X10 – **1 319 Ew** – **Höhe 1 695 m**   11 J5
– Wintersport : 1 716/2 465 m ⫽5 ⫝ – ⊠ **7524**

▶ Bern 319 – Sankt Moritz 19 – Scuol 46 – Chur 82

🛈 Via Staziun 67, ℰ 081 851 15 10, www.engadin.stmoritz.ch/zuoz

⛳ Engadin Golf Zuoz-Madulain, ℰ 081 851 35 80

Lokale Veranstaltungen:
  1. März: Chalandamarz

◉ Lage★★ • Hauptplatz★★ • Engadiner Häuser★

🏨   **Castell**   ⫸ ≼ ⌨ ⫿ ⛱ 🎿 ☇ 🛜 🛁 🚗 **P.**
Via Castell 300, Nord: 1 km – ℰ 081 851 52 53 – www.hotelcastell.ch – geschl.
1. April - 15. Juni, 15. Oktober - 15. Dezember
68 Zim 🖵 – ♦161/252 CHF ♦♦230/480 CHF – ½ P
Rest *Castell* – siehe Restaurantauswahl
Ein Logenplatz direkt an der Piste, und zwar einer mit besonderem Look! Faszinie-
rend der Kontrast von Tradition und Moderne - Letztere findet sich z. B. in Form
von Kunst überall im Haus, genauso im Hamam: beeindruckend das Design und
Licht-Konzept! Und auch im klaren Stil der Zimmer: "urban" (UN Studio, Amster-
dam) oder "rural" (Architekturbüro Ruch, St. Moritz). Ganzjährige Kinderbetreuung.

🏨   **Engiadina** 🆕   ⌂ ⫿ 🛜 🚗 **P.**
San Bastiaun 13 – ℰ 081 851 54 54 – www.hotelengiadina.ch – geschl. April
- Mitte Juni, Mitte Oktober - Mitte Dezember
37 Zim 🖵 – ♦120/220 CHF ♦♦210/420 CHF – ½ P
Rest – *(geschl. Mittwoch) (nur Abendessen)* Menü 77 CHF – Karte 69/118 CHF
Den Charme von einst bewahren, ohne stehenzubleiben - das ist in dem alteingesessenen Hotel mitten im Dorf gut gelungen. Schönes warmes Holz kombiniert
mit freundlichen Stoffen macht sowohl die Zimmer als auch das Restaurant behaglich (hier gibt es neben dem Hausgastmenü auch ein kleines A-la-
carte-Angebot), stilvoll und zeitgemäss zugleich das Kaminzimmer.

※※   **Castell** – Hotel Castell   ≼ ⌂ ⌾ **P.**
Via Castell 300, Nord: 1 km – ℰ 081 851 52 53 – www.hotelcastell.ch – geschl.
1. April - 15. Juni, 15. Oktober - 15. Dezember
Rest – *(nur Abendessen)* Menü 75 CHF – Karte 57/97 CHF
Die sehenswerte prächtige Stuckdecke verleiht dem fast 100-jährigen Speisesaal
royalen Glanz. Der beabsichtigte stylische Gegensatz dazu: nüchterne schwarze
Bestuhlung. Moderner Küchenstil und freundlicher Service runden das Bild ab.

Fürstentum
Liechtenstein

FÜRSTENTUM LIECHTENSTEIN – 551 VW6+7

Die Hauptstadt des Fürstentums Liechtenstein, das eine Fläche von 160 km² und eine Einwohnerzahl von ca. 35 000 hat, ist VADUZ. Die Amtssprache ist Deutsch, darüber hinaus wird auch ein alemannischer Dialekt gesprochen. Landeswährung sind Schweizer Franken.

La principauté de Liechtenstein d'une superficie de 160 km², compte env. 35 000 habitants. La capitale est VADUZ. La langue officielle est l'allemand, mais on y parle également un dialecte alémanique. Les prix sont établis en francs suisses.

Il principato del Liechtenstein ha una superficie di 160 km² e conta 35 000 abitanti. Capitale é VADUZ. La lingua ufficiale é il tedesco, ma vi si parla anche un dialetto alemanno. I prezzi sono stabiliti in franchi svizzeri.

The principality of Liechtenstein, covering an area of 61,8 square miles, has 35 000 inhabitants. VADUZ is the capital. The official language is German, but a Germanic dialect is also spoken. Prices are in Swiss francs.

▶ Bern 162 - Aarau 47 - Baden 24 - Chur 122

Tourist-Information

🛈 Städtle 39, ✉9490 Vaduz, 𝒞(00423) 239 63 63, www.tourismus.li

Automobilclub

◉ Austr. 15, ✉9495 Triesen, 𝒞(00423) 237 67 67

Lokale Veranstaltungen

15. August: Staatsfeiertag

Wintersport

Malbun 1 602/2 000m 5✦

Steg 1 303m ✦

BALZERS – 551 V7 – 4 540 Ew – Höhe 474 m – ✉ 9496   5 I3
▶ Bern 224 – Vaduz 9 – Chur 29 – Feldkirch 22

🏨 **Hofbalzers**   📶 📶 **P**
Höfle 2 – 𝒞 (00423) 388 14 00 – www.hofbalzers.li – geschl. 22. Dezember - 6. Januar
26 Zim ⬜ – ♦125/150 CHF ♦♦175/200 CHF
Rest *Leonardo* – siehe Restaurantauswahl
Für Geschäftsreisende ideal ist das zentral gelegene Hotel. Die Zimmer sind hell und wohnlich, die Ausstattung ist funktionell. Mit im Haus: Dampfbad, kleiner Fitnessraum und eine Bar.

🍴🍴 **Leonardo** – Hotel Hofbalzers   📶 **P**
Höfle 2 – 𝒞 (00423) 388 14 00 – www.leonardo-balzers.li – geschl. Anfang Januar 1 Woche, Mai 1 Woche, Juli - August 4 Wochen und Montag - Dienstag
Rest – (25 CHF) – Karte 70/108 CHF 🍴
Ein modernes Ristorante, italienische Küche und ein Chef, dessen Leidenschaft Weine aus Italien sind! Man geniesst sie zum Essen - und kann sie in der Enoteca kaufen! Schöner Garten mit alten Platanen.

TRIESEN – Liechtenstein (LIE) – 551 V7 – 4 914 Ew – Höhe 512 m   5 I3
– ✉ 9495
▶ Bern 230 – Vaduz 4 – Chur 39 – Feldkirch 18

🏨 **Schatzmann**   📶 ♿ 📶 🚗 **P**
Landstr. 80 – 𝒞 (00423) 399 12 12 – www.schatzmann.li – geschl. 24. Dezember - 7. Januar
29 Zim ⬜ – ♦130/200 CHF ♦♦165/280 CHF – ½ P
Rest *Schatzmann* ✿ – siehe Restaurantauswahl
Seit 1984 leitet das Ehepaar Schatzmann dieses Haus und hat es vom Gasthof zum Hotel gemacht! Man hat im hinteren Gebäude grosszügige Zimmer, im Stammhaus etwas einfachere und kleinere, die aber nicht minder gepflegt und wohnlich sind. Wer es komfortabler mag, sollte nach den ganz modernen Juniorsuiten fragen!

Meierhof ⟨ 🚗 🏡 🐾 💺 🎇 📶 🦽 🚙 🅿

Meierhofstr. 15 – ☏ (00423) 399 00 11 – www.meierhof.li – geschl. 20. Dezember - 7. Januar

39 Zim ⌑ – ♦150/166 CHF ♦♦185 CHF – 4 Suiten

Rest – *(geschl. 20. Dezember - 7. Januar, 21. Juli - 7. August und Freitag - Sonntag)* (21 CHF) Menü 25/44 CHF – Karte 36/77 CHF

Vor allem Businessgäste schätzen das Haus an der Strasse nach Triesenberg. Familie Kirchhofer-Kindle sorgt dafür, dass Sie zeitgemäss und wohnlich übernachten und mit einem frischen Frühstück in den Tag starten. In dem drei Gebäude umfassenden Hotel gibt es auch ein Restaurant, in dem man bevorzugt mit Bioprodukten aus der näheren Umgebung kocht.

Schlosswald garni ⟨ 🚗 💺 🦽 🎇 📶 🦽 🚙 🅿

Eichholzweg 6 – ☏ (00423) 392 24 88 – www.schlosswald.li

33 Zim ⌑ – ♦130/160 CHF ♦♦180/210 CHF

Hier wohnt man in erhöhter Lage über Triesen, recht ruhig und teilweise mit schönem Blick. Die Zimmer sind funktional und ganz auf den Businessgast ausgelegt, am Morgen wartet ein recht grosszügiges Frühstücksbuffet auf Sie.

✗✗ Schatzmann – Hotel Schatzmann 🦽 🎇 🅿
🍃

Landstr. 80 – ☏ (00423) 399 12 12 – www.schatzmann.li – geschl. 24. Dezember - 7. Januar, Juli - August 3 Wochen, Samstag - Montag

Rest – Menü 65 CHF (mittags)/145 CHF – Karte 83/141 CHF 🍴

Ob Sie nun das eher gediegene Restaurant oder den modernen Wintergarten vorziehen, schön sitzt man immer, während man die geschmackvolle und sympathisch-unkomplizierte Küche von Klaus Schatzmann geniesst. Welcher Wein aus der exzellenten Auswahl von über 450 Positionen am besten dazu passt, sagt Ihnen das Damenteam um Inge Schatzmann.

→ Duo von Perlhuhn und Taube mit Zwiebel-Tarte Tatin. Filet von Loup de mer in Tomatenessenz mit Basilikum und Olivenkartoffel-Mousseline. Moelleux au chocolat.

VADUZ – 551 V6 – 5 231 Ew – Höhe 460 m – ✉ 9490   5 I3

▶ Bern 233 – Chur 43 – Feldkirch 15 – Sankt Anton am Arlberg 76

◉ Kunstmuseum★ • Landesmuseum★

Park-Hotel Sonnenhof 🍸 ⟨ 🚗 🔖 🔟 🐾 💺 🎇 📶 🦽 🅿

Mareestr. 29 – ☏ (00423) 239 02 02 – www.sonnenhof.li – geschl. 21. Dezember - 7. Januar

29 Zim ⌑ – ♦195/480 CHF ♦♦350/580 CHF – ½ P

Rest *Marée* 🍃 – siehe Restaurantauswahl

In den letzten Jahrzehnten hat Familie Real aus dem schönen Landhaus in traumhafter Lage ein wahres Schmuckstück gemacht. Die Zimmer: individuell, wertig, überaus wohnlich und geschmackvoll... da bleibt man gerne länger - auch angesichts des ausgezeichneten und persönlichen Service! Noch etwas zum Schwärmen ist der herrliche Garten, der im Sommer ein echter Blickfang ist.

Residence 🆕 garni 💺 🦽 🎇 📶 🦽

Städtle 23 – ☏ (00423) 239 20 20 – www.residence.li

27 Zim ⌑ – ♦210/270 CHF ♦♦270/330 CHF – 2 Suiten

Sie suchen ein ganz auf den Businessgast zugeschnittenes, modern-komfortables Hotel im Herzen von Vaduz? Mit grosszügigen, technisch sehr gut ausgestatteten Zimmern in warmen Farben und dem frischen Frühstück ist das hier die richtige Adresse.

Löwen 🏡 🎇 📶 🦽 🅿

Herrengasse 35 – ☏ (00423) 238 11 44 – www.hotel-loewen.li – geschl. Weihnachten - 8. Januar, 20. Juli - 10. August

8 Zim ⌑ – ♦199/259 CHF ♦♦299/369 CHF

Rest – *(geschl. Samstag - Sonntag)* (40 CHF) Menü 69 CHF (mittags)/99 CHF – Karte 60/104 CHF

Passend zur Historie des schmucken Hauses (1380) finden sich in den Zimmern teilweise schöne Antiquitäten, die vier grösseren mit Schlossblick. Während Sie auf der Terrasse den Blick über den eigenen Weinberg schweifen lassen, toben die Kids auf dem Spielplatz im Garten!

XXX **Marée** (Hubertus Real) – Park-Hotel Sonnenhof   ⪕ 🏩 🏖 ⅋ **P**

❀ *Mareestr. 29 – 𝒞 (00423) 239 02 02 – www.sonnenhof.li – geschl. 21. Dezember*
- 7. Januar und Samstagmittag
Rest – *(Tischbestellung erforderlich)* (65 CHF) Menü 79 CHF (mittags)/150 CHF
– Karte 88/129 CHF 🥢

Hubertus Real kocht klassisch, lässt aber auch hier und da moderne Elemente mit
einfliessen, und immer fallen in den feinen Gerichten die guten Produkte und die
prägnante Würze auf. Das stilvoll-gemütliche Restaurant hat noch eine weitere
Besonderheit: das "Adlernest", das Nonplusultra in puncto Aussicht - hier wird
man weder nass, noch bekommt man kalte Füsse!

→ Asiatisch marinierte Thunfischwürfel, Mangoragout, Zitronengrasschaum. Zar-
ter Rochenflügel, Kapern, braune Knoblauchbutter. Knusprig glasierte Brust vom
Jungschwein, Passionsfrucht, Minikarotten.

XX **Torkel**   ⪕ 🏖 ♿ ⅋ **P**

Hintergass 9 – 𝒞 (00423) 232 44 10 – www.torkel.li – geschl. 22. Dezember
- 6. Januar, 5. - 19. Oktober; Mai - Oktober: Samstagmittag, Sonntag und an
Feiertagen; November - April: Samstagmittag, Sonntag - Montag und an
Feiertagen
Rest – Menü 72/156 CHF – Karte 66/121 CHF 🥢

Das historische Haus in den Weinbergen ist bekannt für seine ganz klassische
Küche. Im Restaurant sticht sofort der beachtliche Torkelbaum ins Auge, die
Weinpresse von einst. Idyllische Terrasse.

Informations pratiques

→ Nützliche Informationen

→ Informazioni Utili

→ Useful information

➜ Cartes des stations de sports d'hiver

○	Stations de sports d'hiver
⊶•••⊸	Téléphérique
⊶••••••⊸	Funiculaire, voie à crémaillère
🚗	Transport des autos par voie ferrrée

État des routes. Informations routières : ☎ 163

11-5	Fermeture possible en période d'enneigement. *(Ex : Novembre-Mai)*

➜ Karte der Wintersportorte

○	Wintersportort
⊶•••⊸	Seilbahn
⊶••••••⊸	Standseilbahn, Zahnradbahn
🚗	Autotransport per Bahn

Strassenzustand Telefonische Auskunft: ☎ 163

11-5	Ggf. Wintersperre. *(Bsp. : November-Mai)*

➜ Carte delle stazioni di sport invernali

○	Stazione di sport invernali
⊶•••⊸	Funivia
⊶••••••⊸	Funicolare, ferrovia a cremagliera
🚗	Trasporto auto su treno

Informazioni sullo stato delle strade: ☎ 163

11-5	Chiusura possibile in caso di neve *(Esempio : Novembre-Maggio)*

➜ Map of winter sports stations

○	Winter sports resort
⊶•••⊸	Cablecar
⊶••••••⊸	Funicular, rack railway
🚗	Transportation of vehicles by rail

For the latest road conditions: ☎ 163

11-5	Approximate period when roads are snowbound and possibly closed. *(Ex : November-May)*

Date Datum Data	Jour férié Feiertag Giorno festivo	AI	AG	AR	BE	BL	BS	FR	GE	GL	GR	JU	LU	NE
1 janv. 1 Jan. 1 gennaio	Nouvel An Neujahrstag Capodanno	●	●	●	●	●	●	●	●	●	●	●	●	●
2 janv. 2 Jan. 2 gennaio	Berchtoldstag		●		●			●		●		●	●	
6 janv. 6 Jan. 6 gennaio	Epiphanie Dreikönigstag Epifania													
1 mars 1 März 1 marzo	Instauration de la République													●
19 mars 19 März 19 marzo	Saint-Joseph Josephstag San Giuseppe												●	
18 avril 18 April 18 aprile	Vendredi Saint Karfreitag Venerdì santo	●	●	●	●	●	●	●	●	●	●	●	●	●
21 avril 21 April 21 aprile	Lundi de Pâques Ostermontag Lunedì di Pasqua	●	●	●	●	●	●	●	●	●	●	●	●	●
3 avril 3 April 3 aprile	Fahrtsfest									●				
1 mai 1 Mai 1 maggio	Fête du travail Tag der Arbeit Festa del lavoro					●	●					●		
29 mai 29 Mai 29 maggio	Ascension Auffahrt Ascensione	●	●	●	●	●	●	●	●	●	●	●	●	●
9 juin 9 Juni 9 giugno	Lundi de Pentecôte Pfingstmontag Lunedì di Pentecoste	●	●	●	●	●	●	●	●	●	●	●	●	●
19 juin 19 Juni 19 giugno	Fête-Dieu Fronleichnam Corpus Domini	●	●					●				●	●	
23 juin 23 Juni 23 giugno	Commémoration du Plébiscite jurassien											●		
29 juin 29 Juni 29 giugno	Sts-Pierre-et-Paul Peter und Paul SS. Pietro e Paolo													
1 août 1 Aug. 1 agosto	Fête nationale Bundesfeier Festa nazionale	●	●	●	●	●	●	●	●	●	●	●	●	●
15 août 15 Aug. 15 agosto	Assomption Maria Himmelfahrt Assunzione	●	●					●				●	●	
11 sept. 11 Sept. 11 settembre	Jeûne genevois Genfer Bettag Digiuno ginevrino								●					
22 sept. 22 Sept. 22 settembre	Lundi du Jeûne fédéral/ Bettagsmontag/Lunedì del digiuno federale													●

→ Feiertage in der Schweiz
→ Giorni festivi in Svizzera
→ Bank holidays in Switzerland

NW	OW	SG	SH	SO	SZ	TG	TI	UR	VD	VS	ZG	ZH	Jour férié / Feiertag / Giorno festivo	Date / Datum / Data
•	•	•	•	•	•	•	•	•	•	•	•	•	Nouvel an / Neujahrstag / Capodanno	1 janv. / 1 Jan. / 1 gennaio
	•		•			•		•		•	•		Berchtoldstag	2 janv. / 2 Jan. / 2 gennaio
					•		•	•					Épiphanie / Dreikönigstag / Epifania	6 janv. / 6 Jan. / 6 gennaio
													Instauration de la république	1 mars / 1 März / 1 marzo
•					•		•	•		•			Saint-Joseph / Josephstag / San Giuseppe	19 mars / 19 März / 19 marzo
•	•	•	•	•	•	•		•	•		•	•	Vendredi Saint / Karfreitag / Venerdì santo	18 avril / 18 April / 18 aprile
•	•	•	•	•	•	•	•	•	•		•	•	Lundi de Pâques / Ostermontag / Lunedì di Pasqua	21 avril / 21 April / 21 aprile
													Fahrtsfest	3 avril / 3 April / 3 aprile
			•			•	•					•	Fête du travail / Tag der Arbeit / Festa del lavoro	1 mai / 1 Mai / 1 maggio
•	•	•	•	•	•	•	•	•	•	•	•	•	Ascension / Auffahrt / Ascensione	29 mai / 29 Mai / 29 maggio
•	•	•	•	•	•	•	•	•	•		•	•	Lundi de Pentecôte / Pfingstmontag / Lunedì di Pentecoste	9 juin / 9 Juni / 9 giugno
•	•				•		•	•		•	•		Fête-Dieu / Fronleichnam / Corpus Domini	19 juin / 19 Juni / 19 giugno
													Commémoration du Plébiscite jurassien	23 juin / 23 Juni / 23 giugno
							•						Sts-Pierre-et-Paul / Peter und Paul / SS. Pietro e Paolo	29 juin / 29 Juni / 29 giugno
•	•	•	•	•	•	•	•	•	•	•	•	•	Fête nationale / Bundesfeier / Festa nazionale	1 août / 1 Aug. / 1 agosto
•	•				•		•	•		•			Assomption Maria / Himmelfahrt / Assunzione	15 août / 15 Aug. / 15 agosto
													Jeûne genevois / Genfer Bettag / Digiuno ginevrino	11 sept. / 11 Sept. / 11 settembre
									•				Lundi du Jeûne fédéral / Bettagsmontag / Lunedì del digiuno federale	22 sept. / 22 Sept. / 22 settembre

Date Datum Data	Jour férié Feiertag Giorno festivo	AI	AG	AR	BE	BL	BS	FR	GE	GL	GR	JU	LU	NE
25 sept. 25 Sept. 25 settembre	Fête de St-Nicolas de Flüe/Bruderklausenfest/San Nicolao della Flüe													
1 nov. 1 Nov. 1 novembre	Toussaint Allerheiligen Ognissanti	•	•					•		•		•	•	
8 déc. 8 Dez. 8 dicembre	Immaculée Conception/Mariä Empfängnis/Immacolata	•	•					•					•	
25 déc. 25 Dez. 25 dicembre	Noël/Weihnachtstag Natale	•	•	•	•	•	•	•	•	•	•	•	•	•
26 déc. 26 Dez. 26 dicembre	Saint-Etienne Stephanstag Santo Stefano	•	•	•	•	•	•	•		•	•		•	
31 déc. 31 Dez. 31 dicembre	Restauration de la République								•					

Automobile clubs

Les principales organisations de secours automobile dans le pays sont :

Touring Club Suisse (T.C.S.)
Siège central : 4 ch. de Blandonnet
1214 VERNIER
Tél : 022 417 27 27
Dépannage routier 24/24 h. Tél. : 0844 888 140

Automobile Club de Suisse (A.C.S.)
Siège central : Wasserwerkgasse 39
3000 BERN 13
Tél : 031 328 31 11
Dépannage routier 24/24 h. Tél. : 044 628 88 99

→ Automobilclubs

Die wichtigsten Automobilclubs des Landes sind :

Touring Club der Schweiz (T.C.S.)
Zentralverwaltung : 4 ch. de Blandonnet
1214 VERNIER
Tel : 022 417 27 27
24 Stunden Pannenhilfe. Tel. : 0844 888 140

Automobil Club der Schweiz (A.C.S.)
Zentralverwaltung : Wasserwerkgasse 39
3000 BERN 13
Tel : 031 328 31 11
24 Stunden Pannenhilfe. Tel. : 044 628 88 99

NW	OW	SG	SH	SO	SZ	TG	TI	UR	VD	VS	ZG	ZH	Jour férié Feiertag Giorno festivo	Date Datum Data
	●												Fête de St-Nicolas de Flüe/Bruderklau- senfest/San Nicolao della Flüe	25 sept. 25 Sept. 25 settembre
●	●	●		●	●		●	●		●	●		Toussaint Allerheiligen Ognissanti	1 nov. 1 Nov. 1 novembre
●	●				●		●	●		●	●		Immaculée Conception/ Mariä Empfängnis/ Immacolata	8 déc. 8 Dez. 8 dicembre
●	●	●	●	●	●	●	●	●	●	●	●	●	Noël/ Weihnachtstag Natale	25 déc. 25 Dez. 25 dicembre
●	●	●	●	●	●	●	●	●			●	●	Saint-Etienne Stephanstag Santo Stefano	26 déc. 26 Dez. 26 dicembre
													Restauration de la République	31 déc. 31 Dez. 31 dicembre

→ Automobile club

Le principali organizzazioni di soccorso automobilistico sono :

Touring Club Svizzero (T.C.S.)
Sede centrale : 4 ch. de Blandonnet
1214 VERNIER
Tel : 022 417 27 27
Servizio Assistenza 24/24. Tel. : 0844 888 140

Club Svizzeri dell'Automobile (A.C.S.)
Sede centrale : Wasserwerkgasse 39
3000 BERN 13
Tel : 031 328 31 11
Servizio Assistenza 24/24 Tel. : 044 628 88 99

→ Motoring organisations

The major motoring organisations in Switzerland are:

Touring Club Suisse (T.C.S.)
4 ch. de Blandonnet
1214 VERNIER
Tél : 022 417 27 27
24 h. rescue service. Tel. : 0844 888 140

Automobil Club der Schweiz (A.C.S.)
Wasserwerkgasse 39
3000 BERN 13
Tél : 031 328 31 11
24 h. rescue service. Tel. : 044 628 88 99

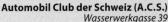

→ Indicatifs Téléphoniques Internationaux

Important : pour les communications internationales, le zéro (0) initial de l'indicatif interurbain n'est pas à composer (excepté pour les appels vers l'Italie).

→ Prefissi Telefonici Internazionali

Importante : per comunicazioni internazionali, non bisogna comporre lo zero (0) iniziale del prefisso interurbano (escluse le chiamate per l'Italia).

from \ to	A	B	CH	CZ	D	DK	E	FIN	F	GB	GR	FL
A Austria	–	0032	0041	00420	0049	0045	0034	00358	0033	0044	0030	00423
B Belgium	0043	–	0041	00420	0049	0045	0034	00358	0033	0044	0030	00423
CH Switzerland	0043	0032	–	00420	0049	0045	0034	00358	0033	0044	0030	00423
CZ Czech Republic	0043	0032	0041	–	0049	0045	0034	00358	0033	0044	0030	00423
D Germany	0043	0032	0041	00420	–	0045	0034	00358	0033	0044	0030	00423
DK Denmark	0043	0032	0041	00420	0049	–	0034	00358	0033	0044	0030	00423
E Spain	0043	0032	0041	00420	0049	0045	–	00358	0033	0044	0030	00423
F France	0043	0032	0041	00420	0049	0045	0034	00358	–	0044	0030	00423
FIN Finland	99043	0032	99041	00420	0049	0045	0034	–	0033	0044	0030	990423
FL Liechtenstein	0043	0032	0041	00420	0049	0045	0034	00358	0033	0044	0030	–
GB United Kingdom	0043	0032	0041	00420	0049	0045	0034	00358	0033	–	0030	00423
GR Greece	0043	0032	0041	00420	0049	0045	0034	00358	0033	0044	–	00423
H Hungary	0043	0032	0041	00420	0049	0045	0034	00358	0033	0044	0030	00423
I Italy	0043	0032	0041	00420	0049	0045	0034	00358	0033	0044	0030	00423
IRL Ireland	0043	0032	0041	00420	0049	0045	0034	00358	0033	0044	0030	00423
J Japan	00143	00132	00141	001420	00149	00145	00134	001358	00133	00144	00130	011423
L Luxembourg	0043	0032	0041	00420	0049	0045	0034	00358	0033	0044	0030	00423
N Norway	0043	0032	0041	00420	0049	0045	0034	0358	0033	0044	0030	00423
NL Netherlands	0043	0032	0041	00420	0049	0045	0034	00358	0033	0044	0030	00423
P Portugal	0043	0032	0041	00420	0049	0045	0034	00358	0033	0044	0030	00423
PL Poland	0043	0032	0041	00420	0049	0045	0034	00358	0033	0044	0030	00423
S Sweden	00943	00932	00941	009420	00949	00945	00934	009358	00933	00944	00930	009423
USA	01143	01132	01141	011420	01149	01145	01134	011358	01133	01144	01130	011423

→ Internationale Telefon-Vorwahlnummern

Wichtig: bei Auslandsgesprächen darf die Null (0) der Ortsnetzkennzahl nicht gewählt werden (ausser bei Gesprächen nach Italien).

→ International Dialling Codes

Note: when making an internationall call, do not dial the first «0» of the city codes (except for calls to Italy).

H	I	IRL	J	L	N	NL	P	PL	S	USA	
0036	0039	00353	0081	00352	0047	0031	00351	0048	0046	001	**Austria A**
0036	0039	00353	0081	00352	0047	0031	00351	0048	0046	001	**Belgium B**
0036	0039	00353	0081	00352	0047	0031	00351	0048	0046	001	**Switzerland CH**
0036	0039	00353	0081	00352	0047	0031	00351	0048	0046	001	**Czech CZ Republic**
0036	0039	00353	0081	00352	0047	0031	00351	0048	0046	001	**Germany D**
0036	0039	00353	0081	00352	0047	0031	00351	0048	0046	001	**Denmark DK**
0036	0039	00353	0081	00352	0047	0031	00351	0048	0046	001	**Spain E**
0036	0039	00353	0081	00352	0047	0031	00351	0048	0046	001	**France F**
0036	0039	00353	0081	00352	0047	0031	00351	0048	0046	001	**Finland FIN**
0036	0039	00353	0081	00352	0047	0031	00351	0048	0046	001	**Liechtenstein FL**
0036	0039	00353	0081	00352	0047	0031	00351	0048	0046	001	**United GB Kingdom**
0036	0039	00353	0081	00352	0047	0031	00351	0048	0046	001	**Greece GR**
–	0039	00353	0081	00352	0047	0031	00351	0048	0046	001	**Hungary H**
0036	–	00353	0081	00352	0047	0031	00351	0048	0046	001	**Italy I**
0036	0039	–	0081	00352	0047	0031	00351	0048	0046	001	**Ireland IRL**
00136	0139	001353	–	011352	00147	00131	001351	00148	00146	0011	**Japan J**
0036	0039	00353	0081	–	0047	0031	00351	0048	0046	001	**Luxembourg L**
0036	0039	00353	0081	00352	–	0031	00351	0048	0046	001	**Norway N**
0036	0039	00353	0081	00352	0047	–	00351	0048	0046	001	**Netherlands NL**
0036	0039	00353	0081	00352	0047	0031	–	0048	0046	001	**Portugal P**
0036	0039	00353	0081	00352	0047	0031	00351	–	0046	001	**Poland PL**
00936	0939	009353	0981	009352	00947	00931	009351	00948	–	0091	**Sweden S**
01136	01139	011353	01181	011352	01147	01131	011351	01148	01146	–	**USA**

→ Lexique

FRANÇAIS

→ Lexikon (siehe S. 487)
→ Lessico (vedere p. 494)
→ Lexicon

A

→	→	→	→
à louer	zu vermieten	a noleggio	for hire
addition	Rechnung	conto	bill, check
aéroport	Flughafen	aeroporto	airport
agence de voyage	Reisebüro	agenzia di viaggio	travel bureau
agencement	Einrichtung	installazione	installation
agneau	Lamm	agnello	lamb
ail	Knoblauch	aglio	garlic
amandes	Mandeln	mandorle	almonds
ancien, antique	ehemalig, antik	vecchio, antico	old, antique
août	August	agosto	August
art-déco	Jugendstil	art-déco, liberty	Art Deco
artichaut	Artischocke	carciofo	artichoke
asperges	Spargel	asparagi	asparagus
auberge	Gasthaus	locanda	inn
aujourd'hui	heute	oggi	today
automne	Herbst	autunno	autumn
avion	Flugzeug	aereo	aeroplane
avril	April	aprile	April

B

→	→	→	→
bac	Fähre	traghetto	ferry
bagages	Gepäck	bagagli	luggage
bateau	Boot, Schiff	barca	ship
bateau à vapeur	Dampfer	batello a vapore	steamer
baudroie	Seeteufel	pescatrice	angler fish
beau	schön	bello	fine, lovely
bette	Mangold	bietola	chards
beurre	Butter	burro	butter
bien, bon	gut	bene, buono	good, well
bière	Bier	birra	beer
billet d'entrée	Eintrittskarte	biglietto d'ingresso	admission ticket
blanchisserie	Wäscherei	lavanderia	laundry
bœuf bouilli	Siedfleisch	bollito di manzo	boiled beef
bouillon	Fleischbrühe	brodo	clear soup
bouquetin	Steinbock	stambecco	ibex
bouteille	Flasche	bottiglia	bottle
brochet	Hecht	luccio	pike

	→	→	→
cabri, chevreau	Zicklein, Gitzi	capretto	young goat
café	Kaffee	caffè	coffee
café-restaurant	Wirtschaft	ristorante-bar	café-restaurant
caille	Wachtel	quaglia	partridge
caisse	Kasse	cassa	cash desk
campagne	Land	campagna	country
canard, caneton	Ente, junge Ente	anatra	duck
cannelle	Zimt	cannella	cinnamon
câpres	Kapern	capperi	capers
carnaval	Fasnacht	carnevale	carnival
carottes	Karotten	carote	carrots
carpe	Karpfen	carpa	carp
carte postale	Postkarte	cartolina postale	postcard
cascades, chutes	Wasserfälle	cascate	waterfalls
céleri	Sellerie	sedano	celery
cépage	Rebsorte	ceppo	grape variety
cèpes, bolets	Steinpilze	boleto	ceps
cerf	Hirsch	cervo	stag (venison)
cerises	Kirschen	ciliegie	cherries
cervelle de veau	Kalbshirn	cervella di vitello	calf's brain
chaînes	Schneeketten	catene da neve	snow chain
chambre	Zimmer	camera	room
chamois	Gämse	camoscio	chamois
champignons	Pilze	funghi	mushrooms
change	Geldwechsel	cambio	exchange
charcuterie	Aufschnitt	salumi	pork butcher's meat
château	Burg, Schloss	castello	castle
chevreuil	Reh	capriolo	roe deer (venison)
chien	Hund	cane	dog
chou	Kraut, Kohl	cavolo	cabbage
chou de Bruxelles	Rosenkohl	cavolini di Bruxelles	Brussel sprouts
chou rouge	Rotkraut	cavolo rosso	red cabbage
chou-fleur	Blumenkohl	cavolfiore	cauliflower
choucroute	Sauerkraut	crauti	sauerkraut
circuit	Rundfahrt	circuito	round tour
citron	Zitrone	limone	lemon
clé	Schlüssel	chiave	key
col	Pass	passo	pass
collection	Sammlung	collezione	collection
combien ?	wieviel ?	quanto ?	how much ?
commissariat	Polizeirevier	commissariato	police headquarters
concombre	Gurke	cetriolo	cucumber
confiture	Konfitüre	marmellata	jam
coquille Saint-Jacques	Jakobsmuschel	cappasanta	scallops
corsé	kräftig	robusto	full bodied
côte de porc	Schweinekotelett	braciola di maiale	pork chop
côte de veau	Kalbskotelett	costata di vitello	veal chop
courge	Kürbis	zucca	pumpkin
courgettes	Zucchini	zucchino	zucchini
crème	Rahm	panna	cream
crêpes	Pfannkuchen	crespella	pancakes
crevaison	Reifenpanne	foratura	puncture
crevettes	Krevetten	gamberetti	shrimps, prawns
crudités	Rohkost	verdure crude	raw vegetables
crustacés	Krustentiere	crostacei	crustaceans
cuissot	Keule	cosciotto	leg

D

	→	→	→
débarcadère	Schiffanlegestelle	pontile di sbarco	landing-wharf
décembre	Dezember	dicembre	December
demain	morgen	domani	tomorrow
demander	fragen, bitten	domandare	to ask for
départ	Abfahrt	partenza	departure
dimanche	Sonntag	domenica	Sunday
docteur	Arzt	dottore	doctor
doux	mild	dolce	sweet, mild

E

	→	→	→
eau gazeuse	mit Kohlensäure (Wasser)	acqua gasata	sparkling water
eau minérale	Mineralwasser	acqua minerale	mineral water
écrevisse	Flusskrebs	gambero	crayfish
église	Kirche	chiesa	church
émincé	Geschnetzeltes	a fettine	thin slice
en daube, en sauce	geschmort, mit Sauce	stracotto in salsa	stewed, with sauce
en plein air	im Freien	all'aperto	outside
endive	Endivie	indivia	chicory
entrecôte	Zwischenrippenstück	costata	sirloin steak
enveloppes	Briefumschläge	buste	envelopes
épinards	Spinat	spinaci	spinach
escalope panée	paniertes Schnitzel	cotoletta alla milanese	escalope in breadcrumbs
escargots	Schnecken	lumache	snails
étage	Stock, Etage	piano	floor
été	Sommer	estate	summer
excursion	Ausflug	escursione	excursion
exposition	Ausstellung	esposizione, mostra	exhibition, show

F

	→	→	→
faisan	Fasan	fagiano	pheasant
farci	gefüllt	farcito	stuffed
fenouil	Fenchel	finocchio	fennel
féra	Felchen	coregone	dace
ferme	Bauernhaus	fattoria	farm
fermé	geschlossen	chiuso	closed
fêtes, jours fériés	Feiertage	giorni festivi	bank holidays
feuilleté	Blätterteig	sfoglia	puff pastry
février	Februar	febbraio	February
filet de bœuf	Rinderfilet	filetto di bue	fillet of beef
filet de porc	Schweinefilet	filetto di maiale	fillet of pork
fleuve	Fluss	fiume	river
foie de veau	Kalbsleber	fegato di vitello	calf's liver
foire	Messe, Ausstellung	fiera	fair
forêt, bois	Wald	foresta, bosco	forest, wood
fraises	Erdbeeren	fragole	strawberries
framboises	Himbeeren	lamponi	raspberries
fresques	Fresken	affreschi	frescoes
frit	frittiert	fritto	fried
fromage	Käse	formaggio	cheese

482

fromage blanc	Quark	formaggio fresco	curd cheese
fruité	fruchtig	fruttato	fruity
fruits de mer	Meeresfrüchte	frutti di mare	seafood
fumé	geräuchert	affumicato	smoked

G

	→	→	→
gare	Bahnhof	stazione	station
gâteau	Kuchen	dolce	cake
genièvre	Wacholder	coccola	juniper berry
gibier	Wild	selvaggina	game
gingembre	Ingwer	zenzero	ginger
girolles	Pfifferlinge, Eierschwämme	gallinacci (funghi)	chanterelles
glacier	Gletscher	ghiacciaio	glacier
grillé	gegrillt	alla griglia	grilled
grotte	Höhle	grotta	cave

H

	→	→	→
habitants	Einwohner	abitanti	residents, inhabitants
hebdomadaire	wöchentlich	settimanale	weekly
hier	gestern	ieri	yesterday
hiver	Winter	inverno	winter
homard	Hummer	astice	lobster
hôpital	Krankenhaus	ospedale	hospital
hôtel de ville, mairie	Rathaus	municipio	town hall
huile d'olives	Olivenöl	olio d'oliva	olive oil
huîtres	Austern	ostriche	oysters

I – J

	→	→	→
interdit	verboten	vietato	prohibited
jambon (cru, cuit)	Schinken (roh, gekocht)	prosciutto (crudo, cotto)	ham (raw, cokked)
janvier	Januar	gennaio	January
jardin, parc	Garten, Park	giardino, parco	garden, park
jeudi	Donnerstag	giovedì	Thursday
journal	Zeitung	giornale	newspaper
jours fériés	Feiertage	festivi	bank holidays
juillet	Juli	luglio	July
juin	Juni	giugno	June
jus de fruits	Fruchtsaft	succo di frutta	fruit juice

L

	→	→	→
lac	See	lago	lake
lait	Milch	latte	milk
langouste	Languste	aragosta	spiny lobster
langoustines	Langustinen	scampi	Dublin bay prawns
langue	Zunge	lingua	tongue
lapin	Kaninchen	coniglio	rabbit
léger	leicht	leggero	light
légumes	Gemüse	legume	vegetable
lentilles	Linsen	lenticchie	lentils

lièvre	Hase	lepre	hare
lit	Bett	letto	bed
lit d'enfant	Kinderbett	lettino	child's bed
lotte	Seeteufel	pescatrice	monkfish
loup de mer	Seewolf, Wolfsbarsch	branzino	sea bass
lundi	Montag	lunedì	Monday

M → → →

mai	Mai	maggio	May
maison	Haus	casa	house
maison corporative	Zunfthaus	sede corporativa	guild house
manoir	Herrensitz	maniero	manor house
mardi	Dienstag	martedì	Tuesday
mariné	mariniert	marinato	marinated
mars	März	marzo	March
mercredi	Mittwoch	mercoledì	Wednesday
miel	Honig	miele	honey
moelleux	weich, gehaltvoll	vellutato	mellow
monument	Denkmal	monumento	monument
morilles	Morcheln	spugnole (funghi)	morels
moules	Muscheln	cozze	mussels
moulin	Mühle	mulino	mill
moutarde	Senf	senape	mustard

N → → →

navet	weisse Rübe	navone	turnip
neige	Schnee	neve	snow
Noël	Weihnachten	Natale	Christmas
noisettes, noix	Haselnüsse, Nüsse	nocciole, noci	hazelnuts, nuts
nombre de couverts limités	Tischbestellung ratsam	coperti limitati-prenotare	booking essential
nouilles	Nudeln	tagliatelle, fettuccine	noodles
novembre	November	novembre	November

O → → →

octobre	Oktober	ottobre	October
œuf à la coque	weiches Ei	uovo à la coque	soft-boiled egg
office de tourisme	Verkehrsverein	informazioni turistiche	tourist information office
oignons	Zwiebeln	cipolle	onions
omble chevalier	Saibling	salmerino	char
ombragé	schattig	ombreggiato	shaded
oseille	Sauerampfer	acetosella	sorrel

P → → →

pain	Brot	pane	bread
Pâques	Ostern	pasqua	Easter
pâtisseries	Feingebäck, Kuchen	pasticceria	pastries
payer	bezahlen	pagare	to pay
pêches	Pfirsiche	pesche	peaches
peintures, tableaux	Malereien, Gemälde	dipinti, quadri	paintings
perche	Egli	persico	perch

perdrix, perdreau	Rebhuhn	pernice	partridge
petit déjeuner	Frühstück	prima colazione	breakfast
petits pois	grüne Erbsen	piselli	green peas
piétons	Fussgänger	pedoni	pedestrians
pigeon	Taube	piccione	pigeon
pinacothèque	Gemäldegalerie	pinacoteca	picture gallery
pintade	Perlhuhn	faraona	guinea fowl
piscine, - couverte	Schwimmbad Hallen-	piscina, - coperta	swimming pool, in-door -
plage	Strand	spiaggia	beach
pleurotes	Austernpilze	gelone	oyster mushrooms
pneu	Reifen	pneumatico	tyre
poireau	Lauch	porro	leek
poires	Birnen	pere	pears
pois gourmands	Zuckerschoten	taccole	mange tout
poisson	Fisch	pesce	fish
poivre	Pfeffer	pepe	pepper
police	Polizei	polizia	police
pommes	Äpfel	mele	apples
pommes de terre, - à l'eau	Kartoffeln, Salz -	patate, - bollite	potatoes, boiled -
pont	Brücke	ponte	bridge
ponton d'amarrage	Bootsteg	pontile	jetty
poulet	Hähnchen	pollo	chicken
pourboire	Trinkgeld	mancia	tip
poussin	Küken	pulcino	young chicken
printemps	Frühling	primavera	spring
promenade	Spaziergang	passeggiata	walk
prunes	Pflaumen	prugne	plums

Q	→	→	→
quetsche	Zwetschge	grossa susina	dark-red plum
queue de bœuf	Ochsenschwanz	coda di bue	oxtail

R	→	→	→
raie	Rochen	razza	skate
raifort	Meerrettich	rafano	horseradish
raisin	Traube	uva	grape
régime	Diät	dieta	diet
remonte-pente	Skilift	ski-lift	ski-lift
renseignements	Auskünfte	informazioni	information
repas	Mahlzeit	pasto	meal
réservation	Tischbestellung	prenotazione	booking
résidents seulement	nur Hotelgäste	solo per clienti alloggiati	residents only
ris de veau	Kalbsbries, Milken	animelle di vitello	sweetbread
rive, bord	Ufer	riva	shore, river bank
rivière	Fluss	fiume	river
riz	Reis	riso	rice
roches, rochers	Felsen	rocce	rocks
rognons	Nieren	rognone	kidneys
rôti	gebraten	arrosto	roasted
rouget	Rotbarbe	triglia	red mullet
rue	Strasse	strada	street
rustique	rustikal, ländlich	rustico	rustic

S

saignant	englisch gebraten	al sangue	rare
Saint-Pierre (poisson)	Sankt-Petersfisch	sampietro (pesce)	John Dory (fish)
safran	Safran	zafferano	saffron
salle à manger	Speisesaal	sala da pranzo	dining-room
salle de bain	Badezimmer	stanza da bagno	bathroom
samedi	Samstag	sabato	Saturday
sandre	Zander	lucio perca	perch pike
sanglier	Wildschwein	cinghiale	wild boar
saucisse	Würstchen	salsiccia	sausage
saucisson	Trockenwurst	salame	sausage
sauge	Salbei	salvia	sage
saumon	Lachs	salmone	salmon
sculptures sur bois	Holzschnitzereien	sculture in legno	wood carvings
sec	trocken	secco	dry
sel	Salz	sale	salt
semaine	Woche	settimana	week
septembre	September	settembre	September
service compris	Bedienung inbegriffen	servizio incluso	service included
site, paysage	Landschaft	località, paesaggio	site, landscape
soir	Abend	sera	evening
sole	Seezunge	sogliola	sole
sucre	Zucker	zucchero	sugar
sur demande	auf Verlangen	a richiesta	on request
sureau	Holunder	sambuco	elderbarry

T

tarte	Torte	torta	tart
téléphérique	Luftseilbahn	funivia	cable car
télésiège	Sessellift	seggiovia	chair lift
thé	Tee	tè	tea
thon	Thunfisch	tonno	tuna
train	Zug	treno	train
train à crémaillère	Zahnradbahn	treno a cremagliera	rack railway
tripes	Kutteln	trippa	tripe
truffes	Trüffeln	tartufi	truffles
truite	Forelle	trota	trout
turbot	Steinbutt	rombo	turbot

V

vacances, congés	Ferien	vacanze	holidays
vallée	Tal	vallata	valley
vendredi	Freitag	venerdì	Friday
verre	Glas	bicchiere	glass
viande séchée	Trockenfleisch	carne secca	dried meats
vignes, vignoble	Reben, Weinberg	vite, vigneto	vines, vineyard
vin blanc sec	herber Weisswein	vino bianco secco	dry white wine
vin rouge, rosé	Rotwein, Rosé	vino rosso, rosato	red wine, rosé
vinaigre	Essig	aceto	vinegar
voiture	Wagen	machina	car
volaille	Geflügel	pollame	poultry
vue	Aussicht	vista	view

FRANÇAIS

→ Lexikon

→ Lexique (voir page 480)
→ Lessico (vedere p. 494)
→ Lexicon

DEUTSCH

A

	→	→	→
Abend	soir	sera	evening
Abfahrt	départ	partenza	departure
Äpfel	pommes	mele	apples
April	avril	aprile	April
Artischocke	artichaut	carciofo	artichoke
Arzt	docteur	dottore	doctor
auf Verlangen	sur demande	a richiesta	on request
Aufschnitt	charcuterie	salumi	pork butcher's meat
August	août	agosto	August
Ausflug	excursion	escursione	excursion
Auskünfte	renseignements	informazioni	information
Aussicht	vue	vista	view
Ausstellung	exposition	esposizione, mostra	exhibition, show
Austern	huîtres	ostriche	oysters
Austernpilze	pleurotes	gelone	oyster mushrooms
Auto	voiture	Vettura	car

B

	→	→	→
Badezimmer	salle de bain	stanza da bagno	bathroom
Bahnhof	gare	stazione	station
Bauernhaus	ferme	fattoria	farm
Bedienung inbegriffen	service compris	servizio incluso	service included
Bett	lit	letto	bed
bezahlen	payer	pagare	to pay
Bier	bière	birra	beer
Birnen	poires	pere	pears
Blätterteig	feuilletage	pasta sfoglia	puff pastry
Blumenkohl	chou-fleur	cavolfiore	cauliflower
Boot, Schiff	bateau	barca	ship
Bootssteg	ponton d'amarrage	pontile	jetty
Briefumschläge	enveloppes	buste	envelopes
Brot	pain	pane	bread
Brücke	pont	ponte	bridge
Burg, Schloss	château	castello	castle
Butter	beurre	burro	butter

C - D

	→	→	→
Dampfer	bateau à vapeur	batello a vapore	steamer
Denkmal	monument	monumento	monument

Dezember	décembre	dicembre	December
Diät	régime	dieta	diet
Dienstag	mardi	martedì	Tuesday
Donnerstag	jeudi	giovedì	Thursday

E

	→	→	→
Egli	perche	persico	perch
ehemalig, antik	ancien, antique	vecchio, antico	old, antique
Ei	œuf	uovo	egg
Einrichtung	agencement	installazione	installation
Eintrittskarte	billet d'entrée	biglietto d'ingresso	admission ticket
Einwohner	habitants	abitanti	residents, inhabitants
Endivie	endive	indivia	chicory
englisch gebraten	saignant	al sangue	rare
Ente, junge Ente	canard, caneton	anatra	duck
Erdbeeren	fraises	fragole	strawberries
Essig	vinaigre	aceto	vinegar

F

	→	→	→
Fähre	bac	traghetto	ferry
Fasan	faisan	fagiano	pheasant
Fasnacht	carnaval	carnevale	carnival
Februar	février	febbraio	February
Feiertage	jours fériés	festivi	bank holidays
Feingebäck, Kuchen	pâtisseries	pasticceria	pastries
Felchen	féra	coregone	dace
Felsen	roches, rochers	rocce	rocks
Fenchel	fenouil	finocchio	fennel
Ferien	vacances, congés	vacanze	holidays
Fisch	poisson	pesce	fish
Flasche	bouteille	bottiglia	bottle
Fleischbrühe	bouillon	brodo	clear soup
Flughafen	aéroport	aeroporto	airport
Flugzeug	avion	aereo	aeroplane
Fluss	fleuve, rivière	fiume	river
Flusskrebs	écrevisse	gambero	crayfish
Forelle	truite	trota	trout
fragen, bitten	demander	domandare	to ask for
Freitag	vendredi	venerdì	Friday
Fresken	fresques	affreschi	frescoes
fruchtig	fruité	fruttato	fruity
Fruchtsaft	jus de fruits	succo di frutta	fruit juice
Frühling	printemps	primavera	spring
Frühstück	petit déjeuner	prima colazione	breakfast
Fussgänger	piétons	pedoni	pedestrians

G

	→	→	→
Gämse	chamois	camoscio	chamois
Garten, Park	jardin, parc	giardino, parco	garden, park
Gasthaus	auberge	locanda	inn
gebacken	frit	fritto	fried
gebraten	rôti	arrosto	roasted

488

Geflügel	volaille	pollame	poultry
gefüllt	farci	farcito	stuffed
gegrillt	grillé	alla griglia	grilled
Geldwechsel	change	cambio	exchange
Gemäldegalerie	pinacothèque	pinacoteca	picture gallery
Gemüse	légumes	legume	vegetables
Gepäck	bagages	bagagli	luggage
geräuchert	fumé	affumicato	smoked
geschlossen	fermé	chiuso	closed
geschmort, mit Sauce	en daube, en sauce	stracotto, in salsa	stewed, with sauce
Geschnetzeltes	émincé	a fettine	thin slice
gestern	hier	ieri	yesterday
Glas	verre	bicchiere	glass
Gletscher	glacier	ghiacciaio	glacier
grüne Erbsen	petits pois	piselli	green peas
Gurke	concombre	cetriolo	cucumber
gut	bien, bon	bene, buono	good, well

H → → →

Hähnchen	poulet	pollo	chicken
Hartwurst	saucisson	salame	sausage
Hase	lièvre	lepre	hare
Haselnüsse, Nüsse	noisettes, noix	nocciole, noci	hazelnuts, nuts
Haus	maison	casa	house
Hecht	brochet	luccio	pike
Herbst	automne	autunno	autumn
Herrensitz	manoir	maniero	manor house
heute	aujourd'hui	oggi	today
Himbeeren	framboises	lamponi	raspberries
Hirsch	cerf	cervo	stag (venison)
Höhle	grotte	grotta	cave
Holunder	sureau	sambuco	elderbarry
Holzschnitzereien	sculptures sur bois	sculture in legno	wood carvings
Honig	miel	miele	honey
Hummer	homard	astice	lobster
Hund	chien	cane	dog

I - J → → →

im Freien	en plein air	all'aperto	outside
Ingwer	gingembre	zenzero	ginger
Jakobsmuschel	coquille Saint-Jacques	cappasanto	scallops
Januar	janvier	gennaio	January
Jugendstil	art-déco	art-déco, liberty	Art Deco
Juli	juillet	luglio	July
Juni	juin	giugno	June

K → → →

Kaffee	café	caffè	coffee
Kalbshirn	cervelle de veau	cervella di vitello	calf's brain
Kalbskotelett	côte de veau	costata di vitello	veal chop
Kalbsleber	foie de veau	fegato di vitello	calf's liver
Kalbsbries, Milken	ris de veau	animelle di vitello	sweetbread
Kaninchen	lapin	coniglio	rabbit
Kapern	câpres	capperi	capers

Karotten	carottes	carote	carrots
Karpfen	carpe	carpa	carp
Kartoffeln, Salz -	pommes de terre, - à l'eau	patate, bollite	potatoes, boiled
Käse	fromage	formaggio	cheese
Kasse	caisse	cassa	cash desk
Keule	gigue, cuissot	cosciotto	leg
Kinderbett	lit d'enfant	lettino	child's bed
Kirche	église	chiesa	church
Kirschen	cerises	ciliegie	cherries
Knoblauch	ail	aglio	garlic
Konfitüre	confiture	marmellata	jam
kräftig	corsé	robusto	full bodied
Krankenhaus	hôpital	ospedale	hospital
Kraut, Kohl	chou	cavolo	cabbage
Krevetten	crevettes	gamberetti	shrimps, prawns
Krustentiere	crustacés	crostacei	crustaceans
Kuchen	gâteau	dolce	cake
Küken	poussin	pulcino	young chicken
Kürbis	courge	zucca	pumpkin
Kutteln	tripes	trippa	tripe

L

	→	→	→
Lamm	agneau	agnello	lamb
Lachs	saumon	salmone	salmon
Land	campagne	campagna	country
Landschaft	site, paysage	località, paesaggio	site, landscape
Languste	langouste	aragosta	spiny lobster
Langustinen	langoustines	scampi	Dublin bay prawns
Lauch	poireau	porri	leek
leicht	léger	leggero	light
Linsen	lentilles	lenticchie	lentils
Luftseilbahn	téléphérique	funivia	cable car

M

	→	→	→
Mahlzeit	repas	pasto	meal
Mai	mai	maggio	May
Malereien, Gemälde	peintures, tableaux	dipinti, quadri	paintings
Mandeln	amandes	mandorle	almonds
Mangold	bette	bietola	chards
mariniert	mariné	marinato	marinated
März	mars	marzo	March
Meeresfrüchte	fruits de mer	frutti di mare	seafood
Meerrettich	raifort	rafano	horseradish
Messe, Ausstellung	foire	fiera	fair
Milch	lait	latte	milk
mild	doux	dolce	sweet, mild
Mineralwasser	eau minérale	acqua minerale	mineral water
mit Kohlensäure (Wasser)	eau gazeuse	acqua gasata	sparkling water
Mittwoch	mercredi	mercoledì	Wednesday
Montag	lundi	lunedì	Monday
Morcheln	morilles	spugnole (funghi)	morels
morgen	demain	domani	tomorrow
Mühle	moulin	mulino	mill
Muscheln	moules	cozze	mussels

490

N

	→	→	→
Nieren	rognons	rognone	kidneys
November	novembre	novembre	November
nur für Hotelgäste	résidents seulement	solo per clienti alloggiati	residents only
Nudeln	nouilles	fettucine	noodles

O

	→	→	→
Ochsenschwanz	queue de bœuf	coda di bue	oxtail
Oktober	octobre	ottobre	October
Olivenöl	huile d'olives	olio d'oliva	olive oil
Ostern	Pâques	pasqua	Easter

P

	→	→	→
paniertes Schnitzel	escalope panée	cotolet a alla milanese	escalope in breadcrumbs
Pass	col	passo	pass
Perlhuhn	pintade	faraona	guinea fowl
Pfannkuchen	crêpes	crespella	pancakes
Pfeffer	poivre	pepe	pepper
Pfifferlinge, Eierschwämme	girolles	gallinacci (funghi)	chanterelles
Pfirsiche	pêches	pesche	peaches
Pflaumen	prunes	prugne	plums
Pilze	champignons	funghi	mushrooms
Polizei	police	polizia	police
Polizeirevier	commissariat	commissariato	police headquarters
Postkarte	carte postale	cartolina postale	postcard

Q

	→	→	→
Quark	fromage blanc	formaggio fresco	curd cheese

R

	→	→	→
Rahm	crème	panna	cream
Rathaus	hôtel de ville, mairie	municipio	town hall
Reben, Weinberg	vignes, vignoble	vite, vigneto	vines, vineyard
Rebhuhn	perdrix, perdreau	pernice	partridge
Rebsorte	cépage	ceppo	grape variety
Rechnung	addition	conto	bill, check
Reh	chevreuil	capriolo	roe deer (venison)
Reifen	pneu	pneumatico	tyre
Reifenpanne	crevaison	foratura	puncture
Reis	riz	riso	rice
Reisebüro	agence de voyage	agenzia di viaggio	travel bureau
Rinderfilet	filet de bœuf	filetto di bue	fillet of beef
Rochen	raie	razza	skate
Rohkost	crudités	verdure crude	raw vegetables
Rosenkohl	chou de Bruxelles	cavolini di Bruxelles	Brussel sprouts
Rotbarbe	rouget	triglia	red mullet
Rotkraut	chou rouge	cavolo rosso	red cabbage
Rotwein, Rosé	vin rouge, rosé	vino rosso, rosato	red wine, rosé
Rundfahrt	circuit	circuito	round tour
rustikal, ländlich	rustique	rustico	rustic

S

Deutsch	→	→	→
Safran	safran	zafferano	saffron
Saibling	omble chevalier	salmerino	char
Salbei	sauge	salvia	sage
Salz	sel	sale	salt
Sammlung	collection	collezione	collection
Samstag	samedi	sabato	Saturday
Sankt-Petersfisch	Saint-Pierre (poisson)	sampietro (pesce)	John Dory (fish)
Sauerkraut	choucroute	crauti	sauerkraut
Sauerampfer	oseille	acetosella	sorrel
schattig	ombragé	ombreggiato	shaded
Schiffanlegestelle	débarcadère	pontile di sbarco	landing-wharf
Schinken	jambon (cru, cuit)	prosciutto	ham (raw, cokked)
(roh, gekocht)		(crudo, cotto)	
Schlüssel	clé	chiave	key
Schnecken	escargots	lumache	snails
Schnee	neige	neve	snow
Schneeketten	chaînes	catene da neve	snow chain
schön	beau	bello	fine, lovely
Schweinefilet	filet de porc	filetto di maiale	fillet of pork
Schweinekotelett	côte de porc	braciola di maiale	pork chop
Schwimmbad,	piscine,	piscina,	swimming pool,
Hallen -	- couverte	- coperta	in-door -
See	lac	lago	lake
Seeteufel	baudroie, lotte	pescatrice	angler fish, monkfish
Seewolf, Wolfsbarsch	loup de mer	branzino	sea bass
Seezunge	sole	sogliola	sole
Seilbahn	téléphérique	funivia	cable car
Sellerie	céleri	sedano	celery
Senf	moutarde	senape	mustard
September	septembre	settembre	Septembe
Sessellift	télésiège	seggiovia	chair lift
Siedfleisch	bœuf bouili	bollito di manzo	boiled beef
Skilift	remonte-pente	ski-lift	ski-lift
Sommer	été	estate	summer
Sonntag	dimanche	domenica	Sunday
Spargel	asperges	asparagi	asparagus
Spaziergang	promenade	passeggiata	walk
Speisesaal	salle à manger	sala da pranzo	dining-room
Spinat	épinards	spinaci	spinach
Steinbock	bouquetin	stambecco	ibex
Steinbutt	turbot	rombo	turbot
Steinpilze	cèpes, bolets	boleto	ceps
Stock, Etage	étage	piano	floor
Strand	plage	spiaggia	beach
Strasse	rue	strada	street

T

Deutsch	→	→	→
Tal	vallée	vallata	valley
Taube	pigeon	piccione	pigeon
Tee	thé	tè	tea
Thunfisch	thon	tonno	tuna
Tischbestellung	réservation	prenotazione	booking
Tischbestellung	nombre de couverts	coperti limitati-	booking essential
ratsam	limités	prenotare	
Torte	tarte	torta	tart

Traube	raisin	uva	grape
Trinkgeld	pourboire	mancia	tip
trocken	sec	secco	dry
trockener Weisswein	vin blanc sec	vino bianco secco	dry white wine
Trockenfleisch	viande séchée	carne secca	dried meats
Trüffeln	truffes	tartufi	truffles

U - V

→ → →

Ufer	rive, bord	riva	shore, river bank
verboten	interdit	vietato	prohibited
Verkehrsverein	office de tourisme	informazioni turistiche	tourist information office

W

→ → →

Wacholder	genièvre	coccola	juniper berry
Wachtel	caille	quaglia	partridge
Wald	forêt, bois	foresta, bosco	forest, wood
Wäscherei	blanchisserie	lavanderia	laundry
Wasserfälle	cascades, chutes	cascate	waterfalls
weich, gehaltvoll	moelleux	vellutato	mellow
weiches Ei	œuf à la coque	uovo à la coque	soft-boiled egg
Weihnachten	Noël	Natale	Christmas
weisse Rübe	navet	navone	turnip
wieviel ?	combien ?	quanto ?	how much ?
Wild	gibier	selvaggina	game
Wildschwein	sanglier	cinghiale	wild boar
Winter	hiver	inverno	winter
Wirtschaft	café-restaurant	ristorante-bar	café-restaurant
Woche	semaine	settimana	week
wöchentlich	hebdomadaire	settimanale	weekly
Würstchen	saucisse	salsiccia	sausage

Z

→ → →

Zahnradbahn	train à crémaillère	treno a cremagliera	rack railway
Zander	sandre	lucio perca	perch pike
Zeitung	journal	giornale	newspaper
Zicklein, Gitzi	chevreau, cabri	capretto	young goat
Zimmer	chambre	camera	room
Zimt	cannelle	cannella	cinnamon
Zitrone	citron	limone	lemon
zu vermieten	à louer	a noleggio	for hire
Zucchini	courgettes	zucchino	zucchini
Zucker	sucre	zucchero	sugar
Zuckerschoten	pois gourmands	taccole	mange tout
Zug	train	treno	train
Zunfthaus	maison corporative	sede corporativa	guild house
Zunge	langue	lingua	tongue
Zwetschge	quetsche	grossa susina	dark-red plum
Zwiebeln	oignons	cipolle	onions
Zwischenrippenstück	entrecôte	costata	sirloin steak

DEUTSCH

→ Lessico

→ Lexique (voir page 480)
→ Lexikon (siehe S. 487)
→ Lexicon

A

	→	→	→
a fettine	émincé	Geschnetzeltes	thin slice
a noleggio	à louer	zu vermieten	for hire
a richiesta	sur demande	auf Verlangen	on request
abitanti	habitants	Einwohner	residents, inhabitants
aceto	vinaigre	Essig	vinegar
acetosella	oseille	Sauerampfer	sorrel
acqua gasata	eau gazeuse	mit Kohlensäure (Wasser)	sparkling water
acqua minerale	eau minérale	Mineralwasser	mineral water
aereo	avion	Flugzeug	aeroplane
aeroporto	aéroport	Flughafen	airport
affreschi	fresques	Fresken	frescoes
affumicato	fumé	geräuchert	smoked
agenzia di viaggio	agence de voyage	Reisebüro	travel bureau
aglio	ail	Knoblauch	garlic
agnello	agneau	Lamm	lamb
agosto	août	August	August
al sangue	saignant	englisch gebraten	rare
all'aperto	en plein air	im Freien	outside
alla griglia	grillé	gegrillt	grilled
anatra	canard, caneton	Ente, junge Ente	duck
animelle di vitello	ris de veau	Kalbsbries, Milken	sweetbread
aprile	avril	April	April
aragosta	langouste	Languste	spiny lobster
arrosto	rôti	gebraten	roasted
art-déco, liberty	art-déco	Jugendstil	Art Deco
asparagi	asperges	Spargel	asparagus
astice	homard	Hummer	lobster
autunno	automne	Herbst	autumn

B

	→	→	→
bagagli	bagages	Gepäck	luggage
barca	bateau	Boot, Schiff	ship
battello a vapore	bateau à vapeur	Dampfer	steamer
bello	beau	schön	fine, lovely
bene, buono	bien, bon	gut	good, well
bicchiere	verre	Glas	glass
bietola	bette	Mangold	chards
biglietto d'ingresso	billet d'entrée	Eintrittskarte	admission ticket
birra	bière	Bier	beer
boleti	cèpes, bolets	Steinpilze	ceps
bollito di manzo	bœuf bouilli	Siedfleisch	boiled beef

ITALIANO

bottiglia	bouteille	Flasche	bottle
braciola di maiale	côte de porc	Schweinekotelett	pork chop
branzino	loup de mer	Seewolf, Wolfsbarsch	sea bass
brodo	bouillon	Fleischbrühe	clear soup
burro	beurre	Butter	butter
buste	enveloppes	Briefumschläge	envelopes

C → → →

caffè	café	Kaffee	coffee
cambio	change	Geldwechsel	exchange
camera	chambre	Zimmer	room
camoscio	chamois	Gämse	chamois
campagna	campagne	Land	country
cane	chien	Hund	dog
cannella	cannelle	Zimt	cinnamon
cappasanta	coquille Saint-Jacques	Jakobsmuschel	scallops
capperi	câpres	Kapern	capers
capretto	cabri, chevreau	Zicklein, Gitzi	young goat
capriolo	chevreuil	Reh	roe deer (venison)
carciofo	artichaut	Artischocke	artichoke
carne secca	viande séchée	Trockenfleisch	dried meats
carnevale	carnaval	Fasnacht	carnival
carote	carottes	Karotten	carrots
carpa	carpe	Karpfen	carp
cartolina postale	carte postale	Postkarte	postcard
casa	maison	Haus	house
cascate	cascades, chutes	Wasserfälle	waterfalls
cassa	caisse	Kasse	cash desk
castello	château	Burg, Schloss	castle
catene da neve	chaînes	Schneeketten	snow chain
cavolfiore	chou-fleur	Blumenkohl	cauliflower
cavolini di Bruxelles	chou de Bruxelles	Rosenkohl	Brussel sprouts
cavolo	chou	Kraut, Kohl	cabbage
cavolo rosso	chou rouge	Rotkraut	red cabbage
cervella di vitello	cervelle de veau	Kalbshirn	calf's brain
cervo	cerf	Hirsch	stag (venison)
cetriolo	concombre	Gurke	cucumber
chiave	clé	Schlüssel	key
chiesa	église	Kirche	church
chiuso	fermé	geschlossen	closed
ciliegie	cerises	Kirschen	cherries
cinghiale	sanglier	Wildschwein	wild boar
cipolle	oignons	Zwiebeln	onions
circuito	circuit	Rundfahrt	round tour
coda di bue	queue de bœuf	Ochsenschwanz	oxtail
collezione	collection	Sammlung	collection
commissariato	commissariat	Polizeirevier	police headquarters
coniglio	lapin	Kaninchen	rabbit
conto	addition	Rechnung	bill, check
coperti limitati-prenotare	nombre de couverts limités	Tichbestellung ratsam	booking essential
coregone	féra	Felchen	dace
costata	entrecôte	Zwischenrippenstück	sirloin steak
cosciotto	gigue, cuissot	Keule	leg

costata di vitello	côte de veau	Kalbskotelett	veal chop
cotoletta alla milanese	escalope panée	paniertes Schnitzel	escalope in breadcrumbs
cozze	moules	Muscheln	mussels
crauti	choucroute	Sauerkraut	sauerkraut
cremagliera	train à crémaillère	Zahnradbahn	rack railway
crespella	crêpes	Pfannkuchen	pancakes
crostacei	crustacés	Krustentiere	crustaceans

D → → →

dicembre	décembre	Dezember	December
dieta	régime	Diät	diet
dipinti, quadri	peintures, tableaux	Malereien, Gemälde	paintings
dolce	gâteau	Kuchen	cake
dolce	doux	mild	sweet, mild
domandare	demander	fragen, bitten	to ask for
domani	demain	morgen	tomorrow
domenica	dimanche	Sonntag	Sunday
dottore	docteur	Arzt	doctor

E → → →

escursione	excursion	Ausflug	excursion
esposizione, mostra	exposition	Ausstellung	exhibition, show
estate	été	Sommer	summer

F → → →

fagiano	faisan	Fasan	pheasant
faraona	pintade	Perlhuhn	guinea fowl
farcito	farci	gefüllt	stuffed
fattoria	ferme	Bauernhaus	farm
febbraio	février	Februar	February
fegato di vitello	foie de veau	Kalbsleber	calf's liver
festivi	jours fériés	Feiertage	bank holidays
fiera	foire	Messe, Ausstellung	fair
filetto di bue	filet de bœuf	Rinderfilet	fillet of beef
filetto di maiale	filet de porc	Schweinefilet	fillet of pork
finocchio	fenouil	Fenchel	fennel
fiume	fleuve, rivière	Fluss	river
foratura	crevaison	Reifenpanne	puncture
foresta, bosco	forêt, bois	Wald	forest, wood
formaggio	fromage	Käse	cheese
formaggio fresco	fromage blanc	Quark	curd cheese
fragole	fraises	Erdbeeren	strawberries
fritto	frit	fritiert	fried
fruttato	fruité	fruchtig	fruity
frutti di mare	fruits de mer	Meeresfrüchte	seafood
funghi	champignons	Pilze	mushrooms
funivia	téléphérique	Luftseilbahn	cable car

G → → →

gallinacci (funghi)	girolles	Pfifferlinge, Eierschwämme	chanterelles
gamberetti	crevettes	Krevetten	shrimps, prawns

gambero	écrevisse	Flusskrebs	crayfish
gelone	pleurotes	Austernpilze	oyster mushrooms
gennaio	janvier	Januar	January
ghiacciaio	glacier	Gletscher	glacier
giardino, parco	jardin, parc	Garten, Park	garden, park
ginepro	genièvre	Wacholder	juniper berry
giornale	journal	Zeitung	newspaper
giorni festivi	fêtes, jours fériés	Feiertage	bank holidays
giovedì	jeudi	Donnerstag	Thursday
giugno	juin	Juni	June
grossa susina	quetsche	Zwetschge	dark-red plum
grotta	grotte	Höhle	cave

I	→	→	→
ieri	hier	gestern	yesterday
indivia	endive	Endivie	chicory
informazioni	renseignements	Auskünfte	information
informazioni turistiche	office de tourisme	Verkehrsverein	tourist information office
installazione	agencement	Einrichtung	installation
inverno	hiver	Winter	winter

L	→	→	→
lago	lac	See	lake
lamponi	framboises	Himbeeren	raspberries
latte	lait	Milch	milk
lavanderia	blanchisserie	Wäscherei	laundry
leggero	léger	leicht	light
legume	légumes	Gemüse	vegetable
lenticchia	lentilles	Linsen	lentils
lepre	lièvre	Hase	hare
lettino	lit d'enfant	Kinderbett	child's bed
letto	lit	Bett	bed
limone	citron	Zitrone	lemon
lingua	langue	Zunge	tongue
località, paesaggio	site, paysage	Landschaft	site, landscape
locanda	auberge	Gasthaus	inn
luccio	brochet	Hecht	pike
luccio perca	sandre	Zander	perch pike
luglio	juillet	Juli	July
lumache	escargots	Schnecken	snails
lunedì	lundi	Montag	Monday

M	→	→	→
maggio	mai	Mai	May
mancia	pourboire	Trinkgeld	tip
mandorle	amandes	Mandeln	almonds
maniero	manoir	Herrensitz	manor house
marinato	mariné	mariniert	marinated
marmellata	confiture	Konfitüre	jam
martedì	mardi	Dienstag	Tuesday
marzo	mars	März	March
mele	pommes	Äpfel	apples
mercoledì	mercredi	Mittwoch	Wednesday

miele	miel	Honig	honey
monumento	monument	Denkmal	monument
morbido, cremoso	moelleux	weich, gehaltvoll	mellow
mulino	moulin	Mühle	mill
municipio	hôtel de ville, mairie	Rathaus	town hall

N → → →

Natale	Noël	Weihnachten	Christmas
navone	navet	weisse Rübe	turnip
neve	neige	Schnee	snow
nocciole, noci	noisettes, noix	Haselnüsse, Nüsse	hazelnuts, nuts
novembre	novembre	November	November

O → → →

oggi	aujourd'hui	heute	today
olio d'oliva	huile d'olives	Olivenöl	olive oil
ombreggiato	ombragé	schattig	shaded
ospedale	hôpital	Krankenhaus	hospital
ostriche	huîtres	Austern	oysters
ottobre	octobre	Oktober	October

P → → →

pagare	payer	bezahlen	to pay
pane	pain	Brot	bread
panna	crème	Rahm	cream
partenza	départ	Abfahrt	departure
Pasqua	Pâques	Ostern	Easter
passeggiata	promenade	Spaziergang	walk
passo	col	Pass	pass
pasticceria	pâtisseries	Feingebäck, Kuchen	pastries
pasto	repas	Mahlzeit	meal **patate**,
pommes de terre	Kartoffeln, Salz -	potatoes,	
- bollite	- à l'eau		boiled -
pedoni	piétons	Fussgänger	pedestrians
pepe	poivre	Pfeffer	pepper
pere	poires	Birnen	pears
pernice	perdrix, perdreau	Rebhuhn	partridge
persico	perche	Egli	perch
pescatrice	baudroie, lotte	Seeteufel	angler fish, monkfish
pesce	poisson	Fisch	fish
pesche	pêches	Pfirsiche	peaches
piano	étage	Stock, Etage	floor
piccione	pigeon, pigeonneau	Taube, junge Taube	pigeon
pinacoteca	pinacothèque	Gemäldegalerie	picture gallery
piscina,	piscine,	Schwimmbad,	swimming pool,
- coperta	- couverte	Hallen -	indoor -
piselli	petits pois	grüne Erbsen	green peas
pneumatico	pneu	Reifen	tyre
polizia	police	Polizei	police
pollame	volaille	Geflügel	poultry
pollo	poulet	Hähnchen	chicken
ponte	pont	Brücke	bridge

pontile	ponton d'amarrage	Bootssteg	jetty
pontile di sbarco	débarcadère	Schiffanlegestelle	landing-wharf
porro	poireau	Lauch	leek
prenotazione	réservation	Tischbestellung	booking
prima colazione	petit déjeuner	Frühstück	breakfast
primavera	printemps	Frühling	spring
prosciutto	jambon	Schinken	ham
(crudo, cotto)	(cru, cuit)	(roh, gekocht)	(raw, cokked)
prugne	prunes	Pflaumen	plums
pulcino	poussin	Küken	chick

Q - R → → →

quaglia	caille	Wachtel	partridge
quanto ?	combien ?	wieviel ?	how much ?
rafano	raifort	Meerrettich	horseradish
razza	raie	Rochen	skate
riso	riz	Reis	rice
ristorante-bar	café-restaurant	Wirtschaft	café-restaurant
riva	rive, bord	Ufer	shore, river bank
robusto	corsé	kräftig	full bodied
rocce	roches, rochers	Felsen	rocks
rognone	rognons	Nieren	kidneys
rombo	turbot	Steinbutt	turbot
rustico	rustique	rustikal, ländlich	rustic

S → → →

sabato	samedi	Samstag	Saturday
sala da pranzo	salle à manger	Speisesaal	dining-room
salame	saucisson	Hartwurst	sausage
sale	sel	Salz	salt
salmerino	omble chevalier	Saibling	char
salmone	saumon	Lachs	salmon
salsiccia	saucisse	Würstchen	sausage
salumi	charcuterie	Aufschnitt	pork butcher's meat
salvia	sauge	Salbei	sage
sambuco	sureau	Holunder	elderbarry
sampietro (pesce)	Saint-Pierre (poisson)	Sankt-Petersfisch	John Dory (fish)
scampi	langoustines	Langustinen	Dublin bay prawns
sculture in legno	sculptures sur bois	Holzschnitzereien	wood carvings
secco	sec	trocken	dry
sedano	céleri	Sellerie	celery
sede corporativa	maison corporative	Zunfthaus	guild house
seggiovia	télésiège	Sessellift	chair lift
Selvaggina	gibier	Wild	game
senape	moutarde	Senf	mustard
sera	soir	Abend	evening
servizio incluso	service compris	Bedienung inbegriffen	service included
settembre	septembre	September	September
settimana	semaine	Woche	week
settimanale	hebdomadaire	wöchentlich	weekly
sfoglia	feuilleté	Blätterteig	puff pastry
ski-lift	remonte-pente	Skilift	ski-lift
sogliola	sole	Seezunge	sole

solo per clienti alloggiati	résidents seulement	nur für Hotelgäste	residents only
spiaggia	plage	Strand	beach
spinaci	épinards	Spinat	spinach
spugnole (funghi)	morilles	Morcheln	morels
stambecco	bouquetin	Steinbock	ibex
stanza da bagno	salle de bain	Badezimmer	bathroom
stazione	gare	Bahnhof	station
stracotto, in salsa strada	en daube, en sauce rue	geschmort, mit Sauce Strasse	stewed, with sauce street
succo di frutta	jus de fruits	Fruchtsaft	fruit juice

T

	→	→	→
taccole	pois gourmands	Zuckerschoten	mange tout
tartufi	truffes	Trüffeln	truffles
tè	thé	Tee	tea
tonno	thon	Thunfisch	tuna
torta	tarte	Torte	tart
traghetto	bac	Fähre	ferry
treno	train	Zug	train
triglia	rouget	Rotbarbe	red mullet
trippa	tripes	Kutteln	tripe
trota	truite	Forelle	trout

U

	→	→	→
uovo à la coque	œuf à la coque	weiches Ei	soft-boiled egg
uva	raisin	Traube	grape

V

	→	→	→
vacanze	vacances, congés	Ferien	holidays
vallata	vallée	Tal	valley
vecchio, antico	ancien, antique	ehemalig, antik	old, antique
venerdì	vendredi	Freitag	Friday
verdure crude	crudités	Rohkost	raw vegetables
vettura	voiture	Auto	car
vietato	interdit	verboten	prohibited
vino bianco secco	vin blanc sec	herber Weisswein	dry white wine
vino rosso, rosato	vin rouge, rosé	Rotwein, Rosé	red wine, rosé
vista	vue	Aussicht	view
vite, vigneto	vignes, vignoble	Reben, Weinberg	vines, vineyard
vitigno	cépage	Rebsorte	grape variety

Z

	→	→	→
zafferano	safran	Safran	saffron
zenzero	gingembre	Ingwer	ginger
zucca	courge	Kürbis	pumpkin
zucchero	sucre	Zucker	sugar
zucchino	courgettes	Zucchini	zucchini

MICHELIN

Une collection à savourer!
Eine Kollektion zum Genießen!
Una collana da gustare!

Belgique • Belgïe & Luxembourg
Deutschland
España & Portugal
France
Great Britain & Ireland
Italia
Nederland • Netherlands
Suisse • Schweiz • Svizzera
Main Cities of Europe

Et aussi…Und auch…Ed anche:

New York City
Kyoto • Osaka • Kobe • Nara
Tokyo • Yokohama • Shonan
Hong Kong • Macau
Hokkaido
Chicago
London
Paris
San Francisco

Cartes régionales

→ Regionalkarten

→ Carte regionali

→ Regional maps

➜ Distances

QUELQUES PRÉCISIONS

Au texte de chaque localité vous trouverez la distance des villes environnantes et celle de Berne.

Les distances sont comptées à partir du centre-ville et par la route la plus pratique, c'est-à-dire celle qui offre les meilleures conditions de conduite, mais qui n'est pas nécessairement la plus courte.

➜ Entfernungen

EINIGE ERKLÄRUNGEN

In jedem Ortstext finden Sie Entfernungen zu grösseren Städten in der Umgebung und nach Bern.

Die Entfernungen gelten ab Stadtmitte unter Berücksichtigung der günstigsten (nicht kürzesten) Strecke.

➜ Distanze

QUALCHE PRECISAZIONE

Nel testo di ciascuna località troverete la distanza dalle città vicine, e da Berna.

Le distanze sono calcolate a partire dal centro delle città e seguendo la strada più pratica, ossia quella che offre le migliori condizioni di viaggio, ma che non è necessariamente la più breve.

➜ Distances

COMMENTARY

The text of each town includes its distance from its immediate neighbours and from Bern.

Distances are calculated from centres and along the best roads from a motoring point of view - not necessarily the shortest.

- Distances entre principales villes
- Entfernungen zwischen den grösseren Städten
- Distanze tra le principali città
- Distances between major towns

Genève - Winterthur: 299 km

	Aar	Baden	Basel	Bellinzona	Bern	Biel/Bienne	Brig	La-Chaux-de-Fonds	Chur	Davos	Delémont	Frauenfeld	Fribourg	Genève	Lausanne	Locarno	Lugano	Luzerne	Martigny	Montreux	Morges	Neuchâtel	Nyon	Olten	St-Gallen	Schaffhausen	Schwyz	Sierre	Sion	Solothurn	Thun	Vevey	Winterthur	Yverdon-les-Bains	Zug
Baden	28																																		
Basel	56	65																																	
Bellinzona	190	193	237																																
Bern	84	106	98	252																															
Biel/Bienne	76	98	91	245	43																														
Brig	199	202	246	161	208	247																													
La-Chaux-de-Fonds	116	138	102	284	70	52	235																												
Chur	167	145	204	116	244	237	171	275																											
Davos	195	173	232	136	272	265	228	304	59																										
Delémont	77	99	42	246	93	49	255	58	237	266																									
Frauenfeld	88	66	125	230	165	158	239	197	149	178	158																								
Fribourg	117	139	132	285	38	77	177	66	277	306	126	198																							
Genève	237	259	251	405	158	156	213	142	397	426	203	318	139																						
Lausanne	184	205	198	352	105	106	149	93	344	373	153	265	74	64																					
Locarno	210	213	257	20	272	265	109	304	138	158	266	250	302	318	254																				
Lugano	218	221	264	30	280	272	184	311	145	165	273	257	309	372	380	43																			
Luzerne	51	67	97	141	113	105	150	144	143	172	106	104	142	266	213	165	169																		
Martigny	210	231	224	241	130	169	82	158	252	399	219	290	100	135	71	187	283	238																	
Montreux	169	191	183	337	90	129	120	117	329	358	178	250	59	94	30	225	321	198	43																
Morges	187	208	201	355	108	105	162	92	347	376	153	268	88	51	14	268	383	215	85	45															
Neuchâtel	108	130	123	277	51	33	217	20	268	298	77	189	44	124	74	300	304	137	140	99	74														
Nyon	215	237	229	383	136	134	191	120	375	404	181	296	117	28	42	296	411	244	114	73	29	102													
Olten	15	46	50	195	68	60	204	99	185	214	61	105	97	221	168	219	223	55	193	153	171	93	200												
St-Gallen	129	107	167	221	207	199	246	238	107	136	199	48	236	360	307	247	251	145	332	291	309	231	339	147											
Schaffhausen	95	73	98	237	172	165	246	204	156	185	131	40	202	325	273	261	265	111	298	257	275	197	305	113	83										
Schwyz	97	76	135	122	151	144	131	182	116	145	144	112	181	304	251	145	150	46	277	236	254	176	283	93	116	119									
Sierre	250	272	265	199	171	210	39	199	210	267	259	331	141	175	112	144	240	189	45	83	125	180	155	236	373	338	170								
Sion	235	257	250	215	156	195	55	184	225	283	244	316	126	160	97	160	256	264	29	67	110	165	140	221	358	323	186	18							
Solothurn	55	77	70	223	45	26	248	65	215	244	36	136	75	181	131	247	251	84	171	130	131	58	161	40	177	143	122	211	196						
Thun	108	130	123	189	30	68	143	102	239	268	117	189	66	189	136	213	217	97	162	121	139	82	169	93	230	196	136	67	187	69					
Vevey	165	187	180	334	86	125	129	114	326	355	174	246	56	90	20	234	362	194	52	7	40	95	70	151	288	253	232	92	77	126	120				
Winterthur	69	47	106	211	146	139	220	177	129	158	139	19	176	299	246	234	238	85	272	231	249	171	278	86	61	29	93	312	297	117	172	227			
Yverdon-les-Bains	155	176	169	323	76	70	182	57	315	344	118	236	50	88	38	287	351	184	104	64	38	38	68	140	277	242	221	144	130	96	109	60	217		
Zug	71	49	108	145	136	129	154	167	118	147	129	85	165	289	236	168	173	31	261	221	239	161	268	78	127	92	27	193	208	107	127	217	67	206	
Zürich	48	27	86	178	126	118	187	157	120	149	119	45	155	279	226	202	206	52	251	211	229	150	258	66	87	52	60	226	276	97	152	207	27	196	34

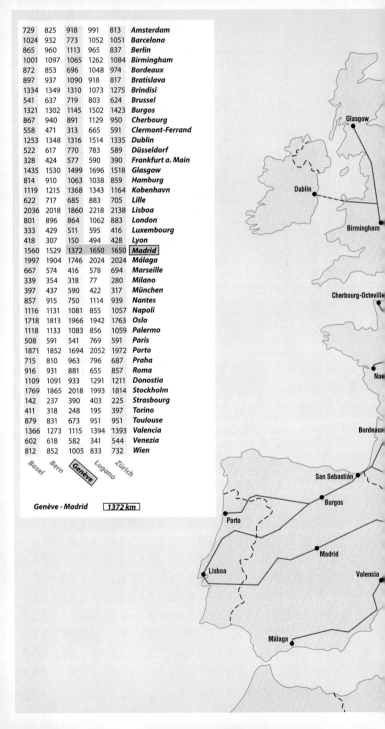

Basel	Bern	Genève	Lugano	Zürich	
729	825	918	991	813	*Amsterdam*
1024	932	773	1052	1051	*Barcelona*
865	960	1113	965	837	*Berlin*
1001	1097	1065	1262	1084	*Birmingham*
872	853	696	1048	974	*Bordeaux*
897	937	1090	918	817	*Bratislava*
1334	1349	1310	1073	1275	*Brindisi*
541	637	719	803	624	*Brussel*
1321	1302	1145	1502	1423	*Burgos*
867	940	891	1129	950	*Cherbourg*
558	471	313	665	591	*Clermont-Ferrand*
1253	1348	1316	1514	1335	*Dublin*
522	617	770	783	589	*Düsseldorf*
328	424	577	590	390	*Frankfurt a. Main*
1435	1530	1499	1696	1518	*Glasgow*
814	910	1063	1038	859	*Hamburg*
1119	1215	1368	1343	1164	*Kobenhavn*
622	717	685	883	705	*Lille*
2036	2018	1860	2218	2138	*Lisboa*
801	896	864	1062	883	*London*
333	429	511	595	416	*Luxembourg*
418	307	150	494	428	*Lyon*
1560	1529	1372	1650	1650	*Madrid*
1997	1904	1746	2024	2024	*Málaga*
667	574	416	578	694	*Marseille*
339	354	318	77	280	*Milano*
397	437	590	422	317	*München*
857	915	750	1114	939	*Nantes*
1116	1131	1081	855	1057	*Napoli*
1718	1813	1966	1942	1763	*Oslo*
1118	1133	1083	856	1059	*Palermo*
508	591	541	769	591	*Paris*
1871	1852	1694	2052	1972	*Porto*
715	810	963	796	687	*Praha*
916	931	881	655	857	*Roma*
1109	1091	933	1291	1211	*Donostia*
1769	1865	2018	1993	1814	*Stockholm*
142	237	390	403	225	*Strasbourg*
411	318	248	195	397	*Torino*
879	831	673	951	951	*Toulouse*
1366	1273	1115	1394	1393	*Valencia*
602	618	582	341	544	*Venezia*
812	852	1005	833	732	*Wien*

Genève - Madrid   1372 km

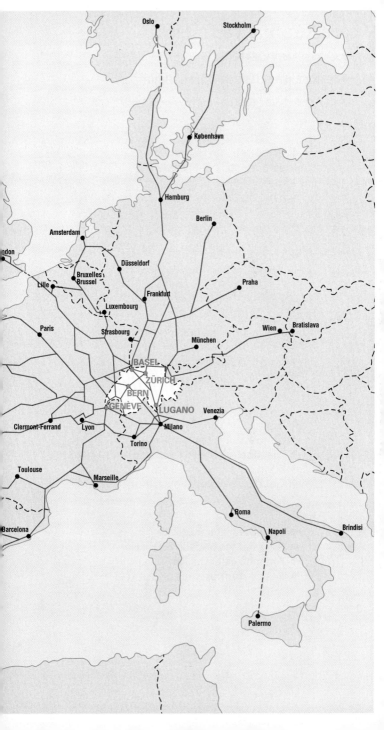

Localité offrant au moins...

→ Ort mit mindestens...

→ La località possiede come minimo...

→ Place with a least...

- → un hôtel ou un restaurant
  → einem Hotel oder Restaurant
  → un hotel o un ristoranti
  → a hotel or a restaurant

❀ → Les étoiles
  → Die Sterne
  → Le stelle
  → The stars

Bib Gourmand
→ Repas soignés à prix modérés
→ Gute Küche zu moderaten Preisen
→ Pasti accurati a prezzi contenuti
→ Good food at moderate prices

Bib Hôtel
→ Bonnes nuits à petits prix
→ Hier übernachten Sie gut und preiswert
→ Soggiorno di qualità a prezzo contenuto
→ Good accommodation at moderate prices

→ Agrément et tranquillité
→ Angenehme und ruhige Häuser
→ Amenità e tranquillità
→ Peaceful atmosphere and setting

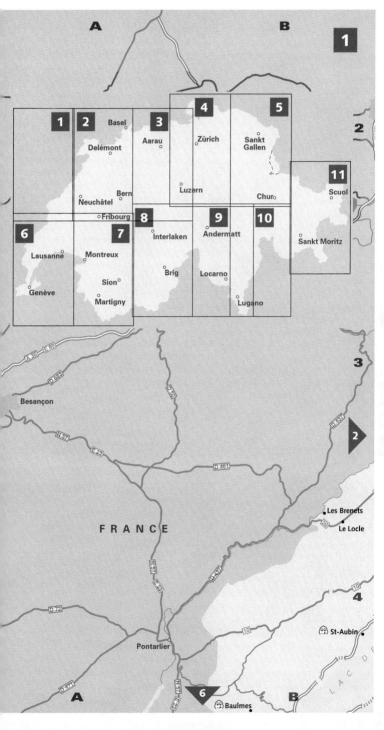

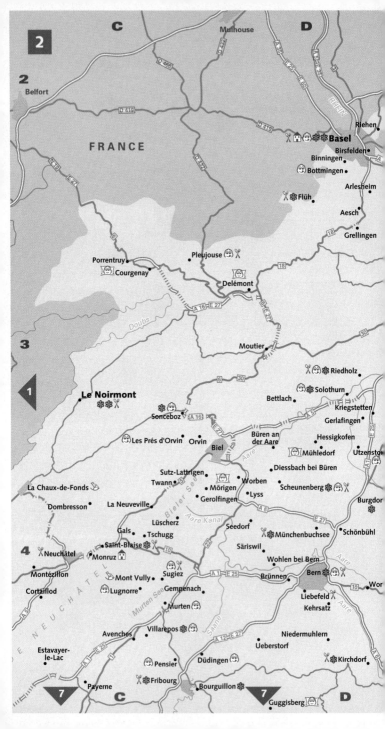

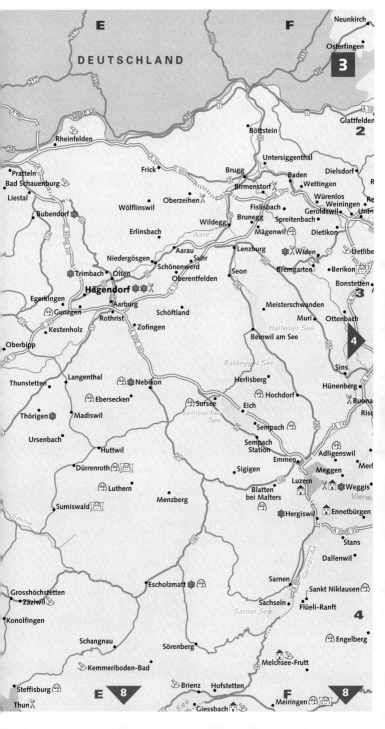

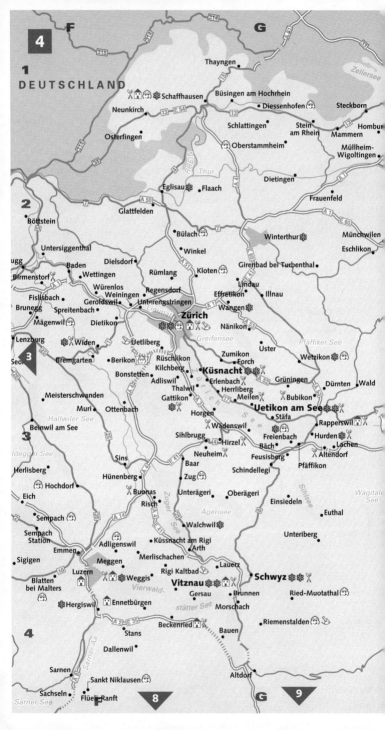

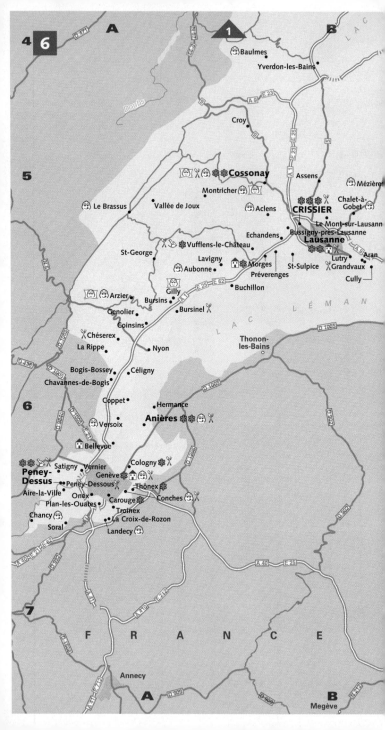

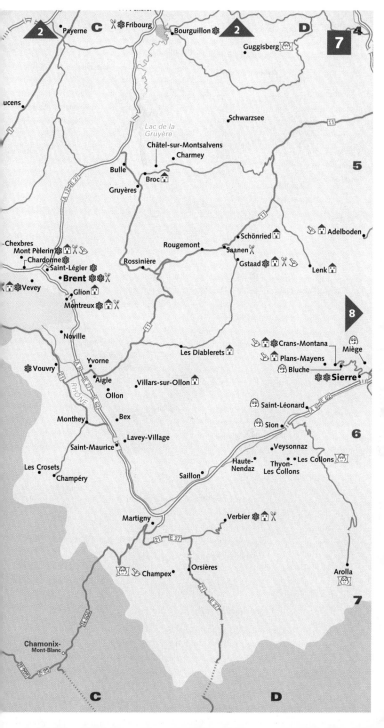

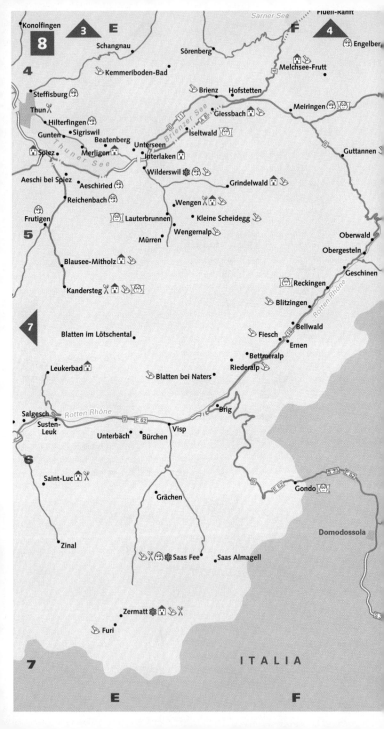

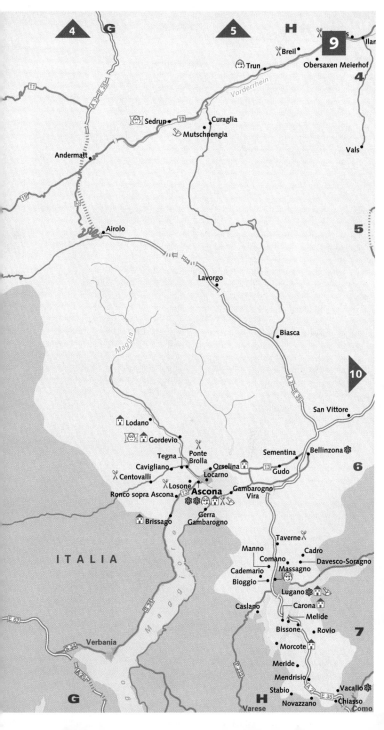

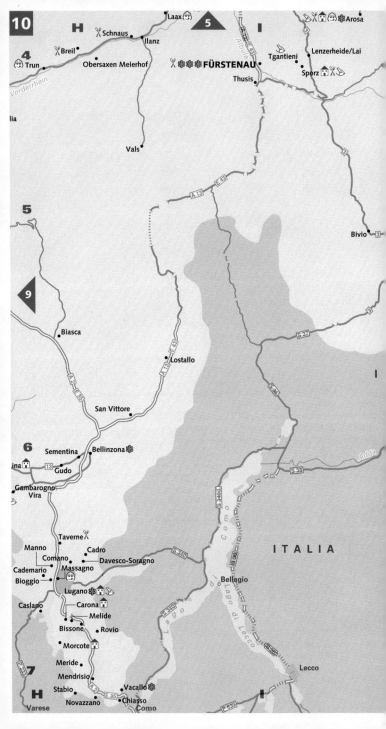

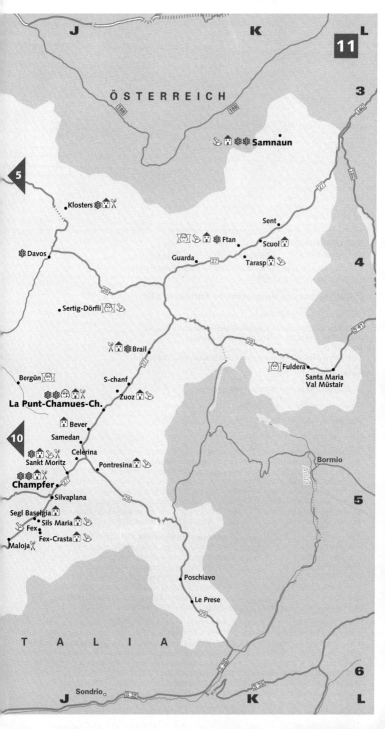

Michelin Travel Partner

Société par actions simplifiées au capital de 11 288 880 EUR

27 Cours de l'Île Seguin - 92100 Boulogne Billancourt (France)

R.C.S. Nanterre 433 677 721

© **Michelin et Cie, Propriétaires-Éditeurs 2013**

Dépôt légal novembre 2013

**Toute reproduction, même partielle et quel qu'en soit le support
est interdite sans autorisation préalable de l'éditeur**

**« Reproduit avec l'autorisation de swisstopo
(Direction fédérale des mensurations cadastrales) (VA072237) »**

Printed in Italy 10-2013

Sur du papier issu de forêts gérées durablement.

Compogravure : JOUVE, Saran (France)

Imprimeur et brocheur : LA TIPOGRAFICA VARESE, Varese (Italie)

Population : « Source : Office fédéral de la statistique, site Web Statistique suisse »

L'équipe éditoriale a apporté le plus grand soin à la rédaction de ce guide et à sa vérification. Toutefois, les informations pratiques (formalités administratives, prix, adresses, numéros de téléphone, adresses Internet...) doivent être considérées comme des indications du fait de l'évolution constante de ces données : il n'est pas totalement exclu que certaines d'entre elles ne soient plus, à la date de parution du guide, tout à fait exactes ou exhaustives. Avant d'entamer toutes démarches (formalités administratives et douanières notamment), vous êtes invités à vous renseigner auprès des organismes officiels. Ces informations ne sauraient de ce fait engager notre responsabilité.

Unser Redaktionsteam hat die Informationen für diesen Führer mit größter Sorgfalt zusammengestellt und überprüft. Trotzdem ist jede praktische Information (offizielle Angaben, Preise, Adressen, Telefonnummern, Internetadressen etc.) Veränderungen unterworfen und kann daher nur als Anhaltspunkt betrachtet werden. Es ist nicht auszuschließen, dass einige Angaben zum Zeitpunkt des Erscheinens des Führers nicht mehr korrekt oder komplett sind. Bitte fragen Sie daher zusätzlich bei der zuständigen offiziellen Stelle nach den genauen Angaben (insbesondere in Bezug auf Verwaltungs- und Zollformalitäten). Eine Haftung können wir in keinem Fall übernehmen.

I dati e le indicazioni contenuti in questa guida, sono stati verificati e aggiornati con la massima cura. Tuttavia alcune informazioni (prezzi, indirizzi, numeri di telefono, indirizzi internet...) possono perdere parte della loro attualità a causa dell'incessante evoluzione delle strutture e delle variazioni del costo della vita: non è escluso che alcuni dati non siano più, all'uscita della guida, esatti o esaustivi. Prima di procedere alle eventuali formalità amministrative e doganali, siete invitati ad informarvi presso gli organismi ufficiali. Queste informazioni non possono comportare responsabilità alcuna per eventuali involontari errori o imprecisioni.